Cardinal de Retz

Mémoires

II
(1650-1655)

Ouvrage publié avec le concours
du Centre National des Lettres

Editions Garnier
8, rue Garancière
PARIS

© Garnier, 1987
ISBN 2-7370-0285-0

Mémoires

II

(1650-1655)

Texte établi
avec introduction,
chronologie, notes,
choix de variantes,
orientation bibliographique,
glossaire
et index

par

Simone Bertière

Maître de Conférences à l'Université de Bordeaux III

L E premier janvier, Mme de Chevreuse, qui revoyait la Reine depuis le retour du Roi à Paris, et qui avait conservé, même dans ses[a] disgrâces, une espèce d'*habitude incompréhensible avec elle, alla au Palais-Royal, et le Cardinal l'attirant dans une croisée du petit cabinet de la Reine, lui dit : « Vous aimez la Reine ? est-il possible que vous ne lui puissiez donner vos amis ? — Le moyen ? lui répondit-elle. La Reine n'est plus reine : elle est très humble servante de Monsieur le Prince. — Mon Dieu ! reprit le Cardinal en se frottant le front, si l'on se pouvait assurer des gens, on ferait bien des choses ; mais M. de Beaufort est à Mme de Montbazon, et Mme de Montbazon est à Vineuil, et le coadjuteur… » En me nommant, il se prit à rire[b] : « Je vous entends, dit Mme de Chevreuse, je vous réponds de lui et d'elle. » Voilà comme cette conversation s'entama. Le Cardinal fit un signe de tête à la Reine qui fit voir à Mme de Chevreuse que la proposition avait été concertée. Elle en eut une assez[c] longue, dès le soir même, avec la Reine, qui lui [donna] un billet écrit et signé de sa main.

« Je ne puis croire, nonobstant le passé et présent, que Monsieur le Coadjuteur ne soit à moi. Je le prie que je le puisse voir sans que personne le sache que Mme et Mlle de Chevreuse. Ce nom sera sa sûreté.

« Anne. »

Mme de Chevreuse me trouva chez elle au retour du Palais-Royal, et je m'aperçus *d'abord qu'elle avait quelque chose à me dire, parce que Mlle de Chevreuse à qui elle avait donné le mot en carrosse, en revenant, me tâta beaucoup sur les dispositions où je serais en cas que le Mazarin voulût un accommodement avec moi. Je ne fus pas longtemps dans le doute de la tentative, parce que Mlle de

Chevreuse, qui n'osait me parler ouvertement devant sa mère, me serra la main, en faisant semblant de ramasser son manchon, pour me faire connaître qu'elle ne me parlait pas d'elle-même. Ce qui faisait craindre à Mme de Chevreuse que je n'y voulusse pas donner, était que, quelque temps auparavant, j'avais rompu malgré elle une négociation que Ondedei avait fait proposer à Noirmoutier par Mme d'Ampus ; et Laigue, qui en avait été en colère contre moi, me dit, six jours après, que j'avais admirablement bien fait et qu'il savait de science certaine que si Noirmoutier eût été la nuit chez la Reine, comme Ondedei lui proposait, la partie était faite pour faire mettre derrière une tapisserie le maréchal de Gramont, afin qu'il pût faire voir à Monsieur le Prince que les Frondeurs, qui lui rendaient leurs devoirs et qui l'assuraient tous les jours de leurs services, étaient des trompeurs.

Il n'y avait que cinq ou six semaines que cette comédie avait été préparée, et vous jugez aisément que, par la même considération par laquelle Mme de Chevreuse appréhendait que j'en craignisse le second acte, je pouvais avoir peine à le jouer. Je n'y balançai toutefois pas, après en avoir pesé toutes les circonstances, entre lesquelles celle qui me persuada le plus qu'il y avait de la sincérité en la colère de la Reine contre Monsieur le Prince, fut que je savais de science certaine qu'elle se prenait à Monsieur le Prince, et, à mon opinion, avec fondement, d'une *galanterie que Jarzé avait voulu faire croire à tout le monde avoir avec elle.[a] Il ne tint pas à Mlle de Chevreuse de m'empêcher de tenter l'aventure dans laquelle elle croyait que l'on me ferait périr, et quoiqu'elle n'eût pas voulu d'abord témoigner son sentiment devant Madame sa mère, elle ne se put contenir après. Je l'obligeai enfin à y consentir, et je fis cette réponse à la Reine :

« Il n'y a jamais eu de moment dans ma vie, dans lequel je n'aie été également à Votre Majesté. Je serais trop heureux de mourir pour son service, pour songer à ma sûreté. Je me rendrai où elle me commandera. »[b]

J'enveloppai son billet dans le mien. Mme de Chevreuse lui porta ma réponse le lendemain, qui fut reçue admirablement.

L'on prit heure, et je me trouvai à minuit au cloître de Saint-Honoré, où Gaboury, porte-manteau de la Reine, me vint prendre et me mena, par un escalier dérobé, au petit oratoire où elle était toute seule enfermée. Elle me témoigna toutes les bontés que la haine qu'elle avait contre Monsieur le Prince lui pouvait inspirer, et que l'attachement qu'elle avait pour M. le cardinal Mazarin lui pouvait permettre. Le dernier me parut encore au-dessus de l'autre. Je crois qu'elle me répéta vingt fois ces paroles : « Le pauvre Monsieur le Cardinal ! » en me parlant de la guerre civile et de l'amitié qu'il avait pour moi. Il entra une demi-heure après. Il supplia la Reine de lui permettre qu'il manquât au respect qu'il lui devait pour m'embrasser devant elle. Il fut au désespoir de ce qu'il ne pouvait pas me donner, sur l'heure même, son bonnet[1], et me parla tant de grâces, de récompenses et de bienfaits, que je fus obligé de m'expliquer, quoique j'eusse résolu de ne le pas faire pour la première fois, n'ignorant pas que rien ne jette plus de défiance dans les réconciliations nouvelles, que l'aversion que l'on témoigne à être obligé à ceux avec lesquels on se réconcilie. Je répondis à Monsieur le Cardinal que l'honneur de servir la Reine faisait la récompense la plus signalée que je dusse jamais espérer, quand même j'aurais sauvé la couronne ; que je la suppliais très humblement de ne me donner jamais que celle-là, afin que j'eusse au moins la satisfaction de lui faire connaître qu'elle était la seule que j'estimais et qui me pût être sensible.

Monsieur le Cardinal prit la parole, et supplia la Reine de me commander de recevoir la nomination au cardinalat, que La Rivière, ajouta-t-il, a arrachée avec insolence, et qu'il a reconnue par une perfidie. Je m'en excusai, en disant que je m'étais promis à moi-même, par une espèce de vœu, de n'être jamais cardinal par aucun moyen qui pût avoir le moindre rapport à la guerre civile, dans laquelle la seule nécessité m'ayant jeté, j'avais trop d'intérêts de faire connaître à la Reine même qu'il n'y avait point d'autre motif qui m'eût séparé de son service. Je me défis sur ce même fondement de toutes les autres propositions qu'il me fit pour le paiement de mes dettes, pour la charge de grand aumônier, pour l'abbaye d'Orkan[2]. Et comme il insista, soutenant toujours que la Reine ne pouvait pas s'empêcher de faire quelque chose pour moi qui fût d'éclat, dans le service considérable que j'étais sur le point de lui rendre, je lui dis : « Il y a un point, Monsieur, sur lequel la Reine me peut faire plus de bien que si elle me donnait la tiare. Elle me vient de dire qu'elle veut faire arrêter Monsieur le Prince [1] : la prison ne peut ni ne doit être éternelle à un homme de son rang et de son mérite. Quand il en sortira, envenimé contre moi, ce me sera un malheur ; mais j'ai quelque lieu d'espérer que je le pourrai soutenir par ma dignité. Il y a beaucoup de gens de qualité qui sont engagés avec moi et qui serviront la Reine en cette occasion. Si il plaisait, Madame, à Votre Majesté de confier à l'un d'eux quelque place de considération, je lui serais sans comparaison plus obligé que de dix chapeaux de cardinal. » Le Cardinal ne balança pas, il dit à la Reine qu'il n'y avait rien de plus juste, et que le détail en était à concerter entre lui et moi. La Reine me demanda ensuite ma parole de ne me point ouvrir avec M. de Beaufort du dessein d'arrêter Monsieur le Prince, jusques au jour de l'exécution, parce que Mme de Montbazon, à qui il le découvrirait assurément, ne manquerait jamais de le dire à Vineuil, qui était tout de l'hôtel de Condé. Comme Mme de Chevreuse m'avait déjà fait le même discours, par l'ordre de la Reine, je m'y étais préparé. Je lui répondis qu'un secret de cette nature, fait à M. de Beaufort, dans une occasion où nos intérêts étaient si unis, me déshonorerait dans le monde, si je n'en *récompensais le manquement par quelque service signalé ; que je suppliais Sa Majesté de me permettre de lui dire que la surintendance des mers, qui avait été promise à cette maison dès les premiers jours de la Régence, ferait un merveilleux effet dans le monde. Monsieur le Cardinal reprit le mot brusquement, en me disant : « Elle a été promise au père et au fils aîné. » A quoi je lui repartis que le cœur me disait que le fils aîné ferait une alliance qui le mettrait beaucoup au-dessus de la surintendance des mers [2]. Il sourit et dit à la Reine qu'il accommoderait encore cette affaire avec moi.

J'eus une seconde conférence avec la Reine et avec lui, au même lieu et à la même heure, à laquelle je fus introduit par M. de Lionne. J'en eus trois avec lui seul, dans son cabinet, au Palais-Royal, dans lesquelles Noirmoutier et Laigue se trouvèrent, parce que Mme de Chevreuse *affecta d'y faire entrer le second[a], qu'il eût été ridicule, pour toutes raisons, d'y mettre sans le premier. L'on convint, dans ces conversations, que M. de Vendôme aurait la surintendance des mers ; M. de Beaufort en aurait la *survivance ; que M. de Noirmoutier aurait le gouvernement de Charleville et de Mont-Olympe, dont vous connaîtrez l'importance dans la suite, et qu'il aurait aussi des lettres de duc ; que M. de Laigue serait capitaine des gardes de Monsieur ; que M. le chevalier de Sévigné aurait vingt-deux mille livres ; que M. de Brissac aurait permission de *récompenser le gouvernement d'Anjou, à tel prix et avec un brevet de retenue[1] pour toute la somme. Il fut résolu que l'on arrêterait Monsieur le Prince, M. le prince de Conti et M. de Longueville. Quoique ce dernier ne m'eût pas rendu, dans la dernière occasion de ce procès criminel, tous les bons offices auxquels je croyais qu'il était obligé, je n'oubliai rien pour le tirer du *pair ; je m'offris d'être sa caution, je contestai jusqu'à l'opiniâtreté, et je ne me rendis qu'après que le Cardinal m'eut montré un billet écrit de la main de La Rivière à Flammarens, où je lus ces propres mots :

« Je vous remercie de votre avis ; mais je suis aussi assuré de M. de Longueville que vous l'êtes de M. de La Rochefoucauld : les paroles sacramentales sont dites. »

Le Cardinal s'étendit, à ce propos, sur l'infidélité de La Rivière, dont il nous dit un détail qui, en vérité, faisait horreur. « Cet homme croit, ajouta-t-il, que je sois la plus grosse bête du monde et qu'il sera demain cardinal. J'ai eu le plaisir de lui faire aujourd'hui essayer des étoffes rouges qu'on m'a apportées d'Italie, et de les approcher de son visage, pour voir ce qui y revenait le mieux, ou de la couleur du feu ou du *nacarat. » J'ai su depuis à Rome que, quelque perfidie que La Rivière eût faite au Cardinal, celui-ci n'était pas en reste. Le propre jour qu'il l'eut fait nommer par le Roi, il écrivit au cardinal Sachetti une lettre, que j'ai vue, bien plus capable de jaunir[2] son chapeau que de le rougir. Cette lettre était toutefois toute pleine de tendresse pour lui, ce qui était le vrai moyen de le perdre auprès d'Innocent X, qui haïssait si mortellement le Cardinal, qu'il avait même de l'horreur pour tous ses amis.

Dans la seconde conférence que nous eûmes en présence de la Reine, l'on agita fort les moyens de faire consentir Monsieur à la prison de Messieurs les Princes. La Reine disait qu'il n'y aurait nulle peine ; qu'il en était terriblement fatigué ; qu'il était, de plus, très las de La Rivière, parce qu'il était fort bien informé qu'il s'était donné corps et âme à Monsieur le Prince. Le Cardinal n'était pas tout à fait si persuadé que la Reine des dispositions de Monsieur. Mme de Chevreuse se chargea de le sonder. Il avait naturellement inclination pour elle. Elle trouva *jour, elle s'en servit fort habilement ; elle lui fit croire que la Reine ne pouvait être *emportée que par lui en une résolution de cette nature, quoique dans le fond elle fût très mal satisfaite de Monsieur le Prince. Elle lui *exagéra le grand avantage que ce lui serait de ramener au service du Roi une faction aussi puissante que celle de la Fronde ; elle lui marqua, comme insensiblement et sans affectation, l'effroyable péril où l'on était tous les jours de voir Paris à feu et à sang. Je suis persuadé, et elle le fut aussi bien que moi, que cette dernière raison le toucha pour le moins autant que les autres, car il tremblait de peur toutes les fois qu'il venait au Palais ; et il y eut des journées où il fut impossible à Monsieur le Prince de l'y mener. L'on appelait cela *les accès de la colique de Son Altesse Royale*[1]. Sa frayeur n'était pas toutefois sans sujet. Si un laquais se fût avisé de tirer l'épée, nous eussions tous été tués en moins d'un quart d'heure ; et ce qui est rare est que, si cette occasion fût arrivée entre le premier jour de janvier et le dix-huitième, ceux qui nous eussent égorgés eussent été ceux-là mêmes avec lesquels nous étions d'accord, parce que tous les *officiers de la maison du Roi, de celle de la Reine et de celle de Monsieur étaient persuadés qu'ils faisaient très bien leur cour d'accompagner *réglément tous les jours Messieurs les Princes au Palais.

Je n'ai jamais pu m'imaginer la raison pour laquelle le Cardinal lanterna proprement les cinq ou six derniers jours qui précédèrent cette exécution. Laigue et Noirmoutier se mirent dans la tête qu'il le faisait à dessein, dans l'espérance que nous nous massacrerions, Monsieur le Prince et nous, dans le Palais ; mais outre que, si il eût eu cette pensée, il lui eût été très facile de la faire réussir, en apostant deux hommes qui eussent commencé la noise, je crois qu'il l'appréhendait pour le moins autant que nous, parce qu'il ne pouvait pas douter qu'il n'y avait point d'asile assez sacré pour le sauver lui-même d'une pareille catastrophe. J'ai toujours attribué, en mon particulier, à son irrésolution naturelle ce délai, que je confesse avoir pu et *dû même produire de grands inconvénients. Ce secret, qui fut gardé entre dix-sept personnes, est un de ceux qui m'a persuadé de ce que je vous ai dit quelquefois et de ce que j'ai déjà marqué en cet ouvrage, que parler trop n'est pas le défaut le plus commun des gens qui sont accoutumés aux grandes affaires. Ce qui me donna une grande inquiétude en ce temps-là : je connaissais Noirmoutier pour l'homme du monde le moins secret.

Le 18 de janvier, Laigue ayant pressé au dernier point Lionne pour l'exécution, dans une conférence qu'il eut la nuit avec lui, le Cardinal la résolut à midi. Il avait fait croire, dès la veille, à Monsieur le Prince qu'il avait un avis certain que Parain des Coutures, qui avait été un des syndics des rentiers, était caché dans une maison, et il fit en sorte que lui-même donna aux gendarmes et aux chevau-légers du Roi les ordres qui étaient nécessaires pour le mener au bois de Vincennes, sous le prétexte de régler ce qu'il fallait pour la prison de ce misérable. Messieurs les Princes vinrent au Conseil. Guitaut, capitaine des gardes de la Reine, arrêta Monsieur le Prince ; Comminges, lieutenant, arrêta M. le prince de Conti ; et Cressy, enseigne, arrêta M. de Longueville. J'avais oublié de vous dire qu'après que Mme de Chevreuse eut fait agréer à Monsieur qu'elle fît ses efforts auprès de la Reine pour l'obliger à prendre quelque résolution contre Monsieur le Prince, il lui demanda, pour condition préalable, que je m'engageasse par écrit à le servir, et qu'aussitôt qu'il eut mon billet, il le porta à la Reine, en croyant lui avoir rendu un très grand service.

Aussitôt que Monsieur le Prince fut arrêté, M. de Bouteville, qui est à présent M. de Luxembourg, passa sur le pont Notre-Dame à toute bride, en criant au peuple que l'on venait d'enlever M. de Beaufort. L'on prit les armes, que je fis poser en un moment, en marchant avec cinq ou six flambeaux devant moi par les rues. M. de Beaufort s'y promena pareillement, et l'on fit partout des feux de joie.

Nous allâmes ensemble chez Monsieur, où nous trouvâmes

La Rivière en la grande salle, qui faisait bonne mine, et qui racontait aux assistants le détail de ce qui s'était passé au Palais-Royal. Il ne pouvait pourtant pas douter qu'il ne fût perdu, Monsieur ne lui ayant rien dit de cette affaire. Il demanda son congé et il l'eut ; mais il ne tint pas à Monsieur le Cardinal qu'il ne demeurât. Il m'envoya Lionne, sur le minuit, pour me le proposer et pour me le persuader par les plus *méchantes raisons du monde. J'en avais de bonnes pour m'en défendre. Lionne me dit, il y a cinq ou six ans, que ce mouvement de conserver La Rivière fut inspiré au Cardinal par M. Le Tellier, qui appréhenda que les Frondeurs ne s'insinuassent dans l'esprit de Monsieur.

La Reine envoya, incontinent après, une lettre du Roi au Parlement, par laquelle il expliquait les raisons de la détention de Monsieur le Prince, qui ne furent ni fortes, ni bien colorées. Nous eûmes notre arrêt d'absolution [1] ; nous allâmes au Palais-Royal, où la badauderie des courtisans m'étonna beaucoup plus que n'avait fait celle des bourgeois. Ils étaient montés sur tous les bancs des chambres, qu'on avait apportés comme au sermon.

L'on publia, quelques jours après, une amnistie de tout ce qui s'était fait et dit dans Paris pendant les assemblées des rentiers.

Mesdames les Princesses eurent ordre de se retirer à Chantilly. Mme de Longueville sortit de Paris, aussitôt qu'elle eut la nouvelle, pour tirer du côté de la Normandie, où elle ne trouva point d'asile. Le parlement de Rouen l'envoya prier de sortir de la ville ; M. le duc de Richelieu, qui par les avis de Monsieur le Prince avait épousé, peu de jours auparavant, Mme de Pons [2], ne la voulut pas recevoir dans Le Havre. Elle se retira à Dieppe, où vous verrez par la suite qu'elle ne put pas demeurer longtemps.

M. de Bouillon, qui s'était fort attaché à Monsieur le Prince depuis la paix, alla en diligence à Turenne [3]. M. de Turenne, qui avait pris la même conduite depuis son retour en France, se jeta à Stenay, bonne place que Monsieur le Prince avait confiée à La Moussaye. M. de La Rochefoucauld, qui était encore en ce temps-là le prince de Marcillac, s'en alla chez lui en Poitou [a] ; et le maréchal de Brezé, beau-père de Monsieur le Prince, gagna Saumur, dont il était gouverneur.

No serions peristaame by C's mfforles

L'on publia et l'on enregistra au Parlement une déclaration contre eux, par laquelle il leur fut ordonné de se rendre, dans quinze jours, auprès de la personne du Roi, à faute de quoi ils étaient, dès à présent, déclarés perturbateurs du repos public et criminels de lèse-majesté. Le Roi partit en même temps pour faire un tour en Normandie, où l'on craignait que Mme de Longueville, qui avait été reçue dans le château de Dieppe par Montigny, domestique de monsieur son mari, et Chamboy, qui commandait pour lui dans le Pont-de-l'Arche, ne fissent quelque mouvement ; car Beuvron, qui avait le Vieux-Palais de Rouen, et La Croisette, qui commandait dans celui de Caen, avaient déjà assuré le Roi de leur fidélité. Tout plia devant la cour. Mme de Longueville se sauva, par mer, en Hollande, d'où elle alla à Arras pour sonder le *bonhomme La Tour, *pensionnaire de monsieur son mari, qui lui offrit sa personne, mais qui lui refusa sa place. Elle se rendit à Stenay, où M. de Turenne la vint joindre avec ce qu'il avait pu ramasser, depuis son départ de Paris, des amis et des serviteurs de Messieurs les Princes. La Bescherelle se rendit maître de Damvillers, ayant révolté la garnison, dont il avait été autrefois lieutenant de Roi[1], contre le chevalier de La Rochefoucauld, qui y commandait pour son frère. Le maréchal de La Ferté se saisit de Clermont sans coup férir. Les habitants de Mouzon chassèrent le comte de Grampré, leur gouverneur, parce qu'il leur proposa de se déclarer pour les princes. Le Roi, qui, après son retour de Normandie, alla en Bourgogne, y établit, en la place de Monsieur le Prince, M. de Vendôme pour gouverneur, comme il avait établi, en Normandie, M. le comte d'Harcourt en la place de M. de Longueville. Le château de Dijon se rendit à M. de Vendôme. Bellegarde[2], défendue par MM. de Tavannes, de Bouteville et de Saint-Micaud, fit peu de résistance au Roi, qui revint à Paris de ses deux voyages de Normandie et de Bourgogne, tout couvert de lauriers. La senteur en entêta un peu trop le Cardinal, et il parut à tout le monde, à son retour, beaucoup plus fier qu'il n'avait paru devant son départ. Voici la première marque qu'il en donna. Dans le temps de l'absence du Roi, Madame la Princesse douairière vint à Paris, et elle présenta requête au Parlement par laquelle elle demandait d'être mise en la sauvegarde de la Compagnie, pour pouvoir

demeurer à Paris et demander justice de la détention injuste
de messieurs ses enfants. Le Parlement ordonna que Madame
la Princesse se mît chez M. de La Grange, maître des
comptes, dans la cour du Palais, cependant que l'on irait
prier M. le duc d'Orléans de venir prendre sa place. M. le
duc d'Orléans répondit aux députés de la Compagnie que
Madame la Princesse ayant ordre du Roi d'aller à Bourges,
comme il était vrai qu'elle l'avait reçu depuis quelques jours,
il ne croyait pas devoir aller au Palais pour opiner sur une
affaire sur laquelle il n'y avait qu'à obéir aux ordres
supérieurs. Il ajouta qu'il serait bien aise que Monsieur le
Premier Président l'allât trouver sur les cinq heures. Il y
alla, et il fit connaître à Monsieur qu'il était nécessaire qu'il
allât le lendemain au Palais pour assoupir, par sa présence,
un commencement d'affaire, qui pouvait grossir, par la
commisération très naturelle vers une grande princesse
affligée, et par la haine contre le Cardinal, qui n'était pas
éteinte. Monsieur le crut. Il trouva à l'entrée de la Grande
Chambre Madame la Princesse, qui se jeta à ses pieds. Elle
demanda à M. de Beaufort sa protection ; elle me dit qu'elle
avait l'honneur d'être ma parente [1]. M. de Beaufort fut fort
embarrassé ; je faillis à mourir de honte. Monsieur dit à la
Compagnie que le Roi avait commandé à Madame la
Princesse de sortir de Chantilly, parce que l'on avait trouvé
un de ses valets de pied chargé de lettres pour celui qui
commandait dans Saumur ; qu'il ne la pouvait souffrir à
Paris, puisqu'elle y était venue contre les ordres du Roi ;
qu'elle en sortît pour témoigner son obéissance et pour
mériter que le Roi, qui serait de retour dans deux ou trois
jours, pût avoir égard à ce qu'elle alléguait de sa mauvaise
santé. Elle partit dès le soir même, et elle alla coucher à
Berny, d'où le Roi, qui arriva un jour ou deux après, lui
donna ordre d'aller à Vallery. Elle demeura malade à
Augerville.

Je ne vois pas que Monsieur se fût pu conduire plus
justement pour le service du Roi. Le Cardinal prétendit qu'il
avait trop ménagé Madame la Princesse ; et dès le jour du
retour du Roi, il nous dit, à M. de Beaufort et à moi, que
c'était en cette occasion où nous avions *dû signaler le
pouvoir que nous avions sur le peuple. Il était naturellement
vétilleux et grondeur, ce qui est un grand défaut à des gens

qui ont affaire à beaucoup de monde. Je m'aperçus, deux jours après, de quelque chose de pis. Comme il y avait eu beaucoup de particuliers qui avaient fait du bruit dans les assemblées de l'Hôtel de Ville, à cause de l'intérêt qu'ils avaient dans les rentes, ils appréhendaient d'en pouvoir être *recherchés dans les temps, et ils souhaitèrent, pour cette raison, un peu après que Monsieur le Prince fut arrêté, que j'obtinsse une amnistie [1]. J'en parlai à Monsieur le Cardinal, qui n'y fit aucune difficulté, et qui me dit même, dans le grand cabinet de la Reine, en me montrant le cordon de son chapeau, qui était à la Fronde [2] : « Je serai moi-même compris dans cette amnistie. » Au retour de ces voyages, ce ne fut plus cela. Il me proposa de donner une *abolition dont le titre seul eût *noté cinq ou six *officiers du Parlement, qui avaient été syndics, et peut-être mille et deux mille des plus notables bourgeois de Paris. Je lui représentai ces considérations, qui paraissaient n'avoir point de réplique : il contesta, il remit, il éluda, il fit ces deux voyages de Normandie et de Bourgogne sans rien conclure ; et quoique Monsieur le Prince eût été arrêté dès le 18 de janvier, l'amnistie ne fut publiée et enregistrée au Parlement que le 12 de mai, et encore ne fut-elle obtenue que sur ce que je me laissai entendre que, si l'on ne l'accordait pas, je poursuivrais, à toute rigueur, la justice contre les témoins à *brevet, ce que l'on appréhendait au dernier point, parce que, dans le fond, il n'y avait rien de si honteux. Ils étaient si *convaincus, que Canto et Pichon avaient disparu, même devant que Monsieur le Prince fût arrêté.

Nous eûmes, presque au même temps, un autre démêlé sur le sujet des rentes de l'Hôtel de Ville, où M. d'Émery, qui ne vécut pas longtemps après, n'oubliait rien de tout ce qui pouvait *altérer les rentiers, même sur des articles si légers et où le Roi trouvait si peu de profit, que j'eus sujet d'être persuadé qu'il n'agissait ainsi que pour leur faire voir que leur protecteurs les avaient abandonnés, depuis leur accommodement avec la cour.

Je fus averti d'ailleurs que l'abbé Fouquet cabalait contre moi dans le menu peuple, qu'il y jetait de l'argent et tous les bruits qui m'y pouvaient rendre suspect.

La vérité est que tous les subalternes, sans exception, qui appréhendaient une union véritable du Cardinal et de moi, et qui croyaient qu'elle serait facile par le mariage de l'aîné Mancini, qui avait du cœur et du mérite, avec Mlle de Rais, qui est présentement religieuse, ne songèrent qu'à nous brouiller dès le lendemain que nous fûmes raccommodés ; et ils y trouvèrent toute sorte de facilité, et parce que, d'un côté, les ménagements que j'étais obligé de garder avec le public, pour ne m'y pas perdre, leur donnaient tout lieu de les interpréter à leur mode auprès du Mazarin, et parce que la confiance que M. le duc d'Orléans prit en moi, aussitôt après la prison de Monsieur le Prince, devait par elle-même produire, dans son esprit, une défiance très naturelle. Goulas, secrétaire des commandements de Monsieur, et rétabli dans sa maison par la disgrâce de La Rivière, qui l'en avait chassé, contribua beaucoup à la lui donner, par l'intérêt qu'il avait à affaiblir, par le moyen de la cour, ma faveur naissante auprès de son maître, qui seule, à ce qu'il s'imaginait, *traversait la sienne. Vous remarquerez, s'il vous plaît, que je n'avais nullement recherché cette faveur, pour deux raisons, dont l'une était que je la connaissais très fragile et même périlleuse, par l'humeur de Monsieur ; et l'autre, que je n'ignorais pas que l'ombre d'un *cabinet, dont l'on ne peut pas empêcher les faiblesses, n'est jamais bonne à un homme dont la principale force consiste dans la réputation publique. Ma pensée avait été de lui *produire le président de Bellièvre, parce qu'il lui fallait toujours quelqu'un qui le gouvernât ; mais il ne prit pas le change, parce qu'il avait aversion à sa mine trop *fine et trop bourgeoise, ce disait-il. Le Cardinal, qui croyait, et avec raison, Goulas trop dépendant de Chavigny, balança trop au choix ; car si d'*abord il eût soutenu Beloy, je crois qu'il eût réussi. Quoi qu'il en soit, le sort tomba sur moi, et j'en fus presque aussi fâché que la cour, et par les raisons que je vous viens de marquer, et parce que cette sujétion contraignait mon libertinage [1], qui était extrême et hors de raison.

Voici un autre incident, qui me brouilla encore avec Monsieur le Cardinal. Le comte de Montrose, Écossais, et chef de la maison de Grem, était le seul homme du monde qui m'ait jamais rapporté l'idée de certains héros que l'on ne voit que dans les *Vies* de Plutarque. Il avait soutenu le parti du roi d'Angleterre dans son pays, avec une grandeur qui n'a point eu de pareille de ce siècle ; il battit les

Parlementaires, quoiqu'ils fussent victorieux partout ailleurs, et il ne désarma qu'après que le roi, son maître, se fut jeté lui-même entre les mains de ses ennemis. Il vint à Paris un peu devant la guerre civile, et je le connus par un Écossais qui était à moi et qui était un peu son parent ; je fus assez heureux pour trouver lieu de le servir dans son malheur ; il prit de l'amitié pour moi, et elle l'obligea de s'attacher à la France plutôt qu'à l'Empire, quoiqu'il lui offrît l'emploi de feld-maréchal, qui est très considérable. Je fus l'entremetteur des paroles que Monsieur le Cardinal lui donna, et qu'il n'accepta que pour le temps où le roi d'Angleterre n'aurait point besoin de son service. Il fut remandé, quelques jours après, par un billet de sa main ; il le porta au Cardinal, qui le loua de son procédé et qui lui dit en termes formels que l'on demeurerait fidèlement dans les engagements qui avaient été pris. M. de Montrose repassa en France, deux ou trois mois après que Monsieur le Prince eut été arrêté, et il amena avec lui près de cent officiers, la plupart gens de qualité et tous de service. Monsieur le Cardinal ne le connut plus. Ne trouvez-vous pas que je n'avais pas sujet d'être satisfait ?

Toutes ces indispositions jointes ensemble n'étaient pas des ingrédients bien propres à consolider une plaie qui était fraîchement fermée ; je vous puis toutefois assurer pour la vérité qu'elles ne me firent pas faire un pas contre les intérêts du parti dans lequel je venais de rentrer. Je travaillai de très bonne foi à suppléer, dans le Parlement et dans le peuple, les fausses démarches que l'ignorance du Mazarin et l'insolence de Servien leur fit faire en plus de dix rencontres. J'en *couvris la plupart ; et si il eût plu à la cour de se *ménager, le parti de Monsieur le Prince eût eu, au moins pour assez longtemps, beaucoup de peine à se relever ; mais il n'y a rien de plus rare ni de plus difficile aux ministres que ce *ménagement, dans le calme qui suit immédiatement les grandes tempêtes, parce que la flatterie y redouble et que la défiance n'y est pas éteinte.

Ce calme ne pouvait toutefois porter ce nom que par la comparaison du passé ; car le feu commençait à s'allumer de bien des côtés. Le maréchal de Brezé, homme de très petit mérite, s'était *étonné à la première déclaration qui fut enregistrée au Parlement, et il envoya assurer le Roi de sa fidélité ; mais il mourut aussitôt après ; et Du Mont, que vous voyez à Monsieur le Prince, qui commandait sous lui dans Saumur et qui crut qu'il était de son honneur de ne pas abandonner les intérêts de Madame la Princesse, fille de son maître, se déclara pour le parti, dans l'espérance que M. de La Rochefoucauld, qui, sous prétexte des funérailles de Monsieur son père, avait fait une grande assemblée de noblesse, le secourrait. Loudun, dont il avait fait dessein de se rendre maître, lui ayant manqué, et cette noblesse s'étant dissipée, Du Mont rendit la place à Comminges, à qui la Reine en avait donné le gouvernement.

Mme de Longueville et M. de Turenne firent un traité avec les Espagnols [1], et le dernier joignit leur armée, qui entra en Picardie et qui assiégea Guise, après avoir pris Le Catelet. Bridieu, qui en était gouverneur, la défendit très bien, et le comte de Clermont, cadet de Tonnerre, s'y signala. Le siège dura dix-huit jours, et le manquement de vivres obligea l'archiduc à le lever. M. de Turenne avait fait quelques troupes avec l'argent que les Espagnols lui avaient accordé par son traité ; il les avait grossies du débris de celles qui avaient été dans Bellegarde ; et la plupart des officiers de celles qui étaient sous le nom de Messieurs les Princes l'avaient joint avec MM. de Bouteville, de Coligny, de Lanques, de Duras, de Rochefort, de Tavannes, de Persan, de La Moussaye, de La Suze, de Saint-Ibal, de Cugnac, de Chavagnac, de Guitaut, de Mailly, de Meille, les chevaliers de Foix et de Gramont, et plusieurs autres dont je ne me souviens pas. Cette nuée, qui grossissait, *devait faire faire réflexion à M. le cardinal Mazarin sur l'état de la Guyenne, où la pitoyable conduite de M. d'Epernon avait jeté les affaires dans une confusion que rien ne pouvait démêler, que son éloignement. Mille démêlés particuliers, dont la moitié ne venait que de la ridicule chimère de sa roturière principauté [2], l'avaient brouillé avec le parlement et avec les magistrats de Bordeaux, qui, pour la plupart, n'étaient pas plus sages que lui ; et le Mazarin, qui, à mon sens, fut encore en cela plus fou que tous les deux, prit sur le compte de l'autorité royale tout ce qu'un habile ministre eût pu imputer, sans aucun inconvénient et même avec l'avantage du Roi, aux deux parties.

Un des plus grands malheurs que l'autorité despotique

des ministres du dernier siècle ait produit dans l'État, est la
pratique que l'*imagination de leur intérêt particulier mal
entendu y a introduite, de soutenir toujours le supérieur
contre l'inférieur. Cette maxime est de Machiavel[1], que la
plupart des gens qui le lisent n'entendent pas, et que les
autres croient avoir été toujours habile, parce qu'il a toujours
été *méchant. Il s'en faut beaucoup : il s'est très souvent
trompé ; en nul endroit, à mon opinion, plus qu'en celui-
ci. Monsieur le Cardinal l'était[2] sur ce point d'autant plus
aisément qu'il avait une *passion effrénée pour l'alliance de
M. de Candale[3], qui n'avait rien de grand que les *canons ;
et M. de Candale, dont le *génie était au-dessous du
*médiocre, était gouverné par l'abbé, présentement cardinal
d'Estrées, qui a été, dès son enfance, l'esprit du monde le
plus *visionnaire et le plus *inquiet. Tous ces *caractères
différents faisaient une espèce de galimatias inexplicable
dans les affaires de la Guyenne, pour le débrouillement
desquelles le bon sens des Jeannins et des Villerois[4], infusé
dans la cervelle du cardinal de Richelieu, n'eût pas été trop
bon.

M. le duc d'Orléans, qui était fort clairvoyant, connut,
de très bonne heure, la suite de cette confusion ; il m'en
parla un jour en se promenant dans le jardin de Luxembourg,
devant que je lui en eusse ouvert la bouche ; et il me pressa
d'en parler à Monsieur le Cardinal, dont je m'excusai, sur
ce qu'il voyait comme moi qu'il n'y avait entre nous que
les apparences. Je lui conseillai d'essayer de lui faire ouvrir
les yeux par le maréchal d'Estrées et par Senneterre. Il les
trouva absolument dans les mêmes sentiments que lui, bien
qu'ils fussent tout à fait attachés à la cour ; et même
Senneterre, très aise de ce que Monsieur l'assurait que j'y
étais comme lui-même, avec les plus sincères et les meilleures
intentions du monde, entreprit de me raccommoder avec
le Cardinal, avec lequel d'ailleurs je n'avais pas rompu
ouvertement. Il m'en parla et il me trouva très disposé,
parce que je voyais clairement que notre division grossirait,
en moins d'un rien, le parti de Monsieur le Prince et jetterait
les choses dans une confusion où la *conduite n'aurait plus
de part, parce que l'on n'y pourrait prendre son parti
qu'avec précipitation. C'est, de tous les états, celui qu'il
faut toujours éviter avec le plus d'application. J'allai donc,

avec M. de Senneterre, chez Monsieur le Cardinal, qui
m'embrassa avec des tendresses qu'il faudrait un bon cœur
comme le sien pour vous les exprimer[1]. Il mit son cœur sur
la table, c'était son terme ; il m'assura qu'il me parlerait
comme à son fils, et je n'en crus rien ; je l'assurai que je
lui parlerais comme à mon père, et je lui tins parole. Je lui
dis que je le suppliais de me permettre de m'expliquer pour
une bonne fois avec lui ; que je n'avais au monde aucun
intérêt personnel que celui de sortir des affaires publiques
sans aucun avantage ; mais qu'aussi, par la même raison, je
me sentais plus obligé qu'un autre à en sortir avec dignité
et avec honneur ; que je' le suppliais de faire réflexion sur
mon âge, qui, joint à mon incapacité, ne lui pouvait donner
aucune jalousie à l'égard de la première place[2] ; que je le
conjurais, en même temps, de considérer que la dignité que
j'avais dans Paris était plus avilie qu'elle n'était honorée par
cette espèce de tribunat de peuple, que la seule nécessité
rendait supportable ; et qu'il devait juger que cette considération toute seule serait capable de me donner impatience de
sortir de la faction, quand il n'y en aurait eu pas mille
autres qui en faisaient naître le *dégoût à tous les instants ;
que pour ce qui était du cardinalat, qui lui pouvait faire
quelque ombrage, je lui allais découvrir avec sincérité quels
avaient été et quels étaient mes mouvements sur cette
dignité ; que je m'étais mis follement dans la tête qu'il
serait plus glorieux de l'abattre que de la posséder[3] ; qu'il
n'ignorait pas que j'avais fait paraître quelque étincelle de
cette *vision dans les occasions ; que Monsieur d'Agen m'en
avait guéri, en me faisant voir, par de bonnes raisons, qu'elle
était impraticable et qu'elle n'avait jamais réussi à ceux qui
l'avaient entreprise ; que cette circonstance lui faisait au
moins connaître que l'avidité pour la pourpre n'avait pas
été grande en moi, dès mes plus jeunes années ; que je le
pouvais assurer qu'elle y était encore assez modérée ; que
j'étais persuadé qu'il était assez difficile qu'elle manquât,
dans les temps, à un archevêque de Paris ; mais que je
l'étais encore davantage que la facilité qu'il avait à l'obtenir
dans les formes, et par les actions purement de sa profession,
lui tournerait à honte les autres moyens qu'il emploierait
pour se la procurer ; que je serais au désespoir que l'on pût
seulement s'imaginer qu'il y eût, sur ma pourpre, une seule

goutte du sang qui a été répandu dans la guerre civile, et que j'étais résolu de sortir absolument et entièrement de tout ce qui s'appelle intrigue, devant que de faire ni souffrir un pas qui y eût seulement le moindre rapport ; qu'il savait que, par la même raison, je ne voulais ni argent ni abbayes ; et qu'ainsi j'étais engagé, par les déclarations publiques que j'avais faites sur tous ces chefs, à servir la Reine sans intérêt ; que le seul qui me restait, en cette disposition, était de finir avec honneur et de rentrer dans les emplois purement spirituels de ma profession, avec sûreté ; que je ne lui demandais, pour cet effet, que l'accomplissement de ce qui était encore plus du service du Roi que de mon avantage particulier ; qu'il savait que, dès le lendemain que Monsieur le Prince fut arrêté, il m'avait fait porter aux rentiers de telles et telles paroles (le détail vous en ennuierait, et c'est pour cette considération que je n'en ai pas même parlé dans son lieu) ; que je voyais qu'au préjudice de ces paroles, l'on *affectait tout ce qui pouvait persuader à ces gens-là que j'étais de concert avec la cour pour les tromper ; que j'étais très bien averti qu'Ondedei avait dit à telle et telle heure, chez Mme d'Ampus, que le pauvre Monsieur le Cardinal avait failli à se laisser enjôler par le coadjuteur, mais que l'on lui avait bien ouvert les yeux et que l'on lui taillait une *besogne à laquelle il ne s'attendait pas[1] ; que je ne doutais point que l'accès que j'avais auprès de Monsieur ne lui fît peine, mais que je n'ignorais pas aussi qu'il pouvait et qu'il devait être informé que je ne l'avais recherché en façon du monde, que j'en voyais les inconvénients. Je m'étendis beaucoup en cet endroit, parce que c'était celui qui était le plus difficile à comprendre à un homme de *cabinet ; et ces sortes de gens en sont toujours si entêtés, que l'expérience même ne leur peut ôter de l'imagination que toute la considération n'y consiste[2].

Il faudrait un volume particulier pour vous rendre compte de la suite de cette conversation, qui dura depuis trois heures après midi jusques à dix heures du soir : je sais bien que je n'y dis pas un mot dont je me puisse repentir à l'article de la mort[3]. La vérité jette, lorsqu'elle est à un certain *carat, une manière d'éclat auquel l'on ne peut résister. Je n'ai jamais vu homme qui en fît si peu d'état que le Mazarin. Elle le toucha en cette occasion et au point que M. de

Senneterre, qui fut présent à tout ce qui se passa, en fut
étonné au-delà de l'imagination ; et comme il était homme
de très bon sens et qui voyait très bien les dangereuses suites
des mouvements de Guyenne, il me pressa de prendre ce
moment de lui en parler ; et je le fis avec toute la force qui
fut en mon pouvoir. Je lui représentai que si il s'opiniâtrait
à soutenir M. d'Epernon, le parti de Messieurs les Princes
ne manquerait pas cette occasion ; que si le parlement de
Bordeaux s'y engageait, nous perdrions, par une conséquence
infaillible, peu à peu celui de Paris, où, après un aussi grand
embrasement, le feu ne pouvait pas être assez éteint pour
ne pas craindre qu'il n'y eût encore beaucoup sous la
cendre, et où les factieux auraient un aussi beau champ de
faire appréhender le contrecoup du châtiment d'un corps
coupable d'un crime dont la cour ne nous tenait nous-
mêmes purgés que depuis deux ou trois mois. Senneterre
appuya mon sentiment avec vigueur, et il est *constant que
nous ébranlâmes le Cardinal, qui avait été averti, la veille,
que M. de Bouillon commençait à remuer en Limousin, où
M. de La Rochefoucauld l'avait joint avec ses troupes ; qu'il
avait enlevé, à Brive, la compagnie de gendarmes de M. le
prince Thomas, et qu'il avait tenté d'en faire autant aux
troupes qui étaient dans Tulle. Ces nouvelles, qui étaient
considérables à cause de leurs suites, firent impression sur
son esprit, et elles l'obligèrent d'en faire sur ce que nous
lui disions. Il nous parut fort ébranlé : et M. le maréchal
d'Estrées, qui le vit un quart d'heure après, nous dit à l'un
et à l'autre, le lendemain au matin, qu'il l'avait trouvé
convaincu de ma bonne foi et de ma sincérité, et qu'il lui
avait répété à diverses reprises : « Ce garçon, dans le fond,
veut le bien de l'État. » Ces dispositions donnèrent lieu à
ces deux hommes, qui étaient fort corrompus, mais qui
cherchaient leur repos particulier dans le public, parce qu'ils
étaient fort vieux, de songer à chercher les moyens de nous
unir intimement le Cardinal et moi ; et ils lui proposèrent,
pour cet effet, le mariage de son neveu, duquel je vous ai
déjà parlé, avec ma nièce. Il y donna de tout son cœur. Je
m'en éloignai à proportion, et parce que je ne me pouvais
résoudre à ensevelir ma maison dans celle de Mazarin, et
parce que je n'ai jamais assez estimé la grandeur pour
l'acheter par la haine publique. Je répondis civilement

aux oublieux [1] (on les appelait ainsi, parce qu'ils allaient d'ordinaire, entre huit et neuf du soir, dans les maisons où ils négociaient quelque chose, et ils négociaient toujours), je leur répondis, dis-je, civilement, mais négativement. Comme ils ne souhaitaient pas la rupture entre nous, ils colorèrent si adroitement le refus, qu'il ne produisit pas l'aigreur qui lui était assez naturelle ; et comme ils avaient tiré de moi que j'aurais une grande joie d'être employé à la paix générale, ils firent si bien que le Cardinal, de qui l'enthousiasme pour moi dura douze ou quinze jours, me le promit, comme de lui-même, de la meilleure grâce du monde.

Le maréchal d'Estrées se servit fort habilement de ce bon intervalle pour le rétablissement de M. de Châteauneuf dans la *commission de garde des sceaux, qui en avait été dépossédé par M. le cardinal de Richelieu, et retenu prisonnier treize ans dans le château d'Angoulême. Cet homme était vieilli dans les emplois, et il y avait acquis une réputation, à laquelle sa longue disgrâce donna beaucoup d'éclat. Il était parent fort proche et ami fort particulier de M. le maréchal de Villeroy. Le commandeur de Jars avait été sur l'échafaud de Troyes [1], pour ses démêlés avec le cardinal de Richelieu ; il avait été amant de Mme de Chevreuse, et il ne l'avait pas été sans succès [2]. Il avait soixante et douze ans ; mais sa santé forte et vigoureuse, sa dépense splendide, son désintéressement parfait en tout ce qui ne passait pas le *médiocre, son humeur brusque et *féroce, qui paraissait franche, suppléaient à son âge et faisaient que l'on ne le regardait pas encore comme un homme hors d'*œuvre. Le maréchal d'Estrées, qui vit que le Cardinal se mettait dans l'esprit de se rétablir dans le public en accommodant les affaires de Bordeaux et en remettant l'ordre dans les rentes, prit le temps de cette *verve, qui ne durerait pas longtemps, ce nous disait-il, pour lui persuader qu'il fallait couronner ces beaux ouvrages par la dégradation du chancelier, odieux au public, ou plutôt méprisé, à cause de sa servitude naturelle, qui obscurcissait la grande capacité qu'il avait pour son métier, et par l'installation de M. de Châteauneuf, dont le seul nom honorerait le choix. Je ne fus jamais plus étonné que quand le maréchal d'Estrées nous vint dire, à M. de Bellièvre, qui était une manière de fils adoptif de M. de Châteauneuf, et

à moi, qu'il voyait *jour à ce changement. Je ne connaissais
M. de Châteauneuf que par réputation ; mais je ne me
pouvais figurer que la jalousie d'un Italien[1] lui pût permettre
de mettre en place une figure aussi bien faite pour un
ministre ; et ma surprise, qui n'eut d'autre cause que celle
que je vous viens de dire, fut interprétée par le maréchal
comme l'effet d'une appréhension que j'eusse eu qu'elle ne
fût pas moins bien faite pour un cardinal. Il ne m'en
témoigna rien, mais il le dit, le soir, à M. le président de
Bellièvre, qui, sachant mes intentions, l'assura fort du
contraire. Il n'en fut pas persuadé, et si peu, qu'il n'eut
point de cesse que, pour lever l'obstacle qu'il eut peur que
je fisse à son ami, il ne m'eût apporté une lettre de lui, par
laquelle il m'assurait de ne jamais songer au cardinalat
devant que je l'eusse moi-même. Je faillis à tomber de mon
haut d'un *compliment de cette nature, que je ne m'étais
nullement attiré. On l'ornait d'une période à chaque mot
que je disais pour m'en défendre. On le fit pour moi à
Mme de Chevreuse, à Noirmoutier, à Laigue et à douze ou
quinze autres. Vous en verrez et en admirerez la suite. Le
*bonhomme s'aida ainsi vers tout le monde, tout le monde
l'aida, et le Cardinal le fit garde des sceaux, non pas pour
couronner, comme le maréchal d'Estrées lui avait dit, les
deux grands desseins de l'accommodement de Bordeaux et
du rétablissement des rentes, mais au contraire, pour autoriser, par un nom de cette réputation, la conduite tout opposée
qu'il avait prise par la persuasion des subalternes, qui
appréhendaient sur toutes choses notre union, et de *pousser
le parlement de Guyenne et de décréditer dans Paris les
Frondeurs. Il crut d'ailleurs que ce nom lui servirait et à
réparer un peu, à l'égard du public, le tort qu'il s'y faisait
en donnant la surintendance des finances, vacante par la
mort d'Emery, au président de Maisons, dont la probité
était moins que problématique, et à m'opposer, en cas de
besoin, un rival illustre pour le cardinalat. Senneterre, qui
était tout à fait attaché à la cour et même au Cardinal, me
dit ces propres mots : « Cet homme se perdra et peut-être
l'État pour les beaux yeux de M. de Candale. »
      Le jour que M. de Senneterre prononça cet oracle,
les nouvelles arrivèrent que MM. de Bouillon et de La
Rochefoucauld avaient fait entrer dans Bordeaux Madame la

Princesse et Monsieur le Duc, que le Cardinal avait laissé
entre les mains de madame sa mère, au lieu de le faire
nourrir auprès du Roi, comme Servien le lui avait conseillé.
Ce parlement, dont le plus sage et le plus vieux en ce temps-
là jouait gaiement tout son bien en un soir, sans faire tort à
sa réputation, eut deux spectacles, en une même année,
assez extraordinaires. Il vit un prince et une princesse du
sang à genoux au bureau, lui demandant justice, et il fut
assez fou, si l'on peut parler ainsi d'une compagnie en
corps, pour faire apporter sur le même bureau une hostie
consacrée, que les soldats des troupes de M. d'Epernon
avaient laissé tomber d'un ciboire qui avait été volé[1]. Le
parlement de Bordeaux ne fut pas fâché de ce que le peuple
avait donné entrée à Monsieur le Duc ; mais il garda pourtant
beaucoup plus de mesures qu'il n'appartenait et au climat
et à l'humeur où il était contre M. d'Epernon. Il ordonna
que Madame la Princesse et Monsieur le Duc, et MM. de
Bouillon et de La Rochefoucaud auraient liberté de demeurer
dans Bordeaux, à condition qu'ils donneraient leur parole
de n'y rien entreprendre contre le service du Roi ; et que
cependant la requête de Madame la Princesse serait envoyée
à Sa Majesté, et très humbles remontrances lui seraient faites
sur la détention de Messieurs les Princes. Le président de
Gourgues, qui était un des principaux du corps, et qui eût
souhaité que l'on eût évité les extrémités, dépêcha un
courrier à Senneterre, qui était son ami, avec une lettre de
treize pages de chiffre, par laquelle il lui mandait que son
parlement n'était pas si emporté que, si le Roi voulait
révoquer M. d'Epernon, il ne demeurât dans la fidélité ;
qu'il lui en donnait sa parole ; que ce qu'il avait fait jusque-
là n'était qu'à cette intention ; mais que, si l'on différait, il
ne répondait plus de la Compagnie et beaucoup moins du
peuple, qui, ménagé et appuyé comme il l'était par le parti
de Messieurs les Princes, se rendrait même dans peu maître
du Parlement. Senneterre n'oublia rien pour faire que le
Cardinal profitât de cet avis. M. de Châteauneuf fit des
merveilles, et voyant qu'il ne gagnait rien et que le Cardinal
ne répondait à ses raisons que par des exclamations contre
l'insolence du parlement de Bordeaux, qui avait donné
retraite à des gens condamnés par une déclaration du Roi, il
lui dit brusquement : « Partez demain, Monsieur, si vous

n'accommodez aujourd'hui ; vous devriez être déjà sur la Garonne. » Le *succès fit voir que M. de Châteauneuf avait raison de conseiller le radoucissement, mais qu'il eût mieux fait de ne pas tant presser l'exécution, car quoiqu'il y eût de la chaleur dans le parlement de Bordeaux, qui allait jusques à la fureur et jusques à la folie, il résista longtemps aux emportements du peuple, suscité et animé par M. de Bouillon, et jusques au point de donner arrêt pour faire sortir de la ville don Joseph Osorio, qui était venu d'Espagne avec MM. de Sillery et de Baas, que M. de Bouillon y avait envoyés pour traiter. Il fit plus, il défendit qu'aucun de son corps ne rendît plus aucune visite à aucun de ceux qui avaient eu commerce avec les Espagnols, pas même à Madame la Princesse. La populace ayant entrepris de le faire opiner de force pour l'union avec les princes, il arma les jurats[1], qui la firent retirer du Palais à coups de mousquet. Je ne prends pas plaisir à insérer dans cet ouvrage ce détail que je n'ai point vu, parce que je me suis fait une espèce de serment à moi-même de n'y mettre quoi que ce soit dont la vérité ne me soit pleinement connue ; mais ce particulier est si nécessaire à cet endroit de l'histoire, que j'ai été obligé de m'en dispenser en cette occasion ; et je le fais avec d'autant moins de peine, que cette résistance du parlement de Bordeaux[2], que tout le monde presque a traitée de simulée, m'a été confirmée pour véritable et même pour sincère par M. de Bouillon, qui m'a dit plusieurs fois depuis que si la cour n'eût point poussé les choses, l'on eût eu bien de la peine à les porter à l'extrémité. Ce qui est de certain est que l'on crut ou que l'on voulut croire à la cour que tout ce que faisait ce parlement n'était que grimace ; qu'au retour de Compiègne, où le Roi était allé dans le temps du siège de Guise, pour donner chaleur à son armée, commandée par le maréchal Du Plessis-Praslin, l'on prit la résolution d'aller en Guyenne ; que ceux qui en représentèrent les conséquences passèrent, dans l'esprit des courtisans, pour des factieux, qui ne voulaient pas que l'on fît exemple de leurs semblables et qui avaient *correspondance avec ceux de Bordeaux ; que tout ce que l'on dit des suites prochaines et immédiates que ce voyage aurait dans le parlement de Paris, passa pour fable ou au moins pour une prédiction du mal que l'on voulait faire et auquel l'on ne pourrait pas réussir ; et que quand Monsieur s'offrit à aller lui-même travailler à l'accommodement, pourvu que l'on lui donnât parole de révoquer M. d'Épernon, l'on lui dit pour toute réponse qu'il était de l'honneur du Roi de le maintenir dans son gouvernement.

Vous avez vu, par ce que je viens de vous dire, que la tendresse que Monsieur le Cardinal prit pour moi ne dura pas longtemps. Senneterre, qui était grand *rhabilleur de son naturel, ne voulut pas laisser partir la cour sans mettre un peu d'onction (c'était son mot) à ce qui n'était, ce disait-il, qu'un pur malentendu. La vérité est que Monsieur le Cardinal ne se pouvait plaindre de moi, et que je me voulais encore moins plaindre de lui, quoique j'en eusse assurément beaucoup de sujets. L'on se raccommode bien plus aisément quand l'on est disposé à ne se point plaindre, que quand on l'est à se plaindre, quoique l'on n'en ait pas de sujet. Je l'éprouvai en ce rencontre. Senneterre dit au premier président qu'un mot que la Reine avait dit à Monsieur le Cardinal, à la louange de ma fermeté, lui avait frappé l'esprit d'une telle manière, qu'il n'en reviendrait jamais. Je n'ai su ce détail que fort longtemps après par Mme de Pommereux, à qui Sainte-Croix, fils du premier président, le redit. Il ne laissa pas de me témoigner toutes les amitiés imaginables devant que de partir pour la Guyenne ; il *affecta même de me laisser le choix d'un prévôt des marchands, ce qui fut *honnête en apparence et habile en effet, parce qu'il avait reconnu que le précédent, qui y avait été mis de sa main, lui avait été de tout point inutile[1]. Il n'oublia rien, le même jour, pour nous brouiller, M. de Beaufort et moi, sur un détail qu'il est nécessaire de reprendre de plus haut.

Vous avez vu que la Reine avait désiré de moi que je ne m'ouvrisse point M. de Beaufort du dessein qu'elle avait d'arrêter Messieurs les Princes[2]. Le jour qu'il fut exécuté, sur les six heures du soir, Mme de Chevreuse nous envoya quérir sur le midi, lui et moi, et elle nous le découvrit comme un grand secret que la Reine lui eût commandé, à l'issue de sa messe, de nous communiquer. M. de Beaufort le prit pour bon. Je le menai dîner chez moi, je l'*amusai toute l'après-dînée à jouer aux échecs, je l'empêchai d'aller chez Mme de Montbazon, quoiqu'il en eût grande envie, et

Monsieur le Prince fut arrêté devant qu'elle en eût le
moindre soupçon. Elle en fut en colère. Elle dit à M. de
Beaufort tout ce qui lui pouvait faire croire qu'il avait été
joué. Il s'en plaignit à moi ; je m'en éclaircis avec lui devant
elle ; je lui tirai de ma poche les patentes de l'amirauté. Il
m'embrassa, Mme de Montbazon m'en baisa cinq ou six
fois bien tendrement, et ainsi finit l'histoire. Monsieur le
Cardinal prit en gré de la renouveler deux ou trois jours
devant qu'il partît pour Bordeaux. Il témoigna des amitiés
merveilleuses à Mme de Montbazon ; il lui fit des *confiances
extraordinaires, et, après de grands circuits, tout aboutit à
lui *exagérer la mortelle douleur qu'il avait eue d'avoir été
obligé, par les instances de Mme de Chevreuse et du
coadjuteur, à lui faire *finesse de la prison de Messieurs les
Princes. M. de Beaufort, à qui le président de Bellièvre fit
voir que cette fausse confidence du Mazarin n'était qu'un
artifice, me dit, en présence de Mme de Montbazon : « Soyez
à l'*erte ; je gage que l'on se voudra bientôt servir de Mlle
de Chevreuse pour nous brouiller. »

Le Roi partit pour son voyage de Guyenne dans les
premiers jours de juillet, et M. le cardinal Mazarin eut la
satisfaction d'apprendre, un peu devant son départ, que le
bruit de ce voyage avait produit par avance tout ce que l'on
lui en avait prédit : que le parlement de Bordeaux avait
accordé l'union avec Messieurs les Princes et qu'il avait
député vers le parlement de Paris ; que ce député, qui s'était
trouvé tout porté à Paris, avait ordre de ne voir ni le Roi ni
les ministres ; que MM. de La Force et de Saint-Simon
étaient sur le point de se déclarer (ils ne persistèrent pas),
et que toute la province était prête à se soulever. La
consternation du Cardinal fut extrême. Il se recommanda
jusques aux moindres Frondeurs, avec des bassesses que je
ne vous puis exprimer. Monsieur demeura à Paris avec le
commandement ; la cour lui laissa M. Le Tellier pour
surveillant. M. le Garde des sceaux de Châteauneuf entrait
au Conseil : l'on m'y offrit place, que je ne jugeai pas à
propos d'accepter, comme vous le jugez facilement ; et tout
le monde, sans exception, s'y trouva fort embarrassé, parce
que nous y demeurâmes tous en un état où il était impossible
de ne pas broncher d'un côté ou d'autre à tous les pas.

Vous en verrez le détail après que je vous aurai dit un mot du voyage de Guyenne.

Aussitôt que le Roi fut à la portée, M. de Saint-Simon, gouverneur de Blaye, qui avait branlé, vint à la cour ; et M. de La Force, avec lequel M. de Bouillon avait aussi traité, demeura dans l'inaction ; mais Daugnon, qui commandait dans Brouage et qui devait toute sa fortune au feu duc de Brezé, s'en excusa sous prétexte de la goutte. Les députés du parlement de Bordeaux furent au-devant de la cour à Libourne. On leur commanda avec hauteur d'ouvrir leurs portes, pour y recevoir le Roi avec toutes ses troupes. Ils répondirent que l'un de leurs privilèges était de garder la personne des rois quand ils étaient dans leur ville [1]. Le maréchal de La Meilleraye s'avança entre la Dordogne et la Garonne. Il prit le château de Vayres, où Richon commandait trois cents hommes pour les Bordelais, et le Cardinal le fit pendre à Libourne, à cent pas du logis du Roi. M. de Bouillon fit pendre, par représaille, Canolle, officier dans l'armée de M. de La Meilleraye. Il attaqua ensuite l'île de Saint-Georges, qui fut peu défendue par La Mothe de Las, et où le chevalier de La Valette fut blessé à mort. Il assiégea après Bordeaux dans les formes ; il emporta après un grand combat le faubourg de Saint-Seurin, où Saint-Maigrain et Roquelaure, qui étaient lieutenants généraux dans l'armée du Roi, firent très bien. M. de Bouillon n'oublia rien de tout ce que l'on pouvait attendre d'un sage politique et d'un grand capitaine. M. de La Rochefoucauld signala son courage dans tout le cours du siège [2], et particulièrement à la défense de la demi-lune, où il y eut assez de carnage ; mais il fallut enfin céder au plus fort. Le parlement et le peuple, ne voyant point paraître le secours d'Espagne, qui témoigna en cette occasion beaucoup de faiblesse, obligèrent les gens de guerre à capituler, ou, pour mieux dire, à faire une paix plutôt qu'une capitulation, comme vous l'allez voir, car le Roi n'entra point dans Bordeaux. Gourville, qui alla trouver de la part des assiégés la cour, qui s'était avancée à Bourg, et les députés du parlement convinrent de ces conditions : que l'amnistie générale serait accordée à tous ceux qui avaient pris les armes et négocié avec Espagne, sans exception ; que tous les gens de guerre seraient licenciés, à la réserve de ceux qu'il plairait au Roi de retenir à sa solde ;

que Madame la Princesse, avec Monsieur le Duc, demeurerait
ou en Anjou en l'une de ses maisons, ou à Mouron, à son
choix, à condition que si elle choisissait Mouron, qui était
fortifié, elle n'y pourrait pas tenir plus de deux cents hommes
de pied et soixante chevaux, et que M. d'Epernon serait
révoqué du gouvernement de Guyenne, et un gouverneur
mis en sa place. Madame la Princesse vit le Roi et la Reine,
et dans cette entrevue il y eut de grandes conférences de
MM. de Bouillon et de La Rochefoucauld avec Monsieur le
Cardinal. Vous verrez, dans la suite, ce qui s'en dit à Paris
en ce temps-là, je ne sais ce qui en fut. Comme je n'ai
point été de cela, non plus que de tout ce qui se passa en
Guyenne, je ne l'ai touché que pour vous pouvoir mieux
faire entendre ce qui se trouvera avoir un rapport nécessaire
à ces faits, dans les matières que je vas traiter. J'ajouterai
seulement ici que ce qui obligea le Cardinal, au moins à ce
que l'on a cru, à ne pas s'opiniâtrer à une réduction plus
pleine et plus entière de Bordeaux, fut l'impatience extrême
qu'il eut de revenir à Paris[1]. Vous en allez voir les raisons.

Les coups de canon que l'on tira à Bordeaux avaient porté
jusques à Paris, devant même que l'on y eût mis le feu.
Aussitôt que le Roi fut parti, Voisin, conseiller et député de
ce parlement, demanda audience à celui de Paris. L'on pria
Monsieur de venir prendre sa place, et comme j'étais averti
qu'il y aurait bien du feu à l'apparition de ce député, je dis
à Monsieur que je croyais qu'il serait à propos qu'il concertât
ce qu'il aurait à dire à la Compagnie avec Monsieur le Garde
des sceaux et avec M. Le Tellier. Il les envoya quérir à
l'heure même, et il me commanda de demeurer avec eux
dans le cabinet. Le Garde des sceaux ne put ou ne voulut
concevoir que le Parlement pût seulement songer à délibérer
sur une proposition de cette nature. Je considérai sa sécurité
comme une hauteur d'un ministre accoutumé au temps du
cardinal de Richelieu : vous verrez, par la suite, qu'elle avait
un autre principe. Quand je m'aperçus que M. Le Tellier,
qui était plus en école[2], parlait sur le même ton, je me
modérai, je fis mine d'être ébranlé de ce que l'un et l'autre
disait, et Monsieur, qui connaissait mieux le terrain, s'en
mettant en colère contre moi, je lui proposai de prendre les
sentiments de Monsieur le Premier Président. Il y envoya
sur-le-champ M. Le Tellier, qui revint très convaincu de

mon opinion, et qui dit nettement à Monsieur que celle du premier président était qu'il passerait du bonnet [1] à entendre le député. Vous remarquerez, s'il vous plaît, que lorsque les députés de la Compagnie avaient été recevoir les commandements du Roi à son départ, Monsieur le Garde des sceaux leur avait dit, en sa présence, que ce député n'était qu'un envoyé des séditieux et non pas du parlement.

Il se trouva, le lendemain, que l'avis de Monsieur le Premier Président était le bon. Quoique M. d'Orléans eût dit *d'abord que le Roi avait commandé à M. d'Epernon de sortir de la Guyenne et de venir au-devant de lui sur son passage, dans la vue de porter les affaires à la douceur et d'agir en père plutôt qu'en roi [2], il n'y eut pas dix voix à ne pas recevoir le député. L'on le fit entrer à l'heure même. Il présenta la lettre du parlement de Bordeaux ; il harangua et avec éloquence ; il mit sur le bureau les arrêts rendus par sa compagnie, et il conclut par la demande de l'union. L'on opina deux ou trois jours de suite sur cette affaire, et il *passa à faire [a] registre de ce que M. d'Orléans avait dit touchant l'ordre du Roi à M. d'Epernon ; que le député de Bordeaux donnerait sa créance par écrit, laquelle serait portée au Roi par des députés du parlement de Paris, qui supplieraient très humblement la Reine de donner la paix à la Guyenne. La délibération fut assez sage, l'on ne s'emporta point ; mais ceux qui connaissaient le Parlement virent clairement, dans l'air plutôt que dans les paroles, que celui de Paris ne voulait pas la perte de celui de Bordeaux. Monsieur me dit dans son carrosse, au sortir du Palais : « Les flatteurs du Cardinal lui manderont que tout va bien, et je ne sais s'il n'aurait pas été à propos qu'il eût paru aujourd'hui plus de chaleur. » Il devina ; car le garde des sceaux me dit à moi-même, l'après-dînée, que ce que le premier président avait mandé à Monsieur, la veille, n'était qu'un effet de la passion qu'il avait de se faire valoir dans les moindres choses. Il ne le connaissait pas : ce n'était pas là son faible.

Le garde des sceaux fit, le même jour, une faute plus considérable que celle-là. La lettre du parlement de Bordeaux contenait une plainte contre les violences de Foullé, maître des requêtes, qui était intendant de justice en Limousin, et la Compagnie ordonna, sur cet article, que Foullé serait ouï. Le garde des sceaux crut qu'il y allait de l'autorité du Roi de le soutenir, au moins indirectement. Il aposta Ménardeau, conseiller de la Grande Chambre, habile homme, mais décrié à cause du mazarinisme, pour présenter une requête de récusation contre le *bonhomme Broussel, qui en avait rapporté une d'un nommé Chamberet. Ce Chamberet récusa de sa part Ménardeau. Ces contestations, dont les noms n'étaient pas également favorables, tinrent les chambres assemblées cinq ou six jours. Les esprits qui se calment, presque toujours, dans le cours ordinaire de la justice, ne manquent jamais à s'éveiller et à s'échauffer dans ces assemblées, où la moindre vétille peut avoit trait à la plus grande affaire, et il me parut que cette étincelle alluma beaucoup le feu, qui ne fut pas si vif que nous l'avions vu le 7 de juillet, mais qui fut bien plus violent que nous ne l'avions même imaginé le 5 d'août [1]. Monsieur d'Orléans ayant appris que le président de Gourgues était arrivé à Paris, avec un conseiller appelé Guyonnet, envoyé par sa compagnie pour chef de la députation, le voulut voir, de l'avis de M. Le Tellier, qui connaissait mieux que tout ce qui était à la cour la conséquence des mouvements de Guyenne, et qui me paraissait même, en [ce] temps-là, en souhaiter avec passion l'accommodement. Je m'imagine, car je ne l'ai jamais su au vrai, qu'il avait reçu quelques ordres secrets de la cour, qui lui donnaient lieu de conseiller à Monsieur ce que vous allez voir ; car je doute, de l'humeur dont il est, qu'il eût été assez hardi pour l'oser faire de lui-même. Il l'assurait pourtant : je m'en rapporte à ce qui en est. Il dit donc à Monsieur, en ma présence, que son avis serait [a] que Son Altesse Royale assurât, dès le lendemain, les députés que le Roi avait envoyé M. d'Epernon à Loches, que l'on lui ôterait même le gouvernement de Guyenne pour satisfaire l'aversion des peuples, que l'on donnerait une amnistie générale même à MM. de Bouillon et de La Rochefoucauld ; qu'il souhaitait qu'ils écrivissent à leur compagnie les propositions qu'il leur faisait, et qu'ils l'assurassent qu'il irait lui-même, si elle le désirait, les négocier à la cour. Monsieur me commanda d'aller conférer, de sa part, avec Monsieur le Premier Président, qui m'embrassa comme si je lui eusse apporté la nouvelle de son salut, et qui ne douta, non plus que moi, que le cardinal Mazarin, selon sa bonne coutume, ne courût après son esteuf[1], et que les difficultés qu'il trouvait en Guyenne ne l'eussent obligé à prendre le parti de faire faire ces propositions par Monsieur, afin de *couvrir et son imprudence et sa légèreté. Il me parut très persuadé, comme je l'étais aussi, qu'elles adouciraient beaucoup le Parlement ; et comme il sut que M. d'Orléans les avait faites aux députés de Bordeaux, comme il est vrai qu'il les leur fit du moment que je lui eus rapporté les sentiments du premier président, il envoya les gens du Roi dans les chambres des Enquêtes, dire, au nom de Son Altesse Royale, qu'elle les avait mandées le matin pour leur ordonner de dire à la Compagnie qu'il n'était pas nécessaire qu'elle s'assemblât, parce qu'il était en traité avec les députés du parlement de Bordeaux. Ce procédé, qui eût plu dans un temps où les humeurs n'eussent pas été échauffées par les assemblées de chambre, choqua les Enquêtes : elles prirent leur place *tumultuairement dans la Grande Chambre, et le plus ancien de leurs présidents dit à Monsieur le Premier Président que l'ordre n'était pas de faire porter des paroles aux chambres par les gens du Roi, et que quand il y avait une proposition, elle devait être faite en pleine assemblée du Parlement. Le premier président surpris ne la put pas refuser ; et pour la différer au moins jusques au lendemain, il prit le prétexte de Monsieur, sans lequel il n'était pas du respect d'opiner, ni même de la possibilité, puisqu'il s'agissait d'une proposition qui avait été faite par lui.

Il y eut, le soir, une scène chez Monsieur qui mérite votre attention. Il nous assembla, Monsieur le Garde des sceaux, M. Le Tellier, M. de Beaufort et moi, pour savoir nos sentiments sur la conduite qu'il aurait à tenir dans le Parlement, le lendemain au matin. Le garde des sceaux soutint d'abord, et sans balancer, qu'il fallait que Monsieur ou n'y allât point et défendît l'assemblée, ou du moins qu'il n'y demeurât qu'un moment ; et qu'après avoir dit à la Compagnie ses intentions, il sortît, pour peu qu'il y trouvât d'opposition. Cette proposition, qui eût tourné, en moins d'un demi-quart d'heure, toute la Compagnie du côté des princes, si elle eût été exécutée, ne trouva aucune approbation ; mais elle ne fut toutefois vivement contredite que par M. de Beaufort et par moi, parce que M. Le Tellier, qui en voyait le ridicule tout comme nous, ne s'y voulut

pas opposer avec force, et pour laisser échauffer la contestation
entre le garde des sceaux et moi, qu'il était fort aise de
brouiller, et pour faire sa cour au Cardinal en lui faisant
voir qu'il allait aux avis les plus vigoureux pour son service.
Je connus clairement, dans la même conversation, que le
garde des sceaux mêlait dans son humeur brusque et sauvage,
et dans ses anciennes maximes qu'il ne pouvait accommoder
au temps, je connus, dis-je, qu'il y mêlait de l'*art pour
faire aussi sa cour à mes dépens, et pour faire paraître à la
Reine qu'il se détachait des Frondeurs, où il s'agissait de
l'autorité royale. Je voyais qu'en me raidissant contre leurs
sentiments, je donnais lieu, et à eux et à tous ceux qui
voulaient plaire à la cour, de me traiter d'esprit dangereux,
qui cabalait auprès de Monsieur pour l'en aliéner et qui
avait intelligence avec les rebelles de Bordeaux. Je considérais,
d'autre part, que si Monsieur suivait leurs conseils, il
donnerait, en peu de semaines, je ne dis pas de mois, le
parlement de Paris à Monsieur le Prince ; que Monsieur,
dont je connaissais la faiblesse, s'y redonnerait lui-même,
dès qu'il verrait que le public y courrait ; que le Cardinal,
dont je n'estimais pas la force, le pourrait même prévenir,
et qu'ainsi je courrais risque de périr par les fautes d'autrui,
et par celles-là mêmes sur lesquelles je ne pouvais me
défendre de m'attirer ou la défiance et la haine de la cour
en m'y opposant, ou l'aversion publique et la honte des
mauvais *succès en y consentant. Jugez, je vous supplie, de
mon embarras. Je ne trouvai de recours qu'à me remettre
au jugement de Monsieur le Premier Président. M. Le Tellier
y alla de la part de Monsieur, et il en revint très persuadé
que l'on perdrait tout, si l'on ne ménageait le Parlement
avec beaucoup d'adresse, dans une conjoncture où les
serviteurs de Monsieur le Prince n'oubliaient rien pour faire
appréhender les conséquences de la perte de Bordeaux. Je
fus encore plus persuadé, au retour de M. Le Tellier, que la
complaisance qu'il avait eue pour Monsieur le Garde des
sceaux n'était qu'un effet des raisons que je vous ai déjà
marquées ; car aussitôt qu'il en eut assez dit pour pouvoir
mander à la cour qu'il n'avait pas tenu à lui que l'on n'eût
fait des merveilles, et qu'il m'avait *commis avec le garde
des sceaux, il revint à mon avis, sous prétexte de se rendre à
celui du premier président, avec une précipitation que

Monsieur remarqua, et qui l'obligea de me dire, dès le soir même, que Le Tellier n'avait jamais été, dans le cœur, d'un autre avis que de celui auquel il disait seulement être revenu.

Monsieur proposa, dès le lendemain, dans le Parlement, ce qu'il avait offert aux députés de Bordeaux[a], en ajoutant qu'il souhaitait que ses offres fussent acceptées dans dix jours, à faute de quoi il retirait sa parole. Vous comprenez aisément que M. Le Tellier, non pas seulement n'eût pas fait une proposition de cette nature, mais qu'il n'y eût pas même consenti, s'il n'eût eu un ordre bien exprès du Cardinal ; et vous concevrez encore plus facilement l'importance dont il est de ne faire jamais les propositions, même les plus favorables, que bien à propos. Celle de la destitution de M. d'Epernon eût désarmé la Guyenne, peut-être pour toujours, et eût imposé silence, pour très longtemps, aux partisans de Monsieur le Prince dans le parlement de Paris, si elle y eût été faite seulement huit jours devant le départ du Roi, qui fut dans le premiers jours de juillet. Elle ne fut pas comptée pour beaucoup le 8 et 9 d'août : l'on se contenta d'ordonner, après des contestations très fortes, que l'on en donnerait avis au président Le Bailleul et aux autres députés de la Compagnie, qui étaient partis pour aller à la cour ; et elle n'empêcha pas que, bien que M. d'Orléans menaçât, à tout moment, de se retirer, si l'on mêlait dans les *opinions des matières qui ne fussent pas du sujet de la délibération, elle n'empêcha pas, dis-je, qu'il n'y eût beaucoup de voix concluantes à demander à la Reine l'élargissement de Messieurs les Princes et l'éloignement du cardinal Mazarin. Le président Viole, passionné partisan de Monsieur le Prince, ouvrit l'avis, non pas qu'il espérât de le faire passer, car il savait bien que sa partie n'était pas assez bien faite et que nous étions encore bien plus forts que lui en nombre de voix ; mais il savait aussi qu'il en tirerait l'avantage de nous embarrasser, M. de Beaufort et moi, sur un sujet sur lequel nous n'avions garde de parler, et sur lequel toutefois nous ne pouvions nous taire sans nous faire, en quelque façon, passer pour mazarins. Il faut confesser que le président Viole servit admirablement Monsieur le Prince en cette occasion, dans laquelle Le Bourdet, brave et déterminé soldat qui avait été capitaine aux gardes et qui du[b] depuis s'était attaché à Monsieur le Prince, fit une

action qui ne lui réussit pas et qui ne laissa pas de donner
beaucoup d'audace à son parti. Il s'habilla en maçon, avec
quatre-vingts officiers de ses troupes, qui s'étaient coulés
dans Paris, et ayant ramassé des gens de la lie du peuple,
auxquels on avait distribué quelque argent, il vient[a] droit à
Monsieur, qui sortait et qui était déjà au milieu de la salle
du Palais, en criant : « Point de Mazarin ! vivent les
princes ! » Monsieur, à cette vision et à deux coups de
pistolet que Le Bourdet tira en même temps, tourna
brusquement et s'enfuit dans la Grande Chambre, quelques
efforts que M. de Beaufort et moi fissions pour le retenir.
J'eus un coup de poignard dans mon rochet, et M. de
Beaufort, ayant fait *ferme avec les gardes de Monsieur et
nos gens, repoussa Le Bourdet et le renversa jusque sur les
degrés du Palais. Il y eut deux gardes de Monsieur de tués
en ce petit fracas. Ceux de la Grande Chambre étaient un
peu plus dangereux. L'on s'y assemblait presque tous les
jours, à cause de l'affaire de Foullé, dont je vous ai déjà
parlé, et il n'y avait point d'assemblée où l'on ne donnât
des *bourrades au Cardinal et où ceux du parti de Monsieur
le Prince n'eussent le plaisir, deux ou trois fois le jour, de
nous faire voir au peuple comme des gens qui étaient dans
une parfaite union avec lui ; et ce qui était encore plus
admirable est que, dans ces mêmes moments, le Cardinal et
ses adhérents nous accusaient d'avoir intelligence avec le
parlement de Bordeaux, parce que nous soutenions que si
l'on ne s'accommodait avec lui, nous donnerions infailliblement celui de Paris à Monsieur le Prince. M. Le Tellier le
voyait comme nous, et il nous disait qu'il l'écrivait tous les
jours. Je ne saurais vous dire ce qui en était. Le grand
prévôt, qui était à la cour, me dit, quand elle fut revenue,
que Le Tellier disait vrai et qu'il le savait de science certaine.
Lionne m'a dit depuis, plusieurs fois, tout le contraire :
qu'il était vrai que Le Tellier avait pressé le retour du Roi à
Paris, mais pour obvier, ce disait-il, aux cabales que j'y
faisais contre le service du Roi. Si j'étais à l'article de la
mort, je ne me confesserais pas sur ce point. J'agis, dans
tous ces temps-là, avec toute la sincérité que j'y eusse pu
avoir si j'eusse été neveu du cardinal Mazarin. Ce n'était
pas pour l'amour de lui, car il ne m'y avait nullement obligé
depuis notre réconciliation ; mais je me croyais obligé, par

la bonne conduite, de m'opposer aux progrès que la faction de Monsieur le Prince faisait, de moment en moment, par la mauvaise conduite de ses propres ennemis ; et, pour m'y opposer avec effet, je me trouvais dans la nécessité de combattre avec autant d'application la flatterie des partisans du ministre, que les efforts des serviteurs de Monsieur le Prince. Les uns me décriaient comme mazarin, dès que je m'opposais à leur pratique ; les autres me décriaient comme factieux, dès que je ménageais les moindres égards pour conserver mon crédit dans le peuple.

Paris demeura en cet état jusques au troisième de septembre. Le président Le Bailleul revint avec les autres députés. Il fit la relation de son voyage de la cour, dans le Parlement, dont la substance fut : Que la Reine les avait remerciés des bons sentiments que la Compagnie lui avait témoignés, et qu'elle leur avait commandé de l'assurer, de sa part, qu'elle était très bien disposée pour donner la paix à la Guyenne, et qu'elle l'aurait déjà fait, si M. de Bouillon, qui avait traité avec les Espagnols, ne se fût rendu maître de Bordeaux et empêché les effets de la bonté et de la clémence du Roi[1].

Les députés du parlement de Bordeaux entrèrent, en même temps, dans la Grande Chambre, et ils y firent leur plainte en forme de ce que l'on avait donné si peu de temps de négocier à ceux de Paris ; que l'on ne leur avait pas seulement permis de demeurer deux jours à Libourne, que l'on les en avait laissés trois à Angoulême sans leur donner aucune réponse ; et qu'ils avaient été obligés de revenir avec aussi peu d'éclaircissement qu'ils en avaient lorsqu'ils étaient partis de Paris[a]. Ce procédé, qui répondait si peu à ce que Monsieur avait avancé et assuré à la Compagnie, peu de jours auparavant, l'eût portée à un grand éclat, si Monsieur, qui l'avait prévu et qui en avait conféré la veille avec le garde des sceaux, avec le premier président et avec Le Tellier, n'eût pris, très sagement, le parti d'étouffer le plus petit bruit par le plus grand, en disant au Parlement qu'il avait reçu une lettre de Monsieur l'Archiduc, qui lui faisait savoir que, le roi d'Espagne lui ayant envoyé un plein pouvoir de faire la paix, il souhaitait avec passion de la pouvoir traiter avec lui. Monsieur ajouta qu'il n'avait point voulu faire de réponse que par l'avis de la Compagnie. Cette rosée fit tomber le vent qui commençait de s'élever dans la Grande

Chambre, et l'on résolut de s'assembler, le lundi suivant, pour délibérer sur une proposition aussi importante.

La veille que Monsieur la porta au Parlement, elle fut extrêmement discutée dans son cabinet, et l'on convint que, selon toutes les apparences, elle n'était pas faite de bonne foi par les Espagnols. Ils venaient de prendre La Capelle ; M. de Turenne les avait joints, avec ce qu'il avait pu ramasser des officiers et des troupes de Messieurs les Princes. Le maréchal Du Plessis, qui commandait l'armée du Roi, n'était pas en état de leur faire tête. Ils mêlèrent même dans leur offre des circonstances peu pacifiques, et qui marquaient beaucoup plus de mauvaise intention que de bonne. Le trompette qui apporta la lettre de l'archiduc à Monsieur, datée du camp de Bazoches auprès de Reims, fit une *chamade à la Croix-du-Tiroir et tint même des discours fort séditieux au peuple. L'on trouva, dès le lendemain, cinq ou six placards affichés en différents endroits de la ville, au nom de M. de Turenne, par lesquels il assurait que l'archiduc ne venait qu'avec un esprit de paix, et dans l'un des placards ces paroles étaient contenues : « C'est à vous, peuple de Paris, à *solliciter vos faux tribuns, devenus enfin *pensionnaires et protecteurs du cardinal Mazarin, et qui se jouent, depuis si longtemps, de vos fortunes et de votre repos, et qui vous ont tantôt excité et tantôt alenti, tantôt poussé et tantôt retenu, selon leur caprice et les différents progrès de leur ambition. »

Je ne vous marque ces paroles que pour vous faire voir l'état où étaient les Frondeurs, dans une conjoncture où ils ne pouvaient faire un pas qui ne fût contre eux. Monsieur, qui fut extrêmement piqué de la manière dont les députés du parlement de Paris avaient été traités à la cour, me parla, le soir dont le trompette de l'archiduc était arrivé l'après-dînée, avec une aigreur très grande contre le Cardinal, ce qu'il n'avait jamais fait jusque-là. Il me dit qu'il croyait qu'il lui avait fait proposer, par Le Tellier, ce qu'il avait avancé à la Compagnie, pour le décréditer ; qu'un *disparate pareil ne pouvait pas être un effet de la pure imprudence, et qu'il fallait de nécessité qu'il y eût de la mauvaise intention ; qu'il me voulait découvrir un secret sur lequel il ne s'était jamais expliqué : que le Cardinal lui avait fait deux perfidies terribles en sa vie ; qu'il y en avait une de

Mr complaisance of M's treachery

laquelle il ne s'ouvrirait jamais à personne ; que celle qu'il me voulait bien confier était que, dans l'accommodement qu'il fit avec Monsieur le Prince touchant le Pont-de-l'Arche [1], il était expressément porté que si il arrivait que lui Monsieur eût quelque chose à démêler avec Monsieur le Prince, il se déclarerait contre lui, et qu'il ne marierait même aucune de ses nièces sans le consentement de Monsieur le Prince. Monsieur ajouta encore deux ou trois conditions aussi engageantes, que j'ai oubliées, avec des opprobres contre La Rivière, qui le trahissait, me dit-il, pour les deux autres, et qui les trahissait pourtant tous trois. Je ne me ressouviens pas assez du particulier, mais je sais bien que j'en eus horreur. Monsieur continua à s'emporter contre le Cardinal, jusques au point de me dire qu'il perdrait l'Etat en se perdant soi-même ; qu'il nous perdrait tous avec lui ; qu'il remettrait Monsieur le Prince sur le trône. Je vous assure que si il m'eût plu, dès ce jour-là, de pousser Monsieur, je n'eusse pas eu peine à lui faire prendre au moins des vues peu favorables à la cour. Je me crus obligé à la conduite contraire, parce que, dans l'éloignement où elle était, la moindre apparence qu'il eût donnée de son mécontentement eût été capable de l'empêcher de se rapprocher, et peut-être même de la porter à se raccommoder avec Monsieur le Prince. Je répondis donc à Monsieur que je n'excusais pas le procédé de Monsieur le Cardinal, qui était insoutenable ; mais que j'étais persuadé toutefois qu'il n'avait pas un si mauvais principe que celui qu'il lui donnait ; que je croyais que son premier dessein avait été, connaissant que la présence du Roi n'avait pas produit à Bordeaux tout l'effet que l'on en avait attendu [2], que son premier dessein, dis-je, avait été de penser sérieusement à l'accommodement, et qu'il avait donné sur cela ses ordres au Tellier ; que, voyant depuis que les Espagnols ne faisaient pas pour le secours de cette ville ce qu'il en avait dû craindre lui-même, il avait changé d'avis, dans la vue et dans l'espérance de la réduire ; que je ne prétendais pas faire son panégyrique en l'excusant ainsi, mais que je concevais pourtant que l'on devait faire une notable différence entre une faute de cette espèce et celle dont Son Altesse Royale le soupçonnait. Voilà par où je commençai son *apologie ; je la continuai par tout ce que le meilleur de ses amis eût pu

Max

dire pour sa défense ; et je la finis par l'explication de la maxime qui nous ordonne de ne nous pas si fort choquer des fautes de ceux qui sont unis avec nous, que nous en donnions de l'avantage à ceux contre lesquels nous agissons. Cette dernière considération toucha beaucoup Monsieur, qui revint à lui presque tout d'un coup et qui me dit : « Je l'avoue, il n'est pas encore temps de n'être pas mazarin. » Je remarquai cette parole, quoique je n'en fisse pas *semblant, et je la dis le soir au président de Bellièvre, qui me répondit : « A l'*erte ! cet homme nous peut échapper à tous les moments. » Comme cette conversation avec Monsieur finissait, Monsieur le Garde des sceaux, Monsieur le Premier Président, M. d'Avaux et les présidents Le Coigneux le père et de Bellièvre, qu'il avait envoyé quérir, entrèrent dans sa chambre avec M. Le Tellier ; et comme ils le trouvèrent encore tout ému de l'emportement où il avait été contre le Cardinal, et que le premier mot qu'il dit au Tellier fut un reproche du pas auquel il l'avait engagé et qui avait été si mal secondé par Monsieur le Cardinal, toute la compagnie, qui m'avait trouvé seul avec lui, ne douta pas que je ne l'eusse échauffé, et quoique je me joignisse de très bonne foi à ceux qui le suppliaient d'attendre, devant que de se plaindre, le retour du Coudray-Montpensier, qu'il avait envoyé à la cour et à Bordeaux, touchant les offres qui lui avaient été inspirées par Le Tellier, personne, à la réserve du président de Bellièvre, qui savait mes pensées, ne douta que ce que je disais ne fût un jeu tout pur. Ce qui le faisait encore croire davantage est que je faisais, de temps en temps, de certains signes à Monsieur, pour le faire ressouvenir de ce qu'il me venait de confesser lui-même, qu'il n'était pas temps d'éclater contre le Cardinal. L'on prenait ces signes au sens contraire, parce que Monsieur d'abord ne s'en aperçut pas et qu'il continua à pester : de sorte que, quand il revint, et qu'il se radoucit, ce qu'il avait résolu devant que ces messieurs fussent entrés et ce que la seule colère l'avait empêché de faire, ils crurent que la force de leurs raisons l'avait emporté sur la fureur de mes conseils ; et, dès le soir, ils s'en firent honneur et ils l'écrivirent, avec tous les ornements, à la cour. Mme de Lesdiguières m'en fit voir une relation très habilement et très *malicieusement circonstanciée, quinze jours ou trois semaines après. Elle ne me voulut point dire de qui elle la tenait, mais elle me jura que ce n'était pas du maréchal de Villeroy. Je crus qu'elle était de Vardes, qui était, en ce temps-là, un peu épris d'elle.

Il arriva, par hasard, que M. de Beaufort vint à cet instant chez Monsieur, et que, s'impatientant d'entendre assez souvent, à travers les acclamations accoutumées, des voix qui nous reprochaient notre union avec le Mazarin, dit assez brusquement à M. Le Tellier qu'il ne concevait pas pourquoi Monsieur le Cardinal avait *affecté de renvoyer, comme il avait fait, les députés du parlement de Paris, et qu'il n'y avait point de moyen plus sûr pour donner le Parlement entier à Monsieur le Prince. Comme je craignais l'impétuosité de l'éloquence de M. de Beaufort, je voulus dire un mot pour la modérer, et le garde des sceaux, s'approchant de l'oreille du premier président, lui dit : « Voilà le bon et le mauvais soldat[1]. » Ornane, maître de la garde-robe de Monsieur, qui l'ouït, me le dit un quart d'heure après.

Le reste de la soirée ne raccommoda pas ce qu'il semblait que la fortune prît peine à gâter. L'on parla de la lettre de l'archiduc, sur laquelle le premier président prononça hardiment, et devant même que l'on lui en eût demandé son avis : « Il la faut prendre pour bonne, dit-il ; si par hasard elle l'est, ce que je ne crois pas, elle peut produire la paix ; si elle n'est pas sincère, il est important d'en faire connaître l'artifice aux Français et aux étrangers ». Vous avouerez qu'un homme de bien et un homme sage ne pouvait pas être d'un autre avis. Le garde des sceaux le combattit avec une force qui passa jusques à la brutalité, et il soutint qu'il était du respect que l'on devait à l'autorité souveraine de ne point faire de réponse et de renvoyer le tout à la Reine. Le Tellier, qui connaissait, comme nous, que si l'on prenait ce parti l'on donnerait lieu aux partisans de Monsieur le Prince de rejeter sur nous la rupture de la paix générale, parce qu'il était public que le Cardinal avait rompu celle de Münster[2] : Le Tellier, dis-je, n'appuya l'avis du garde des sceaux qu'autant qu'il fut nécessaire pour nous *commettre encore davantage ensemble. Dès qu'il eût fait son effet, il tourna tout court, comme l'autre fois, et il se rendit au sentiment de M. d'Avaux, qui fut encore plus fort que celui du premier président et que le mien ; car, au lieu

que nous n'avions fait que proposer que Monsieur écrivît à
l'archiduc et lui mandât seulement, en général, qu'il avait
reçu ses offres avec joie et qu'il le priait de lui faire savoir
son intention plus en particulier pour la manière de traiter :
au lieu, dis-je, de prendre ce parti, qui donnait beaucoup
plus de temps à attendre des nouvelles de la Reine, il soutint
que Monsieur devait dépêcher, dès le lendemain au matin,
à l'archiduc, un gentilhomme, pour lui en proposer lui-
même la matière : « Ce qui, ajouta-t-il, abrégera de beaucoup
et fera connaître aux Espagnols que la proposition, qu'ils ne
font peut-être à mauvaise intention que parce qu'ils sont
persuadés que nous ne voulons pas la paix, pourra produire
un meilleur effet qu'ils ne se sont eux-mêmes imaginé. »
M. Le Tellier s'avança encore davantage ; car, en appuyant
le sentiment de M. d'Avaux, il dit à Monsieur qu'il le
pouvait assurer que la Reine ne désapprouverait pas cette
démarche ; qu'il suppliait Son Altesse Royale de lui dépêcher
un courrier, et que ce même courrier lui apporterait assurément, à son retour, un plein et absolu pouvoir de traiter et
de conclure la paix générale. Le baron de Verderonne,
homme de bon esprit, fut envoyé, dès le lendemain, à
Monsieur l'Archiduc, avec une lettre par laquelle Monsieur
faisait réponse à la sienne, en lui demandant le lieu, le
temps et les personnes que l'Espagne y voudrait employer,
et en l'assurant qu'au jour et au lieu préfix[1], il en envoirait
sans délai un pareil nombre. Verderonne étant prêt de partir,
Monsieur, à qui il vint quelque scrupule de la réponse que
Le Tellier avait dressée, nous envoya tous quérir, c'est-à-dire
les mêmes qui s'étaient trouvés à la conversation du soir
précédent, et il nous en fit faire la lecture. Le premier
président remarqua que Monsieur ne répondait pas à l'article
dans lequel l'archiduc lui proposait de traiter personnellement avec lui ; et il me le dit tout bas, en ajoutant : « Je
ne sais si je dois relever l'omission. » M. d'Avaux ne lui en
laissa pas le temps, car il en parla même avec véhémence.
M. Le Tellier s'excusa sur ce que, la veille, l'on ne s'en était
pas distinctement expliqué. M. d'Avaux insista, que cette
clause y était entièrement nécessaire ; le premier président
se joignit à lui, MM. Le Coigneux et de Bellièvre furent du
même avis ; je les suivis. Le garde des sceaux et Le Tellier
prétendirent que Monsieur ne pouvait s'engager à un colloque

personnel avec l'archiduc, sans un agrément exprès et même sans un commandement positif du Roi ; et qu'il y avait bien de la différence entre une réponse générale sur un traité de paix, que Son Altesse Royale savait bien ne pouvoir jamais être refusée par la cour, et une conférence personnelle d'un fils de France avec un prince de la maison d'Autriche. Monsieur, qui était naturellement faible, se rendit ou aux raisons ou à la faveur de M. Le Tellier, et la lettre demeura simplement comme elle était. M. d'Avaux, qui était un très homme de bien, ne put s'empêcher de s'emporter contre le faux Caton (c'est ainsi qu'il appela le garde des sceaux), et il me témoigna être très satisfait de ce que j'avais dit à Monsieur, en cette occasion. Nous nous connaissions peu ; et comme il était frère de M. le président de Mesmes, avec lequel j'étais fort brouillé, à cause toutefois des affaires publiques, le peu d'*habitude que nous avions eue ensemble devant les troubles était comme perdue. La sincérité avec laquelle je parlai à Monsieur contre les sentiments du Tellier lui plut et lui donna lieu d'entrer en matière avec moi sur la paix, pour laquelle je suis persuadé qu'il eût donné sa vie du meilleur de son cœur. Il le fit bien voir à Münster, où, si M. de Longueville eût eu la fermeté nécessaire, il l'eût donnée à la France, malgré les artifices du ministre, avec plus de gloire et plus d'avantage pour la couronne que dix batailles ne lui en eussent pu apporter[1]. Il me trouva, dans la conversation dont je vous parle, si conforme à ses sentiments, qu'il m'en aima toujours depuis et qu'il eut même très souvent, sur ce point, des contestations avec ses frères.

Verderonne revint et il ramena avec lui don Gabriel de Tolède, avec une lettre de l'archiduc à Monsieur, par laquelle il le priait que l'assemblée se fît entre Reims et Rethel, et que Monsieur et lui y traitassent personnellement, en choisissant toutefois ceux qu'il leur plairait de part et d'autre pour les assister.

Le courrier dépêché à la cour, pour savoir les intentions de la Reine, arriva juste, et il semblait que le Ciel était sur le point de bénir ce grand ouvrage, quand toutes les espérances s'évanouirent de la manière du monde la plus surprenante. La cour fut très surprise et très affligée de la proposition de l'archiduc, et parce que, dans la vérité,

Servien avait corrompu l'esprit du Cardinal à l'égard de la
paix générale, à un point qui ne se peut imaginer, et parce
que le désir que je lui avais témoigné, lorsque je m'étais
accommodé la dernière fois avec lui, d'en être un' des
plénipotentiaires, lui fit croire que cette proposition était un
jeu joué, et que j'avais été de concert avec M. de Turenne
pour la faire faire à l'archiduc. Il ne l'osa pourtant refuser,
M. Le Tellier lui ayant mandé que tout Paris se soulèverait
si seulement il y balançait ; et le grand prévôt me dit, au
retour, qu'il savait de science certaine que Servien avait fait
tous les efforts possibles pour l'obliger à ne pas envoyer à
Monsieur le plein pouvoir, et pour faire qu'il ne se rendît
pas particulièrement sur le point de la conférence personnelle
de Monsieur et de l'archiduc. Les patentes arrivèrent assez à
propos pour les faire voir à don Gabriel de Tolède. Elles
donnaient à Monsieur plein et entier pouvoir de traiter et
de conclure la paix, à telles conditions qu'il trouverait
raisonnables et avantageuses au service du Roi ; et elles lui
joignaient, avec subordination, mais toutefois aussi avec le
titre d'ambassadeurs extraordinaires et de plénipotentiaires,
MM. Molé, premier président, et d'Avaux. Vous êtes surprise
de ne me pas trouver en tiers, après les engagements dont
je vous ai parlé ci-dessus [1]. Je le fus encore beaucoup
davantage que vous ne pouvez l'être. Je n'éclatai pourtant
pas, et j'empêchai même Monsieur, qui n'en était guère
moins en colère que moi, de faire paraître ses sentiments,
parce que je ne crus pas qu'il fût de la bienséance de
donner la moindre lueur d'aucun intérêt paticulier, dans les
préalables d'un bien aussi grand et aussi général. Je m'en
expliquai en ces termes à tout le monde, et j'ajoutai que,
tant qu'il y aurait espérance de le faire réussir, je lui
sacrifierais, de tout mon cœur, le ressentiment que je pouvais
et que je devais avoir de l'injure que l'on m'avait faite.
Mme de Chevreuse, qui en appréhenda les suites d'autant
plus que je paraissais modéré, obligea Le Tellier d'en écrire
à la cour. Elle en écrivit elle-même très fortement. Le
Cardinal s'effraya : il m'envoya la *commission d'ambassadeur extraordinaire, comme aux deux autres, et M. d'Avaux,
qui en fut transporté de joie, parce qu'il connut à fond la
sincérité de mes intentions, en deux ou trois conversations
que nous eûmes, par rencontre, chez Monsieur, m'obligea à

parler à don Gabriel de Tolède en particulier, et à l'assurer, et de sa part et de la mienne, que si les Espagnols se voulaient réduire à des conditions raisonnables, nous ferions la paix en deux jours. Ce que M. d'Avaux me dit sur ce sujet est remarquable. Je faisais quelque difficulté, venant de recevoir la commission de plénipotentiaire, de conférer, sur cette matière, quoique légèrement et superficiellement, avec un ministre d'Espagne. Il me dit : « J'eus cette faiblesse à Münster, dans une occasion où elle a peut-être coûté la paix à l'Europe. Monsieur est lieutenant général de l'État et le Roi est mineur. Vous lui ferez agréer ce que je vous propose : parlez-lui en ; je consens que vous lui disiez que je vous l'ai conseillé. » J'entrai, sur-le-champ, dans le cabinet des livres, où Monsieur arrangeait ses médailles ; je lui fis la proposition de M. d'Avaux. Il le fit entrer, et après l'avoir fait parler plus d'un quart d'heure sur ce détail, il me commanda de trouver moyen de dire ou de faire dire à don Gabriel de Tolède, qu'il disait être homme à argent, que si la paix se faisait dans la conférence qui avait été proposée, il lui donnerait cent mille écus, et qu'il le priait, pour toute condition, de dire à l'archiduc que si les Espagnols en proposaient de raisonnables, il les accepterait, les signerait et les ferait enregistrer au Parlement devant que le Mazarin en eût seulement le premier avis. M. d'Avaux fut de sentiment que j'écrivisse au même sens à M. de Turenne, et il se chargea de lui faire rendre ma lettre en main propre. La lettre fut *honnêtement folle, pour être écrite sur un sujet aussi sérieux. Elle commençait par ces paroles : « Il vous sied bien, maudit Espagnol, de nous traiter de tribuns du peuple ![1] » Elle ne finissait pas plus sagement ; car je lui faisais la guerre d'une petite grisette qu'il aimait de tout son cœur, dans la rue des Petits-Champs. Le milieu de la dépêche était substantiel et lui faisait voir solidement que nous étions très bien intentionnés pour la paix. Je parlai à don Gabriel de Tolède, chez Monsieur, d'une manière qui parut si peu affectée qu'elle ne fut pas remarquée, et qui ne laissa pas de lui expliquer suffisamment ce que j'avais à lui dire. Il le reçut avec une sensible joie, à ce qui me parut, et il ne fit même ni le fier ni le délicat sur la proposition des cent mille écus. Il était intimement avec Fuensaldagne, qui avait inclination pour lui, et qui, pour excuser de

certaines fantaisies particulières auxquelles il était sujet, disait
que c'était le plus sage fou qu'il eût jamais vu. J'ai remarqué
plus d'une fois que ces sortes d'esprits persuadent peu, mais
qu'ils *insinuent bien ; et le talent d'insinuer est plus
d'usage que celui de persuader, parce que l'on peut insinuer
à tout le monde et que l'on ne persuade presque jamais
personne. Don Gabriel n'insinua ni ne persuada Fuensaldagne, ce que l'on avait espéré ; car le nonce du Pape et le
ministre qui, en l'absence de l'ambassadeur, résidait à Paris
pour la république de Venise, l'ayant suivi de fort près avec
M. d'Avaux, et étant allés coucher à Nanteuil, pour attendre
de plus près les passeports qu'ils demandaient à l'archiduc,
pour concerter en détail ce que don Gabriel de Tolède
n'avait touché que fort en général, ils eurent pour toute
réponse que Son Altesse Impériale, ayant assigné le lieu et
le jour comme elle avait fait, n'avait rien à dire de
nouveau ; que le mouvement des armées ne lui permettait pas
d'attendre plus longtemps que le 18 (vous remarquerez, s'il
vous plaît, que don Gabriel, qui avait donné ce jour, n'était
arrivé à Paris que le 12) ; qu'il n'était aucun besoin de
médiateurs, et que toutes les fois que la conjoncture pourrait
permettre de traiter de la paix, elle y apporterait toutes les
facilités imaginables. Vous voyez que l'on ne peut sortir
d'affaire, je ne dis pas seulement plus *malhonnêtement,
mais encore plus grossièrement, que les Espagnols en sortirent
en cette occasion. Ils y agirent contre leur intérêt, contre
leur réputation, contre la bienséance ; et je n'ai jamais trouvé
personne qui m'en ait pu dire la raison. Je l'ai demandée
depuis au cardinal Trivulce, à Caracène, à M. de Turenne, à
don Antonio Pimentel, et ils ne m'en ont pas paru beaucoup
plus savants que moi. Cet événement est, à mon sens, l'un
des plus rares et des plus extraordinaires de notre siècle.

En voici un d'une autre nature, qui ne l'est pas moins.
Le roi d'Angleterre, qui venait de perdre la bataille de
Worcester [1], arriva à Paris le propre jour du départ de don
Gabriel de Tolède, et il y arriva avec le milord Taf, qui lui
servait de grand chambellan, de valet de chambre, d'écuyer
de cuisine et de chef du gobelet. L'équipage était digne de la
cour [2] ; il n'avait pas changé de chemise depuis l'Angleterre.
Milord Germain lui en donna une des siennes en arrivant,
mais la reine sa mère n'avait pas assez d'argent pour lui

donner de quoi en acheter une autre pour le lendemain. Monsieur l'alla voir aussitôt qu'il fut arrivé, mais il ne fut pas en mon pouvoir de l'obliger à offrir un sou au roi son neveu, « parce que, ce disait-il, peu n'est pas digne de lui, et beaucoup m'engagerait à trop pour la suite ». Voilà ses propres paroles, à propos desquelles je vous supplie de me permettre de faire une petite digression, qui aura rapport à beaucoup de faits particuliers qui se rencontreront dans le cours de cette histoire.

Il n'y a rien de si fâcheux que d'être le ministre d'un prince dont l'on n'est pas le favori, parce qu'il n'y a que la faveur qui donne le pouvoir sur le petit détail de sa maison, dont l'on ne laisse pas d'être responsable au public, lorsque tout le monde voit que l'on a ce pouvoir sur des choses bien plus considérables que les domestiques[1]. La faveur de M. le duc d'Orléans ne s'acquérait point, mais elle se conquérait. Comme il savait qu'il était toujours gouverné, il *affectait toujours d'éviter de l'être, ou plutôt de paraître l'éviter ; et jusques à ce qu'il fût dompté, pour ainsi parler, il donnait des saccades. J'avais trouvé qu'il me convenait assez d'entrer dans ses grandes affaires, mais je n'avais pas cru qu'il me convînt d'entrer dans les petites. La figure qu'il y eût fallu faire m'eût trop donné l'air de courtisan, qui ne m'était pas bon, parce qu'il ne se fût pas bien accordé avec l'homme du public dont je tenais le poste, et plus beau et même plus sûr que celui de favori de M. le duc d'Orléans. Vous vous étonnerez peut-être de ce que je dis plus sûr, à cause de l'instabilité du peuple ; mais il faut avouer que celui de Paris se fixe plus aisément qu'aucun autre ; et M. de Villeroy, qui a été le plus habile homme de son siècle et qui en a parfaitement connu le naturel dans tout le cours de la Ligue, où il le gouvernait sous M. du Maine, a été de ce sentiment. Ce que j'en éprouvais moi-même me le persuadait, et fit que, bien que Montrésor, qui avait été longtemps à Monsieur, me pressât de prendre au palais d'Orléans l'appartement de La Rivière, que Monsieur m'avait offert, et m'assurât, cinq ou six fois par jour, que j'aurais des *dégoûts tant que je ne me serais pas érigé moi-même en favori, bien que Madame m'en pressât très souvent elle-même, bien qu'il n'y eût rien de si facile, parce que Monsieur joignait à l'inclination qu'il avait pour ma personne une très grande considération pour le pouvoir que j'avais dans le public, je demeurai toujours ferme dans ma première résolution, qui était bonne dans le fond, mais qui ne laissa pas d'avoir des inconvénients, que vous verrez dans la suite : par exemple, celui sur le sujet duquel je vous ai fait cette remarque. Si je me fusse logé au palais d'Orléans et que j'eusse vu les comptes du trésorier de Monsieur, j'eusse donné la moitié de son apanage à qui il m'eût plu ; et quand même il l'eût trouvé mauvais, il ne m'en eût osé rien dire. Je ne me voulus pas mettre sur ce pied. Il ne fut pas en mon pouvoir de l'obliger à assister de mille pistoles le roi d'Angleterre. J'en eus honte pour lui, j'en eus honte pour moi ; j'en empruntai quinze cents de M. de Morangis, oncle de celui que vous connaissez, et je les portai au milord Taf, pour le roi son maître.

Il ne tint qu'à moi d'en être remboursé dès le lendemain, et en monnaie même de son pays ; car, en retournant chez moi, sur les onze heures du soir, je trouvai un certain Fildin, Anglais, que j'avais connu autrefois à Rome, qui me dit que Vaine, grand parlementaire et très confident de Cromwell, venait d'arriver à Paris et qu'il avait ordre de me voir. Je me trouvai, pour vous dire le vrai, un peu embarrassé. Je ne crus pas toutefois devoir refuser cette entrevue, dans une conjoncture où nous n'avions point de guerre avec l'Angleterre, et dans laquelle même le Cardinal faisait des avances et basses et continuelles au Protecteur[1]. Vaine me donna une petite lettre de sa part, qui n'était que de créance. La substance du discours fut que les sentiments que j'avais fait paraître pour la défense de la liberté publique, joints à ma réputation, avaient donné à Cromwell le désir de faire une amitié étroite avec moi. Ce fond fut orné de toutes les *honnêtetés, de toutes les offres, de toutes les vues que vous vous pouvez imaginer. Je répondis avec tout le respect possible, mais je ne dis ni ne fis assurément quoi que ce soit qui ne fût digne et d'un véritable catholique et d'un bon Français. Vaine me parut d'une capacité surprenante ; vous verrez, par la suite, qu'il ne me séduisit pas. Je reviens à ce qui se passa le lendemain chez Monsieur.

Laigue, qui y avait eu, le matin, une longue conférence avec M. Le Tellier, m'aborda avec une contenance assez embarrassée, et je connus qu'il avait quelque chose à me communiquer ; je le lui dis, et il me répondit : « Il est vrai, mais me donnez-vous votre parole de me garder le secret ? » Je l'en assurai. Ce secret était que Le Tellier avait ordre positif du Cardinal de tirer Messieurs les Princes du bois de Vincennes, si les ennemis se mettaient à portée d'en pouvoir approcher ; de ne rien oublier pour y faire consentir Monsieur, mais de l'exécuter quand même il n'y consentirait point ; d'essayer de me gagner, sur ce point, par le moyen de Mme de Chevreuse, qui n'était pas encore tout à fait payée des quatre-vingt mille livres que la Reine lui avait données de la rançon du prince de Ligne, qui avait été pris à la bataille de Lens [1], et qu'il croyait, par cette considération et par plusieurs autres, être plus dépendante de la cour. Laigue ajouta toutes les raisons qu'il put trouver dans lui-même, pour me prouver la nécessité et même l'utilité de cette translation. Je l'arrêtai tout court, et je lui répondis que je serais bien aise de lui parler devant M. Le Tellier. Nous l'attendîmes chez Monsieur ; nous le prîmes sur le degré, d'où nous le menâmes dans la chambre du vicomte d'Autel, et je l'assurai que je n'avais, en mon particulier, aucune aversion à la translation de Messieurs les Princes ; que je ne croyais pas y avoir aucun intérêt ; que j'étais même persuadé que Monsieur n'y en avait aucun véritable, et que si il me faisait l'honneur de m'en demander mon sentiment, je n'estimerais pas parler contre ma conscience en lui parlant ainsi ; mais que mon opinion était, en même temps, qu'il n'y avait rien de plus contraire au service du Roi, parce que cette translation était de la nature des choses dont le fond n'est pas bon et dont les apparences sont mauvaises, et qui, par cette raison, sont toujours très dangereuses. « Je m'explique, ajoutai-je : il faudrait que les Espagnols eussent gagné une bataille pour venir à Vincennes ; et quand ils l'auraient gagnée, il faudrait qu'ils eussent des escadrons volants pour l'investir, devant que l'on eût eu le temps d'en tirer Messieurs les Princes. Je suis convaincu, par cette raison, que la translation n'est pas nécessaire ; et je soutiens que, dans les matières qui ne sont pas favorables par elles-mêmes, tout changement qui n'est pas nécessaire est pernicieux, parce qu'il est odieux. Je la tiens encore moins nécessaire du côté de Monsieur et du côté des Frondeurs que de celui des Espagnols. Supposez que Monsieur

ait toutes les plus *méchantes intentions du monde contre
la cour ; supposez que M. de Beaufort et moi voulions
enlever Messieurs les Princes : comment s'y pourrait-on
prendre ? Bar, qui les garde, n'est-il pas en votre disposition ?
Toutes les compagnies qui sont dans le château ne sont-elles
pas au Roi ? Monsieur a-t-il des troupes pour assiéger
Vincennes ? Et les Frondeurs, quelque fous qu'ils puissent
être, exposeraient-ils le peuple de Paris à un siège, que deux
mille chevaux, détachés de l'armée du Roi, qui n'en est pas
à trois journées, feraient lever, en moins d'un quart d'heure,
à cent mille bourgeois ? Je conclus que la translation n'est
point bonne dans le fond. Examinons-en les apparences : ne
seront-elles pas que Monsieur le Cardinal se sera voulu rendre
maître, sous le prétexte des Espagnols, des personnes de
Messieurs les Princes, pour en disposer à sa mode et comme
il lui conviendra dans les occasions ? Qui vous peut répondre
que Monsieur n'en prenne pas lui-même de l'ombrage ?
Qui vous peut répondre que quand il n'en prendrait pas de
l'ombrage et qu'il fût persuadé, comme je le suis, de
l'indifférence de la chose en soi, il ne se choque pas d'une
action que le commun ne peut au moins s'empêcher de
croire lui être désavantageuse ? Mais qui ne vous peut pas
répondre [1] du soulèvement de tous les esprits, que vous
réunissez de tous les partis contre vous, en moins d'un quart
d'heure ? Le peuple, qui est généralement frondeur, croira
que vous lui ôtez Monsieur le Prince, qu'il croit présentement
en ses mains, quand il le voit sur le haut du donjon ; et
que vous le lui ôtez pour lui rendre sa liberté, quand il
vous plaira, et pour venir assiéger Paris, pour une seconde
fois, avec lui. Les partisans de Monsieur le Prince se serviront
très utilement, pour échauffer les esprits, de la commisération
que le seul spectacle de trois princes enchaînés et promenés
de cachot en cachot produira dans les imaginations. Je vous
ai dit, en commençant ce discours, qu'en mon particulier je
n'avais aucun intérêt en cette translation, je me suis trompé :
je m'y en trouve un très grand, que je ne m'étais pas
imaginé ; tout le peuple criera, et dans ce peuple je compte
tout le Parlement. Je serai obligé, pour ne m'y point perdre,
de dire que je n'ai pas approuvé la résolution. L'on mandera
à la cour que je la blâme, et l'on mandera le vrai ; l'on
ajoutera que je la blâme pour *émouvoir le peuple et pour

décréditer Monsieur le Cardinal : cela ne sera pas vrai, mais comme l'effet s'en ensuivra, cela sera cru ; et ainsi il m'arrivera ce qui m'est arrivé au commencement des troubles et ce que j'éprouve, encore aujourd'hui, sur les affaires de Guyenne : j'ai fait les troubles, parce que les ai prédits ; je fomente la révolte de Bordeaux, parce que je me suis opposé à la conduite qui la fait naître. Voilà ce que j'ai à vous dire sur ce que vous me proposez ; voilà ce que j'écrirai, si vous voulez, dès aujourd'hui, à Monsieur le Cardinal et même à la Reine ; voilà ce que je signerai de mon sang[1]. »

Le Tellier, qui avait son ordre et qui avait dans l'esprit de l'exécuter, ne prit de mon discours que ce qui en facilitait son dessein. Il me remercia, au nom de la Reine, de la disposition que je témoignais à ne m'y point opposer. Il *exagéra l'avantage que ce me serait d'effacer, par cette complaisance aux frayeurs, quoique non raisonnables, si je voulais, de la Reine, les ombrages que l'on lui avait voulu donner de ma conduite auprès de Monsieur ; et je connus, en cette conversation, ce que l'on m'avait dit, il y avait longtemps, du Tellier, que l'une des figures de sa rhétorique était souvent de ne pas justifier celui qu'il voulait servir. Je ne me rendis pas à ces raisons, qui certainement n'étaient pas solides ; mais je m'étais rendu par avance à celle que je vous ai déjà touchée sur un autre sujet, et qui était tirée de la nécessité qui nous obligeait à ne pas outrer le Cardinal, dans une conjoncture où il pouvait, à tous les moments, s'accommoder avec Monsieur le Prince. Je promis à M. Le Tellier, par cette considération, tout ce qu'il lui plut sur ce fait, et je le lui tins fidèlement ; car aussitôt qu'il en eut fait la proposition à Monsieur, de la part de la Reine, je pris la parole, non pas pour le soutenir sur ce qu'il disait de la nécessité de la translation, de laquelle je ne me pus résoudre à convenir, mais pour faire voir à Monsieur qu'elle lui était indifférente en son particulier, et que, supposé que la Reine la voulût absolument, il y devait consentir. M. de Beaufort, qui pensait et qui parlait toujours comme le peuple, et qui croyait être maître de la personne de Monsieur le Prince, parce qu'en se promenant dans le bois de Vincennes il voyait la tour où il était enfermé, s'opposa avec fureur à la proposition du Tellier, et jusques au point d'offrir à Monsieur de charger leur garde quand l'on les transférerait.

Je ne manquai pas de bonnes raisons pour combattre son
opinion, et il se rendit lui-même, de bonne foi et de bonne
grâce, à la dernière que je lui alléguai, qui était que je
savais, de la propre bouche de la Reine, que Bar lui avait
offert, lorsqu'elle partit pour aller en Guyenne, de tuer lui-
même Monsieur le Prince s'il arrivait une occasion où il crût
ne le pouvoir empêcher de se sauver. Je m'étonnai beaucoup
de la confidence, et j'en jugeai qu'il fallait que le Mazarin
lui eût mis, dès ce temps-là, des soupçons dans l'esprit que
les Frondeurs pensassent à se saisir de la personne de
Monsieur le Prince : je n'y avais de ma vie songé. Monsieur
comprit l'inconvénient affreux qu'il y aurait à une action
qui pourrait avoir une suite aussi funeste, et dont les auteurs
pourraient demeurer, par l'événement, fort problématiques.
M. de Beaufort en conçut l'horreur, et l'on convint que
Monsieur donnerait les mains à la translation, et que M. de
Beaufort et moi ne dirions pas dans le public que nous
l'eussions approuvée. Le Tellier me témoigna qu'il était fort
satisfait de mon procédé, quand il sut que, dans la vérité,
j'avais appuyé son avis auprès de Monsieur. Servien m'a dit
depuis qu'il avait écrit à la cour tout le contraire, et qu'il
s'y était fait valoir comme ayant *emporté Monsieur contre
les Frondeurs. Je ne sais ce qui en est.

Permettez-moi, s'il vous plaît, d'*égayer un peu ces
matières, qui sont assez sérieuses, par deux petits contes qui
sont très ridicules et qui ne laisseront pas de contribuer à
vous faire connaître le *génie des gens avec lesquels j'avais à
agir. M. Le Tellier, proposant à Mme de Chevreuse la
translation de Messieurs les Princes, lui demanda si elle se
pouvait assurer de moi sur ce point, et il lui répéta cette
demande trois ou quatre fois, même après qu'elle lui eut
répondu qu'elle en était persuadée. Elle comprit à la fin ce
qu'il entendait et elle lui dit : « Je vous entends : oui, je
suis assurée et de lui et d'elle ; il y est plus attaché que
jamais, et j'agis de si bonne foi en tout ce qui regarde la
Reine et Monsieur le Cardinal, que quand cela finira ou
diminuera, je vous en avertirai fidèlement. » [1] Le Tellier la
remercia bonnement, et de peur d'être soupçonné d'ingratitude en son endroit, en cachant l'obligation qu'il lui avait,
il en fit la confidence, une heure après, à Vassé, qu'il trouva

apparemment en son chemin plus tôt que les trompettes de l'Hôtel de Ville.

Le propre jour que Mme de Chevreuse fit cette amitié à M. Le Tellier, elle m'en fit une autre, qui me surprit pour le moins autant qu'il l'avait été. Elle me mena dans le *cabinet de l'appartement bas de l'Hôtel de Chevreuse ; elle ferma les verrous sur elle et sur moi, et elle me demanda si je n'étais pas effectivement de ses amis. Vous vous attendez sans doute à un éclaircissement : nullement. Ce fut pour me prier, avec bien de la tendresse, qu'il n'arrivât point d'accident de ce que je savais bien et que je considérasse l'horrible embarras dont nous serait une aventure pareille. J'assurai de ma prudence : elle en prit ma parole, et elle me dit du fond du cœur : « Laigue est quelquefois insupportable. » Cette parole, jointe aux réprimandes *impertinentes qu'il faisait, de temps en temps, avec un *rechignement de beau-père, à la fille, et aux liaisons un peu trop étroites qu'il me paraissait prendre avec Le Tellier, m'obligea à tenir un conseil dans le cabinet de Mme de Rhodes, où nous résolûmes, elle, Mlle de Chevreuse et moi, de donner un autre amant à la mère. Nous ne consultâmes pas sur la possibilité. Hacqueville fut mis sur les rangs, qui commençait, en ce temps-là, à venir très souvent à l'hôtel de Chevreuse et qui avait aussi renoué, depuis peu, avec moi, une ancienne amitié de collège. Il m'a dit plusieurs fois qu'il n'aurait pas accepté la *commission : je m'en rapporte. Je n'en pressai pas l'*expédition, parce que je n'eus pas la force sur moi-même de solliciter la destitution de l'autre. Je ne m'en trouvai pas mieux ; mais ce ne fut pas la première fois que je m'aperçus que l'on paie souvent les dépens de sa bonté.

Le jour que Messieurs les Princes furent transférés à Marcoussis, maison de M. d'Entragues, bonne à coups de main et située à six lieues de Paris, d'un côté où les Espagnols n'eussent pu aborder à cause des rivières[1], le président de Bellièvre parla fortement au garde des sceaux et il lui déclara, en termes formels, que si il continuait à agir à mon égard comme il avait commencé, il serait obligé, par son honneur, de rendre le témoignage qu'il devait à la vérité. Le garde des sceaux lui répondit assez brutalement : « Les princes ne sont plus à la vue de Paris ; il ne faut plus que le coadjuteur

parle si haut. » Vous verrez tantôt que j'ai raison de prendre
une date de cette parole. Il est temps de retourner au
Parlement.

Le Coudray-Montpensier étant revenu de la cour et de
Bordeaux, où Monsieur l'avait envoyé porter les conditions
que vous avez vues ci-dessus [1] et qui lui avaient été inspirées
par M. Le Tellier, n'en rapporta pas beaucoup plus de
satisfaction que les députés du parlement de Paris. Il fit en
pleine assemblée de chambre la relation de ce qu'il avait
négocié en l'une et en l'autre, dont la substance était que
lui, Coudray-Montpensier, étant arrivé à Libourne, où était
le Roi, avait envoyé deux trompettes à Bordeaux et deux
courriers, pour y proposer la cessation d'armes pour dix
jours ; que huit de ces dix s'étant écoulés devant qu'il pût
être à Bordeaux pour avoir sa réponse, ceux de ce parlement
avaient désiré que cette cessation d'armes ne fût comptée
que du jour que lui, Coudray-Montpensier, retournerait à
Bordeaux, du voyage qu'ils le priaient de faire à Libourne
pour obtenir du Roi cette prolongation ; qu'ayant jugé cette
condition raisonnable, il était sorti de la ville pour la venir
proposer à la cour ; qu'étant à moitié chemin, il avait reçu
un ordre du Roi pour renvoyer l'escorte et le tambour de
M. de Bouillon, et que, le lendemain, comme et lui et ceux
de la ville s'attendaient à une réponse favorable, ils avaient
vu paraître, sur la montagne de Cenon, le maréchal de La
Meilleraye, qui les croyait surprendre et qui était venu
attaquer la Bastide, dont il avait été repoussé. Voilà la vérité
de la relation du Coudray-Montpensier. Je ne sais si le peu
de commotion qu'elle causa dans les esprits, le jour qu'il la
porta dans l'assemblée des chambres, se doit attribuer ou
aux couleurs dont nous la déguisâmes tout le soir de la veille
chez Monsieur, ou à des *influences bénignes et douces qui
adoucissent, en de certains jours, tous les esprits d'une
compagnie : elle *devait être celui-là toute en feu ; je ne
l'ai jamais vue plus modérée. L'on n'y nomma presque pas
le Cardinal et il *passa, sans contestation, à l'avis de
Monsieur, qui avait été concerté la veille avec Le Tellier et
qui fut d'envoyer deux députés de la Compagnie et Le
Coudray-Montpensier à Bordeaux, savoir, pour la dernière
fois, si le parlement voulait la paix ou non, et d'inviter

même deux des députés de Bordeaux d'y accompagner ceux de Paris.

Cinq ou six jours après, le parlement de Toulouse ayant écrit à celui de Paris touchant les mouvements de la Guyenne, dont une partie est de sa juridiction, et lui ayant demandé en termes exprès l'union, Monsieur éluda, avec beaucoup d'adresse, ce rencontre, qui était très important, et fit, par insinuation plutôt que par autorité, que la Compagnie ne répondit à la proposition que par des civilités et par des expressions qui ne signifiaient rien. Il ne se trouva pas à la délibération, pour mieux couvrir son jeu. Le président de Bellièvre, qui servit très habilement en cette occasion, me dit l'après-dînée : « Quel plaisir y aurait-il à faire ce que nous faisons pour des gens qui seraient capables de le connaître ! » Il avait raison, et vous le connaîtrez lorsque je vous aurai dit que nous fûmes, lui et moi, une partie du soir, chez Monsieur avec Le Tellier, qui ne nous en dit pas seulement une parole.

Ce calme du Parlement n'était pas si parfait qu'il n'y eût toujours beaucoup plus d'agitation qu'il n'était nécessaire pour faire connaître, à des gens qui eussent été bien sages, qu'il ne durerait pas longtemps. Tantôt il donnait arrêt pour interroger les prisonniers d'État qui étaient dans la Bastille [1] ; tantôt il en sortait, à propos de rien, comme un tourbillon de voix, qui semblait être mêlé d'éclairs et de foudres, contre le nom de Mazarin ; tantôt on se plaignait du *divertissement des fonds destinés pour les rentes. Nous avions assurément beaucoup de peine à parer aux coups ; et il eût été impossible de tenir plus longtemps contre les vagues, si la nouvelle de la paix de Bordeaux ne fût arrivée. Elle fut enregistrée, à Bordeaux, le 1ᵉʳ jour d'octobre 1650. Meusnier et Bitault, députés du parlement de Paris, la mandèrent à la Compagnie par une lettre, qui y fut lue le 11. Cette nouvelle abattit extrêmement les partisans de Monsieur le Prince : ils n'osèrent presque plus ouvrir la bouche, et les assemblées des chambres cessèrent de ce jour, 11 d'octobre, pour ne recommencer qu'après la Saint-Martin. La nouvelle de Bordeaux fit que l'on ne proposa pas même la continuation du Parlement dans les *vacations, ce qui n'eût pas manqué d'être résolu tout d'une voix sans cette considération.

L'avarice sordide et infâme d'Ondedei *couvrit et entretint le feu qui était sous la cendre. Montreuil, secrétaire de M. le prince de Conti, ce me semble, ou peut-être de Monsieur le Prince, je ne m'en ressouviens pas précisément, et qui était un des plus *jolis garçons que j'aie jamais connu, ralliait, par son zèle et par son application, tous les serviteurs de Monsieur le Prince qui étaient dans Paris, et il en fit un corps invisible, qui est assez souvent, en ces sortes d'affaires, plus à redouter que des bataillons. Comme j'étais fort bien informé de ses menées, j'en avertis la cour d'assez bonne heure, qui n'y donna aucun ordre. J'en fus surpris, et au point que je crus assez longtemps que le Cardinal en savait plus que moi et qu'il l'avait peut-être gagné. Comme je fus raccommodé avec Monsieur le Prince, Montreuil, qui agissait tous les jours ou plutôt toutes les nuits avec moi, me dit que c'était lui-même qui avait gagné Ondedei, en lui donnant mille écus par an, pour l'empêcher d'être chassé de Paris. Il y servit admirablement Messieurs les Princes, et son activité, *réglée par la conduite de Madame la Palatine et soutenue par Arnauld, par Viole et par Croissy, conserva toujours dans Paris un levain de parti qu'il n'est jamais sage d'y souffrir. Je m'aperçus même, en ce temps-là, que les grands noms, quoique peu remplis et même vides, y sont toujours dangereux. M. de Nemours était moins que rien pour la capacité : il ne laissa pas d'y faire figure et, en de certaines conjonctures, de nous incommoder. Les Frondeurs ne pouvaient faire quitter le pavé à cette cabale que par une violence, qui n'est presque jamais *honnête à des particuliers, et dont l'exemple de ce qui était arrivé chez Renard [1] m'avait fort corrigé. La petite *finesse qui infectait toujours la politique, quoique habile, de M. le cardinal Mazarin, lui donnait du goût à laisser devant nos yeux, et comme entre lui et nous, des gens avec lesquels il se pût raccommoder contre nous-mêmes. Ces mêmes gens l'*amusaient continuellement par des négociations ; il les croyait tromper à tous les instants par la même voie. Ce qui en arriva fut qu'il s'en forma et qu'il s'en grossit une nuée, dans laquelle les Frondeurs s'enveloppèrent eux-mêmes à la fin ; mais ils y enflammèrent les exhalaisons et ils y forgèrent même des foudres.

Le Roi ne demeura que dix jours en Guyenne après la

paix ; et Monsieur le Cardinal, enflé de la réduction, ou, pour parler plus proprement, de la pacification de cette province, ne songea qu'à venir couronner son triomphe par le châtiment des Frondeurs, qui s'étaient servis, ce disait-il, de l'absence du Roi pour éloigner Monsieur de son service, pour favoriser la révolte de Bordeaux, pour travailler à se rendre maîtres de la personne de Messieurs les Princes. Voilà ce qu'il publiait à la cour ; il faisait dire, au même instant, à la Palatine qu'il avait horreur de la haine que j'avais dans le cœur pour Monsieur le Prince et que je lui faisais faire, tous les jours, des propositions sur son sujet, qui étaient indignes non pas seulement d'un ecclésiastique, mais d'un chrétien. Il faisait inspirer, un moment après, à Monsieur, par Beloy, qui était à lui quoique *domestique de Monsieur, que je faisais de grandes avances vers lui pour me raccommoder à la cour ; mais qu'elle ne pouvait prendre aucune confiance en moi, parce qu'elle était très bien informée que je traitais, depuis le matin jusques au soir, avec les partisans de Monsieur le Prince. Je n'ignorais pas, devant même que la paix fût faite à Bordeaux, que le Cardinal n'oubliait rien pour me récompenser, en cette manière, de ce que j'avais fait, dans l'absence de la cour, pour le service de la Reine, avec une application incroyable, et (la vérité me force de le dire) avec une sincérité qui a peu d'exemple. Je ne parle pas du péril que je crois y avoir couru, deux fois par jour[1], plus grand que dans des batailles. Faites réflexion, je vous supplie, ce que c'était pour moi que d'essuyer l'*envie et de soutenir la haine d'un nom aussi odieux que l'était celui du Mazarin, dans une ville où il ne travaillait lui-même qu'à me perdre, auprès d'un prince dont les deux qualités essentielles étaient d'avoir toujours peur et de ne se fier jamais à personne, et avec des gens qui mettaient leur intérêt à me *ruiner, ou dont le caprice les portait à la même conduite qu'ils eussent suivie si ils en eussent eu le dessein. Je passai, sans balancer, dans tout le cours du siège de Bordeaux, par-dessus toutes ces considérations ; je m'enveloppai dans mon devoir ; et je vous puis dire, avec beaucoup de vérité, que je n'y fis pas un pas qui ne fût ce que l'on appelle d'un bon citoyen. Cette pensée, que je m'étais imprimée dans l'esprit, et l'aversion mortelle que j'avais à tout ce qui avait la moindre apparence de *girouetterie, m'eussent, je crois, conduit insensiblement, par le chemin de la patience, dans le précipice, si il n'eût plu à Monsieur le cardinal Mazarin de m'en arracher comme par force, et de me rejeter, malgré moi, dans celui de la faction. L'éclat qu'il fit après la paix de Bordeaux, et dans lequel il ne garda aucune mesure, me revint de tous côtés. Mme de Lesdiguières me fit voir une lettre de M. le maréchal de Villeroy, par laquelle il lui mandait que je ferais très sagement de me retirer et de ne pas attendre le retour du Roi. Le grand prévôt m'écrivit la même chose. Ce n'était plus un secret ; et dès qu'une chose de cette nature n'a plus de forme de secret, elle est irrémédiable. Remarquez, je vous supplie, qu'il y a beaucoup de différence entre le secret et la forme du secret. J'ai observé, en plus d'une occasion, que ce n'est pas la même chose.

Mme de Chevreuse, qui conçut que j'aurais peine à me laisser opprimer tout à fait comme une bête, et qui eût souhaité avec passion que la Fronde n'eût pas quitté le service de la Reine, auprès de laquelle elle commençait à retrouver beaucoup d'agrément, songea avec application à empêcher les suites que prévoyait[a] la conduite du Cardinal, et elle trouva beaucoup de secours pour son dessein dans les dispositions de la plupart de ceux de notre parti, qui n'en avaient aucune à tourner à celui de Monsieur le Prince. Ils se joignirent presque tous à elle, non pas pour me persuader, car ils me faisaient justice et ils savaient comme moi qu'il eût été ridicule de m'endormir, mais pour détromper la cour, et pour faire connaître au Cardinal et la netteté de mon procédé et ses propres intérêts. Je me souviens d'un endroit de la lettre que Mme de Chevreuse lui écrivit. Après lui avoir *exagéré tout ce que j'avais fait pour contenir le peuple, elle ajoutait ces propres paroles : « Est-il possible qu'il y ait des gens assez scélérats, pour vous oser mander que le coadjuteur ait eu commerce avec ceux de Bordeaux ? Je suis témoin que quand il était votre ennemi déclaré, il avait peine à garder les mesures nécessaires avec leurs députés, et qu'un jour que je l'en grondais, parce qu'il me semblait qu'il était bon pour la Fronde de les ménager, et que je lui reprochais qu'il vivait mieux avec ceux de Provence, il me répondit que les Provençaux n'étaient que frivoles, dont l'on peut quelquefois tirer parti, et que les Gascons étaient toujours fous, avec lesquels il n'y avait jamais que des *impertinences à faire. » Mme de Chevreuse avait raison, et elle me faisait justice ; mais elle ne put jamais persuader au Cardinal de me la faire, soit qu'il fût trompé lui-même par le garde des sceaux et par Le Tellier, comme Lionne me l'a dit depuis, soit qu'il voulût faire semblant de l'être, dans la vue et dans l'espérance de ne pas manquer l'occasion de me *pousser. Mme de Rhodes, de qui le *bon homme garde des sceaux était beaucoup plus amoureux qu'elle ne l'était de lui, et qui était dans une grande liaison avec moi par le commerce de Mlle de Chevreuse, trouvait, dans la disposition où étaient les affaires, une matière bien ample à satisfaire son humeur, qui aimait naturellement l'intrigue. Elle ne se brouillait point avec le garde des sceaux en contribuant à me brouiller avec la cour, non pas par aucune pièce qu'elle m'y fît, elle n'était pas capable d'une perfidie, mais en entrant dans les moyens de m'en éloigner. Elle avait toujours été assez amie de Mme de Longueville, et elle l'était encore beaucoup davantage de Madame la Palatine, qui la pressait extrêmement de me faire des propositions pour la liberté de Messieurs les Princes. Ces propositions, dont elle ne se cacha point à l'hôtel de Chevreuse, alarmèrent toute la cabale de ceux du parti, qui, ne regardant que leurs petits intérêts particuliers qu'ils trouvaient avec la cour, eussent été bien aises de ne s'en pas détacher. De ce nombre étaient Mme de Chevreuse, Noirmoutier et Laigue. Le reste était subdivisé en deux bandes, dont les uns voulaient la sûreté et l'honneur du parti, qui en sont toujours les véritables intérêts, comme M. de Montrésor, M. de Vitry, M. de Bellièvre, M. de Brissac, à sa mode paresseuse, M. de Caumartin. Les autres ne savaient proprement ce qu'ils voulaient, M. de Beaufort, Mme de Montbazon : ils ne voulaient proprement rien à force de tout vouloir ; et ces sortes d'esprits assemblent toujours, dans leur imagination, les contradictoires. Je disais à Mme de Montbazon que je serais très satisfait de sa fermeté, pourvu qu'il lui plût de ne changer d'avis que deux fois le jour entre Monsieur le Prince et Monsieur le Cardinal. Pour comble d'embarras, j'avais affaire à Monsieur qui était un des hommes du monde le plus faible, et tout ensemble le plus défiant et le plus *couvert. Il n'y a que l'expérience qui puisse faire concevoir à quel point l'union de ces deux qualités dans un même homme rend son commerce difficile et épineux. Comme j'étais fort résolu à ne point prendre de parti que de concert avec tous ceux avec lesquels j'étais uni, je fus bien aise de m'en expliquer à fond avec eux ; et tous, par différents intérêts, conclurent au même avis, qui leur fut toutefois inspiré habilement et *finement par Caumartin. Il y avait longtemps qu'il combattait l'opiniâtreté que j'avais de ne vouloir pas songer à la pourpre, et il m'avait représenté, plusieurs fois, que la déclaration que j'avais faite sur ce sujet avait été plus que suffisamment remplie et soutenue, par le désintéressement que j'avais témoigné en tant et en tant d'occasions ; qu'elle ne devait et ne pouvait avoir lieu, tout au plus, que pour le temps de la guerre de Paris, sur laquelle je pouvais avoir pris quelque fondement de parler et d'agir ainsi ; qu'il ne s'agissait plus de cela ; qu'il ne s'agissait plus de la défense de Paris, qu'il ne s'agissait plus du sang du peuple ; que la brouillerie qui était présentement dans l'État était proprement une intrigue de cabinet entre un prince du sang et un ministre, et que la réputation qui, dans la première affaire, consistait dans le désintéressement, tournait en celle-ci sur l'habileté ; qu'il y allait de passer pour un sot ou pour un habile homme ; que Monsieur le Prince m'avait cruellement offensé par l'accusation qu'il avait intentée contre moi ; que je l'avais outragé par sa prison ; que je voyais, par le procédé du Cardinal avec moi, qu'il était aussi blessé des services que je rendais à la Reine qu'il l'avait été de ceux que j'avais rendus au Parlement ; que ces considérations me devaient faire comprendre la nécessité où je me trouvais de songer à me mettre à couvert du ressentiment d'un prince et de la jalousie d'un ministre qui pouvaient, à tous les instants, s'accorder ensemble ; qu'il n'y avait que le chapeau de cardinal qui pût m'égaler à l'un et à l'autre par la dignité, et que la mitre de Paris[1] ne pouvait, avec tous ses brillants, faire cet effet, qui est toutefois nécessaire pour se soutenir, particulièrement dans les temps calmes, contre ceux auxquels la supériorité du rang donne presque toujours autant de considération et autant de force que de pompe et d'éclat.

Voilà ce que M. de Caumartin et ceux qui m'aimaient véritablement me prêchaient depuis le soir jusques au matin, et ils avaient raison ; car il est *constant que si Monsieur le

Prince et Monsieur le Cardinal se fussent réunis, et qu'ils m'eussent opprimé par leur poids, ce qui paraissait désintéressement dans le temps que je me soutenais eût passé pour duperie en celui où j'eusse été abattu. Il n'y a rien de si louable que la *générosité, mais il n'y a rien qui se doive moins outrer. J'en ai cent et cent exemples. Caumartin, par amitié, et le président de Bellièvre, par l'intérêt de ne me pas laisser tomber, m'avaient assez ébranlé, au moins quant à la *spéculation, depuis que je m'étais aperçu que je me perdais à la cour, même par mes services ; mais il y a bien loin d'être persuadé à l'être assez pour agir dans les choses qui sont contre notre inclination. Lorsque l'on se trouve en cet état, que l'on peut appeler mitoyen, l'on prend les occasions, mais l'on ne les cherche pas. La fortune m'en présenta deux, six semaines ou tout au plus deux mois devant que la cour revînt de Guyenne. Il est nécessaire de les reprendre de plus haut.

M. le cardinal Mazarin avait été autrefois secrétaire de Pancirolle, nonce extraordinaire pour la paix d'Italie ; il avait trahi son maître, et il fut même *convaincu d'avoir rendu compte de ses dépêches au gouverneur de Milan[1]. Le pape Innocent m'en a dit le détail, qui vous ennuierait. Pancirolle, ayant été créé cardinal et secrétaire d'État de l'Église, n'oublia pas la perfidie de son secrétaire, à qui le pape Urbain avait donné le chapeau par les instances de M. le cardinal de Richelieu[2], et il n'aida pas à adoucir l'aigreur envenimée que le pape Innocent conservait contre lui depuis l'assassinat de l'un de ses neveux, dont il croyait qu'il avait été complice avec le cardinal Antoine[3]. Pancirolle, qui crut qu'il ne lui pouvait faire un déplaisir plus sensible que de me porter au cardinalat, le mit dans l'esprit du pape Innocent, qui agréa qu'il prît commerce avec moi. Il se servit, pour cet effet, du vicaire général des augustins, qui lui était très confident et qui passait à Paris pour aller en Espagne. Il me donna une lettre de lui ; il m'expliqua sa créance ; il m'assura que si j'obtenais la nomination, le Pape ferait la promotion sans aucun délai[4]. Ces offres ne firent pas que je me résolusse à la demander, ni même à la prendre ; mais elles firent que quand les autres considérations que je vous ai rapportées ci-dessus tombèrent sur le point de l'éclat que la cour fit contre moi après la paix de

Bordeaux, je m'y laissai emporter sans comparaison plus facilement que je n'eusse fait si je ne me fusse cru assuré de Rome ; car l'une des raisons qui me donnait autant d'aversion à la prétention du chapeau était la difficulté de fixer la nomination parce qu'elle peut toujours être révoquée ; et je ne sache rien de plus fâcheux, en ce que la révocation met toujours le prétendant au-dessous de ce qu'il était devant que d'avoir prétendu ; elle a avili La Rivière, qui était méprisable par lui-même, et il est certain qu'elle nuit à proportion de l'élévation. Quand je fus persuadé que je devais penser au chapeau, je serrai les mesures que j'avais jusque-là plutôt reçues que prises. Je dépêchai un courrier à Rome, je renouvelai les engagements ; Pancirolle me donna toutes les assurances imaginables. J'y trouvai même une seconde protection qui ne m'y fut pas inutile. Mme la princesse de Rossane était depuis peu raccommodée avec le Pape, dont elle avait épousé le neveu, après avoir été mariée, en premières noces, au prince de Sulmonne. Elle était fille et héritière de la maison des Aldobrandins, avec lesquels la mienne a eu dans tous les temps, en Italie, beaucoup d'union et beaucoup d'alliances. Elle se joignit pour mes intérêts à Pancirolle, et vous en verrez le *succès.

Comme je ne m'endormis pas du côté de Rome, Caumartin ne s'endormit pas du côté de Paris. Il donnait tous les matins à Mme de Chevreuse quelque nouvelle couleur de mon accommodement avec Messieurs les Princes, « qui nous perdra tous, ce disait-il, en nous entraînant dans un parti dont le ressentiment sera toujours plus à craindre que la reconnaissance à espérer ». Il insinuait, tous les soirs, à Monsieur le peu de sûreté qu'il y avait avec la cour et les inconvénients que l'on trouverait avec les princes ; et il employait fort habilement la maxime qui ordonne de faire voir à ceux qui sont naturellement faibles toute sorte d'abîmes, parce que c'est le vrai moyen de les obliger à se jeter dans le premier chemin que l'on leur ouvre. M. de Bellièvre, qui, de concert avec moi, entretenait une *correspondance très particulière avec Mme de Montbazon, lui donnait à tous moments, sur le même principe, des frayeurs de l'infidélité de la cour, et il lui faisait, en même temps, des images affreuses du retour dans la faction. Toutes ces différentes *espèces, qui se brouillaient les unes dans les art of inspiring imperceptible thts (manipul^n)

autres, cinq ou six fois par jour, formèrent presque tout d'un coup, dans tous les esprits, l'idée de se défendre de la cour par la cour même, et de tenter au moins de diviser le *cabinet devant que de se résoudre à rentrer dans la faction. J'ai déjà remarqué, en quelque endroit de cet ouvrage, que tout ce qui est *interlocutoire paraît sage aux esprits irrésolus, parce que leur inclination les portant à ne point prendre de résolution finale, ils flattent d'un beau titre leur propre sentiment. Caumartin trouva cette facilité dans le *tempérament des gens à qui il avait affaire, et il leur fit naître à eux-mêmes, presque imperceptiblement, la pensée qu'il leur voulait effectivement inspirer. Monsieur faisait, en toutes choses, comme font la plupart des hommes quand ils se baignent : ils ferment les yeux en se jetant dans l'eau. Caumartin, qui connaissait son humeur, me conseilla, et très à propos, dès qu'il m'eut résolu à penser au cardinalat, de les lui tenir toujours ouverts par des peurs modérées, mais successives et entre lesquelles je ne laissasse guère d'intervalles. J'avoue que cette pensée ne m'était point venue dans l'esprit, et que, comme le défaut de Monsieur était la *timidité, j'avais toujours cru qu'il était bon de lui inspirer *incessamment la hardiesse. Caumartin me démontra le contraire, et je me trouvai très bien de son avis, non pas seulement à l'égard de mes intérêts particuliers, mais pour son service à lui-même, par la raison que je vous ai marquée ci-dessus. Il serait ennuyeux de vous raconter par le détail tous les tours qu'il donna à cette intrigue, dans laquelle il est vrai que, bien que je fusse persuadé que la pourpre m'était absolument nécessaire, je n'avais pas toute l'activité requise, par un reste de scrupule assez *impertinent. Il réussit enfin, et au point que Monsieur crut qu'il était et de son honneur et de son intérêt de me procurer le chapeau ; que Mme de Chevreuse ne douta point qu'elle ne fît autant pour la cour que pour moi, en rompant ou du moins en retardant les mesures que l'on me pressait de prendre avec Messieurs les Princes ; que Mme de Montbazon fut ravie d'avoir de quoi se faire valoir des deux côtés, les négociations des uns donnant toujours du poids à celles des autres ; et que M. de Beaufort, que le président de Bellièvre piqua de reconnaissance, se piqua aussi d'honneur de me rendre, au moins en ce qu'il pouvait touchant le cardinalat, ce que je

lui avais effectivement donné touchant la surintendance des
mers. Nous jugions bien qu'avec tout ce concours le coup
ne serait pas sûr, mais nous le tenions possible, vu l'embarras
où le Cardinal se trouverait ; et l'on doit hasarder le possible
toutes les fois que l'on se sent en état de profiter même du
manquement de *succès. Il était tout à fait de mon intérêt
de mener mes amis à Monsieur le Prince en cas que je prisse
son parti, et le peu d'inclination, ou pour parler plus
véritablement, l'aversion qu'ils avaient tous, et les subalternes
particulièrement, à y aller, n'y pouvait être plus naturellement conduite que par un engagement d'honneur qu'ils
prissent avec moi, sur un point où la manière dont j'avais
agi pour leurs intérêts les déshonorerait, s'ils ne couraient[a]
aussi à leur tour ma fortune[1]. Voilà proprement ce qui me
détermina à courre la lance[2], et, sans comparaison, davantage
que les autres raisons que j'ai déjà alléguées, parce que,
dans le fond, je ne fus jamais persuadé que le Cardinal se
pût résoudre, je ne dis pas à me donner le chapeau, mais
même à le laisser tomber sur ma tête. C'était le terme de
Caumartin, et dont il disait que le Mazarin était capable,
quoique contre son intention. Nous n'oubliâmes pas de
cerner, autant que nous pûmes, le garde des sceaux par
Mme de Rhodes, afin qu'il ne nous fît pas au moins tout le
mal que ses manières nous donnaient lieu d'en appréhender.
Mais comme l'union de Mme de Rhodes avec Mlle de
Chevreuse, avec Caumartin et avec moi l'avait fâché, il
n'avait plus, à beaucoup près, tant de confiance en elle. Il
s'était adonné à une petite Mme de Bois-Dauphin ; il joua
Mme de Rhodes, et il ne lui dit que justement ce qu'il
fallait pour m'empêcher de prendre les précautions nécessaires
contre ses atteintes. Toutes les dispositions dont je vous viens
de parler étant mises, Mme de Chevreuse ouvrit la *tranchée,
ce qu'elle était capable de faire au-dessus de tous les hommes
que j'aie jamais connus. Elle dit au Tellier qu'il ne pouvait
ignorer les cruelles injustices que l'on m'avait faites, et
qu'elle ne voulait pas aussi lui celer le juste ressentiment
que j'en avais ; que l'on publiait à la cour qu'elle[3] venait
avec la résolution de me perdre, et que je disais assez
publiquement, dans Paris, que je me mettais en état de me
défendre ; qu'il voyait comme elle que le parti de Monsieur
le Prince, qui n'était pas mort, quoiqu'il parût endormi, ne

manquerait pas de se réveiller à cette lueur, qui commençait à lui donner de grandes espérances ; qu'elle savait de science certaine que l'on me faisait des *partis immenses ; que la plupart de mes amis étaient déjà gagnés ; que ceux qui tenaient encore bon comme elle, Noirmoutier, Laigue, ne savaient que me répondre quand je leur disais : « Qu'ai-je fait ? quel crime ai-je commis ? où est ma sûreté, je ne dis pas ma récompense ? » ; que jusque-là je ne m'étais que plaint, parce que l'on m'*amusait ; mais qu'étant à la Reine au point qu'elle y était et amie véritable du Cardinal, elle ne pouvait pas lui celer que l'on ne pouvait plus amuser l'*amuseuse, et que l'amuseuse même commençait fort à douter de son pouvoir, au moins sur ce point ; que je m'expliquais peu, mais que l'on voyait bien à ma contenance que je sentais ma force ; que je me relevais à la proportion des menaces ; qu'elle ne savait pas précisément où j'en étais avec Monsieur, mais qu'il lui avait dit, depuis deux jours, que jamais homme n'avait servi plus fidèlement le Roi, et que la conduite que la cour prenait à mon égard était d'un pernicieux exemple ; que M. de Beaufort avait juré devant tout ce qui était dans l'antichambre de Monsieur, la veille, que si l'on continuait encore, huit jours durant, à agir comme l'on faisait, il commencerait à se préparer à soutenir un second siège dans Paris, sous les ordres de Son Altesse Royale ; et que j'avais répondu : « Ils ne sont pas en état de nous assiéger, et nous sommes en état de les combattre » ; qu'elle ne se pouvait pas figurer que ces sortes de discours se fissent à deux pas de Monsieur, si ceux qui les faisaient n'étaient bien assurés de ses intentions ; que celles qui lui paraissaient à elle être dans nos esprits et même dans nos cœurs n'étaient pas mauvaises, dans le fond ; que nous nous croyions outragés, à la vérité, par le Cardinal, ou plutôt par Servien, mais que la considération de la Reine étoufferait, en moins d'un rien, ce ressentiment, si la défiance ne l'envenimait ; que c'était à quoi il fallait remédier. Vous voyez la chute du discours, qui tomba, incontinent après, sur le chapeau. La contestation fut vive. Le Tellier refusa d'en faire la proposition à la cour ; Mme de Chevreuse le chargeant des conséquences, il y consentit, à condition que Mme de Chevreuse en écrivît, de son côté, et mandât qu'elle l'y avait comme forcé. La cour reçut ces agréables dépêches

comme elle était en chemin à son retour de Bordeaux, et le
Cardinal en remit la réponse à Fontainebleau. Le garde des
sceaux, qui ne voulait nullement que je fusse cardinal, parce
qu'il voulait l'être, et qui voulait perdre le Mazarin, parce
qu'il voulait aussi être ministre, crut qu'il ferait coup double
si il faisait voir à Monsieur que son avis n'était pas qu'il
exposât sa personne au caprice du Mazarin, qui avait
témoigné si publiquement ne pas approuver la conduite que
Monsieur avait tenue dans l'absence de la cour. Comme il
était persuadé qu'il était de mon intérêt que ce voyage se
fît [1], parce qu'une déclaration de Monsieur présent pourrait
beaucoup appuyer ma prétention, il s'imagina que je ne
manquerais pas de le conseiller ; et qu'ainsi il lui ferait sa
cour aux dépens du Cardinal et aux dépens même du
coadjuteur, en marquant à Son Altesse beaucoup plus
d'égard et beaucoup plus de soin pour sa personne ; que
lui, au reste, il jouait ce personnage à jeu sûr, car il en
faisait faire la proposition par Fremont, secrétaire des
commandements de Monsieur, l'homme de toute sa maison
du *caractère le plus propre à être désavoué. Comme je
connaissais parfaitement le personnage, qui n'était pas trop
*fin et qui était d'ailleurs assez de mes amis, je connus, dès
le premier mot que je lui tirai de la bouche, qu'il avait été
*sifflé ; et je me résolus de parler comme lui, tant pour ne
point donner dans le panneau, qui m'était tendu par
l'endroit que Monsieur avait le plus faible, que parce que,
dans la vérité, j'appréhendais pour sa personne. Tous mes
amis se moquaient de moi sur cet article, ne pouvant
seulement s'imaginer qu'en l'état où était le royaume, l'on
osât penser à l'arrêter ; mais j'avoue que je ne me pouvais
rassurer sur ce point, et que bien que je visse très clairement
que mon intérêt était qu'il allât à Fontainebleau, et qu'il y
était en plus d'un sens, je ne me pus jamais résoudre à le
lui conseiller, parce qu'il me semblait, et qu'il me semble
encore, que si l'on eût été assez hardi pour cela à la cour, le
Cardinal eût pu trouver dans les suites des issues, pour le
moins aussi sûres que celles qu'il pouvait espérer par l'autre
voie. Je sais bien que ce coup eût fait une commotion
générale dans les esprits ; je sais bien que le parti de
Messieurs les Princes, joints avec les Frondeurs, en eût pris
d'abord autant de force que de prétexte ; mais je sais bien

aussi que Monsieur et Messieurs les Princes étant arrêtés, le parti contraire à la cour n'ayant plus à sa tête que leurs noms, dont l'on eût tous les jours affaibli la considération, parce que chacun s'en fût voulu servir à sa mode, on se fût bientôt divisé, on fût devenu populaire[1], ce qui eût été un grand malheur pour l'État, mais qui était toutefois d'une nature à n'être pas prévu par le Mazarin, et à ne pouvoir, par conséquent, lui servir de motif pour l'empêcher d'entreprendre sur la liberté de Monsieur. Sur le tout, je fus tout seul de mon avis en ce temps-là, et si seul que j'en avais quelque sorte de honte. J'ai su depuis que je n'avais pas tout à fait tort, et M. de Lionne me dit à Saint-Germain, un an ou deux devant qu'il mourût, que Servien l'avait proposé au Cardinal deux jours devant qu'il arrivât à Fontainebleau, en présence de la Reine ; que la Reine y avait consenti de tout son cœur ; et que le Mazarin avait rejeté la proposition comme folle. Ce qui est vrai est que l'appréhension que j'en eus ne parut fondée à personne, et qu'elle fut même interprétée en un autre sens : l'on crut qu'elle n'était qu'un prétexte de celle que je pouvais avoir apparemment, que Monsieur ne se laissât gagner par la Reine. Je connaissais la portée de sa faiblesse[a], et j'avais beaucoup de raisons pour être convaincu qu'elle n'irait pas jusque-là. Mais ce qui m'étonna fut que, bien que Fremont eût essayé, comme je vous ai déjà dit, de lui faire peur du voyage de la cour, il n'en fut point du tout touché ; et je me souviens qu'il dit à Madame, qui y balançait un peu : « Je ne l'aurais pas hasardé avec le cardinal de Richelieu, mais il n'y a point de péril avec Mazarin. » Il ne laissa pas de témoigner au Tellier, adroitement et sans affectation, plus de bonnes dispositions qu'à l'ordinaire pour la cour et pour le Cardinal en particulier. Il *affecta même, de concert avec moi, de ralentir un peu le commerce que j'avais avec lui, et il résolut, par mon avis, de consentir à la translation de Messieurs les Princes au Havre-de-Grâce, que je sus, la veille qu'il partit, lui devoir être proposée par la Reine à Fontainebleau. Je ne me ressouviens plus d'où je tenais ce secret, mais je sais bien que j'en fus informé à n'en pouvoir douter. Il étonna Monsieur jusques au point de le faire balancer au voyage, parce que le murmure qui s'était élevé au consentement qu'il avait donné pour Marcoussis lui faisait

appréhender celui qu'il prévoyait encore plus grand et plus
infaillible sur Le Havre. Mon avis fut que s'il prenait le
parti d'aller à la cour, il ne devait s'opposer à la translation
qu'autant qu'il serait nécessaire pour donner plus d'agrément
au consentement qu'il y donnerait. Vous avez vu ci-dessus [1]
les raisons pour lesquelles j'étais persuadé qu'il était, dans
le fond, très indifférent et à lui et aux Frondeurs en quel
lieu fussent Messieurs les Princes, parce que la cour était
également maîtresse de tous. Si elle eût su ce que Monsieur
le Prince m'a dit depuis, qui est que si l'on ne l'eût tiré de
Marcoussis, il s'en serait immanquablement sauvé par une
entreprise qui était sur le point d'éclore [2], je ne m'étonnerais
pas que le Cardinal eût eu impatience de l'en faire sortir ;
mais comme il l'y croyait fort en sûreté, je n'ai jamais pu
concevoir la raison qui le pouvait obliger à une action qui
ne lui servait de rien et qui aigrissait contre lui tous les
esprits. Je l'ai demandé depuis au Tellier, à Servien, et à
Lionne, et il ne m'a pas paru qu'ils en sussent eux-mêmes
une bonne. Cette translation tenait toutefois si fort au cœur
de M. le cardinal Mazarin, que nous sûmes après qu'il fut
transporté de joie quand il trouva, à Fontainebleau, que
Monsieur n'en était pas si éloigné qu'il le pensait, et que sa
joie avait éclaté jusques au ridicule quand on lui eut mandé
de Paris que les Frondeurs étaient au désespoir de cette
translation, car nous la [a] jouâmes très bien, nous l'ornâmes
de toutes les couleurs ; l'on vit deux jours après une *stampe
sur le Pont-Neuf et dans les boutiques des graveurs, qui
représentait M. le comte de Harcourt armé de toutes pièces,
menant en triomphe Monsieur le Prince. Vous ne pouvez
croire l'effet que cette stampe, dont l'original n'était que
trop vrai pour l'honneur du comte de Harcourt, qui fit le
prévôt en cette occasion : vous ne sauriez, dis-je, vous
imaginer la commisération qu'elle excita parmi le peuple [3].
Nous tirâmes Monsieur du *pair, parce que du moment
qu'il fut revenu de Fontainebleau, nous publiâmes et qu'il
avait fait ses efforts pour empêcher la translation, et qu'il
n'y avait donné les mains à la fin que parce qu'il ne se
croyait pas lui-même en sûreté. Il faut avouer que l'on ne peut
mieux jouer son personnage qu'il le joua à Fontainebleau. Il
n'y fit pas un pas qui ne fût digne d'un fils de France ; il
n'y dit pas une parole qui en dégénérât ; il parla sagement,

fermement, *honnêtement. Il n'oublia rien pour faire sentir à la Reine la vérité, il n'omit rien pour la faire connaître au Cardinal ; quand il vit qu'il était tombé en sens *réprouvé, il se tira d'affaire habilement. Il revint à Paris, et il me dit en descendant de carrosse ces propres mots : « Mme de Chevreuse a été repoussée à la *barrière sur votre sujet, et le Cardinal m'a traité, sur le même article, de haut en bas, comme sur tous les autres. J'en suis ravi ; ce misérable nous aurait *amusés et nous aurait tous fait périr avec lui : il n'est bon qu'à pendre. » Voici ce qui s'était passé à la cour sur mon sujet.

Mme de Chevreuse dit à la Reine et au Mazarin tout ce qu'elle avait vu de ma conduite pendant l'absence du Roi, et ce qu'elle avait vu était assurément un tissu de services considérables, que j'avais rendus à la Reine. Elle retomba ensuite sur les injustices que l'on m'avait toujours faites, sur le mépris que l'on m'avait témoigné quelquefois et sur les justes sujets de méfiance que je ne pouvais pas m'empêcher de prendre à chaque instant. Elle conclut par la nécessité de les lever, et par l'impossibilité d'y réussir que par le chapeau. La Reine s'emporta, le Cardinal s'en défendit, non pas par le refus, parce qu'il me l'avait offert trop souvent, mais par la proposition du délai, qu'il fonda sur la dignité de la conduite d'un grand monarque, qui ne doit jamais être forcé. Monsieur, venant à la charge pour soutenir Mme de Chevreuse, ébranla, au moins en apparence, le Mazarin qui lui voulut marquer, au moins par ses paroles, le respect et la considération qu'il avait pour lui. Mme de Chevreuse, qui vit qu'on parlementait, ne douta point du *succès de la capitulation, et d'autant moins que la Reine, à qui le Cardinal avait donné le mot, se radoucit beaucoup[a] et dit même qu'elle donnait à Monsieur tout son ressentiment[1] et qu'elle ferait ce que le Conseil jugerait raisonnable. Ce Conseil, qui était un nom *spécieux, fut réduit à Monsieur le Cardinal, à Monsieur le Garde des Sceaux, au Tellier et à Servien. Monsieur se moqua de cet expédient, jugeant très sagement qu'il n'était proposé que pour me faire refuser la nomination par les formes. Laigue, qui était très *grossier, se laissa enjôler par le Mazarin, qui lui fit croire que ce moyen était nécessaire pour vaincre l'opiniâtreté de la Reine[b]. Mme de Chevreuse, à qui j'avais mandé que cette scène était ridicule, m'écrivit qu'elle voyait les choses de plus près que moi. Le Cardinal proposa l'affaire au Conseil, et il conclut sa proposition par une prière très humble qu'il fit à la Reine de condescendre à la demande de M. le duc d'Orléans et à ce que le mérite et les services de Monsieur le Coadjuteur demandaient encore avec plus d'instance : ce furent ses propres paroles. Elles furent relevées avec une hauteur et une fermeté que l'on ne trouve pas souvent dans les conseils, quand il s'agit de combattre les avis des premiers ministres. Le Tellier et Servien se contentèrent de ne pas lui applaudir ; mais le garde des sceaux, lui, perdit tout respect : il l'accusa de prévarication et de faiblesse, il mit un genou en terre devant la Reine pour la supplier, au nom du Roi son fils, de ne pas autoriser, par un exemple qu'il appela funeste, l'insolence d'un sujet qui voulait arracher les grâces l'épée à la main. La Reine fut émue, le pauvre Monsieur le Cardinal eut honte de sa mollesse et de sa trop grande bonté, et Mme de Chevreuse et Laigue eurent tout sujet de reconnaître que j'avais bien jugé et qu'ils avaient été cruellement joués. Il est vrai que j'en avais aussi donné, pour ma part, une occasion très belle et très naturelle. J'ai fait beaucoup de sottises en ma vie ; voici, à mon sens, la plus signalée.

J'ai remarqué plusieurs fois que quand les hommes ont balancé longtemps à entreprendre quelque chose, par la crainte de n'y pas réussir, l'impression qui leur reste de cette crainte fait, pour l'ordinaire, qu'ils vont trop vite dans la conduite de leurs entreprises. Voilà justement ce qui m'arriva. J'avais eu toutes les peines du monde à me résoudre à prétendre au cardinalat, parce que la prétention sans la certitude du succès me paraissait au-dessous de moi. Dès que l'on m'y eut engagé, le reste de cette idée m'obligea, pour ainsi dire, à me précipiter, de peur de demeurer trop longtemps en cet état, et au lieu de laisser agir Mme de Chevreuse auprès du Tellier, comme nous l'avions concerté, je lui parlai moi-même deux ou trois jours après elle, et je lui dis familièrement et en bonne amitié que j'étais bien fâché que l'on m'eût réduit, malgré moi, dans une condition où je ne pouvais plus être que chef de parti ou cardinal, que c'était à M. Mazarin à opter. M. Le Tellier rendit un très fidèle compte de cet apophtegme, qui servit de thème à l'*opinion de Monsieur le Garde des Sceaux. Il le *devait assurément laisser prendre à un autre, après l'obligation qu'il m'avait et après les engagements qu'il avait pris avec moi malgré moi-même. Mais je confesse aussi qu'il y avait bien de l'étourderie de mon côté de l'avoir donné[a].

Il est moins imprudent d'agir en maître que de ne pas parler en sujet. Le Cardinal ne fut pas beaucoup plus sage dans l'apparat qu'il donna au refus de ma nomination, que je ne l'avais été dans ma déclaration au Tellier. Il crut me faire beaucoup de tort en faisant voir au public que j'avais un intérêt, quoique j'eusse toujours fait profession de n'en point avoir. Il ne distinguait pas les temps : il ne faisait pas réflexion qu'il ne s'agissait plus, comme disait Caumartin, de la défense de Paris et de la protection des peuples, où tout ce qui paraît particulier est suspect. Il ne me nuisit point par sa scène dans le public, où ma prétention paraissait et fort ordinaire et fort nécessaire, et il m'engagea, par cette même scène, à ne pouvoir jamais recevoir de *tempérament sur cette même prétention. Pour vous dire le vrai, il n'y en avait point dont j'eusse été capable ; mais enfin sa conduite, en cela, ne fut pas prudente, et le maréchal de Rais, mon aïeul, qui a passé pour le plus habile courtisan[1] de son temps, disait que l'une des plus nécessaires observations de la vie civile était celle de cacher, autant qu'il se peut, les refus que l'on est quelquefois obligé de faire à ceux que l'on peut craindre ou de qui l'on peut espérer.

Le Cardinal revint, quelque temps après, à Paris avec le Roi. Il offrit pour moi, à Mme de Chevreuse, Orkan, Saint-Lucien, le paiement de mes dettes, la charge de grand aumônier, et il ne tint pas à elle et à Laigue que je n'en prisse le parti. Je l'aurais refusé si il y eût ajouté douze chapeaux. J'étais engagé, et Monsieur, qui s'était défait de la pensée d'ériger autel contre autel[2], par l'impossibilité qu'il avait trouvée à Fontainebleau de diviser le cabinet et de me mettre en perspective vis-à-vis du Mazarin avec un bonnet rouge, Monsieur, dis-je, avait pris la résolution de faire sortir de prison Messieurs les Princes. Tout le monde a cru que j'avais eu beaucoup de peine à lui inspirer cette pensée, et l'on s'est trompé. Il y avait très longtemps que je lui en voyais des velléités. Je vous ai marqué de certains mots, de temps en temps, que j'avais observés, et qui me

faisaient juger que la bonne conduite voulait même que
nous eussions une attention très particulière sur ses mouvements. Mais il est vrai que ces velléités fussent demeurées
très longtemps stériles et infructueuses, si je ne les eusse
cultivées et échauffées. Il est vrai encore qu'il ne les
avait jamais que comme son pis-aller, parce qu'il craignait
naturellement Monsieur le Prince et comme offensé et comme
supérieur, sans proportion, en gloire, en courage, en *génie :
ce qui faisait qu'il perdait, ou du moins qu'il mettait à part
ces velléités, dès qu'il voyait le moindre *jour à se pouvoir
tirer, par une autre voie, de l'embarras où les *contretemps
du Cardinal le jetaient, à tous les instants, à l'égard du
public, dont Monsieur ne voulait en façon du monde perdre
l'amour. Caumartin, qui n'ignorait pas ce qu'il avait dans
l'âme sur ce point, et qui savait d'ailleurs qu'il était fort
rebuté de la guerre civile et qu'il la craignait beaucoup, se
servit fort habilement de ces lumières pour lui proposer ma
promotion comme une voie mitoyenne entre l'abandonnement au Cardinal et le renouvellement de la faction.
Monsieur la prit avec joie, parce qu'il crut qu'elle ne ferait
qu'une intrigue de cabinet, que l'on pourrait appliquer et
pousser dans les suites, selon qu'il conviendrait. Dès qu'il
vit que le Cardinal avait fermé cette porte, il ne balança pas
sur la liberté de Messieurs les Princes. Je conviens que comme
tous les hommes qui sont irrésolus de leur naturel ne se
déterminent que difficilement pour les moyens, quoiqu'ils
le soient pour la fin, il aurait été longtemps à porter sa
résolution jusques à la pratique, si je ne lui en eusse ouvert
et facilité le chemin. Je vous rendrai compte de ce détail,
après vous avoir parlé de deux aventures assez bizarres que
j'eus en ce temps-là.

M. le cardinal Mazarin, étant revenu à Paris, ne songea
qu'à diviser la Fronde, et les manières de Mme de Chevreuse
lui en donnaient assez d'espérance ; car, quoiqu'elle connût
très bien qu'elle tomberait à rien si elle se séparait de moi,
et que par cette raison elle fût très résolue à ne le pas faire,
elle ne laissait pas de se ménager soigneusement, à toutes
fins, avec la cour, et de lui laisser croire qu'elle était bien
moins attachée à moi par elle-même que par l'opiniâtreté
de mademoiselle sa fille. Le Cardinal, qui était persuadé
qu'il m'affaiblirait beaucoup auprès de Monsieur si il m'ôtait

Mme de Chevreuse, pour qui il est vrai qu'il avait inclination naturelle, pensa qu'il ferait un grand coup pour lui si il me pouvait brouiller avec Mlle de Chevreuse, et il crut qu'il n'y en avait point de moyen plus sûr, que de me donner un rival qui lui fût plus agréable. Je crois que je vous ai parlé, dans le premier volume, de la tentative qu'il avait déjà faite par M. de Candale [1]. Il s'imagina qu'il réussirait mieux par M. d'Aumale qui était dans la vérité, en ce temps-là, beau comme un ange et qui pouvait aisément convenir à la demoiselle par la sympathie. Il s'était donné entièrement au Cardinal contre les intérêts même de M. de Nemours, son aîné, et il se sentit très obligé et très honoré de la *commission que l'on lui donna. Il s'attacha à l'hôtel de Chevreuse, et il se conduisit d'*abord si bien et même si délicatement, que je ne balançai pas à croire qu'il ne fût envoyé pour jouer le second acte de la pièce qui n'avait pas réussi à M. de Candale. J'observai avec soin toutes ses démarches, je me confirmai dans mon opinion, je m'en ouvris à Mlle de Chevreuse, je ne trouvai pas qu'elle me répondît à ma mode. Je me fâchai, l'on me rapaisa. Je me remis en colère, et Mlle de Chevreuse me disant devant lui, pour me plaire et pour le *picoter, qu'elle ne concevait pas comme l'on pouvait souffrir un *impertinent, je lui répondis : « Pardonnez-moi, Mademoiselle, l'on fait souvent grâce à l'impertinence en faveur de l'extravagance. » Le seigneur était, de notoriété publique, l'un et l'autre. Le mot fut trouvé bon et bien appliqué. L'on se défit de lui dans peu de jours à l'hôtel de Chevreuse, mais il se voulut aussi défaire de moi. Il aposta un filou appelé Grandmaisons pour m'assassiner. Le filou, au lieu de l'exécuter, m'en donna avis. Je le dis à l'oreille à M. d'Aumale, que je trouvai chez Monsieur, en y ajoutant ces paroles : « J'ai trop de respect pour le nom de Savoie pour ne pas tenir le cas secret. » Il me nia le fait, mais d'une manière qui me le fit croire, parce qu'il me conjura de ne le pas publier. Je le lui promis, je lui ai tenu ma parole, et je n'y manque, aujourd'hui, que parce que je me suis fait vœu à moi-même de ne vous celer quoi que ce soit, et parce que je suis persuadé que vous aurez la bonté de n'en jamais parler à personne.

L'autre aventure fut encore plus rare que celle-là et à proprement parler beaucoup plus *falote. Vous jugez aisément, par ce que vous avez déjà vu de Mme de Guémené, qu'il devait y avoir beaucoup de démêlés entre nous. Il me semble que Caumartin vous en contait un soir chez vous le détail, qui vous divertit un quart d'heure. Tantôt elle s'allait plaindre à mon père, comme une bonne parente, de la vie scandaleuse que je menais avec sa nièce[1] ; tantôt elle en parlait à un chanoine de Notre-Dame, qui était homme de grande piété, qui m'en importunait beaucoup. Tantôt elle s'emportait publiquement avec des injures atroces contre la mère, contre la fille et contre moi. Quelquefois le *ménage se rétablissait pour quelques jours, pour quelque semaine. Voici le comble de la folie. Elle fit très proprement accommoder une manière de cave, ou plutôt de serre d'orangers qui répond dans son jardin et qui est justement sous son petit cabinet, et elle proposa à la Reine de me prendre, en lui promettant qu'elle lui en donnerait les moyens pourvu qu'elle lui donnât sa parole de me laisser sous sa garde enfermé dans la serre. La Reine me l'a dit depuis ; Mme de Guémené me l'a confessé. Le Cardinal ne le voulut pas, parce que, si je fusse disparu, le peuple s'en serait pris certainement à lui. De bonne fortune pour moi, elle ne s'avisa de ce bel expédient que dans le temps que le Roi était à Paris. Si c'eût été en celui du voyage de Guyenne, j'étais perdu ; car comme j'allais quelquefois chez elle la nuit, et seul, elle m'eût très facilement livré. Je reviens à Monsieur.

Je vous ai dit qu'il avait pris la résolution de faire sortir de prison Messieurs les Princes ; mais il n'y avait rien de plus difficile que la manière dont il serait à propos de s'y prendre. Ils étaient entre les mains du Cardinal, qui pouvait, par conséquent, en un quart d'heure, se donner, au moins par l'événement, le mérite de tous les efforts que Monsieur pourrait faire en des années ; et la plus petite apparence de ces efforts était capable de lui en faire prendre la résolution en un instant. Nous résolûmes, sur ces réflexions, de nous tenir *couverts, avec toute la précaution possible, sur le fond de notre dessein ; de réunir, sans considérer les offenses et les intérêts particuliers, tous ceux qui en avaient un commun à la perte du ministre ; de jeter des apparences d'intention non droite et non sincère pour la liberté de Monsieur le Prince, non pas seulement parmi les gens de la cour, mais parmi ceux même de leur parti qui étaient les moins bien disposés pour les Frondeurs ; de donner des lueurs de division entre nous et d'en fortifier, de temps en temps, le soupçon par des accommodements avec Monsieur le Prince, que nous ferions séparés successivement les uns après les autres ; de réserver Monsieur pour le coup décisif, et, au moment de ce coup, de *pousser tous ensemble le ministre et le ministère, les uns par le *cabinet et les autres par le Parlement, et, sur le tout, de s'entendre d'abord uniquement avec une personne du parti des princes qui en eût la confiance et la clef.

Voilà bien des ressorts, mais il n'y en avait pas un qui ne fût nécessaire. Vous en voyez sans doute l'usage d'un coup d'œil. Ce qui fut d'heureux et même de merveilleux est qu'il n'y en eut aucun qui manquât ; que toutes les pièces eurent, avec justesse, le mouvement auquel on les avait destinées, et que les seules roues de la machine qui allèrent un peu plus vite que l'on ne l'avait projeté se remirent dans leur équilibre presque au moment de leur dérèglement. Je m'explique. Mme de Rhodes, qui conservait toujours beaucoup d'*habitude avec le garde des sceaux, lui donna une grande joie en lui faisant voir qu'elle aurait assez de pouvoir auprès de moi, par le moyen de Mlle de Chevreuse, pour m'obliger à ne pas rompre avec lui sur le dernier tour qu'il m'avait fait. Il avait fait son coup. Il m'avait ôté, à ce qu'il pensait, le chapeau ; il se croyait très heureux de trouver une bonne amie qui me dorât une pilule de cette espèce, et qui lui donnât lieu de demeurer lié à une cabale qui *poussait le Mazarin, ce qui était son compte, et dont il avait paru toutefois absolument détaché, ce qui était aussi son jeu. Il nous était d'une si grande conséquence de ne pas unir au Cardinal le garde des sceaux, qui connaissait notre manœuvre, comme ayant été des nôtres et comme y ayant même encore beaucoup de part, hors en ce qui regardait mon chapeau, que je pris ou feignis de prendre pour bon, même avec joie, tout ce qu'il lui plut de me dire de la comédie de Fontainebleau. Il joua fort bien, je ne jouai pas mal. Je trouvai qu'il lui eût été impossible de se défendre d'en user comme il en avait usé, vu les circonstances. Mlle de Chevreuse, qui l'appelait son papa, fit des merveilles : nous soupâmes chez lui. Il nous donna la comédie en tout sens, et je me souviens, entre autres, que, comme il était extrêmement *bijoutier, et qu'il avait tous les doigts pleins de petites bagues, nous fûmes une partie du soir à raisonner[a] sur les mesures qu'il fallait qu'il gardât pour ne pas blesser, en de certaines occasions, Mme de Bois-Dauphin. Vous verrez que ces folies ne nous furent pas inutiles et qu'elles coûtèrent cher à Mazarin. Il s'imagina que Mme de Rhodes, qu'il croyait beaucoup plus au garde des sceaux qu'à moi, m'*amusait par Mlle de Chevreuse, à qui il se figurait qu'elle faisait croire tout ce qu'elle voulait. Il ne pouvait douter, après ce qu'il avait vu à Fontainebleau, que le garde des sceaux et moi nous ne fussions intimement mal, et je sais que quand il connut, après sa sortie de la cour, que, nonobstant tout ce démêlé, nous nous étions accommodés pour le chasser, je sais, dis-je, qu'il dit en jurant que rien ne l'avait jamais tant surpris de tout ce qui lui était arrivé dans sa vie.

Mme de Rhodes ne nous fut pas moins utile du côté de Madame la Palatine. Je vous ai déjà dit qu'elle en avait été extrêmement recherchée, et vous pouvez juger comme elle en fut reçue. Elle ménagea avec elle fort adroitement tous les préalables. Je la vis la nuit et je l'admirai. Je la trouvai d'une capacité étonnante, ce qui me parut particulièrement en ce qu'elle savait se fier. C'est une qualité très rare, et qui marque autant un esprit élevé au-dessus du commun. Elle fut ravie de me voir aussi inquiet que je l'étais sur le secret, parce qu'elle ne l'était pas moins que moi en son particulier. Je lui dis nettement que nous appréhendions que ceux du parti de Messieurs les Princes ne nous montrassent au Cardinal, pour le presser de s'accommoder avec eux. Elle m'avoua franchement que ceux du parti de Messieurs les Princes craignaient que nous ne les montrassions au Cardinal, pour le forcer de s'accorder avec nous. Sur quoi, lui ayant répondu que je lui engageais ma foi et ma parole que nous ne recevrions aucune proposition de la cour, je la vis dans un transport de joie que je ne vous puis exprimer ; et elle me dit qu'elle ne nous pouvait pas donner la même parole, parce que Monsieur le Prince était en un état où il était obligé de recevoir tout ce qui lui pouvait donner sa liberté ; mais qu'elle m'assurait que si je voulais traiter avec elle, la première condition serait que quoi qu'il pût promettre à la cour ne pourrait jamais l'engager au préjudice de ce dont nous serions convenus. Nous entrâmes ensuite en matière, je lui communiquai mes vues, elle s'ouvrit des siennes, et après deux heures de conférence, dans lesquelles nous convînmes de tout, elle me dit : « Je vois bien que nous serons bientôt de même parti, si nous n'en sommes déjà. » Il faut vous tout dire. Elle tira, en même temps, de dessous son chevet (car elle était au lit), huit ou dix liasses de chiffres, de lettres, de blanc-signés ; elle prit confiance en moi de la manière du monde la plus obligeante. Nous fîmes un petit mémoire de tout ce que nous aurions à faire de part et d'autre ; et voici ce que nous avions à faire.

Madame la Palatine devait dire à M. de Nemours, au président Viole, à Arnauld et à Croissy que les Frondeurs étaient ébranlés pour servir Monsieur le Prince ; mais qu'elle doutait extrêmement que l'intention du coadjuteur ne fût de se servir de son parti pour abattre le Cardinal et non pas pour lui rendre la liberté ; que celui qui lui avait fait des avances, et qui ne voulait pas être nommé, lui avait parlé si ambigument, qu'elle en était entrée en défiance ; qu'à tout hasard il fallait écouter, mais qu'il était nécessaire d'être fort à l'*erte, parce que les coups doubles étaient fort à craindre. Madame la Palatine avait jugé qu'il fallait qu'elle parlât ainsi d'abord, pour deux raisons, dont la première était qu'il lui importait, même pour le service de Monsieur le Prince, d'effacer de l'esprit de beaucoup de gens de son parti l'opinion qu'ils avaient qu'elle était trop aliénée de la cour, et l'autre de répandre dans le même parti un air de défiance des Frondeurs qui allât jusques à la cour, et qui l'empêchât de prendre l'alarme si chaude de leur réunion. « Si j'étais, me dit Madame la Palatine, de l'avis de ceux qui croient que le Mazarin se pourra résoudre à rendre la liberté à Monsieur le Prince, je le servirais très mal en prenant cette conduite ; mais comme je suis convaincue, par tout ce que j'ai vu de la sienne depuis la prison, qu'il n'y consentira jamais, je suis persuadée et qu'il n'y a qu'à se mettre entre vos mains, et que nous ne nous y mettrions qu'à demi, si nous ne vous donnions nous-mêmes lieu de vous défendre des pièges que ceux des amis de Monsieur le Prince qui ne sont pas de mon sentiment vous croiraient tendre et qu'ils tendraient par l'événement à Monsieur le Prince même. Je sais bien que je hasarde et que vous pouvez

abuser de ma confiance ; mais je sais bien qu'il faut hasarder
pour servir Monsieur le Prince, et je sais même de plus que
l'on ne le peut servir, dans la conjoncture présente, sans
hasarder précisément ce que je hasarde. Vous m'en montrez
l'exemple, vous êtes ici sur ma parole, vous êtes entre mes
mains. »

J'avais naturellement de l'inclination à servir Monsieur le
Prince, pour qui j'avais eu toute ma vie et respect et
tendresse particulière ; mais je vous avoue que je crois que
le procédé et si net et si habile de la Palatine m'y eût
engagé, quand je n'y aurais pas été aussi porté que je l'y
étais par moi-même. Il y avait deux heures que je l'admirais ;
je commençai à l'aimer ; car elle eut autant de bonté à me
confier les raisons de ses sentiments, qu'elle avait eu
d'habileté à me les persuader. Dès qu'elle vit que je
répondais à sa franchise, non plus seulement par des
*honnêtetés sur les faits, mais encore par des ouvertures sur
les motifs, elle quitta la plume avec laquelle elle écrivait
son mémoire ; elle me fit le plan de son parti : elle me dit
que le premier président voulait la liberté de Monsieur le
Prince et par lui-même et encore plus par Champlâtreux ;
mais qu'il l'espérait par la cour, et qu'il ne la voulait en
façon du monde par la guerre ; que le maréchal de Gramont
la souhaitait plus qu'homme de France, mais qu'elle n'en
connaissait pas un plus propre à serrer ses liens, parce qu'il
serait toute sa vie la dupe du *cabinet ; que Mme de
Montbazon leur faisait tous les jours espérer M. de Beaufort,
mais que l'on comptait sa foi pour rien et son pouvoir pour
peu de chose ; que Arnauld et Viole voulaient la liberté de
Messieurs les Princes par la cour, pour leurs intérêts particuliers, et que leur avidité toute seule soutenait leurs espérances ; que Croissy était persuadé qu'il n'y avait rien à faire
qu'avec moi ; mais qu'il était si emporté qu'il n'était pas
encore temps de s'en ouvrir avec lui ; que M. de Nemours
n'était qu'un fantôme agréable ; que le seul homme à qui
elle se découvrirait et par qui elle négocierait avec moi serait
Montreuil, duquel je vous ai tantôt parlé. Elle reprit, en cet
endroit, son mémoire pour le continuer. Vous en avez vu le
premier article. Le second fut que quand l'on jugerait
nécessaire, ou pour empêcher ceux du parti des princes de
courre trop vite au Mazarin (ce qui leur arrivait souvent à la

moindre lueur qu'il leur faisait paraître de bonne intention pour leur liberté) ou pour quelque autre sujet que ce pût être, le second article, dis-je, fut que quand l'on jugerait à propos de faire paraître la Fronde, nous commencerions par Mme de Montbazon, qui croirait si bien elle-même avoir entraîné M. de Beaufort, que j'aurais toutefois disposé auparavant, que si le Cardinal en était averti, comme il était impossible qu'il ne le fût pas de tout ce qui se faisait dans un parti aussi divisé d'intérêts et de sentiments que celui des princes, il ne douterait pas lui-même que la Fronde ne se fût divisée, ce qui, au lieu de l'intimider, lui donnerait encore plus d'audace. Le troisième article fut qu'elle ne s'ouvrirait, sur mon sujet, à qui que ce soit, jusques à ce qu'elle eût vu tous les esprits de sa faction disposés à recevoir ce que l'on leur voudrait faire savoir. Nous nous jurâmes, après cela, un concert entier et parfait, et nous nous tînmes fidèlement et exactement parole.

Monsieur approuva en tout et partout ma négociation, qui n'était que le plan de notre conduite et ce qui était pourtant le plus pressé, parce qu'il n'y avait pas un instant où l'on ne la pût déconcerter par des pas contraires. Nous avions remis à la nuit suivante la discussion des conditions par lesquelles l'on commence d'ordinaire, et par lesquelles nous ne fîmes point difficulté de finir en cette occasion, parce que la Fronde avait la carte blanche et qu'il ne s'agissait que de combattre d''*honnêteté. Monsieur n'en voulait point d'autre que l'amitié de Monsieur le Prince, le mariage de Mademoiselle d'Alençon avec Monsieur le Duc et la renonciation à la prétention de la connétablerie [1]. L'on m'offrait les abbayes de Monsieur le prince de Conti [2], et vous croyez aisément que je ne les voulais pas. M. de Beaufort était bien aise que l'on ne le troublât point dans la possession de l'amirauté, et ce n'était pas une affaire. Mlle de Chevreuse n'était pas fâchée de devenir princesse du sang par le mariage de M. le prince de Conti ; et ce fut la première offre que Madame la Palatine fit à Mme de Rhodes. Tout cela fut réglé dès la seconde conférence ; mais il fut réglé, en même temps, qu'il ne s'en écrirait rien qu'à mesure que les traités particuliers se feraient, et cela pour la même raison pour laquelle il avait été résolu de n'en point faire de général : vous l'avez vue ci-dessus. Madame la

Palatine me pressa beaucoup de recevoir en forme la parole
de Messieurs les Princes de ne point *traverser mon cardinalat.
Je vous rendrai tantôt compte de la raison que j'eus pour ne
la pas accepter en ce temps-là. La postérité aura peine à
croire la *justesse avec laquelle toutes ces mesures se
gardèrent ; je ne puis encore la concevoir moi-même. Il est
vrai que je trouvai un moyen sûr de remédier à ce qui les
pouvait rompre le plus facilement, qui était le peu de secret
et l'infidélité de Mme de Montbazon ; car quand nous
jugeâmes, Madame la Palatine et moi, qu'il était temps que
M. de Beaufort s'ouvrît encore plus qu'il n'avait fait jusque-
là avec les amis de Monsieur le Prince, je lui fis voir que le
secret qu'il garderait, sur le sujet de Monsieur et sur le
mien, à Mme de Montbazon lui donnerait un très grand
mérite auprès d'elle, et ferait cesser les reproches qu'il
m'avouait qu'elle lui faisait continuellement du pouvoir que
j'avais sur son esprit. Il conçut ce que je lui disais, il en fut
ravi. Arnauld crut avoir fait un miracle en faveur de son
parti, d'avoir gagné M. de Beaufort par Mme de Montbazon.
Mme de Nemours, sa bonne sœur, prétendait cette gloire.
Madame la Palatine, qui était aussi plaisante qu'habile, s'en
donnait toutes les nuits la comédie et à elle et à moi. Le
prodige est que ce traité de M. de Beaufort demeura très
secret, contre toute sorte d'apparence, qu'il ne nuisit à rien
et qu'il ne produisit justement que l'effet que l'on en
voulait, qui était de faire connaître à ceux qui gouvernaient
à Paris les affaires de Monsieur le Prince, que l'unique
ressource ne consistait pas dans le Mazarin. Un des articles
du traité de M. de Beaufort portait qu'il ferait tous ses
efforts pour obliger Monsieur à prendre la protection de
Messieurs les Princes, et qu'il romprait même avec le
coadjuteur s'il persistait dans l'opiniâtreté qu'il avait
témoignée jusque-là contre leur service. Mme de Montbazon
avait été négligée, dans les derniers temps, par la cour, qui
n'estimait ni sa fidélité ni sa capacité, et qui de plus
connaissait son peu de pouvoir. Cette circonstance ne nous
fut pas inutile. Je ne sais si je ne vous ai point déjà dit, en
quelque endroit de cet ouvrage, que ce qui est même
méprisable n'est pas toujours à mépriser [1].

Quand Madame la Palatine eut donné le temps à son
parti de se détromper des fausses lueurs avec lesquelles la

cour l'*amusait, et qu'elle eut mis les esprits au point où elle les voulait, je me laissai pénétrer, beaucoup davantage que je n'avais accoutumé, à Arnauld et à Viole, qui se pressèrent extrêmement de lui en apprendre la bonne nouvelle. Croissy, qui m'avait toujours sollicité, fut l'entremetteur de notre entrevue. Elle se fit la nuit chez Madame la Palatine. Nous conférâmes, nous signâmes le traité, et M. de Beaufort et moi[a], pour faire voir au parti des princes notre union, et que celui qu'il avait signé auparavant tout seul n'était pas le bon. Nous convînmes que ce traité serait mis en dépôt entre les mains de Blancmesnil, qui, tel que vous le connaissez, faisait en ce temps-là quelque sorte de figure, à cause qu'il avait été des premiers à déclamer dans le Parlement contre le Cardinal. Ce traité est, à l'heure qu'il est, en original, entre les mains de Caumartin, qui, étant avec moi à Joigny il y a huit ou dix ans, le trouva abandonné dans une vieille armoire de garde-robe[1]. Ce qu'il y eut de plaisant dans cette conférence, fut que, de concert avec la Palatine, je leur fis le *fin des intentions de Monsieur, ce qui était la grosse *corde, et qui, par toutes raisons, ne se devait toucher que la dernière, et qu'eux pareillement me faisaient aussi les fins de ce qu'ils en savaient d'ailleurs par le même concert. La différence est qu'elle voulait bien que je susse le dessous des cartes, parce qu'elle voyait bien que je ne gâterais rien au jeu, et qu'elle le leur cachait effectivement le plus qu'il lui était possible, pour la raison que je vous vas expliquer.

Monsieur, qui était l'homme du monde le plus incertain, ne se résolvait jamais que très difficilement aux moyens, quoiqu'il fût résolu à la fin. Ce défaut est une des sources des plus empoisonnées des fausses démarches des hommes. Il voulait la liberté de Messieurs les Princes, mais il y avait des moments où il la voulait par la cour. Cela ne se pouvait, parce que si la cour y eût donné, son premier soin eût été d'en exclure Monsieur, ou du moins de ne l'y admettre qu'après coup et comme une *représentation. Il le jugeait très bien, et il me l'avait dit cent fois lui-même. Mais comme il était faible, et que les gens de ce *caractère ne distinguent jamais assez ce qu'ils veulent de ce qu'ils voudraient, il se laissait aller quelquefois à M. le Maréchal de Gramont, qui se laissait *amuser du matin au soir par le

Mazarin, et qui lui persuadait, une fois ou deux par semaine, que la cour était disposée à agir de bonne foi avec lui, pour donner la liberté à Messieurs les Princes. Je m'aperçus bientôt de l'effet des longues conversations de M. le maréchal de Gramont ; mais comme il me semblait que j'en effaçais toujours les impressions par une ou deux paroles, je n'y faisais pas beaucoup de réflexion, et d'autant moins que je ne pouvais pas m'imaginer que Monsieur, qui m'avait témoigné des appréhensions mortelles du manquement de secret, fût capable de s'y laisser entamer par l'homme du monde qu'il connaissait pour en avoir le moins, en toutes choses sans exception. Je me trompais toutefois ; car Monsieur, qui véritablement ne lui avait pas avoué qu'il traitât avec le parti des princes par les Frondeurs, avait fait presque pis en lui découvrant que les Frondeurs y traitaient pour eux-mêmes ; qu'ils l'avaient voulu persuader de faire la même chose ; qu'il l'avait refusé, et qu'au fond il n'y voulait entrer que conjointement avec la cour, dans l'opinion que la cour y marcherait de bon pied. Le premier président et le maréchal de Gramont, qui agissaient de concert, ne manquèrent pas de se faire honneur de cette importante nouvelle auprès de Viole, de Croissy et d'Arnauld, pour les empêcher de prendre aucune confiance aux Frondeurs, dont enfin la principale considération consistait en Monsieur. Jugez de l'effet de ce *contretemps, si les mesures que j'avais prises avec Madame la Palatine ne l'eussent sauvé. Elle s'en servit très *finement, cinq ou six jours durant, pour brouiller les *espèces, que l'impétuosité de Viole avait un peu trop éclaircies ; et quand elle eut fait ce qu'elle désirait, et qu'elle crut que *comœdia in comœdia*[1] n'était plus de saison, elle se servit encore plus utilement du dénouement de la pièce que vous allez voir.

Nous jugeâmes à propos, Madame la Palatine et moi, que je m'expliquasse à Monsieur pour empêcher qu'une autre fois de pareils malentendus n'arrivassent, qui eussent été capables de *déconcerter les mesures du monde les mieux prises. Je lui parlai avec liberté, je me plaignis avec ressentiment. Il eut honte, il eut regret. Il me paya d'abord d'une fausse monnaie, en me disant qu'il n'avait pas dit cela et cela au maréchal de Gramont ; mais qu'il était vrai qu'il avait estimé qu'il était bon de lui faire croire qu'il cunning stratagems — disinfo, pretence

n'était pas si fort passionné pour le Frondeurs que la Reine se le voulait persuader. Enfin je n'en pus tirer que de *méchantes raisons, qui me persuadèrent à moi-même que l'appréhension qu'il avait que la cour ne donnât tout d'un coup, sans sa participation, la liberté à Messieurs les Princes, lui avait fait faire ce faux pas. Comme je lui en eus fait voir la conséquence et pour lui-même et pour nous, il m'offrit, avec empressement, de faire tout ce qui serait nécessaire pour y remédier. Il écrivit une lettre antidatée de Limours, où il allait assez souvent, par laquelle il me faisait des railleries, même fort plaisantes, des négociations que le maréchal de Gramont prétendait avoir avec lui. Ces railleries étaient si bien circonstanciées, selon les instructions que la Palatine m'avait données, que les négociations du maréchal n'en paraissaient plus que chimériques. Madame la Palatine fit voir cette lettre, comme en grande confiance, à Viole, à Arnauld et à Croissy. Je fis semblant d'en être fâché. Je me radoucis, j'entrai dans la raillerie, et de ce jour le maréchal de Gramont et le premier président furent joués, jusques à celui de la liberté de Monsieur le Prince, d'une manière qui, en conscience, me faisait quelquefois pitié. Nous eûmes encore un petit embarras, qui se peut appeler domestique, dans ce temps-là. Le garde des sceaux, qui, comme vous avez vu, s'était réuni avec nous pour la perte du Mazarin, appréhendait extrêmement la liberté de Monsieur le Prince, quoiqu'il ne s'en expliquât pas ainsi en nous parlant ; mais comme Laigue ne s'y était rendu que parce qu'il n'avait pas eu la force de me résister, il se servit de lui pour essayer de retarder nos efforts par Mme de Chevreuse. Je m'en aperçus, et j'eus bientôt abattu cette fumée par le moyen de Mlle de Chevreuse, qui fit tant de honte à sa mère du balancement qu'elle témoignait pour son *établissement, qu'elle revint à nous, et qu'elle ne nous fut pas même d'un *médiocre usage auprès de Monsieur, dans la faiblesse duquel il y avait bien des étages. Il y avait très loin de la velléité à la volonté, de la volonté à la résolution, de la résolution au choix des moyens, du choix des moyens à l'application. Mais, ce qui était de plus extraordinaire, il arrivait même assez souvent qu'il demeurait tout court au milieu de l'application. Mme de Chevreuse nous aida sur ce point, et Laigue même, voyant l'affaire trop engagée, ne nous y nuisit pas. Mme de

Rhodes ne s'oublia pas non plus auprès du garde des sceaux, qui n'osa d'ailleurs tout à fait se déclarer. Enfin Monsieur signa son traité, mais d'une manière qui vous marquera mieux son *génie que tout ce que je vous en ai dit. Caumartin l'avait dans sa poche avec un écritoire de l'autre côté, il l'attrapa entre deux portes, il lui mit une plume entre ses doigts et il signa, à ce que Mlle de Chevreuse disait en ce temps-là, comme il aurait signé la cédule du sabbat [1], si il avait eu peur d'y être surpris par son bon ange. Le mariage de Mlle de Chevreuse avec M. le prince de Conti fut stipulé dans ce traité, car vous croyez bien qu'il n'en avait pas été fait de mention dans le mien ; et la promesse de ne point s'opposer à ma promotion y fut aussi insérée, mais par rapport à l'article du mariage, et en marquant expressément que Monsieur ne m'avait pu faire consentir à recevoir pour moi cette parole de Monsieur le Prince, qu'après m'avoir fait voir que le changement de profession de monsieur son frère ne lui laissait plus aucun lieu d'y prétendre pour lui. Messieurs les Princes étaient de toutes ces négociations, comme si ils eussent été en pleine liberté. Nous leur écrivîmes, ils nous firent réponse ; et le commerce de Paris à Lyon n'a jamais été plus *réglé [2]. Bar, qui les gardait, était homme de peu de sens, et, de plus, les plus *fins y sont trompés. Monsieur le Prince dit, après qu'il fut sorti de prison, les moyens dont il s'était servi pour avoir des lettres. Je ne m'en ressouviens pas. Il me semble qu'il en recevait quelques-unes dans des pièces de quarante-huit [3] qui étaient creuses. Cette invention ne m'eût pas été d'usage dans ma prison, parce que l'on ne m'y laissait toucher aucun argent.

M. le cardinal Mazarin, qui avait pris goût, pour la seconde fois, aux acclamations du peuple, quand le Roi était revenu de Guyenne, éprouva aussi bientôt, pour la seconde fois, que cette nourriture, quoique assaisonnée avec beaucoup de soin par la flatterie des courtisans, n'était pas d'une substance tout à fait solide : il s'en lassa dans peu de jours. Les Frondeurs n'en tinrent pas moins le pavé, je n'en étais pas moins souvent à l'hôtel de Chevreuse, qui est présentement l'hôtel de Longueville [a4], et qui, comme vous savez, n'est qu'à cent pas du Palais-Royal, où le Roi logeait. J'y allais tous les soirs, et mes *vedettes se posaient *réglément à vingt pas des sentinelles des gardes. J'en ai encore honte quand j'y pense ; mais ce qui m'en faisait dans le fond du cœur, dès ce temps-là, paraissait grand au vulgaire, parce qu'il était haut, et excusable même aux autres, parce qu'il était nécessaire. L'on pouvait dire qu'il n'était pas nécessaire que j'allasse à l'hôtel de Chevreuse ; mais personne presque ne le disait, tant dans la faction l'habitude a de force en faveur de ceux qui ont gagné les cœurs. Souvenez-vous, s'il vous plaît, de ce que je vous ai dit dans le premier volume de cet ouvrage sur ce sujet[1]. Il n'y avait rien de si contraire à tout ce qui se passait à l'hôtel de Chevreuse que les confirmations, les conférences de Saint-Magloire[2] et autres occupations. J'avais trouvé l'art de les concilier ensemble, et cet art justifie, à l'égard du monde, ce qu'il concilie.

Le Cardinal, fatigué, à mon opinion, des alarmes que l'abbé Fouquet commençait à lui donner à Paris, pour se rendre nécessaire auprès de lui, et entêté de plus de sa capacité pour le gouvernement d'une armée (il m'en a parlé dix fois en sa vie, en faisant un galimatias de la distinction qu'il mettait entre le gouvernement et la conduite d'une armée), le Cardinal, dis-je, sortit, en ce temps-là, assez brusquement de Paris, pour aller en Champagne, et pour reprendre Rethel et Château-Porcien, que les ennemis avaient occupées, et dans lesquelles M. de Turenne prétendait d'hiverner. L'archiduc, qui s'était rendu maître de Mouzon, après un siège assez opiniâtré, lui avait donné un corps fort considérable de troupes, qui, joint à celles qu'il avait ramassées de tous ceux qui étaient attachés à Messieurs les Princes, formait une *juste et belle armée. Le Cardinal lui en opposa une qui n'était pas moins forte ; car il joignit à celle que le maréchal Du Plessis commandait déjà dans la province les troupes que le Roi avait ramenées de Guyenne, et d'autres encore que Villequier et Hocquincourt avaient maintenues et même grossies tout l'été. Je vous rendrai compte des exploits de ces deux armées, après que vous aurez vu ceux qui se firent dans le Parlement, un peu après que le Cardinal fut parti.

Nous résolûmes, dans un conseil qui fut tenu chez Madame la Palatine, de ne le pas laisser respirer, et de l'attaquer dès le lendemain de l'ouverture du Parlement. Monsieur le

Premier Président, qui était dans le fond bien intentionné pour Monsieur le Prince, avait fait témoigner à ses serviteurs qu'il le servirait avec zèle en tout ce qui serait purement des voies de justice ; mais que si l'on prenait celles de la faction, il n'en pouvait jamais être. Il s'en expliqua même ainsi au président Viole, en ajoutant que le Cardinal, voyant que le Parlement ne pourrait pas s'empêcher de faire enfin justice à deux princes du sang qui la demandaient, et contre lesquels il n'y avait aucune accusation intentée, se rendrait infailliblement, pourvu que l'on ne lui donnât aucun lieu de croire que l'on eût des mesures avec les Frondeurs, et que le moindre soupçon de *correspondance avec eux ferait qu'il n'y aurait aucune extrémité dont il ne fût capable, plutôt que d'avoir la moindre pensée pour leur liberté. Voilà ce que la Reine, le Cardinal et tous les subalternes disaient à tous les moments ; voilà ce que le premier président et le maréchal de Gramont se persuadaient être bon et sincère, et voilà ce qui eût tenu Monsieur le Prince, peut-être pour toute la vie du Mazarin, dans les fers, sans le bon sens et sans la fermeté de Madame la Palatine. Vous voyez par cette circonstance, encore plus que par toutes les autres que je vous ai marquées jusques ici, de quelle nécessité il était de couvrir notre jeu dans une conjoncture où, au moins pour l'ouverture de la scène, la contenance du premier président nous était très considérable. Il faut avouer qu'il n'y a jamais eu de comédie si bien exécutée. Monsieur fit croire au maréchal de Gramont qu'il voulait la liberté des princes, mais qu'il ne la voulait que par la cour, et parce qu'il n'y avait qu'elle qui la pût donner sans guerre civile, et parce qu'il avait découvert que les Frondeurs ne la voulaient pas dans le fond. Les amis de Monsieur le Prince firent voir au premier président que, comme nous les voulions tromper en nous servant d'eux pour *pousser le Mazarin, sous le prétexte de servir Monsieur le Prince, ils se voulaient servir de nous pour donner la liberté à Monsieur le Prince, sous le prétexte de pousser le Mazarin. Je donnais, par mes manières, toutes les *apparences possibles et à ces discours et à ces soupçons. Cette conduite fit tous les effets que nous désirions. Elle échauffa, pour le service de Messieurs les Princes, et Monsieur le Premier Président et tous ceux du corps qui avaient de l'indisposition contre la Fronde ; elle empêcha que le

Cardinal ne se précipitât dans quelque résolution qui ne nous plût pas, parce qu'elle lui donna lieu d'espérer qu'il détruirait les deux partis l'un par l'autre, et elle *couvrit si bien notre marche que l'on ne faisait pas seulement de réflexion sur les avis qui venaient de toutes parts à la cour contre nous. L'on y croyait savoir le dessous des cartes. Le premier président ne pouvait quelquefois s'empêcher de dire à sa place de certaines paroles équivoques, qu'il croyait que nous n'entendions pas, et qui nous avaient été expliquées la veille chez la Palatine. Nous nous y réjouissions de M. le maréchal de Gramont, qui croyait et disait que les Frondeurs seraient bientôt pris pour dupes. Il y eut sur ce détail mille et mille farces, dignes, sans exagération, du ridicule de Molière[1]. Revenons au Parlement.

La Saint-Martin de l'année 1650 arriva : le premier président et l'avocat général Talon exhortèrent la Compagnie à demeurer dans la tranquillité, pour ne point donner d'avantage aux ennemis de l'État. Deslandes-Payen, conseiller de la Grande Chambre, dit qu'il avait été chargé, la veille, à neuf heures du soir, d'une requête de Madame la Princesse. Elle fut lue, et elle concluait à ce que Messieurs les Princes fussent amenés au Louvre ; qu'ils y fussent gardés par un *officier de la maison du Roi ; que le procureur général fût mandé pour déclarer si il avait quelque chose à proposer contre leur innocence, et qu'à faute de ce faire, il fût incessamment pourvu à leur liberté. Ce qui fut d'assez plaisant à l'égard de cette requête fut qu'elle fut concertée l'avant-veille chez Madame la Palatine, entre Croissy, Viole et moi, et qu'elle fut *minutée, la veille, chez le premier président, qui disait aux deux autres : « Voilà servir Monsieur le Prince dans les formes et en gens de bien, et non pas comme des factieux. » L'on mit le *soit montré*[2], sur la requête, ce qui était de la forme ; elle fut renvoyée au parquet, et l'on prit jour pour délibérer au mercredi d'après, qui était le 7 de décembre.

Ce jour-là, les chambres s'étant assemblées, Talon, avocat général, qui avait été mandé pour prendre ses conclusions sur la requête, dit que la Reine avait mandé la veille les gens du Roi, pour leur ordonner de faire entendre à la Compagnie que son intention était que le Parlement ne prît aucune connaissance de la requête présentée par Madame la

Princesse, parce que tout ce qui regardait la prison de Messieurs les Princes n'appartenait qu'à l'autorité royale. Les conclusions de Talon, au nom du procureur général, furent que le Parlement renvoyât, par une députation, la requête à la Reine et la suppliât d'y avoir quelque égard.

Talon n'eut pas achevé de parler, que Crespin, doyen de la Grande Chambre, rapporta une autre requête de Mlle de Longueville, par laquelle elle demandait et la liberté de monsieur son père et la permission de demeurer à Paris pour la *solliciter.

Aussitôt que la requête eut été lue, les huissiers vinrent avertir que Des Roches, capitaine des gardes de Monsieur le Prince, était à la porte, qui demandait qu'il plût à la Compagnie de le faire entrer pour lui présenter une lettre des trois princes. L'on lui donna audience. Il dit qu'un chevau-léger des troupes qui avaient conduit Monsieur le Prince au Havre, lui avait apporté cette lettre. Elle fut lue, elle demandait que l'on leur fît leur procès ou que l'on leur donnât la liberté.

Le vendredi 9, le Parlement s'étant assemblé pour délibérer, Sainctot, lieutenant des cérémonies, apporta à la Compagnie une lettre de cachet, par laquelle le Roi lui ordonnait de surseoir à toute délibération, jusques à ce qu'ils eussent député vers lui pour apprendre ses volontés. L'on députa dès l'après-dînée. La Reine reçut les députés dans le lit, où elle leur dit qu'elle se portait fort mal. Le garde des sceaux ajouta que l'intention du Roi, qui s'y trouva présent, était que le Parlement ne s'assemblât, pour quelque affaire que ce pût être, que la santé de la Reine, sa mère, ne fût un peu rétablie, afin qu'elle pût elle-même travailler avec plus d'application à tout ce qui serait de leur satisfaction.

Le 10, le Parlement résolut de ne donner de délai que jusques au 14 ; et ce fut ce jour-là que Crespin, doyen du Parlement, ne sachant quel avis prendre, porta celui de demander à Monseigneur l'Archevêque une procession générale, pour demander à Dieu la grâce de n'en former que de bons.

Le 14, l'on eut une lettre de cachet pour empêcher que l'on ne délibérât. Elle portait que la Reine donnerait assurément au plus tôt satisfaction sur l'affaire de Messieurs les Princes. L'on n'eut aucun égard à cette lettre de cachet, et l'on commença la délibération. Le Nain, conseiller de la Grande Chambre, fut d'avis d'inviter M. le duc d'Orléans de venir prendre sa place, et il *passa à cet avis au plus de voix. Vous jugez assez, par tout ce que vous avez ci-dessus, qu'il n'était pas encore temps que Monsieur parût. Il répondit aux députés qu'il ne se trouverait point à l'assemblée, que l'on y faisait trop de bruit, que ce n'était plus qu'une *cohue ; qu'il ne concevait pas ce que le Parlement préten-dait ; qu'il était inouï qu'il eût pris connaissance de semblables affaires ; qu'il n'y avait qu'à renvoyer les requêtes à la Reine. Vous remarquerez, s'il vous plaît, que cette réponse, qui avait été résolue chez la Palatine, dès nos premières conférences, parut, par l'adresse de Monsieur, lui avoir été inspirée par la cour ; car il ne répondit à Doujat et à Ménardeau, qui lui avaient été députés, qu'après en avoir conféré à la Reine, à qui il tourna son absence du Parlement d'une manière si délicate, qu'il se la fit demander. Ce qu'il dit aux députés acheva de confirmer la cour dans l'opinion que le maréchal de Gramont voyait clair et juste dans ses véritables intentions, et le premier président en fut encore plus persuadé que les Frondeurs demeureraient les dupes de l'intrigue ; comme il ne l'était pas lui-même du Mazarin à beaucoup près tant que M. le maréchal de Gramont, il n'était pas fâché que le Parlement lui donnât des coups d'éperon ; et quoiqu'il fît toujours semblant de les rabattre de temps en temps, il n'était pas difficile à connaître, et par lui-même quelquefois et toujours par ceux qui dépen-daient de lui dans la Compagnie, qu'il voulait la liberté de Messieurs les Princes, quoiqu'il ne la voulût pas par la guerre.

Le 15, l'on continua la délibération.

Le 17 de même, avec cette différence toutefois que Deslandes-Payen, rapporteur de la requête de Messieurs les Princes, ayant été interrogé par le premier président si il n'avait rien à ajouter à son avis qu'il avait porté dès le 14 et répété dès le 15, y ajouta que si la Compagnie jugeait à propos de joindre aux remontrances qu'elle ferait de vive voix et par écrit pour la liberté des Princes, une plainte en forme contre la conduite du cardinal Mazarin, il ne s'en éloignerait pas. Broussel opina encore plus fortement contre lui. Je n'ai pu pénétrer la raison pour laquelle le premier président s'attira, même un peu contre les formes, cette répétition d'avis du rapporteur que je viens de marquer ; mais je sais bien que l'on lui en voulut du mal au Palais-Royal, et d'autant plus que le Cardinal fut nommé dans cette répétition.

Le 18, la nouvelle arriva que M. le maréchal Du Plessis avait gagné une grande bataille contre M. de Turenne ; que le dernier, qui venait au secours de Rethel et qui l'avait trouvé déjà rendu au maréchal Du Plessis par Liponti, qui y commandait la garnison espagnole, s'étant voulu retirer, avait été forcé de combattre dans la plaine de Sompuis[1] ; qu'il s'était sauvé à toute peine, lui cinquième[2], après y avoir fait des merveilles ; qu'il y avait perdu plus de deux mille hommes tués sur la place, du nombre desquels était un des frères de l'électeur Palatin, et six colonels ; et près de quatre mille prisonniers, entre lesquels étaient don Stevan de Gamarre, la seconde personne de l'armée ; Bouteville, qui est aujourd'hui M. de Luxembourg, le comte de Bossut, le comte de Quintin, Haucourt, Serisy, le chevalier de Jairzé et tous les colonels. L'on ajoutait que l'on avait pris vingt drapeaux et quatre-vingt-quatre étendards[3]. Vous ne doutez pas de la consternation du parti des princes, mais vous ne vous la pouvez pas figurer. Je n'eus toute la nuit chez moi que des *pleureux et des désespérés ; je trouvai Monsieur atterré.

Le 19, j'allai au Palais, où les chambres se devaient assembler ; le peuple me parut, dans les rues, morne, abattu, effrayé. Je connus dans ce moment, encore plus clairement que je n'avais fait jusque-là, que le premier président était bien intentionné pour Messieurs les Princes ; car M. de Rhodes, grand maître des cérémonies, étant venu commander au Parlement, de la part du Roi, de se trouver le lendemain à Notre-Dame, au *Te Deum* de la victoire, le premier président se servit naturellement et sans affectation de cette occasion, pour faire qu'il n'y eût que peu de gens qui opinassent, dans un temps où il voyait bien que personne n'opinerait apparemment que faiblement. Il n'y eut, en effet, que quinze ou seize conseillers qui parlèrent, le premier président ayant trouvé moyen de consumer le temps. Ils allèrent la plupart aux remontrances pour la liberté des princes, mais simplement, timidement, sans chaleur, sans 'new Idée' = princes' party

parler contre le Mazarin, et il n'y eut que Ménardeau-Champré qui le nomma, mais avec des éloges, en lui donnant tout l'honneur de la bataille de Rethel, en disant, comme il était vrai, qu'il avait forcé le maréchal Du Plessis à la donner, et en avançant, avec une effronterie inconcevable, que la Compagnie ne pouvait mieux faire que de supplier la Reine de remettre Messieurs les Princes à la garde de ce bon et sage ministre, qui en aurait le même soin qu'il avait eu jusque-là de l'Etat. Ce qui me surprit et m'étonna fut que cet homme, non pas seulement ne fut pas sifflé dans l'assemblée des chambres, mais que même, en passant dans la salle, où il y avait une foule innombrable de peuple, il ne s'éleva pas une seule voix contre lui.

Cette circonstance, qui me fit voir à l'œil le fond de l'abattement du peuple, jointe à tout ce qui me parut l'après-dînée dans la vieille et dans la nouvelle Fronde (celle-ci était le parti des princes), me fit prendre la résolution de me déclarer, dès le lendemain, pour relever les courages. Jugez de la nécessité que je trouvai à cette conduite, par ce que vous avez vu jusques ici de l'intérêt que j'avais à ne me pas découvrir. Le *tempérament que j'y apportai fut de laisser dans mon avis, par lequel je paraîtrais favorable à Messieurs les Princes en général, une porte, laquelle et le Mazarin et le premier président pussent croire que je me tinsse ouverte à dessein, pour ne me pas engager à les servir en particulier pour leur liberté. Je connaissais le premier président pour un homme tout d'une pièce ; et les gens de ce *caractère ne manquent jamais de gober avec avidité toutes les *apparences qui les confirment dans la première impression qu'ils ont prise. Je connaissais le Cardinal pour un esprit qui n'eût pas pu s'empêcher de croire qu'il n'y eût une arrière-boutique partout où il y avait de la place pour la bâtir ; et c'est presque jeu sûr, avec les hommes de cette humeur, de leur faire croire que l'on veut tromper ceux que l'on veut servir. Je me résolus, sur ces fondements, d'opiner, le lendemain, fortement contre les désordres de l'État, et de prendre mon thème sur ce que Dieu ayant béni les armes du Roi et éloigné les ennemis de la frontière, par la victoire de M. le maréchal Du Plessis, nous donnait le moyen de penser sérieusement aux maladies internes, qui étaient les plus dangereuses : à quoi je fis dessein d'ajouter que je me croyais obligé d'ouvrir la bouche sur l'oppression des peuples, dans un moment où la plainte ne pouvait plus donner aucun avantage aux Espagnols, atterrés par la dernière défaite ; que l'une des ressources de l'État, et même la plus assurée et la plus infaillible, était la conservation des membres de la maison royale ; que je ne pouvais voir qu'avec une extrême douleur Messieurs les Princes dans un air aussi mauvais que celui du Havre[1] ; et que je croyais que l'on devait faire de très humbles remontrances au Roi pour les en tirer, et pour les mettre en lieu où il n'y eût au moins rien à craindre pour leur santé. Je ne crus pas devoir nommer le Mazarin, afin de lui donner lieu à lui-même et au premier président de s'imaginer que ce ménagement pouvait être l'effet de quelque arrière-pensée que j'avais peut-être de me raccommoder avec lui plus facilement, après avoir ameuté et échauffé contre lui le parti de Messieurs les Princes par une demi-déclaration, qui, n'étant point pour la liberté, ne m'engageait à rien dans les suites. Je communiquai cette pensée, qui ne m'était venue qu'en dînant avec Mme de Lesdiguières, à Monsieur, à Madame la Palatine, à Mme de Chevreuse, à Viole, à Arnauld, à Croissy, au président de Bellièvre et à Caumartin. Il n'y eut que le dernier qui l'approuvât, tout le monde disant qu'il fallait laisser remettre les esprits, qui ne se fussent jamais remis. Je l'emportai enfin par mon opiniâtreté, mais je l'emportai d'une telle manière, que je connus clairement que si je ne réussissais pas, je serais désavoué par quelques-uns et blâmé par tous. Le coup était si nécessaire que je crus en devoir prendre le *hasard.

Le lendemain, qui fut le 20, je le pris, je parlai comme je viens de vous le marquer[2]. Tout le monde reprit cœur ; l'on conçut que tout n'était pas perdu, et qu'il fallait que j'eusse vu le dessous des cartes. Le premier président ne manqua pas de donner à ce que j'avais espéré, et de dire au président Le Coigneux, au lever de l'assemblée, que mon avis avait été fort artificieux, mais que l'on voyait au travers mon animosité contre Messieurs les Princes. Le président de Mesmes seul et unique ne donna pas dans le panneau. Il jugea que j'étais raccommodé avec Monsieur le Prince, et il s'en affligea à un point qu'il y a des gens qui ont cru que sa douleur contribua à sa mort, qui arriva aussitôt après. Il y eut fort peu de gens qui opinassent ce jour-là, parce qu'il fallut aller au *Te Deum* ; mais l'on vit l'air des esprits et des visages sensiblement changé. La salle du Palais, instruite par ceux qui étaient dans les lanternes, rentra dans sa première humeur : elle retentit, quand nous sortîmes, des acclamations accoutumées, et j'eus ce jour-là trois cents carrosses chez moi, ou je n'en eus pas un.

Le 22, l'on continua la délibération, et l'on s'aperçut de plus en plus que le Parlement ne suivait pas le char de triomphe du Mazarin. Son imprudence à avoir hasardé tout le royaume, dans la dernière bataille, y fut relevée de toutes les couleurs que l'on put croire capables de ternir celles de sa victoire.

Le 30 couronna l'ouvrage. Il produisit l'arrêt par lequel il fut ordonné que très humbles remontrances seraient faites à la Reine pour demander la liberté de Messieurs les Princes et le séjour de Mlle de Longueville à Paris. Il fut aussi arrêté de députer un président et deux conseillers vers M. le duc d'Orléans, pour le prier d'employer pour le même effet son autorité. Il ne serait pas juste que j'oubliasse en ce lieu l'original de la fameuse chanson :

Il y a trois points dans cette affaire.

J'avais *recordé, jusques à deux heures après minuit, M. de Beaufort chez Mme de Montbazon, pour le faire parler au moins un peu *juste dans une occasion aussi délicate et dans laquelle l'on prendrait plaisir de m'attribuer ce qu'il pourrait dire mal à propos ; j'y réussis, comme le voyez par la chanson, qui, dans la vérité, est rendue en vers mot à mot de la prose[1]. Admirez, s'il vous plaît, la force de l'imagination. Le vieux Machault, doyen du Conseil, et qui n'était rien moins qu'un sot, me dit à l'oreille, en entendant cet avis : « L'on voit bien que cela n'est pas de son cru. » Et ce qui est encore plus merveilleux est que les gens de la cour y entendirent *finesse. Quand je demandai à M. de Beaufort pourquoi il avait parlé dans son avis de celui de M. d'Orléans, qui n'y pouvait pas opiner, puisqu'il n'était pas présent, il me répondit qu'il l'avait fait pour embarrasser le premier président. Cette repartie vaut la chanson.

Les gens du Roi ayant demandé audience pour les

remontrances, la Reine les remit à huitaine, sous prétexte
des remèdes qui lui avaient été ordonnés par les médecins.
Monsieur répondit au président de Novion, qui lui avait été
député, d'une manière ambiguë et conforme à la conduite
qui avait été résolue. Les remèdes de la Reine durèrent huit
ou dix jours de plus de ª ce qu'elle avait cru, ou plutôt de
ce qu'elle avait dit, et les remontrances du Parlement ne se
firent que le 20 de janvier 1651. Elles furent fortes, et le
premier président n'oublia rien de tout ce qui les pouvait
rendre efficaces.

Le 21, il en fit sa relation, c'est-à-dire il la voulut faire,
car il en fut empêché par un bruit confus qui s'éleva tout à
coup des bancs des Enquêtes, pour l'obliger à remettre cette
relation, dans laquelle il ne s'agissait que de la liberté de
deux princes du sang, et du repos ou du bouleversement du
royaume, et pour délibérer sur une entreprise que l'on
prétendait que le garde des sceaux avait faite sur la juridiction
du Parlement en la personne d'un secrétaire du Roi. Cette
bagatelle tint toute la matinée, et obligea Monsieur le
Premier Président à ne faire sa relation que le 23. Il la finit
en disant que la Reine avait répondu qu'elle ferait réponse
dans peu de jours.

Nous fûmes avertis, dans ce temps-là, que le Cardinal,
qui n'était revenu à Paris, après la bataille de Rethel, que
parce qu'il ne douta point qu'elle ne dût atterrer tous ses
ennemis, nous fûmes, dis-je, avertis que, se voyant déchu
de cette espérance, il pensait à en faire sortir le Roi, et nous
sûmes même que Beloy, qui était à lui quoique *domestique
de Monsieur, le lui conseillait et l'assurait que Monsieur,
qui ne voulait point dans le fond la guerre civile, suivrait
certainement la cour. Mme du Fretoy dit à Fremont, à qui
elle ne se cachait pas, parce qu'il lui prêtait de l'argent,
que son mari, qui était à Madame et en cabale avec Beloy,
était de ce sentiment, et qu'il ne l'avait pas pris sans
fondement. Nous ne la croyions pas bien informée ; mais
comme l'on ne pouvait jamais s'assurer pleinement de
l'esprit de Monsieur, et comme d'ailleurs nous considérions
que le Parlement était si engagé à la liberté de Messieurs les
Princes, et que le premier président même s'était si hautement déclaré qu'il n'y avait plus lieu de craindre qu'ils
pussent, ni l'un ni l'autre, faire le pas en arrière, nous

crûmes qu'il n'y avait plus de péril que Monsieur s'ouvrît,
ou du moins que le peu de péril qui y restait ne pouvait
pas *contrepeser la nécessité que nous trouvions à engager
Monsieur lui-même. Car, supposé que le Roi sortît de Paris,
nous étions très assurés que Monsieur ne le suivrait pas si il
avait rompu publiquement avec le Cardinal, au lieu que
nous ne nous en pouvions pas répondre, si la cour prenait
cette résolution dans le temps qu'il y gardait encore des
mesures. Nous nous servîmes de ce *disparate du Parlement,
dont je vous viens de parler, à propos d'un secrétaire du
Roi, pour faire appréhender à Monsieur que cet exemple
n'instruisît la cour et ne lui donnât la pensée de faire de ces
sortes de diversions dont elle avait mille moyens, dans des
conjonctures où les moments étaient précieux et où il ne fallait
qu'un instant pour *déconcerter les plus sages résolutions du
monde. Nous employâmes deux ou trois jours à persuader
Monsieur que le temps de dissimuler était passé. Il le
connaissait et il le sentait comme nous ; mais les esprits
irrésolus ne suivent presque jamais ni leur vue ni leur
sentiment, tant qu'il leur reste une excuse pour ne se pas
déterminer. Celle qu'il nous alléguait était que si il se
déclarait, le Roi sortirait de Paris, et qu'ainsi nous ferions la
guerre civile. Nous lui répondions qu'il ne tenait qu'à lui,
étant lieutenant général de l'État, de faire que le Roi ne
sortît pas de Paris, et que la Reine ne pourrait pas refuser,
dans une minorité, les assurances que l'on lui demanderait
sur cela. Monsieur levait les épaules. Il remettait du matin à
l'après-dînée, de l'après-dînée au soir. L'un des plus grands
embarras que l'on ait auprès des princes est que l'on est
souvent obligé, par la *considération de leur propre service,
de leur donner des conseils dont l'on ne leur peut dire la
véritable raison. Celle qui nous faisait parler était le doute,
ou plutôt la connaissance que nous avions de sa faiblesse, et
c'était justement celle que nous n'osions lui témoigner. De
bonne fortune pour nous, celui contre qui nous agissions [1]
eut encore plus d'imprudence que celui pour lequel nous
agissions n'eut de faiblesse ; car, justement trois ou quatre
jours devant que la Reine répondît aux remontrances du
Parlement, il dit à Monsieur des choses assez fortes devant
la Reine, sur la confiance qu'il avait en moi. Le propre jour
de la réponse, qui fut le dernier de janvier, il haussa de

ton. Il parla à Monsieur, dans la petite chambre grise de la
Reine, du Parlement, de M. de Beaufort et de moi comme
de la chambre basse de Londres, de Fairfax et de Cromwell[1].
Il s'emporta jusques à l'exclamation en s'adressant au Roi.
Il fit peur à Monsieur, qui fut si aise d'être sorti du Palais-
Royal sain et sauf, qu'en montant dans son carrosse il dit à
Jouy, qui était à lui, qu'il ne se remettrait jamais entre les
mains de cet enragé et de cette furie : il appela ainsi la
Reine, parce qu'elle avait renchéri sur ce que le Cardinal
avait dit au Roi. Jouy, qui était de mes amis, m'avertit de
la disposition où était Monsieur : je ne la laissai pas refroidir.
Nous nous joignîmes, M. de Beaufort et moi, pour l'obliger
à se déclarer, dès le lendemain, dans le Parlement. Nous lui
fîmes voir qu'après ce qui s'était passé, il n'y avait plus
aucune sûreté pour lui dans le *tempérament ; que, si le
Roi sortait de Paris, nous tomberions dans une guerre civile,
où il demeurerait apparemment seul avec Paris, parce que
le Cardinal, qui tenait Messieurs les Princes en ses mains,
ferait avec eux ses conditions ; qu'il savait mieux que
personne que nous l'avions plutôt retenu qu'échauffé, tant
que nous avions cru pouvoir *amuser le Mazarin ; mais que
la chose étant dans sa maturité, nous le tromperions et nous
serions des serviteurs infidèles, si nous ne lui disions qu'il
n'y avait plus de temps à perdre, à moins qu'il ne se résolût
à perdre toute créance dans le parti de Messieurs les Princes,
qui commençait à entrer en défiance de son inaction ; qu'il
fallait que le Cardinal fût le plus aveuglé de tous les hommes
pour n'avoir pas déjà pris ces instants pour négocier avec
eux et pour se donner le mérite de leur liberté, qui paraîtrait,
par l'événement, avoir été appréhendée par Monsieur ; que
tout ce qui avait été dit et fait par les Frondeurs ne passerait,
en ce cas, que pour un artifice ; que nous ne doutions point
que la cour ne fût sur le point de prendre ce parti ; que ce
qu'elle venait de répondre au Parlement en était une marque
assurée, parce qu'elle lui promettait la liberté de Messieurs
les Princes aussitôt après que tout leur parti aurait désarmé ;
que la réponse était captieuse, mais qu'elle était *fine ;
qu'elle engageait nécessairement, et sans qu'il y eût même
prétexte de s'en défendre, à une négociation avec le parti
des princes, que le Cardinal éluderait facilement, si Monsieur
ne la pressait pas, ou qu'il tournerait contre Monsieur même,

si Monsieur ne la pressait qu'à demi ; qu'il serait également honteux et périlleux à Son Altesse Royale ou de laisser Messieurs les Princes dans les fers après avoir traité avec eux, ou de laisser les moyens au Cardinal de leur faire croire à eux-mêmes qu'il aurait été le véritable auteur de leur liberté ; qu'il ne s'agissait de rien moins, dans le délai, que de ces deux inconvénients ; que l'assemblée du lendemain en déciderait peut-être, parce que la décision dépendrait de la manière dont le Parlement prendrait la réponse de la Reine ; que cette manière n'était pas problématique si Monsieur y voulait paraître, parce que sa présence assurerait la liberté de Messieurs les Princes et lui en donnerait l'honneur. Nous fûmes, depuis huit heures jusques à minuit sonné, à haranguer Monsieur sur ce ton. Madame, que nous avions fait avertir par le vicomte d'Autel, capitaine des gardes de Monsieur, fit des efforts incroyables pour le persuader. Il ne fut pas en son pouvoir. Elle s'emporta, elle lui parla avec aigreur, ce qu'elle n'avait [jamais[a]] fait, à ce qu'elle nous dit, et comme il éleva la voix en disant que si il allait au Palais se déclarer contre la cour, le Cardinal emmènerait le Roi, elle se mit à crier de son côté : « Qui êtes-vous, Monsieur ? n'êtes-vous pas lieutenant général de l'État ? ne commandez-vous pas les armes ? n'êtes-vous pas maître du peuple ? je réponds que moi seule je l'en empêcherai. » Monsieur demeura ferme, et ce que nous en pûmes tirer fut que je dirais, le lendemain, en son nom et de sa part, dans le Parlement, ce que nous désirions qu'il y allât dire lui-même. En un mot, il voulut que j'éprouvasse l'aventure, qu'il tenait fort incertaine, parce qu'il croyait que le Parlement n'aurait rien à dire contre la réponse de la Reine ; et son raisonnement était qu'il aurait l'honneur et le fruit de ma proposition si elle réussissait ; et que si le Parlement se contentait de la réponse de la Reine, il en serait quitte pour expliquer ce que j'aurais dit de sa part, c'est-à-dire pour me désavouer un peu *honnêtement. Je connus très bien son intention, mais elle ne me fit pas balancer, car il y allait du tout ; et si je n'eusse porté, comme je fis le lendemain, la déclaration de Monsieur au Parlement, je suis encore persuadé et que le Cardinal eût éludé pour très longtemps la liberté de Messieurs les Princes, et que la fin eût été une négociation avec eux contre M. le duc d'Orléans. Madame, qui vit que je m'exposais pour le bien public, eut pitié de moi ; et elle fit tout ce qu'elle put pour faire que Monsieur me commandât de dire au Parlement ce que le Cardinal avait dit au Roi de la chambre basse de Londres, de Cromwell et de Fairfax. Elle crut que ce discours, rapporté au nom de Monsieur, l'engagerait encore davantage ; et elle avait raison. Il me le défendit expressément, à mon avis par la même considération, ce qui me fit encore plus juger qu'il attendait l'événement. Je courus tout le reste de la nuit pour avertir que l'on grondât, au commencement de la séance, contre la réponse de la Reine, qui était, dans la vérité, *spécieuse, et qui portait que bien qu'il n'appartînt pas au Parlement de prendre connaissance de cette affaire, la Reine voulait bien, par un excès de bonté, avoir égard à ses supplications et donner la liberté à Messieurs les Princes. Elle contenait de plus une promesse positive d'*abolition pour tous ceux qui avaient pris les armes. Il n'y avait, pour tout cela, qu'une petite condition préalable, qui était que M. de Turenne eût posé les armes, que Mme de Longueville eût renoncé à son traité avec Espagne, et que Stenay et Mouzon fussent évacués. J'ai su depuis que cette réponse avait été inspirée au Mazarin par le garde des sceaux. Il est *constant qu'elle éblouit le premier président, qu'il la voulut faire passer pour bonne au Parlement, le dernier de janvier, qui est le jour auquel il fit la relation de ce qui s'était passé la veille au Palais-Royal, que le maréchal de Gramont, qui la croyait telle, l'avait si bien déguisée à Monsieur, qu'il ne se pouvait persuader qu'elle se pût seulement contrarier ; que le Parlement y donna, ce même jour que je vous viens de marquer, presque aussi à l'aveugle que le premier président, et il n'est pas moins *constant que, le lendemain, qui fut le mercredi premier jour de février, tout le monde revint de cette illusion en s'étonnant de soi-même. Les Enquêtes commencèrent par un murmure sourd. L'on demanda après à Monsieur le Premier Président si la déclaration était *expédiée, et comme il eut répondu que Monsieur le Garde des Sceaux avait demandé un jour ou deux pour la dresser, Viole dit que la réponse que l'on avait faite au Parlement n'était qu'un panneau que l'on avait tendu à la Compagnie pour l'*amuser ; que devant que l'on pût avoir celle de Mme de Longueville et de M. de

Turenne, le terme que l'on disait être pris pour le sacre du
Roi, au 12 de mars[1], serait échu ; que quand la cour serait
hors de Paris, l'on se moquerait du Parlement. Les deux
Frondes s'élevèrent à ce discours, et quand je les vis bien
échauffées, je fis signe de mon bonnet, et je dis que
Monsieur m'avait commandé d'assurer la Compagnie que,
la considération qu'il avait pour tous ses sentiments l'ayant
confirmé dans ceux qu'il avait toujours eus naturellement
pour messieurs ses cousins, il était résolu de concourir avec
elle pour leur liberté et d'y *contribuer tout ce qui serait en
son pouvoir. Vous ne sauriez concevoir l'effet de ces trente
ou quarante paroles : il me surprit moi-même. Les plus sages
parurent aussi fous que le peuple, le peuple me parut plus
fou que jamais, et les acclamations passèrent tout ce que
vous vous en pouvez figurer. Il n'en fallait pas moins pour
rassurer Monsieur, « qui avait accouché toute la nuit, bien
plus (me dit Madame le matin) que je n'ai jamais accouché
de tous mes enfants ». Je le trouvai dans sa galerie,
entouré de trente ou quarante conseillers qui l'accablaient de
louanges ; il les prenait tous à part les uns après les autres
pour se bien informer et assurer du *succès, et, à chaque
éclaircissement qu'il en tirait, il diminuait le bon traitement
qu'il avait fait tout le matin à M. d'Elbeuf, qui, depuis la
paix de Paris, s'était livré corps et âme au Cardinal, et qui
était un de ses négociateurs auprès de Monsieur. Quand il
se fut tout à fait éclairci de l'applaudissement que sa
déclaration avait eu, il ne le regarda plus, il m'embrassa
cinq ou six fois devant tout le monde, et M. Le Tellier étant
venu lui demander, de la part de la Reine, si il *avouait ce
que j'avais dit de sa part au Parlement : « Oui, lui répondit-
il, je l'avoue et je l'avouerai toujours de tout ce qu'il fera
et de tout ce qu'il dira pour moi. » Nous crûmes, après une
aussi grande déclaration que celle-là, que Monsieur ne ferait
aucune difficulté de prendre ses précautions pour empêcher
que le Cardinal n'emmenât le Roi, et Madame lui proposa
de faire garder les portes de la ville, sous prétexte de quelque
tumulte populaire. Il ne fut pas en son pouvoir de le lui
persuader, et il avait scrupule, à ce qu'il disait, de tenir son
Roi prisonnier, et comme ceux du parti de Messieurs les
Princes l'en pressaient extrêmement, en lui disant que de là
dépendait leur liberté, il leur dit qu'il allait faire une action

qui lèverait la défiance qu'ils témoignaient avoir de lui, et il envoya quérir sur-le-champ Monsieur le Garde des sceaux, M. le maréchal de Villeroy et M. Le Tellier. Il leur commanda de dire à la Reine qu'il n'irait jamais au Palais-Royal tant que le Cardinal y serait, et qu'il ne pouvait plus traiter avec un homme qui perdait l'État. Il se tourna ensuite vers le maréchal de Villeroy, en lui disant : « Je vous charge de la personne du Roi, vous m'en répondrez. » J'appris cette belle *expédition un quart d'heure après, et j'en fus très fâché, parce que je la considérai comme le moyen le plus propre pour faire sortir le Roi de Paris, qui était uniquement ce que nous craignions. Je n'ai jamais pu savoir ce qui obligea le Cardinal à l'y tenir après cet éclat. Il faut que la tête lui eût tout à fait tourné, et Servien, à qui je l'ai demandé depuis, en convenait. Il me disait que le Mazarin, ces douze ou quinze derniers jours, n'était plus un homme. Cette scène se passa au palais d'Orléans, le second jour de février.

Le 3, il y en eut une autre au Parlement. Monsieur, qui ne gardait plus de mesures avec le Cardinal, et qui se résolut de le *pousser personnellement et même de le chasser, me commanda de donner part à la Compagnie, en son nom, de la comparaison du Parlement à la chambre basse et des particuliers à Fairfax et à Cromwell. Je l'alléguai comme la cause de l'éclat que Monsieur avait fait la veille, et je l'embellis de toutes ses couleurs. Je puis dire, sans exagération, qu'il n'y a jamais eu plus de feu en lieu du monde qu'il y en eut dans tous les esprits à cet instant. Il y eut des avis à décréter contre le Cardinal *ajournement personnel. Il y en eut à le mander sur l'heure même pour venir rendre compte de son administration. Les plus doux furent de faire très humbles remontrances pour demander à la Reine son éloignement. Vous ne doutez pas de l'abattement du Palais-Royal à ce coup de foudre. La Reine envoya prier Monsieur d'agréer qu'elle lui menât Monsieur le Cardinal. Il répondit qu'il appréhendait qu'il n'y eût pas de sûreté pour lui dans les rues. Elle offrit de venir seule au palais d'Orléans : il s'en excusa avec respect, mais il s'en excusa. Il envoya, une heure après, faire défense aux maréchaux de France de ne reconnaître que ses ordres [1], comme lieutenant général de l'État, et au prévôt des marchands de ne faire prendre les armes que sous son autorité. Vous vous étonnerez, sans doute, de ce qu'après ces pas l'on ne fit pas celui de s'assurer des portes de Paris pour empêcher la sortie du Roi. Madame, qui tremblait de peur de cette sortie, redoubla, tous les jours, tous ses efforts, et ils ne servirent qu'à faire voir qu'un homme faible de son naturel n'est jamais fort en tout.

Le 4, Monsieur vint au Palais, et il assura la Compagnie d'une *correspondance parfaite pour travailler ensemble au bien de l'État, à la liberté de Messieurs les Princes, à l'éloignement du Cardinal. Comme Monsieur achevait de parler, les gens du Roi entrèrent qui dirent que M. de Rhodes, grand maître des cérémonies, demandait à présenter une lettre de cachet du Roi. L'on balança un peu à lui donner audience, sur ce que Monsieur dit qu'étant lieutenant général de l'Etat, il ne croyait pas que, dans une minorité, l'on pût faire écrire le Roi au Parlement sans sa participation. Comme il ajouta toutefois qu'il ne laissait pas d'être de sentiment de la recevoir, l'on fit entrer M. de Rhodes. L'on lut la lettre ; elle portait ordre de quitter l'assemblée et d'aller, par députés, au plus grand nombre qu'il se pourrait, au Palais-Royal, pour y entendre les volontés du Roi. L'on résolut d'obéir et d'envoyer sur l'heure même les députés, mais de ne point *désemparer, et d'attendre en corps, dans la Grande Chambre, les députés. Je reçus, comme l'on se levait pour aller auprès du feu, un billet de Mme de Lesdiguières, qui me mandait que, la veille, Servien avait concerté avec le garde des sceaux et avec le premier président toute la pièce qui s'allait jouer ; qu'elle n'en avait pu découvrir le détail, mais qu'elle était contre moi. Je dis à Monsieur ce que je venais d'apprendre ; il me répondit qu'il n'en doutait point à l'égard du premier président, qui ne voulait la liberté de Messieurs les Princes que par la cour ; mais que si le vieux *Pantalon (il appelait de ce nom le garde des sceaux de Châteauneuf, parce qu'il avait toujours une jaquette fort courte et un fort petit chapeau) était capable de cette folie et de cette perfidie tout ensemble, il mériterait d'être pendu de l'autre côté du Mazarin. Il le méritait donc, car il avait été l'auteur de la comédie que vous allez voir. Aussitôt que les députés furent arrivés au Palais-Royal, Monsieur le premier président dit à la Reine que le Parlement était sensiblement affligé de voir que, nonobstant les paroles qu'il avait plu à Sa Majesté de donner

pour la liberté de Messieurs les Princes, l'on n'avait point
reçu la déclaration que tout le public attendait de sa bonté
et de sa promesse. La Reine répondit que M. le maréchal de
Gramont était parti pour faire sortir de prison Messieurs les
Princes, en prenant d'eux les sûretés nécessaires pour l'État
(je vous parlerais tantôt de ce voyage) ; que ce n'était pas
sur ce sujet, qui était consommé, qu'elle les avait mandés,
mais sur un autre qui leur serait expliqué par Monsieur le
Garde des Sceaux. Il fit semblant de l'expliquer ; mais il
parla si bas, sous prétexte d'un rhume, que personne ne
l'entendit, pour avoir plus de lieu, à mon avis, de donner
par écrit un sanglant manifeste contre moi, que M. Du
Plessis eut bien de la peine à lire ; mais la Reine le soulageait
en disant, de temps en temps, ce qui était sur le papier. En
voici le contenu : « Que tous les rapports que le coadjuteur
avait faits au Parlement étaient tous faux et *controuvés par
lui, qu'il en avait menti (voilà la seule parole que la Reine
ajouta à l'écrit) ; que c'était un *méchant et dangereux
esprit, qui donnait de pernicieux conseils à Monsieur ; qu'il
voulait perdre l'État, parce que l'on lui avait refusé le
chapeau ; et qu'il s'était vanté publiquement qu'il mettrait
le feu aux quatre coins du royaume, et qu'il se tiendrait
auprès, avec cent mille hommes qui étaient engagés avec
lui, pour casser la tête à ceux qui se présenteraient pour
l'éteindre. »[1] L'expression eût été un peu forte et je vous
assure que je n'avais rien dit qui en approchât ; mais elle
était assez propre pour grossir la nuée que l'on voulait faire
fondre sur moi, en la détournant de dessus la tête du
Mazarin. L'on voyait le Parlement assemblé pour donner
arrêt en faveur de Messieurs les Princes ; l'on voyait Monsieur,
dans la Grande Chambre, déclaré personnellement contre le
Cardinal ; et l'on s'imagina que la diversion, qui était
nécessaire, se rendrait possible par une nouveauté aussi
surprenante que serait celle qui mettrait, en quelque façon,
le coadjuteur sur la sellette, en l'exposant, sans que le
Parlement eût aucun lieu de se plaindre de la forme, à tous
les brocards qu'il plairait au moindre de la Compagnie de
lui donner. L'on n'oublia rien de tout ce qui pouvait inspirer
du respect pour l'attaque et de tout ce qui pouvait affaiblir
la défense. L'écrit fut signé des quatre secrétaires d'État ; et
afin d'avoir plus de lieu de pouvoir étouffer tout d'un coup

ce que je dirais apparemment pour ma justification, l'on fit suivre de fort près les députés de M. le comte de Brienne, avec ordre de prier Monsieur de vouloir bien aller conférer avec la Reine du peu qui restait pour consommer l'affaire de Messieurs les Princes. Vous verrez, par la suite, que le garde des sceaux de Châteauneuf avait inventé cet expédient, dans lequel il avait deux fins, dont l'une était d'éloigner par de nouveaux incidents la délibération qui allait directement à la liberté de Monsieur le Prince, et l'autre de tirer de la cour une déclaration si publique contre mon cardinalat, que la dignité même de la parole royale se trouvât engagée à mon exclusion. Voilà l'intérêt du garde des sceaux. Servien, qui porta cette proposition au premier président, fut reçu à bras ouverts, parce que le premier président, qui ne voulait point que Monsieur le Prince se trouvât uni avec Monsieur et avec les Frondeurs en sortant de prison, ne cherchait qu'une occasion pour remettre sa liberté, qu'il tenait infaillible de toutes les façons, pour la remettre, dis-je, à une conjoncture où il ne leur en eût pas l'obligation aussi pure et aussi entière qu'il la leur aurait en celle-ci. Ménardeau, à qui le dessein fut communiqué, poussa plus loin ses espérances et celles de la cour ; car M. de Lionne m'a dit depuis qu'il l'avait prié, ce jour-là, d'assurer la Reine qu'il ouvrirait l'avis de donner, sur une plainte aussi authentique, *commission au procureur général pour informer contre moi, « ce qui, ajouta-t-il, sera d'une grande utilité, et en décréditant le coadjuteur par une procédure qui le mettra *in reatu* [1], et en changeant la carte [2] à l'égard de Monsieur le Cardinal ».

Les députés revinrent, entre onze heures et midi, au Palais, où Monsieur avait mangé un morceau à la buvette, afin de pouvoir achever la délibération ce jour-là. Le premier président *affecta de commencer sa relation par la lecture de l'écrit qui lui avait été donné contre moi ; et il crut qu'il surprendrait ainsi les esprits. Effectivement il réussit, au moins quant à ce point, et la surprise parut dans tous les visages ; quoique je fusse averti, je ne l'étais pas du détail, et j'avoue que la forme de la machine ne m'était pas venue dans l'esprit. Dès que je le vis, j'en connus et j'en conçus la conséquence, et je la sentis encore plus vivement quand j'entendis Monsieur le Premier Président qui, se tournant

froidement à gauche, dit : « Votre avis, Monsieur le Doyen. »
Je ne doutai point que la partie ne fût faite, je ne me
trompais pas ; car il est vrai qu'elle avait été faite. Mais
Ménardeau, qui devait ouvrir la *tranchée, eut peur de la
salve qu'il appréhenda du côté de la salle. Il y trouva une si
grande foule de peuple en entrant, tant d'acclamations à la
Fronde, tant d'imprécation contre le Mazarin, qu'il n'osa
s'ouvrir, et qu'il se contenta de déplorer pathétiquement la
division qui était dans l'État et celle particulièrement qui
paraissait dans la maison royale. Je ne puis vous dire de
quel avis furent tous les conseillers de la Grande Chambre,
et je crois qu'eux-mêmes ne l'eussent pu dire, si l'on les en
eût pressés à la fin de leur discours. L'un fut de sentiment
de faire des prières de quarante heures [1] ; l'autre de prier
M. d'Orléans de prendre soin du public. Le *bonhomme
Broussel même oublia que l'assemblée avait été résolue et
indiquée pour y traiter de l'affaire de Messieurs les Princes,
et il ne parla qu'en général contre les désordres de l'État.
Ce n'était pas mon compte, parce que je n'ignorais pas que
tant que la délibération ne se fixerait pas, elle pourrait
toujours retomber sur ce qui ne me convenait pas. La place
dans laquelle j'opinais, qui était justement entre la Grande
Chambre et les Enquêtes, me donna le temps de faire mes
réflexions et de prendre mon parti, qui fut de traiter l'écrit
qui avait été lu contre moi de pièce dressée par le Cardinal,
de le mépriser sous le titre de satire et de libelle, d'éveiller
par quelque passage court et curieux l'imagination des
auditeurs, et de remettre ensuite la délibération dans son
véritable sujet. Comme ma mémoire ne me fournit rien
dans l'antiquité qui eût rapport à mon dessein, je fis un
passage d'un latin le plus pur et le plus approchant des
anciens qui fût en mon pouvoir, et je formai mon avis en
ces termes :

« Si le respect que j'ai pour messieurs les *préopinants ne
me fermait la bouche, je ne pourrais m'empêcher de me
plaindre de ce qu'ils n'ont pas relevé l'indignité de cette
paperasse que l'on vient de lire, contre toutes les formes,
dans cette compagnie, et que l'on voit formée des mêmes
*caractères qui ont profané le sacré nom du Roi pour animer
des témoins à *brevet [2]. Je m'imagine qu'ils ont cru que ce
libelle, qui n'est qu'une saillie de la fureur de M. le cardinal

Mazarin, était trop au-dessous d'eux et de moi. Je n'y répondrai, Messieurs, pour m'accommoder à leur sentiment, que par un passage d'un ancien qui me vient dans l'esprit : "Dans les mauvais temps, je n'ai point abandonné la ville ; dans les bons, je n'ai point eu d'intérêts ; dans les désespérés, je n'ai rien craint[1]." Je demande pardon à la Compagnie de la liberté que j'ai prise de sortir, par ce peu de paroles, du sujet de la délibération. Mon avis est, Messieurs, de faire très humbles remontrances au Roi, et de le supplier d'envoyer incessamment une lettre de cachet pour la liberté de Messieurs les Princes et une déclaration d'innocence en leur faveur, et d'éloigner de sa personne et de ses conseils M. le cardinal Mazarin. Mon sentiment est aussi, Messieurs, que la Compagnie résolve, dès aujourd'hui, de s'assembler lundi pour recevoir la réponse qu'il aura plu à Sa Majesté de faire à messieurs les députés[2]. »

Les Frondeurs applaudirent à mon opinion. Le parti des princes la reçut comme l'unique voie pour leur liberté ; l'on opina avec chaleur, et il *passa tout d'une voix, ce me semble, à mon avis. J'assurerais au moins qu'il n'y en eut pas trois de contraires. L'on chercha longtemps mon passage, qui en latin a toute une autre grâce et même une autre force qu'en français. Monsieur le Premier Président, qui ne s'*étonnait de rien, parla de la nécessité de l'éloignement du Cardinal selon toute la force de l'arrêt, et avec autant de vigueur que si il avait été proposé par lui-même, mais habilement et *finement, et d'une manière qui lui donna même lieu de l'alléguer à Monsieur comme un motif d'accorder à la Reine l'entrevue qu'elle lui demandait par M. de Brienne. Monsieur s'en excusant sur le peu de sûreté qui y serait pour lui, le premier président insista, même avec des larmes, et comme il vit Monsieur un peu ébranlé, il manda les gens du Roi. Talon, avocat général, fit une des plus belles actions qui se soit jamais faite en ce genre. Je n'ai jamais rien ouï ni lu de plus éloquent : il accompagna les paroles de tout ce qui leur put donner de la force. Il invoqua les mânes de Henri le Grand ; il recommanda la France, un genou en terre, à saint Louis. Vous vous imaginez peut-être que vous auriez ri à ce spectacle : vous en auriez été émue comme toute la Compagnie le fut, et si fort que je m'aperçus que les clameurs des Enquêtes commençaient à s'affaiblir. Le premier président, qui s'en aperçut comme moi, s'en voulut servir, et il proposa à Monsieur d'en prendre l'avis de la Compagnie. Je me souviens que Barillon vous racontait un jour cet endroit. Comme je vis que Monsieur s'ébranlait, et qu'il commençait à dire qu'il ferait ce que le Parlement lui conseillerait, je pris la parole, et je dis que le conseil que Monsieur demandait n'était pas si il irait ou si il n'irait pas au Palais-Royal, puisqu'il s'était déclaré plus de vingt fois sur cela ; mais qu'il voulait seulement savoir de la Compagnie la manière dont elle jugerait à propos qu'il s'excusât vers la Reine. Monsieur m'entendit bien : il comprit qu'il s'était trop avancé ; il *avoua mon explication, et M. de Brienne fut renvoyé avec cette réponse : que Monsieur rendrait à la Reine ses très humbles devoirs aussitôt que Messieurs les Princes seraient en liberté et que M. le cardinal Mazarin serait éloigné et de la personne et des conseils [du Roi][a]. Nous appréhendions, dans la vérité, un coup de désespoir et de la Reine et du Mazarin, si Monsieur fût allé au Palais-Royal ; mais l'on eût pu trouver des *tempéraments et des sûretés si nous n'eussions eu que cette considération. Nous craignions beaucoup davantage sa faiblesse, et avec d'autant plus de sujet que nous avions remarqué que les délais et les défaites du Cardinal, pour ce qui regardait la liberté de Messieurs les Princes, n'avaient d'autre fondement que l'espérance qu'il ne pouvait perdre que la Reine regagnerait Monsieur ; et c'était dans cette vue qu'il avait fait partir le maréchal de Gramont et Lionne pour le Havre-de-Grâce, comme pour aller prendre avec Messieurs les Princes les sûretés nécessaires pour leur liberté. Monsieur crut, par cette considération, l'affaire si avancée qu'il se laissa aller à envoyer avec eux Goulas, secrétaire de ses commandements. Il s'y engagea, dès le premier du mois, avec le maréchal de Gramont ; il en fut bien fâché le 2 au matin, parce que je lui en fis connaître la conséquence, qui était de donner à croire au Parlement que l'intention du Cardinal fût sincère pour la liberté des princes. Il se trouva par l'événement que j'avais bien jugé ; car le maréchal de Gramont, qui partit le même jour pour aller au Havre et qui dit publiquement, dans la cour de Luxembourg, que Messieurs les Princes avaient leur liberté et sans les Frondeurs, n'eut que le plaisir de leur rendre une visite [1]. Il partit sans

M trying to separate Mr fr. Prs
need for factions to claim
legitimacy

instructions ; l'on lui promit de les lui envoyer. Quand l'on vit que Monsieur avait retiré le pied du panneau, l'on prit d'autres vues, et le pauvre maréchal, avec les meilleures intentions du monde, joua un des plus ridicules personnages qu'homme de sa qualité ait jamais joué. Vous allez voir, dans peu, la preuve convaincante que toutes les démarches, ou plutôt toutes les démonstrations que le Cardinal donnait depuis quelque temps de vouloir la liberté des princes, n'étaient que dans la vue de détacher Monsieur de leurs intérêts, sous prétexte de le réunir à la Reine. Je vous ai déjà dit que cette grande scène et des remontrances pour l'éloignement du Cardinal et du refus fait à M. de Brienne se passa le 4 de février. Elle ne fut pas la seule. Le vieux *bonhomme La Vieuville, le marquis de Sourdis, le comte de Fiesque, Béthune et Montrésor se mirent dans la tête de faire une assemblée de noblesse pour le rétablissement de leurs privilèges[1]. Je m'y opposai fortement auprès de Monsieur, parce que j'étais persuadé qu'il n'y a rien de plus dangereux dans une faction que d'y mêler, sans nécessité, ce qui en a la façon. Je l'avais éprouvé plus d'une fois, et toutes les circonstances en devaient dissuader en cette occasion. Nous avions Monsieur, nous avions le Parlement, nous avions l'Hôtel de Ville. Ce composé paraissait faire le gros de l'État ; tout ce qui n'était pas assemblée légitime le déparait. Il fallut céder à leurs désirs, auxquels je me rendis toutefois beaucoup moins qu'à la fantaisie d'Annery, à qui j'avais l'obligation que vous avez vue ci-dessus[2]. Il était secrétaire de cette assemblée ; mais il en était encore beaucoup plus le fanatique. Cette assemblée, qui se tint ce jour-là à l'hôtel de La Vieuville, donna une grande terreur au Palais-Royal, où l'on fit monter six compagnies en garde. Monsieur s'en choqua et il envoya, en qualité de lieutenant général de l'État, commander à M. d'Épernon, colonel de l'infanterie, et à M. de Schomberg, colonel des Suisses, de ne recevoir ordre que de lui. Ils répondirent respectueusement, mais en gens qui étaient à la Reine.

Le 5, l'assemblée de noblesse se tint chez M. de Nemours.

Le 6, les chambres étant assemblées et Monsieur ayant pris sa place au Parlement, les gens du Roi entrèrent et ils dirent à la Compagnie qu'ayant été demander audience à la Reine pour les remontrances, elle leur avait répondu qu'elle souhaitait plus que personne la liberté de Messieurs les Princes, mais qu'il était juste de chercher les sûretés pour l'État ; que pour ce qui était de Monsieur le Cardinal, elle le tiendrait dans ses conseils tant qu'elle le jugerait utile au service du Roi, et qu'il n'appartenait pas au Parlement de prendre connaissance de quels ministres elle se servait. Monsieur le Premier Président eut toutes les *bourrades que l'on se peut figurer, pour n'avoir pas fait plus d'instances ; l'on le voulut obliger d'envoyer demander l'audience pour l'après-dînée : tout le délai qu'il put obtenir ne fut que jusques au lendemain. Monsieur ayant dit que les maréchaux de France étaient dépendants du Cardinal, l'on donna arrêt, sur l'heure, par lequel il leur fut ordonné de n'obéir qu'à Monsieur [1]. Comme j'étais, le soir, chez moi, le prince de Guémené et Béthune y entrèrent et me dirent que le Cardinal s'était sauvé, lui troisième [2] ; qu'il était sorti de Paris, en habit déguisé, et que le Palais-Royal était dans une consternation effroyable [3]. Comme je voulus monter en carrosse, sur cette nouvelle, pour aller trouver Monsieur, ils me prièrent d'entrer dans un petit cabinet où il me pussent parler en particulier. Ce secret était que Chandenier, capitaine des gardes en quartier, était dans le carrosse du prince de Guémené, qui me voulait dire un mot, mais qui ne voulait être vu d'aucun de mes *domestiques. Je connaissais les deux hommes qui me parlaient pour n'être pas trop sages ; mais je les crus fous à lier et à mener aux Petites-Maisons [4], quand ils me nommèrent Chandenier. Je ne l'avais point vu depuis le collège et encore depuis les premières années du collège, où nous n'avions l'un et l'autre que neuf ou dix ans. Nous ne nous étions jamais rendu aucune visite ; il avait été fort attaché à M. le cardinal de Richelieu, dans la maison duquel j'avais été bien éloigné d'avoir aucune *habitude. Il était capitaine des gardes en quartier ; je servais le mien dans la Fronde [5] ; je le vois à ma porte le propre jour que la Fronde ôte de force au Roi son premier ministre ; je le vois dans ma chambre et il me demande d'*abord si je ne suis pas serviteur du Roi. Je vous confesse que j'eusse eu grande peur, si je n'eusse été fort assuré que j'avais un fort bon corps de garde dans ma cour et bon nombre de gens fort braves et fort fidèles dans mon antichambre. Comme j'eus répondu à M. de Chandenier que j'étais au Roi comme

lui, il me sauta au cou et il dit : « Et moi, je suis au Roi
comme vous, mais comme vous aussi contre le Mazarin,
pour la cabale, cela s'entend, ajouta-t-il, car au poste où je
suis, je ne voudrais pas lui faire de mal autrement. » Il me
demanda mon amitié ; il me dit qu'il n'était pas si mal
auprès de la Reine que l'on le croyait ; qu'il trouverait bien
dans sa place des moments à donner de bonnes *bottes au
Sicilien. Il revint une autre fois chez moi, avec les mêmes
gens, entre minuit et une heure. Il y vint pour la troisième
avec le grand prévôt, qui, à mon opinion, ne faisait pas ce
pas sans concert avec la cour, quoiqu'il fît profession d'amitié
avec moi depuis assez longtemps. De quelque manière que
l'avis en soit venu à la Reine, il est *constant qu'elle l'eut ;
et il ne l'est pas moins qu'il ne se pouvait pas qu'elle ne
l'eût, le prince de Guéméné et Béthune étant les deux
hommes du royaume les moins secrets, et j'en avertis
Chandenier, en leur présence, dès sa première visite. Il eut
commandement de se retirer chez lui en Poitou. Voilà toute
l'intrigue que j'eus avec lui : vous en verrez la suite dans
son temps [1]. Aussitôt que Chandenier fut sorti de chez moi,
j'allai chez Monsieur, que je trouvai environné d'une foule
de courtisans qui applaudissaient au triomphe. Monsieur,
qui ne me vit pas assez content à son gré, me dit qu'il
gagerait que j'appréhendais que le Roi ne s'en allât. Je le
lui avouai : il se moqua de moi ; il m'assura que si le
Cardinal avait eu cette pensée, il l'aurait exécutée en
l'emmenant avec lui. Je lui répondis que le Cardinal me
paraissait, depuis quelque temps, avoir tourné de tête [2] et
qu'à tout hasard, il serait bon d'y prendre garde, parce
qu'avec ces sortes de gens les *contretemps étaient toujours
à craindre. Tout ce que je pus obtenir de Monsieur fut que
je disse, comme de moi-même, à Chamboy, qui était mon
ami et qui commandait la compagnie de gendarmes de M.
de Longueville, de faire quelque patrouille sans éclat dans
le quartier du Palais-Royal. Chamboy avait fait *couler dans
Paris cinquante ou soixante de ses gendarmes, de concert
avec moi, depuis que j'avais traité avec Messieurs les Princes.
Comme je faisais chercher Chamboy, Monsieur me rappela
et il me défendit expressément de faire faire cette patrouille.
L'entêtement qu'il avait sur ce point était inconcevable. Ce
n'est pas la seule occasion où j'ai observé que la plupart des

hommes ne font les grands maux que par les scrupules qu'ils ont pour les moindres. Monsieur craignait au dernier point la guerre civile, qu'il eût faite par nécessité si le Roi fût sorti. Il se faisait un crime de la seule pensée de l'empêcher. L'on raisonna beaucoup sur l'évasion du Cardinal, chacun y voulant chercher des motifs à sa mode. Je suis persuadé que la frayeur en fut l'unique cause, et qu'il ne se put donner à lui-même le temps qu'il eût fallu pour emmener le Roi et la Reine. Vous verrez dans peu qu'il ne tint pas à lui de les tirer de Paris bientôt après, et apparemment le dessein en était formé devant qu'il s'en allât : je n'ai jamais pu comprendre ce qui le put obliger à ne l'exécuter pas dans une occasion où il avait, à toutes les heures du jour, sujet de craindre que l'on ne s'y opposât.

Le 7, le Parlement s'assembla et ordonna, Monsieur y assistant, que très humbles remerciements seraient faits à la Reine pour l'éloignement de Monsieur le Cardinal, et qu'elle serait aussi suppliée de faire expédier une lettre de cachet pour faire sortir Messieurs les Princes, et d'envoyer une déclaration par laquelle les étrangers seraient à jamais exclus du conseil du Roi. Monsieur le Premier Président s'étant acquitté de cette *commission sur les quatre heures du soir, la Reine lui dit qu'elle ne pouvait faire de réponse qu'elle n'eût conféré avec M. le duc d'Orléans auquel elle envoya, pour cet effet, le garde des sceaux, le maréchal de Villeroy et Le Tellier. Il leur répondit qu'il ne pouvait aller au Palais-Royal et que Messieurs les Princes ne fussent en liberté et que Monsieur le Cardinal ne fût encore plus éloigné de la cour.

Le 8, le premier président ayant fait sa relation au Parlement de ce que la Reine lui avait dit, Monsieur expliqua à la Compagnie les raisons de sa conduite à l'égard de l'entrevue que l'on demandait ; il fit remarquer que le Cardinal n'était qu'à Saint-Germain, d'où il gouvernait encore le royaume ; que son neveu et ses nièces étaient au Palais-Royal ; et il proposa que l'on suppliât très humblement la Reine de s'expliquer si cet éloignement était pour toujours et sans retour. L'on ne peut s'imaginer jusques où l'emportement de la Compagnie alla ce jour-là. Il y eut des voix à ordonner qu'il n'y aurait plus de favoris en France [1]. Je ne croirais pas, si je ne l'avais ouï, que l'extravagance des hommes eût pu se porter jusques à cette extrémité. Il *passa

enfin à l'avis de Monsieur, qui fut de faire expliquer la Reine
sur la qualité de l'éloignement du Mazarin, et de presser la
lettre de cachet pour la liberté des princes. Ce même jour, la
Reine assembla dans le Palais-Royal MM. de Vendôme, de
Mercœur, d'Elbeuf, d'Harcourt, de Rieux, de Lillebonne,
d'Epernon, de Candale, d'Estrées, de l'Hôpital, de Villeroy,
Du Plessis-Praslin, d'Aumont, d'Hocquincourt, de Grancey,
et elle envoya, par leur avis, MM. de Vendôme, d'Elbeuf et
d'Epernon prier Monsieur de venir prendre sa place au Conseil,
et lui dire que, si il ne le jugeait pas à propos, elle lui envoierait
Monsieur le Garde des Sceaux pour concerter avec lui ce qui
serait nécessaire pour consommer l'affaire de Messieurs les
Princes. Monsieur accepta la seconde proposition : il s'excusa
de la première en termes fort respectueux, et il traita fort mal
M. d'Elbeuf, qui le voulait un peu trop presser pour aller au
Palais-Royal. Ces messieurs dirent à M. le duc d'Orléans que
la Reine leur avait aussi commandé de l'assurer que l'éloignement du Cardinal était pour toujours. Vous verrez bientôt que
si Monsieur se fût mis, ce jour-là, entre les mains de la Reine,
il y a grand lieu de croire qu'elle fût sortie de Paris et qu'elle
l'eût emmené.

Le 9, Monsieur ayant dit au Parlement ce que la Reine
lui avait mandé touchant l'éloignement du Cardinal, et les
gens du Roi ayant ajouté que la Reine leur avait donné
ordre de porter la même parole [1] à la Compagnie, l'on donna
l'arrêt, par lequel il fut dit que, vu la déclaration de la
Reine, le cardinal Mazarin sortirait dans quinze jours du
royaume et de toutes les terres de l'obéissance du Roi, avec
tous ses parents et tous ses *domestiques étrangers : à faute
de quoi serait procédé contre eux extraordinairement, et
permis aux communes et à tous autres de leur courir sus [2].
J'eus un violent soupçon, au sortir du Palais, que l'on
n'emmenât le Roi ce jour-là, parce que l'abbé Charrier, à
qui le grand prévôt faisait croire la meilleure partie de ce
qu'il voulait, me vint trouver tout échauffé pour m'avertir
que Mme de Chevreuse et le garde des sceaux me jouaient
et ne me disaient pas tous leurs secrets, si ils ne m'avaient
fait confidence du tour qu'ils avaient fait au Cardinal ; qu'il
savait de science certaine et de bon lieu que c'étaient eux
qui lui avaient persuadé de sortir de Paris, sous la parole
qu'ils lui avaient donnée de le servir ensuite pour son

rétablissement, et d'appuyer dans l'esprit de Monsieur les instances de la Reine, à laquelle il ne pourrait jamais résister en présence. L'abbé Charrier accompagna cet avis de toutes les circonstances que j'ai trouvées depuis répandues dans le monde, et qui ont fait croire, à tous ceux qui croient que tout ce qui leur paraît le plus *fin est le plus vrai, que l'évasion du Mazarin était un grand coup de politique ménagé par Mme de Chevreuse et par Monsieur le garde des sceaux de Châteauneuf, pour perdre le Cardinal par lui-même. Ces misérables gazetiers de ce temps-là ont forgé, sur ce fond, des contes de Peaux d'ânes plus ridicules que ceux que l'on fait aux enfants[1]. Je m'en moquai dès l'heure même, parce que j'avais vu et l'un et l'autre très embarrassés, quand ils apprirent que le Cardinal était parti, dans la crainte que le Roi ne le suivît bientôt. Mais comme je croyais avoir remarqué plus d'une fois que la cour se servait du canal du grand prévôt pour me faire *couler de certaines choses, j'observai soigneusement les circonstances, et il me parut que beaucoup de celles que l'abbé Charrier me marquait, et qu'il m'avoua tenir du grand prévôt, allaient à me laisser voir que le Mazarin s'en allait paisiblement hors du royaume, attendre avec sûreté l'effet des grandes promesses du garde des sceaux et de Mme de Chevreuse. Le bruit de ce grand coup de tête a été si universel, qu'il faut, à mon avis, qu'il ait été jeté pour plus d'une fin ; mais je suis encore persuadé que l'on fut bien aise de s'en servir pour m'ôter de l'esprit que l'on eût pensée de sortir de Paris, le jour que l'on faisait effectivement *état d'en sortir. Ce qui augmenta fort mon soupçon est que la Reine, qui avait toujours jusque-là donné des délais, s'était relâchée tout d'un coup et avait offert d'envoyer le garde des sceaux à Monsieur et de terminer l'affaire de Messieurs les Princes. Je dis à Monsieur toutes mes conjectures ; je le suppliai d'y faire réflexion ; je le pressai, je l'importunai. Le garde des sceaux, qui vint, sur le soir, régler avec lui les ordres que l'on promettait d'envoyer, dès le lendemain, pour la liberté des princes, l'assurant pleinement, je ne pus rien gagner sur lui, et je m'en revins chez moi fort persuadé que nous aurions bientôt quelque scène nouvelle. Je n'étais presque pas endormi, quand un *ordinaire de Monsieur tira le rideau de mon lit et me dit que Son Altesse Royale me demandait.

J'eus curiosité d'en savoir la cause, et tout ce qu'il m'en apprit fut que Mlle de Chevreuse était venue éveiller Monsieur. Comme je m'habillais, un page m'apporta un billet d'elle, où il n'y avait que ces deux mots : « Venez en diligence à Luxembourg, et prenez garde à vous par le chemin. » Je trouvai Mlle de Chevreuse assise sur un coffre, dans l'antichambre, qui me dit que madame sa mère, qui se trouvait mal, l'avait envoyée à Monsieur, pour lui faire savoir que le Roi était sur le point de sortir de Paris ; qu'il s'était couché à l'ordinaire, qu'il venait de se relever et qu'il était même déjà botté. Véritablement l'avis ne venait pas d'assez bon lieu. Le maréchal d'Aumont, capitaine des gardes en quartier, le faisait donner sous main et de concert avec le maréchal d'Albret, par la seule vue de ne pas rejeter le royaume dans une confusion aussi effroyable que celle qu'ils prévoyaient. Le maréchal de Villeroy avait fait donner au même instant le même avis par le garde des sceaux. Mlle de Chevreuse ajouta qu'elle croyait que nous aurions bien de la peine à faire prendre une résolution à Monsieur, parce que la première parole qu'il lui avait dite, lorsqu'elle l'avait éveillé, était : « Envoyez quérir le coadjuteur ; toutefois qu'y a-t-il à faire ? » Nous entrâmes dans la chambre de Madame, où Monsieur était couché avec elle. Il me dit d'*abord : « Vous l'aviez bien dit. Que ferons-nous ? — Il n'y a qu'un parti, lui répondis-je, qui est de se saisir des portes de Paris. — Le moyen, à l'heure qu'il est ? » reprit-il. Les hommes, en cet état, ne parlent presque jamais que par monosyllabes. Je me souviens que je le fis remarquer à Mlle de Chevreuse. Elle fit des merveilles. Madame se passa elle-même. L'on ne put jamais rien gagner de positif sur l'esprit de Monsieur, et ce que j'en pus tirer fut qu'il enverrait de Souches, capitaine de ses Suisses, chez la Reine, pour la supplier de faire réflexion sur les suites d'une action de cette nature. « Cela suffira, disait Monsieur, car, quand la Reine verra que sa résolution est pénétrée, elle n'aura garde de s'exposer à l'entreprendre. » Madame, voyant que cet expédient, n'étant pas accompagné, serait capable de tout perdre, et que pourtant Monsieur ne se pouvait résoudre à donner aucun ordre, me commanda de lui apporter un écritoire qui était sur la table de son cabinet, et elle écrivit ces propres paroles dans une grande feuille de papier :

« Il est ordonné à Monsieur le Coadjuteur de faire prendre les armes et d'empêcher que les créatures du cardinal de Mazarin, condamné par le Parlement, ne fassent sortir le Roi de Paris.

Marguerite de Lorraine. »

Monsieur, ayant voulu voir cette patente, l'arracha d'entre les mains de Madame ; mais il ne la put empêcher de dire à l'oreille de Mlle de Chevreuse : « Je te prie, ma chère nièce, de dire au coadjuteur qu'il fasse ce qu'il faut, et je lui réponds demain de Monsieur, quoi qu'il dise aujourd'hui. » Monsieur me cria, comme je sortais de sa chambre : « Au moins, Monsieur le Coadjuteur, vous connaissez le Parlement ; je ne me veux pour rien brouiller avec lui. » Mlle de Chevreuse tira la porte en lui disant : « Je vous défie de vous brouiller autant avec lui que vous l'êtes avec moi. »

Vous jugez aisément de l'état où je me trouvai ; mais je crois que vous ne doutez pas du parti que je pris. Le choix au moins n'en était pas embarrassant, quoique l'événement en fût bien *délicat. J'écrivis à M. de Beaufort ce qui se passait, et je le priais[a] de se rendre, en toute diligence, à l'hôtel de Montbazon. Mlle de Chevreuse alla éveiller le maréchal de La Mothe, qui monta à cheval, en même temps, avec ce qu'il put ramasser des gens attachés à Messieurs les Princes. Je sais bien que Lanques et Coligny furent de cette troupe. M. de Montmorency porta ordre de moi à L'Épinay de faire prendre les armes à sa *colonelle, ce qu'il fit, et il se saisit de la porte de Richelieu. Martineau ne s'étant pas trouvé à son logis, sa femme, qui était sœur de Mme de Pommereux, se jeta en *jupe dans la rue, fit battre le tambour, et cette compagnie se posta à la porte Saint-Honoré. De Souches exécuta, dans ces entrefaites, sa *commission ; il trouva le Roi dans le lit (car il s'y était remis) et la Reine dans les pleurs. Elle le chargea de dire à Monsieur qu'elle n'avait jamais pensé à emmener le Roi, et que c'était une pièce de ma façon. Le reste de la nuit l'on régla les gardes ; M. de Beaufort et M. le maréchal de La Mothe se chargèrent des patrouilles de cavalerie. Enfin l'on s'assura comme il était nécessaire en cette occasion. Je retournai chez Monsieur pour lui rendre compte du *succès ; il en fut très aise dans le fond, mais il n'osa toutefois s'en expliquer, parce qu'il voulait attendre ce que le Parlement en penserait ; et j'eus beau lui représenter que le Parlement en penserait selon ce qu'il en dirait lui-même, je connus clairement que je courrais fortune d'être désavoué si le Parlement grondait, et vous observerez, s'il vous plaît, qu'il n'y avait guère de matière plus propre à le faire gronder, parce qu'il n'y en a point qui soit plus contraire aux formes du Palais, que celle où il se traite d'investir le Palais-Royal. J'étais très persuadé, comme je le suis encore, qu'elle était bien *rectifiée et même sanctifiée par la circonstance, car il est certain que la sortie du Roi pouvait être la perte de l'État ; mais je connaissais le Parlement et je savais que le bien qui n'est pas dans les formes y est toujours criminel à l'égard des particuliers. Je vous confesse que c'est un des rencontres de ma vie où je me suis trouvé le plus embarrassé. Je ne pouvais pas douter que les gens du Roi n'éclatassent, le lendemain au matin, avec fureur, contre cette action ; je ne pouvais pas ignorer que le premier président ne tonnât. J'étais très assuré que Longueil, qui, depuis que son frère avait été fait surintendant des finances, avait renoncé à la Fronde, ne m'épargnerait pas par ses *sous-mains, que je connaissais pour être encore plus dangereux que les déclamations des autres. Ma première pensée fut d'aller, dès les sept heures du matin, chez Monsieur, le presser de se lever, ce qui était une affaire, et d'aller au Palais, ce qui en était encore une autre. Caumartin ne fut pas de cet avis, et il me dit pour raison que l'affaire dont il s'agissait n'était pas de la nature de celles où il suffit d'être *avoué. Je l'entendis d'*abord, j'entrai dans sa pensée. Je compris qu'il y aurait trop d'inconvénients à faire seulement soupçonner que la chose n'eût pas été exécutée par les ordres positifs de Monsieur, et que la moindre résistance qu'il ferait paraître à se trouver à l'assemblée ferait naturellement ce mauvais effet. Je pris la résolution de ne point proposer à Monsieur d'y aller, mais de me conduire d'une manière qui l'obligeât toutefois d'y venir ; et le moyen que je pris pour cela fut que nous nous y trouvassions, M. de Beaufort, M. le maréchal de La Mothe et moi, fort accompagnés ; que nous nous y fissions faire de grandes acclamations par le peuple ; qu'une partie des officiers des *colonelles dépendants de nous se partageassent ; que les uns vinssent au Palais pour y rendre le concours plus

grand ; que les autres fussent chez Monsieur comme pour
lui offrir leur service, dans une conjoncture aussi périlleuse
pour la ville qu'aurait été la sortie du Roi ; et que M. de
Nemours s'y trouvât, en même temps, avec MM. de Coligny,
de Lanques, de Tavannes et autres du parti des princes, qui
lui dissent que c'était à ce coup que messieurs ses cousins
lui devaient leur liberté, et qu'ils le suppliaient d'aller
consommer son ouvrage au Parlement. M. de Nemours ne
put faire ce *compliment à Monsieur qu'à huit heures, parce
qu'il avait commandé à ses gens de ne le pas éveiller plus
tôt, sans doute pour se donner le temps de voir ce que la
matinée produirait. Nous étions cependant au Palais dès les
sept heures, où nous observâmes que le premier président
gardait la même conduite, car il n'assemblait point les
chambres, apparemment pour voir la démarche de Monsieur.
Il était à sa place dans la Grande Chambre, jugeant les
affaires ordinaires ; mais il montrait par son visage et par
ses manières qu'il avait de plus grandes pensées dans l'esprit.
La tristesse paraissait dans ses yeux, mais cette sorte de
tristesse qui touche et qui émeut, parce qu'elle n'a rien de
l'abattement. Monsieur arriva enfin, tard, et après que neuf
heures furent sonnées, M. de Nemours ayant eu toutes les
peines du monde à l'ébranler. Il dit, en arrivant, à la
Compagnie qu'il avait conféré la veille avec Monsieur le
Garde des Sceaux, et que les lettres de cachet, nécessaires
pour la liberté de Messieurs les Princes, seraient expédiées
dans deux heures et partiraient incessamment. Le premier
président prit ensuite la parole, et il dit avec un profond
soupir : « Monsieur le Prince est en liberté, et le Roi, le Roi
notre maître est prisonnier. » Monsieur, qui n'avait plus de
peur, parce qu'il avait reçu plus d'acclamations dans les rues
et dans la salle du Palais qu'il n'en avait jamais eu, et à qui
Coulon avait dit à l'oreille que l'*escopetterie des Enquêtes
ne serait pas moins forte, Monsieur, dis-je, lui repartit : « Il
l'était entre les mains du Mazarin ; mais, Dieu merci, il ne
l'est plus. » Les Enquêtes répondirent comme par un écho :
« Il ne l'est plus, il ne l'est plus. »[1] Monsieur, qui parlait
toujours bien en public, fit un petit narré de ce qui s'était
passé la nuit, délicat, mais suffisant pour autoriser ce qui
s'était fait ; et le premier président ne se satisfit que par
une invective assez aigre qu'il fit contre ceux qui avaient

supposé que la Reine eût une aussi mauvaise intention ;
qu'il n'y avait rien de plus faux, et tout le reste. Je ne
répondis que par un doux *souris. Vous pouvez croire que
Monsieur ne nomma pas ses auteurs ; mais il marqua, en
général, au premier président qu'il en savait plus que lui.
La Reine envoya quérir, dès l'après-dînée, les gens du Roi
et ceux de l'Hôtel de Ville pour leur dire qu'elle n'avait
jamais eu cette pensée[1], et pour leur commander même de
faire garder les portes de la ville, afin d'en effacer l'opinion
de l'esprit des peuples. Elle fut exactement obéie. Cela se
passa le 10 de février.

Le 11, M. de La Vrillière, secrétaire d'État, partit avec
toutes les *expéditions nécessaires pour faire sortir Messieurs
les Princes.

Le 13, Monsieur le Cardinal, qui ne s'éloigna des environs
de Paris que depuis qu'il eut appris que l'on y avait pris les
armes, se rendit au Havre-de-Grâce, où il fit toutes les
bassesses imaginables à Monsieur le Prince, qui le traita avec
beaucoup de hauteur et qui ne lui fit pas le moindre
remerciement de la liberté qu'il lui donna, après avoir dîné
avec lui. Je n'ai jamais pu comprendre ce pas de ballet du
Cardinal, qui m'a paru un des plus ridicules de notre temps,
dans toutes ses circonstances[2].

Le 15, l'on eut la nouvelle à Paris de la sortie de Messieurs
les Princes, et Monsieur alla voir la Reine. L'on ne parla de
rien, et la conversation fut courte.

Le 16, Messieurs les Princes arrivèrent. Monsieur alla au-
devant d'eux jusques à mi-chemin de Saint-Denis. Il les prit
dans son carrosse, où nous étions aussi, M. de Beaufort et
moi. Ils allèrent descendre au Palais-Royal, où la conférence
ne fut pas plus échauffée ni plus longue que celle de la
veille. M. de Beaufort demeura, tant qu'ils furent chez la
Reine, du côté de la porte Saint-Honoré ; j'allai entendre
complies aux Pères de l'Oratoire. Le maréchal de La Mothe
ne quitta pas les derrières du Palais-Royal. Messieurs les
Princes nous reprirent à la Croix-du-Tiroir. Nous soupâmes
chez Monsieur, où la santé du Roi fut bue avec le refrain
de : « Point de Mazarin ! » Et le pauvre maréchal de Gramont
et M. Damville furent forcés à faire comme les autres.

Le 17, Monsieur mena Messieurs les Princes au Parlement,
et ce qui est remarquable est que ce même peuple qui,

treize mois devant, avait fait des feux de joie pour leur prison en fit, tous ces derniers jours, avec autant de joie, pour leur liberté.

Le 20, la déclaration que l'on avait demandée au Roi contre le Cardinal fut apportée au Parlement, pour y être enregistrée, et elle fut renvoyée avec fureur, parce que la clause de son éloignement était couverte et ornée de tant d'éloges, qu'elle était proprement un panégyrique. Comme cette déclaration portait que tous étrangers seraient exclus des conseils, le *bonhomme Broussel, qui allait toujours plus loin que les autres, ajouta dans son *opinion : « Tous les cardinaux, parce qu'ils ont serment au pape. » Le premier président, s'imaginant qu'il me ferait un grand déplaisir, admira le bon sens de Broussel ; il approuva son sentiment. Il était fort tard, l'on voulait dîner ; la plupart n'y firent pas de réflexion ; et comme tout ce qui se disait et tout ce qui se faisait, en ce temps-là, contre le Mazarin, ou directement ou indirectement, était si naturel qu'il n'eût pas été judicieux de s'y imaginer du mystère, je crois que je n'y eusse pas pris garde non plus que les autres, si Monsieur de Châlons, qui avait pris ce jour-là sa place au Parlement, ne m'eût dit que lorsque Broussel eut proposé l'exclusion des cardinaux français, et que le Parlement eut témoigné par des voix confuses l'approuver, Monsieur le Prince avait fait paraître beaucoup de joie et qu'il s'était même écrié : « Voilà un bel écho. » Il faut que je vous fasse ici mon panégyrique. Je pouvais être un peu piqué de ce que, presque dès le lendemain d'un traité par lequel Monsieur se déclarait qu'il pensait à me faire cardinal, Monsieur le Prince appuyait une proposition qui allait directement à la diminution de cette dignité. Le vrai est que Monsieur le Prince n'y avait aucune part, qu'elle se fit naturellement, et qu'elle ne fut approuvée que parce que rien de tout ce qui s'avançait contre le Mazarin ne pouvait être désapprouvé ; mais j'eus lieu de croire, en ce temps-là, qu'il y avait eu du concert ; que Longueil avait fait donner dans le panneau le *bonhomme Broussel ; que tous les gens marqués pour être serviteurs de Messieurs les Princes y avaient donné avec chaleur ; et j'eus encore autant de lieu d'espérer que j'en ferais évanouir la tentative, quand les Frondeurs, qui s'aperçurent que le premier président se voulait servir contre moi en particulier de la chaleur que le corps avait contre le général [1], m'offrirent de tourner tout court, de faire expliquer l'arrêt et de faire un éclat qui eût assurément obligé Monsieur le Prince à faire changer de ton à ceux de son parti. Il y eut, dans le même temps, une autre occasion qui m'eût encore donné, si il m'eût plu, un moyen bien sûr et bien fort de brouiller les cartes, et d'embarrasser le théâtre d'une façon qui n'eût pas permis au premier président de s'*égayer à mes dépens. Je vous ai déjà parlé de l'assemblée de la noblesse [2]. La cour, qui est toujours disposée à croire le pis, était persuadée, quoique à tort, comme je vous l'ai déjà dit, qu'elle était de mon invention et que j'y faisais un grand fondement. Elle crut, par cette raison, qu'elle ferait un grand coup contre moi que de la dissiper ; et sur ce principe, qui était faux, elle faillit à se faire deux des préjudices les plus réels et les plus effectifs que ses ennemis les plus mortels lui eussent pu procurer. Pour obliger le Parlement, qui craint naturellement les Etats [3], à donner des arrêts contre cette assemblée de noblesse, elle envoya le maréchal de L'Hôpital à cette assemblée, lui dire qu'elle n'avait qu'à se séparer, puisque le Roi lui donnait sa foi et sa parole de faire tenir les Etats généraux le premier jour d'octobre. Je sais bien que l'on n'avait pas dessein de l'exécuter ; mais je n'ignorais pas aussi que si Monsieur et Monsieur le Prince se fussent unis pour le faire exécuter, comme il était, dans le fond, de leur intérêt, il se fût trouvé, par l'événement, que les ministres se fussent attiré, sans nécessité et pour une bagatelle, celui de tous les inconvénients qu'ils ont toujours le plus appréhendé. L'autre qu'ils *hasardèrent par cette conduite fut qu'il ne tint presque à rien que Monsieur ne prît la protection de cette assemblée malgré moi ; et si il l'eût fait dans les commencements, comme je l'en vis sur le point, la Reine, contre son intérêt et contre son intention, qui conspiraient ensemble à diviser Monsieur et Monsieur le Prince, les eût unis davantage par un éclat qui, étant fait dès les premiers jours de la liberté, eût entraîné de nécessité l'obligé dans le parti du libérateur. Le temps donne des prétextes, et il donne même quelquefois des raisons qui sont des manières de dispenses pour les bienfaits, et il n'est jamais sage, dans leur nouveauté, d'en presser la *méconnais- sance. MM. de La Vieuville et de Sourdis, secondés par

sacrifice self to duty
(for self satisfing)

Montrésor, qui, depuis la disgrâce de La Rivière, avait repris
assez de créance auprès de Monsieur, le piquèrent un soir si
vivement, sur l'ingratitude que le Parlement lui témoignait
de s'opiniâtrer à vouloir dissiper une assemblée qui s'était
formée sous son autorité, qu'il leur promit que, si il
continuait le lendemain, il déclarerait à la Compagnie qu'il
s'en allait aux Cordeliers, où l'assemblée se tenait, se mettre
à sa tête pour recevoir les huissiers du Parlement qui
seraient assez hardis pour lui venir signifier ses arrêts. Vous
remarquerez, s'il vous plaît, que depuis le jour que le Palais-
Royal fut investi, Monsieur était si persuadé de son pouvoir
sur le peuple, qu'il n'avait plus aucune peur du Parlement ;
et que M. de Beaufort, qui entra dans le temps de cette
conversation, l'anima encore si fort, qu'il se fâcha contre
moi-même, avec aigreur, et qu'il me reprocha que j'avais
contribué à l'obliger à souffrir que l'on insistât à la
déclaration contre les cardinaux français ; qu'il savait bien
que je ne m'en souciais pas, parce que ce ne serait qu'une
*chanson, même très *impertinente et très ridicule, toutes
les fois qu'il plairait à la cour ; mais que je devais songer à
sa gloire, qui était trop intéressée à souffrir que les mazarins,
c'est-à-dire ceux qui avaient fait tous leurs efforts pour
soutenir ce ministre dans le Parlement, se vengeassent de
ceux qui l'avaient servi pour le détruire, en quittant sa
personne, pour attaquer sa dignité, en vue d'un homme à
qui lui, Monsieur, la voulait faire tomber [1]. M. de Beaufort,
outré de ce que le président Perrault, intendant de Monsieur
le Prince, avait dit la veille, dans la buvette de la Chambre
des comptes, qu'il s'opposerait au nom de son maître à
l'enregistrement de ses provisions de l'amirauté [2], M. de
Beaufort, dis-je, n'oublia rien pour l'enflammer, et pour lui
mettre dans l'esprit qu'il ne fallait pas laisser passer ces deux
occasions sans éprouver ce que l'on devait attendre de
Monsieur le Prince, dont tous les partisans paraissaient, en
l'une et en l'autre, s'unir beaucoup avec ceux de la cour.

Vous voyez que j'avais beau [3], et d'autant plus que je ne
pouvais presque être d'un contraire sentiment, sans me
brouiller, en quelque façon, avec tous les amis que j'avais
dans le corps de la noblesse. Je ne balançai pas un moment,
parce que je me résolus de me sacrifier moi-même à mon
devoir, et de ne pas corrompre la satisfaction que je trouvais

dans moi-même à avoir contribué, autant que j'avais fait, et
à l'éloignement du Cardinal et à la liberté de Messieurs les
Princes, qui étaient deux ouvrages extrêmement agréables
au public, de ne la pas corrompre, dis-je, par des intrigues
nouvelles et par des subdivisions de parti, qui, d'un côté,
m'éloignaient toujours du gros de l'arbre [1], et qui, de l'autre,
eussent toujours passé dans le monde pour des effets de la
colère que je pouvais avoir contre le Parlement : je dis que
je pouvais avoir, car, dans la vérité, je ne l'avais pas, et
parce que le gros du corps, qui était toujours très bien
intentionné pour moi, songeait beaucoup plus à donner des
atteintes au Mazarin qu'à me faire du mal, et parce que je
n'ai jamais compris que l'on se puisse émouvoir de ce que
fait un corps. Je n'eus pas de mérite à ne me pas échauffer ;
mais je crois en avoir eu un peu à ne pas me laisser ébranler
aux avantages que ceux qui ne m'aimaient pas prirent de
ma froideur. Leurs vanteries me tentèrent : je n'y succombai
pas, et je demeurai ferme à soutenir à Monsieur qu'il devait
dissiper l'assemblée de la noblesse, qu'il ne devait point
s'opposer à la déclaration qui portait l'exclusion des conseils
des cardinaux français, et que son unique vue devait être
dorénavant d'assoupir toutes les *partialités. Je n'ai jamais
rien fait qui m'ait donné tant de satisfaction intérieure que
cette action. Celle que je fis, à la paix de Paris, était mêlée
de l'intérêt que je trouvais à ne pas devenir le subalterne de
Fuensaldagne [2] : je ne fus porté à celle-ci que par le pur
principe de mon devoir. Je me résolus de m'y attacher
uniquement. J'étais satisfait de mon ouvrage ; et si il eût
plu à la cour et à Monsieur le Prince d'ajouter quelque foi à
ce que je leur disais, je rentrais moi-même, de la meilleure
foi du monde, dans les exercices purs et simples de ma
profession. Je passais dans le monde pour avoir chassé le
Mazarin, qui en avait toujours été l'horreur, et pour avoir
délivré les Princes qui en étaient devenus les délices. C'était
contentement et je le sentais ; et je le sentais au point d'être
très fâché que l'on m'eût engagé à avoir prétendu le
cardinalat [3]. Je voulus marquer le détachement que j'en
avais, par l'indifférence que je témoignais pour l'exclusion
des conseils que l'on lui donnait. Je m'opposai à la résolution
que Monsieur avait prise de se déclarer ouvertement dans le
Parlement pour l'empêcher. Je fis qu'il se contenta d'avertir

la Compagnie qu'elle allait trop loin, et que la première
chose que le Roi ferait à sa majorité, comme il arriva,
serait de révoquer cette déclaration. Je n'entrai en rien de
l'opposition que le clergé de France y fit, par la bouche de
M. l'archevêque d'Embrun ; non pas seulement j'opinai sur
ce sujet, dans le Parlement, comme les autres, mais j'obligeai
même tous mes amis à opiner comme moi ; et comme le
président de Bellièvre, qui voulait à toute force rompre en
visière au premier président sur cette matière, qui, dans la
vérité, se pouvait tourner facilement en ridicule contre un
homme qui avait fait tous ses efforts pour soutenir cette
même dignité en la personne du Mazarin, comme, dis-je, le
président de Bellièvre m'eut reproché devant le feu de la
Grande Chambre que je manquais aux intérêts de l'Église
en la laissant traiter ainsi, je lui répondis tout haut : « L'on
ne fait qu'un mal imaginaire à l'Église, et j'en ferais un
solide à l'État si je ne faisais tous mes efforts pour y assoupir
les divisions. » Cette parole plut beaucoup et à beaucoup de
gens. Le peu d'action que j'eus, dans le même temps,
touchant les États généraux ne fut pas si approuvé. L'on se
voulut imaginer qu'ils rétabliraient l'État, et je n'en fus pas
persuadé. Je savais que la cour ne les avait proposés que
pour obliger le Parlement, qui les appréhende toujours, à se
brouiller avec la noblesse. Monsieur le Prince m'avait dit
vingt fois, devant sa prison, qu'un roi, ni des princes du
sang, n'en devaient jamais souffrir. Je connaissais la faiblesse
de Monsieur incapable de régir une machine de cette
étendue. Voilà les raisons que j'eus pour ne me pas donner,
sur cet article, le mouvement que beaucoup de gens eussent
souhaité de moi. Je crois encore que j'avais raison. Toutes
ces considérations firent qu'au lieu de m'éveiller sur les États
généraux, sur l'assemblée de la noblesse, sur la déclaration
contre les cardinaux, je me confirmai dans la pensée de me
reposer, pour ainsi dire, dans mes dernières actions ; et je
cherchai même les voies de le pouvoir faire avec honneur.
Ce que Monsieur de Châlons m'avait dit de Monsieur le
Prince, joint à ce qui me paraissait des démarches de
beaucoup de ses serviteurs, commença à me donner ombrage,
et cet ombrage me fit beaucoup de peine, parce que je
prévoyais que si la Fronde se rebrouillait avec Monsieur le
Prince, nous retomberions dans des confusions étranges. Je

pris le parti, dans cette vue, d'aller au-devant de tout ce qui y pourrait donner lieu. J'allai trouver Mlle de Chevreuse, je lui dis mes doutes ; et, après l'avoir assurée que je ferais pour ses intérêts, sans exception, tout ce qu'elle voudrait, je la priai de me permettre de lui représenter qu'elle devait toujours parler du mariage de M. le prince de Conti comme d'un honneur qu'elle recevait, mais comme d'un honneur qui n'était pourtant pas au-dessus d'elle ; que, par cette raison, elle ne devait pas le courre, mais l'attendre ; que toute la dignité y était conservée jusque-là, puisqu'elle avait été *recherchée et poursuivie même avec de grandes instances ; qu'il s'agissait de ne rien perdre ; que je ne croyais pas que l'on voulût manquer à ce qui avait été non seulement promis dans la prison, et que, sur ce titre, je ne comptais pas pour fort solide, mais à ce qui avait été confirmé depuis par tous les engagements les plus solennels (vous remarquerez, s'il vous plaît, que M. le prince de Conti soupait presque tous les soirs à l'hôtel de Chevreuse) ; mais qu'ayant des lueurs que les dispositions de Monsieur le Prince pour la Fronde n'étaient pas si favorables que nous avions eu sujet de l'espérer, j'étais persuadé qu'il était de la bonne conduite de ne se pas exposer à une aventure aussi fâcheuse que serait celle d'un refus à une personne de sa qualité ; qu'il m'était venu dans l'esprit un moyen, qui me paraissait haut et digne de sa naissance, pour nous éclaircir de l'intention de Monsieur le Prince, pour en accélérer l'effet si elle était bonne, pour en *rectifier ou colorer la suite si elle était mauvaise ; que ce moyen était que je disse à Monsieur le Prince que madame sa mère et elle m'avaient ordonné de l'assurer qu'elles ne prétendaient en façon du monde se servir des engagements qui avaient été pris par les traités ; qu'elles n'y avaient consenti que pour avoir la satisfaction de lui remettre ses paroles, et que je le suppliais, en leur nom, de croire que si elles lui faisaient la moindre peine, ou le moindre préjudice aux mesures qu'il pouvait avoir en vue de prendre à la cour, elles s'en désistaient de tout leur cœur et qu'elles ne laisseraient pas de demeurer, elles et leurs amis, très attachées à son service. Mlle de Chevreuse donna dans mon sens, parce qu'elle n'en avait jamais d'autre que celui de l'homme qu'elle aimait. Madame sa mère y tomba, parce que sa lumière naturelle lui faisait toujours prendre avec avidité ce qui était bon. Laigue s'y opposa, parce qu'il était lourd et que les gens de ce *caractère ont toutes les peines du monde à comprendre ce qui est double. Bellièvre, Caumartin, Montrésor l'*emportèrent à la fin, en lui expliquant ce double[1], et en lui faisant voir que si Monsieur le Prince avait bonne intention, ce procédé l'obligerait ; et que si il l'avait mauvaise, il le retiendrait et l'empêcherait au moins de penser à nous accabler dans un moment où nous en usions si respectueusement, si franchement et si *honnêtement avec lui. Ce moment était ce que nous avions justement et uniquement à craindre, parce que la constitution des choses nous faisait déjà voir, plus que suffisamment, que si nous l'échappions d'abord, nous ne demeurerions pas longtemps sans en rencontrer de plus favorables. Jugez, je vous supplie, de la délicatesse[2] de celui qui pouvait unir contre nous l'autorité royale, purgée du mazarinisme, et le parti de Monsieur le Prince purgé de la faction. Sur le tout, quelle sûreté à M. le duc d'Orléans ?[3] Vous voyez que j'avais raison de songer à prévenir l'orage et à nous faire un mérite de ce qui nous le pouvait attirer. Je fis mon ambassade à Monsieur le Prince, je mis entre ses mains la prétention de mon chapeau, j'y mis le mariage de Mlle de Chevreuse. Il s'emporta contre moi, il jura, il me demanda pour qui je le prenais. Je sortis persuadé, et je le suis encore, qu'il avait toute l'intention de l'exécuter.

Tout ce que je vous viens de dire de l'assemblée de noblesse, des États généraux, de la déclaration contre les cardinaux tant français qu'étrangers fut ce qui remplit la scène depuis le 17 février 1651 jusques au 3 d'avril. Je n'en ai pas daté les jours, parce que je vous aurais trop ennuyée par la répétition : elle fut continuelle et sans intermission aucune dans le Parlement sur ces matières, la cour chicanant toutes choses à son ordinaire et se relâchant aussi à son ordinaire de toutes choses. Elle fit tant par ses *journées, qu'elle fit écrire le parlement de Paris à tous les parlements du Royaume pour les exhorter à donner arrêt contre le cardinal Mazarin, et ils le donnèrent ; qu'elle fut obligée de donner une déclaration d'innocence à Messieurs les Princes, qui fut un panégyrique ; qu'elle fut forcée de donner une déclaration par laquelle les cardinaux, tant français qu'étrangers, seraient exclus des conseils du Roi, et que le

Parlement n'eut pas de cesse que le Cardinal n'eût quitté Sedan et ne fût allé à Brusle, maison de M. l'électeur de Cologne [1]. Le Parlement faisait tous ces mouvements le plus naturellement du monde, s'imaginait-il ; les ressorts étaient sous le théâtre. Vous les allez voir.

Monsieur le Prince, qui était incessamment sollicité par la cour de s'accommoder, *égayait [2] de jour en jour le Parlement pour se rendre plus nécessaire et à la Reine et à Monsieur ; et comme j'avais intérêt à tenir en haleine et en honneur la vieille Fronde, je ne m'endormais pas de mon côté. La Reine, dont l'animosité la plus fraîche était contre Monsieur le Prince, me faisait parler dans le même temps qu'elle n'oubliait rien pour l'obliger à négocier. Le vicomte d'Autel, capitaine des gardes de Monsieur et mon ami particulier, était frère du maréchal Du Plessis-Praslin, et il me pressa, sept ou huit jours durant, d'avoir une conférence secrète avec lui « pour affaires, me disait-il, où il y allait de ma vie et de mon honneur ». J'en fis beaucoup de difficulté, parce que je connaissais le maréchal Du Plessis pour un grand mazarin, et le vicomte d'Autel pour un bon homme très capable d'être trompé. Monsieur, à qui je rendis compte de l'instance que l'on me faisait, me commanda d'écouter le maréchal en prenant de toute manière mes précautions ; et ce qui l'obligea à me donner cet ordre fut que le maréchal lui fit dire par son frère qu'il se soumettait à tout ce qu'il lui plairait, si ce qu'il me devait dire n'était de la dernière importance à Son Altesse Royale. Je le vis donc la nuit chez le vicomte d'Autel, qui avait sa chambre à Luxembourg, mais qui avait aussi son logis dans la rue d'Enfer. Il me parla sans *façonner de la part de la Reine ; il me dit qu'elle avait toujours de la bonté pour moi ; qu'elle ne me voulait point perdre ; qu'elle m'en donnait une marque en m'avertissant que j'étais sur le bord du précipice ; que Monsieur le Prince traitait avec elle ; qu'elle ne pouvait pas s'ouvrir davantage, n'étant pas assurée de moi ; mais si je voulais m'engager dans son service, qu'elle m'en ferait toucher le détail au doigt et à l'œil. Cela était, comme vous voyez, un peu trop général, et je répondis qu'en mon particulier, je ne douterais jamais de quoi que ce fût qu'il plût à la Reine de me faire dire ; mais qu'elle jugeait bien que Monsieur, étant aussi engagé qu'il était avec Monsieur

le Prince, ne romprait pas avec lui, à moins non pas
seulement que l'on lui fît voir des faits, mais qu'il les pût
lui-même faire voir au public. Cette parole, qui était
pourtant très raisonnable, aigrit beaucoup la Reine contre
moi, et elle dit au maréchal : « Il veut périr, il périra. » Je
l'ai su de lui-même plus de dix ans après. Voici ce qu'elle
voulait dire : Servien et Lionne traitaient avec Monsieur le
Prince et ils lui promettaient pour lui le gouvernement de
Guyenne, celui de Provence pour monsieur son frère, la
lieutenance de Roi[1] de Guyenne et le gouvernement de
Blaye pour M. de La Rochefoucauld, qui était du secret de
la négociation et qui y était même présent. Monsieur le Prince
devait avoir, par ce traité, toutes ses troupes entretenues dans
ces provinces, à la réserve de celles qui seraient en garnison
dans les places que l'on lui avait déjà rendues. Il avait mis
Meille dans Clermont, Marsin dans Stenay, Bouteville dans
Bellegarde, Arnauld dans le château de Dijon, Persan dans
Mouron. Jugez quel *établissement. Lionne m'a assuré,
plusieurs fois depuis, que lui et Servien avaient fait, de très
bonne foi, à Monsieur le Prince la proposition de la Guyenne
et de la Provence, parce qu'ils étaient persuadés qu'il n'y
avait rien que la cour ne dût faire pour le gagner. Les gens
qui veulent croire du mystère à toutes choses ont dit qu'ils
ne pensèrent qu'à l'*amuser. Ce qui a donné de la couleur
à cette opinion est que la chose leur réussit justement comme
si ils en eussent eu le dessein ; car Monsieur le Prince, qui
ne douta point que deux hommes aussi dépendants du
Cardinal n'auraient pas eu la hardiesse de lui faire des
propositions de cette importance sans son ordre, et qui
d'ailleurs trouva d'*abord toute la facilité imaginable pour
le gouvernement de Guyenne, dont il fut effectivement
pourvu, en laissant celui de Bourgogne à M. d'Épernon,
Monsieur le Prince, dis-je, ne douta point de l'aveu du
Cardinal pour le gouvernement de Provence, et, devant que
de l'avoir reçu, ou il consentit ou il se laissa entendre qu'il
consentirait, l'on en a parlé diversement, au changement du
Conseil, qui arriva le troisième jour d'avril, en la manière
que je vous le vas raconter[2], après que je vous aurai suppliée
de remarquer que cette faute de Monsieur le Prince est, à
mon opinion, la plus grande contre la politique qu'il ait
jamais faite.

Le 3 d'avril, Monsieur et Monsieur le Prince étant allés au Palais-Royal, Monsieur y apprit que Chavigny, qui était intime de Monsieur le Prince, y avait été mandé par la Reine, de Touraine où il était. Monsieur, qui le haïssait mortellement, se plaignit à la Reine de ce qu'elle l'avait fait revenir sans lui en parler, et d'autant plus qu'elle lui allait, au moins selon le bruit commun, faire prendre place de ministre au Conseil. La Reine lui répondit fièrement qu'il avait bien fait d'autres choses sans elle. Monsieur sortit du Palais-Royal, et Monsieur le Prince le suivit. Après le Conseil, la Reine envoya M. de La Vrillière demander les sceaux à M. de Châteauneuf ; elle les donna, sur les dix heures du soir, à Monsieur le Premier Président, et elle envoya M. de Sully quérir son beau-père pour venir au Conseil tenir sa place de chancelier. La Tivolière, lieutenant de ses gardes, vint donner part à Monsieur, entre dix et onze, de ce changement. Mme et Mlle de Chevreuse n'oublièrent rien pour lui en faire voir la conséquence, qui ne devait pas être bien difficile à prouver à un lieutenant général de l'Etat, aussi vivement et aussi hautement offensé qu'il l'était. Vous n'aurez pas de peine à croire que je ne conservai pas, en cette occasion, la modération sur laquelle je vous ai tantôt fait mon éloge. Monsieur nous parut très animé. Il nous assembla tous [1], c'est-à-dire Monsieur le Prince, M. le prince de Conti, M. de Beaufort, M. de Nemours, MM. de Brissac, de La Rochefoucauld, de Chaulnes, frère aîné de celui que vous connaissez, de Vitry, de La Mothe, d'Etampes, de Fiesque et de Montrésor. Il exposa le fait, et il demanda avis. Montrésor ouvrit celui d'aller redemander les sceaux au premier président de la part de Son Altesse Royale. MM. de Chaulnes, de Brissac, de Fiesque et de Vitry furent du même sentiment. Le mien fut que celui qui venait d'être proposé était juste et fondé sur le pouvoir légitime de Monsieur, qu'il était même nécessaire ; mais que comme il était de sa bonté d'obvier à tout ce qui pourrait arriver de plus violent dans une action de cette nature, ma pensée n'était pas qu'il se fallût servir du peuple, comme M. de Chaulnes venait de le dire ; mais qu'il serait, ce me semblait, plus à propos que Monsieur fît exécuter la chose par son capitaine des gardes ; que M. de Beaufort et moi nous nous pourrions tenir sur les quais qui sont des deux côtés du Palais, pour *split in anti-Cr party — Bft joins princes*

contenir le peuple, qui n'avait besoin que de bride en tout où le nom de Monsieur paraissait. M. de Beaufort m'interrompit à ce mot et il me dit : « Je parlerai pour moi, Monsieur, quand j'opinerai. Pourquoi m'alléguer ? » Je faillis à tomber de mon haut. Il n'y avait pas eu entre nous la moindre ombre, je ne dis pas de division, mais de mécontentement. M. de Beaufort continua en disant qu'il ne répondrait pas que nous pussions contenir le peuple et l'empêcher de jeter peut-être dans la rivière le premier président. Quelqu'un du parti de Messieurs les Princes, je ne me ressouviens pas précisément si ce fut M. de Nemours ou M. de La Rochefoucauld, releva et orna ce discours de tout ce qui pouvait donner au mien couleur et figure d'une exhortation au carnage. Monsieur le Prince ajouta qu'il confessait qu'il n'entendait rien à la guerre des pots de chambre[1] ; qu'il se sentait même poltron pour toutes les occasions de *tumulte populaire et de sédition, mais que si Monsieur croyait être assez outragé pour commencer la guerre civile, il était tout prêt à monter à cheval, à se retirer en Bourgogne, et à y faire des levées pour son service. M. de Beaufort se remit encore sur le même ton ; et ce fut précisément ce qui abattit Monsieur, parce que, voyant M. de Beaufort dans les sentiments de Monsieur le Prince, il crut que le peuple se partagerait entre lui et moi. Vous avez sans doute de la curiosité du sujet qui put obliger M. de Beaufort à cette conduite, et vous en serez très étonnée quand vous le saurez. Ganseville, qui était lieutenant de ses gardes, m'a dit depuis que Mme de Nemours, sa sœur, qu'il aimait fort, l'avait obligé, par ses larmes plutôt que par ses raisons, dans une conversation qu'il eut l'après-dînée avec elle, à ne se point séparer de M. de Nemours, qui était inséparable de Monsieur le Prince, et que ces efforts se firent de concert avec Mme de Montbazon, qu'il prétendait avoir été persuadée d'un côté par Vineuil et de l'autre par le maréchal d'Albret, qui tous deux s'accordaient, en ce temps-là, pour le désunir de la Fronde. Mme de Montbazon a toujours soutenu au président de Bellièvre qu'elle n'avait jamais été de ce complot, et qu'elle fut plus surprise que personne quand M. de Beaufort lui dit, le lendemain au matin, ce qui s'était passé. Le président de Bellièvre ne faisait aucun fonds sur tout ce qu'elle disait, et particulièrement sur cette matière, où M. de Beaufort prit si mal son parti qu'il tomba tout d'un coup à rien. Vous le verrez par la suite, et que, par conséquent, Mme de Montbazon avait raison de ne pas prendre sur elle sa conduite. Ganseville m'a souvent dit depuis que M. de Beaufort en fut au désespoir dès le lendemain. Je sais que Brillet, qui était son écuyer, a dit le contraire : tout cela est assez incertain. Ce qui m'en a paru de plus sûr est qu'il me crut perdu, voyant la cour et Monsieur le Prince réunis, et croyant que Monsieur n'aurait pas la force de me soutenir contre eux. Il ne jugea pas bien ; car je suis persuadé que si lui-même ne se fût pas détaché, Monsieur eût fait tout ce que nous eussions désiré, et qu'il l'eût même fait à jeu sûr. Il ne tint pas à moi de lui faire connaître qu'il le pouvait même sans lui, comme il était vrai ; car, comme il fut entré, après cette conférence, dans la chambre de Madame, où Mme et Mlle de Chevreuse l'attendaient, je lui proposai, en leur présence, d'*amuser, sous prétexte de consulter encore sur le même sujet, Messieurs les Princes ; et je ne lui demandai que deux heures de temps pour faire prendre les armes aux *colonelles, et pour lui faire voir qu'il était absolument maître du peuple. Madame, qui pleurait de colère et qui voulait, à toute force, que l'on prît ce parti, l'ébranla, et il dit : « Mais si nous prenons cette résolution, il faut les arrêter tout ᵃ à cette heure, et eux et mon neveu de Beaufort. — Ils sont allés dans le cabinet des livres, répondit Mlle de Chevreuse, attendre Votre Altesse Royale ; il n'y a qu'à donner un tour à la clef pour les y enfermer. J'envie cet honneur au vicomte d'Autel ; ce sera une belle chose qu'une fille arrête un gagneur de batailles. » Elle fit un saut en disant cela pour y aller. La grandeur de la proposition *étonna Monsieur ; et comme je connaissais parfaitement son naturel, je ne la lui avais pas faite d'abord, et je ne lui avais parlé que de les *amuser. Comme il avait de l'esprit, il jugea bien que, dès qu'il y aurait du bruit dans la ville, il serait absolument nécessaire de les arrêter, et son imagination lui en arracha la proposition. Si Mlle de Chevreuse n'eût rien dit, je ne l'eusse pas relevée, et Monsieur m'eût peut-être laissé faire, ce qui lui eût imposé la nécessité d'exécuter ce qu'il avait imaginé. L'impétuosité de Mlle de Chevreuse lui approcha d'*abord toute l'action. Il n'y a rien qui effraie tant une âme faible. Il se mit à siffler, ce qui n'était jamais un bon signe, quoiqu'il ne fût pas rare ; il s'en alla *rêver dans une croisée. Il nous remit au lendemain ; il passa dans le cabinet des livres, où il donna congé à la compagnie, et Messieurs les Princes sortirent du [Luxembourg][a], en se moquant publiquement, sur les degrés, de la guerre des pots de chambre.

Comme j'étais, le lendemain au matin, dans la chambre de Mme de Chevreuse, le président Viole y entra, fort embarrassé, à ce qui nous parut. Il se démêla de l'ambassade qu'il avait à porter, comme un homme qui en était fort honteux. Il mangea la moitié de ce qu'il avait à dire, nous comprîmes par l'autre qu'il venait déclarer la rupture du mariage. Mme de Chevreuse lui répondit *galamment. Mlle de Chevreuse, qui s'habillait auprès du feu, se mit à rire. Vous jugez bien que nous ne fûmes pas surpris de la chose ; mais je vous avoue que je le suis encore de la manière : je n'ai jamais pu la concevoir ; mais, qui plus est, je n'ai jamais pu me la faire expliquer. J'en ai parlé mille fois à Monsieur le Prince, j'en ai parlé à Mme de Longueville, j'en ai parlé à M. de La Rochefoucauld. Aucun d'eux ne m'a pu alléguer aucune raison de ce procédé, si peu ordinaire en de pareilles occasions, où l'on cherche au moins toujours des prétextes. L'on dit après que la Reine avait défendu cette alliance, et je n'en doute pas ; mais je sais bien que Viole n'en dit pas un mot dans son *compliment. Ce qui est encore de plus étonnant est que Mme de Longueville m'a dit vingt fois, depuis sa dévotion[1], qu'elle n'avait point rompu ce mariage ; que M. de La Rochefoucauld me l'a confirmé, et que Monsieur le Prince, qui est l'homme du monde le moins menteur, m'a juré d'autre part qu'il n'y avait ni directement ni indirectement contribué[2]. Comme je disais un jour à Guitaut que cette variété m'étonnait, il me répondit qu'il n'en était point surpris, parce qu'il avait remarqué, sur beaucoup d'articles, que Monsieur le Prince et Madame sa sœur avaient oublié la plupart des circonstances de ce qui s'était passé dans ces temps-là. Faites réflexion, je vous supplie, sur l'inutilité des recherches qui se font tous les jours, par les gens d'études, des siècles qui sont plus éloignés. Aussitôt que Viole fut sorti de l'hôtel de Chevreuse, je reçus un billet de Jouy, qui était à Monsieur, qui portait que Son Altesse Royale s'était levée de fort bon matin, qu'elle paraissait consternée, que le maréchal de Gramont l'avait entretenue fort longtemps ; que Goulas avait eu une conférence particulière avec lui ; que le maréchal de La Ferté-Imbault, qui était une manière de girasol [1], commençait à fuir ceux qui étaient marqués dans la maison pour être de mes amis. Le marquis de Sablonnières, qui commandait le régiment de Valois, et qui était aussi mon ami, entra un moment après pour m'avertir que Goulas était allé chez Chavigny avec un visage fort gai, au sortir de la conversation qu'il avait eue avec Monsieur. Mme de Chevreuse reçut, au même instant, un billet de Madame, qui la chargeait de me dire que je me tinsse sur mes gardes, et qu'elle mourait de peur que les menaces que l'on faisait à Monsieur ne l'obligeassent à m'abandonner. Ces avis me portèrent à me faire un mérite auprès de Monsieur de ce que j'avais sujet de craindre de sa faiblesse, et de ce que je croyais nécessaire pour ma sûreté. Je déclarai ma pensée à l'hôtel de Chevreuse, en présence des gens les plus *affidés du parti. Ils l'approuvè-rent, et je l'exécutai. La voici : j'allai trouver Monsieur, je lui dis qu'ayant eu l'honneur et la satisfaction de le servir dans les deux choses qu'il avait eues le plus à cœur, qui étaient l'éloignement du Mazarin et la liberté de messieurs ses cousins, je me sentirais obligé de rentrer purement dans les exercices de ma profession, quand je n'en aurais point d'autre raison que celle de prendre un temps aussi propre que celui-là pour m'y remettre ; que je serais le plus imprudent de tous les hommes, si je le manquais, dans une occasion où non seulement mon service ne lui était plus utile, mais où ma présence même lui serait assurément d'un embarras fort grand ; que je n'ignorais pas qu'il était accablé d'instances et d'importunité sur mon sujet ; que je le conjurais de les faire finir en me permettant de me retirer dans mon Cloître [2]. Il serait inutile que je vous achevasse ce discours, vous en jugez assez la suite. Je ne vous puis exprimer le transport de joie qui me parut dans les yeux et sur le visage de Monsieur, quoiqu'il fût l'homme du monde le plus dissimulé et qu'il fît, en paroles, tous ses efforts pour me retenir. Il me promit qu'il ne m'abandonnerait jamais ; il m'avoua que la Reine l'en pressait ; il m'assura que quoique la réunion de la Reine et des princes l'obligeât à faire bonne mine, il n'oublierait jamais le cruel outrage qu'il venait de recevoir ; qu'il aurait fait des passe-merveilles [1], si M. de Beaufort ne lui avait point manqué ; que sa désertion était cause qu'il avait molli, parce qu'il avait cru qu'il pouvait partager le peuple ; que je me donnasse un peu de patience, et que je verrais qu'il saurait bien prendre son temps pour remettre les gens dans leur devoir. Je ne me rendis pas ; il se rendit, mais après de grandes promesses de me conserver toute sa vie dans son cœur et de conserver, par le canal de Jouy, un commerce secret. Il voulut savoir mes sentiments sur la conduite qu'il avait à tenir, et il me mena chez Madame, qui était au lit, pour me les faire dire devant elle. Je lui conseillai de s'accommoder avec la cour, et de mettre pour unique condition que l'on ôtât les sceaux à Monsieur le Premier Président ; ce que je fis, sans aucune animosité contre sa personne : car il est vrai que bien que nous fussions toujours de contraire parti, je l'aimais naturellement ; mais parce que j'eusse cru trahir ce que je devais à Monsieur, si je ne lui eusse représenté la honte qu'il y eût pour lui à souffrir que les sceaux demeurassent à un homme qui les avait eus sans la participation du lieutenant général de l'Etat. Madame reprit tout d'un coup : « Et de Chavigny, vous n'en dites rien. — Non, Madame, lui répondis-je, parce qu'il est très bon qu'il demeure. La Reine le hait mortellement, il hait mortellement le Mazarin. L'on ne l'a remis au Conseil que pour plaire à Monsieur le Prince. Voilà deux ou trois *grains qui altéreraient la composition du monde la plus naturelle ; laissez-le, Madame ; il y est admirable pour Monsieur, dont l'intérêt n'est pas qu'une confédération dans laquelle il n'entre que par force dure longtemps. » Vous remarquerez, s'il vous plaît, que ce M. de Chavigny dont il est question avait été favori et même fils, à ce que l'on a cru, de M. le cardinal de Richelieu ; qu'il avait été fait par lui chancelier de Monsieur, et que ce chancelier traitait si familièrement Monsieur, son maître, qu'un jour il lui fit tomber un bouton de son pourpoint, en lui disant : « Je veux bien que vous sachiez que Monsieur le Cardinal vous fera sauter, quand il voudra, comme je fais sauter ce bouton. » Je tiens ce que je vous dis de la bouche même de Monsieur. Vous voyez que Madame n'avait pas tout à fait tort de se ressouvenir de M. de Chavigny. Monsieur eut de la peine à le souffrir dans le Conseil : il se rendit pourtant à ma raison ; il n'*opiniâtra que le garde des sceaux. L'on le destitua ; l'on crut, à la cour, que l'on en était quitte à bon marché, et l'on avait raison.

Au sortir de chez Monsieur, j'allai prendre congé de Messieurs les Princes. Ils étaient avec Mme de Longueville et Madame la Palatine à l'hôtel de Condé. M. le prince de Conti reçut mon *compliment en riant et en me traitant de bon père ermite. Mme de Longueville ne me parut pas y faire beaucoup de réflexion ; Monsieur le Prince en conçut la conséquence, et je vis clairement que ce pas de ballet l'avait surpris. Madame la Palatine en observa mieux que personne la cadence, comme vous verrez dans la suite. Je me retirai donc à mon Cloître de Notre-Dame, où je ne m'abandonnai pas si fort à la Providence, que je ne me servisse aussi de moyens humains pour me défendre de l'*insulte de mes ennemis. Annery, avec la noblesse du Vexin, me rejoignit ; Châteaubriant, Châteaurenault, le vicomte de Lamet, Argenteuil, le chevalier d'Humières se logèrent dans le Cloître. Balan et le comte de Crafort, avec cinquante officiers écossais qui avaient été des troupes de Montrose, furent distribués dans les maisons de la rue Neuve qui m'étaient le plus affectionnées. Les colonels et les capitaines de quartier qui étaient dans mes intérêts eurent chacun leur signal et leur mot de ralliement. Enfin je me résolus d'attendre ce que le chapitre des accidents produirait, en remplissant exactement les devoirs de ma profession et en ne donnant plus aucune apparence d'intrigue du monde. Jouy ne me voyait qu'en cachette ; je n'allais que la nuit à l'hôtel de Chevreuse, seul avec Malclerc ; je ne voyais plus que des chanoines et des curés. La raillerie en était forte au Palais-Royal et à l'hôtel de Condé. Je fis faire, en ce temps-là, une volière dans une croisée, et Nogent en fit le proverbe : « Le coadjuteur siffle ses linottes. »[1] La disposition de Paris me consolait fort du ridicule du Palais-Royal. J'y étais fort bien, et d'autant mieux que tout le monde y était fort mal. Les curés, les *habitués, les mendiants avaient été informés avec soin des négociations de Monsieur le Prince. Je donnais des *bottes à M. de Beaufort, qu'il ne parait pas avec toute l'adresse qui y eût été nécessaire ; M. de Châteauneuf, qui s'était retiré à Montrouge après que l'on lui eut ôté les sceaux, me donnait tous les avis qui lui venaient d'ordinaire

très bons, et du maréchal de Villeroy et du commandeur de
Jars. Monsieur, qui, dans le fond du cœur, était enragé
contre la cour, entretenait très soigneusement le commerce
que j'avais avec lui. Voici ce qui donna la forme à ces
préalables. Le vicomte d'Autel vint chez moi entre minuit
et une heure, et il me dit que le maréchal Du Plessis, son
frère, était dans le fond de son carrosse, à la porte. Comme
il fut entré, il m'embrassa en me disant : « Je vous salue
comme notre ministre. » Comme il vit que je souriais à ce
mot, il ajouta : « Non, je ne raille point, il ne tiendra qu'à
vous que vous ne le soyez. La Reine me vient de commander
de vous dire qu'elle remet entre vos mains sa personne, celle
du Roi son fils et sa couronne. Ecoutez-moi. » Il me conta
ensuite tout le prétendu traité de Monsieur le Prince avec
Servien et Lionne, dont je vous ai déjà parlé[1]. Il me dit que
le Cardinal avait mandé à la Reine que si elle ajoutait le
gouvernement de Provence à celui de Guyenne, sur lequel
elle venait de se relâcher, elle était déshonorée à tout jamais,
et que le Roi son fils, quand il serait en âge, la considérerait
comme celle qui aurait perdu son État ; qu'elle voyait son
zèle pour son service dans un avis aussi contraire à ses propres
intérêts ; que ce traité portant son rétablissement comme il
le portait, il y pourrait trouver son compte, parce que le
ministre d'un roi affaibli trouvait quelquefois plus d'avantage, pour son particulier, dans la diminution de l'autorité
que dans son agrandissement (il eût eu peine à prouver cette
thèse) ; mais qu'il aimait mieux être toute sa vie mendiant
de porte en porte que de consentir que la Reine contribuât
elle-même à cette diminution, et particulièrement pour la
considération de lui Mazarin. Le maréchal Du Plessis, à ce
dernier mot, tira la lettre de sa poche, écrite de la main du
Cardinal, que je connaissais très bien.

Je ne me ressouviens pas d'avoir vu en ma vie une si belle
lettre. Voici ce qui me la fit croire *ostensive. Ce n'est pas
de ce qu'elle n'était pas en chiffre, car elle était venue par
une voie si sûre que je ne m'en étonnai pas, mais elle
finissait ainsi : « Vous savez, Madame, que le plus capital
ennemi que j'aie au monde est le coadjuteur ; servez-vous-
en, Madame, plutôt que de traiter avec Monsieur le Prince
aux conditions qu'il demande ; faites-le cardinal, donnez-
lui ma place, mettez-le dans mon appartement ; il sera peut-

être à Monsieur plus qu'à Votre Majesté ; mais Monsieur ne veut point la perte de l'Etat ; ses intentions, dans le fond, ne sont point mauvaises. Enfin tout, Madame, plutôt que d'accorder à Monsieur le Prince ce qu'il demande. Si il l'obtenait, il n'y aurait plus qu'à le mener à Reims. »[1] Voilà la lettre du Cardinal ; je ne me ressouviens peut-être pas des paroles, mais je suis assuré que c'en était la substance. Je crois que vous ne condamnerez pas le jugement que je fis dans mon âme de cette lettre. Je témoignai au maréchal que je la croyais très sincère, et qu'il ne se pouvait, par conséquent, que je ne m'en sentisse très obligé ; mais comme, dans la vérité, je n'en pris que la moitié pour bonne du côté de la cour, je me résolus aussi, sans balancer, d'en user de même du mien, de ne pas accepter le ministère, et d'en tirer, si je pouvais, le cardinalat[2].

Je répondis au maréchal Du Plessis que j'étais sensiblement obligé à la Reine, et que pour lui marquer ma reconnaissance, je la suppliais de me permettre de la servir sans intérêt ; que j'étais très incapable du ministère pour toute sorte de raisons ; qu'il n'était pas même de la dignité de la Reine d'y élever un homme encore tout chaud et tout fumant, pour ainsi parler, de la faction ; que ce titre même me rendrait inutile à son service du côté de Monsieur et encore beaucoup davantage de celui du peuple, qui étaient les deux endroits qui, dans la conjoncture présente, lui étaient les plus considérables. « Mais, reprit tout d'un coup le maréchal Du Plessis, il faut quelqu'un pour remplir la niche : tant qu'elle sera vide, Monsieur le Prince dira toujours que l'on y veut remettre Monsieur le Cardinal, et c'est ce qui lui donnera de la force. — Vous avez d'autres sujets, lui répondis-je, bien plus propres à cela que moi. » A quoi le maréchal repartit : « Le premier président ne serait pas agréable aux Frondeurs ; la Reine, ni Monsieur, ne se fieront jamais à Chavigny. » Après bien des tours, je lui nommai M. de Châteauneuf. Il se récria à ce nom. « Et quoi ? me dit-il, vous ne savez pas que c'est le plus grand ennemi que vous avez au monde ? Vous ne savez pas que ce fut lui qui s'opposa à votre chapeau à Fontainebleau ? vous ne savez pas que ce fut lui qui écrivit de sa main ce beau mémorial qui fut envoyé à votre honneur et louange au Parlement ? » Voilà précisément où j'appris cette dernière circonstance, car je savais déjà toute la pièce de Fontainebleau [1]. Je répondis au maréchal que je n'étais peut-être pas si ignorant qu'il se l'imaginait, mais que les temps avaient porté des raccommodements qui, à l'égard du public, avaient couvert le passé ; que je craignais comme la mort la nécessité des *apologies. « Mais, reprit le maréchal, si nous vous mettons en main le mémoire envoyé au Parlement ? — Si vous me le mettez en main, lui repartis-je, j'abandonnerai M. de Châteauneuf ; car, en ce cas, le mémoire qui a été écrit depuis notre raccommodement me servira d'apologie. » Le maréchal s'agita beaucoup sur cet article, sur lequel il prit occasion de me dire, plus délicatement qu'à lui n'appartenait, que Monsieur m'avait aussi abandonné : ce qu'il *coula pour découvrir comme j'étais avec lui. Je voulus bien lui en donner le contentement, en lui répondant qu'il était vrai, mais que je ne le traiterais pourtant pas comme M. de Châteauneuf. J'ajoutai à la réponse un petit *souris, comme si m'eût échappé, pour lui faire voir que je n'étais peut-être pas si mal traité de Monsieur que l'on l'avait cru. Comme il vit que je m'étais refermé, après avoir jeté cette petite lueur, il me dit : « Il faudrait que vous vissiez vous-même la Reine. » Je ne fis pas *semblant de l'avoir entendu ; il le répéta encore une fois, et puis, tout d'un coup, il jeta sur la table un papier, en disant : « Tenez, lisez ; vous fierez-vous à cela ? » C'était un écrit signé de la Reine, qui me promettait toute sûreté, si je voulais aller au Palais-Royal. « Non, dis-je au maréchal, et vous l'allez voir. » Je baisai le papier avec un profond respect, et je le jetai dans le feu en disant : « Quand me voulez-vous mener chez la Reine ? » Je n'ai jamais vu un homme plus surpris que le maréchal. Nous convînmes que je me trouverais à minuit dans le cloître Saint-Honoré. Je n'y manquai pas. Il me mena au petit oratoire, par un degré dérobé. La Reine y entra un quart d'heure après. Le maréchal sortit, et je demeurai seul avec elle ; elle n'oublia rien, pour me persuader de prendre le titre de ministre et l'appartement du Cardinal au Palais-Royal, que ce qui était précisément et uniquement nécessaire pour m'y résoudre, car je connus clairement qu'elle avait plus que jamais le Cardinal dans l'esprit et dans le cœur ; et quoiqu'elle *affectât de me dire que, bien qu'elle l'estimât beaucoup et qu'elle l'aimât fort, elle ne voulait point perdre l'Etat pour lui, j'eus tout sujet de croire qu'elle y était plus disposée que jamais. Je fus convaincu, devant même que je sortisse de l'oratoire, que je ne me trompais pas dans mon jugement ; car aussitôt qu'elle eût vu que je ne me rendais pas sur le ministère, elle me montra le cardinalat, mais comme prix des efforts que je ferais, pour l'amour d'elle, me disait-elle, pour le rétablissement du Mazarin. Je crus qu'il était nécessaire que je m'ouvrisse, quoique le pas fût fort délicat. Mais j'ai, toute ma vie, estimé que quand l'on se trouve obligé à faire un discours que l'on prévoit ne devoir pas agréer, l'on ne lui peut trop donner d'*apparences de sincérité, parce que c'est l'unique voie pour l'adoucir. Voici ce que, sur ce principe, je dis à la Reine :

May,

« Je suis au désespoir, Madame, qu'il ait plu à Dieu de réduire les affaires dans un état qui ne permette pas seulement, mais qui ordonne même à un sujet de parler à sa souveraine, comme je vas parler à Votre Majesté. Elle sait mieux que personne que l'un de mes crimes auprès de Monsieur le Cardinal est de l'avoir prédit, et j'ai passé pour l'auteur de ce dont je n'ai jamais été que le prophète. L'on y est, Madame ; Dieu sait mon cœur, et qu'homme de France, sans exception, n'en est plus affligé que moi. Votre Majesté souhaite, et avec beaucoup de justice, de s'en tirer, et je la supplie très humblement de me permettre de lui dire qu'elle ne le peut faire, à mon opinion, tant qu'elle pensera au rétablissement de Monsieur le Cardinal : ce que je ne dis pas, Madame, dans la pensée que je le puisse persuader à Votre Majesté ; ce n'est que pour m'acquitter de ce que je lui dois. Je *coule le plus légèrement qu'il m'est possible sur ce point, que je sais n'être pas agréable à Votre Majesté, et je passe à ce qui me regarde. J'ai, Madame, une passion si violente de pouvoir *récompenser par mes services ce que mon malheur m'a forcé de faire dans les dernières occasions, que je ne reconnais plus de règles à mes actions que celles que je me forme sur le plus et le moins de ce peu d'utilité dont elles vous peuvent être. Je ne puis proférer ce mot sans revenir encore à supplier très humblement Votre Majesté de me le pardonner. Dans les temps ordinaires, il serait criminel, parce que l'on n'y doit considérer que la volonté du maître ; dans les malheurs où l'Etat est tombé, l'on peut et l'on est même obligé, lorsque l'on se trouve en de certains postes, à n'avoir égard qu'à son service, et c'est dont un homme de bien ne se doit jamais tenir dispensé.

« Je manquerais au respect que je dois à Votre Majesté, si je prétendais contrarier, par toute autre voie que par une très humble et très simple remontrance, les pensées qu'elle a pour Monsieur le Cardinal ; mais je crois que je n'en sors pas, vu les circonstances, en lui représentant, avec une profonde soumission, ce qui me peut rendre utile ou inutile à son service dans les conjonctures présentes. Vous avez, Madame, à vous défendre contre Monsieur le Prince, qui veut le rétablissement de Monsieur le Cardinal, à condition que vous lui donniez par avance de quoi le perdre quand il lui plaira. Vous avez besoin, pour lui résister, de Monsieur, qui ne veut point le rétablissement de Monsieur le Cardinal, et qui, supposé son exclusion, veut, sans exception, tout ce qu'il vous plaira. Vous ne voulez, Madame, ni donner à Monsieur le Prince ce qu'il demande, ni à Monsieur ce qu'il souhaite. J'ai toutes les passions du monde de vous servir contre l'un et de vous servir auprès de l'autre, et il est *constant que je ne puis réussir qu'en prenant les moyens qui sont propres à ces deux fins. Monsieur le Prince n'a de force contre Votre Majesté que celle qu'il tire de la haine que l'on a contre Monsieur le Cardinal ; et Monsieur n'a de considération, hors celle de sa naissance, capable de vous servir utilement contre Monsieur le Prince, que celle qu'il emprunte de ce qu'il a fait contre le même Monsieur le Cardinal. Vous voyez, Madame, qu'il faudrait beaucoup d'*art pour concilier ces contradictoires, quand même l'esprit de Monsieur serait gagné en sa faveur. Il ne l'est pas, et je vous proteste que je ne crois pas qu'il puisse l'être ; et que si il entrevoyait que je l'y voulusse porter, il se mettrait plutôt aujourd'hui que demain entre les mains de Monsieur le Prince. »

La Reine sourit à ces dernières paroles, et elle me dit : « Si vous le vouliez, si vous le vouliez. — Non, Madame, repris-je, je vous le jure sur tout ce qu'il y a au monde de plus sacré. — Revenez à moi, me dit-elle, et je me moquerai de votre Monsieur, qui est le dernier des hommes. » Je lui répondis : « Je vous jure, Madame, que si j'avais fait ce pas, et qu'il parût le moins du monde que je me fusse radouci

pour Monsieur le Cardinal, je serais plus inutile auprès de
Monsieur et dans le peuple, à votre service, que le prélat de
Dol[1], parce que je serais sans comparaison plus haï de l'un
et de l'autre. » La Reine se mit en colère, elle me dit que
Dieu protégerait et ses intentions et l'innocence du Roi son
fils, puisque tout le monde l'abandonnait. Elle fut plus
d'un demi-quart d'heure dans de grands mouvements, dont
elle revint après assez bonnement. Je voulus prendre ce
moment pour suivre le fil du discours que je lui avais
commencé ; elle m'interrompit en me disant : « Je ne vous
blâme pas tant à l'égard de Monsieur que vous pensez. C'est
un étrange seigneur. Mais, reprit-elle tout d'un coup, je fais
tout pour vous ; je vous ai offert place dans le Conseil, je
vous offre la nomination au cardinalat ; que ferez-vous pour
moi ? — Si Votre Majesté, Madame, lui répondis-je, m'avait
permis d'achever ce que j'avais tantôt commencé, elle aurait
déjà vu que je ne suis pas venu ici pour recevoir des grâces,
mais pour essayer de les mériter. » Le visage de la Reine
s'épanouit à ce mot. « Et que ferez-vous ? me dit-elle fort
doucement. — Votre Majesté me permet-elle, ou plutôt me
commande-t-elle, lui répondis-je, de dire une sottise ? parce
que ce sera manquer au respect que l'on doit au sang royal.
— Dites, dites, reprit la Reine, même avec impatience.
— J'obligerai, Madame, lui repartis-je, Monsieur le Prince
de sortir de Paris devant qu'il soit huit jours, et je lui
enlèverai Monsieur dès demain. » La Reine, transportée de
joie, me tendit la main, en me disant : « Touchez là, vous
êtes après-demain cardinal, et, de plus, le second de mes
amis. »

Elle entra ensuite dans les moyens ; je les lui expliquai.
Ils lui plurent jusques à l'emportement. Elle eut la bonté
de souffrir que je lui fisse un détail et une manière
d'*apologie du passé. Elle conçut, ou elle fit semblant de
concevoir une partie de mes raisons ; elle combattit les autres
avec bonté et douceur ; elle revint ensuite à me parler du
Mazarin, et à me dire qu'elle voulait que nous fussions
amis. Je lui fis voir que je me rendrais absolument inutile à
son service, pour peu que l'on touchât cette *corde ; que je
la conjurais de me laisser le *caractère de son ennemi.
« Mais, vraiment, dit la Reine, je ne crois pas qu'il y ait
jamais eu une chose si étrange : il faut, pour me servir, que

vous demeuriez ennemi de celui qui a ma confiance ? —
Oui, Madame, lui répondis-je, il le faut, et n'ai-je pas dit à
Votre Majesté, en entrant ici, que l'on est tombé dans un
temps où un homme de bien a quelquefois honte de parler
comme il y est obligé ? » J'ajoutai : « Mais, Madame, pour
faire voir à Votre Majesté que je vas, même à l'égard de
Monsieur le Cardinal, jusques où mon devoir et mon honneur
me le permettent, je lui fais une proposition : qu'il se serve
de l'état où je suis avec Monsieur le Prince, comme je me
sers de l'état où Monsieur le Prince est avec lui ; il y pourra
peut-être trouver son compte, comme j'y trouve le mien. »
La Reine se prit à rire et de bon cœur, et puis elle me
demanda si je dirais à Monsieur ce qui se venait de passer.
Je lui répondis que je savais certainement qu'il l'approuverait,
et que, pour le lui témoigner, le lendemain, au *cercle, il
lui parlerait d'un appartement qu'elle voulait faire accommoder ou faire à Fontainebleau. Comme je la suppliais de
garder le secret, elle me répondit qu'elle en avait encore
bien plus de sujet que je ne pensais. Elle me dit sur cela
tout ce que la rage fait dire contre Servien et contre Lionne,
qu'elle appela vingt fois des perfides[1]. Elle traita Chavigny
de petit coquin ; elle finit par Le Tellier, en disant : « Il
n'est pas traître comme les autres, mais il est faible, et il
n'est pas assez reconnaissant. — Mais, Madame, repris-je, je
supplie Votre Majesté de me permettre de lui dire que tant
que la niche de premier ministre sera vide, Monsieur le
Prince en prendra une grande force, parce qu'il la fera
toujours paraître comme toute prête à recevoir Monsieur le
Cardinal. — Il est vrai, me répondit la Reine, et j'ai fait
réflexion sur ce que vous en avez dit, la nuit passée, au
maréchal Du Plessis. Le vieux Châteauneuf est bon pour
cela ; mais Monsieur le Cardinal y aura bien de la peine,
car il le hait mortellement, et il en a sujet. Le Tellier croit
qu'il n'y a que lui à mettre en cette place. Mais, à propos
de cela, ajouta-t-elle, j'admire votre folie ; vous vous faites
un point d'honneur de rétablir cet homme, qui est le plus
grand ennemi que vous ayez sur la terre. Attendez. » En
disant cette parole, elle sortit du petit oratoire, elle y rentra
aussitôt, et elle jeta sur un petit autel le mémoire qui avait
été envoyé contre moi au Parlement, brouillé et raturé, mais
écrit de la main de M. de Châteauneuf[2]. Je lui dis, après

l'avoir lu : « Si il vous plaît, Madame, de me permettre de
le montrer, je me séparerai dès demain de M. de Châteauneuf ; mais Votre Majesté juge bien qu'à moins d'une
justification de cette nature, je me déshonorerais. — Non,
me répondit la Reine, je ne veux pas que vous le montriez :
Châteauneuf nous est bon ; et, au contraire, il faut que
vous lui fassiez meilleure mine que jamais. » Elle me reprit
des mains son papier. « Je le garde, me dit-elle, pour le
faire voir, en temps et lieu, à sa bonne amie Mme de
Chevreuse. Mais à propos de bonne amie, ajouta la Reine,
vous en avez une meilleure que vous ne pensez peut-être ;
devinez-la. C'est la Palatine », poursuivit-elle. Je demeurai
tout étonné, parce que je croyais la Palatine encore dans les
intérêts de Monsieur le Prince. « Vous êtes surpris, me dit la
Reine : elle est moins contente de Monsieur le Prince que
vous ne l'êtes. Voyez-la : je suis convenue avec elle que vous
régliez ensemble ce qu'il faut mander sur tout ceci à
Monsieur le Cardinal, car vous croyez facilement que je
n'exécuterai rien sans avoir de ses nouvelles. Ce n'est pas,
ajouta-t-elle, que cela soit nécessaire à l'égard de votre
cardinalat, car il y est très résolu, et il reconnaît, de bonne
foi, que vous ne pouvez plus vous-même vous en défendre ;
mais enfin il faut le persuader pour Châteauneuf, ce qui
sera difficile. La Palatine vous dira encore d'autres choses. Il
faut que Bartet parte, le temps presse. Vous voyez comme
Monsieur le Prince me traite ; il me brave tous les jours,
depuis que j'ai désavoué mes deux traîtres. » C'est ainsi
qu'elle appelait Servien et Lionne. Vous verrez qu'elle
changea bientôt de sentiment à l'égard du dernier. Je pris
ce moment, où elle rougissait de colère, pour lui bien faire
ma cour, en lui répondant : « Devant qu'il soit deux jours,
Madame, Monsieur le Prince ne vous bravera plus. Votre
Majesté veut attendre des nouvelles de Monsieur le Cardinal,
pour effectuer ce qu'elle me fait l'honneur de me promettre :
je la supplie très humblement de me permettre que je
n'attende rien pour la servir. » La Reine fut touchée de cette
parole, qui lui parut *honnête. Le vrai est qu'elle m'était
de plus nécessaire ; car je voyais que Monsieur le Prince,
depuis cinq ou six jours, gagnait du terrain par les éclats
qu'il faisait contre le Mazarin, et qu'il était temps que je
parusse pour en prendre ma part. Je fis valoir, sans

affectation, à la Reine, la démarche que je méditais, et j'achevai de lui en expliquer la manière, que j'avais déjà touchée dans le discours. Elle en fut transportée de joie. La tendresse qu'elle avait pour le Cardinal fit qu'elle eut un peu de peine à agréer que je continuasse à ne le pas épargner dans le Parlement, où l'on était obligé, à tous les quarts d'heure, de le déchirer. Elle se rendit toutefois à la considération de la nécessité. Comme j'étais déjà sorti de l'oratoire, elle me rappela pour me dire qu'au moins je me ressouvinsse que c'était Monsieur le Cardinal qui lui avait fait instance de me donner la nomination. A quoi je lui répondis que je m'en sentais très obligé, et que je lui en témoignerais toujours ma reconnaissance en tout ce qui ne serait pas contre mon honneur ; qu'elle savait ce que je lui avais dit d'*abord, et que je la pouvais assurer que je la tromperais doublement si je lui disais que je la pusse servir pour le rétablissement dans le ministère de Monsieur le Cardinal. Je remarquai qu'elle *rêva un peu, et puis elle me dit d'un air assez gai : « Allez, vous êtes un vrai démon. Voyez la Palatine ; bon soir. Que je sache, la veille, le jour que vous irez au Palais. » Elle me mit entre les mains de Mme de Gaboury (car elle avait renvoyé le maréchal Du Plessis), qui me conduisit, par je ne sais combien de détours, presque à la porte de la cour des cuisines.

J'allai, le lendemain, la nuit, chez Monsieur, qui eut une joie que je ne vous puis exprimer. Il me gronda toutefois beaucoup de ce que je n'avais pas accepté le ministère et l'appartement au Palais-Royal, en me disant que la Reine était une femme d'*habitude, dans l'esprit de laquelle je me serais peut-être insinué. Je ne suis pas encore persuadé que j'aie eu tort en ce rencontre. L'on ne se doit jamais jouer avec la faveur : l'on ne la peut trop embrasser quand elle est véritable ; l'on ne s'en peut trop éloigner quand elle est fausse.

J'allai, au sortir de chez Monsieur, chez la Palatine, d'où je ne sortis qu'un moment devant la pointe du jour. J'ai fait tous les efforts que j'ai pu sur ma mémoire pour y rappeler les raisons qu'elle me dit du mécontentement qu'elle avait de Monsieur le Prince. Je sais bien qu'il y en avait trois ou quatre ; je ne me ressouviens que de deux, dont l'une fut, à mon sens, plus alléguée pour moi que pour la personne intéressée, et l'autre était, en tout sens, très solide et très véritable. Elle prenait part à l'outrage que Mlle de Chevreuse avait reçu, parce que c'était elle qui avait porté la première parole du mariage. Monsieur le Prince n'avait pas fait ce qu'il avait pu pour faire donner la surintendance des finances au *bon homme La Vieuville, père du chevalier du même nom, qu'elle aimait éperdument. Elle me dit que la Reine lui en avait donné parole positive ; elle y engagea la mienne. J'engageai la sienne pour mon cardinalat. Nous nous tînmes fidèlement parole de part et d'autre, et je crois, dans la vérité, lui devoir le chapeau ᵃ, parce qu'elle ménagea si adroitement le Cardinal, qu'il ne put enfin s'empêcher, avec toutes les plus mauvaises intentions du monde, de le laisser tomber sur ma tête. Nous concertâmes, cette nuit-là et la suivante, tout ce qu'il y avait à régler touchant le voyage de Bartet. La Palatine écrivit par lui une grande dépêche en chiffre au Cardinal, qui est une des plus belles pièces qui se soit peut-être jamais faite ; elle lui parlait, entre autres, du refus que j'avais fait à la Reine de la servir à l'égard de son retour en France, si délicatement, si habilement, qu'il me semblait à moi-même que ce fût la chose du monde qui lui fût la plus avantageuse. Vous pouvez juger que je ne m'endormis pas du côté de Rome. Je préparai, de celui de Paris, les esprits à l'ouverture de la nouvelle scène que je méditais. L'importance des gouvernements de Guyenne et de Provence fut *exagérée ; le voisinage d'Espagne et d'Italie fut figuré ¹. Les Espagnols qui n'étaient pas encore sortis de la ville de Stenay, quoique Monsieur le Prince en tînt la citadelle, ne furent pas oubliés. Après que j'eus un peu arrosé ² le public, je m'ouvris avec les particuliers. Je leur dis que j'étais au désespoir que l'état où je voyais les affaires m'obligeât de sortir de la retraite à laquelle je m'étais résolu ; que j'avais espéré qu'après tant d'agitation et tant de trouble, l'on pourrait jouir de quelque calme et d'une *honnête tranquillité ; qu'il me paraissait que nous retombions dans une condition beaucoup plus mauvaise que celle dont nous venions de sortir, parce que les négociations que l'on faisait continuellement avec le Mazarin faisaient bien plus de mal à l'Etat que son ministère ; qu'elles entretenaient la Reine dans l'espérance de son rétablissement, et qu'ainsi rien ne se faisait que par lui ; et que, comme les

prétentions de Monsieur le Prince étaient immenses et que
la cour avait peine à se résoudre de les satisfaire, nous
courrions fortune d'avoir une guerre civile pour préalable de
son rétablissement, qui serait le prix de l'accommodement ;
que Monsieur en serait la victime, mais que sa qualité la [a]
sauverait du sacrifice, et que les pauvres Frondeurs y
demeureraient égorgés. Ce canevas, beau et fort, comme
vous voyez, qui fut mis et étendu sur le métier par
Caumartin, fut brodé par moi de toutes les couleurs que je
crus les plus revenantes à ceux à qui je les faisais voir [1]. Je
réussis : je m'aperçus qu'en trois ou quatre jours j'avais fait
mon effet ; et je mandai à la Reine, par la Palatine, que
j'irais le lendemain au Palais. Jugez, s'il vous plaît, de la
joie qu'elle en eut par un emportement, qui ne mérite
d'être remarqué que pour vous la faire voir. Il me semble
que je vous ai déjà dit que Mme de Chevreuse avait toujours
gardé assez de mesures avec la Reine, et qu'elle avait pris
soin de lui faire croire qu'elle était beaucoup plus *emportée
par sa fille que par elle-même à tout ce qui se passait. Je ne
puis bien vous dire ce que la Reine en crut effectivement,
parce que j'ai observé sur ce point beaucoup de pour et
contre. Ce qui s'en vit fut que Mme de Chevreuse ne cessa
point d'aller au Palais-Royal, dans le temps même que
Monsieur le Prince s'y croyait le maître, et de parler à la
Reine avec beaucoup de familiarité dès que le traité qu'il
croyait avoir conclu avec Servien et Lionne fut désavoué. Elle
était dans le petit cabinet, avec mademoiselle sa fille, le
jour que la Palatine venait d'écrire à la Reine que j'irais au
Palais. La Reine appela Mlle de Chevreuse, et elle lui
demanda si je continuais dans cette résolution. Mlle de
Chevreuse lui ayant répondu que j'irais, la Reine la baisa
deux ou trois fois, en lui disant : « Friponne, tu me fais
autant de bien que tu m'as fait de mal. »

Vous avez vu, ci-devant, que Monsieur le Prince égayait [2]
de temps en temps le Parlement, pour se rendre plus
considérable à la cour. Quand il sut que le Cardinal avait
rompu le traité de Servien et de Lionne, il n'oublia rien
pour l'enflammer afin de se rendre plus redoutable à la
reine. Il y avait tous les jours quelque nouvelle scène : tantôt
l'on envoyait dans les provinces informer contre le Cardinal,
tantôt l'on faisait des recherches de ses *effets dans Paris ;

tantôt l'on déclamait dans les chambres assemblées contre les Bartets, les Brachets et les Fouquets, qui allaient et venaient incessamment à Brusle[1] ; et comme, depuis ma retraite, j'avais cessé d'aller au Parlement, je m'aperçus que l'on se servait de mon absence pour faire croire que je mollissais à l'égard du Mazarin, et que j'appréhendais de me trouver dans les lieux où je pourrais être obligé à me déclarer sur son sujet. Un certain Montandré[2], *méchant écrivain à qui Vardes avait fait couper le nez, pour je ne sais quel libelle qu'il avait fait contre Mme la maréchale de Guébriant, sa sœur, s'attacha, pour avoir du pain, à la misérable fortune du commandeur de Saint-Simon, chef des criailleurs du parti des princes, et m'attaqua sur ce ton par douze ou quinze libelles plus mauvais l'un que l'autre, en douze ou quinze jours. Je me les faisais apporter *réglément sur l'heure de mon dîner, pour les lire publiquement, au sortir de table, devant tout ce qui se trouvait chez moi ; et quand je crus avoir fait connaître suffisamment aux particuliers que je méprisais ces sortes d'invectives, je me résolus de faire voir au public que je les savais relever. Je travaillai pour cela, avec soin, à une réponse courte, mais générale, que j'intitulai *L'Apologie de l'ancienne et légitime Fronde*[3], dont la lettre paraissait être contre le Mazarin, et dont le sens était proprement contre ceux qui se servaient de son nom pour abattre l'autorité royale. Je la fis crier et débiter dans Paris par cinquante colporteurs, qui parurent, en même temps, en différentes rues, et qui étaient soutenus, dans toutes, par des gens apostés pour cela[4]. J'allai, le même matin, au Palais, avec quatre cents hommes ; j'y pris ma place après avoir fait une profonde révérence à Monsieur le Prince, que je trouvai devant le feu de la Grande Chambre. Il me salua fort civilement. Il parla dans la séance, avec beaucoup d'aigreur, contre les transports d'argent faits hors du royaume par Cantarini, banquier du Cardinal[5]. Vous jugez bien que je ne l'épargnai pas, et que tout ce qui était de la vieille Fronde se piqua de renchérir sur la nouvelle[6]. Celle-ci en parut embarrassée ; et Croissy, qui en était et qui venait de lire *L'Apologie de l'ancienne,* dit à Caumartin : « La *botte est belle, vous l'entendez mieux que nous. J'avais bien dit à Monsieur le Prince qu'il fallait faire taire ce coquin de Montandré. » Comme il ne se tut pourtant

pas, je continuai aussi, de mon côté, à écrire et à faire écrire.
Portail, avocat au Parlement et habile homme, fit, en ce
temps-là, *La Défense du Coadjuteur,* qui est d'une très
grande éloquence [1]. Sarasin, secrétaire de M. le prince de
Conti, fit contre moi *La Lettre du Marguillier au Curé,* qui
est une fort belle pièce. Patru, bel esprit et fort poli, y
répondit par une *Lettre du Curé au Marguillier,* qui est très
ingénieuse. Je composai ensuite *Le Vrai et le Faux du prince
de Condé et du cardinal de Rais ; Le Vraisemblable ; Le
Solitaire ; Les Intérêts du temps ; Les Contre-temps du sieur
de Chavigny ; Le Manifeste de M. de Beaufort en son jargon.*
Joly, qui était à moi, fit *Les Intrigues de la paix* [2]. Le pauvre
Montandré s'était épuisé en injures, et il est *constant que
la partie n'était pas égale pour l'écriture. Croissy s'entremit
pour faire cesser cette escarmouche. Monsieur le Prince la
défendit aux siens, même en des termes fort obligeants pour
moi. Je fis la même chose, en la manière la plus respectueuse
pour lui qui me fut possible. L'on n'écrivit plus de part ni
d'autre, et les deux Frondes ne s'*égayèrent plus qu'aux
dépens du Mazarin. Cette suspension de plumes ne se fit
qu'après trois ou quatre mois de guerre bien échauffée ;
mais j'ai estimé qu'il serait bon de réduire en ce petit
endroit tout ce qui est de ces combats et de cette trêve,
pour n'être pas obligé de rebattre une matière qui ne se
peut tout à fait omettre, et qui, à mon sens, ne mérite pas
d'être beaucoup traitée. Il y a plus de soixante volumes de
pièces composées dans le cours de la guerre civile [3]. Je crois
pouvoir dire avec vérité qu'il n'y a pas cent feuillets qui
méritent que l'on les lise [4].

Mon apparition au Palais plut si fort à la Reine, qu'elle
écrivit, dès l'après-dînée, à Madame la Palatine de me
témoigner la satisfaction qu'elle en avait, et de me commander, de sa part, de me trouver le lendemain, entre onze
heures et minuit, à la porte du cloître Saint-Honoré. Gaboury
m'y vint prendre, et il me mena dans le petit oratoire dont
je vous ai déjà parlé, où je trouvai la Reine qui ne se sentait
pas de la joie qu'elle avait de voir sur le pavé un parti
déclaré contre Monsieur le Prince. Elle m'avoua qu'elle ne
l'avait pas cru possible, au moins qu'il pût être en état de
paraître sitôt. Elle me dit que M. Le Tellier ne pouvait
encore se le persuader. Elle ajouta que Servien soutenait

qu'il fallait que j'eusse un concert secret avec Monsieur le Prince. « Mais je ne m'étonne pas de celui-ci, reprit-elle ; c'est un traître qui s'entend avec lui et qui est au désespoir de ce que vous lui faites tête. Mais à propos de cela, continua-t-elle, il faut que je fasse réparation à Lionne, il a été trompé par Servien ; il n'y a point de sa faute en tout ce qui s'est passé ; et le pauvre homme est si affligé d'avoir été soupçonné, que je n'ai pu lui refuser la consolation qu'il m'a demandée, qui est que ce soit lui qui traite avec vous tout ce qu'il y aura à faire contre Monsieur le Prince. » Je vous ennuierais si je vous expliquais le détail qui avait justifié M. de Lionne dans l'esprit de la Reine, et je me contenterai de vous dire, en général, que son absolution ne me parut guère mieux fondée que les soupçons que l'on avait pris, au moins jusque-là, de sa conduite. Je dis jusque-là, parce que vous allez voir que celle qu'il eut, dans la suite, marqua un ménagement bien extraordinaire pour Monsieur le Prince. Mais de tout ce que je vis, en ce temps-là, dans les plaintes de la Reine, contre Lionne et contre Servien, sur le traité qu'ils avaient projeté pour le gouvernement de Provence, je ne puis encore, à l'heure qu'il est, m'en former à moi-même aucune idée qui aille à les condamner ni à les absoudre, parce que les faits mêmes qui ont été les plus éclaircis sur cette matière se trouvent dans une si grande *involution de circonstances obscures et bizarres, que je me ressouviens que l'on s'y perdait dans les moments mêmes qui en étaient les plus proches. Ce qui est de *constant est que la Reine qui m'avait parlé, comme vous avez vu, le dernier de mai, de Servien et de Lionne, comme de deux traîtres, me parla du dernier, le 25 de juin, comme d'un fort homme de bien, et que le 28, elle me fit dire par la Palatine que le premier n'avait pas failli par *malice, et que Monsieur le Cardinal était très persuadé de son innocence. J'ai toujours oublié de parler de ce détail à Monsieur le Prince, qui seul le pourrait éclaircir.

Je reviens à ma conférence avec la Reine : elle dura jusques à deux heures après minuit, et je crus voir très clairement et dans son cœur et dans son esprit qu'elle craignait le raccommodement avec Monsieur le Prince ; qu'elle souhaitait avec une extrême passion que Monsieur le Cardinal en quittât la pensée, à laquelle il donnait, ce disait-elle, par un excès de bonté comme un *innocent, et qu'elle ne comptait pas pour un grand malheur la guerre civile. Comme elle convenait pourtant que le plus court serait d'arrêter, si il était possible, Monsieur le Prince, elle me commanda de lui en expliquer les moyens. Je n'ai jamais pu savoir la raison pour laquelle elle n'approuva pas celui que je lui proposai, qui était d'obliger Monsieur à exécuter la chose chez lui. J'y avais trouvé *jour, et je savais bien que je ne serais pas désavoué. Elle n'y voulut jamais entendre, sous prétexte que Monsieur ne serait jamais capable de cette résolution, et qu'il y aurait même trop de péril à la lui communiquer. Je ne sais si elle ne craignit point que Monsieur, ayant fait un coup de cet éclat, ne s'en servît après contre elle-même[1]. Je ne sais si ce que Hocquincourt me dit, le lendemain, de l'offre qu'il lui avait faite de tuer Monsieur le Prince en l'attaquant dans une rue, ne lui avait pas fait croire que cette voie était encore plus décisive. Enfin elle rejeta absolument celle de Monsieur, qui était infaillible, et elle me commanda de conférer avec Hocquincourt, « qui vous dira, ajouta-t-elle, qu'il y a des moyens plus sûrs que celui que vous proposez ». Je vis Hocquincourt, le lendemain, à l'hôtel de Chevreuse, qui me conta familièrement tout le particulier de l'offre qu'il avait faite à la Reine. J'en eus horreur, et je suis obligé de dire, pour la vérité, que Mme de Chevreuse n'en eut pas moins que moi. Ce qui est d'admirable est que la Reine, qui m'avait renvoyé à lui la veille, comme à un homme qui lui avait fait une proposition raisonnable, nous témoigna, à Mme de Chevreuse et à moi, qu'elle approuvait extrêmement nos sentiments, qui étaient assurément bien éloignés d'une action de cette nature ; et elle nous nia même absolument que Hocquincourt la lui eût expliquée ainsi. Voilà le fait sur lequel vous pouvez fonder vos conjectures. M. de Lionne m'a dit depuis qu'un quart d'heure après que Mme de Chevreuse eut dit à la Reine que j'avais rejeté avec horreur la proposition d'Hocquincourt, la Reine dit à Sennetaire, à propos de rien : « Le coadjuteur n'est pas si hardi que je le croyais. »[a][2]

Le lendemain, je reçus un billet de Montrésor, à quatre heures du matin, qui me priait d'aller chez lui sans perdre un moment. J'y trouvai M. de Lionne, qui me dit que la Reine ne pouvait plus souffrir Monsieur le Prince, et qu'elle

avait des avis certains qu'il formait une entreprise pour se
rendre maître de la personne du Roi ; qu'il avait envoyé en
Flandres pour faire un traité avec les Espagnols ; qu'il fallait
que lui ou elle périssent ; qu'elle ne voulait pas se servir
des voies de sang, mais que ce qui avait été proposé par
Hocquincourt ne pouvait pas avoir ce nom, puisqu'il l'avait
assurée, la veille, qu'il prendrait Monsieur le Prince sans
coup férir, pourvu que je l'assurasse du peuple. Enfin je
connus clairement, par tout ce que Lionne me dit, qu'il
fallait que la Reine eût été encore fraîchement échauffée, et
je trouvai, un moment après, que ma conjecture était bien
fondée, car Lionne même m'apprit que Ondedei était arrivé
avec un mémoire sanglant contre Monsieur le Prince, et
qui devait convaincre la Reine qu'elle n'avait pas lieu
d'appréhender la trop grande douceur de Monsieur le
Cardinal. Lionne me parut, en son particulier, très animé,
et au delà même de ce que la bienséance le pouvait
permettre. Vous verrez, par la suite, que l'animosité de
celui-ci était aussi *affectée que celle de la Reine était
naturelle. Tout contribua, ces jours-là, à aigrir son esprit. Le
Parlement continuait avec chaleur sa procédure criminelle
contre le Cardinal, qui se trouvait convaincu, par les registres
de Cantarini, d'avoir volé neuf millions, et Monsieur le
Prince avait obligé les chambres de s'assembler malgré toute
la résistance du premier président, et de donner un nouvel
arrêt contre les commerces que les gens de la cour entretenaient avec lui. Les ordres de Brusle, arrivant dans ces
conjonctures, enflammèrent aisément la bile de la Reine,
qui était assez naturellement susceptible d'un grand feu ; et
Lionne, qui croyait, à mon opinion, que Monsieur le Prince
demeurerait, à la fin, maître du champ de bataille, soit par
la faction, soit par la négociation, et qui, par cette raison,
le voulait ménager, n'oublia rien pour m'engager à porter
les choses à l'extrémité contre lui, apparemment pour
découvrir tout mon jeu et pour tirer mérite de la connaissance
qu'il lui en pourrait donner à lui-même. Il me pressa, à un
point dont je suis encore surpris à l'heure qu'il est, de
concourir à l'entreprise d'Hocquincourt, qui aboutissait,
toujours en termes un peu déguisés, à assassiner Monsieur le
Prince. Il me somma vingt fois, au nom de la Reine, de ce
que je l'avais assurée que je lui ferais quitter le pavé. Les

instances allèrent jusques à l'emportement, et il ne me parut que très médiocrement satisfait de sa négociation avec moi, quoique je lui offrisse de faire arrêter Monsieur le Prince au palais d'Orléans, ou, en cas que la Reine continuât à ne pas vouloir prendre ce parti, à continuer moi-même à aller au Palais fort accompagné, et en état de m'opposer à ce que Monsieur le Prince pourrait entreprendre contre son service. Montrésor, qui était présent à cette conférence, a toujours cru que Lionne me parlait sincèrement ; que son intention véritable était de perdre Monsieur le Prince, et qu'il ne prit le parti de le ménager qu'après qu'il eut vu que je ne voulais pas le sang, et qu'il crut, par cette raison, qu'il demeurerait à la fin le maître ; et il est vrai qu'il me répéta, deux ou trois fois dans le discours, la parole de Machiavel, qui dit que la plupart des hommes périssent parce qu'ils ne sont qu'à demi *méchants [1]. Je suis encore convaincu que Montrésor se trompait, que Lionne n'avait, dès qu'il commença à me parler, d'autre intention que de tirer de moi tout ce qui pouvait être de la mienne, pour en faire l'usage qu'il en fit ; et ce qui me l'a toujours persuadé est un certain air que je remarquai et dans son visage et dans ses paroles, qui ne se peut exprimer, mais qui prouve souvent beaucoup mieux que tout ce qui se peut expliquer. C'est une remarque que j'ai peut-être faite plus de mille fois en ma vie. J'observai aussi, en ce recontre, qu'il y a des points inexplicables dans les affaires et inexplicables même dans leurs instants. La conversation que j'eus avec Lionne, chez Montrésor, commença à cinq heures du matin et elle finit à sept. Lionne en avertit, à huit, M. le maréchal de Gramont, qui la fit savoir, à dix, par M. de Chavigny, à Monsieur le Prince. Il y a apparence que Lionne était bien intentionné pour lui. Il est *constant toutefois qu'il ne lui découvrit rien du détail ; qu'il ne nomma pas Hocquincourt, ce qui était toutefois le plus dangereux, et qu'il se contenta de lui faire dire que la Reine traitait avec le coadjuteur pour l'arrêter. Je n'ai jamais osé entamer avec M. de Lionne cette matière, qui, comme vous voyez, n'a pas été le plus bel endroit de sa vie. Monsieur le Prince, à qui j'en ai parlé, n'est pas plus informé que moi, à ce qui m'a paru, de l'irrégularité de cette conduite. La Reine, avec laquelle j'eus une fort longue conversation, deux jours après, sur le même sujet, en était aussi étonnée elle-même que vous le pouvez être. Ne doit-on pas *admirer, après cela, l'insolence des historiens vulgaires, qui croiraient se faire tort si ils laissaient un seul événement dans leurs ouvrages, dont ils ne démêlassent pas tous les ressorts, qu'ils montent et qu'ils relâchent presque toujours sur des cadrans de collège ?

L'avis que M. de Lionne fit donner à Monsieur le Prince ne demeura pas secret. Je l'appris le même jour, à huit heures du soir, par Mme de Pommereux, à qui Flammarens l'avait dit, aussi bien que le canal par lequel il avait été porté. J'allai, en même temps, chez Madame la Palatine, qui en avait déjà été informée d'ailleurs, et qui me dit une circonstance que j'ai oubliée et qui était toutefois très considérable, autant que je m'en puis ressouvenir, à propos de la faute que la Reine avait faite de se confier à Lionne. Je sais bien que Madame la Palatine ajouta que la première pensée de la Reine, après avoir reçu la dépêche de Brusle, dont je vous ai déjà parlé, avait été de m'envoyer quérir dans le petit oratoire, à l'heure ordinaire ; mais qu'elle n'avait osé de peur de déplaire à Ondedei, qui lui avait témoigné quelque ombrage de ces conférences particulières. La trahison de Lionne étourdit tellement ce même Ondedei, qu'il ne fut plus si délicat et qu'il pressa lui-même la Reine de me commander de l'aller trouver la nuit suivante. J'attendis Gaboury devant les Jacobins, le rendez-vous du cloître Saint-Honoré, qui était connu de Lionne, n'ayant pas été jugé sûr ; il me mena dans la petite galerie, qui, par la même raison, fut choisie au lieu de l'oratoire. Je trouvai la Reine dans un emportement inconcevable contre Lionne, qui ne diminuait pourtant rien de celui qu'elle avait contre Monsieur le Prince. Elle revint encore à la proposition d'Hocquincourt, à laquelle elle donnait toujours un air innocent. Je la combattis avec fermeté, en lui soutenant que le *succès ne pouvait l'être. Sa colère alla jusques aux reproches et jusques à me témoigner de la défiance de ma sincérité. Je souffris et les reproches et la défiance, avec tout le respect et toute la soumission que je lui devais ; et je lui répondis simplement ces propres paroles : « Votre Majesté, Madame, ne veut point le sang de Monsieur le Prince ; et je prends la liberté de lui dire qu'elle me remerciera un jour de ce que je m'oppose à ce qu'il soit répandu contre son intention ; il le serait, Madame, devant qu'il fût deux jours, si l'on prenait les moyens que M. d'Hocquincourt propose. » Imaginez-vous, s'il vous plaît, que le plus doux auquel il s'était réduit était de se rendre maître, à la petite pointe du jour, du pavillon de l'hôtel de Condé, et de surprendre Monsieur le Prince au lit ; et considérez, je vous supplie, si ce dessein était praticable, sans massacre, dans une maison toute en défiance et contre l'homme du plus grand courage qui soit au monde. Après une contestation et fort vive et fort longue, la Reine fut obligée de se contenter que je continuasse de jouer le personnage que je jouais dans Paris, « avec lequel, lui dis-je, j'ose vous promettre, Madame, ou que Monsieur le Prince quittera le pavé à Votre Majesté, ou que je mourrai pour son service ; et ainsi mon sang effacera le soupçon que Ondedei vous donne de ma fidélité. » La Reine, qui vit que j'étais touché de ce qu'elle m'avait dit, me fit mille *honnêtetés ; elle ajouta que je faisais injustice à Ondedei, et qu'elle voulait que je le visse. Elle l'envoya quérir sur l'heure par Gaboury. Il vint habillé en vrai *capitan de comédie et chargé de plumes comme un mulet. Ses discours me parurent encore plus fous que sa mine. Il ne parlait que de la facilité qu'il y avait à terrasser Monsieur le Prince et à rétablir Monsieur le Cardinal. Il traita les instances que je faisais à la Reine, de permettre que Monsieur arrêtât Monsieur le Prince chez lui, de proposition ridicule et faite à dessein pour éluder les autres entreprises et plus faciles et plus raisonnables, que l'on pouvait faire contre lui. Enfin tout ce que je vis ce soir-là de cet homme ne fut qu'un tissu et d'*impertinence et de fureur. Il se radoucit un peu, sur la fin, à la très humble supplication de la Reine, qui me paraissait avoir une grande considération pour lui ; et Madame la Palatine me dit, deux jours après, que tout ce que j'avais vu des manières de ce capitan avec la Reine n'était rien, au prix de ce qui s'était passé le lendemain, et qu'il l'avait traitée avec une insolence que l'on ne se fût pas pu imaginer. Elle fut un peu rabattue par le retour de Bartet, qui apporta une grande dépêche du Cardinal, qui blâmait, même avec beaucoup d'aigreur, ceux qui avaient empêché que la Reine ne donnât les mains à la proposition que je lui avais faite de faire arrêter Monsieur le Prince chez Monsieur ; qui faisait mes éloges sur cette proposition ; qui

traitait Ondedei de fou, M. Le Tellier de poltron, MM.
Servien et Lionne de dupes, et qui contenait une instance,
même très pressante, à la Reine, de me faire expédier la
nomination ; de faire M. de Châteauneuf chef du Conseil,
et de donner la surintendance des finances à M. de La
Vieuville. La Reine me fit commander, une heure après que
la dépêche de Brusle fut déchiffrée, de l'aller trouver entre
minuit et une heure : elle m'en fit voir le déchiffrement,
qui me parut être le véritable. Elle me témoigna une joie
sensible des sentiments où elle voyait Monsieur le Cardinal ;
elle me fit promettre de les mettre, en en rendant compte à
Monsieur, dans leur plus beau jour, et d'adoucir son esprit
sur son sujet le plus qu'il me serait possible : « Car je vois
bien, ajouta-t-elle, qu'il n'y a que lui qui vous retienne, et
que, si vous n'aviez point cet engagement, vous seriez
mazarin. » Je fus très aise d'en être quitte à si bon marché,
et je lui répondis que j'étais au désespoir d'être engagé, et
que je n'y trouvais de consolation que la croyance où j'étais
que je serais, par cet engagement, moins inutile à son service
que par ma liberté. La Reine me dit ensuite que l'avis du
maréchal de Villeroy était qu'elle attendît la majorité du
Roi, qui était fort proche [1], pour faire éclater le changement
qu'elle avait résolu pour les places du Conseil, parce que ce
nouvel *établissement, qui serait très désagréable à Monsieur
le Prince, tirerait encore de la dignité et de la force d'une
action qui donne un nouvel éclat à l'autorité. « Mais, reprit-
elle tout à coup, il faudrait, par la même raison, remettre
votre nomination ; M. de Châteauneuf est de ce sentiment. »
Elle sourit à ce mot, elle me dit : « Non, la voilà en bonne
forme ; il ne faut pas donner à Monsieur le Prince le temps
de cabaler à Rome contre vous. » Je répondis ce que vous
vous pouvez imaginer à la Reine, qui fit effectivement cette
action de la meilleure grâce du monde, parce que le Cardinal
l'avait trompée la première en lui mandant qu'il fallait agir de
bonne foi avec moi. Bluet, avocat du Conseil et intimissime
d'Ondedei, m'a dit plusieurs fois depuis que celui-ci lui
avait avoué, le soir qu'il arriva de Brusle à Paris, que le
Cardinal ne lui avait rien recommandé avec plus d'empressement que de faire croire à la Reine même que son intention
pour ma promotion était très sincère, parce que, dit-il à
Ondedei, Mme de Chevreuse la pénétrerait infailliblement

si elle savait elle-même ce que nous avons dans l'âme. Vous ne serez pas assurément surprise de ce qu'ils y avaient, qui était une résolution bien formée de me jouer, de se servir de moi contre Monsieur le Prince, de me *traverser sous main à Rome, de traîner la promotion et de trouver dans le chapitre des accidents de quoi la révoquer[1]. La fortune sembla, dans les commencements, favoriser leur projet ; car comme je m'étais enfermé, le lendemain au soir, chez l'abbé de Bernay pour écrire à Rome avec plus de loisir et pour dépêcher l'abbé Charrier, que j'y envoyais pour y solliciter ma promotion, j'en reçus une lettre qui m'apprit la mort de Pancirolle[2]. Ce contretemps, qui rompit en un instant les seules mesures qui m'y parussent certaines, m'embarrassa beaucoup, et avec d'autant plus de raison que je ne pouvais pas ignorer que le commandeur de Valençay, qui y était ambassadeur pour le Roi et qui avait pour lui-même de grandes prétentions au chapeau, ne fît contre moi tout ce qui serait en son pouvoir. Je ne laissai pas de faire partir l'abbé Charrier, qui, comme vous verrez par la suite, trouva fort peu d'obstacle à sa négociation, quoique Monsieur le Cardinal n'oubliât aucun de tous ceux qu'il y put mettre. Il est à remarquer que la Reine, dans toute la conversation que j'eus avec elle touchant cette dépêche de Monsieur le Cardinal, ne s'ouvrit en façon du monde de ce qu'il lui avait écrit par un billet séparé (à ce que M. de Châteauneuf me dit le lendemain), touchant la proposition du mariage de Mlle d'Orléans, qui est présentement Mme de Toscane, avec le Roi[3]. La grande Mademoiselle y avait beaucoup prétendu : le Cardinal le lui avait fait espérer ; comme elle vit qu'il n'en avait aucune intention dans le fond, elle *affecta de faire la Frondeuse, même avec emportement. Elle témoigna une chaleur inconcevable pour la liberté de Monsieur le Prince. Monsieur la connaissait si bien et il avait si peu de considération pour elle, que l'on ne faisait presque aucune réflexion sur ses démarches, dans les temps mêmes où elles eussent dû être, au moins par sa qualité, de quelque considération. Vous me pardonnerez, par cette raison, le peu de soin que j'ai eu jusques ici de vous en rendre compte. Monsieur le Cardinal, qui crut que Monsieur pourrait se flatter plus facilement de l'espérance de faire épouser au Roi la cadette, dont l'âge était en effet beaucoup plus *sortable, manda à la Reine de lui donner toutes les lueurs possibles de cette alliance, mais de se garder sur toutes choses de les faire jeter par moi, parce que, ajouta-t-il, « le coadjuteur en serrerait les mesures plus brusquement et plus étroitement qu'il ne convient pour encore à Votre Majesté ». M. de Châteauneuf me fit voir ces propres paroles dans un billet qu'il me jura avoir été copié sur l'original même de celui du Cardinal. Il priait la Reine de faire porter cette parole, ou plutôt cette vue à Monsieur par Beloy, « si toutefois, portait le billet, l'on continue à être assuré de lui ». Monsieur m'a juré depuis, plus de vingt fois, que l'on ne lui avait jamais fait cette proposition, ni directement ni indirectement. Ces deux faits paraissent bien contraires : voici ce qui n'est pas moins inexplicable. Je vous ai déjà dit que le Cardinal blâmait extrêmement, par sa dépêche, ceux qui avaient dissuadé la Reine d'accepter la proposition que je lui avais faite de faire arrêter Monsieur le Prince au palais d'Orléans. Je m'attendais, par cette raison, qu'elle en prendrait la pensée et qu'elle me presserait même de lui tenir ce que je lui avais comme promis en le lui proposant. Je fus surpris au dernier point quand je trouvai qu'elle ne me parut pas seulement y avoir fait réflexion ; et je le suis encore, quand je la fais moi-même, que M. Le Tellier, M. Servien et Madame la Palatine, que j'ai mis depuis sur cette matière cent et cent fois, ne m'en ont pas paru plus savants que moi ; et ce qui m'étonne encore beaucoup davantage est qu'ils sont tous convenus que la lettre du Cardinal était véritable et sincère en ce point.

Je me confirme dans ce que j'ai dit ci-devant, qu'il y a des points dans les affaires qui échappent, par des rencontres [1] même naturelles, aux plus clairvoyants, et que nous en rencontrerions bien plus fréquemment dans les histoires, si elles étaient toutes écrites par des gens qui eussent été eux-mêmes dans le secret des choses, et qui, par conséquent, eussent été supérieurs à la vanité ridicule de ces auteurs *impertinents qui, étant nés dans la *basse-cour et n'ayant jamais passé l'antichambre, se piquent de ne rien ignorer de tout ce qui s'est passé dans le *cabinet [a]. J'*admire à ce propos l'insolence de ces gens de néant en tout sens, qui, s'imaginant d'avoir pénétré dans tous les replis des cœurs de ceux qui ont eu le plus de part dans ces affaires, n'ont laissé aucun événement dont ils n'aient prétendu avoir développé l'origine et la suite. Je trouvai un jour, sur la table du cabinet de Monsieur le Prince, deux ou trois ouvrages de ces âmes serviles et vénales, et il me dit, en voyant que j'y avais jeté les yeux : « Ces misérables nous ont faits, vous et moi, tels qu'ils auraient été si ils s'étaient trouvés en nos places. » Cette parole est d'un grand sens[1].

Je reprends ce qui se passa sur la fin de la conversation que j'eus, cette nuit-là, avec la Reine. Elle *affecta de me faire promettre que je ne manquerais pas d'aller au Palais toutes les fois que Monsieur le Prince s'y trouverait ; et Madame la Palatine, à qui je dis, le lendemain, que j'avais observé une application particulière de la Reine sur ce point, me répondit ces propres paroles : « J'en sais la raison ; Servien lui dit, à toutes les heures du jour, que vous êtes en concert avec Monsieur le Prince, et qu'il y aura des occasions où, par le même concert, vous ne vous trouverez pas aux assemblées du Parlement. » Je n'en manquai aucune, et je tins une conduite qui *dut, au moins par l'événement, faire honte au jugement de M. Servien. Je n'y eus de complaisance pour Monsieur le Prince que celle qui ne lui pouvait plaire. J'applaudissais à tout ce qu'il disait contre Monsieur le Cardinal, mais je n'oubliais rien de tout ce qui pouvait éclairer et les négociations et les prétextes ; et cette conduite était d'un grand embarras à un parti dont l'intention, dans le fond, n'était que de s'accommoder avec la cour, par les frayeurs qu'il prétendait de donner au ministre. L'inclination de Monsieur le Prince était très éloignée de la guerre civile, et celle de M. de La Rochefoucauld, qui gouvernait Mme de Longueville et M. le prince de Conti, était toujours portée à la négociation. Les conjonctures obligeaient les uns et les autres à des déclarations et à des déclamations qui eussent pu aller à leurs fins, si ces déclarations et ces déclamations n'eussent été soigneusement expliquées et commentées par les Frondeurs, et du côté de la cour et du côté de la ville. La Reine, qui était très fière, ne prit pas de confiance à des avances qui étaient toujours précédées par des menaces. Le Cardinal ne prit pas la peur, parce qu'il vit que Monsieur le Prince n'était plus dominant, au moins uniquement, dans Paris. Le peuple, instruit du dessous des cartes, ne prit plus [pour] bon[a] tout ce que l'on lui voulut persuader sous le prétexte du Mazarin, qu'il ne voyait plus. Ces dispositions, jointes à l'avis que Monsieur le Prince eut de ma conférence avec Lionne et à celui que le Bouchet lui donna de la marche de deux compagnies des gardes, l'obligèrent de sortir, le 6 de juillet, sur les deux heures du matin, de l'hôtel de Condé et de se retirer à Saint-Maur. Il est *constant qu'il n'avait point d'autre parti à prendre et que la place n'était plus tenable pour lui dans Paris, à moins qu'il se fût résolu à y faire, dès ce temps-là, ce qu'il y fit depuis, c'est-à-dire à moins qu'il s'y fût mis publiquement sur la défensive. Il ne le voulut pas, parce qu'il ne s'était pas encore résolu à la guerre civile, à laquelle il est *constant qu'il avait une aversion mortelle. L'on a voulu blâmer son irrésolution, et je crois que l'on en doit plutôt louer le principe ; et je méprise au dernier point l'insolence de ces âmes de boue qui ont osé écrire et imprimer qu'un cœur aussi ferme et aussi éprouvé que celui de César ait été capable, en cette occasion, d'une alarme mal prise. Ces auteurs *impertinents et ridicules mériteraient que l'on les fouettât publiquement dans les carrefours.

Vous ne doutez pas du mouvement que la sortie de Monsieur le Prince fit dans tous les esprits. Mme de Longueville, quoique malade, l'alla joindre aussitôt après, et MM. de Conti, de Nemours, de Bouillon, de Turenne, de La Rochefoucauld, de Richelieu et de La Mothe se rendirent en même temps auprès de lui. Il envoya M. de La Rochefoucauld à Monsieur pour lui donner part des raisons qui l'avaient obligé à se retirer. Monsieur en fut et en parut étonné. Il en fit l'affligé. Il alla trouver la Reine, il approuva la résolution qu'elle prit d'envoyer M. le maréchal de Gramont à Saint-Maur, pour assurer Monsieur le Prince qu'elle n'avait eu aucun dessein contre sa personne. Monsieur, qui crut que Monsieur le Prince ne reviendrait plus à Paris, après le pas qu'il avait fait, et qui s'imagina, par cette raison, qu'il l'obligerait à bon marché, chargea M. le maréchal de Gramont de toutes les assurances qu'il lui pouvait donner en son particulier. Vous verrez dans la suite, par cet exemple, qu'il y a toujours de l'inconvénient à s'engager sur des suppositions que l'on croit impossibles. Il est pourtant vrai qu'il n'y a presque personne qui en fasse difficulté. Aussitôt que Monsieur le Prince fut à Saint-Maur, il n'y eut pas un homme dans son parti qui ne pensât à l'accommoder avec la cour ; et c'est ce qui arrive toujours dans les affaires dont le chef est connu pour ne pas aimer la faction. Un esprit bien sage ne la peut jamais aimer, mais il est de la sagesse de cacher son aversion quand l'on a le malheur d'y être engagé. Téligny, beau-fils de M. l'amiral de Coligny, disait, la veille du jour de la Saint-Barthélémy, que son beau-père avait plus perdu dans le parti huguenot en laissant pénétrer sa lassitude, qu'en perdant les batailles de Moncontour et de Saint-Denis[1]. Voilà le premier coup que celui de Monsieur le Prince reçut, et d'autant plus dangereux qu'il n'y a peut-être jamais eu de corps auquel ces sortes de blessures fussent si mortelles que celui qui composait son parti. M. de La Rochefoucauld, qui en était un des membres des plus considérables par le pouvoir absolu qu'il avait sur l'esprit de M. le prince de Conti et sur celui de Mme de Longueville, était dans la faction ce que M. de Bullion avait été autrefois dans les finances ; M. le cardinal de Richelieu disait que celui-ci employait douze heures du jour à la création de nouveaux offices et les douze autres à leur suppression ; et Matha appliquait cette remarque à M. de La Rochefoucauld, en disant qu'il faisait tous les matins une brouillerie et que tous les soirs il travaillait à un *rabiennement*[2], c'était son mot. M. de Bouillon, qui n'était nullement content de Monsieur le Prince et qui ne l'était pas davantage de la cour, n'aidait pas à fixer les résolutions, parce que la difficulté de s'assurer des uns ou des autres brouillait à midi les vues qu'il avait prises à dix heures, ou pour la rupture ou pour l'accommodement. M. de Turenne, qui n'était pas plus satisfait des uns ni des autres que monsieur son frère, n'était pas, de plus, à beaucoup près, si *décisif dans les affaires que dans la guerre. M. de Nemours, amoureux de Mme de Châtillon, trouvait dans la crainte de s'en éloigner des obstacles aux mouvements que la vivacité de son âge, plutôt que celles de son humeur, lui pouvait donner pour l'action. Chavigny, qui était rentré dans le *cabinet, son unique élément, et qui y était rentré par le moyen de Monsieur le Prince, ne pouvait souffrir qu'il l'abandonnât, et il pouvait encore moins souffrir qu'il le tînt en bonne intelligence avec le Mazarin, qui était l'objet de son horreur. Viole, qui dépendait de M. de Chavigny,

joignait aux sentiments toujours incertains de son ami sa
*timidité, qui était très grande, et son avidité, qui n'était
pas moindre. Croissy, qui avait l'esprit naturellement violent,
était suspendu entre l'extrémité à laquelle son inclination le
portait, et la modération dont les mesures qu'il avait
toujours gardées très soigneusement avec M. de Châteauneuf
l'obligeaient de conserver au moins les apparences. Mme
de Longueville, sur le tout, voulait, en des moments,
l'accommodement, parce que M. de La Rochefoucauld le
souhaitait, et désirait, en d'autres, la rupture, parce qu'elle
l'éloignait de monsieur son mari, qu'elle n'avait jamais
aimé, mais qu'elle avait commencé à craindre depuis quelque
temps. Cette constitution des esprits auxquels Monsieur le
Prince avait affaire eût embarrassé Sertorius [1]. Jugez, s'il vous
plaît, quel effet elle pouvait faire dans celui d'un prince du
sang couvert de lauriers innocents [2], et qui ne regardait la
qualité de chef de parti que comme un malheur, et même
comme un malheur qui était au-dessous de lui. L'une de
ses plus grandes peines, à ce qu'il m'a dit depuis, fut de se
défendre des défiances qui sont naturelles et infinies dans
les commencements des affaires, encore plus que dans leur
progrès et dans leurs suites. Comme rien n'y est encore
formé et que tout y est vague, l'imagination, qui n'y a
point de bornes, se prend et s'étend même à tout ce qui est
possible. Le chef est responsable, par avance, de tout ce que
l'on soupçonne lui pouvoir tomber dans l'esprit. Monsieur
le Prince se crut obligé, par cette raison, de ne point donner
d'audience particulière à M. le maréchal de Gramont,
quoiqu'il l'eût toujours fort aimé, et il se contenta de lui
dire, en présence de toutes les personnes de qualité qui
étaient avec lui, qu'il ne pouvait retourner à la cour tant
que les créatures de Monsieur le Cardinal y tiendraient les
premières places. Tous ceux qui étaient dans les intérêts de
Monsieur le Prince, et qui souhaitaient, pour la plupart,
l'accommodement, trouvaient leur compte en cette proposition, qui, effrayant les subalternes du cabinet, les rendait
plus souples aux différentes prétentions des particuliers.
Chavigny, qui allait et venait de Paris à Saint-Maur et de
Saint-Maur à Paris, se faisait un mérite auprès de la Reine,
à ce qu'elle me dit elle-même, de ce que le premier feu
que ce nouvel éclat de Monsieur le Prince avait jeté s'était

plutôt attaché au Tellier, à Lionne et à Servien, qu'au
Cardinal même. Il ne laissait pas de faire, en *poussant ces
trois sujets, l'effet qui lui convenait, qui était d'éloigner
d'auprès de la Reine ceux dont le ministère véritable
et solide offusquait le sien, qui n'était qu'apparent et
qu'imaginaire [1]. Cette vue, qui était assurément plus subtile
que judicieuse, le charmait à un point qu'il en parla à
Bagnols, le jour que Monsieur le Prince se fut déclaré contre
eux, comme de l'action la plus sage et la plus *fine qui eût
été faite de notre siècle. « Elle *amuse le Cardinal, lui dit-
il, en lui faisant croire que l'on prend le change, et qu'au
lieu de presser la déclaration contre lui, qui n'est pas encore
*expédiée, l'on se contente de *clabauder contre ses amis.
Elle chasse du cabinet les seules personnes à qui la Reine se
peut ouvrir, elle y en laisse d'autres auxquelles il faudra
nécessairement qu'elle s'ouvre, faute d'autres, et elle oblige
les Frondeurs ou à passer pour mazarins en épargnant ses
créatures, ou à se brouiller avec la Reine en parlant contre
elles. » Ce raisonnement, que Bagnols me rapporta un quart
d'heure après, me parut aussi solide pour le dernier article
qu'il me sembla frivole pour les autres. Je m'appliquai
soigneusement à y remédier, et vous verrez par la suite que
je n'y travaillai pas sans succès.

Je vous ai déjà dit que Monsieur le Prince se retira à
Saint-Maur le 6 de juillet 1651.

Le 7, M. le prince de Conti vint au Palais, y porter les
raisons que Monsieur le Prince avait eues de se retirer. Il ne
parla qu'en général des avis qu'il avait reçus, de tous côtés,
des desseins de la cour contre sa personne. Il déclara ensuite
que monsieur son frère ne pouvait trouver aucune sûreté à
la cour tant que MM. Le Tellier, Servien et Lionne n'en
seraient pas éloignés. Il fit de grandes plaintes de ce que
Monsieur le Cardinal s'était voulu rendre maître de Brisach
et de Sedan [2], et il conclut en disant à la Compagnie que
Monsieur le Prince lui envoyait un gentilhomme, avec une
lettre. Monsieur le Premier Président répondit à M. le prince
de Conti que Monsieur le Prince aurait mieux fait de venir
lui-même au Parlement prendre sa place. L'on fit entrer le
gentilhomme ; il rendit sa lettre, qui n'ajoutait rien à ce M.
le prince de Conti avait dit. Monsieur le Premier Président
prit la parole en donnant part à la Compagnie que la Reine

lui avait envoyé un gentilhomme, à cinq heures du matin, pour lui donner avis de cette lettre de Monsieur le Prince, et pour lui commander de faire entendre à la Compagnie que Sa Majesté ne désirait pas que l'on fît aucune délibération, qu'elle ne lui eût fait savoir sa volonté. M. le duc d'Orléans ajouta que sa conscience l'obligeait à témoigner que la Reine n'avait eu aucune pensée de faire arrêter Monsieur le Prince ; que les gardes qui avaient passé dans le faubourg Saint-Germain n'y avaient été que pour favoriser l'entrée de quelques vins que l'on voulait faire passer sans payer les droits ; que la Reine n'avait aucune part en ce qui s'était passé à Brisach. Enfin, Monsieur parla comme il eût fait s'il eût été le mieux intentionné du monde pour la Reine. Comme je pris la liberté de lui demander, après la séance, si il n'avait pas appréhendé que la Compagnie lui demandât la garantie de la sûreté de Monsieur le Prince, dont il venait de donner des assurances si positives, il me répondit d'un air très embarrassé : « Venez chez moi, je vous dirai mes raisons. » Il est certain qu'il s'était exposé, en parlant comme il avait fait, à cet inconvénient, qui n'était pas *médiocre, et Monsieur le Premier Président, qui servait en ce moment la cour de très bonne foi, le lui évita très habilement en donnant le change à Machault, qui avait touché cet expédient, et en suppliant simplement Monsieur de rassurer Monsieur le Prince et d'essayer de le faire revenir à la cour. Il *affecta aussi de *couler le temps de la séance, et ainsi l'on n'eut que celui de remettre l'assemblée au lendemain, et d'arrêter simplement qu'en attendant, la lettre de Monsieur le Prince serait portée à la Reine. Je reviens à ce que Monsieur me dit quand il fut revenu chez lui. Il me mena dans le cabinet des livres, il en ferma les verrous, il jeta avec émotion son chapeau sur une table, et il s'écria en jurant : « Vous êtes une grosse dupe ou je suis une grosse bête. Croyez-vous que la Reine veuille que Monsieur le Prince revienne à la cour ? — Oui, Monsieur, lui dis-je sans balancer, pourvu qu'il y vienne en état de se laisser prendre ou assommer. — Non, me répondit-il, elle veut qu'il revienne à Paris en toute manière, et demandez à votre ami le vicomte d'Autel ce qu'il m'a dit aujourd'hui de sa part, comme j'entrais dans la Grande Chambre. » Voici ce qu'il lui avait dit : que le maréchal Du Plessis-

Praslin, son frère, avait eu ordre de la Reine, à six heures
du matin, de prier Monsieur, de sa part, d'assurer le
Parlement que Monsieur le Prince ne courrait aucune fortune
si il lui plaisait de revenir à la cour. « Je n'ai pas été jusque-
là, ajouta Monsieur, car j'ai mille raisons pour ne lui vouloir
pas servir de caution, et ni l'un ni l'autre ne m'y ont obligé.
Mais au moins vous voyez, continua-t-il, que je n'ai pu
moins dire que ce que j'ai dit, et vous voyez de plus le
plaisir qu'il y a d'avoir à agir entre tous ces gens-là. La
Reine dit avant-hier qu'il faut qu'elle ou Monsieur le Prince
quitte la pavé ; elle veut aujourd'hui que je l'y ramène et
que je m'engage d'honneur au Parlement pour sa sûreté.
Monsieur le Prince sortit hier au matin de Paris pour
s'empêcher d'être arrêté, et je gage qu'il y reviendra devant
qu'il soit deux jours, de la manière que tout cela tourne. Je
veux m'en aller à Blois et me moquer de tout. » Comme je
connaissais Monsieur et que je savais de plus que Raray, qui
était à lui, mais qui était serviteur de Monsieur le Prince,
avait dit, la veille, que l'on se tenait à Saint-Maur très assuré
du palais d'Orléans, je ne doutai point que la colère de
Monsieur ne vînt de son embarras, et que son embarras ne
fût l'effet des avances qu'il avait faites lui-même à Monsieur
le Prince, dans la pensée qu'elles ne l'obligeraient jamais à
rien, parce qu'il était persuadé qu'il ne reviendrait plus à la
cour. Comme il vit et que la Reine, au lieu de prendre le
parti de le *pousser, lui offrait des sûretés en cas qu'il voulût
revenir à Paris, et que cette conduite lui fit croire qu'elle
serait capable de mollir sur la proposition de joindre à
l'éloignement du Cardinal celui de Lionne, du Tellier et de
Servien, il s'effraya ; il crut que Monsieur le Prince reviendrait
au premier jour à Paris, et qu'il se servirait de la faiblesse
de la Reine, non pas pour *pousser effectivement les
ministres, mais pour lui en faire sa cour en se raccommodant
avec elle, et en en tirant ses avantages particuliers, pour prix
de la complaisance qu'il aurait pour elle en les rappelant.
Monsieur crut, sur ce fondement, qu'il ne pouvait trop
ménager la Reine, qui lui avait fait, la veille, des reproches
des mesures qu'il gardait encore avec Monsieur le Prince,
« après ce qu'il vous a fait, lui dit-elle, sans ce que je ne
vous en ai pas encore dit ». Vous remarquerez, s'il vous
plaît, qu'elle ne s'en est jamais expliquée plus clairement,

ce qui me fait croire que ce n'était rien. Monsieur, qui venait de charger M. le maréchal de Gramont de toutes les douceurs et de toutes les promesses possibles touchant la sûreté de Monsieur le Prince, car ce fut l'après-dînée de ce même jour, 7 de juillet, que le maréchal de Gramont fit ce voyage de Saint-Maur, dont je vous ai parlé ci-dessus[1], et qui avait été concerté la veille avec la Reine, Monsieur, dis-je, crut qu'ayant fait, d'une part, ce que la Reine avait désiré, et prenant, de l'autre, avec Monsieur le Prince tous les engagements qu'il lui pouvait donner pour sa sûreté, il s'assurait ainsi lui-même de tous les deux côtés. Voilà justement où échouent toutes les âmes *timides. La peur, qui grossit toujours les objets, donne du corps à toutes leurs *imaginations : elles prennent pour formé tout ce qu'elles se figurent dans la pensée de leurs ennemis, et elles tombent presque toujours dans des inconvénients très effectifs, par la frayeur qu'elles prennent de ceux qui ne sont qu'imaginaires.

Monsieur vit, le 6 au soir, dans l'esprit de la Reine, de la disposition à s'accommoder avec Monsieur le Prince, quoiqu'elle l'assurât du contraire, et il ne pouvait ignorer que l'inclination de Monsieur le Prince ne fût de s'accommoder avec la Reine. La *timidité lui fait croire que ces dispositions produiront leur effet dès le 8 ; et il fait, dès le 7, sur ce fondement, qui est faux, des pas qui n'auraient pu être judicieux que supposé que l'accommodement eût été fait dès le 5. Je le lui fis avouer à lui-même, devant que de le quitter, par ce dilemme : « Vous appréhendez que Monsieur le Prince ne revienne à la cour, parce que vous croyez qu'il en sera le maître. Prenez-vous un bon moyen pour l'en éloigner, en lui en ouvrant toutes les portes et en vous engageant vous-même à sa sûreté ? Voulez-vous qu'il y revienne pour avoir plus de facilité à le perdre ? Je ne vous crois pas capable de cette pensée à l'égard d'un homme à qui vous donnez votre parole, à la face de tout un parlement et de tout le royaume. Le voulez-vous faire revenir pour l'accommoder effectivement avec la Reine ? Il n'y a rien de mieux, pourvu que vous soyez bien assuré qu'ils ne s'accommoderont pas ensemble contre vous-même, comme ils firent il n'y a pas longtemps ; mais je m'imagine, Monsieur, que Votre Altesse Royale a bien su prendre ses sûretés. » Monsieur, qui n'en avait pris aucune, eut honte

de ce que je lui représentais avec assez de force, et il me
dit : « Voilà des inconvénients ; mais que faire en l'état où
sont les choses ? Ils se raccommoderont tous ensemble, et je
demeurerai seul comme l'autre fois. — Si vous me comman-
dez, Monsieur, lui répondis-je, de parler à la Reine, de votre
part, aux termes que je vas proposer à Votre Altesse Royale,
j'ose vous répondre que vous verrez, au moins bientôt, clair
à vos affaires. » Il me donna la carte blanche, ce qu'il faisait
toujours avec facilité quand il se trouvait embarrassé. Je la
remplis d'une manière qui lui agréa ; je lui expliquai le
tour que je donnerais à ce que je dirais à la Reine. Il
l'approuva, et je fis supplier la Reine, par Gaboury, dès le
soir même, de me permettre d'aller, à l'heure accoutumée,
dans la petite galerie. Monsieur, à qui je fis savoir par Jouy
que la Reine m'avait mandé de m'y rendre à minuit,
m'envoya, sur les neuf heures, chercher à l'hôtel de
Chevreuse, où je soupais, pour me dire qu'il m'avouait qu'il
n'avait été de sa vie si embarrassé qu'il l'était ; qu'il
convenait qu'il y avait beaucoup de sa faute ; mais qu'il
était pardonnable de faillir dans une occasion où il semblait
que tout le monde ne cherchait qu'à rompre toutes mesures ;
que Monsieur le Prince lui avait fait dire par Croissy, à sept
heures du matin, des choses qui lui donnaient lieu de croire
qu'il ne reviendrait point à Paris ; que M. de Chavigny lui
en avait parlé, à sept du soir, d'une manière qui lui faisait
juger qu'il y pourrait être au moment où il me parlait. Il
ajouta que la Reine était une étrange femme ; qu'elle lui
avait témoigné, la veille, qu'elle était très aise que Monsieur
le Prince eût quitté la partie, et que ce qu'elle lui ferait
dire par le maréchal de Gramont ne serait que pour la
forme ; qu'elle lui avait fait dire ce jour-là, à six heures du
matin, qu'il fallait faire tous ses efforts pour l'obliger à
revenir ; qu'il m'avait envoyé quérir pour me recommander
encore de bien prendre garde à la manière dont je parlerais
à la Reine : « Parce qu'enfin, me dit-il, je vous déclare que,
voyant, comme je le vois, qu'elle se va raccommoder avec
Monsieur le Prince, je ne me veux brouiller ni avec l'une ni
avec l'autre. » J'essayai de faire comprendre à Monsieur que
le vrai moyen de se brouiller avec tous les deux serait de ne
pas suivre la voie qu'il avait prise, ou du moins résolue, de
faire expliquer la Reine. Il *vétilla beaucoup sur la manière

dont il était convenu à midi ; et je connus encore, en ce rencontre, que, de toutes les *passions, la peur est celle qui affaiblit davantage le jugement, et que ceux qui en sont possédés aiment et retiennent les expressions qu'elle leur inspire, même dans les temps où ils se défendent, ou plutôt où l'on les défend des mouvements qu'elle leur donne[1] : j'ai fait cette observation trois ou quatre fois en ma vie. Comme ma conversation avec Monsieur s'échauffait plus sur les termes, que sur la substance des choses dont il me paraissait que je l'avais assez convaincu, M. le maréchal de Gramont entra, qui venait de rendre compte à la Reine du voyage de Saint-Maur dont je vous ai déjà parlé, et comme il était fort piqué du refus que Monsieur le Prince lui avait fait de l'écouter en particulier, il donna à son voyage et à sa négociation un air de ridicule, qui ne me fut pas inutile. Monsieur, qui était l'homme du monde qui aimait le mieux à se jouer, prit un plaisir sensible à la description des États de la Ligue, assemblés à Saint-Maur : ce fut ainsi que le maréchal appela le conseil devant lequel il avait parlé[2]. Il peignit fort plaisamment tous les gens qui le composaient, et je m'aperçus que cette idée de plaisanterie diminua beaucoup, dans l'esprit de Monsieur, de la frayeur qu'il avait conçue du parti de Monsieur le Prince. Je reçus, au moment que M. le maréchal de Gramont sortit d'auprès de Monsieur, un billet de Madame la Palatine, qui ne servit pas moins à lui faire concevoir que les mesures du Palais-Royal n'étaient pas si sûres, qu'il fût encore temps d'y bâtir comme sur des fondements bien assurés. Voici les propres paroles du billet : « Je vous prie que je vous puisse voir, au sortir de chez la Reine : il est nécessaire que je vous parle. J'ai été aujourd'hui à Saint-Maur, où l'on ne sait pas ce que l'on peut, et je sors du Palais-Royal où l'on sait encore moins ce que l'on veut. » J'expliquai ces mots à Monsieur à ma manière, je lui dis qu'ils signifiaient que tout était encore en son entier dans l'esprit de la Reine et je l'assurai que, pourvu qu'il ne changeât rien à l'ordre qu'il m'avait donné de négocier de sa part avec elle, je lui rapporterais de quoi le tirer de la peine où je le voyais. Il me le promit, quoique avec des restrictions que la *timidité produit toujours en abondance. J'allai chez la Reine et je lui dis que Monsieur m'avait commandé de l'assurer encore de ce qu'il lui avait protesté, la veille, touchant la sortie de Monsieur le Prince, qui était que non seulement il ne l'avait pas sue, mais encore qu'il la désapprouvait et qu'il la condamnait au dernier point ; qu'il n'entrerait en rien de tout ce qui serait contre le service du Roi et contre le sien ; que Monsieur le Cardinal étant éloigné, il ne favoriserait en façon du monde les prétextes que l'on voulait prendre de la crainte de son retour, parce qu'il était persuadé que la Reine effectivement n'y pensait plus ; que Monsieur le Prince ne songeait qu'à animer son fantôme pour effaroucher les peuples, et que lui Monsieur n'avait d'autre dessein que de les radoucir ; que l'unique moyen, pour y réussir, était de supposer le retour de Monsieur le Cardinal pour impossible, parce que, tant que l'on ferait paraître que l'on le craignît comme proche, l'on tiendrait les peuples et même les parlements en défiance et en chaleur. Je commençai ma légation vers la Reine par ce préambule, qui, pour vous dire le vrai, n'était pas fort nécessaire en cet endroit, pour essayer de juger, par la manière dont elle recevait un discours dont le fond lui était très désagréable, si un avis que l'on me donna en sortant de chez Monsieur était bien fondé. Valon, qui était à lui, m'assura, comme je montais en carrosse, qu'il avait ouï Chavigny qui disait à l'oreille à Goulas que la Reine était, depuis midi, dans une fierté qui lui faisait craindre qu'elle n'eût quelque négociation cachée et souterraine avec Monsieur le Prince. Je n'en trouvai aucune apparence, ni dans son air ni dans ses paroles. Elle écouta tout ce que je lui dis fort paisiblement et sans s'émouvoir, et je fus obligé de passer plus tôt que je n'avais cru au véritable sujet de mon ambassade, qui était de la supplier de s'expliquer pour une bonne fois, avec Monsieur, de la manière dont il plaisait à Sa Majesté qu'il se conduisît à l'égard de Monsieur le Prince ; que l'ouverture pleine et entière était encore plus de son service, en cette conjoncture, que de l'intérêt de Monsieur, parce que les moindres pas qui ne seraient pas concertés seraient capables de donner des avantages à Monsieur le Prince, d'autant plus dangereux qu'ils jetteraient de la défiance dans les esprits, dans une occasion où la confiance se pouvait presque dire uniquement nécessaire. La Reine m'arrêta à ce mot, et elle me dit, d'un air qui paraissait fort naturel et même bon : « A quoi ai-je manqué ? Monsieur se plaint-il de moi depuis hier ? — Non, Madame, lui répondis-je ; mais Votre Majesté lui témoigna hier, à midi, qu'elle était très aise que Monsieur le Prince fût sorti de Paris, et elle lui a fait dire, à ce matin, par le vicomte d'Autel, qu'il ne lui pouvait rendre un service plus signalé qu'en obligeant Monsieur le Prince de revenir. — Ecoutez-moi, reprit la Reine tout d'un coup et sans balancer, et si j'ai tort, je consens que vous me le disiez avec liberté. Je convins hier, à midi, avec Monsieur, que nous envoirions, pour la forme seulement, le maréchal de Gramont à Monsieur le Prince et que nous tromperions même l'ambassadeur, qui, comme vous savez, n'a point de secret. J'apprends hier, à minuit, que Monsieur a envoyé Goulas, à neuf heures du soir, à Chavigny pour lui ordonner de donner, de sa part, à Monsieur le Prince, toutes les paroles les plus positives et les plus particulières et d'union et d'amitié. J'apprends, au même instant, qu'il a dit au président de Nesmond qu'il ferait des merveilles au Parlement pour son cousin. Puis-je moins faire, dans l'émotion où je vois tout le monde sur l'évasion de Monsieur le Prince, que de prendre au moins quelque date pour me défendre à l'égard de Monsieur même des reproches qu'il est très capable de me faire peut-être dès demain. Je ne me prends pas à vous de sa conduite ; je sais bien que vous n'êtes pas des concerts qui passent par le canal de Goulas et de Chavigny ; mais aussi, puisque vous ne les pouvez empêcher, vous ne devez pas trouver étrange que je prenne au moins quelques précautions. De plus, continua la Reine, je vous avoue que je ne sais où j'en suis. Monsieur le Cardinal est à cent lieues d'ici : tout le monde me l'explique à sa mode[1]. Lionne est un traître ; Servien veut ou que je sorte demain de Paris, ou que je fasse aujourd'hui tout ce qui plaira à Monsieur le Prince, et cela à votre honneur et louange[2] ; Le Tellier ne veut que ce que j'ordonnerai ; le maréchal de Villeroy attend les volontés de Son Éminence. Cependant Monsieur le Prince me met le couteau à la gorge, et voilà Monsieur qui, pour *rafraîchisse-ment, dit que c'est ma faute et qui veut se plaindre de moi, parce que lui-même m'abandonne. » Je confesse que je fus touché de ce discours de la Reine, qui sortait de source. Elle remarqua que j'en étais ému ; elle me témoigna qu'elle m'en savait bon gré, et elle me commanda de lui dire, avec liberté, mes pensées sur l'état des choses. Voici les propres termes dans lesquels je lui parlai, que j'ai transcrits sur ce que j'en écrivis moi-même le lendemain :

« Si Votre Majesté, Madame, se peut résoudre à ne plus penser effectivement au retour de Monsieur le Cardinal, elle peut, sans exception, tout ce qui lui plaira, parce que toutes les peines que l'on lui fait ne viennent que de la persuasion où l'on est qu'elle ne songe qu'à ce retour. Monsieur le Prince est persuadé qu'il peut tout obtenir en vous le faisant espérer. Monsieur, qui croit que Monsieur le Prince ne se trompe pas dans cette vue, le ménage à tout événement. Le Parlement, à qui l'on présente, tous les matins, cet objet, ne *remet rien de sa chaleur ; le peuple augmente la sienne. Monsieur le Cardinal est à Brusle, et son nom fait autant de mal à Votre Majesté et à l'État, que pourrait faire sa personne si elle était encore dans le Palais-Royal. — Ce n'est qu'un prétexte, reprit la Reine comme en colère ; ne fais-je pas assurer tous les jours le Parlement que son éloignement est pour toujours et sans aucune espérance de retour ? — Oui, Madame, lui répondis-je ; mais je supplie très humblement Votre Majesté de me permettre de lui dire qu'il n'y a rien de secret de tout ce qui se dit et de tout ce qui se fait au contraire de ces déclarations publiques, et qu'un quart d'heure après que Monsieur le Cardinal eut rompu le traité de M. Servien et de M. de Lionne, touchant le gouvernement de Provence, tout le monde fut également informé que le premier article était son rétablissement à la cour. Monsieur le Prince n'a pas avoué à Monsieur qu'il y eût consenti, mais il est convenu que Votre Majesté le lui avait fait proposer et comme condition nécessaire, et il le dit publiquement à qui le veut entendre. — Passons, passons, dit la Reine : il ne sert de rien d'agiter cette question. Je ne puis faire sur cela plus que je n'ai fait. L'on le veut croire, quoi que je dise ; il faut donc agir sur ce que l'on veut croire. — En ce cas, Madame, lui répondis-je, je suis persuadé qu'il y a bien plus de prophéties à faire que de conseils à donner. — Dites vos prophéties, repartit la Reine ; mais surtout qu'elles ne soient pas comme celles des barricades [1]. Tout de bon, ajouta-t-elle, dites-moi, en homme de bien, ce que vous croyez de tout ceci. Vous voilà cardinal, autant vaut : vous seriez un *méchant homme si vous vouliez le bouleversement de l'État. Je vous confesse que je ne sais où j'en suis. Je n'ai que des traîtres ou des poltrons à l'entour de moi. Dites-moi vos pensées en toute liberté. — Je commençais, Madame, lui dis-je, quoique avec peine, parce que je sais que ce qui regarde Monsieur le Cardinal est sensible à Votre Majesté ; mais je ne me puis empêcher de lui dire encore que, si elle se peut résoudre aujourd'hui à ne plus penser à son retour, elle sera demain plus absolue qu'elle n'était le premier jour de la Régence, et que si elle continue à le vouloir rétablir, elle hasarde l'État. — Pourquoi, reprit-elle, si Monsieur et Monsieur le Prince y consentaient ? — Parce que, Madame, lui répondis-je, Monsieur n'y consentira que quand l'État sera hasardé, et que Monsieur le Prince n'y consentira que pour le hasarder. » Je lui expliquai, en cet endroit, le détail de ce qui était à craindre. Je lui *exagérai l'impossibilité de séparer Monsieur du Parlement, et l'impossibilité de regagner, sur ce point, le Parlement par une autre voie que par celle de la force, qui mettrait la couronne en péril. Je lui remis devant les yeux les prétentions immenses de Monsieur le Prince, de M. de Bouillon, de M. de La Rochefoucauld. Je lui fis voir au doigt et à l'œil qu'elle dissiperait, quand il lui plairait, par un seul mot, pourvu qu'il partît du cœur, ces fumées si épaisses et si noires ; et comme je m'aperçus qu'elle était touchée de ce que je lui disais, et qu'elle prenait particulièrement goût à ce que je lui représentais du rétablissement de son autorité, je crus qu'il était assez à propos de prendre ce moment pour lui expliquer la sincérité de mes intentions : « Et plût à Dieu, Madame, lui ajoutai-je, qu'il plût à Votre Majesté de commencer à rétablir son autorité par ma propre perte ! L'on lui dit, à toutes les heures du jour, que je pense au ministère, et Monsieur le Cardinal s'est accoutumé à ces paroles : ''Il veut ma place.'' Est-il possible, Madame, que l'on me croie assez *impertinent pour m'imaginer que l'on puisse devenir ministre par la faction, et que je connaisse si peu la fermeté de Votre Majesté, que je puisse croire que je conquerrai sa faveur à force d'armes ? [1] Mais ce qui n'est que trop vrai est que ce qui se dit ridiculement du ministère se fait réellement à l'égard des autres prétentions que chacun a. Monsieur le Prince vient d'obtenir la Guyenne ; il veut Blaye pour M. de La Rochefoucauld, il veut la Provence pour Monsieur son

frère ; M. de Bouillon veut Sedan ; M. de Turenne veut
commander en Allemagne ; M. de Nemours veut l'Auvergne ; Viole veut être secrétaire d'État, Chavigny veut
demeurer en poste ; et moi, Madame, je demande le
cardinalat. Plaît-il à Votre Majesté de se mettre en état de
se moquer de toutes nos prétentions, et de les régler
absolument selon ses intérêts et selon ses volontés ? elle n'a
qu'à renvoyer, pour une bonne fois, Monsieur le Cardinal
en Italie, rompre tous les commerces que les particuliers
conservent avec lui, effacer, de bonne foi, les idées qui
restent et qui se renforcent même tous les jours de son
retour, et déclarer ensuite qu'ayant bien voulu donner au
public la satisfaction qu'il a souhaitée, elle croit qu'il est de
sa dignité de refuser aux particuliers les grâces qu'ils ont
demandées ou prétendues sous ce prétexte. Nul ne perdra
plus que moi, Madame, à cette conduite, qui révoque ma
nomination d'une manière qui sera agréée généralement de
tout le monde, mais assurément de nul sans exception plus
que de moi-même, parce que je ne me la crois nécessaire
que pour des raisons qui cesseront dès que Votre Majesté
aura rétabli les choses dans l'ordre où elles doivent être. [1]
— N'ai-je pas fait tout ce que vous me proposez ? reprit la
Reine ; n'ai-je pas assuré dix fois Monsieur, Monsieur le
Prince et le Parlement que Monsieur le Cardinal ne reviendrait
jamais ? Avez-vous pour cela cessé de prétendre, et vous qui
parlez, tout le premier ? — Non, Madame, lui dis-je,
personne n'a cessé de prétendre, parce qu'il n'y a personne
qui ne sache que Monsieur le Cardinal gouverne plus que
jamais. Votre Majesté me fait l'honneur de ne se pas cacher
de moi sur ce sujet, mais ceux à qui elle ne le dit pas en
savent peut-être encore plus que moi, et c'est ce qui perd
tout, Madame, parce que tout le monde se croit en droit de
se défendre de ce que l'on croit d'autant moins légitime
que Votre Majesté le désavoue publiquement. — Mais tout
de bon, dit la Reine, croyez-vous que Monsieur abandonnât
Monsieur le Prince, si il était bien assuré que Monsieur le
Cardinal ne revînt pas ? — En pouvez-vous douter, Madame,
lui répondis-je, après ce que vous avez vu ces jours passés ?
Il l'eût arrêté chez lui si vous l'eussiez voulu, quoiqu'il ne
se croie nullement assuré qu'il ne doive pas revenir. » La
Reine *rêva un peu sur ma réponse, et puis, tout d'un coup,

elle me dit, même avec précipitation et comme ayant impatience de finir ce discours : « C'est un plaisant moyen de rétablir l'autorité royale que de chasser le ministre d'un roi malgré lui. » Elle ne me laissa pas reprendre la parole, et elle la continua en me commandant de lui dire mes sentiments sur l'état des choses, comme elles étaient : « Car, ajouta-t-elle, je ne puis faire davantage sur ce point que ce que j'ai déjà fait et ce que je fais tous les jours. » J'entendis bien qu'elle ne voulait pas s'expliquer plus clairement. Je n'insistai pas directement, mais je fis la même chose en satisfaisant à ce qu'elle m'avait commandé, qui était de lui dire mes pensées, car je repris ainsi le discours :

« Pour obéir, Madame, à Votre Majesté, il faut que je retombe dans les prophéties que j'ai tantôt pris la liberté de lui toucher. Si les choses continuent comme elles sont, Monsieur sera dans une perpétuelle défiance que Monsieur le Prince ne se raccommode avec Votre Majesté par le rétablissement de Monsieur le Cardinal, et il se croira obligé, par cette vue, et de le ménager toujours et de s'entretenir avec soin dans le Parlement et parmi le peuple. Monsieur le Prince ou s'unira avec lui pour s'assurer contre ce rétablissement, si il n'y trouve pas son compte, ou il partagera le royaume pour le souffrir jusques à ce qu'il y trouve plus d'intérêt à le chasser. Les particuliers qui ont quelque considération ne songeront qu'à en tirer leurs avantages, qui auront mille subdivisions et dans la cour et dans la faction. Voilà, Madame, bien des matières pour la guerre civile, qui, se mêlant dans une étrangère, aussi grande que celle que nous avons aujourd'hui, peut porter l'État sur le penchant de sa ruine. — Si Monsieur voulait, reprit la Reine. — Il ne voudra jamais, Madame, lui répondis-je : l'on trompe Votre Majesté, si l'on le lui fait espérer ; je me perdrais auprès de lui, si je le lui avais seulement proposé. Il craint Monsieur le Prince, mais il ne l'aime point ; il ne peut plus se fier à Monsieur le Cardinal. Il aura, dans des moments, de la faiblesse pour l'un et pour l'autre, selon ce qu'il en appréhendera ; mais il ne quittera jamais l'ombre du public, tant que ce public fera un corps, et il le fera encore longtemps sur une matière sur laquelle Votre Majesté elle-même est obligée de l'échauffer toujours par de nouvelles déclarations. [1] »

Je connus en cet endroit, encore plus que je n'avais jamais fait, qu'il est impossible que la cour conçoive ce que c'est que le public. La flatterie, qui en est la peste, l'infecte toujours au point qu'elle lui cause un délire incurable sur cet article, et je remarquai que la Reine traitait, dans son imagination, ce que je lui en disais de chimère, avec la même hauteur que si elle n'eût jamais eu aucun sujet de faire réflexion sur des barricades. Je *coulai sur cela, par cette considération, plus légèrement que la matière ne le portait, et elle m'en donna d'ailleurs assez de lieu, parce qu'elle me rejeta dans le particulier de la manière d'agir de Monsieur le Prince, en me demandant ce que je disais de la proposition qu'il avait faite pour l'éloignement de MM. Le Tellier, Lionne et Servien. Comme j'eusse été bien aise de pouvoir pénétrer si cette proposition n'était point le *hausse-pied de quelque négociation souterraine, je souris à cette question de la Reine, avec un respect que j'assaisonnai d'un air de mystère. La Reine, dont tout l'esprit consistait en air, l'entendit, et elle me dit : « Non, il n'y a rien que ce que vous voyez comme moi et comme tout le monde. Monsieur le Prince a voulu tirer de moi de quoi chasser douze ministres, par l'espérance de m'en laisser un, qu'il m'aurait peut-être ôté le lendemain. L'on n'a pas donné dans ce panneau ; il en tend un autre : il me veut ôter ceux qui me restent, c'est-à-dire il propose de me les ôter, car si l'on lui veut donner la Provence, il me laissera Le Tellier, et peut-être que j'obtiendrai Servien pour le Languedoc. Qu'en dit Monsieur ? — Il prophétise, Madame, lui répondis-je ; car, comme je l'ai déjà dit à Votre Majesté, que peut-on dire en l'état où sont les affaires ? — Mais enfin qu'en dit-il ? reprit la Reine ; ne se joindra-t-il pas à Monsieur le Prince pour me faire faire encore ce pas de ballet ? — Je ne le crois pas, Madame, repartis-je, quand je me ressouviens de ce qu'il m'en a dit aujourd'hui, et je n'en doute pas quand je fais réflexion qu'il y sera peut-être forcé dès demain. — Et vous, dit la Reine, que ferez-vous ? — Je me déclarerai, en plein Parlement, répliquai-je, et en chaire même, contre la proposition, si Votre Majesté se résout à se servir de l'unique et souverain remède ; et j'opinerai apparemment comme les autres, si elle laisse les choses en l'état où elles sont. »

La Reine, qui s'était fort contenue jusque-là, s'emporta à

ce mot ; elle éleva même sa voix, et elle me dit que je ne lui avais donc demandé cette audience que pour lui déclarer la guerre en face. « Je suis bien éloigné, Madame, et de cette insolence et de cette folie, lui répondis-je, puisque je n'ai supplié Votre Majesté de mé permettre d'avoir l'honneur de la voir aujourd'hui, que pour savoir, de la part de Monsieur, ce qu'il vous plaît, Madame, de lui commander, pour prévenir celle dont Monsieur le Prince vous menace. Il y a quelque temps que je disais à Votre Majesté que l'on est bien malheureux de tomber dans des temps où un homme de bien est obligé, même par son devoir, de manquer au respect qu'il doit à son maître. Je sais, Madame, que je ne l'observe pas en vous parlant comme je fais sur le sujet de Monsieur le Cardinal ; mais je sais, en même temps, que je parle et que j'agis en bon sujet, et que tous ceux qui font autrement sont des prévaricateurs, qui plaisent, mais qui trahissent et leur conscience et leur devoir. Votre Majesté me commande de lui dire mes pensées avec liberté, et je lui obéis. Qu'elle me ferme la bouche : elle verra ma soumission, et que je rapporterai simplement à Monsieur, et sans réplique, ce dont elle me fera l'honneur de me charger. » La Reine reprit tout d'un coup un air de douceur, et elle me dit : « Non, je veux, au contraire, que vous me disiez vos sentiments : expliquez-les-moi à fond. » Je suivis son ordre à la lettre : je lui fis une peinture, la plus au naturel qu'il me fut possible, de l'état où les affaires étaient réduites ; j'achevai le crayon que vous en avez déjà vu ébauché. Je lui dis toute la vérité, avec la même sincérité et la même exactitude que j'aurais eues si j'avais cru en devoir rendre compte à Dieu, un quart d'heure après. La Reine en fut touchée, et elle dit, le lendemain, à Madame la Palatine, qu'elle était convaincue que je parlais du cœur, mais que j'étais aveuglé moi-même par la *préoccupation. Ce qui me parut est qu'elle l'était beaucoup elle-même par l'attachement qu'elle avait pour Monsieur le Cardinal, et que son inclination l'emportait toujours sur les velléités que je lui voyais, de temps en temps, d'entrer dans les ouvertures que je lui faisais pour rétablir l'autorité royale aux dépens et des mazarins et des Frondeurs. Je remarquai que, sur la fin de la conversation, elle prit plaisir à me faire parler sur ce sujet, et que, comme elle vit que je le faisais effectivement avec sincérité et avec bonne intention, elle m'en témoigna de la reconnaissance. J'appréhenderais de vous ennuyer, si je m'étendais davantage sur un détail qui n'est déjà que trop long ; et je me contenterai de vous dire que le résultat fut que je ferais tous mes efforts pour obliger Monsieur à ne se point joindre à Monsieur le Prince pour demander l'éloignement de MM. Le Tellier, Servien et Lionne, en lui donnant parole, de la part de la Reine, qu'elle ne s'accommoderait pas elle-même avec Monsieur le Prince, sans la participation et le consentement de Monsieur. J'eus bien de la peine à tirer cette parole, et la difficulté que j'y trouvai me confirma dans l'opinion où j'étais que les lueurs d'accommodement entre le Palais-Royal et Saint-Maur n'étaient pas tout à fait éteintes. Je le crus encore bien davantage, quand je vis qu'il m'était impossible d'obliger la Reine à s'ouvrir de ses intentions touchant la conduite que Monsieur devait prendre, ou pour procurer le retour de Monsieur le Prince à la cour, ou pour le *traverser. Elle *affecta de me dire qu'elle n'avait point changé de sentiment à cet égard, depuis ce qu'elle en avait dit à Monsieur même ; mais je connus clairement, et à ses manières et même à quelques-unes de ses paroles, qu'elle en avait changé plus de trois fois depuis que j'étais dans la galerie ; et je me ressouvins de ce que Madame la Palatine m'avait écrit, que l'on ne savait au Palais-Royal ce que l'on y voulait. Je ne laissai pas d'insister et de presser la Reine, parce que je jugeais bien que Monsieur, qui était très clairvoyant, ne recevant par moi qu'une parole vague et générale, à laquelle il n'ajouterait pas beaucoup de foi, parce qu'il se défiait beaucoup des intentions de la Reine pour lui, ne manquerait pas de jeter et d'arrêter toute sa réflexion, et avec beaucoup de raison, sur le peu d'éclaircissement que je lui rapportais du véritable dessein de la Reine ; et je ne doutais pas que, par cette considération, il ne fît encore de nouveaux pas vers Monsieur le Prince : ce que je n'estimais pas être de son service, non plus que de celui du Roi. Je parlai sur cela à la Reine avec vigueur, mais je n'y gagnai rien, et, de plus, je n'y pouvais rien gagner, parce qu'elle n'était pas elle-même déterminée. Je vous expliquerai ce détail dans la suite.

Il était presque jour quand je sortis du Palais-Royal ; et ainsi je n'eus pas le temps d'aller chez Madame la Palatine, qui m'écrivit un billet, à six heures du matin, par lequel elle me faisait savoir qu'elle m'attendait dans un carrosse de louage devant les Incurables. J'y allai aussitôt, dans un carrosse gris. Elle m'expliqua son billet du soir[1]. Elle me dit que Monsieur le Prince lui avait paru fort fier, mais qu'elle avait connu clairement, par les discours de Mme de Longueville, qu'il ne connaissait pas sa force, en ce qu'il croyait ses ennemis beaucoup plus unis et beaucoup plus concertés qu'ils n'étaient ; que la Reine ne savait où elle en était ; qu'un moment elle voulait, à toutes conditions, le retour de Monsieur le Prince, que, l'autre, elle remerciait Dieu de ce qu'il était sorti de Paris ; que cette variété venait des différents conseils que l'on lui donnait ; que Servien lui disait que l'État était perdu si Monsieur le Prince s'éloignait ; que Le Tellier balançait ; que l'abbé Fouquet, qui était nouvellement revenu de Brusle, l'assurait que Monsieur le Cardinal serait au désespoir, si elle ne se servait de l'occasion que Monsieur le Prince lui avait donnée lui-même de le *pousser ; que l'aîné Fouquet soutenait savoir le contraire, de science certaine ; que tout irait ainsi jusques à ce que l'oracle de Brusle eût décidé ; et, sur le tout, qu'elle, la Palatine, était persuadée qu'il y avait des propositions sous terre qui aidaient encore à tenir la Reine dans ses incertitudes. Voilà ce que Madame la Palatine me dit avec précipitation, parce que le temps d'aller au Palais pressait et Monsieur avait envoyé déjà deux fois chez moi. Je le trouvai prêt à monter en carrosse ; je lui rendis compte, en fort peu de paroles, de ma *commission. Je lui exposai le fait, ou plutôt le dit tout simplement. Il en tira d'*abord ce que j'avais prédit à la Reine ; et dès qu'il vit que la parole qu'elle lui faisait donner n'était ni précédée ni suivie d'aucun concert pour agir ensemble, dans la conjoncture dont il s'agissait, il se mit à siffler et à me dire : « Voilà une bonne drogue ! Allons, allons au Palais. — Mais encore, Monsieur, lui dis-je, il me semble qu'il serait bon que Votre Altesse Royale résolût ce qu'elle y dira. — Qui diable le peut savoir ? qui le peut prévoir ? Il n'y a ni rime ni raison avec tous ces gens ici. Allons, et quand nous serons dans la Grande Chambre, nous trouverons peut-être que ce n'est pas aujourd'hui samedi. »

Ce l'était pourtant et le 8 de juillet 1651.

Aussitôt que Monsieur eut pris sa place, M. Talon, avocat général, entra avec ses collègues, et dit qu'il avait porté à la Reine, la veille, la lettre que Monsieur le Prince avait écrite au Parlement ; que Sa Majesté avait fort agréé la conduite de la Compagnie, et que Monsieur le Chancelier avait mis entre les mains de Monsieur le Procureur Général un écrit par lequel elle serait informée des volontés du Roi. Cet écrit portait que la Reine était extrêmement surprise de ce que Monsieur le Prince avait pu douter de la vérité des assurances qu'elle avait données tant de fois ; qu'elle n'avait eu aucun dessein contre sa personne ; qu'elle ne s'étonnait pas moins des soupçons qu'il témoignait touchant le retour de Monsieur le Cardinal ; qu'elle déclarait qu'elle voulait religieusement observer la parole qu'elle avait donnée sur ce sujet au Parlement ; qu'elle ne savait rien du mariage de M. de Mercœur [1] ni des négociations de Sedan [2] ; qu'elle avait plus de sujet que personne de se plaindre de ce qui s'était passé à Brisach (je vous entretiendrai tantôt de ces trois derniers articles) [3] ; que pour ce qui était de l'éloignement de MM. Le Tellier, Servien et Lionne, elle voulait bien que l'on sût qu'elle ne prétendait pas d'être gênée dans le choix des ministres du Roi son fils, ni dans celui de ses *domestiques ; et que la proposition que l'on lui faisait sur ce point était d'autant plus injuste, qu'il n'y avait aucun des trois nommés qui eût seulement fait un pas pour le rétablissement de M. le cardinal Mazarin. La Compagnie s'échauffa beaucoup, après la lecture de cet écrit, sur ce qu'il n'était pas signé, ce qui, dans les circonstances, n'était d'aucune conséquence. Mais comme, dans ces sortes de compagnies, tout ce qui est de la forme touche les petits esprits et *amuse même les plus raisonnables, l'on employa toute la matinée proprement à rien, et l'on remit l'assemblée au lundi, en suppliant, en attendant, Monsieur de s'entremettre pour l'accommodement. Il y eut, dans cette séance, beaucoup de chaleur entre M. le prince de Conti et Monsieur le Premier Président. Celui-ci, qui n'était nullement content, en son particulier, de Monsieur le Prince, qu'il croyait, quoique, à mon opinion, sans fondement, avoir obligé à plus de reconnaissance qu'il n'en avait reçu, celui-ci, dis-je, parla avec force contre la retraite de Saint-Maur, et l'appela même un triste préalable de la guerre civile. Il ajouta deux ou trois paroles qui semblaient *marquer les mouvements passés et causés par MM. les princes de Condé. M. le prince de Conti les releva, même avec menaces, en disant qu'en tout autre lieu il lui apprendrait à demeurer dans le respect qui est dû aux princes du sang. Le premier président repartit hardiment qu'il ne craignait rien, et qu'il avait lieu de se plaindre lui-même que l'on l'osât interrompre dans sa place, où il représentait la personne du Roi. L'on s'éleva de part et d'autre. Monsieur, qui était très aise de les voir *commis les uns avec les autres, ne s'en mêla que quand il ne put plus s'en défendre ; et il dit à la fin, aux uns et aux autres, que tout le monde ne devait s'appliquer qu'à radoucir les esprits, et caetera.

Comme Monsieur fut de retour chez lui, il me mena dans le cabinet des livres, il ferma la porte et les verrous lui-même, il jeta son chapeau sur la table, et puis il me dit, d'un ton fort ému, qu'il n'avait pas eu le temps, devant que d'aller au Palais, de me dire une chose qui me surprendrait, quoique pourtant elle ne me dût pas surprendre ; qu'il savait, depuis minuit, que le vieux *Pantalon (il appelait ainsi M. de Châteauneuf) traitait, par le canal de Saint-Romain et de Croissy, avec Chavigny, l'accommodement de Monsieur le Prince avec la Reine ; qu'il n'ignorait pas tout ce qu'il y avait à dire sur cela ; mais qu'il ne fallait pas disputer contre les faits ; que celui-là était sûr : « Et si vous en doutez, ajouta-t-il en me jetant une lettre, tenez, voyez, lisez. » Cette lettre, qui était de la main de M. de Châteauneuf, était adressée à Croissy, et portait, entre autres, ces propres mots : « Vous pouvez assurer M. de Chavigny que le commandeur de Jars, qui n'est jamais dupe qu'en bagatelle [1], est convaincu que la Reine marche du bon pied [2], et que non pas seulement les Frondeurs, mais que Le Tellier même ne sait rien de notre négociation. Le soupçon de M. de Saint-Romain n'est pas fondé. »

Vous remarquerez, s'il vous plaît, que Le Grand, premier valet de chambre de Monsieur, ayant vu tomber ce billet de la poche de Croissy, l'avait ramassé, et qu'il l'avait apporté à Monsieur. Il n'attendit pas que j'eusse achevé de le lire pour me dire : « Avais-je tort de vous dire, ce matin, que l'on ne sait où l'on est avec tous ces gens-là. L'on dit toujours qu'il n'y a point d'assurance au peuple ; l'on a menti, il y a mille fois plus de solidité que dans les *cabinets.

Je veux m'aller loger aux Halles. — Vous croyez donc, Monsieur, lui répondis-je, que l'accommodement est fait ? — Non, dit-il, je ne crois pas qu'il le soit ; mais je crois qu'il le sera peut-être à ce soir. — Et moi, Monsieur, je serais persuadé qu'il ne se peut faire par ce canal, s'il m'était permis d'être d'un autre sentiment que celui de Votre Altesse Royale. » Cette question fut agitée avec chaleur. Je soutins mon opinion par l'impossibilité qui me paraissait au succès d'une négociation dans laquelle tous les négociateurs se trouvaient, par un rencontre assez bizarre, avoir par éminence, au moins pour cette occasion très épineuse en elle-même, toutes les qualités les plus propres à rompre l'accommodement du monde le plus facile. Monsieur demeura dans son sentiment, parce que sa faiblesse naturelle lui faisait toujours voir ce qu'il appréhendait comme infaillible et même comme proche. Ce fut à moi de céder, comme vous pouvez croire, et de recevoir l'ordre qu'il me donna de faire dire, dès l'après-dînée, à la Reine, par Madame la Palatine, que son sentiment était qu'elle s'accommodât, en toute manière, avec Monsieur le Prince, et que le Parlement et le peuple étaient si échauffés contre tout ce qui avait la moindre teinture de mazarinisme, qu'il ne fallait plus songer qu'à applaudir à celui qui a été assez habile, me dit-il même avec aigreur, pour nous *primer à recommencer l'escarmouche contre le Sicilien. J'eus beau lui représenter que, supposé même pour sûr ce qu'il croyait très proche, et ce que je tiendrais fort éloigné si j'osais le contredire, le parti qu'il prenait avait des inconvénients terribles, et celui particulièrement de précipiter encore davantage la Reine dans la résolution que l'on craignait, et même de l'obliger à prendre encore plus de mesures contre le ressentiment de Monsieur : il crut que ces raisons que je lui alléguais n'étaient que des prétextes pour couvrir la véritable qui me faisait parler, qu'il alla chercher dans l'appréhension qu'il s'imagina que j'avais qu'il ne s'accommodât lui-même avec Monsieur le Prince ; et il me dit qu'il prendrait si bien ses mesures du côté de Saint-Maur, que je ne devais pas craindre qu'il tombât dans l'inconvénient que je lui marquais, et que si la Reine l'avait gagné de la *main une fois, il le lui saurait bien rendre. Il ajouta : « Je ne suis pas si sot qu'elle croit, et je songe plus à vos intérêts que vous n'y songez vous-même. » Je confesse que je n'entendis pas ce que signifiait, en cet endroit, cette dernière parole. Je m'en doutai aussitôt après, car il ajouta : « Monsieur le Prince, quoique enragé contre vous, vous nomme-t-il dans la lettre qu'il a écrite au Parlement ? » Je m'imaginai que Monsieur me voulait faire valoir ce silence, et me le montrer comme une marque du ménagement que l'on avait pour moi, à sa *considération, et des précautions qu'il prendrait, de ce côté-là, sur mon sujet, en cas de besoin. Je jugeai, de ce discours et de plusieurs autres qui le précédèrent et qui le suivirent, que la persuasion où il était que la Reine et Monsieur le Prince étaient ou accommodés, ou du moins sur le point de s'accommoder, était ce qui l'avait obligé à me commander d'en faire presser la Reine en son nom, dans la vue et de témoigner à elle-même qu'il ne se sentirait pas désobligé de son accommodement, et de tirer mérite auprès de Monsieur le Prince du conseil qu'il en donnait à la Reine. Je fus tout à fait confirmé dans mon soupçon par une conversation de plus d'une heure qu'il eut, un moment après que je l'eus quitté, avec Raray, qui était serviteur particulier de Monsieur le Prince, comme je vous l'ai déjà dit, quoiqu'il fût *domestique de Monsieur. Je combattis, de toute ma force, les sentiments de Monsieur, qui, dans la vérité, étaient plutôt des égarements de frayeur que des raisonnements. Je ne l'ébranlai point, et j'éprouvai, en ce rencontre, ce que j'ai encore observé en d'autres occasions, que la peur qui est flattée par la *finesse est insurmontable.

Vous ne doutez pas que je ne fusse cruellement embarrassé au sortir de chez Monsieur. Madame la Palatine ne le fut guère moins que moi du *compliment que je la priai, de la part de Monsieur, de faire à la Reine. Elle en revint toutefois, et plus tôt et plus aisément, en faisant réflexion sur la constitution des choses, « qui, dit-elle très sensément, redresseront les hommes, au lieu que, pour l'ordinaire, ce sont les hommes qui redressent les choses ». Mme de Beauvais lui venait de mander que Métayer, valet de chambre du Cardinal, venait d'arriver de Brusle, « et peut-être, ajouta-t-elle, cet homme nous apporte-t-il de quoi tout changer en un instant » : ce qu'elle disait à l'aventure, et par la seule vue que Monsieur le Cardinal ne pourrait jamais rien approuver de tout ce qui passerait par le canal de Chavigny.

Son pressentiment fut une prophétie ; car il se trouva qu'en effet Métayer avait apporté des anathèmes plutôt que des lettres contre les propositions qui avaient été faites ; et que, bien qu'il[1] fût l'homme du monde qui reçût toujours le plus agréablement, en apparence, ce qu'il ne voulait pas en effet, il n'avait gardé, en ce rencontre, aucune mesure qui approchât seulement de sa conduite ordinaire : ce que nous attribuâmes, Madame la Palatine et moi, à la force de l'aversion qu'il avait pour les négociateurs. Châteauneuf lui était très suspect ; Chavigny était sa *bête ; Saint-Romain lui était odieux, et par l'attachement qu'il avait à M. de Chavigny et par celui qu'il avait eu, à Münster, à M. d'Avaux. Madame la Palatine, qui ne savait pas encore, quand je lui parlai, ce que Métayer avait apporté, quoiqu'elle sût qu'il était arrivé, trouva à propos que je retournasse chez Monsieur, pour lui dire que ce courrier aurait pu peut-être avoir donné à la Reine de nouvelles vues, et qu'elle jugeait qu'il ne serait que mieux, par cette considération, qu'elle n'exécutât pas la *commission qu'il lui avait donnée par moi devant que l'on pût être informé de ce détail. Monsieur que j'allai retrouver sur-le-champ, s'arma contre cette ouverture, qui était très sage, par une *préoccupation qui lui était fort ordinaire, aussi bien qu'à beaucoup d'autres. La plupart des hommes examinent moins les raisons de ce qu'on leur propose contre leurs sentiments, que celles qui peuvent obliger celui qui les propose à s'en servir. Ce défaut est très commun, et il est grand. Je connus clairement que Monsieur ne reçut ce que je lui dis, de la part de Madame la Palatine, que comme un effet de l'entêtement qu'il croyait que nous avions l'un et l'autre contre Monsieur le Prince. J'insistai, il demeura ferme, et je connus encore, en cet endroit, qu'un homme qui ne se fie pas à soi-même ne se fie jamais véritablement à personne. Il avait plus de confiance en moi, sans comparaison, qu'en tous ceux qui l'ont jamais approché : sa confiance n'a jamais tenu un quart d'heure contre sa peur.

Si le *compliment que Monsieur faisait faire à la Reine eût été en des mains moins adroites que celles de Madame la Palatine, j'eusse été encore beaucoup plus en peine de l'événement. Elle le ménagea si habilement, qu'il servit au lieu de nuire : à quoi elle fut très bien servie elle-même par la fortune, qui fit arriver ce Métayer, dont je vous viens de parler, justement au moment où il était absolument nécessaire pour *rectifier ce qu'il ne tenait pas à Monsieur de gâter ; car la Reine, qui était toujours soumise à M. le Cardinal Mazarin, mais qui l'était doublement quand ce qu'il lui mandait convenait à sa colère, se trouva, lorsque Madame la Palatine commença à lui parler, dans une disposition si éloignée d'aucun accommodement avec Monsieur le Prince, que ce que la Palatine lui dit de la part de Monsieur ne produisit en elle d'autre mouvement que celui que nous pouvions souhaiter, qui était de faire donner la carte blanche à Monsieur, de l'obliger à se confesser, pour ainsi dire, de son balancement ; d'y chercher des excuses, mais de celles qui assuraient l'avenir, et de désirer avec impatience de me parler. Madame la Palatine fut même chargée par la Reine de faire savoir, par mon canal, à Monsieur le détail de la dépêche de Métayer, et de me commander d'aller, entre onze et minuit, au lieu accoutumé. Madame la Palatine ne douta pas, non plus que moi, que Monsieur ne dût avoir une grande joie de ce que je lui allais porter, et nous nous trompâmes beaucoup l'un et l'autre ; car aussitôt que je lui eus dit que la Reine lui offrait tout sans exception, pourvu qu'il voulût de son côté s'unir parfaitement et sincèrement à elle contre Monsieur le Prince, il tomba dans un état que je ne vous puis bien exprimer qu'en vous suppliant de vous ressouvenir de celui où il n'est pas possible que vous ne vous soyez trouvée quelquefois. N'avez-vous jamais agi sur des suppositions qui ne vous plaisaient pas, et n'est-il pas vrai toutefois que quand ces suppositions ne se sont pas trouvées bien fondées, vous avez senti dans vous-même un combat qui s'y est formé entre la joie de vous être trompée à votre avantage et le regret d'avoir perdu les pas que vous y aviez faits ? Je me suis retrouvé mille fois moi-même dans cette idée. Monsieur était ravi de ce que la Reine était bien plus éloignée de l'accommodement qu'il n'avait cru ; mais il était au désespoir d'avoir fait les avances qu'il avait faites vers Monsieur le Prince, et qu'il avait faites dans la vue de cet accommodement, qu'il croyait bien avancé. Les hommes qui se rencontrent en cet état, sont, pour l'ordinaire, assez longtemps à croire qu'ils ne se sont pas trompés, même après qu'ils s'en sont aperçus, parce que la difficulté qu'ils

trouvent à découdre le tissu qu'ils ont commencé fait qu'ils
se font des objections à eux-mêmes ; et ces objections, qui
leur paraissent être des effets de leur raisonnement, ne sont
presque jamais que des suites naturelles de leur inclination.
Monsieur était *timide et paresseux au souverain degré. Je
vis, dans le moment que je lui appris le changement de la
Reine, un air de gaieté et d'embarras tout ensemble sur son
visage : je ne puis l'exprimer, mais je me le peins encore
fort bien à moi-même ; et quand je n'aurais pas eu d'ailleurs
la lumière que j'avais des pas qu'il avait faits vers Monsieur
le Prince, j'aurais lu dans ses yeux qu'il avait reçu quelque
nouvelle sur son sujet, qui lui donnait de la joie et qui lui
faisait de la peine. Ses paroles ne démentirent pas sa
contenance. Il voulut douter de ce que je lui disais, quoiqu'il
n'en doutât pas. C'est le premier mouvement des gens qui
sont de cette humeur et qui se trouvent en cet état. Il passa
aussitôt au second, qui est de chercher à se justifier de la
précipitation qui les a jetés dans l'embarras. « Il est bien
temps, me dit-il tout d'un coup ; la Reine fait des choses
qui obligent les gens... » Il s'arrêta à ce mot, de honte, à
mon avis, de m'avouer ce qu'il avait fait. Il tourna quelque
temps, il siffla, il alla *rêver un moment auprès de la
cheminée, et puis il me dit : « Que diable direz-vous à la
Reine ? Elle voudra que je lui promette que je ne concourrai
pas à *pousser les ministreaux[1], et comment lui puis-je
promettre, après ce que j'ai promis à Monsieur le Prince ? »
Il me fit en cet endroit, un galimatias parfait pour me
justifier ce qu'il avait fait dire à Monsieur le Prince depuis
vingt-quatre heures ; et je connus que ce galimatias n'allait
principalement qu'à me faire croire qu'il croyait lui-même
ne m'en avoir pas [fait] le *fin la veille. Je pris tout pour
bon, et je suis encore persuadé qu'il crut avoir réussi dans
son dessein. Le lieu que je lui donnai de se l'imaginer lui
donna lieu à lui-même de s'ouvrir beaucoup plus qu'il n'eût
fait assurément si il m'eût cru mal satisfait, et j'en tirai
enfin tout le détail de ce qu'il avait fait. Le voici en peu de
mots. Comme il avait posé pour fondement que Monsieur
le Prince était ou accommodé, ou sur le point de s'accommoder avec la cour, il crut pour certain qu'il n'hasardait rien
en lui offrant tout dans une conjoncture où il ne craignait
pas que l'on acceptât ses offres contre la cour, parce que

l'on s'accommodait avec elle. Vous voyez, d'un coup d'œil le frivole de ce raisonnement. Monsieur, qui avait beaucoup d'esprit, le connut parfaitement dès qu'il se vit hors du péril qui le lui avait inspiré ; mais, comme il est toujours plus aisé de s'apercevoir du mal que du remède, il le chercha longtemps sans le trouver, parce qu'il ne le cherchait que dans les moyens de satisfaire les uns et les autres. Il y a des occasions où ce parti est absolument impossible, et quand il l'est, il est pernicieux, en ce qu'il mécontente infailliblement les deux parties. Il n'est pas moins incommode au négociateur, parce qu'il a toujours un air de fourberie. Il ne tint pas à moi, par l'un et l'autre de ces motifs, de le dissuader à Monsieur : il ne fut pas en mon pouvoir, et j'eus ordre de faire agréer à la Reine que Monsieur se déclarât dans le Parlement contre les trois sous-ministres, en cas que Monsieur le Prince continuât à demander leur éloignement, et j'eus, en même temps, permission de l'assurer que, moyennant cette condition, Monsieur se déclarerait, dans la suite, contre Monsieur le Prince, en cas que Monsieur le Prince eût, après celle-là, de nouvelles prétentions. Comme je ne croyais pas qu'il fût ni juste ni sage d'outrer, de tout point, la Reine par un éclat de cette nature, je représentai à Monsieur, avec force, qu'il avait beau jeu pour faire coup double, et même triple, en obligeant la Reine par la conservation des sous-ministres, qui, dans le fond, était assez indifférente ; en faisant voir que Monsieur le Prince, ne se contentant pas de la destitution du Mazarin, voulait saper les fondements de l'autorité royale, en ne laissant pas même l'ombre de l'autorité à la Régente ; et en satisfaisant, en même temps, le public par une aggravation [1], pour ainsi parler, contre le Cardinal, que je proposai en même temps, et que je m'assurai même de faire agréer à la Reine. Madame la Palatine m'avait dit qu'elle avait vu, dans une lettre écrite par le Cardinal à la Reine, qu'il la suppliait de ne rien refuser de tout ce que l'on lui demanderait contre lui, et parce qu'il était persuadé que le plus que l'on désirerait, après l'excès auquel on s'était porté, tournerait plutôt en sa faveur qu'autrement ce qu'il y aurait d'esprits modérés, et parce qu'il convenait assez à son service que l'on *amusât les factieux, c'était son mot, à des *clabauderies qui ne pouvaient être tout au plus que des répétitions fort inutiles.

Je ne tenais pas ce raisonnement de Monsieur le Cardinal bien juste, mais je m'en servis pour former la conduite que j'eusse souhaité que Monsieur eût voulu prendre, et je raisonnais ainsi :

« Si Monsieur concourt à l'exclusion des sous-ministres, il fait apparemment le compte de Monsieur le Prince, en ce qu'il obligera peut-être la Reine d'accorder à Monsieur le Prince tout ce qu'il lui demandera. Il ne fera pas le sien du côté de la cour, parce qu'il outrera de plus en plus la Reine, et qu'il outragera de plus tous ceux qui l'approchent. Il ne le fera pas non plus du côté du public ; car, comme il dit lui-même, Monsieur le Prince l'a gagné de la *main ; et comme c'est lui qui a fait le premier la proposition de se défaire de ces restes du mazarinisme, il en a la fleur de la gloire, ce qui, dans les peuples, est le principal. Voilà donc un grand inconvénient, qui est celui de faire à la Reine une peur dont Monsieur le Prince se peut servir pour son avantage ; voilà, dis-je, un grand inconvénient, qui est, de plus, accompagné d'un grand *déchet de réputation, en ce qu'il fait voir Monsieur agissant en second avec Monsieur le Prince, et entraîné à une conduite dont, non pas seulement il n'aura pas l'honneur, mais qui lui tournera même à honte, parce que l'on prétendra que c'était à lui à commencer à la prendre. Quelle utilité trouvera-t-il qui puisse compenser ces inconvénients ? L'on ne s'en peut imaginer d'autre que celle d'ôter à la Reine des gens que l'on croit affectionnés au Cardinal. Est-ce un avantage, quand l'on pense que les Fouquets, les Bartets et les Brachets passeront également la moitié des nuits auprès d'elle ? que les Estrées, les Souvrés et les Sennetaires y demeureront tout le jour, et que ceux-ci y seront d'autant plus dangereux que la Reine sera encore plus aigrie par l'éloignement des autres ?

« Je suis convaincu, par toutes ces considérations, que Monsieur doit faire, à la première assemblée des chambres, le panégyrique de Monsieur le Prince, sur la fermeté qu'il témoigne contre le retour de Monsieur le cardinal Mazarin, confirmer tout ce qui s'est dit en son nom par M. le prince de Conti, touchant la nécessité des précautions qu'il est bon de prendre contre son rétablissement, combattre publiquement, et par des raisons solides, celle que l'on cherche dans l'éloignement des trois ministres, faire voir qu'elle est injurieuse à la Reine, à laquelle on doit assez de respect et même assez de reconnaissance pour les paroles qu'elle réitère, en toutes occasions, de l'exclusion à jamais de Monsieur le cardinal Mazarin, pour ne pas abuser, à tous moments, de sa bonté, par de nouvelles conditions, auxquelles on ne voit plus de fin. Ajouter que si la proposition d'aller ainsi de branche en branche venait d'un fond dont l'on fût moins assuré que de celui de Monsieur le Prince, elle serait très suspecte, parce que le gros de l'arbre n'est pas encore déraciné : la déclaration contre le Cardinal n'est pas encore *expédiée ; l'on sait que l'on conteste encore sur des paroles. Au lieu de la presser, au lieu de couronner, ou plutôt de cimenter cet ouvrage, dont tout le monde est convenu, l'on fait des propositions nouvelles, qui peuvent faire naître des scrupules dans les esprits des mieux intentionnés[1]. Tel croit se sanctifier en mettant une pierre sur le tombeau du Mazarin, qui croirait faire un grand péché si il en jetait seulement une petite contre ceux dont il plaira dorénavant à la Reine de se servir. Rien ne justifierait davantage ce ministre coupable, que de donner le moindre lieu de croire que l'on voulût tirer en exemple journalier et même fréquent ce qui s'est passé à son égard. La justice et la bonté de la Reine ont consacré ce que nous avons fait avec des intentions très pures et très sincères pour son service et pour le bien de l'État. Il faut, de notre part, y répondre par des actions dans lesquelles l'on connaisse que notre principal soin est d'empêcher que ce que le salut du royaume nous a forcés de faire contre le ministre ne puisse blesser en rien la véritable autorité du Roi.

« Nous avons, en ce rencontre, un avantage très signalé : la déclaration publique que la Reine a fait faire tant de fois, et à Messieurs les Princes et au Parlement, qu'elle exclut pour jamais Monsieur le Cardinal du ministère, nous met en droit, sans blesser l'autorité royale, qui nous doit être sacrée, de chercher toutes les assurances possibles à cette parole, qui ne lui doit pas être moins inviolable. C'est à quoi Son Altesse Royale doit s'appliquer ; mais, pour s'y appliquer et avec dignité et avec succès, il ne doit pas, à mon opinion, prendre le change ; et il doit faire craindre au Parlement que l'on ne le lui veuille donner, en lui proposant des diversions qui ne sont que frivoles, au prix de ce qu'il y a effectivement à faire. Ce qui presse véritablement est de bien fonder la déclaration contre Monsieur le Cardinal. La première que l'on a apportée était son panégyrique ; celle à laquelle l'on travaille n'est, au moins à ce que l'on nous dit, causée que sur les remontrances du Parlement et sur le consentement de la Reine, et ainsi pourrait être expliquée dans les temps. Son Altesse Royale peut dire demain à la Compagnie que la fixation, pour ainsi parler, de cette déclaration est la précaution véritable et solide à laquelle il faut s'appliquer ; et que cette fixation ne peut être plus sûre qu'en y insérant que le Roi l'exclut et de son royaume et de ses conseils, parce qu'il est de notoriété publique et incontestable que c'est lui qui a rompu la paix générale à Münster[1]. Si Monsieur éclate demain dans le Parlement sur ce ton, que je lui réponds de faire agréer ce soir par la Reine, il se réunit avec elle, en donnant une cruelle *botte au Mazarin. Il se donne l'honneur, dans le public, de le *pousser personnellement et solidement ; il l'ôte à Monsieur le Prince en faisant voir qu'il *affecte de n'attaquer que son ombre[2], et il fait connaître à tous les esprits sages et modérés qu'il ne veut pas souffrir que, sous le prétexte du Mazarin, l'on continue à donner tous les jours de nouvelles atteintes à l'autorité royale. »

Voilà ce que je conseillai à Monsieur ; voilà ce que je lui donnai par écrit devant que de sortir de chez lui ; voilà ce qu'il porta à Madame, qui était au désespoir de ce qu'il s'était engagé avec Monsieur le Prince ; voilà ce qu'il approuva de toute son âme ; et voilà toutefois ce qu'il n'osa faire, parce que, n'ayant pas douté, comme je vous l'ai déjà dit, que Monsieur le Prince ne s'accommodât avec la cour, il lui avait promis (à jeu sûr, à ce qu'il croyait par cette raison) de se déclarer avec lui contre les sous-ministres. Il l'avoua à Madame, encore plus en détail qu'il ne me l'avait expliqué, et tout ce que je pus tirer de lui fut qu'il donnât sa parole à la Reine, et qu'il s'employât fidèlement auprès de Monsieur le Prince pour l'empêcher de pousser sa *pointe contre les trois susnommés, et que si il n'y pouvait réussir et que lui fût obligé à parler contre eux, il déclarerait, en même temps, à Monsieur le Prince que ce serait pour la dernière fois, et que, la Reine demeurant dans les termes de la parole donnée pour l'éloignement de Monsieur le Cardinal, il ne se séparerait plus de ses intérêts. Madame, qui aimait M. Le Tellier, et qui était très fâchée, et par cette raison et par beaucoup d'autres, que Monsieur ne fît pas davantage, lui fit promettre qu'il ferait le malade le lendemain, dans la vue de retarder l'assemblée des chambres et de se donner, par ce moyen, le temps de l'obliger à quelque chose de plus. Aussitôt qu'elle eut obtenu ce point, elle le fit savoir à la Reine, en lui mandant, en même temps, que je faisais des merveilles pour son service. Ce témoignage, qui fut reçu très agréablement, parce qu'il fut porté dans un instant où la Reine était très satisfaite de Madame, ce qui ne lui était pas ordinaire, facilita beaucoup ma négociation. J'allai le soir chez la Reine, que je trouvai avec un visage fort ouvert ; et ce qui me fit voir qu'elle était contente de moi fut que ce visage ouvert ne se referma pas, même après que je lui eus déclaré, et que je ne croyais pas que l'on pût empêcher Monsieur de concourir avec Monsieur le Prince contre les sous-ministres, et que je ne me pourrais pas empêcher moi-même d'y opiner, si l'on en délibérait au Parlement. Vous devez être si fatiguée de tous ces dits et redits des conversations passées, que je crois qu'il est mieux que je n'entre pas dans le détail de celle-ci, qui fut assez longue, et que je me contente de vous rendre compte du résultat, qui fut que je m'appliquerais de toute ma force à faire que Monsieur tînt fidèlement la parole que je donnais à la Reine de sa part, qu'il ferait tous ses efforts pour adoucir l'esprit de Monsieur le Prince en faveur des trois nommés, et qu'en cas qu'il ne le pût, qu'il fût obligé, lui-même, par cette considération, de les *pousser, et que, par la même raison, je fusse forcé d'y concourir de ma voix, je déclarerais à Monsieur qu'au cas que, dans la suite, Monsieur le Prince fît encore de nouvelles propositions, je n'y entrerais plus, quand même Monsieur s'y laisserait *emporter. Je me défendis longtemps de cette dernière clause, et parce que, dans la vérité, elle m'engageait beaucoup, et parce qu'elle me paraissait même être au dernier point contre le respect, en ce qu'elle confondait et qu'elle égalait, pour ainsi parler, mes engagements avec ceux de la maison royale. Il fallut enfin y passer, et je n'eus aucune peine à le faire agréer à Monsieur, qui fut si aise de se trouver dans la liberté de ne point rompre avec Monsieur le Prince, même de concert avec la Reine, qu'il fut ravi de tout ce qui avait facilité ce traité. Je vous en dirai les suites, après que je vous aurai suppliée de faire réflexion sur deux circonstances de ce qui se passa dans cette dernière conversation que j'eus avec la Reine.

Il m'arriva, en lui parlant de MM. Le Tellier, Servien et Lionne, de les nommer les trois sous-ministres ; elle releva ce mot avec aigreur, en me disant : « Dites les deux. Ce traître de Lionne peut-il porter ce nom ? c'est un petit secrétaire de Monsieur le Cardinal. Il est vrai que parce qu'il l'a déjà trahi deux fois, il pourra être un jour secrétaire d'État. » Cette remarque s'est rendue par l'événement assez curieuse [1].

La seconde est que lorsque j'eus promis à la Reine de ne me pas accommoder avec Monsieur le Prince dans les suites, quand même Monsieur s'y accommoderait, et que j'eus ajouté que je le dirais moi-même à Monsieur, dès le lendemain, elle s'écria plutôt qu'elle ne prononça : « Quelle surprise pour M. Le Tellier ! » Elle se referma tout d'un coup, et quoique je fisse ce qui fut en moi pour pénétrer ce qu'elle avait voulu dire, je n'en pus rien tirer. Je reviens à Monsieur.

Je le vis, le lendemain au matin, chez Madame ; il fut très satisfait de ma négociation. Il me témoigna que l'engagement que j'avais pris, en mon particulier, avec la Reine, ne lui pourrait jamais faire aucune peine, parce qu'il était très résolu lui-même, passé cette occasion, à ne jamais concourir en rien avec Monsieur le Prince, pourvu que la Reine demeurât dans la parole donnée pour l'exclusion du Mazarin. Madame ajouta tout ce qui le pouvait obliger à se confirmer dans cette pensée. Elle fit même encore une nouvelle tentative pour lui persuader de commencer au moins, dès ce jour-là, à voir si il ne pourrait rien gagner sur l'esprit de Monsieur le Prince. Il trouva de *méchantes excuses. Il dit qu'il pourrait prendre des mesures plus certaines en se donnant tout ce jour pour attendre ce que Monsieur le Prince lui-même lui ferait dire. Il en eut effectivement un gentilhomme, sur le midi, mais pour savoir simplement des nouvelles de sa santé, ou plutôt pour savoir si il irait au Palais le lendemain. Monsieur qui faisait semblant d'avoir pris médecine, ne laissa pas d'aller chez la Reine, le soir, à qui il confirma, avec serment, tout ce que je lui avais promis par son ordre. Il lui protesta qu'il ne s'ouvrirait, en façon du monde, de ce qu'elle lui faisait espérer qu'elle céderait, encore pour cette fois, à Monsieur le Prince, en cas que Monsieur ne le pût gagner sur l'article des sous-ministres. « A votre seule *considération, lui ajouta-t-elle, et sur la parole que vous me donnez que vous serez pour moi dans toutes les autres prétentions de Monsieur le Prince, qui seront infinies. » Elle le conjura ensuite de lui tenir fidèlement la parole, qu'il lui avait fait donner par moi, de faire tous ses efforts pour obliger Monsieur le Prince de se désister de son instance. Il l'assura qu'il avait envoyé, dès midi, le maréchal d'Étampes à Saint-Maur pour cet effet, ce qui était vrai. (Il s'était ravisé après l'avoir refusé à Madame, comme je vous l'ai tantôt dit.) Il attendit même, au Palais-Royal, la réponse du maréchal d'Etampes, qui fut négative, et qui portait expressément que Monsieur le Prince ne se désisterait jamais de son instance. Monsieur revint chez lui fort embarrassé, au moins à ce qu'il me parut. Il *rêva tout le soir, et il se retira de beaucoup meilleure heure qu'à l'ordinaire.

Le lendemain, qui fut le mardi 11 de juillet, les chambres s'assemblèrent et M. le prince de Conti se trouva au Palais, fort accompagné. Monsieur dit à la Compagnie qu'il avait fait tous ses efforts, et auprès de la Reine et auprès de Monsieur le Prince, pour l'accommodement, qu'il n'avait pu rien gagner ni sur l'un ni sur l'autre, et qu'il priait la Compagnie de joindre ses offices aux siens. M. le prince de Conti prit la parole aussitôt que Monsieur eut fini, pour dire qu'il y avait un gentilhomme de monsieur son frère à la porte de la Grande Chambre. L'on le fit entrer. Il rendit une lettre de Monsieur le Prince, qui n'était proprement qu'une répétition de la première.

Le premier président pressa, assez longtemps, Monsieur de faire encore de nouveaux efforts pour l'accommodement. Il s'en défendit d'abord, par la seule habitude que tous les hommes ont à se faire prier, même des choses qu'ils souhaitent ; il le refusa ensuite, sous le prétexte de l'impossibilité de réussir ; mais, en effet, comme il me l'avoua le jour même, parce qu'il eut peur de déplaire à M. le prince de Conti, ou plutôt à toute la jeunesse, qui criait et qui demandait que l'on délibérât contre les restes du mazari-

nisme. Le premier président fut obligé de ployer. L'on
manda les gens du Roi, pour prendre leurs conclusions sur
la réquisition de Monsieur le Prince. L'indisposition parut
très grande, ce jour-là, contre les sous-ministres, et toute
l'adresse du premier président, jointe à la froideur de
Monsieur, qui ne parut nullement échauffé contre eux, ne
put aller qu'à faire remettre la délibération au lendemain,
en ordonnant toutefois que la lettre de Monsieur le Prince
serait portée, dès le jour même, à la Reine. Monsieur fut
aussi prié par le Parlement de continuer ses offices pour
l'accommodement. La chaleur qui avait paru dans les esprits,
jointe à celle de la salle du Palais, qui fut très grande, fit
que Monsieur se remercia beaucoup de ce qu'il n'avait pas
cru le conseil que je lui avais donné, de s'opposer à la
déclaration de Monsieur le Prince contre les sous-ministres.
Il m'en fit une manière de raillerie au sortir du Palais, et je
lui répondis que je le suppliais de me permettre de ne me
défendre que le lendemain à pareille heure. L'après-dînée,
Monsieur alla à Rambouillet [1], où il avait donné rendez-vous
à Monsieur le Prince, et il eut une fort longue conversation
avec lui, dans les allées du jardin. Il me dit, le soir, qu'il
n'avait rien oublié pour lui persuader de ne pas insister à
son instance contre les ministres ; il le dit à Madame, qui
en fut très persuadée. Je le suis encore, parce qu'il est
*constant qu'il n'appréhendait rien tant au monde que le
retour à Paris de Monsieur le Prince, et qu'il se croyait très
assuré qu'il n'y reviendrait pas, si ces messieurs demeuraient
à la cour. La Reine me dit, le lendemain, qu'elle savait de
science certaine qu'il n'avait combattu pour elle que très
faiblement, « et tout de même, me dit-elle, que si il avait
eu l'épée à la main » [2]. Il n'est pas possible que, dans les
conversations que j'ai eues depuis avec Monsieur le Prince,
je ne me sois éclairci de ce détail ; mais j'avoue que je ne
me ressouviens nullement de ce qu'il m'en a dit. Ce qui est
certain est que la facilité qu'il [3] eut à laisser mettre l'affaire
en délibération fit croire à la Reine qu'il la jouait ; elle me
soupçonna ce jour-là, et encore davantage le lendemain,
d'être de la partie. Vous verrez par la suite qu'elle ne me
fit pas longtemps cette injustice.

Le lendemain, qui fut le 12, le Parlement s'assembla, et
Monsieur l'avocat général Talon fit son rapport de l'audience

qu'il avait eue de la Reine, qui lui avait répondu simplement que la seconde lettre de Monsieur le Prince ne contenant rien que ce qui était dans la première, elle n'avait rien à ajouter à la réponse qu'elle y avait faite. M. le duc d'Orléans, donna part à la Compagnie des conférences qu'il avait eues, la veille, et avec la Reine et avec Monsieur le Prince. Il déclara qu'il n'avait pu rien gagner ni sur l'une ni sur l'autre. Il se tint *couvert, au dernier point, sur le particulier des trois sujets [1], et il crut qu'il satisferait la Reine par cette modération. Il *exagéra même avec emphase les sujets de défiance que Monsieur le Prince prétendait d'avoir ; et il s'imagina qu'il contenterait Monsieur le Prince par cette exagération. Il ne réussit ni à l'un ni à l'autre. La Reine fut persuadée qu'il lui avait manqué de parole, et elle eut assez de raison de le croire, quoique je ne sois pas convaincu qu'il l'eût fait dans le fond. Monsieur le Prince se plaignit beaucoup, le soir, de sa conduite, au moins à ce que le comte de Fiesque dit à M. de Brissac. Voilà le sort des gens qui veulent assembler les contradictoires, en contentant tout le monde. Talon ayant pris ses conclusions, qui pour cette fois ne répondirent pas à la fermeté qui lui était ordinaire, et qui parurent plutôt un galimatias affecté qu'un discours digne du sénat, l'on commença à opiner. Il y eut deux avis ouverts d'*abord : l'un fut celui des conclusions, qui allait à remercier la Reine des nouvelles assurances qu'elle avait données que l'éloignement de Monsieur le Cardinal était pour jamais, et de la prier de donner quelque satisfaction à Monsieur le Prince (voilà ce que je viens d'appeler galimatias) ; l'autre avis fut de Deslandes-Payen, qui, quoique parent proche de Mme de Lionne, déclama contre les trois sous-ministres, et opina à demander en forme leur éloignement. Vous jugez bien que je ne combattis pas son sentiment au Palais, quoique je l'eusse combattu dans le cabinet de Monsieur. Je mêlai dans mon avis de certains traits qui servirent à me démêler de la multitude, c'est-à-dire qui me distinguèrent de ceux qui n'opinèrent qu'à l'aveugle contre le nom du Mazarin. Cette distinction m'était nécessaire à l'égard de la Reine ; elle m'était bonne à l'égard de tous ceux qui n'approuvaient pas la conduite de Monsieur le Prince. Ils étaient en nombre dans le Parlement, et le *bonhomme Laisné même, conseiller de la Grande Chambre, homme de peu de sens, mais d'une vie intègre, et passionné contre le Mazarin, ne laissa pas de se déclarer ouvertement contre la réquisition de Monsieur le Prince, et il soutint qu'elle était injurieuse à l'autorité royale. Cette circonstance, jointe à quelques autres, obligea Monsieur de m'avouer, le soir, que j'avais mieux jugé que lui, et que si il se fût opposé à la proposition, comme je le lui avais conseillé, il en eût été loué et suivi. Il fit croire, en ne la blâmant pas, qu'il l'approuvait. Ceux mêmes qui l'eussent combattue avec plaisir, y donnèrent avec joie. Je n'étais pas d'un poids à faire dans les esprits l'effet que Monsieur y eût fait par son opposition : c'est pourquoi je ne m'y opposai pas. Je connus que si il s'y fût opposé, beaucoup de gens y eussent concouru avec lui ; et je crus avoir assez de cette vue pour pouvoir, sans crainte de me nuire dans le public, donner des atteintes indirectes à une action dont il m'était bon, pour toutes raisons, de diminuer le mérite, quoique je fusse obligé, par celle de Monsieur et du peuple, d'y contribuer au moins de ma voix.

J'entends bien mieux ce galimatias, que je ne vous l'explique ; et il est vrai qu'il ne se peut même bien concevoir que par ceux qui se sont trouvés, en ce temps-là, dans les délibérations de cette compagnie. J'y ai remarqué, peut-être plus de vingt fois, que ce qui y passait, dans un moment, comme incontestablement bon, y eût passé, dans le suivant, comme incontestablement mauvais, si l'on eût donné un autre tour à une forme souvent légère, à une parole quelquefois frivole. Le secret est d'en savoir discerner et prendre les instants. Monsieur manqua en ce point ; j'essayai de suppléer, en ce qui me regardait, d'une manière qui ne donnât pas l'avantage sur moi à Monsieur le Prince de pouvoir dire que j'épargnasse les restes du mazarinisme, et qui ne laissât pas de *noter, en quelque façon, sa conduite. Voici les propres paroles dans lesquelles je formai mon avis, que je fis imprimer et publier, dès le lendemain, dans Paris, pour la raison que je vous expliquerai dans la suite[a][1] :

« J'ai toujours été persuadé qu'il eût été à souhaiter qu'il n'eût paru dans les esprits aucune inquiétude sur le retour de M. le cardinal Mazarin, et que même l'on ne l'eût pas cru possible, son éloignement ayant été jugé nécessaire par le vœu commun de toute la France. Il semble que l'on ne puisse douter de son retour, sans douter en même temps du salut de l'État, dans lequel il jetterait assurément la confusion[a] et le désordre. Si les scrupules qui paraissent, sur ce sujet, dans les esprits, sont solides, ils produiront infailliblement cet effet si funeste, et s'ils n'ont point de fondement, ils ne laissent pas de donner une juste appréhension d'une très dangereuse suite, par le prétexte qu'il donneront à toutes les nouveautés.

« Pour les étouffer tout d'un coup, et pour ôter aux uns l'espérance et aux autres le prétexte, j'estime que l'on ne saurait prendre, en cette matière, d'avis trop décisifs. Et comme on parle de beaucoup de commerces qui alarment le public et qui inquiètent les esprits, je crois qu'il serait à propos de déclarer criminels et perturbateurs du repos public ceux qui négocieront avec M. le cardinal Mazarin, ou pour son retour, en quelque sorte et manière que ce puisse être.

« Si les sentiments que Son Altesse Royale témoigna, il y a quelques mois, en cette compagnie, sur le sujet de ceux qui y furent nommés[1], eussent été suivis, les affaires auraient maintenant une autre face. L'on ne serait pas tombé dans ces défiances ; le repos de l'État serait assuré, et nous ne serions pas présentement en peine de supplier M. le duc d'Orléans, comme c'est mon avis, de s'employer auprès de la Reine pour éloigner de la cour les restes et les créatures de M. le cardinal Mazarin, qui ont été nommés.

« Je sais que la forme avec laquelle on demande cet éloignement est extraordinaire, et il est vrai que si l'aversion d'un de Messieurs les Princes du sang était toujours la règle de la fortune des hommes, cette dépendance diminuerait beaucoup de l'autorité du Roi et de la liberté de ses sujets ; et l'on pourrait dire que ceux du Conseil et les autres qui n'ont de subsistance que par la cour, auraient beaucoup de maîtres.

« Je crois pourtant qu'il y a exception dans ce rencontre. Il s'agit d'une affaire qui est une suite comme naturelle de celle de M. le cardinal Mazarin : il s'agit d'un éloignement qui peut lever beaucoup des ombrages que l'on prend pour son retour ; d'un éloignement qui ne peut être que très utile, qui a été souhaité et proposé à cette compagnie par M. le duc d'Orléans, dont les intentions, toutes pures et toutes sincères pour le service du Roi et le bien de l'État, sont connues de toute l'Europe, et dont les sentiments, étant oncle du Roi et lieutenant général de l'État, ne tirent point à conséquence à l'égard de qui que ce soit.

« Il faut espérer de la prudence de Leurs Majestés, et de la sage conduite de M. le duc d'Orléans, que les choses se disposeront en mieux, que les défiances seront levées, que les soupçons seront dissipés, et que nous verrons bientôt l'union rétablie dans la maison royale, qui a toujours été le vœu de tous les gens de bien qui ont souhaité la liberté de Messieurs les Princes, particulièrement par cette considération, avec tant d'ardeur, qu'ils se sont trouvés bien heureux lorsqu'ils y ont pu contribuer de leurs suffrages.

« Pour former donc mon *opinion, je suis d'avis de déclarer criminels et perturbateurs du repos public ceux qui négocieront avec M. le cardinal Mazarin, ou pour son retour, en quelque sorte et manière que ce puisse être ; supplier très humblement Monsieur de s'employer auprès de la Reine pour éloigner de la cour les créatures de M. le cardinal Mazarin qui ont été nommés[a], et appuyer les remontrances de la Compagnie sur ce sujet ; le remercier des soins qu'il prend *incessamment pour la réunion de la maison royale, si importante à la tranquillité de l'État et de toute la chrétienté, puisque j'ose dire qu'elle est le seul préalable nécessaire à la paix générale. »

Je vous supplie d'observer que Monsieur voulut absolument que je le citasse dans mon avis, comme premier auteur de la proposition contre les sous-ministres, parce qu'il ne doutait point qu'elle n'eût une approbation générale ; que je ne lui obéis en ce point qu'avec beaucoup de peine, parce que je ne jugeais pas que ce qu'il avait dit, de temps en temps, fort en général, contre les amis de Monsieur le Cardinal fût un fondement assez solide pour avancer et pour soutenir un fait aussi positif et aussi spécifique que celui-là ; que l'émotion des esprits fit que l'on le reçut pour aussi bon que si il eût été bien véritable ; que cette émotion, quoique grande, n'empêcha pas que beaucoup de gens ne fissent une sérieuse réflexion sur ce que M. Laisné avait expliqué clairement dans son avis, et sur ce que j'avais touché dans le mien, de l'atteinte donnée à l'autorité royale ; que Monsieur, qui s'en aperçut, eut regret d'avoir été si vite et crut qu'il pouvait, avec sûreté et sans se perdre dans le public, se mitiger un peu. Quelle foule de mouvements tous opposés ! quelle contrariété ! quelle confusion ! L'on l'*admire dans les histoires, l'on ne la sent pas dans l'action. Rien ne paraissait plus naturel ni plus ordinaire que ce qui se faisait et ce qui se disait ce jour-là. J'y ai fait depuis réflexion, et je confesse que j'ai encore peine à comprendre, à l'heure qu'il est, la multitude, la variété et l'agitation des mouvements que ma mémoire m'en représente. Comme, en opinant, l'on retombait toujours, à la fin, à peu près dans le même avis, l'on ne sentait presque pas ce mouvement ; et je me souviens que Deslandes-Payen me disait au lever de la séance : « C'est une belle chose que de voir une grande compagnie aussi unie. » Remarquez, si il vous plaît, que Monsieur, qui avait plus de discernement, s'aperçut très bien qu'elle l'eût été si peu en cas de besoin, qu'il m'avoua que tous ces mêmes hommes qui parlaient si uniformément, à la réserve de fort peu d'entre eux, qu'il semblait même qu'ils eussent été concertés, qu'il m'avoua, dis-je, que ces mêmes hommes eussent tourné à lui si il se fût déclaré contre la proposition. Il eut regret de ne l'avoir pas fait ; mais il eut honte, et avec raison, de changer pleinement, et il se contenta de me commander de faire dire à la Reine, par Madame la Palatine, qu'il espérait qu'il trouverait lieu d'adoucir son avis. La réponse de la Reine fut que je me trouvasse, à minuit, à l'oratoire. Elle me parut aigrie, au dernier point, de tout ce qui s'était passé le matin au Palais ; elle traita Monsieur de perfide ; elle ne me tira du *pair que pour me faire encore plus sentir qu'elle ne me traitait pas mieux dans le fond de son cœur. Il ne me fut pas difficile de me justifier et de lui faire voir et que je n'avais pu ni dû m'empêcher d'opiner comme j'avais fait, et comme je ne le lui avais pas celé auparavant à elle-même : je la suppliai d'observer que mon avis n'était pas moins contre Monsieur le Prince que contre Monsieur le Cardinal. Je lui excusai même la conduite de Monsieur, autant qu'il me fut possible, sur ce qu'en effet il ne lui avait pas promis de ne pas opiner contre les ministres ; et comme je vis que les raisons ne faisaient aucun effet dans son esprit, et que la *préoccupation, dont le propre est de s'armer particulièrement contre les faits, tirait même ombrages de ceux qui lui devaient être les plus clairs, je crus que l'unique moyen de

les lui lever serait d'éclairer le passé par l'avenir, parce que
j'avais éprouvé plusieurs fois que le seul remède contre les
préventions est l'espérance. Je flattai la Reine de celle que
Monsieur se radoucirait dans la suite de la délibération, qui
devait encore durer un jour ou deux ; et comme je prévoyais
que cet adoucissement de Monsieur ne serait pas au point
qui serait nécessaire pour conserver les sous-ministres, je
prévins ce que je disais, avec un peu trop d'exagération, de
son effet, par une proposition qui me disculpait, par avance,
de celui qu'elle n'aurait pas. Cette conduite est toujours
bonne quand l'on agit avec des gens dont le *génie n'est
pas capable de ne pas juger par l'événement, parce que le
même *caractère qui produit ce défaut fait que ceux qui
l'ont ne raisonnent jamais cohéremment des effets à leurs
causes. J'offris, sur ce fondement, à la Reine de faire
imprimer et publier, dès le lendemain, l'avis que j'avais
porté au Parlement, et je me servis de cette offre pour lui
faire croire que si je ne me fusse tenu pour très assuré que
la fin de la délibération ne devait pas être avantageuse à
Monsieur le Prince, je n'eusse pas aggravé, par un éclat de
cette nature, auquel rien ne m'obligeait, une action où je
lui avais déjà donné plus d'atteinte que la politique même
ordinaire ne me le permettait. La Reine donna, sans balancer,
à cette lueur, qui lui plaisait. Elle crut que ce que je lui
proposais n'avait point d'autre origine que celle que je lui
marquais. La satisfaction qu'elle trouva dans cette pensée fit
qu'elle se donna à elle-même des idées plus douces, sans les
sentir, de ce qui s'était passé le matin ; qu'elle entra avec
moins d'aigreur dans le détail de ce qui se pouvait passer le
lendemain ; et que quand elle connut, vingt-quatre [a] après,
que le radoucissement de Monsieur ne lui serait pas d'une
aussi grande utilité, au moins pour la conjoncture présente,
qu'elle se l'était imaginé, elle ne s'en prit plus à moi. Il ne
se faut pas jouer à tout le monde par ces sortes de diversions :
elles ne sont bonnes qu'avec les gens qui ont peu de vue et
qui sont emportés. Si la Reine eût été capable et de lumière
et de raison, en cette occasion, ou plutôt, si elle eût été servie
par des personnes qui eussent préféré à leur conservation
particulière son véritable service, elle eût connu qu'il n'y
avait qu'à ployer dans ce moment, comme elle l'avait promis
à Monsieur, puisque Monsieur ne faisait pas davantage pour

elle ; elle n'était pas encore susceptible de la vérité sur ce fait, et moins de ma part que d'aucune autre. Je la lui déguisai par cette considération, comme les autres ; et je crus y être obligé pour demeurer plus en état de la servir, dans la suite, elle-même, Monsieur et le public.

Le lendemain, qui fut le 13 de juillet, le Parlement s'assembla ; l'on continua la délibération, qui demeura presque toujours sur le même ton, à la réserve de cinq ou six voix, qui allèrent à déclarer MM. Le Tellier, Servien et Lionne perturbateurs du repos public. Quelqu'un, dont j'ai oublié le nom, y ajouta l'abbé de Montaigu [1].

Le 14, l'arrêt fut donné, conformément à l'avis de Monsieur, qui passa de cent neuf voix contre soixante-deux. L'arrêt portait que la Reine serait remerciée de la parole qu'elle avait donnée de ne point faire revenir le cardinal Mazarin ; qu'elle serait très humblement suppliée d'en envoyer une déclaration au Parlement, comme aussi de donner à Monsieur le Prince toutes les sûretés nécessaires pour son retour ; et qu'il serait incessamment informé contre ceux qui entretenaient avec lui quelque commerce. Monsieur, qui empêcha que messieurs les sous-ministres fussent nommés dans l'arrêt, crut qu'il avait fait au-delà de tout ce qu'il avait promis à la Reine. Il ne douta point non plus que Monsieur le Prince ne fût content de lui, parce que les sûretés que l'on demandait pour Monsieur le Prince *emportaient certainement, quoique tacitement, l'éloignement des sous-ministres. Il sortit du Palais très satisfait de lui-même ; mais personne ne le fut de lui. La Reine ne prit ce qu'il avait fait que comme une duplicité, ridicule pour lui et inutile pour elle. Monsieur le Prince ne le reçut que comme une marque que Monsieur était appliqué à se ménager au moins avec la cour. La Reine ne dissimula point du tout son sentiment ; Monsieur le Prince ne dissimula pas assez le sien. Madame, qui était très en colère, releva de toutes ses couleurs celui de tous les deux. Monsieur eut peur, et la peur, qui n'applique jamais un remède à propos, le porta à des soumissions vers la Reine, qui, étant sans mesure, augmentèrent la défiance qu'elle avait de lui, et des avances vers Monsieur le Prince, qui firent un effet directement contraire à ce que Monsieur souhaitait avec le plus d'ardeur. Son unique désir était de contenter l'une et

l'autre, et de le faire toutefois d'une telle manière que
Monsieur le Prince ne revînt pas à la cour et qu'il demeurât
paisible dans son gouvernement ; l'unique moyen pour
parvenir à cette dernière fin était de lui procurer des
satisfactions qui le pussent remplir [1] pour quelque temps,
mais qui ne l'assurassent pas pour le présent, au moins assez
pour lui donner lieu de revenir à Paris. Voilà ce que je lui
avais proposé ; voilà ce que Madame avait appuyé de toute
sa force. Il en connut l'utilité, il le voulut : la faiblesse lui
fit prendre le chemin tout opposé. Il s'ôta, par ses basses et
fausses excuses, la créance qui lui était nécessaire dans l'esprit
de la Reine pour la porter, de concert même avec lui, à un
accommodement raisonnable avec Monsieur le Prince. Il
donna tant d'assurances à Monsieur le Prince de son amitié
pour lui, en vue de réparer le ménagement qu'il avait
témoigné à l'égard des sous-ministres, que, soit que Monsieur
le Prince crût ces assurances véritables, soit qu'il prît confiance
dans la frayeur même qu'il savait que Monsieur avait de lui,
il prit le parti de revenir à Paris, sous le prétexte que,
les créatures du cardinal Mazarin en étant éloignées, il
n'appréhendait plus d'y être arrêté. J'ouvrirai cette nouvelle
scène, après que je vous aurai suppliée de faire une réflexion,
qui marque, à mon sens, autant que chose du monde, le
privilège et l'excellence de la sincérité. Monsieur n'avait pas
promis à la Reine de ne se pas déclarer contre les sous-
ministres ; au contraire, il lui avait signifié, en termes
formels, qu'il s'y déclarerait : il ne le fait qu'à demi, il les
ménage, il leur épargne le *dégoût d'être nommés dans
l'arrêt. Il ne s'emporte point contre la Reine, quoiqu'elle
ne lui tienne pas elle-même ce à quoi elle s'était engagée,
qui était de les abandonner, en cas que Monsieur ne pût
empêcher Monsieur le Prince de les *pousser. La Reine
toutefois se plaint, avec une aigreur inconcevable, de Monsieur ; elle lui fait à lui-même, dès l'après-dînée, des
reproches aussi rudes et aussi violents que si il lui avait fait
toutes les perfidies imaginables. Elle se prétend dégagée par
son procédé de la parole qu'elle lui avait donnée de ne pas
*opiniâtrer la conservation des sous-ministres ; elle ne le dit
pas seulement, mais elle le croit, et cela, parce qu'au sortir
de la conversation dans laquelle Madame lui fit peur, il
envoya le maréchal d'Etampes à la Reine lui demander

proprement une *abolition, et qu'il la lui demanda lui-même l'après-dînée, en lui faisant des excuses, « qui ne pouvaient être, me dit-elle à moi-même, que d'un homme coupable ». J'allai, le soir, chez elle, par le commandement de Monsieur. Je ne lui fis, pour mon particulier, aucune *apologie : je supposai qu'elle ne pouvait avoir oublié ce que je lui avais toujours dit, par avance, de ce que je ferais en cette occasion ; elle s'en ressouvint même avec bonté. Elle me dit positivement qu'elle ne se pouvait plaindre de moi, et je connus clairement qu'elle me parlait du cœur. Madame la Palatine, qui était présente à la conversation, dit à la Reine : « Que ne ferait point la sincérité dans la conduite d'un fils de France, puisque dans celle d'un coadjuteur de Paris, aussi contraire à votre volonté, elle oblige Votre Majesté à la louer ? » Madame la Palatine n'oublia rien pour faire connaître à la Reine qu'elle ne devait pas attendre les remontrances du Parlement pour éloigner les sous-ministres, parce qu'il serait plus de sa dignité de les prévenir ; mais elle ne put rien gagner sur son esprit ou plutôt sur son aigreur, qui, en de certains moments, lui tenait lieu de tout. M. le maréchal d'Estrées m'a dit depuis qu'il y avait encore quelque chose de plus que son aigreur, et que Chavigny la flattait qu'il pourrait obliger Monsieur le Prince à souffrir que l'on *expliquât l'arrêt[1] ; et ce qui me fait croire que le maréchal d'Estrées avait raison est que je sais, de science certaine, que le même Chavigny pressa, en ce temps-là, Monsieur le Premier Président de biaiser un peu dans ses remontrances, sur quoi la réponse de celui-ci fut remarquable et digne d'un grand magistrat : « Vous avez, Monsieur, été l'un de ceux qui ont le plus *poussé ces messieurs ; vous changez : je n'ai rien à vous dire ; mais le Parlement ne change point. » La Reine ne fut pas, tout ce jour-là, de l'opinion de Monsieur le Premier Président, car il me parut qu'elle crut que l'arrêt se pourrait interpréter dans la suite, et que peut-être Monsieur le Premier Président le pourrait interpréter lui-même dans sa remontrance. Elle ne lui faisait pas justice en ce rencontre, comme vous le verrez dans peu.

Cet arrêt fut donné le 14 de juillet, et comme messieurs les sous-ministres n'y étaient pas dénommés, il ouvrit un grand champ aux réflexions, et, par conséquent, aux négociations, depuis le 14 jusques au 18, qui fut le jour

auquel les remontrances furent faites. Je pourrais vous rendre
compte de ce qui s'en disait en ce temps-là ; mais comme
ce qui s'en disait n'était, à proprement parler, que l'écho
des bruits que le Palais-Royal et Saint-Maur jetaient, apparemment avec dessein, dans le monde, je crois que le récit
en serait aussi superflu qu'incertain ; et je me contenterai
de vous dire que ce que j'en pus[a] pénétrer, dans le moment,
ne fut qu'un empressement ridicule de négocier dans tous
les subalternes des deux partis. Cet empressement, en des
conjonctures pareilles, n'est jamais sans négociation ; mais
il est *constant qu'il en produit encore beaucoup plus
d'imaginaires que d'effectives. Le hasard y donna lieu en
faisant que les remontrances, faute de la signature de l'arrêt
et de je ne sais quel obstacle fort naturel du côté du Palais-
Royal, fussent différées jusques au 18. Tout ce qui est vide,
dans les temps de faction et d'intrigue, passe pour mystérieux
à tous les gens qui ne sont pas accoutumés aux grandes
affaires. Ce vide, qui ne fut rempli, le 15, le 16 et le 17,
que de négociations, qui ne furent, au moins par l'événement, que d'une substance très légère, le fut pleinement, le
18, par les remontrances du Parlement. Le premier président
les porta avec toute la force possible, et quoiqu'il se contînt
juste dans les termes de l'arrêt, en ne nommant pas les
sous-ministres, il les désigna si bien que la Reine s'en
plaignit, même avec aigreur, en disant que le premier
président était d'une humeur incompréhensible et plus
fâcheux que ceux qui étaient les plus mal intentionnés. Elle
m'en parla en ces termes ; et comme je pris la liberté de lui
répondre que le chef d'une compagnie ne pouvait, sans
prévarication, s'empêcher d'*expliquer les sentiments de son
corps, quoique ce ne fussent pas les siens en son particulier,
elle me dit avec colère : « Voilà des maximes de républi-
cain.[1] » Je ne vous rapporte ce petit détail que parce qu'il
vous fera concevoir le malheur où l'on tombe dans les
monarchies, quand ceux qui les gouvernent n'en connaissent
pas les règles les plus légitimes et même les plus communes.
Je vous rendrai compte des suites des remontrances, après
que je vous aurai fait le récit d'une historiette qui arriva au
Palais, dans le temps de la délibération dont je viens de
vous entretenir.

La curiosité de la matière y attira beaucoup de dames,

qui voyaient la séance des *lanternes et qui en entendaient aussi les *opinions. Mme et Mlle de Chevreuse s'y trouvèrent, avec beaucoup d'autres, le 13 de juillet, qui fut la veille du jour auquel l'arrêt fut donné ; mais elles furent *démêlées d'entre toutes les autres par un certain Maillart, qui était un criailleur à gages dans le parti de Messieurs les Princes. Comme les dames craignent la foule, elles ne sortirent des lanternes qu'après que Monsieur et tout le monde fut retiré. Elles furent reçues dans la salle avec une huée de vingt ou trente gueux, de la qualité de leur chef, qui était savetier de sa profession. Mon nom n'y fut pas oublié. Je n'appris cette nouvelle qu'à l'hôtel de Chevreuse, où j'allai dîner après avoir ramené Monsieur chez lui. J'y trouvai Mme de Chevreuse dans la fureur, et mademoiselle sa fille dans les larmes. J'essayai de les consoler, en les assurant qu'elles en auraient une prompte satisfaction par la punition de ces insolents, dont je m'offris de faire faire, dès le jour même, une punition exemplaire. Ces indignes victimes furent rebutées, même avec indignation de ce qu'elles avaient été seulement proposées. « Il fallait du sang de Bourbon pour réparer l'affront qui avait été fait à celui de Lorraine. » Ce furent les propres paroles de Mlle de Chevreuse ; et tout le *tempérament que Mme de Rhodes, instruite par M. de Caumartin, y put faire agréer fut qu'elles retourneraient, le lendemain, au Palais, si bien accompagnées qu'elles seraient en état de se faire respecter et de faire connaître à M. le prince de Conti qu'il avait intérêt à empêcher que ceux de son parti ne fissent plus d'insolence. Montrésor, qui se trouva par hasard à l'hôtel de Chevreuse, n'oublia rien pour faire concevoir et sentir aux dames les inconvénients qu'il y avait à faire une cause particulière de la publique, dans un moment qui pouvait attirer et même produire des circonstances aussi grandes et aussi affreuses que celles où un prince du sang pouvait périr. Quand il vit que tous ses efforts étaient sans effet, et vers la mère et vers la fille, il les tourna vers moi, et il fit tout ce qui fut en son pouvoir pour m'obliger à remettre mon ressentiment à un autre temps. Il me tira même à part, pour me représenter, avec plus de liberté, la joie et le triomphe de mes ennemis, si je me laissais *emporter à l'impétuosité de ces dames. Je lui répondis ces propres mots : « J'ai tort, et par la considération de ma profession et par celle même des affaires que j'ai sur les bras, d'être aussi engagé que je le suis avec Mlle de Chevreuse ; mais j'ai raison, supposé cet engagement, qui est pris et sur lequel il est trop tard de délibérer, de chercher et de trouver, dans la conjoncture présente, sa satisfaction. Je n'assassinerai pas M. le prince de Conti. Elle n'a qu'à commander sur tout ce qui n'est pas ou poison ou assassinat. Ce n'est plus à moi à qui il faut parler. » Caumartin prit, à cet instant, la vue, que je vous viens de marquer, d'aller en triomphe au Palais, non pas comme bonne, mais comme la moins mauvaise, vu la disposition de la demoiselle. Il l'alla proposer à Mme de Rhodes, qui avait pouvoir sur son esprit : elle fut agréée. Les dames se trouvèrent dans les *lanternes, le lendemain 14, qui fut le jour de l'arrêt, avec plus de quatre cents gentilshommes et plus de quatre mille hommes du gros bourgeois. Ceux du bas peuple, qui avaient accoutumé de *clabauder dans la salle, s'éclipsèrent de frayeur, et M. le prince de Conti, qui n'avait point été averti de cette assemblée, dont les ordres furent donnés et exécutés avec un secret qui eut du prodige, fut obligé de passer, avec de grandes révérences, devant Mme et Mlle de Chevreuse, et de souffrir que Maillart, qui fut attrapé sur le degré de la Sainte-Chapelle, eût force coups de bâtons. Voilà la fin de l'une des plus délicates aventures qui me soient jamais arrivées dans le cours de ma vie. Elle pouvait être pernicieuse et cruelle par l'événement, parce qu'en ne faisant que ce que j'étais obligé de faire, vu les circonstances, j'étais perdu presque autant de réputation que de fortune, si ce qui pouvait fort naturellement y arriver y fût arrivé. J'en concevais tout l'inconvénient, mais je le hasardais ; et je ne me suis jamais même reproché cette action comme une faute, parce que je suis persuadé qu'elle a été de la nature de celles que la politique condamne et que la morale justifie. Je reviens à la suite des remontrances. La Reine y répondit avec un air plus gai et plus libre qu'elle n'avait accoutumé. Elle dit aux députés qu'elle envoierait, dès le lendemain, au Parlement, la déclaration que l'on lui demandait contre M. le cardinal Mazarin, et que pour ce qui regardait Monsieur le Prince, elle ferait savoir sa volonté à la Compagnie, après qu'elle en aurait conféré avec M. le duc d'Orléans. Cette conférence, qui fut effectivement le soir même, produisit, en apparence, l'effet que l'on souhaitait ; car la Reine témoigna à Monsieur qu'elle se relâcherait de ce que l'on lui demandait à l'égard des sous-ministres, en cas qu'il le désirât véritablement. La vérité est qu'elle *affecta de lui faire valoir ce à quoi elle s'était résolue, dès le matin, beaucoup moins sur les remontrances du Parlement que sur la permission qu'elle en avait reçue de Brusle. Nous nous en doutâmes, Madame la Palatine et moi, parce que son changement parut justement au moment que nous venions d'apprendre que Marsac en était arrivé la nuit. Nous en sûmes bientôt après le détail, qui était que le Cardinal mandait à la Reine qu'elle ne devait point balancer à éloigner les sous-ministres, et que ses ennemis la servaient en ne donnant point de bornes à leur fureur. Bartet me dit, quelques jours après, le contenu de la dépêche, qui était fort belle. Monsieur revint chez lui triomphant dans son imagination.

La Reine envoya quérir, dès le lendemain, les députés pour leur commander de donner part de sa résolution au Parlement. Celle que Monsieur le Prince prit, le 21, de venir prendre sa place, étonna Monsieur à un point que je ne vous puis exprimer, quoiqu'elle ne le *dût pas surprendre. Je le lui avais prédit mainte et mainte fois. Il y vint, sur les huit heures du matin, accompagné de M. de La Rochefoucauld et de cinquante ou soixante gentilshommes ; et comme il trouva la Compagnie assemblée pour la réception de deux conseillers, il lui dit qu'il se venait réjouir avec elle de ce qu'elle avait obtenu l'éloignement des ministres ; mais que cet éloignement ne pouvait être sûr que par un article qui en fût inséré dans la déclaration que la Reine avait promis d'envoyer au Parlement. Monsieur le Premier Président lui répondit, avec un ton fort doux, par le récit de ce qui s'était passé au Palais-Royal, et il ajouta qu'il ne serait ni de la justice, ni du respect que l'on devait à la Reine, de lui demander tous les jours de nouvelles conditions ; que la parole de Sa Majesté suffisait par elle-même ; qu'elle avait eu de plus la bonté d'en rendre le Parlement dépositaire ; qu'il eût été à souhaiter que Monsieur le Prince eût témoigné la confiance qu'il y devait prendre, en allant descendre au Palais-Royal plutôt qu'à celui de la Justice ; qu'il ne pouvait s'empêcher, en la place où il était, de lui faire paraître son étonnement sur cette conduite. Monsieur le Prince repartit que la fâcheuse expérience qu'il avait faite, depuis peu, dans sa prison faisait que l'on ne devait point trouver étrange si il ne s'exposait pas sans précaution ; qu'il était de notoriété publique que le cardinal Mazarin régnait plus absolument que jamais dans le cabinet ; que, sur le tout, il allait de ce pas conférer avec Monsieur sur ce sujet, et qu'il suppliait la Compagnie de ne pas délibérer de ce qui le regardait qu'en présence de Son Altesse Royale. Il alla ensuite chez Monsieur, à qui il parla de son entrée au Parlement, comme d'une chose qui avait été concertée, la veille, avec lui chez Rambouillet, où il est vrai qu'ils s'étaient promenés ensemble deux ou trois heures. Ce qui est de merveilleux est qu'il dit à Madame, au retour de cette conversation, que Monsieur le Prince était si *effarouché (il se servit de ce mot), qu'il ne croyait pas qu'il se pût résoudre à rentrer dans Paris de dix ans après l'enterrement du Cardinal, et que, quand il eut entretenu Monsieur le Prince, qui vint chez lui au sortir du Palais, il me dit à moi-même ces propres paroles : « Monsieur le Prince ne voulait pas hier revenir à Paris ; il y est aujourd'hui ; et il faut, pour la beauté de l'histoire, que j'agisse avec lui comme si il y était venu de concert avec moi. Il me dit à moi-même que nous le résolûmes hier ensemble. » Vous remarquerez, si il vous plaît, que Monsieur le Prince, à qui j'ai parlé de ce détail, sept ou huit ans après, m'a assuré qu'il avait dit la veille à Monsieur qu'il viendrait au Parlement ; qu'il avait vu à son visage qu'il eût mieux aimé qu'il n'y fût pas venu ; mais qu'il ne s'y était point opposé, et qu'il lui en témoigna même de la joie, quand il l'alla trouver au sortir du Palais. Les effets de la faiblesse sont inconcevables, et je maintiens qu'ils sont plus prodigieux que ceux des *passions les plus violentes. Elle assemble plus souvent qu'aucune les contradictoires. Monsieur le Prince retourna à Saint-Maur, Monsieur alla chez la Reine lui faire des excuses, ou plutôt des explications de la visite de Monsieur le Prince. La Reine connut, par son embarras, que sa conduite était plutôt un effet de sa faiblesse que de sa mauvaise volonté : elle en eut pitié, mais de cette sorte de pitié qui porte au mépris et qui ramène aussitôt à la colère. Elle ne put s'empêcher d'en faire paraître à Monsieur, même beaucoup plus qu'elle ne l'avait projeté, et elle dit, le soir, à Madame la Palatine, qu'il était plus difficile que l'on ne le croyait de dissimuler avec ceux que l'on méprise. La Reine lui commanda, en même temps, de me dire de sa part qu'elle savait que je n'avais aucune part dans ces infamies de Monsieur (ce fut son mot), et qu'elle ne doutait pas que je ne lui tinsse la parole que je lui avais donnée, de me déclarer contre Monsieur le Prince ouvertement, en cas qu'après l'éloignement des sous-ministres il continuât à troubler la cour. Monsieur, qui crut qu'il satisferait, en quelque façon, la Reine en agréant que je prisse cette conduite, eut une extrême joie lorsque je lui dis que je ne me pouvais pas défendre d'exécuter ce à quoi il avait trouvé bon lui-même que je me fusse engagé. Je vis la Reine, le lendemain ; je l'assurai que si Monsieur le Prince revenait à Paris, comme l'on le disait, accompagné et armé, j'y marcherais en même état, et que, pourvu qu'elle persistât à me permettre de parler et d'imprimer à mon ordinaire contre Monsieur le Cardinal, je lui répondais que je ne quitterais pas le pavé et que je le tiendrais sous le titre que, le Cardinal et ses créatures étant éloignés, il n'était pas juste que l'on continuât à se servir de leur nom pour anéantir, en vue de quelques intérêts particuliers, l'autorité royale. Je ne vous puis exprimer la satisfaction que la Reine me témoigna, et elle se lâcha jusques à me dire : « Vous me disiez, il y a quelque temps, que les hommes ne croient jamais les autres capables de ce qu'ils ne le sont pas eux-mêmes ; que cela est vrai ! » Je n'entendis pas, en ce temps-là, ce que cette parole signifiait. Bartet me l'expliqua depuis, parce que la Reine lui avait fait le même discours, en se plaignant que les sous-ministres, et particulièrement M. Le Tellier, qui n'était qu'à Chaville, préféraient la haine qu'ils avaient contre moi à son service et lui mandaient tous les jours que je la trompais ; que c'était moi qui faisais agir Monsieur comme il agissait, et qu'elle verrait bientôt que je ne tiendrais pas le pavé, ou que je le tiendrais de concert avec Monsieur le Prince.

Tout ce que je vous viens de dire se passa du vendredi 21 juillet au dimanche au soir 23. Je reçus, comme j'étais prêt de me mettre au lit, un billet de Madame la Palatine, qui me mandait qu'elle m'attendait au bout du Pont-Neuf. Je l'y trouvai dans un carrosse de louage, que le chevalier de La Vieuville menait. Elle n'eut que le temps de me dire que je me rendisse en diligence au Palais-Royal. Aussitôt que j'y fus, la Reine me dit, avec un visage fort troublé, qu'elle venait d'avoir avis certain que Monsieur le Prince devait, le lendemain, aller au Parlement fort accompagné, demander l'assemblée des chambres et obliger la Compagnie à faire insérer dans la déclaration contre le Cardinal l'exclusion des sous-ministres, « de laquelle, ajouta-t-elle avec une colère qui me parut naturelle, je ne me soucierais guère, si il n'y allait que de leur intérêt ; mais vous voyez, continua-t-elle, qu'il n'y a point de fin aux prétentions de Monsieur le Prince et qu'il va à tout si l'on ne trouve quelque moyen de l'arrêter. Il vient d'arriver de Saint-Maur, et vous avouerez que l'avis que l'on m'avait donné de son dessein, et sur lequel je vous ai mandé, était bon. Que fera Monsieur ? Que ferez-vous ? » Je répondis à la Reine qu'elle savait bien, par les expériences passées, qu'il serait difficile que je lui répondisse de Monsieur ; mais que je lui répondais bien que je ferais tous mes efforts pour l'obliger à faire ce qu'il lui devait en cette occasion ; et qu'en cas qu'il ne s'en acquittât pas, je ferais connaître à Sa Majesté qu'il n'y aurait au moins aucune faute de ma part. Je lui promis de me trouver au Palais, en mon particulier, avec tous mes amis, et de m'y conduire d'une manière qui la satisferait. Je lui fis agréer même que si je ne pouvais obliger Monsieur à se déclarer pour elle, je fisse ce qui serait en moi pour le persuader d'aller au moins pour quelques jours à Limours, sous le prétexte d'y faire quelques remèdes, ce qui ferait voir au Parlement et au public qu'il n'approuvait pas la conduite de Monsieur le Prince.

Toutes ces ouvertures plurent infiniment à la Reine, et elle eut hâte de m'envoyer chez Monsieur, que je trouvai couché avec Madame. Je les fis éveiller et je leur rendis compte de ma légation. Monsieur, chez qui Monsieur le Prince était allé descendre en arrivant, avait pris de lui-même l'expédient que j'étais résolu de lui proposer, et il avait répondu à Monsieur le Prince, qui le pressait de se trouver au Palais, qu'il lui était impossible, et qu'il se trouvait si mal qu'il était obligé d'aller prendre l'air, pour quelques jours, à Limours. Je fis une sottise notable en cette occasion ; car, au lieu de faire valoir ce voyage à la Reine, comme la suite de ce que je lui avais proposé à elle-même, je lui mandai simplement par Bartet, qui m'attendait au bout de la rue de Tournon, que je l'avais trouvé résolu. Comme les petits esprits ne tiennent jamais pour naturel rien de ce que l'*art peut produire, la Reine ne put s'imaginer que cette résolution de Monsieur se fût rencontrée par un pur hasard si justement avec ce que je lui en avais dit à elle-même au Palais-Royal. Elle retomba dans ses soupçons que je ne fusse de toutes les démarches de Monsieur. Celles que je fis dans la suite lui donnèrent du regret de cette injustice, à ce qu'elle m'avoua elle-même.

La première fut que je me trouvai, dès le lendemain lundi 24 de juillet, au Palais, avec bon nombre de noblesse et de gros bourgeois. Monsieur le Prince entra dans la Grande Chambre et il demanda l'assemblée de la Compagnie. Le premier président la refusa sans balancer, en lui disant qu'il ne la lui pouvait accorder tant qu'il n'aurait pas vu le Roi. Il y eut sur cela beaucoup de paroles qui consumèrent le temps de la séance : l'on se leva et Monsieur le Prince retourna à Saint-Maur, d'où il envoya M. de Chavigny à Monsieur, lui faire des plaintes beaucoup plus fortes et même plus aigres que celles qu'il lui avait faites la veille ; car j'ai oublié de vous dire que lorsque Monsieur lui eut déclaré qu'il faisait *état d'aller passer quelques jours à Limours, il n'avait pas témoigné en être beaucoup fâché. Je ne sais ce qui l'obligea à changer de sentiment ; mais je sais qu'il en changea, et qu'il fit presser, par Chavigny, Monsieur de revenir à Paris, à un point qu'il l'y obligea. Il m'envoya Jouy, en montant en carrosse, pour me commander de dire à la Reine qu'elle verrait, par l'événement, que ce retour était pour son service.

Je m'acquittai fidèlement de ma *commission ; mais comme Jouy m'avait dit que Chavigny n'avait persuadé Monsieur que par la peur qu'il lui avait faite de Monsieur le Prince, j'appréhendai que la continuation de cette peur ne l'obligeât à expliquer, dans la suite, ce service qu'il promettait à la Reine, d'une manière qui ne lui fût pas agréable ; et je jugeai à propos, par cette raison, de l'assurer du mien beaucoup plus fortement et plus positivement que de celui de Monsieur. Elle le remarqua et elle y prit confiance, ce qui ne manque presque jamais à l'égard des offres qui font voir des effets prochains. C'est ce qu'elle dit à Monsieur, qui alla descendre chez elle, à son retour à Paris, et qui le lui voulait faire valoir comme un effet de la passion qu'il avait de *ménager et de modérer, ce disait-il, les emportements de Monsieur le Prince. Comme elle ne le put faire expliquer sur le détail de ce qu'il ferait, dans cette vue, au Parlement, le lendemain au matin, elle s'écria de son fausset et du plus aigre : « Toujours pour moi à l'avenir, toujours contre moi dans le présent. » Elle menaça ensuite, elle tonna après. Monsieur s'ébranla ; il ne se rassura pas à son logis, où il ne fut pas plus tôt arrivé que Madame lui dit tout ce que la fureur lui suggéra. Je ne contribuai pas à lui cacher les abîmes que Madame lui faisait voir ouverts. Celui dont M. de Chavigny lui avait fait le plus d'horreur était la haine du peuple, qu'il lui avait montrée comme inévitable, si il paraissait, le moins du monde, ne pas convenir avec Monsieur le Prince, dont tous les pas étaient directement contre le Cardinal.

Madame, qui n'ignorait pas la *délicatesse ou plutôt la faiblesse qu'il avait sur cet article, dont on lui faisait des monstres à tout moment, lui proposa de faire en sorte que la Reine donnât de nouvelles assurances au Parlement et de la déclaration contre le Cardinal et de la durée pour toujours de l'éloignement des sous-ministres. Monsieur ajouta : « Et de la sûreté de Monsieur le Prince. » Madame, à qui il avait témoigné cent et cent fois qu'il n'appréhendait rien tant au monde que son retour, s'emporta à ce mot, et elle lui représenta qu'il semblait qu'il prît plaisir à agir incessamment et contre ses intérêts et contre ses vues. La conclusion fut qu'il était encore engagé pour cette fois ; qu'il en fallait sortir, et qu'après cette assemblée, à laquelle il n'avait pu refuser à Monsieur le Prince de se trouver, il irait infailliblement à Limours songer à sa santé ; et que ce serait à Monsieur le Prince à démêler ses affaires comme il lui plairait. Il ajouta que c'était aussi à la Reine, de son côté, à faire dire au Parlement ce qui le pouvait empêcher d'ajouter foi aux apparences favorables que la cour donnait, mille fois par jour, en faveur du Mazarin. Madame fit savoir, dès le soir, à la Reine ce qui s'était passé entre elle, Monsieur et moi ; et le premier président, à qui elle envoya, sur l'heure, M. de Brienne, lui manda qu'il serait, en effet, très à propos qu'elle envoyât, le lendemain au matin, une lettre de cachet

au Parlement, par laquelle elle lui ordonnât de l'aller trouver
sur les onze heures par députés, et qu'elle lui fît dire en sa
présence, par Monsieur le Chancelier, qu'elle croyait qu'ils
dussent venir ces jours passés chez Monsieur le Chancelier
pour y travailler à la déclaration contre M. le cardinal
Mazarin ; qu'elle ajoutât de sa bouche qu'elle avait mandé
les députés pour rendre le Parlement dépositaire de la parole
royale, qu'elle donnait à Monsieur le Prince, qu'il pouvait
demeurer à Paris en toute sûreté ; qu'elle n'avait eu aucune
pensée de le faire arrêter ; que les sieurs Servien, Le Tellier
et Lionne étaient éloignés pour toujours et sans aucune
espérance de retour. Voilà ce que Monsieur le Premier
Président envoya à la Reine par écrit, en priant M. de
Brienne de l'assurer que, moyennant une déclaration de
cette nature, il obligerait Monsieur le Prince à se modérer.
Il se servit de cette expression.

Le lendemain, qui fut le mercredi 26 de juillet, le
Parlement s'assembla. Sainctot, lieutenant des cérémonies,
apporta la lettre de cachet dont je vous viens de parler.
Monsieur le Premier Président alla au Palais-Royal avec deux
conseillers de chaque chambre. Monsieur le Chancelier parla
comme je vous ai marqué ; la Reine s'expliqua comme je
viens de vous le dire. Monsieur s'en alla à Limours en disant
qu'il n'en pouvait revenir que le lundi d'après ; et Monsieur
le Prince, qui avait enrichi et augmenté de beaucoup sa
*livrée, au lieu de retourner à Saint-Maur, marcha avec une
nombreuse suite, et même avec beaucoup de pompe, à
l'hôtel de Condé, où il logea.

Je suis assuré qu'il y a déjà quelque temps que vous me
demandez le détail, ou plutôt le dedans, de ce qui se passait
dans cette grande machine du parti de Monsieur le Prince,
dont les mouvements vous ont, si je ne me trompe, paru
assez singuliers pour vous donner de la curiosité pour les
ressorts qui la faisaient agir. Il m'est impossible de satisfaire,
sur ce point, votre désir, et parce qu'une infinité de
circonstances en est échappée à ma mémoire, et parce que
je me souviens, en général, que la multitude d'intérêts
différents qui en agitaient et le corps et les parties, en
brouillait si fort, dans le temps même, toutes les *espèces,
que je n'y connaissais presque rien. Mme de Longueville,
MM. de Bouillon [1], M. de Nemours, M. de La Rochefoucauld,

M. de Chavigny formaient un chaos inexplicable d'intentions
et d'intrigues, non pas seulement distinctes, mais opposées.
Je sais bien que ceux mêmes qui étaient le plus engagés
dans leur cause confessaient qu'ils n'en pouvaient démêler
la confusion. Je sais bien que Viole donna, le dernier jour
de ce mois de juillet dont il s'agit, à un de ses amis des
plus intimes, des raisons du voyage que Mme de Longueville
fit, le 28, à Mouron, et que Croissy, le 4 d'août, en donna
d'autres, directement contraires, du même voyage à l'homme
du monde qu'il eût voulu le moins tromper. Je rappelle
dans ma mémoire vingt circonstances de cette nature, qui
ne me donnent de lumière sur tout ce détail que celle dont
j'ai besoin pour vous assurer que si j'entrais dans le particulier
de tous les mouvements que Monsieur le Prince et ceux de
son parti se donnèrent dans ces moments, je ne vous ferais,
à proprement parler, qu'un crayon fort défectueux des
conjectures que nous formions tous les matins à l'aventure
et que nous condamnions tous les soirs à l'hasard [1].

Comme la Fronde était plus unie, je suis persuadé que
ceux du parti qui lui était contraire en pouvaient raisonner
plus juste. Je ne le suis pas moins qu'ils ne laisseraient pas
de s'égarer souvent, s'ils entreprenaient de suivre par un
récit, avec exactitude, tous les pas qu'elle fit dans ces
mouvements. Je vous rends un compte fidèle de ce que je
sais certainement, et je crois qu'il est plus du respect et de
la vérité que je vous dois de vous donner une histoire
défectueuse que problématique. C'est par cette raison que
je n'ai touché que fort légèrement ce qui se passa à Saint-
Maur. L'on ferait des volumes de ce qui s'en disait en ce
temps-là, et la seule résolution que Mme de Longueville y
prit, de se retirer en Berry avec Madame la Princesse, eut
autant de sens et d'interprétations différentes, qu'il y eut
d'hommes et de femmes à qui il plut d'en raisonner. Je
reviens à ce qui se passa au Parlement.

Je vous ai dit ci-dessus que M. le duc d'Orléans avait pris
le parti de faire un second voyage à Limours. Monsieur le
Prince, l'ayant su, vint chez lui à dix heures du soir pour
lui en faire sa plainte ; et il l'obligea de mander à Monsieur
le Premier Président qu'il se trouverait, le lundi suivant, à
l'assemblée des chambres. Comme il ne s'y était engagé que
par faiblesse, et parce qu'il n'avait pas la force de *dédire

en face Monsieur le Prince, il fit le malade le dimanche, et
il envoya s'excuser pour le lundi. Monsieur le Prince fit
trouver, le mardi au matin, quelques conseillers des Enquêtes
dans la Grande Chambre pour demander l'assemblée. Le
premier président s'en excusa sur l'absence de Monsieur.
L'on murmura, l'on *affecta de grossir à Monsieur ce
murmure. Chavigny lui représenta Monsieur le Prince dans
toute sa pompe et tenant le pavé, avec une superbe *livrée
et une nombreuse suite. Monsieur crut qu'il se rendrait
maître du peuple, si il ne venait prendre sa part des *crieries
contre le Cardinal. Il apprit que, le dimanche au soir, les
femmes avaient crié, dans la rue Saint-Honoré, à la portière
du carrosse du Roi : « Point de Mazarin ! » Il sut que
Monsieur le Prince avait trouvé le Roi dans le Cours[1], et
qu'il était, pour le moins, aussi bien accompagné que lui ;
enfin il eut peur, il revint le mardi à Paris, et[a]

le mercredi, second jour d'août, au Palais, où je me
trouvai avec tous mes amis et un très grand nombre de bons
bourgeois. Monsieur le Premier Président y fit le rapport de
tout ce qui s'était passé, le 26 du passé[2], au Palais-Royal, et
il y *exagéra beaucoup la bonté que la Reine avait eue de
rendre le Parlement dépositaire de la parole qu'elle avait
donnée pour la sûreté de Monsieur le Prince. Il lui demanda
ensuite si il avait vu le Roi. Il répondit que non, qu'il n'y
avait aucune sûreté pour lui, qu'il était averti, et de bon
lieu, qu'il y avait eu depuis peu des conférences secrètes
pour l'arrêter, qu'en temps et lieu il nommerait les auteurs
de ces conseils. En prononçant cette dernière parole, il me
regarda fièrement et d'une manière qui fit que tout le
monde jeta en même temps les yeux sur moi. Monsieur le
Prince reprit la parole, en disant que Ondedei devait arriver
ce soir-là à Paris, et qu'il revenait de Brusle ; que Bartet,
Fouquet, Silhon, Brachet y faisaient des voyages continuels ;
que M. de Mercœur avait épousé, depuis peu de jours, la
Mancini[3] ; que le maréchal d'Aumont avait ordre de tailler
en pièces les régiments de Condé, de Conti et d'Enghien,
et que cet ordre était l'unique cause qui les avait empêchés
de joindre l'armée du Roi[4].

Après que Monsieur le Prince eut cessé de parler, Monsieur
le Premier Président dit qu'il avait peine de le voir en cette
place devant qu'il eût vu le Roi, et qu'il semblait qu'il

voulût élever autel contre autel[1]. Monsieur le Prince s'aigrit
à ce mot, et marqua, en s'en justifiant, que ceux qui
parlaient contre lui ne le faisaient que pour leur intérêt
particulier. Le premier président repartit, avec fierté, qu'il
n'en avait jamais eu, mais qu'il n'avait à rendre compte de
ses actions qu'au Roi. Il *exagéra ensuite le malheur où
l'État pouvait tomber, par la division de la maison royale ;
et puis, en se tournant vers Monsieur le Prince, il lui dit
d'un air pathétique : « Est-il possible, Monsieur, que vous
n'ayez pas frémi vous-même d'une sainte horreur, en faisant
réflexion sur ce qui se passa lundi dernier au Cours ? »
Monsieur le Prince répondit qu'il en avait été au désespoir,
et que ce n'avait été que par rencontre, dans lequel il n'y
avait point eu de sa faute, puisqu'il n'avait pas eu lieu de
s'imaginer qu'il pût trouver le Roi au retour du bain, par
un temps aussi froid que celui qu'il faisait.

Il y eut, à cet instant, deux malentendus qui faillirent à
changer la carte et à la tourner contre moi. Monsieur, qui
entendit un grand applaudissement à ce que Monsieur le
Prince venait de dire, parce l'on trouva, dans la vérité, qu'il
s'était très bien défendu sur ce dernier article, qui, de soi-
même, n'était pas trop favorable, Monsieur, dis-je, ne
distingua pas que l'applaudissement de la Compagnie n'allait
qu'à ce point : il crut que le gros approuvait ce qu'il avait
avancé du péril de sa personne. Il appréhenda d'être
enveloppé dans ce soupçon, et il s'avança lui-même pour
s'en tirer à dire qu'il était vrai que les défiances de Monsieur
le Prince n'étaient pas sans fondement ; que le mariage de
M. de Mercœur était véritable ; que l'on continuait d'avoir
beaucoup de commerces avec le Mazarin. Le premier président, qui vit que Monsieur appuyait, en quelque manière,
ce que Monsieur le Prince avait dit du péril où il était, dans
le même discours par lequel il m'avait désigné, crut qu'il
m'avait abandonné, et comme il était beaucoup mieux
intentionné pour Monsieur le Prince que pour moi, quoiqu'il
le fût mieux pour la cour que pour lui, il se tourna
brusquement du côté gauche en disant : « Votre avis,
Monsieur le Doyen », et en ne doutant pas que, dans une
délibération dont la matière était la sûreté de Monsieur le
Prince, il ne se trouvât beaucoup de voix qui me *noteraient.

Je m'aperçus d'*abord du dessein, qui m'embarrassa

beaucoup, mais qui ne m'embarrassa pas lontemps, parce que je me ressouvins de ce que M. de Guise François fit dans ce même Parlement, quand M. le prince de Condé Louis y porta sa plainte contre ceux qui l'avaient porté sur le bord de l'échaufaud dans le règne de François II [1]. Il dit à la Compagnie qu'il était tout prêt de se dépouiller de sa qualité de prince du sang, pour combattre ceux qui avaient été cause de sa prison ; et M. de Guise, qui était celui qu'il *marquait, supplia le Parlement de faire agréer à Monsieur le Prince qu'il eût l'honneur de lui servir de second dans ce duel. Comme j'opinais justement après la Grande Chambre, j'eus le temps de faire cette réflexion, qui était d'autant meilleure que je jugeai bien que ce serait proprement à moi à ouvrir les avis, parce que ces bons vieillards n'en portent jamais qui signifient quelque chose, lorsque l'on les fait opiner sur un sujet sur lequel ils ne sont pas préparés. Je ne me trompai pas dans ma vue. Le doyen exhorta Monsieur le Prince à rendre ses devoirs au Roi ; Broussel harangua contre le Mazarin ; Champrond effleura un peu la matière, mais assez légèrement pour me laisser lieu de prétendre qu'elle n'avait pas été touchée, et pour dire, dans mon *opinion, que je suppliais ces messieurs qui avaient parlé devant moi de me pardonner, si je m'étonnais de ce qu'ils n'avaient pas fait assez de réflexion, au moins à mon sens, sur l'importance de cette délibération ; que la sureté de Monsieur le Prince faisait, dans la conjoncture présente, celle de l'État ; que les doutes qui paraissaient sur ce sujet donnaient des prétextes très fâcheux dans toutes leurs circonstances. Je conclus à donner *commission au procureur général pour informer contre ceux qui auraient tenu des conseils secrets pour arrêter Monsieur le Prince. Il se mit le premier à rire en m'entendant parler ainsi ; presque toute la Compagnie en fit de même. Je continuai mon avis fort sérieusement, en ajoutant que j'étais, sur le reste, de celui de M. Champrond, qui allait à ce qu'il fût fait registre des paroles de la Reine ; que Monsieur le Prince fût prié par toute la Compagnie d'aller voir le Roi ; que M. de Mercœur fût mandé pour venir rendre compte, le lundi suivant, à la Compagnie, de son prétendu mariage ; que les arrêts rendus contre les *domestiques du Cardinal fussent exécutés ; qu'Ondedei fût pris au *corps, et que Bartet, Brachet, l'abbé Fouquet et

Silhon seraient assignés par devant MM. Broussel et Meusnier, pour répondre aux faits que le procureur général pourrait proposer contre eux.

Il *passa à cela de toutes les voix. Monsieur le Prince qui témoigna en être très satisfait, dit qu'il n'en fallait pas moins pour l'assurer. Monsieur le mena, dès l'après-dînée, chez le Roi et chez la Reine, desquels il fut reçu avec beaucoup de froideur ; et Monsieur le Premier Président dit le soir à M. de Turenne, de qui je l'ai su depuis, que si Monsieur le Prince avait su jouer la balle qu'il lui avait servie le matin, il avait quinze sur la partie contre moi[1]. Il est *constant qu'il y eut deux ou trois moments, dans cette séance, où la plainte de Monsieur le Prince donna à la Compagnie et des impressions et des mouvements qui me firent peur : je changeai les uns et j'éludai les autres par le moyen que je viens de vous raconter, ce qui confirme ce que je vous ai déjà dit plus d'une fois, que tout peut dépendre d'un instant dans ces assemblées.

La Reine fut, sans comparaison, plus touchée de l'atteinte que l'on avait donnée au mariage de M. de Mercœur, qu'aux autres coups, et plus importants et plus essentiels, que l'on avait portés à son autorité. Elle me commanda de l'aller trouver ; elle me chargea de conjurer Monsieur, en son nom, d'empêcher que l'on ne poussât cette affaire. Elle lui en parla à lui-même les larmes aux yeux ; et elle marqua visiblement que ce qu'elle croyait être le plus personnel au Cardinal était ce qui était et ce qui serait toujours le plus sensible à elle-même. M. Le Tellier lui ôta cette *fantaisie de l'esprit, en lui écrivant que c'était un bonheur que la faction s'*amusât après cette bagatelle ; qu'elle en devait avoir de la joie, et d'autant plus qu'il serait très volontiers caution que ces mouvements ne seraient qu'un feu de paille, qui passerait en quatre jours et qui tournerait en ridicule, parce que, dans le fond, l'on ne pourrait rien faire de solide contre le mariage[2]. La Reine comprit enfin cette vérité, quoique avec peine, et elle consentit que M. de Mercœur vînt au Palais[a]

le lundi 7 d'août. Ce qui s'y passa sur cette affaire, ce jour-là et le suivant, est de si peu de conséquence qu'il ne mérite pas votre attention. Je me contenterai de vous dire que M. de Mercœur répondit d'abord comme aurait fait

Jean Doucet [1], dont il avait effectivement toutes les manières, et qu'à force d'être harcelé, il s'échauffa si bien qu'il embarrassa cruellement Monsieur et Monsieur le Prince, en soutenant au premier qu'il l'avait sollicité de ce mariage trois mois durant, et au second qu'il y avait consenti positivement et expressément. La plus grande partie de ces deux séances se passa en dénégations et en explications ; et dans la fin de la dernière, l'on lut la déclaration contre M. le cardinal Mazarin, qui fut renvoyée à Monsieur le Chancelier, parce que l'on n'y avait pas inséré, et que le Cardinal avait empêché la paix de Münster, et qu'il avait fait faire au Roi le voyage et le siège de Bordeaux contre l'avis de M. le duc d'Orléans. L'on voulut aussi qu'elle portât que l'une des causes pour laquelle il avait fait arrêter Monsieur le Prince était le refus qu'il avait fait de consentir au mariage de M. de Mercœur avec Mlle Mancini.

La Reine, outrée de la continuation de la conduite de Monsieur le Prince, qui marchait dans Paris avec une suite plus grande et plus magnifique que celle du Roi et que celle de Monsieur, en qui elle trouvait un changement continuel, la Reine, dis-je, presque au désespoir, se résolut de jouer à quitte ou à double. M. de Châteauneuf flatta en cela son inclination. Elle y fut confirmée par une dépêche de Brusle, laquelle jetait feu et flamme. Elle dit clairement à Monsieur qu'elle ne pouvait plus demeurer en l'état où elle était ; qu'elle lui demandait une déclaration positive ou pour ou contre elle. Elle me somma, en sa présence, de lui tenir la parole que je lui avais donnée de ne point balancer à éclater contre Monsieur le Prince, s'il continuait à agir comme il avait commencé. Monsieur, voyant que je n'hésitais pas à prendre ce parti, auquel il avait trouvé bon lui-même que je me fusse engagé, s'en fit honneur auprès de la Reine, et il crut la payer par ce moyen de ce qu'il ne la payait pas de sa personne, qu'il n'aimait pas naturellement à exposer. Il lui trouva une douzaine de raisons pour lui faire agréer qu'il ne se trouvât plus au Parlement. Il lui insinua que ma présence, qui y entraînerait la meilleure partie de sa maison, ferait assez connaître et à la Compagnie et au public sa pente et ses intentions. La Reine se consola assez aisément de son absence, quoiqu'elle fît semblant d'en être très fâchée. Elle connut, en cette occasion, sans en pouvoir douter, que j'agissais sincèrement pour son service. Elle vit clairement que je ne balançais à rien de ce que je lui avais promis. Ce fut en cet endroit où elle eut la bonté de me parler de la manière qu'il me semble que je vous ai tantôt touchée [1]. Elle s'abaissa, mais sans feintise et du bon du cœur jusques à me faire des excuses des défiances qu'elle avait eues de ma conduite et de l'injustice qu'elle m'avait faite (ce fut son terme). Elle voulut que je conférasse avec M. de Châteauneuf de la proposition qu'il lui avait faite de ne pas demeurer toujours sur la défensive, comme elle avait fait jusque-là, et d'attaquer Monsieur le Prince dans le Parlement.

Je vous rendrai compte de la suite de cette proposition, après que je vous aurai expliqué la raison qui porta la Reine à prendre en moi beaucoup plus de confiance qu'elle n'y en avait eu jusque-là. Les incertitudes de Monsieur l'avaient si fort *effarouchée qu'elle ne savait quelquefois à qui s'en prendre ; et les sous-ministres, qui entretenaient toujours un fort grand commerce avec elle, à la réserve de Lionne, qu'elle haïssait mortellement, n'oubliaient rien pour lui mettre dans l'esprit que Monsieur ne faisait, dans le fond, quoi que ce soit que par mes mouvements. Elle en remarqua quelques-uns de si irréguliers et même si opposés à mes maximes, qu'elle ne me les put attribuer ; et je sais qu'elle écrivit un jour à Servien, à ce propos : « Je ne suis point la dupe du coadjuteur ; mais je serais la vôtre si je croyais ce que vous m'en mandez aujourd'hui. » Bartet m'a dit qu'il était présent quand elle écrivit ce billet : il ne se ressouvenait pas précisément sur quel sujet. Quand sa patience fut à bout, et qu'elle se fut résolue, et par les conseils de M. de Châteauneuf et par la permission qu'elle en reçut de Brusle, de *pousser Monsieur le Prince, elle fut ravie d'avoir lieu de se pouvoir fier à moi pour l'y servir. Elle chercha ce lieu avec plus d'application qu'elle n'avait fait, et en voici une marque. Elle mena Madame aux Carmélites, avec elle, un jour de quelque solennité de leur ordre ; elle la prit au sortir de la communion, elle lui fit faire serment de lui dire la vérité de ce qu'elle lui demanderait, et ce qu'elle lui demanda fut si je la servais fidèlement auprès de Monsieur. Madame lui répondit, sans aucun scrupule, qu'en tout ce qui ne regardait pas le rétablissement de Monsieur le

Cardinal, je la servais, non pas seulement avec fidélité, mais avec ardeur. La Reine, qui connaissait et qui estimait la véritable piété de Madame, ajouta foi à son témoignage, et à son témoignage rendu dans cette circonstance.

Il se trouva, par bonheur, que, dès le lendemain, j'eus occasion de m'expliquer à la Reine devant Monsieur : ce que je fis sans balancer et d'une manière qui lui plut ; et ce qui la toucha encore plus que tout cela fut que Monsieur, qui n'avait pas paru jusques à ce moment bien ferme à tenir ce qu'il avait promis, en de certaines occasions, à la Reine, ne lui manqua point en celle-ci, au moins si pleinement que les autres fois. Il ne fut pas au pouvoir de Monsieur le Prince de le mener au Palais, quoiqu'il y employât tous ses efforts ; et la Reine attribua à mon industrie ce que je croyais, dès ce temps-là, et ce que j'ai toujours cru depuis n'avoir été que l'effet de l'appréhension qu'il eut de se trouver dans une mêlée qu'il avait sujet de croire pouvoir être proche, et par l'emportement où il voyait la Reine, et par le nouvel engagement que je venais de prendre avec elle. Je reviens à la conférence que j'eus avec M. de Châteauneuf par le commandement de la Reine.

Je l'allai trouver à Montrouge avec M. le président de Bellièvre, qui avait écrit sous lui le mémoire qu'il avait proposé à la Reine d'envoyer au Parlement, et dont il est vrai que les *caractères paraissaient avoir beaucoup moins d'encre que de fiel. M. de Châteauneuf, qui n'avait que quelques semaines à attendre pour se voir à la tête du Conseil, comme je vous l'ai dit ci-dessus, joignait, en ce rencontre, à sa bile et à son humeur très violente, une grande frayeur que Monsieur le Prince ne se raccommodât à la cour et ne troublât son nouvel emploi. Je crois que cette considération avait encore aigri son style. Je lui en dis ma pensée avec liberté. Le président de Bellièvre m'appuya : il en adoucit quelques termes, il y laissa toute la substance. Je le rapportai à la Reine, qui le trouva trop doux. Elle l'envoya par moi à Monsieur, qui le trouva trop fort. Monsieur le Premier Président, à qui elle le communiqua par le canal de M. de Brienne, y trouva trop de vinaigre ; mais il y mit du sel, ce fut l'expression dont il se servit en le rendant à M. de Brienne, après l'avoir gardé un demi-jour. Voici le précis de ce qu'il contenait [1] : le reproche de toutes les grâces que la maison de Condé avait reçues de la cour ; la plainte de la manière dont Monsieur le Prince s'était conduit depuis sa liberté ; la spécification de cette manière, les cabales dans les provinces, le renfort des garnisons qui étaient dans ses places ; la retraite de Madame la Princesse et de Mme de Longueville à Mouron ; les Espagnols dans Stenay ; ses intelligences avec l'archiduc ; la séparation de ses troupes de celles du Roi. Le commencement de cet écrit était orné d'une protestation solennelle de ne jamais rappeler le cardinal Mazarin ; et la fin, d'une exhortation aux compagnies souveraines et à l'Hôtel de Ville de Paris à se maintenir dans la fidélité.

Le jeudi 17 jour d'août, sur les dix heures du matin, cet écrit fut lu en présence du Roi et de la Reine et de tous les grands qui étaient à la cour, à Messieurs du Parlement, qui avaient été mandés par députés au Palais-Royal ; et l'après-dînée, la même cérémonie se fit au même lieu à l'égard de la Chambre des comptes, de la Cour des aides et du prévôt des marchands.

Le vendredi 18, Monsieur le Prince, fort accompagné, se trouva à l'assemblée des chambres, qui se faisait pour la réception d'un conseiller. Il dit à la Compagnie qu'il la venait supplier de lui faire justice des impostures dont on l'avait noirci dans l'esprit de la Reine ; que si il était coupable, il se soumettait à être puni ; que si il était innocent, il demandait le châtiment de ses calomniateurs ; que comme il avait impatience de se justifier, il priait la Compagnie de députer, sans délai, vers M. le duc d'Orléans, pour l'inviter de venir prendre sa place. Monsieur le Prince crut que Monsieur ne pourrait pas tenir contre une semonce du Parlement : il se trompa ; et Ménardeau et Doujat, que l'on y envoya sur l'heure, rapportèrent, pour toute réponse, qu'il avait été saigné et qu'il ne savait pas même quand sa santé lui permettrait d'assister à la délibération. Monsieur le Prince alla chez lui au sortir du Palais. Il lui parla avec une hauteur respectueuse, qui ne laissa pas de faire peur à Monsieur, qui n'appréhendait rien tant au monde que d'être compris dans les éclats de Monsieur le Prince, comme *fauteur *couvert du Mazarin. Il laissa espérer à Monsieur le Prince qu'il pourrait se trouver, le lendemain, à l'assemblée des chambres. Je m'en doutai à midi, sur une parole que

Monsieur laissa échapper. Je l'obligeai à changer de résolution, en lui faisant voir qu'il ne fallait plus après cela de ménagement avec la Reine, et encore plus en lui insinuant, sans affectation, le péril de la *commise et du choc, qui, dans la conjoncture, était comme inévitable.

Cette idée lui saisit si fortement l'imagination, que Monsieur le Prince et M. de Chavigny, qui le relayèrent[1] tout le soir, ne le purent obliger à se rendre aux instances qu'ils lui firent de se trouver le lendemain au Palais. Il est vrai que, sur les onze heures, Goulas, à force de le tourmenter, lui fit signer un billet par lequel Monsieur déclarait qu'il n'avait point approuvé l'écrit que la Reine avait fait lire aux compagnies souveraines contre Monsieur le Prince, particulièrement en ce qu'il l'accusait d'intelligence avec Espagne. Ce même billet justifiait, en quelque façon, Monsieur le Prince de ce que les Espagnols étaient encore dans Stenay, et de ce que les troupes de Monsieur le Prince n'avaient pas joint l'armée du Roi. Monsieur le signa, en se persuadant à lui-même qu'il ne signait rien, et il dit, le lendemain, à la Reine qu'il fallait bien contenter d'une bagatelle Monsieur le Prince, dans une occasion où il était même de son service qu'il ne rompît pas tout à fait avec lui, pour se tenir en état de travailler à l'accommodement lorsqu'elle croirait en avoir besoin. La Reine, qui était très satisfaite de ce qui se venait de passer le matin du jour dont Monsieur lui fit ce discours l'après-dînée, le voulut bien prendre pour bon, et il me parut effectivement, le soir, que cet écrit de Monsieur ne l'avait point touchée. Je n'ai pourtant guère vu d'occasion où elle en eût, ce me semble, plus de sujet. Mais ce ne fut pas la première fois de ma vie où je remarquai que l'on a une grande pente à ne se point aigrir dans les bons événements. Voici celui que l'assemblée des chambres, du samedi 19, produisit.

Monsieur le Premier Président ayant fait la relation de ce qui s'était passé au Palais-Royal le 17, et fait faire la lecture de l'écrit que la Reine avait donné aux députés, Monsieur le Prince prit la parole, en disant qu'il était porteur d'un papier de M. le duc d'Orléans qui contenait sa justification ; il ajouta quelques paroles tendantes au même effet ; et, en concluant qu'il serait très obligé à la Compagnie si elle voulait supplier la Reine de nommer ses accusateurs, il mit

sur le bureau le billet de Monsieur et un autre écrit,
beaucoup plus ample, signé de lui-même. Cet écrit était
une réponse fort belle à celui de la Reine. Il marquait
sagement et modestement les services de feu Monsieur le
Prince et les siens. Il faisait voir que ses *établissements
n'étaient pas à comparer à ceux du Cardinal. Il parlait de
son instance contre les sous-ministres, comme d'une suite
très naturelle et très nécessaire de l'éloignement de M. le
cardinal Mazarin. Il répondait, à ce que l'on lui avait objecté
de la retraite de madame sa femme et madame sa sœur
en Berry, que la seconde était dans les Carmélites de Bourges
et que la première demeurait en celle de ses maisons qui lui
avait été ordonnée pour séjour dans le temps de sa prison.
Il soutenait qu'il n'avait tenu qu'à la Reine et que les
Espagnols fussent sortis de Stenay, et que les troupes qui
étaient sous son nom eussent joint l'armée du Roi ; et il
alléguait pour témoin de cette vérité M. le duc d'Orléans. Il
demandait justice contre ses calomniateurs ; et, sur ce que
la Reine lui avait reproché qu'il l'avait comme forcée au
changement du Conseil qui avait paru aussitôt après sa
liberté, il répondait qu'il n'avait eu aucune part à cette
mutation, que l'obstacle qu'il avait apporté à la proposition
que Monsieur le Coadjuteur et M. de Montrésor avaient faite
de faire prendre les armes au peuple et d'ôter de force les
sceaux à Monsieur le Premier Président [1].

Aussitôt que l'on eut achevé la lecture de ces deux écrits,
Monsieur le Prince dit qu'il ne doutait pas que je ne fusse
l'auteur de celui qui avait été fait contre lui, et que c'était
un ouvrage digne d'un homme qui avait donné un conseil
aussi violent que celui d'armer Paris et d'arracher les sceaux
de force à celui à qui le Roi les avait confiés. Je répondis à
Monsieur le Prince que je croirais manquer au respect que
je devais à Monsieur si je disais seulement un mot pour me
justifier d'une action qui s'était passée en sa présence.
Monsieur le Prince ayant reparti que MM. de Beaufort et de
La Rochefoucauld, qui étaient présents, pouvaient rendre
témoignage de la vérité qu'il avançait, je lui dis que je le
suppliais très humblement de me permettre, par la raison
que je venais d'alléguer, de ne reconnaître personne que
Monsieur pour témoin et pour juge de ma conduite ; mais
qu'en attendant, je pouvais assurer la Compagnie que je

n'avais rien fait ni rien dit, en ce rencontre, qui ne fût d'un homme de bien, et que surtout personne ne me pouvait ôter ni l'honneur ni la satisfaction de n'avoir jamais été accusé d'avoir manqué à ma parole [1].

Ces derniers mots ne furent rien moins que sages. Ils font, à mon sens, une des grandes imprudences que j'aie jamais faites. Monsieur le Prince, quoique animé par M. le prince de Conti, qui le poussa, ce qui fut remarqué de tout le monde, comme pour le presser de s'en ressentir, ne s'emporta point : ce qui ne peut être en lui qu'un effet de la grandeur de son courage et de son âme. Quoique je fusse, ce jour-là, fort accompagné, il était sans comparaison plus fort que moi ; et il est *constant que si l'on eût tiré l'épée dans ce moment, il eût eu inconstestablement tout l'avantage. Il eut la modération de ne le pas faire ; je n'eus pas celle de lui en avoir obligation. Comme je payai de bonne mine et que mes amis payèrent d'une grande audace, je ne remerciai du succès que ceux qui m'y avaient assisté, et je ne songeai qu'à me préparer à me trouver, le lendemain, au Palais, en meilleur état. La Reine fut transportée de joie de voir que Monsieur le Prince avait trouvé des gens qui lui pussent disputer le pavé. Elle sentit jusques à la tendresse l'injustice qu'elle m'avait faite quand elle m'avait soupçonné de concert avec lui. Elle me dit tout ce que sa colère contre son parti lui put inspirer de plus tendre pour un homme qui faisait au moins ce qu'il pouvait pour lui en rompre les mesures [2]. Elle ordonna au maréchal d'Albret de commander trente gendarmes pour se poster où je le désirerais. M. le maréchal de Schomberg eut le même ordre pour autant de chevau-légers. Pradelle m'envoya le chevalier de Raray, capitaine aux gardes et qui était mon ami particulier, avec quarante hommes choisis entre les sergents et les plus braves soldats du régiment. Annery, avec la noblesse du Vexin, ne fut pas oublié. MM. de Noirmoutier, de Fosseuse, de Châteaubriant, de Barradas, de Châteaurenault, de Montauban, de Sainte-Maure, de Saint-Auban, de Laigue, de Montaigu, de Lamet, d'Argenteuil, de Quérieux, et le chevalier d'Humières, se partagèrent et les hommes et les postes. Guérin, Brigalier et L'Épinay, officiers dans les *colonelles de la ville, donnèrent des rendez-vous à un très grand nombre de bons bourgeois, qui avaient tous des pistolets et des poignards sous le

manteau. Comme j'avais *habitude avec les buvetiers, je fis
*couler, dès le soir, dans les buvettes, quantité de gens à
moi, par lesquelles la salle du Palais se trouvait ainsi, même
sans que l'on s'en s'aperçût, presque investie de toutes parts.
Comme j'avais résolu de poster le gros de mes amis à la
main gauche de la salle, en y entrant par les grands degrés,
j'avais mis dans une des chambres des consignations trente
des gentilshommes du Vexin, qui devaient, en cas de combat,
prendre en flanc et par derrière le parti de Monsieur le
Prince. Les armoires de la buvette de la quatrième [1], qui
répondait dans la Grande Chambre, étaient pleines de
grenades ; enfin il est vrai que toutes mes mesures étaient si
bien prises, et par le dedans du Palais et par le dehors, où
le pont Notre-Dame et le pont Saint-Michel, qui étaient
passionnés pour moi, ne faisaient qu'attendre le signal, que,
selon toutes les apparences du monde, je ne devais pas être
battu [2]. Monsieur, qui tremblait de frayeur, quoiqu'il fût
fort à couvert dans sa maison, voulut, selon sa louable
coutume, se ménager, à tout événement, des deux côtés. Il
agréa que Raray, Beloy, Valon, qui étaient à lui, suivissent
Monsieur le Prince, et que le vicomte d'Autel, le marquis
de Sablonnières et celui de Genlis, qui étaient aussi ses
*domestiques, vinssent avec moi. L'on eut tout le dimanche,
de part et d'autre, pour se préparer.

Le lundi 21 d'août, tous les serviteurs de Monsieur le
Prince se trouvèrent, à sept heures du matin, chez lui, et
mes amis se trouvèrent chez moi, entre cinq et six. Il arriva,
comme je montais en carrosse, une bagatelle qui ne mérite
de vous être rapportée que parce qu'il est bon d'*égayer
quelquefois le sérieux par le ridicule. Le marquis de Rouillac,
fameux par son extravagance, qui était accompagnée de
beaucoup de valeur, se vint offrir à moi ; le marquis de
Canillac, homme du même *caractère, y vint dans le même
moment. Dès qu'il eut vu Rouillac, il me fit une grande
révérence, mais en arrière, et en me disant : « Je venais,
Monsieur, pour vous assurer de mon service ; mais il n'est
pas juste que les deux plus grands fous du royaume soient
du même parti : je m'en vas à l'hôtel de Condé. » Et vous
remarquerez, s'il vous plaît, qu'il y alla.

J'arrivai au Palais un quart d'heure auparavant Monsieur
le Prince, qui y vint extrêmement accompagné. Je crois

toutefois qu'il n'avait pas tant [de] gens que moi ; mais il avait, sans comparaison, plus de personnes de qualité, comme il était et naturel et juste. Je n'avais pas voulu que ceux qui étaient attachés à la cour et qui fussent venus de bon cœur avec moi pour la faire à la Reine s'y trouvassent, de peur qu'ils ne me donnassent quelque teinture ou plutôt quelque apparence de mazarinisme : de sorte qu'à la réserve de trois ou quatre, qui, quoique attachés à la Reine, passaient pour être mes amis en leur particulier, je n'avais auprès de moi que la noblesse frondeuse, qui n'approchait pas en nombre celle qui suivait Monsieur le Prince. Ce désavantage était, à mon opinion, plus que suffisamment *récompensé et par le pouvoir que j'avais assurément beaucoup plus grand parmi le peuple, et par les postes dont je m'étais assuré. Châteaubriant, qui était demeuré dans les rues pour observer la marche de Monsieur le Prince, m'étant venu dire, en présence de beaucoup de gens, que Monsieur le Prince serait dans un demi-quart d'heure au Palais, qu'il avait pour le moins autant de monde que nous, mais que nous avions pris nos postes, ce qui nous était d'un grand avantage, je lui répondis : « Il n'y a certainement que la salle du Palais où nous les sussions mieux prendre que Monsieur le Prince. » Je sentis dans moi-même, en disant cette parole, qu'elle échappait d'un mouvement de honte que j'avais de souffrir une comparaison d'un prince de la naissance et de la valeur de Monsieur le Prince avec moi. Ma réflexion ne démentit point mon mouvement. J'eusse fait plus sagement si je l'eusse conservée plus longtemps, comme vous l'allez voir.

Comme Monsieur le Prince eut pris sa place, il dit à la Compagnie qu'il ne pouvait assez s'étonner de l'état où il trouvait le Palais ; qu'il paraissait plutôt un camp qu'un temple de justice ; qu'il y avait des postes pris, des gens commandés, des mots de ralliement, et qu'il ne concevait pas qu'il se pût trouver dans le royaume des gens assez insolents pour prétendre de lui disputer le pavé. Il répéta deux fois cette dernière parole. Je lui fis une profonde révérence, et je lui dis que je suppliais très humblement Son Altesse de me pardonner si je lui disais que je ne croyais pas qu'il y eût personne dans le royaume qui fût assez insolent pour prétendre de lui disputer le haut du pavé ; mais que j'étais persuadé qu'il y en avait qui ne pouvaient

et ne devaient, par leur dignité, quitter le pavé qu'au Roi.
Monsieur le Prince me repartit qu'il me le ferait bien quitter.
Je lui répondis qu'il ne serait pas aisé. La *cohue s'éleva à
cet instant. Les jeunes conseillers de l'un et de l'autre parti
s'*intéressèrent dans ce commencement de contestation,
qui commençait, comme vous voyez, assez aigrement. Les
présidents se jetèrent entre Monsieur le Prince et moi ; ils le
conjurèrent d'avoir égard au temple de la justice et à la
conservation de la ville. Ils le supplièrent d'agréer que l'on
fît sortir de la salle tout ce qu'il y avait de noblesse et de
gens armés. Il le trouva bon, et il pria même M. de La
Rochefoucauld de l'aller dire, de sa part, à ses amis[1] : ce
fut le terme dont il se servit. Il fut beau et modeste dans sa
bouche ; il n'y eut que l'événement qui empêcha qu'il ne
fût ridicule dans la mienne. Il ne l'en est pas moins dans
ma pensée, et j'ai encore regret de ce qu'il dépara la
première réponse que j'avais faite à Monsieur le Prince,
touchant le pavé, qui était juste et raisonnable. Comme il
eut prié M. de La Rochefoucauld d'aller faire sortir ses amis,
je me levai en disant très imprudemment : « Je vas prier les
miens de se retirer. » Le jeune d'Avaux, que vous voyez
présentement le président de Mesmes, et qui était, en ce
temps-là, dans les intérêts de Monsieur le Prince, me dit :
« Vous êtes donc armé ? — Qui en doute ? » lui répondis-
je. Et voilà ma seconde sottise en un demi-quart d'heure. Il
n'est jamais permis à un inférieur de s'égaler en parole à
celui à qui il doit du respect, quoiqu'il s'y égale dans
l'action ; et il l'est aussi peu à un ecclésiastique de confesser
qu'il est armé, même quand il l'est. Il y a des matières sur
lesquelles il est *constant que le monde veut être trompé.
Les occasions justifient assez souvent, à l'égard de la
réputation publique, les hommes de ce qu'ils font contre
leur profession : je n'en ai jamais vu qui les justifient de ce
qu'ils disent qui y soit contraire.
    Comme je sortais de la Grande Chambre, je rencontrai,
dans le parquet des huissiers, M. de La Rochefoucauld, qui
rentrait. Je n'y fis point de réflexion, et j'allai dans la salle
pour prier mes amis de se retirer. Je revins après le leur
avoir dit ; et comme je mis le pied sur la porte du parquet,
j'entendis une fort grande rumeur, dans la salle, de gens
qui criaient : « Aux armes ! » Je me voulus retourner pour

voir ce que c'était ; mais je n'en eus pas le temps, parce que je me sentis le cou pris entre les deux battants de la porte, que M. de La Rochefoucauld avait fermée sur moi, en criant à MM. de Coligny et de Ricousse de me tuer. Le premier se contenta de ne le pas croire ; le second lui dit qu'il n'en avait point d'ordre de Monsieur le Prince. Montrésor, qui était dans le parquet des huissiers, avec un garçon de Paris appelé Noblet, qui m'était affectionné, soutenait un peu un des battants, qui ne laissait pas de me presser extrêmement. M. de Champlâtreux, qui était accouru au bruit qui se faisait dans la salle, me voyant en cette extrémité, poussa avec vigueur M. de La Rochefoucauld : il lui dit que c'était une honte et une horreur qu'un assassinat de cette nature ; il ouvrit la porte et il me fit entrer[1]. Ce péril ne fut pas le plus grand de ceux que je courus en cette occasion, comme vous l'allez voir, après que je vous aurai dit ce qui la fit naître et cesser.

Deux ou trois criailleurs de la lie du peuple, du parti de Monsieur le Prince, qui n'étaient arrivés dans la salle que comme j'en ressortais, s'avisèrent de crier, en me voyant de loin : « Au mazarin ! » Beaucoup de gens du même parti, et Chavagnac entre autres, m'ayant fait civilité lorsque je passai, et m'ayant témoigné joie de l'adoucissement qui commençait à paraître, deux gardes de Monsieur le Prince, qui étaient aussi fort éloignés, mirent l'épée à la main. Ceux qui étaient les plus proches de ces deux premiers crièrent : « Aux armes ! » Chacun les prit. Mes amis mirent l'épée et le poignard à la main ; et, par une merveille qui n'a peut-être jamais eu d'exemple, ces épées, ces poignards et ces pistolets demeurèrent un moment sans action ; et, dans ce moment, Crenan, qui commandait la compagnie de gendarmes de M. le prince de Conti, mais qui était aussi de mes anciens amis, et qui se trouva, par bonheur, en présence avec Laigue, avec lequel il avait logé dix ans durant, lui dit : « Que faisons-nous ? nous allons faire égorger Monsieur le Prince et Monsieur le Coadjuteur. Schelme[2] qui ne remettra l'épée dans le fourreau ! » Cette parole, proférée par un des hommes du monde dont la réputation pour la valeur était la plus établie, fit que tout le monde, sans exception, suivit son exemple. Cet événement est peut-être l'un des plus extraordinaires qui soit arrivé dans notre siècle.

La présence d'esprit et de cœur d'Argenteuil ne l'est guère moins. Il se trouva, par hasard, fort près de moi quand je fus pris par le cou dans la porte, et il eut assez de sang-froid pour remarquer que Pesche, un fameux séditieux du parti de Monsieur le Prince, me cherchait des yeux, le poignard à la main, en disant : « Où est le coadjuteur ? » Argenteuil, qui se trouva, par bonheur, près de moi, parce qu'il s'était avancé pour parler à quelqu'un, qu'il connaissait, du parti de Monsieur le Prince, jugea qu'au lieu de revenir à son *gros et de tirer l'épée, ce que tout homme *médiocrement vaillant eût fait en cette occasion, il ferait mieux d'observer et d'*amuser Pesche, qui n'avait qu'à faire un demi-tour à gauche pour me donner du poignard dans les reins. Il exécuta si adroitement cette pensée, qu'en raisonnant avec lui et en me couvrant de son long manteau de deuil, il me sauva la vie, qui était d'autant plus en péril, que mes amis, qui me croyaient rentré dans la Grande Chambre, ne songeaient qu'à pousser ceux qui étaient devant eux.

Vous vous étonnerez, sans doute, de ce qu'ayant pris si bien mes précautions partout ailleurs, je n'avais pas garni de mes amis et le parquet des huissiers et les *lanternes ; mais votre étonnement cessera, quand je vous aurai dit que j'y avais fait toute la réflexion nécessaire et que j'avais bien prévu les inconvénients de ce manquement, mais que je n'y avais pas trouvé de remède, parce que le seul qui s'y pouvait apporter, qui était de les remplir de gens *affidés, était impraticable, ou du moins n'était praticable qu'en s'attirant d'autres inconvénients encore plus grands. Presque tout ce que j'avais de gens de qualité auprès de moi avait son emploi, et son emploi nécessaire, dans les différents postes qu'il était de nécessité d'occuper. Il n'y eût rien eu de si odieux que de mettre des gens, ou du peuple ou du bas étage, dans ces sortes de lieux, où l'on ne laisse entrer, dans l'ordre, que des personnes de condition. Si l'on les eût vus occupés par des gens de moindre étoffe, au préjudice d'une infinité de noms illustres que Monsieur le Prince avait avec lui, les indifférents du Parlement se fussent prévenus infailliblement contre un spectacle de cette nature. Il m'était important de laisser à ma conduite tout l'air de défensive ; et je préférai cet avantage à celui d'une plus grande sûreté.

Il faillit à m'en coûter cher ; car, outre l'aventure de la porte, de laquelle je viens de vous entretenir, Monsieur le Prince, avec lequel j'ai parlé depuis, fort souvent, de cette journée, m'a dit qu'il avait fait son compte sur cette circonstance, et que si le bruit de la salle eût duré encore un moment, il me sautait à la gorge pour me rendre responsable de tout le reste. Il le pouvait, ayant assurément dans les lanternes beaucoup plus de monde que moi ; mais je suis persuadé que la suite eût été très funeste aux deux partis, et qu'il eût eu lui-même grand peine de s'en tirer. Je reprends la suite de mon récit.

Aussitôt que je fus rentré dans la Grande Chambre, je dis à Monsieur le Premier Président que je devais la vie à son fils, qui fit effectivement, en cette occasion, tout ce que la *générosité la plus haute peut produire. Il était, en tout ce qui n'était pas contraire à la conduite et aux maximes de monsieur son père, attaché jusques à la passion à Monsieur le Prince. Il était très persuadé, quoique à tort, que j'avais eu part dans les séditions qui s'étaient vingt fois élevées contre monsieur son père, dans le cours du siège de Paris ; rien ne l'obligeait d'en prendre davantage au péril où j'étais que la plupart de Messieurs du Parlement, qui demeuraient fort paisiblement dans leurs places ; il s'intéressa à ma conservation jusques au point de s'être *commis lui-même avec le parti, qui, au moins en cet endroit, était le plus fort. Il y a peu d'actions plus belles, et j'en conserverai avec tendresse la mémoire jusque dans le tombeau. J'en témoignai publiquement ma reconnaissance à Monsieur le Premier Président, en rentrant dans la Grande Chambre, et j'ajoutai que M. de La Rochefoucauld avait fait tout ce qui avait été en lui pour me faire assassiner. Il[1] me répondit ces propres paroles : « Traître, je me soucie peu de ce que tu deviennes. » Je lui repartis ces propres mots : « Tout beau, notre ami La Franchise (nous lui avions donné ce quolibet dans notre parti), vous êtes un poltron (je mentais, car il est assurément fort brave), et je suis un prêtre : le duel nous est défendu[2]. » M. de Brissac, qui était immédiatement au-dessus de lui, le menaça de coups de bâton ; il menaça M. de Brissac de coups d'éperon. Messieurs les présidents, qui crurent, et avec raison, que ces dits et redits étaient un commencement de querelle qui allait passer au delà des paroles, se jetèrent entre nous.

Monsieur le Premier Président, qui avait mandé un peu auparavant les gens du Roi, se joignit à eux, et pour conjurer pathétiquement Monsieur le Prince, par le sang de saint Louis, de ne point souffrir que le temple qu'il avait donné à la conservation de la paix et à la protection de la justice, fût ensanglanté, et pour m'exhorter, par mon sacre, à ne pas contribuer au massacre du peuple que Dieu m'avait *commis. Monsieur le Prince agréa que deux de Messieurs[1] allassent dans la grande salle faire sortir ses serviteurs, par le degré de la Sainte-Chapelle ; deux autres firent la même chose à l'égard de mes amis, par le grand escalier qui est à la main gauche en sortant de la salle. Dix heures sonnèrent, la Compagnie se leva, et ainsi finit cette matinée qui faillit à *abîmer Paris.

Il me semble que vous me demandez quel personnage M. de Beaufort jouait dans ces dernières scènes, et qu'après le rôle que vous lui avez vu dans les premières, vous vous étonnez du silence dans lequel il vous paraît comme enseveli, depuis quelque temps. Vous verrez dans ma réponse la confirmation de ce que j'ai remarqué déjà plus d'une fois dans cet ouvrage, que l'on ne contente jamais personne quand l'on entreprend de contenter tout le monde. M. de Beaufort se mit dans l'esprit, ou plutôt Mme de Montbazon le lui mit après qu'il eut rompu avec moi, qu'il se devait et pouvait *ménager entre la Reine et Monsieur le Prince, et il *affecta même si fort l'apparence de ce ménagement[2], qu'il *affecta de se trouver tout seul, et sans être suivi de qui que ce soit, à ces deux assemblées du Parlement, desquelles je viens de vous entretenir. Il dit même, tout haut, à la dernière, d'un ton de Caton qui ne lui convenait pas : « Pour moi, je ne suis qu'un particulier qui ne me mêle de rien. » Je me tournai à M. de Brissac, en répondant : « Il faut avouer que M. d'Angoulême et M. de Beaufort ont une bonne conduite » : ce que je ne proférai pas si bas que Monsieur le Prince ne l'entendît. Il s'en prit à rire. Vous observerez, s'il vous plaît, que M. d'Angoulême avait plus de quatre-vingt-dix ans, et qu'il ne bougeait plus de son lit[3]. Je ne vous marque cette bagatelle que parce qu'elle signifie que tout homme que la fortune seule a fait homme public devient presque toujours, avec un peu de temps, un particulier ridicule. L'on ne revient plus de cet état, et la bravoure de M. de Beaufort, qu'il signala encore en plus d'une occasion depuis le retour de Monsieur le Cardinal, contre lequel il se déclara sans balancer, ne le put relever de sa chute. Mais il est temps de rentrer dans le fil de ma narration.

Vous comprenez aisément l'*émotion de Paris, dans le cours de la matinée que je viens de vous décrire. La plupart des artisans avaient leur mousquet auprès d'eux, en travaillant dans leurs boutiques. Les femmes étaient en prières dans les églises ; mais ce qui est encore vrai est que Paris fut plus touché, l'après-dînée, de la crainte de retomber dans le péril, qu'il ne l'avait été, le matin, de s'y voir. La tristesse parut plus universelle sur les visages de tous ceux qui n'étaient pas tout à fait engagés dans l'un ou l'autre des partis. La réflexion, qui n'était plus divertie par le mouvement, trouva sa place dans les esprits de ceux mêmes qui y avaient le plus de part. Monsieur le Prince dit au comte de Fiesque, au moins à ce que celui-ci raconta, le soir, chez sa femme, publiquement : « Paris a failli aujourd'hui à être brûlé ; quel feu de joie pour le Mazarin ! et ce sont ses deux plus capitaux ennemis qui ont été sur le point de l'allumer. » Je concevais très bien, de mon côté, que j'étais sur la pente du plus fâcheux et du plus dangereux précipice où un particulier se fût peut-être jamais trouvé. Le mieux qui me pouvait arriver était d'avoir avantage sur Monsieur le Prince, et ce mieux se fût terminé, si il y eût péri, à passer pour l'assassin du premier prince du sang, à être immanquablement désavoué par la Reine, et à donner tout le fruit et de mes peines et de mes périls au Cardinal par l'événement, qui ne manque jamais de tourner toujours en faveur de l'autorité royale tous les désordres qui passent jusques aux derniers excès. Voilà ce que mes amis, au moins les sages, me représentaient ; voilà ce que je me représentais à moi-même. Mais quel moyen ? quel remède ? quel expédient de se tirer d'un embarras où l'on a eu raison de se jeter, et où l'engagement en fait une seconde, qui est pour le moins aussi forte que la première. Il plut à la providence de Dieu d'y donner ordre.

Monsieur, accablé des cris de tout Paris, qui courut d'effroi au palais d'Orléans, mais plus pressé encore par sa frayeur, qui lui fit croire qu'un mouvement aussi général que celui qui avait failli d'arriver ne s'arrêterait pas au Palais : Monsieur, dis-je, fit promettre à Monsieur le Prince qu'il n'irait, le lendemain, que lui sixième [1] au Palais, pourvu que je m'engageasse à n'y aller qu'avec un pareil nombre de gens. Je suppliai Monsieur de me pardonner si je ne recevais pas ce parti, et parce que je manquerais, si je l'acceptais, au respect que je devais à Monsieur le Prince, avec lequel je savais que je ne devais faire aucune comparaison, et parce que je n'y trouvais aucune sûreté pour moi, ce nombre de séditieux, qui criaillait contre moi, n'ayant point de règle et ne reconnaissant point de chef ; que ce n'était que contre ces sortes de gens que j'étais armé ; que je savais le respect que je devais à Monsieur le Prince ; qu'il y avait si peu de *compétence d'un gentilhomme à lui, que cinq cents hommes étaient moins à lui qu'un laquais à moi. Monsieur, qui vit que je ne donnais pas à sa proposition et à qui Mme de Chevreuse, à laquelle il avait envoyé Ornane pour la persuader, manda que j'avais raison : Monsieur, dis-je, alla trouver la Reine pour lui représenter les grands inconvénients que la continuation de cette conduite produirait infailliblement. Comme, de son naturel, elle ne craignait rien et prévoyait peu, elle ne fit aucun cas des remontrances de Monsieur, et d'autant moins, qu'elle eût été ravie, dans le fond, des extrémités qu'elle s'imaginait et possibles et proches. Quand Monsieur le Chancelier, qui lui parla fortement, et les Bartets et les Brachets, qui étaient cachés dans les greniers du Palais-Royal et qui appréhendaient d'y être trouvés dans une *émotion générale, lui eurent fait connaître que la perte de Monsieur le Prince et la mienne, arrivées dans une conjoncture pareille, jetteraient les choses dans une confusion que le seul nom du Mazarin pourrait même rendre fatale à la maison royale, elle se laissa fléchir plutôt aux larmes qu'aux raisons du genre humain, et elle consentit de donner aux uns et aux autres un ordre du Roi, par lequel il leur serait défendu de se trouver au Palais.

Monsieur le Premier Président, qui ne douta point que Monsieur le Prince n'accepterait pas ce parti, que l'on ne lui pouvait, dans la vérité, imposer avec justice, parce que sa présence y était nécessaire, alla chez la Reine avec M. le président de Nesmond ; il lui fit connaître qu'il serait contre toute sorte d'équité de défendre à Monsieur le Prince d'assister en un lieu où il ne se trouvait que pour demander à se justifier des crimes que l'on lui imposait. Il lui marqua la différence qu'elle devait mettre entre un premier prince du sang, dont la présence au Palais était de nécessité dans cette conjoncture, et un coadjuteur de Paris, qui n'y avait même jamais séance que par une grâce assez extraordinaire que le Parlement lui avait faite[1]. Il ajouta que la Reine devait faire réflexion que rien ne le pouvait obliger à parler ainsi que la force de son devoir, puisqu'il lui avouait ingénument que la manière dont j'avais reçu le petit service que son fils avait essayé de me rendre le matin (ce fut le terme dont il se servit) l'avait touché si sensiblement, qu'il se faisait une contrainte extrême à soi-même en la *prônant sur un sujet qui peut-être ne me serait pas fort agréable. La Reine se rendit et à ces raisons et aux instances de toutes les dames de la cour, qui, l'une pour une raison et l'autre pour l'autre, appréhendaient, au dernier point, le fracas presque inévitable du lendemain. Elle m'envoya M. de Charost, capitaine des gardes en *quartier, pour me défendre, au nom du Roi, d'aller le lendemain au Palais. Monsieur le Premier Président, que j'avais été voir et remercier, le matin, au lever du Parlement, me vint rendre ma visite comme M. de Charost sortait [de] chez moi ; il me conta fort sincèrement le détail de ce qu'il venait de dire à la Reine. Je l'en estimai, parce qu'il avait raison, et je lui témoignai de plus que j'en étais très aise, parce qu'il me tirait avec honneur d'un très *méchant pas. « Il est très sage, me répondit-il, de le penser ; il est encore plus *honnête de le dire. » Il m'embrassa tendrement en me disant cette dernière parole. Nous nous jurâmes amitié. Je la tiendrai toute ma vie à sa famille, avec tendresse et avec reconnaissance.

Le lendemain, qui fut le mardi vingt-deuxième jour d'août, le Parlement s'assembla. L'on fit garder, à tout hasard, le Palais par deux compagnies de bourgeois, à cause du reste d'*émotion qui paraissait encore dans la ville. Monsieur le Prince demeura dans la quatrième des Enquêtes, parce qu'il n'était pas de la forme qu'il assistât à une délibération dans laquelle il demandait ou que l'on le justifiât ou que l'on lui fît son procès. L'on ouvrit beaucoup

de différents avis. Il *passa à celui de Monsieur le Premier
Président, qui fut que tous les écrits, tant ceux de la Reine
et de M. le duc d'Orléans, que celui de Monsieur le Prince,
seraient portés au Roi et à la Reine par les députés de la
Compagnie, et que très humbles remontrances seraient faites
sur l'importance desdits écrits ; que la Reine serait suppliée
de vouloir étouffer cette affaire, et M. le duc d'Orléans prié
de s'entremettre de l'accommodement.

Comme Monsieur le Prince sortait de cette assemblée,
suivi d'une foule de ceux du peuple qui étaient à lui, je me
trouvai tête pour tête devant son carrosse, assez près des
Cordeliers, avec la procession de la Grande Confrérie que je
conduisais. Comme elle est composée de trente ou quarante
curés de Paris et qu'elle est toujours suivie de beaucoup de
peuple, j'avais cru que je n'y avais pas besoin de mon escorte
ordinaire, et j'avais même *affecté de n'avoir auprès de moi
que cinq ou six gentilshommes, qui étaient MM. de Fosseuse,
de Lamet, de Quérieux, de Châteaubriant, et les chevaliers
d'Humières et de Sévigné. Trois ou quatre de ceux de la
populace, qui suivaient Monsieur le Prince, crièrent dès
qu'ils me virent « Au mazarin ! » Monsieur le Prince qui
avait, ce me semble, dans son carrosse MM. de La Rochefoucauld, de Rohan et de Gaucourt, en descendit aussitôt qu'il
m'eut aperçu. Il fit taire ceux de sa suite qui avaient
commencé à crier ; il se mit à genou[1] pour recevoir ma
bénédiction ; je la lui donnai, le bonnet en tête, je l'ôtai
aussitôt, et je lui fis une très profonde révérence. Cette
aventure est, comme vous voyez, assez plaisante. En voici
une autre qui ne le fut pas tant par l'événement, et c'est, à
mon sens, celle qui m'a coûté ma fortune, et qui a failli à
me coûter plusieurs fois la vie.

La Reine fut si transportée de joie des obstacles que
Monsieur le Prince rencontrait à ses desseins, et elle fut si
satisfaite de la netteté de mon procédé, que je puis dire
avec vérité que je fus quelques jours en faveur. Elle ne
pouvait assez témoigner, à son gré, à ceux qui l'approchaient,
la satisfaction qu'elle avait de moi. Madame la Palatine était
persuadée qu'elle parlait du cœur. Mme de Lesdiguières me
dit que Mme de Beauvais, qui était assez de ses amies,
l'avait assurée que je faisais chemin dans son esprit. Ce qui
me le persuada plus que tout le reste fut que la Reine, qui

ne pouvait souffrir que l'on donnât la moindre atteinte à la conduite de M. le cardinal Mazarin, entra en raillerie, et de bonne foi, d'un mot que j'avais dit de lui. Bartet, je ne me souviens pas à propos de quoi, m'avait dit, quelques jours auparavant, que le pauvre Monsieur le Cardinal était quelquefois bien *empêché ; et je lui avais répondu : « Donnez-moi le Roi de mon côté deux jours durant, et vous verrez si je le serai. » Il avait trouvé cette sottise assez plaisante, et comme il était lui-même fort badin, il ne s'était pu empêcher de la dire à la Reine [1]. Elle ne s'en fâcha nullement, elle en rit de bon cœur ; et cette circonstance, sur laquelle Mme de Chevreuse, qui connaissait parfaitement la Reine, fit beaucoup de réflexion, jointe à une parole qui lui fut rapportée par Mme de Lesdiguières, lui fit naître une pensée que vous allez voir, après que je vous aurai rendu compte de cette parole.

Mme de Carignan disait un jour, devant la Reine, que j'étais fort laid, et c'était peut-être l'unique fois de sa vie où elle n'avait pas menti. La Reine lui répondit : « Il a les dents fort belles, et un homme n'est jamais laid avec cela. » Mme de Chevreuse, ayant su ce discours par Mme de Lesdiguières, à qui Mme de Niesle l'avait rapporté, se ressouvint de ce qu'elle avait ouï dire à la Reine, en beaucoup d'occasions, que la seule beauté des hommes étaient les dents, parce que c'était l'unique qui fût d'usage. « Essayons, me dit-elle, un soir que je me promenais avec elle dans le jardin de l'hôtel de Chevreuse : si vous voulez bien jouer votre personnage, je ne désespère de rien. Faites seulement le *rêveur quand vous êtes auprès de la Reine ; regardez continuellement ses mains [2] ; pestez contre le Cardinal ; laissez-moi faire du reste. » Nous concertâmes le détail, et nous le jouâmes juste comme nous l'avions concerté. Je demandai deux ou trois audiences secrètes, de suite, à la Reine, à propos de rien. Je ne fournis, dans ces audiences, à la conversation que ce qui y était bon pour l'obliger à chercher le sujet pour lequel je les lui avais demandées. Je suivis, de point en point, les leçons de Mme de Chevreuse ; je poussai l'*inquiétude et l'emportement contre le Cardinal jusques à l'extravagance. La Reine, qui était naturellement très coquette, entendait les airs. Elle en parla à Mme de Chevreuse, qui fit la surprise et l'étonnée, mais qui ne la fit

qu'autant qu'il le fallut pour mieux jouer son jeu, en faisant
semblant de revenir de loin, et de faire, à cause de ce que
la Reine lui en disait, une réflexion à laquelle elle n'aurait
jamais pensé sans cela, sur ce qu'elle avait remarqué, en
arrivant à Paris, de mes emportements contre le Cardinal.
« Il est vrai, Madame, disait-elle à la Reine, que Votre
Majesté me fait ressouvenir de certaines circonstances qui se
rapportent assez à ce que vous me dites. Le coadjuteur me
parlait, des journées entières, de toute la vie passée de Votre
Majesté, avec une curiosité qui me surprenait, parce qu'il
entrait même dans le détail de mille choses qui n'avaient
aucun rapport au temps présent. Ces conversations étaient
les plus douces du monde tant qu'il ne s'agissait que de
vous ; il n'était plus le même homme si il arrivait que l'on
nommât par hasard le nom de Monsieur le Cardinal ; il
disait même des rages de Votre Majesté, et puis, tout d'un
coup, il se radoucissait, mais jamais pour Monsieur le
Cardinal. Mais, à propos, il faut que je rappelle dans ma
mémoire la *manie qui lui monta un jour à la tête contre
feu Buchinchan (je ne m'en ressouviens pas précisément) :
il ne pouvait souffrir que je disse qu'il était fort *honnête
homme. Ce qui m'a toujours empêchée de faire réflexion
sur mille et mille choses de cette nature, que je vois d'une
vue, est l'attachement qu'il a pour ma fille : ce n'est pas
que, dans le fond, cet attachement soit si grand que l'on
croit. Je voudrais bien que la pauvre créature n'en eût pas
plus pour lui qu'il en a pour elle. Sur le tout, je ne me
puis imaginer, Madame, que le coadjuteur soit assez fou
pour se mettre cette *vision dans la *fantaisie. »
    Voilà l'une des conversations de Mme de Chevreuse avec
la Reine ; il y en eut vingt ou trente de cette nature, dans
lesquelles il se trouva, à la fin, que la Reine persuada à
Mme de Chevreuse que j'étais assez fou pour m'être mis
cette *vision dans l'esprit, et dans lesquelles pareillement
Mme de Chevreuse persuada à la Reine que je l'y avais
effectivement beaucoup plus fortement qu'elle ne l'avait cru
d'abord elle-même. Je ne m'oubliai pas de ma part : je
jouai bien, je passai, dans les conversations que j'avais avec
la Reine, de la *rêverie à l'égarement. Je ne revenais de
celui-ci que par des reprises, qui, en marquant un profond
respect pour elle, marquaient toujours du chagrin et quelque-

fois de l'emportement contre Monsieur le Cardinal. Je ne m'aperçus pas que je me brouillasse à la cour par cette conduite ; mais Mlle de Chevreuse, à laquelle madame sa mère avait jugé nécessaire de la faire agréer, pour la raison que vous verrez ci-après, prit en gré de la troubler, au bout de deux mois, par la plus grande et la plus signalée de toutes les imprudences. Je vous rendrai compte de ce détail, après que je me serai satisfait moi-même sur une omission qu'il y a déjà assez longtemps que je me reproche dans cet ouvrage.

Presque tout ce qui y est contenu n'est qu'un enchaînement de l'attachement que la Reine avait pour M. le cardinal Mazarin, et il me semble que, par cette raison, je *devais, même beaucoup plus tôt, vous en expliquer la nature, de laquelle je crois que vous pouvez juger plus sûrement, si je vous expose, au préalable, quelques événements de ses premières années, que je considère comme aussi clairs et aussi certains que ceux que j'ai vus moi-même, parce que je les tiens de Mme de Chevreuse, qui a été la seule et véritable confidente de sa jeunesse. Elle m'a dit plusieurs fois que la Reine n'était espagnole ni d'esprit ni de corps ; qu'elle n'avait ni le tempérament ni la vivacité de sa nation ; qu'elle n'en tenait que la coquetterie, mais qu'elle l'avait au souverain degré ; que M. de Bellegarde, vieux, mais poli et *galant à la mode de la cour de Henri III, lui avait plu ; qu'elle s'en était dégoûtée, parce qu'en prenant congé d'elle, lorsqu'il alla commander l'armée à La Rochelle, et lui ayant demandé, en général, la permission d'espérer d'elle une grâce devant son départ, il s'était réduit à la supplier de vouloir bien mettre la main sur la garde de son épée [1] ; qu'elle avait trouvé cette manière si sotte, qu'elle n'en avait jamais pu revenir ; qu'elle avait agréé la *galanterie de M. de Montmorency, beaucoup plus qu'elle n'avait aimé sa personne ; que l'aversion qu'elle avait pour les manières de M. le cardinal de Richelieu, qui était aussi *pédant en amour qu'il était *honnête homme pour les autres choses, avait fait qu'elle n'avait jamais pu souffrir la sienne ; que le seul homme qu'elle avait aimé avec passion avait été le duc de Buchinchan [2] ; qu'elle lui avait donné rendez-vous, une nuit, dans le petit jardin du Louvre ; que Mme de Chevreuse, qui était seule avec elle, s'étant un peu éloignée, elle

entendit du bruit comme de deux personnes qui se luttaient ;
que s'étant rapprochée de la Reine, elle la trouva fort émue,
et M. de Buchinchan à genoux devant elle ; que la Reine,
qui s'était contentée, ce soir, de lui dire, en remontant dans
son appartement, que tous les hommes étaient brutaux et
insolents, lui avait commandé, le lendemain au matin, de
demander à M. de Buchinchan si il était bien assuré qu'elle
ne fût pas en danger d'être grosse ; que depuis cette
aventure, elle, Mme de Chevreuse, n'avait eu aucune lumière
d'aucune *galanterie de la Reine ; qu'elle lui avait vu, dès
l'entrée de la Régence, une grande pente pour Monsieur le
Cardinal ; mais qu'elle n'avait pu démêler jusques où cette
pente l'avait portée ; qu'il était vrai qu'elle avait été chassée
de la cour sitôt après, qu'elle n'aurait pas eu le temps d'y
voir clair, quand même il y aurait eu quelque chose ; qu'à
son retour en France, après le siège de Paris, la Reine, dans
les commencements, s'était tenue si *couverte avec elle,
qu'elle n'avait pu y rien pénétrer ; que depuis qu'elle s'y
était raccoutumée, elle lui avait vu, dans des moments, de
certains airs qui avaient beaucoup de ceux qu'elle avait
eus autrefois avec Buchinchan ; qu'en d'autres, elle avait
remarqué des circonstances qui lui faisaient juger qu'il n'y
avait entre eux qu'une liaison intime d'esprits ; que l'une
des plus considérables était la manière dont le Cardinal vivait
avec elle, peu *galante et même rude : « ce qui toutefois,
ajoutait Mme de Chevreuse, a deux faces, de l'humeur dont
je connais la Reine : Buchinchan me disait autrefois qu'il
avait aimé trois reines, qu'il avait été obligé de *gourmer
toutes trois ; c'est pourquoi je ne sais qu'en juger. » Voilà
comme Mme de Chevreuse m'en parlait[1]. Je reviens à ma
narration.

Je n'étais pas assez chatouillé de la figure que je faisais
contre Monsieur le Prince, quoique je m'en tinsse très
honoré, pour ne pas concevoir, dans toute leur étendue, les
précipices du poste où j'étais. « Où allons-nous ? dis-je à
M. de Bellièvre, qui me paraissait trop aise de ce que
Monsieur le Prince ne m'avait pas dévoré ; pour qui
travaillons-nous ? Je sais que nous sommes obligés de faire
ce que nous faisons ; je sais que nous ne pouvons mieux
faire ; mais nous devons nous réjouir d'une nécessité qui
nous porte à un mieux duquel il n'est presque pas possible

que nous ne retombions bientôt dans le pis ? — Je vous entends, me répondit le président de Bellièvre, et je vous arrête en même temps pour vous dire ce que j'ai appris de Cromwell (M. de Bellièvre l'avait vu et connu en Angleterre) ; il me disait un jour que l'on ne monte jamais si haut que quand l'on ne sait où l'on va. — Vous savez, dis-je à M. de Bellièvre, que j'ai horreur pour Cromwell ; mais, quelque grand homme que l'on nous le *prône, j'y ajoute le mépris si il est de ce sentiment : il me paraît d'un fou. » Je ne vous rapporte ce dialogue, qui n'est rien en soi, que pour vous faire voir l'importance qu'il y a à ne parler jamais des gens qui sont dans les grands postes. M. le président de Bellièvre, en rentrant dans son cabinet, où il y avait force gens, dit, sans y faire réflexion, cette parole, comme une marque de l'injustice que l'on me faisait quand on disait que mon ambition était sans mesure et sans borne ; elle fut rapportée au Protecteur qui s'en ressouvint avec aigreur, dans une occasion dont je vous parlerai dans la suite, et qui dit à M. de Bordeaux, ambassadeur de France en Angleterre : « Je ne connais qu'un homme au monde qui me méprise, qui est le cardinal de Rais. » Cette opinion faillit à me coûter cher. Je reprends le fil de ma narration.

Monsieur, qui était très aise de s'être tiré à si bon marché des embarras que vous avez vus ci-dessus, ne songea qu'à les éviter pour l'avenir, et il alla, le 26, à Limours, pour faire voir, ce dit-il à la Reine, qu'il n'entrait en rien de tout ce que Monsieur le Prince faisait.

Le lundi 28 et le lendemain, Monsieur le Prince fit tous ses efforts au Parlement pour obliger la Compagnie à presser la Reine, ou à la justifier, ou à donner les preuves de l'écrit qu'elle avait envoyé contre lui. Mais Monsieur le Premier Président demeura ferme à ne souffrir aucune délibération jusques à ce que M. le duc d'Orléans fût revenu ; et comme il était persuadé qu'il ne reviendrait pas sitôt, il consentit qu'il fût prié, par la Compagnie, de venir prendre sa place. Monsieur le Prince y alla lui-même l'après-dînée du 29, accompagné de M. de Beaufort, pour l'en presser. Il n'y gagna rien, et Jouy vint, à minuit, de la part de Monsieur, chez moi, pour me dire tout ce qui s'était passé dans leur conversation, et pour me commander d'en rendre compte à la Reine dès le lendemain.

Ce lendemain, qui fut le 30, Monsieur le Prince vint au Palais et il eut le plaisir d'y voir M. de Vendôme jouant l'un des plus ridicules personnages que l'on se puisse imaginer : il y demanda acte de la déclaration qu'il faisait, qu'il n'avait pas ouï parler, depuis l'année 1648, de la *recherche de Mlle Mancini, et vous pouvez croire qu'il ne persuada personne[1]. Monsieur le Prince ayant demandé ensuite au premier président si la Reine avait répondu aux remontrances que la Compagnie avait faites sur ce qui le regardait, l'on envoya quérir les gens du Roi, qui dirent qu'elle avait remis à répondre au retour de M. le duc d'Orléans, qui était à Limours. Monsieur le Prince se plaignit de ce délai, comme d'un déni de justice ; beaucoup de voix s'élevèrent, et Monsieur le Premier Président fut obligé, après beaucoup de résistance, à faire la relation de ce qui s'était passé au Palais-Royal, le samedi précédent, qui était le jour auquel il avait fait les remontrances. Il les avait portées avec force, et il n'y avait rien oublié de tout ce qui pouvait faire voir à la Reine l'utilité et même la nécessité de la réunion de la maison royale. Il finit le rapport qu'il en fit au Parlement, en disant que la Reine l'avait remis, aussi bien que les gens du Roi, au retour de M. d'Orléans.

M. le président de Mesmes, qui était allé à Limours de la part de la Compagnie, pour l'inviter à venir prendre sa place, n'en avait rapporté qu'une réponse fort ambiguë ; et ce qui marqua encore davantage qu'apparemment il ne viendrait pas fut que M. de Beaufort, qui avait accompagné, la veille, Monsieur le Prince à Limours, dit que Monsieur lui avait commandé de prier la Compagnie, de sa part, de ne le point attendre, comme il avait été résolu, pour consommer ce qui concernait la déclaration contre Monsieur le Cardinal.

Le 31, Monsieur le Prince vint encore au Palais, et y fit de grandes plaintes de ce que la Reine n'avait point encore fait de réponse aux remontrances : il est vrai qu'elle fit dire simplement, par Monsieur le Chancelier, aux gens du Roi, qu'elle attendait M. de Brienne, qu'elle avait envoyé à Limours à cinq heures du matin. Vous croyez sans doute que cet envoi de M. de Brienne à Limours fut ou pour remercier Monsieur de la fermeté qu'il témoignait à ne point venir au Parlement, ou pour l'y confirmer ; et vous aurez encore plus de sujet d'en être persuadée, quand je vous aurai dit que la Reine m'avait commandé, la veille, de lui écrire, de sa part, qu'elle était pénétrée de la reconnaissance (elle se servit de ce mot) qu'elle conserverait toute sa vie, de ce qu'il avait résisté aux instances de Monsieur le Prince. La nuit changea tout cela, ou plutôt le moment de la nuit dans lequel Métayer, valet de chambre de Monsieur le Cardinal, arriva avec une dépêche qui portait, entre autres choses, ces propres mots, à ce que j'ai su depuis du maréchal Du Plessis, qui m'a dit les avoir lus dans l'original : « Donnez, Madame, à Monsieur le Prince, toutes les déclarations d'innocence qu'il voudra ; tout est bon pourvu que vous l'*amusiez et que vous l'empêchiez de prendre l'essor. » Ce qui est d'admirable est que la Reine m'avait dit à moi-même, trois jours devant, qu'elle eût souhaité, du meilleur de son cœur, que Monsieur le Prince eût déjà été en Guyenne, « pourvu, ajouta-t-elle, que le monde ne croie pas que ce soit moi qui l'y aie poussé ». Ce point d'histoire est un de ceux qui m'a obligé de vous dire, déjà dans une autre occasion, qu'il y en a d'inexplicables à ceux mêmes qui s'en sont trouvés les plus proches. Je me souviens qu'en ce temps-là nous fîmes tout ce qui fut en nous, Madame la Palatine et moi, pour démêler la cause de cette variation si prompte ; que nous soupçonnâmes qu'elle ne fût l'effet de quelque négociation souterraine, et que nous crûmes avoir pleinement éclairci que notre conjecture n'était pas fondée. Ce qui me confirme dans cette opinion est que :

Le 1er de septembre, la Reine fit dire, en sa présence, par Monsieur le Chancelier, au Parlement, qu'elle avait mandé au Palais-Royal, que comme les avis qui lui avaient été donnés, touchant l'intelligence de Monsieur le Prince avec les Espagnols, n'avaient pas eu de suite, Sa Majesté voulait bien croire qu'ils n'étaient pas véritables, et que :

Le 4, Monsieur le Prince déclara, en pleine assemblée des chambres, que cette parole de la Reine n'était pas une justification suffisante pour lui, puisqu'elle marquait qu'il y eût eu du crime, si la première accusation eût été poursuivie. Il insista pour avoir un arrêt en forme, et il s'étendit sur cela avec tant de chaleur, qu'il parut visiblement que le prétendu adoucissement de la Reine n'avait pas été de concert avec lui. Comme toutefois ce radoucissement n'avait pas été non plus de celui de Monsieur, il fit le même effet, dans son esprit, que si il y eût eu un raccommodement véritable. Il rentra dans ses soupçons, il changea tout à fait de ton en répondant à Doujat et à Ménardeau, députés du Parlement, dès le 2, pour le prier de venir prendre sa place, qu'il n'y manquerait pas.

Il y alla effectivement ; il me soutint, tout le soir du 3, qu'un changement si soudain ne pouvait avoir eu d'autre cause qu'une négociation *couverte : il crut que la Reine, qui lui fit des serments du contraire, le jouait ; et, le 4, il appuya, avec tant de chaleur, la proposition de Monsieur le Prince, qu'il n'y eut que trois voix dans la Compagnie qui n'allassent pas à faire des remontrances à la Reine, pour obtenir une déclaration d'innocence en forme, en faveur de Monsieur le Prince, qui pût être enregistrée *devant la majorité. Vous remarquerez, s'il vous plaît, que la majorité échéait le 7. Monsieur le Premier Président ayant dit, en opinant, qu'il était juste d'accorder cette déclaration à Monsieur le Prince, mais qu'il était aussi nécessaire qu'il rendît auparavant ses devoirs au Roi, fut interrompu par un grand nombre de voix confuses qui demandaient la déclaration contre le Cardinal.

Ces deux déclarations furent apportées au Parlement, le 5, avec une troisième pour la continuation du Parlement, mais seulement pour les affaires publiques.

Le 6, celle qui concernait le Cardinal et l'autre, qui était pour la continuation du Parlement, furent publiées à l'audience ; mais la première, c'est-à-dire celle qui regardait l'innocence de Monsieur le Prince, fut remise au jour de la majorité, sous prétexte de la rendre plus authentique et plus solennelle par la présence du Roi ; mais, en effet, dans la vue de se donner du temps pour voir ce que l'éclat de la majesté royale, que l'on avait projeté d'y faire paraître dans toute sa pompe, produirait dans l'esprit des peuples. Ce qui me le fait croire est que Servien dit, deux jours après, à un homme de créance, de qui je ne l'ai su que plus de dix ans après, que si la cour se fût bien servie de ce moment, elle aurait opprimé et les princes et les Frondeurs. Cette pensée était folle ; et les gens qui eussent bien connu Paris n'eussent pu être assurément de cette opinion.

Monsieur le Prince, qui n'avait pas plus de confiance à la

cour qu'aux Frondeurs, n'était pas si mal fondé dans la
défiance qu'il prit des uns et des autres : il ne se voulut pas
trouver à la cérémonie ; et il se contenta d'y envoyer M. le
prince de Conti, qui rendit au Roi une lettre en son nom,
par laquelle il suppliait Sa Majesté de lui pardonner si les
complots et les calomnies de ses ennemis ne lui permettaient
pas de se trouver au Palais ; et il ajoutait que le seul motif
du respect qu'il avait pour elle l'en empêchait. Cette dernière
parole, qui semblait marquer que sans la considération de
ce respect il y eût pu aller en sûreté, aigrit la Reine au-delà
de tout ce que j'en avais vu jusques à ces moments ; et elle
me dit le soir ces propres mots : « Monsieur le Prince périra,
ou je périrai. » Je n'étais pas payé pour adoucir son
esprit dans cette occasion. Comme je ne laissai pas de lui
représenter, par le seul principe d'*honnêteté, que l'expression de Monsieur le Prince pouvait avoir un autre sens et
plus innocent, comme il était vrai, elle me dit d'un ton de
colère : « Voilà une fausse *générosité ; que je les hais ! »[1]

Ce qui est *constant est que la lettre de Monsieur le
Prince était très sage et très mesurée.

Monsieur le Prince, qui, après le voyage de Trie[2], revint
à Chantilly, y apprit que la Reine avait déclaré, le jour de
la majorité, qui fut le 7 du mois, les nouveaux ministres[3].
Et ce qui acheva de le résoudre à s'éloigner encore davantage
de la cour fut l'avis qu'il eut, dans le même moment, par
Chavigny, que Monsieur ne s'était pu empêcher de dire en
riant, à propos de cet *établissement : « Celui-ci durera plus
que celui du Jeudi saint[4]. » Il ne laissa pas de supposer,
dans la lettre qu'il écrivit à Monsieur, pour se plaindre de
ce même *établissement et pour lui rendre compte des
raisons qui l'obligeaient à quitter la cour : il ne laissa pas,
dis-je, de *supposer, et sagement, que Monsieur partageait
l'offense avec lui. Monsieur, qui dans le fond était ravi de
lui voir prendre le parti de l'éloignement, ne le fut guère
moins de se pouvoir, ou plutôt de se vouloir persuader à
soi-même que Monsieur le Prince était content de lui, et,
par conséquent, la dupe du concert dont il avait été avec la
Reine touchant la nomination des ministres. Il crut que, par
cette raison, il pourrait demeurer bien avec lui à tout
événement, et le faible qu'il avait toujours à tenir des deux
côtés l'emporta même plus loin et plus vite, en cette

occasion, qu'il n'avait accoutumé ; car il eut tant de
précipitation de faire paraître de l'amitié à Monsieur le
Prince, au moment de son départ, qu'il ne garda presque
aucune mesure avec la Reine, et qu'il ne prit pas même le
soin de lui expliquer le *sous-main des fausses avances qu'il
fit pour le rappeler. Il lui dépêcha un gentilhomme pour le
prier de l'attendre à Angerville ; il donna, en même temps
charge à ce gentilhomme de n'arriver à Angerville que quand
il saurait que Monsieur le Prince en serait parti [1]. Comme il
se défiait de la Reine, il ne lui voulut pas faire la confidence
de cette *méchante *finesse, qu'il ne faisait que pour
persuader à Monsieur le Prince qu'il ne tenait pas à lui qu'il
ne demeurât à la cour. La Reine, qui sut l'envoi du
gentilhomme et qui n'en sut pas le secret, crut qu'il n'avait
pas tenu à Monsieur de retenir Monsieur [le] Prince. Elle en
prit ombrage, elle m'en parla ; je lui dis ingénument ce
que j'en croyais, qui était le vrai, quoique Monsieur ne
m'eût fait sur cela qu'un galimatias fort embarrassé et fort
obscur. La Reine ne crut pas que je la trompasse ; mais elle
s'imagina que j'étais trompé, et que Chavigny s'était rendu
maître de l'esprit de Monsieur, à mon préjudice. Cette
opinion n'était point fondée : Monsieur haïssait Chavigny
plus que les démons ; et le seul principe de sa conduite, en
tout ce que je viens de dire, ne fut que sa *timidité, qui
cherchait toujours à se rassurer par des ménagements, même
ridicules, avec tous les partis. Mais, devant que d'entrer plus
avant dans la suite de ce récit, je crois qu'il est à propos
que je vous rende compte d'un détail assez curieux, qui
concerne ce M. de Chavigny, que vous avez déjà vu et que
vous verrez encore, au moins pour quelque temps, sur le
théâtre.

Je crois que je vous ai déjà dit que Monsieur avait été sur
le point de demander son éloignement à la Reine, un peu
après le changement du Jeudi saint ; et qu'il ne changea de
sentiment que sur ce que je lui représentai qu'il était de
son intérêt de laisser dans le Conseil un homme qui fût
aussi capable que l'était celui-là d'éveiller et de nourrir la
division et la défiance entre ceux de la conduite desquels
Son Altesse Royale n'était pas contente. Il se trouva, par
l'événement, que ma vue n'avait pas été fausse ; l'attachement qu'il eut à Monsieur le Prince contribua beaucoup à

rendre à la Reine toutes les actions de ce parti très suspectes, parce qu'elle ne pouvait ignorer la haine envenimée que Chavigny avait pour le Cardinal. Elle fut très bien informée qu'il avait été l'instigateur principal de l'expulsion des trois sous-ministres ; le ressentiment qu'elle en eut l'obligea à lui commander de se retirer chez lui en Touraine, trois ou quatre jours après cette expulsion. Il s'en excusa, sous le prétexte de la maladie de sa mère ; il s'en défendit par l'autorité de Monsieur le Prince. Quand Monsieur le Prince n'en eut plus assez dans Paris pour l'y conserver, la Reine se fit un plaisir de l'y voir sans emploi ; et elle me dit, avec une aigreur inconcevable contre lui : « J'aurai la joie de le voir sur le pavé comme un laquais. » Elle lui fit dire, par cette raison, par M. le maréchal de Villeroy, qu'il y pouvait demeurer, le propre jour de l'établissement des nouveaux ministres. Il s'en excusa, sous le prétexte de ses affaires domestiques : il se retira en Touraine, où il n'eut pas la force de demeurer. Il revint à Paris, dans l'absence du Roi, où il joua un personnage et triste et ridicule, qui lui coûta à la fin la vie et l'honneur. M. de La Rochefoucauld a dit très sagement qu'un des plus grands secrets de la vie est de savoir s'ennuyer[1].

Devant que je reprenne la suite de mon discours, il est nécessaire que je vous explique ce qui se passa entre Monsieur le Prince et M. de Turenne. Aussitôt après que Monsieur le Prince fut sorti de Paris pour aller à Saint-Maur, MM. de Bouillon et de Turenne s'y rendirent, y offrirent leurs services à Monsieur le Prince, avec lequel ils paraissaient effectivement tout à fait engagés. Monsieur le Prince m'a dit depuis que, la veille du jour qu'il quitta Saint-Maur pour aller à Trie, d'où il ne revint plus à la cour, M. de Turenne lui avait encore promis si positivement de le servir, qu'il avait même accepté et reçu un ordre signé de sa main, par lequel il ordonnait à La Moussaye, qui commandait pour lui dans Stenay, de lui remettre la place, et que la première nouvelle qu'il eut, après cela, de M. de Turenne fut qu'il allait commander l'armée du Roi. Vous remarquerez, s'il vous plaît, que Monsieur le Prince est l'homme que j'aie jamais connu le moins capable d'une imposture préméditée. Je n'ai jamais osé faire expliquer sur ce point M. de Turenne ; mais ce que j'en ai tiré de lui, en lui en parlant indirectement, est qu'aussitôt après la liberté de Monsieur le Prince il eut tous les sujets du monde d'être mécontent de son procédé à son égard ; qu'il lui préféra en tout M. de Nemours, qui n'approchait pas de son mérite et qui ne lui avait pas, à beaucoup près, rendu tant de services, et que, par cette raison, il se crut libre de ses premiers engagements. Vous observerez, s'il vous plaît, que je n'ai jamais vu personne moins capable d'une vilenie que M. de Turenne [1]. Reconnaissons encore de bonne foi qu'il y a des points inexplicables dans les histoires. Je reprends le fil de ma narration.

Monsieur le Prince, n'ayant demeuré qu'un jour ou deux à Angerville, prit le chemin de Bourges, qui était proprement celui de Bordeaux, et la Reine, qui, comme je vous ai déjà dit, ce me semble, eût été bien aise, si elle eût suivi son inclination, de l'éloignement de Monsieur le Prince, mais qui avait reçu de Brusle une leçon contraire, n'osa s'opiniâtrer contre l'avis de Monsieur, qui, fortifié par les conseils de Chavigny, et persuadé d'ailleurs que la cour avait des négociations secrètes avec Monsieur le Prince, feignait, à toutes fins, un grand empressement pour faire en sorte que Monsieur le Prince ne s'éloignât pas. Ce qui le confirma pleinement dans cette conduite fut qu'une ouverture qui fut faite, en ce temps-là, à ce que l'on crut, par M. Le Tellier, lui fit croire qu'il jouait à jeu sûr et que son empressement, qui paraîtrait aller à rappeler monsieur son cousin, n'irait effectivement qu'à le tenir en paix dans son gouvernement, à quoi Monsieur prétendait qu'il trouverait son compte en toutes manières. Cette ouverture fut que l'on offrît à Monsieur le Prince qu'il demeurât paisible dans ses gouvernements jusques à ce que l'on eût assemblé les Etats. Cette proposition est de la nature de ces choses dont j'ai déjà parlé, qui ne s'entendent point, parce qu'il est impossible d'expliquer et même de concevoir ce qui leur peut avoir donné l'être. Il est *constant qu'elle vint de la cour, soit du Tellier, soit d'un autre, et il ne l'est pas moins qu'il n'y avait rien au monde de si contraire aux véritables intérêts de la cour, parce que ce repos imaginaire de Monsieur le Prince, dans ses gouvernements, lui donnait lieu d'y conserver et fortifier, et d'y augmenter ses troupes qui y étaient en quartier d'hiver. Cette proposition fut reçue par Monsieur avec une joie qui me surprit au dernier point, parce qu'il m'avait dit, plus de mille fois, que, de l'humeur dont il connaissait le Mazarin, susceptible de toute négociation, il ne croyait rien de plus opposé à ses intérêts, de lui, Monsieur, que les *interlocutoires entre Monsieur le Prince et la cour. En pouvait-on trouver un plus dangereux sur ce fondement, que celui que cette proposition ouvrait ? Ce qui est de plus merveilleux fut que ce qui était assurément très pernicieux à la cour et à Monsieur fut rejeté par Monsieur le Prince, et que son destin le porta à préférer et à son inclination et à ses vues le caprice de ses amis et de ses serviteurs. Je ne sais de ce détail que ce que Croissy, qui fut envoyé par Monsieur à Bourges, m'en a dit depuis à Rome ; mais je suis persuadé qu'il m'en a dit le vrai, parce qu'il n'avait aucun intérêt à me le déguiser. En voici le particulier :

Monsieur le Prince, qui était, par son inclination, très éloigné de la guerre civile, parut d'abord à Croissy très disposé à recevoir les propositions qu'il lui portait de la part de Monsieur, et avec d'autant plus de facilité que les offres que l'on lui faisait le laissaient, pour très longtemps, dans la liberté de choisir entre les partis qu'il avait à prendre. Il est extrêmement difficile de se résoudre à refuser des propositions de cette nature, quand elles arrivent justement dans les instants où l'on est pressé de prendre un parti qui n'est pas de son inclination. Je vous ai déjà dit que celle de Monsieur le Prince était très éloignée de la faction et de la guerre civile, et tous ceux qui étaient auprès de lui s'en fussent aussi passés très aisément, si ils eussent pu convenir ensemble des conditions pour son accommodement. Chacun l'eût voulu faire pour y trouver son avantage particulier : personne ne se croyait en état de le pouvoir, parce que personne n'avait assez de créance dans son esprit pour exclure les autres de la négociation. Ils voulurent tous la guerre, parce qu'aucun d'eux ne crut pouvoir faire la paix ; et cette disposition générale, se joignant à l'intérêt que Mme de Longueville trouvait à demeurer éloignée de monsieur son mari, forma un obstacle invincible à l'accommodement.

L'on ne connaît pas ce que c'est que le parti, quand l'on s'imagine que le chef en est le maître : son véritable service y est presque toujours combattu par les intérêts, même assez souvent imaginaires, des subalternes. Ce qui y est encore de plus fâcheux est qu'il arrive [que] souvent son *honnêteté, presque toujours sa prudence, prennent parti avec eux contre lui-même. Croissy m'a dit que le soulèvement des amis de Monsieur le Prince alla, en ce rencontre, jusques au point que de faire entre eux un traité, à Mouron, où Monsieur le Prince était allé voir madame sa sœur, par lequel ils s'obligèrent de l'abandonner et de former un tiers-parti sous le nom et sous l'autorité de M. le Prince de Conti, en cas que Monsieur le Prince s'accommodât avec la cour, aux conditions que Monsieur lui avait fait proposer. J'aurais eu peine à croire ce qu'il m'assurait sur cela, même avec serment, vu la faiblesse et le ridicule de cette *fantastique faction, si ce que j'avais vu, incontinent après sa liberté, ne m'en eût fourni un exemple assez pareil. J'ai oublié de vous dire, en traitant cet endroit, que Mme de Longueville, quatre ou cinq jours après qu'elle fut revenue de Stenay, me demanda, en présence de M. de La Rochefoucauld, si je ne voulais pas bien être plus dans les intérêts de M. le prince de Conti que dans ceux de Monsieur le Prince. La subdivision est ce qui perd presque tous les partis : elle y est presque toujours l'effet de cette sorte de *finesse qui, par son caractère particulier, est opposée à la prudence. C'est ce que les Italiens apellent *comœdia in comœdia*[a][1].

Je vous supplie très humblement de ne vous pas étonner si, dans la suite de cette narration, vous ne trouvez pas la même exactitude que j'ai observée jusqu'ici, en ce qui regarde les assemblées du Parlement. La cour s'étant éloignée de Paris aussitôt après la majorité qui fut le 7 du mois de septembre, pour aller en Berry et en Poitou, et M. le duc d'Orléans y agissant également entre la Reine et Monsieur le Prince, le théâtre du Palais se trouva ainsi beaucoup moins rempli qu'il n'avait accoutumé ; et l'on peut dire que, depuis le jour de la majorité, qui fut, comme je viens de dire, le 7 de septembre, jusques à l'ouverture de la Saint-Martin[2] suivante, qui fut le 20 de novembre, il n'y eut aucune scène considérable que celles du 7 et du 14 d'octobre, dans lesquelles Monsieur dit à la Compagnie que le Roi lui avait envoyé un plein pouvoir pour traiter avec Monsieur le Prince, et qu'il avait nommé, pour le suivre et le servir dans cette négociation, MM. d'Aligre et de La Marguerie, conseillers d'État, et MM. de Mesmes, Ménardeau et Cumont, du Parlement. Cette députation n'eut point de lieu, parce que Monsieur le Prince, à qui M. le duc d'Orléans avait offert d'aller conférer avec lui à Richelieu, avait refusé la proposition comme captieuse du côté de la cour et faite à dessein pour ralentir l'ardeur de ceux qui s'engageaient avec lui. Il était arrivé à Bordeaux le 12, l'on en eut nouvelle le 26 à Paris, et ce même jour le Roi partit pour Fontainebleau, où il ne séjourna que deux ou trois jours. M. de Châteauneuf et M. le maréchal de Villeroy pressèrent la Reine au dernier point de ne pas donner le temps au parti des princes de se former.

Leurs Majestés marchèrent à Bourges. Elles en chassèrent M. le prince de Conti avec toute sorte de facilité ; les habitants s'étant déclarés pour leur service, ils rasèrent, avec beaucoup de joie, la grosse tour [qui] se rendit sans coup férir. Palluau fut laissé, avec trois ou quatre mille hommes, au blocus de Mouron, défendu par Persan ; et M. le prince de Conti et Mme de Longueville se retirèrent à Bordeaux en grande diligence. M. de Nemours les accompagna dans ce voyage, dans le cours duquel il s'attacha à Mme de Longueville plus que Mme de Châtillon et M. de La Rochefoucauld ne l'eussent souhaité[1]. Monsieur le Prince crut qu'il avait engagé dans son parti M. de Longueville, dans la conférence qu'il eut avec lui à Trie : ce qui n'eut pourtant aucun effet, M. de Longueville étant demeuré en repos à Rouen. Le mouvement que les troupes commandées par M. le comte de Tavannes, du côté de Stenay, donnèrent par l'ordre de Monsieur le Prince, aussitôt qu'il eut quitté la cour, ne fut guère plus considérable, le comte de Grandpré, qui avait quitté, par son mouvement, le service de Monsieur le Prince, leur ayant donné une même crainte auprès de Villefranche, et une autre auprès de Givet.

La désertion de Marsin dans la Catalogne fut, en *récompense, d'un très grand poids. Il commandait dans cette province lorsque Monsieur le Prince fut arrêté. Comme on le connaissait pour être son serviteur très particulier, l'on ne jugea pas à la cour qu'il fût à propos d'y prendre confiance ; l'on envoya ordre à l'intendant de se saisir de sa personne. Il fut remis en liberté aussitôt après celle de Monsieur le Prince, et fut rétabli même dans son emploi. Quand Monsieur le Prince se retira de la cour après sa prison, et qu'il prit le chemin de Guyenne, la Reine pensa à gagner Marsin et elle lui envoya les patentes de vice-roi de Catalogne, qu'il avait passionnément souhaitées, en y ajoutant toutes les promesses imaginables pour l'avenir. Comme il avait été averti à temps de la sortie et de la marche [de] Monsieur le Prince, il appréhenda le même traitement qu'il avait reçu l'autre fois. Il quitta la Catalogne devant qu'il eût reçu les offres de la Reine ; et il se jeta dans le Languedoc avec Balthazar, Lussan, Montpouillan, La Marcousse, et ce qu'il put débaucher de ses troupes. Cette défection donna un merveilleux avantage aux Espagnols dans cette province, et l'on peut dire qu'elle en a coûté la perte à la France [1].

Monsieur le Prince ne s'endormait pas du côté de Guyenne. Il engagea toute la noblesse dans son parti. Le vieux maréchal de La Force se déclara même pour lui ; et le comte Daugnon, gouverneur de Brouage, qui tenait toute sa fortune du duc de Brezé, crut être obligé d'en témoigner sa reconnaissance à Madame la Princesse, qui était sœur de son bienfaiteur.

L'on n'oublia pas de rechercher l'appui des étrangers. Lénet fut envoyé en Espagne, où il conclut le traité de Monsieur le Prince avec le Roi Catholique, et Monsieur l'Archiduc, qui commandait dans le Pays-Bas et qui venait de prendre Bergues-Saint-Winox, faisait de son côté des préparatifs qui coûtèrent dans la suite Dunkerque et Gravelines à la France [2], et qui obligèrent, dès ce temps-là, la cour à tenir sur la frontière une partie des troupes, qui eussent été d'ailleurs très nécessaires en Guyenne. Ces nuées ne firent pas tout le mal, au moins pour le dedans du royaume, que leur grosseur et leur noirceur en pouvaient faire appréhender. Monsieur le Prince ne fut pas servi, dans ses levées, comme sa qualité et sa personne le méritaient. Le maréchal de La Force n'en usa pas, en son particulier, d'une manière qui fût conforme au reste de sa vie. Les tours de La Rochelle, qui étaient entre les mains du comte Daugnon, ne tinrent que fort peu de temps contre M. le comte d'Harcourt, qui commandait l'armée du Roi. Les Espagnols, auxquels il remit Bourg, place voisine de Bordeaux, entre les mains, ne le secoururent qu'assez faiblement. Monsieur le Prince ne put faire d'autres conquêtes que celle d'Agen et celle de Saintes. Il fut obligé de lever le siège de Cognac ; et le plus grand capitaine du monde, sans exception, connut, ou plutôt fit connaître, dans toutes ces occasions, que la valeur la plus héroïque et la capacité la plus extraordinaire ne soutiennent qu'avec beaucoup de difficulté les nouvelles troupes contre les vieilles.

Comme je me suis fixé, dès le commencement de cet ouvrage, à ne m'arrêter proprement que sur ce que j'ai connu par moi-même, je ne touche ce qui s'est passé en Guyenne, dans ces premiers mouvements de Monsieur le Prince, que très légèrement, et purement autant que la connaissance vous en est nécessaire, par le rapport et la liaison qu'elle a à ce que j'ai présentement à vous raconter de ce que je voyais à Paris, et de ce que je pénétrais de la cour.

Il me semble que j'ai déjà marqué ci-dessus que la cour s'avança de Bourges à Poitiers, pour être en état de remédier de plus près aux démarches de Monsieur le Prince. Comme elle vit qu'il ne donnait pas dans le panneau qu'elle lui avait tendu, par le moyen d'une négociation pour laquelle elle prétendait, quoiqu'à faux à mon opinion, avoir gagné Gourville, elle ne garda plus aucune mesure à son égard ; et elle envoya une déclaration contre lui au Parlement, par laquelle elle le déclarait criminel de lèse-majesté, et caetera [1].

Voici, à mon sens, le moment fatal et décisif de la *révolution [2]. Il y a très peu de gens qui en aient connu la véritable importance. Chacun s'en est voulu former une imaginaire. Les uns se sont figuré que le mystère de ce temps-là consista dans les cabales qu'ils se persuadent avoir été faites dans la cour, pour et contre le voyage du Roi. Il n'y a rien de plus faux : il se fit d'un concert uniforme de tout le monde. La Reine brûlait d'impatience d'être libre, et en lieu où elle pût rappeler Monsieur le Cardinal quand il lui plairait. Les sous-ministres la fortifièrent par toutes leurs lettres dans la même pensée. Monsieur souhaitait plus que personne l'éloignement de la cour, parce que sa pensée naturelle et dominante lui faisait toujours trouver une douceur sensible à tout ce qui pouvait diminuer les devoirs journaliers auxquels la présence du Roi l'engageait. M. de Châteauneuf joignait au désir qu'il avait de rendre, par un nouvel éclat, Monsieur le Prince encore plus irréconciliable à la cour, la vue de se gagner l'esprit de la Reine dans le cours d'un voyage dans lequel l'absence du Cardinal et l'éloignement des sous-ministres lui donnait lieu d'espérer qu'il se pourrait rendre encore et plus agréable et plus nécessaire. Monsieur le Premier Président y concourut de son mieux, et parce qu'il le crut très utile au service, et parce que la hauteur avec laquelle M. de Châteauneuf le traitait lui était devenue insupportable. M. de La Vieuville ne fut pas fâché, à ce qui me parut, de n'être pas trop éclairé, dans les premiers jours, de la fonction de la surintendance ; et Bordeaux, qui était son confident principal, me fit un discours qui me marqua même de l'impatience que le Roi fût déjà hors de Paris. Celle des Frondeurs n'était pas moindre, et parce qu'ils voyaient la nécessité qu'il y avait effectivement à ne pas laisser établir Monsieur le Prince au delà de Loire, et parce qu'ils se tenaient beaucoup plus assurés de l'esprit de Monsieur lorsque la cour était éloignée, que quand il en était proche. Voilà ce qui me parut de la disposition de tout le monde, sans exception, à l'égard du voyage du Roi, et je ne comprends pas sur quoi l'on a pu fonder cette diversité d'avis que l'on a prétendu et même écrit, ce me semble, avoir été dans le Conseil sur ce sujet[a].

Vous voyez donc qu'il n'y eut aucun mystère au départ du Roi : mais, en *récompense, il y en eut beaucoup dans les suites de ce départ, parce que chacun y trouva tout le contraire de ce qu'il s'en était imaginé. La Reine y rencontra plus d'embarras, sans comparaison, qu'elle n'en avait à Paris, par les obstacles que M. de Châteauneuf mettait au rappel de Monsieur le Cardinal. Les sous-ministres eurent des frayeurs mortelles que l'*habitude et la nécessité n'établissent à la fin, dans l'esprit de la Reine, et assiégée par M. de Villeroy, par le commandeur de Jars, et lassée de leurs avis, M. de Châteauneuf, qui, de son côté, ne trouva pas le fondement qu'il avait cru aux espérances dont il s'était flatté lui-même à cet égard, parce que la Reine demeura toujours dans un concert très étroit avec le Cardinal et avec tous ceux qui étaient véritablement attachés à ses intérêts. Monsieur devint, en fort peu de temps, moins sensible au plaisir de la liberté que l'absence de la cour lui donnait, qu'aux affres qu'il prit, même assez subitement, des bruits qui se répandirent des négociations souterraines qu'il croyait encore plus dangereuses, par la raison de l'éloignement. M. de La Vieuville, qui craignait plus que personne le retour du Mazarin, me dit, quinze jours après le départ du Roi, que nous avions tous été des dupes de ne nous y être pas opposés. J'en convins en mon nom et en celui de tous les Frondeurs. J'en conviens encore aujourd'hui de bonne foi, et que cette faute fut une des plus lourdes que chacun pût faire, dans cette conjoncture, en son particulier : je dis chacun de ceux qui ne désiraient pas le rappel de M. le cardinal Mazarin ; car il est vrai que ceux qui étaient dans ses intérêts jouaient le *droit du jeu. Ce qui nous la fit faire fut l'inclination naturelle que tous les hommes ont à chercher plutôt le soulagement présent dans ce qui leur fait peine qu'à prévenir ce qui leur en doit faire un jour. J'y donnai, de ma part, comme tous les autres, et l'exemple ne fait pas que j'en aie moins de honte. Notre bévue fut d'autant plus grande, que nous en avions prévu les inconvénients, qui étaient, dans la vérité, non pas seulement visibles, mais palpables, et qu'imprudemment nous prîmes le parti de courre les plus grands pour éviter les plus petits. Il y avait, sans comparaison, moins de péril pour nous à laisser respirer et fortifier Monsieur le Prince dans la Guyenne, qu'à mettre la Reine, comme nous faisions, en pleine liberté de rappeler son favori. Cette faute est l'une de celles qui m'a obligé de vous dire, ce me semble, quelquefois, que la source la plus ordinaire des manquements des hommes est qu'ils s'affectent trop du présent et qu'ils ne s'affectent pas assez de l'avenir. Nous ne fûmes pas longtemps sans connaître et sans sentir que les fautes capitales qui se commettent, dans les partis qui sont opposés à l'autorité royale, les *déconcertent si absolument, qu'elles imposent presque toujours [à] ceux qui y ont eu leur poste une nécessité de faillir, quelque conduite qu'ils puissent suivre. Je m'explique.

Monsieur, ayant proprement mis la Reine en liberté de rappeler le cardinal Mazarin, ne pouvait plus prendre que trois partis, dont l'un était de consentir à son retour, l'autre de s'y opposer de concert avec Monsieur le Prince, et le troisième de faire un tiers parti dans l'État. Le premier était honteux, après les engagements publics qu'il avait pris. Le second était peu sûr, par la raison des négociations continuelles que les subdivisions qui étaient dans le parti de Monsieur le Prince rendaient aussi journalières qu'inévitables. Le troisième était dangereux pour l'État et impraticable même

de la part de Monsieur, parce qu'il était au-dessus de son
*génie.

M. de Châteauneuf, se trouvant avec la cour hors de
Paris, ne pouvait que flatter la Reine par l'espérance du
rétablissement de son ministre, ou s'opposer à ce rétablissement par les obstacles qu'il y pouvait former par le *cabinet.
L'un était *ruineux, parce que l'état où étaient les affaires
faisait voir ces espérances trop proches, pour espérer que
l'on les pût rendre illusoires. L'autre était chimérique, vu
l'humeur et l'opiniâtreté de la Reine.

. Quelle conduite pouvais-je prendre, en mon particulier,
qui pût être sage et judicieuse ? Il fallait nécessairement ou
que je servisse la Reine selon son désir, pour le retour du
Cardinal, ou que je m'y opposasse avec Monsieur, ou que je
me ménageasse entre les deux. Il fallait, de plus, ou que je
m'accommodasse avec Monsieur le Prince, ou que je demeurasse brouillé avec lui. Et quelle sûreté pouvais-je trouver
dans tous ces partis ? Ma déclaration pour la Reine m'eût
perdu irrémissiblement, dans le Parlement, dans le peuple
et dans l'esprit de Monsieur : sur quoi je n'aurais eu pour
garantie que la bonne foi du Mazarin. Ma déclaration pour
Monsieur devait, selon toutes les règles du monde, m'attirer,
un quart d'heure après, la révocation de ma nomination au
cardinalat. Pouvais-je demeurer en rupture avec Monsieur le
Prince, dans le temps que Monsieur ferait la guerre au Roi
conjointement avec lui ? Pouvais-je me raccommoder avec
Monsieur le Prince, au moment que la Reine me déclarait
qu'elle ne se résolvait à me laisser la nomination que sur la
parole que je lui donnais que je ne me raccommoderais
pas ? Le séjour du Roi à Paris eût tenu la Reine dans des
égards qui eussent levé beaucoup de ces inconvéni[ents] et
qui eussent adouci les autres. Nous contribuâmes à son
éloignement, au lieu de mettre les obstacles presque imperceptibles qui étaient, en plus d'une manière, dans nos
mains. Il en arriva ce qui arrive toujours à ceux qui manquent
de certains moments qui sont capitaux et décisifs dans les
affaires. Comme nous ne voyions plus de bon parti à prendre,
nous prîmes tous, à notre mode, ce qui nous parut le moins
mauvais dans chacun : ce qui produit toujours deux mauvais
effets, dont l'un est que ce composé, pour ainsi dire, d'esprit
et de vues est toujours confus et brouillé, et l'autre qu'il

n'y a jamais que la pure fortune qui le démêle[a]. J'expliquerai cela, et je l'appliquerai au détail duquel il s'agit, après que je vous aurai rendu compte de quelques faits assez curieux et assez remarquables de ce temps-là.

La Reine, qui avait toujours eu dans l'esprit de rétablir M. le cardinal Mazarin, commença à ne se plus tant contraindre sur ce qui regardait son retour, dès qu'elle se sentit en liberté ; et MM. de Châteauneuf et de Villeroy connurent, aussitôt que la cour fut arrivée à Poitiers, que les espérances qu'ils avaient conçues ne se trouveraient pas, au moins par l'événement, bien fondées. Les succès que M. le comte d'Harcourt avait en Guyenne, la conduite du parlement de Paris, qui ne voulait point du Cardinal, mais qui défendait, sous peine de la vie, les levées que Monsieur le Prince faisait pour s'opposer à son retour, la division publique et déclarée qui était, dans la maison de Monsieur, entre les serviteurs de Monsieur le Prince et mes amis, donnaient du courage à ceux qui étaient dans les intérêts du ministre auprès de la Reine. Elle n'en avait que trop, par elle-même, en tout ce qui était de son goût. Hocquincourt, qui fit un voyage secret à Brusle, fit voir au Cardinal un état de huit mille hommes prêts à le prendre sur la frontière et à l'amener en triomphe jusques à Poitiers[1]. Je sais, d'un homme qui était présent à la conversation, que rien ne le toucha plus sensiblement que l'*imagination de voir une armée avec son écharpe (car Hocquincourt avait pris la verte[2] en son nom), et que cette faiblesse fut remarquée de tout le monde. La Reine ne quitta pas la voie de la négociation, dans le moment même qu'elle projetait de prendre celle des armes. Gourville allait et venait du côté de Monsieur le Prince. Bartet vint à Paris pour gagner M. de Bouillon, M. de Turenne et moi. Cette scène est assez curieuse pour s'y arrêter un peu plus longtemps.

Je vous ai déjà dit que MM. de Bouillon et de Turenne étaient séparés de Monsieur le Prince, ils vivaient l'un et l'autre d'une manière fort retirée dans Paris ; et, à la réserve de leurs amis particuliers, peu de gens les voyaient. J'étais de ce nombre, et comme j'en connaissais, pour le moins autant que personne, le mérite et le poids, je n'oubliai rien et pour le faire connaître et peser à Monsieur, et pour obliger les deux frères à entrer dans ses intérêts. L'aversion naturelle qu'il avait pour l'aîné, sans savoir trop pourquoi, l'empêcha de faire ce qu'il se devait à soi-même en ce rencontre ; et le mépris que le cadet avait pour lui, sachant très bien pourquoi, n'aida pas au succès de ma négociation. Celle de Bartet, qui arriva justement à Paris dans cette conjoncture, se trouva commune entre M. de Bouillon et moi, par le rencontre de Madame la Palatine, qui était elle-même notre amie commune, et à laquelle Bartet avait ordre de s'adresser directement.

Elle nous assembla chez elle, entre minuit et une heure, et elle nous présenta Bartet, qui, après un torrent d'expressions gasconnes, nous dit que la Reine, qui était résolue de rappeler M. le cardinal Mazarin, n'avait pas voulu exécuter sa résolution sans prendre nos avis, et caetera. M. de Bouillon, qui me jura une heure après, en présence de Madame la Palatine, qu'il n'avait encore jusque-là reçu aucune proposition, au moins formée, de la part de la cour, me parut embarrassé ; mais il s'en démêla à sa manière, c'est-à-dire en homme qui savait, mieux qu'aucun que j'aie jamais connu, parler le plus quand il disait le moins. M. de Turenne, qui était plus laconique et, dans le vrai, beaucoup plus franc, se tourna de mon côté et il me dit : « Je crois que M. Bartet va tirer par le manteau tous les gens à manteau noir[1] qu'il trouve dans la rue, pour leur demander leur opinion sur le retour de Monsieur le Cardinal ; car je ne vois pas qu'il y ait plus de raison de la demander à monsieur mon frère et à moi qu'à tous ceux qui ont passé aujourd'hui sur le Pont-Neuf. — Il y en a beaucoup moins à moi, lui répondis-je ; car il y a des gens qui ont passé aujourd'hui sur le Pont-Neuf, qui pourraient donner leur avis sur cette matière, et la Reine sait bien que je n'y puis jamais entrer. » Bartet me repartit brusquement et sans balancer : « Et votre chapeau, Monsieur, que deviendra-t-il ? — Ce qu'il pourra, lui dis-je. — Et que donnerez-vous à la Reine pour ce chapeau ? ajouta-t-il. — Ce que je lui ai dit cent et cent fois, lui répondis-je. Je ne m'accommoderai point avec Monsieur le Prince si l'on ne révoque point ma nomination ; je m'y accommoderai demain et je prendrai l'écharpe isabelle si l'on continue seulement à m'en menacer. » La conversation s'échauffa, et nous en sortîmes toutefois assez bien, M. de Bouillon ayant remarqué, comme moi, que l'ordre de Bartet était de se contenter de ce que j'avais dit mille fois à la Reine sur ce sujet, en cas qu'il n'en pût tirer davantage.

Pour ce qui était de M. de Bouillon et de M. de Turenne, la *confabulation fut bien plus longue ; je dis confabulation, parce qu'il n'y avait rien de plus ridicule que de voir un petit Basque, homme de rien, entreprendre de persuader à deux des plus grands hommes du monde de faire la plus signalée de toutes les sottises, qui était de se déclarer pour la cour, devant que d'y avoir pris aucune mesure. Ils ne le crurent pas ; ils y en prirent de bonnes bientôt après. L'on promit à M. de Turenne le commandement des armées, et l'on assura à M. de Bouillon la *récompense immense qu'il a tirée depuis pour Sedan[1]. Ils eurent la bonté pour moi de me confier leur accommodement, quoique je fusse de parti contraire, et il se rencontra, par l'événement, que cette confiance leur valut leur liberté.

Monsieur, qui fut averti qu'ils allaient servir le Roi et qu'ils devaient sortir de Paris à tel jour et à telle heure, me dit, comme je revenais de leur dire adieu, qu'il les fallait arrêter et qu'il en allait donner l'ordre au vicomte d'Hostel, capitaine de ses gardes. Jugez, je vous supplie, en quel embarras je me trouvai, en faisant réflexion, d'un côté, sur le juste sujet que l'on aurait de croire que j'avais trahi le secret de mes amis, et, de l'autre, sur le moyen dont je me pourrais servir pour empêcher Monsieur d'exécuter ce qu'il venait de résoudre. Je combattis d'abord la vérité de l'avis que l'on lui avait donné. Je lui représentai les inconvénients d'offenser, sur des soupçons, des gens de cette qualité et de ce mérite ; et comme je vis et qu'il croyait son avis très sûr, comme il l'était en effet, et qu'il persistait dans son dessein, je changeai de ton, et je ne songeai plus qu'à gagner du temps pour leur donner à eux-mêmes celui de s'évader. La fortune favorisa mon intention. Le vicomte d'Hostel, que l'on chercha, ne se trouva point ; Monsieur s'*amusa à une médaille que Bruneau lui apporta tout à propos, et j'eus le temps de mander à M. de Turenne, par Varenne, qui me tomba sous la main comme par miracle, de se sauver sans y perdre un moment. Le vicomte d'Hostel manqua ainsi les deux frères de deux ou trois heures ; le *chagrin de Monsieur n'en dura guère davantage. Je lui dis la chose comme elle s'était passée, cinq ou six jours après, l'ayant trouvé en bonne humeur. Il ne m'en voulut point de mal ; il eut même la bonté de me dire que si je m'en fusse ouvert à lui dans le temps, il eût préféré à son intérêt celui que j'y avais, sans comparaison plus considérable, par la raison du secret qui m'avait été confié, et cette aventure ne nuisit pas, comme vous pouvez croire, à serrer la vieille amitié qui était entre M. de Turenne et moi.

Vous avez déjà vu, en plus d'un endroit de cette histoire, que celle que M. de La Rochefoucauld avait pour moi n'était pas si bien confirmée. Voici une marque que j'en reçus, qui mérite de n'être pas omise. M. Talon, qui est présentement secrétaire du cabinet, et qui était, dès ce temps-là, attaché aux intérêts du Cardinal, entra un matin dans ma chambre comme j'étais au lit ; et, après m'avoir fait un *compliment et s'être nommé (car je ne le connaissais pas seulement de visage), il me dit que bien qu'il ne fût pas dans mes intérêts, il ne pouvait s'empêcher de m'avertir du péril où j'étais ; que l'horreur qu'il avait pour les mauvaises actions et le respect qu'il avait pour ma personne l'obligeait à me dire que Gourville et La Roche-Cochon, *domestique de M. de La Rochefoucauld, et major de Damvillers, avaient failli à m'assassiner la veille, sur le quai qui est vis-à-vis du Petit-Bourbon. Je remerciai, comme vous pouvez juger, M. Talon, pour qui effectivement je conserverai jusques au dernier soupir une tendre reconnaissance ; mais l'habitude que j'avais à recevoir des avis de cette nature fit que je n'y fis pas toute la réflexion que je devais et au nom et au mérite de celui qui me le donnait, et que je ne laissai pas d'aller le lendemain au soir chez Mme de Pommereux, seul dans mon carrosse, et sans autre [suite] que celle de deux pages et de trois ou quatre laquais.

M. Talon revint chez moi, le lendemain au matin, et, après qu'il m'eut témoigné de l'étonnement du peu d'attention que j'avais fait sur son premier avis, il ajouta que ces messieurs m'avaient encore manqué, d'un quart d'heure, la veille, auprès des Blancs-Manteaux, sur les neuf heures du soir, qui était justement l'heure que j'étais sorti de chez Mme de Pommereux. Ce second avis, qui me parut plus particularisé que l'autre, me tira de mon assoupissement. Je me tins sur mes gardes ; je marchai en état de n'être pas surpris. Je m'informai, par M. Talon même, de tout le détail ; je fis arrêter et interroger La Roche-Cochon, qui déposa, devant le lieutenant criminel, que M. de La Rochefoucauld lui avait commandé de m'enlever et de me mener à Damvillers ; qu'il avait pris, pour cet effet, soixante hommes choisis de la garnison de cette place ; qu'il les avait fait entrer dans Paris séparément ; que lui et Gourville, ayant remarqué que je revenais tous les soirs de l'hôtel de Chevreuse, entre minuit et une heure, avec dix ou douze gentilshommes seulement, en deux carrosses, avaient posté leurs gens sous la voûte de l'arcade qui est vis-à-vis du Petit-Bourbon, que comme ils avaient vu que je n'avais pas pris le chemin du quai un tel jour, ils m'étaient allés attendre, le lendemain, auprès des Blancs-Manteaux, où ils m'avaient encore manqué, parce que celui qui était en garde à la porte du logis de Mme de Pommereux, pour observer quand j'en sortirais, s'était *amusé à boire dans un cabaret prochain. Voilà la déposition de La Roche-Cochon, dont le lieutenant criminel fit voir l'original à Monsieur en ma présence. Vous croyez aisément qu'il ne m'eût pas été difficile, après un aveu de cette nature, de le faire rouer, et que si il eût été appliqué à la question, il eût peut-être confessé quelque chose de plus que le dessein de l'enlèvement[1]. Le comte de Pas, frère de M. de Feuquières et de celui qui porte aujourd'hui le même nom, à qui j'avais une obligation considérable, vint me conjurer de lui donner la vie : je la lui accordai, et j'obligeai Monsieur de commander au lieutenant criminel de cesser la procédure ; et comme il me disait qu'il fallait au moins la pousser jusques à la question, pour en tirer au moins la vérité tout entière, je lui répondis, en présence de tout ce qui était dans le cabinet de Luxembourg : « Il est si beau, si *honnête et si extraordinaire, Monsieur, à des gens qui font une entreprise de cette nature, d'hasarder de la manquer et de se perdre eux-mêmes par une action aussi difficile qu'est celle d'enlever un homme qui ne va pas la nuit sans être accompagné, et de le conduire à soixante lieues de Paris, au travers du royaume : il est si beau, dis-je, d'hasarder cela plutôt que de se résoudre à l'assassiner, qu'il vaut mieux, à mon sens, ne pas pénétrer plus avant, de peur que nous ne trouvions quelque chose qui dépare une *générosité qui honore notre siècle. » Tout le monde se prit à rire, et peut-être que vous en ferez de même. La vérité est que je voulus témoigner ma reconnaissance au comte de Pas, qui m'avait obligé, deux ou trois mois auparavant, sensiblement, [en me renvoyant pour rien tout le bétail de Commercy, qui était à lui, de bonne guerre, parce qu'il l'avait repris après les vingt-quatre heures] [1a], et que j'appréhendai que si la chose allait plus loin et que l'on perçât la vérité de l'assassinat, qui n'était déjà que trop clair, je ne pusse plus tirer des mains du Parlement ce malheureux gentilhomme. Je fis cesser les poursuites, par les instances que j'en fis au lieutenant criminel, et je suppliai Monsieur de faire transférer, de son autorité, à la Bastille, le prisonnier, qu'il ne voulut point, à toutes fins, remettre en liberté, quoique je l'en pressasse. Il se la donna lui-même cinq ou six mois après, s'étant sauvé de la Bastille, où il était, à la vérité, très négligemment gardé. Un gentilhomme qui est à moi et qui s'appelle Malclerc, ayant pris avec lui La Forêt, lieutenant de la Prévôté, arrêta Gourville à Montlhéry, où il passait pour aller à la cour, avec laquelle M. de La Rochefoucauld avait toujours des négociations souterraines ; il y parut en cette occasion, car Gourville ne fut pas trois ou quatre heures entre les mains des archers, qu'il n'arrivât un ordre du premier président pour le relâcher.

Il faut avouer que je ne me sauvais de cette entreprise que par une espèce de miracle. Le jour que je fus manqué sur le quai, j'allai chez M. de Caumartin et je lui dis que j'étais si las de marcher toujours dans les rues avec deux ou trois carrosses pleins de gentilshommes et de mousquetons, que je le priais de me mettre dans le sien et de me mener, sans *livrée, à l'hôtel de Chevreuse, où je voulais aller de bonne heure, quoique je fisse *état d'y demeurer à souper. M. de Caumartin en fit beaucoup de difficulté, à cause du péril auquel j'étais continuellement exposé ; et il n'y consentit que sur la parole que je lui donnai qu'il ne se chargerait point de moi au retour, et que mes gens me reviendraient prendre, le soir, à l'hôtel de Chevreuse, à leur ordinaire. Je me mis donc dans le fond de son carrosse, les rideaux à demi tirés, et je me souviens qu'ayant vu sur le quai des gens à collets de bufre [2], il me dit : « Voilà peut-être qui est à votre intention. » Je n'y fis aucune réflexion.

Je passai tout le soir à l'hôtel de Chevreuse ; et, par hasard, je ne trouvai auprès de moi, lorsque j'en sortis, que neuf gentilshommes, qui étaient justement un nombre très propre à me faire assassiner. Mme de Rhodes, qui avait ce soir-là un carrosse de deuil tout neuf, voyant qu'il pleuvait, me pria de la mettre dans le mien, parce que le sien la barbouillerait [1]. Je m'en défendis en lui faisant la guerre de sa délicatesse. Mlle de Chevreuse courut jusque sur le degré après moi, pour m'y obliger, et voilà ce qui me sauva la vie, parce que je passai par la rue Saint-Honoré pour aller à l'hôtel de Brissac, où Mme de Rhodes logeait, et qu'ainsi j'évitai le quai où l'on m'attendait. Ajoutez cette circonstance à celle des Blancs-Manteaux et à celle d'une *générosité aussi extraordinaire que celle de M. Talon, qui, étant dans des intérêts directement contraires aux miens, eut la probité de me donner l'avis de l'entreprise : ajoutez, dis-je, à ces deux circonstances celle que je vous viens de raconter de Mme de Rhodes, et vous avouerez que les hommes ne sont pas les maîtres de la vie des hommes. Je reviens à ce que je vous ai tantôt promis des suites qu'eut le voyage du Roi.

Je vous disais, ce me semble, que voyant, comme nous le vîmes clairement, en moins de quinze jours, que nous n'avions plus de parti à prendre, après la faute que nous avions faite, qui n'eût des inconvénients terribles, nous tombâmes, comme il arrive toujours, en pareil cas, dans le plus dangereux de tous, qui est de n'en point prendre de décisif et de prendre quelque chose de chacun. Monsieur ne prit point les armes avec Monsieur le Prince, et il crut, par cette raison, faire beaucoup pour la cour. Il se déclara, dans Paris et dans le Parlement, contre le retour du Mazarin, et il s'imagina, par cette considération, qu'il contentait le public. M. de Châteauneuf conserva quelque temps, à Poitiers, l'espérance de pouvoir *amuser la Reine, par l'espérance qu'il lui donnait à elle-même du rétablissement de son ministre, dans telle et telle conjoncture qu'il croyait éloignée. Comme il connut et que l'impatience de la Reine et que l'empressement même du Cardinal approchaient ces conjonctures beaucoup plus qu'il ne se l'était imaginé, il prit le parti de la sincérité et il s'opposa directement au retour, avec cette sorte de liberté qui est toujours aussi inutile qu'elle est odieuse, toutes les fois que l'on ne l'emploie qu'au défaut du succès de l'artifice. Le Parlement, qui se sentait trop engagé à l'exclusion du Mazarin pour en souffrir le rétablissement, éclatait avec fureur aux moindres apparences qu'il en voyait. Comme d'autre part, il ne voulait rien faire qui fût contraire aux formes et qui choquât l'autorité royale, il rompait lui-même toutes les mesures que l'on pouvait prendre pour empêcher ce rétablissement. Je le voulais, en mon particulier, moins que personne ; mais, comme je voulais aussi peu le raccommodement avec Monsieur le Prince, pour les raisons que vous avez vues ci-dessus, je ne laissais pas d'y contribuer, malgré moi, par une conduite qui, quoique judicieuse dans le moment parce qu'elle était nécessaire, était inexcusable dans son principe, qui était d'avoir fait une de ces fautes capitales après lesquelles l'on ne peut plus rien faire qui soit sage. Voilà ce qui nous perdit, à la fin, les uns et les autres, comme vous l'allez voir par la suite.

Monsieur qui était l'homme du monde qui aimait le mieux à se donner à lui-même des raisons qui l'empêchassent de se résoudre, s'était toujours voulu persuader que la Reine ne porterait jamais jusques à l'effet l'intention, qu'il confessait qu'elle avait et qu'elle aurait toujours, de faire revenir à la cour M. le cardinal Mazarin. Quand il ne fut plus en son pouvoir de se tromper soi-même, il crut que l'unique remède serait d'embarrasser la Reine sans la désespérer ; et je remarquai, en cette occasion, ce que j'ai encore observé en plusieurs autres, qui est que les hommes ont une pente merveilleuse à s'imaginer qu'ils *amuseront les autres par les mêmes moyens par lesquels ils sentent qu'ils peuvent être eux-mêmes amusés. Monsieur n'agissait jamais que quand il était pressé, et Fremont l'appelait l'*interlocutoire incarné. De tous les moyens que l'on pouvait prendre pour le presser, le plus efficace et le plus infaillible était celui de la peur ; et il se sentait, par la règle des contraires, une pente naturelle à ne point agir quand il n'avait point de frayeur. Le même *tempérament qui produit cette inclination fait celle que l'on a à ne se point résoudre lorsqu'on se trouve embarrassé. Il jugea de la Reine par lui-même ; et je me souviens qu'un jour je lui représentais qu'il était judicieux et même nécessaire de changer de conduite, selon la différence des esprits auxquels l'on avait à faire, et

qu'il me répondit ces propres mots : « *Abus ! tout le
monde pense également ; mais il y a des gens qui cachent
mieux leurs pensées les uns que les autres. »

La première réflexion que je fis sur ces paroles fut que la
plus grande imperfection des hommes est la complaisance
qu'ils trouvent à se persuader que les autres ne sont pas
exempts des défauts qu'ils se reconnaissent à eux-mêmes.
Monsieur se trompa, dans ce rencontre, encore plus qu'en
aucun autre ; car la hardiesse de la Reine fit qu'elle n'eut
pas besoin du désespoir, où Monsieur ne la voulait pas jeter,
pour se porter à l'exécution de la résolution que Monsieur
voulait arrêter ; et cette même hardiesse perça encore tous
les embarras par lesquels il prétendait de la *traverser. Il
voulait toujours se figurer qu'en ne se joignant pas à
Monsieur le Prince, et en négociant toujours, tantôt par M.
Damville, tantôt par Saumery, qu'il envoya à la cour, il
*amuserait la Reine, qu'il croyait pouvoir être retenue par
l'appréhension qu'elle avait de sa déclaration. Il voulait
s'imaginer qu'en animant le Parlement contre le retour du
ministre comme il faisait publiquement, il ne donnerait à la
cour que de ces sortes d'appréhensions qui sont plus capables
de retenir que de précipiter. Comme il parlait fort bien, il
nous fit un beau plan sur cela, au président de Bellièvre et
à moi, dans le cabinet des livres, dont nous ne demeurâmes
toutefois nullement persuadés. Nous le combattîmes par une
infinité de raisons ; mais il détruisit toutes les nôtres par
une seule que j'ai touchée ci-dessus, en nous disant : « Nous
avons fait la sottise de laisser sortir de Paris la Reine, nous
ne saurions plus faire que des fautes ; nous ne saurions plus
prendre de bon parti, il faut aller au jour la journée ; et,
cela supposé, il n'y a à faire que ce que je vous dis. » Ce
fut en cet endroit où je lui proposai le tiers parti que l'on
m'a tant reproché depuis et que je n'avais imaginé que
l'avant-veille [1]. En voici le projet.

Je puis dire, avec vérité et sans vanité, que, dès que je vis
la Reine hors de Paris avec une armée, je ne doutai presque
plus de l'infaillibilité du rétablissement du Cardinal, parce
que je ne crus pas que la faiblesse de Monsieur, les
*contretemps du Parlement, les négociations inséparables
des différentes cabales qui partageaient le parti des princes,
pussent tenir longtemps contre l'opiniâtreté de la Reine et

contre le poids de l'autorité royale. Je ne crois pas me louer
en disant que j'eus cette vue d'assez bonne heure, parce
que je conviens de bonne foi que, ne l'ayant eue que depuis
que le Roi fut à Poitiers, je ne la pris que beaucoup trop
tard. Je vous ai dit, ci-devant, qu'il ne s'est jamais fait une
faute si lourde que celle que nous fîmes quand nous ne
nous opposâmes pas au voyage ; et elle l'est d'autant plus,
qu'il n'y avait rien de si aisé à voir que ce qui nous en
arriverait ; et ce pas de clerc, que nous fîmes tous sans
exception, à l'envi l'un de l'autre, est un de ceux qui m'a
obligé de vous dire quelquefois que toutes les fautes ne sont
pas humaines, parce qu'il y en a de si grossières que des
gens qui ont le sens commun ne les pourraient pas faire [1].

Comme j'eus vu, pesé et senti la conséquence de celle
dont il s'agit, je pensai, en mon particulier, aux moyens de
la réparer ; et après avoir fait toutes les réflexions que vous
venez de voir répandues dans les feuilles précédentes, sur
l'état des choses, je n'y trouvai que deux issues, dont l'une
fut celle de laquelle je vous ai parlé ci-dessus, qui était du
goût et du *génie de Monsieur, et à laquelle il avait donné
d'abord, et de lui-même. Elle me pouvait être bonne, en
mon particulier, parce qu'enfin Monsieur, ne se déclarant
point pour Monsieur le Prince et entretenant la cour par des
négociations, me donnait toujours lieu de gagner temps et
de faire venir mon chapeau. Mais ce parti ne me paraissait
*honnête qu'autant qu'il se serait rendu absolument néces-
saire, parce qu'il ne se pouvait, vu l'avantage qu'il donnerait
peut-être, par l'événement, au Cardinal, qu'il ne fût très
suspect à tous ceux qui étaient dans les intérêts de ce que
l'on appelait le public. Je ne voulais nullement perdre ce
public ; et cette considération, jointe aux autres que je vous
ai marquées ci-dessus, faisait que je n'étais pas satisfait
d'une conduite dont l'*apparence n'était pas bonne et dont
le *succès d'ailleurs était fort incertain.

L'autre issue que je m'imaginai était plus grande, plus
noble, plus élevée ; et ce fut celle aussi à laquelle je me
*fermai sans balancer. Ce fut de faire en sorte que Monsieur
formât publiquement un tiers parti, séparé de celui de
Monsieur le Prince, et composé de Paris et de la plupart
des grandes villes du royaume, qui avaient beaucoup de
disposition au mouvement, et dans une partie desquelles

j'avais de bonnes *correspondances. Le comte de Fuensaldagne, qui croyait qu'il n'y avait que la défiance où j'étais de
la mauvaise volonté de Monsieur le Prince contre moi qui
me fît garder des ménagements avec la cour, m'avait envoyé
don Antonio de La Crusca pour me faire des propositions
qui m'avaient donné la première vue du projet dont je vous
parle ; car il m'avait offert de faire un traité secret par lequel
il m'assisterait d'argent, et par lequel toutefois il ne
m'obligerait à rien de toutes les choses qui pouvaient faire
juger que j'eusse correspondance avec Espagne. L'idée que
je me formai sur cela et sur beaucoup d'autres circonstances
qui concoururent, en ce temps-là, fut de proposer à Monsieur
qu'il déclarât publiquement dans le Parlement que, voyant
que la Reine était résolue à rétablir le cardinal Mazarin dans
le ministère, il était résolu, de son côté, à s'y opposer par
toutes les voies que sa naissance et les engagements publics
lui permettaient ; qu'il ne serait ni de sa prudence, ni de sa
gloire de se contenter des remontrances du Parlement, que
la Reine éluderait au commencement et mépriserait à la fin,
cependant que le Cardinal faisait des troupes pour entrer en
France et pour se rendre maître de la personne du Roi,
comme il l'était déjà de l'esprit de la Reine ; que, comme
oncle du Roi, il se croyait obligé de dire à la Compagnie
qu'il était de sa justice de se joindre à lui, dans une
occasion où il ne s'agissait, à proprement parler, que de la
*manutention de ses arrêts et des déclarations qui étaient
dues à ses instances ; qu'il ne serait pas moins de sa sagesse,
parce qu'elle n'ignorait pas que toute la ville conspirerait
avec lui à un dessein si nécessaire au bien de l'État ; qu'il
n'avait pas voulu s'expliquer si ouvertement avec elle *devant
s'être mis en état de les pouvoir assurer du succès par l'ordre
qu'il avait déjà mis aux affaires ; qu'il avait tant d'argent,
qu'il était déjà assuré de tant et de tant de places, et
caetera ; sur le tout, que ce qui devait toucher la Compagnie
plus que quoi que ce soit et lui faire même embrasser avec
joie l'heureuse nécessité où elle se voyait de travailler avec
lui au bien de l'État, était l'engagement public qu'il prenait,
dès ce moment, avec elle, et de n'avoir jamais aucune
intelligence avec les ennemis de l'État, et de n'entendre
jamais, directement ni indirectement, à aucune négociation
qui ne fût proposée en plein Parlement, les chambres

assemblées ; qu'au reste, il désavouait tout ce que Monsieur le Prince avait fait et faisait avec les Espagnols ; et que, par cette raison et par celle des négociations fréquentes et suspectes de tous ceux de son parti, il n'y voulait avoir aucune communication que celle que l'*honnêteté requérait à l'égard d'un prince de son mérite. Voilà ce que je proposai à Monsieur, et ce que j'appuyai de toutes les raisons qui lui pouvaient faire voir la possibilité de la pratique, de laquelle je suis encore très persuadé. Je lui *exagérai tous les inconvénients de la conduite contraire, et je lui prédis tout ce qu'il vit depuis de celle du Parlement, qui, au moment qu'il donnerait des arrêts contre le Cardinal, déclarerait criminels de lèse-majesté ceux qui s'opposeraient à son retour.

Monsieur demeura ferme dans sa résolution, soit qu'il craignît, comme il disait, l'union des grandes villes, qui pouvait, à la vérité, devenir dangereuse à l'État, soit qu'il appréhendât que Monsieur le Prince ne se raccommodât avec la cour contre lui, à quoi toutefois je lui avais marqué plus d'un remède, soit, et c'est ce qui me parut, que le fardeau fût trop pesant pour lui. Il est vrai qu'il était au-dessus de sa portée, et que, par cette raison, j'eus tort de l'en presser. Il est vrai, de plus, que l'union des grandes villes, en l'humeur où elles étaient, pouvait avoir de grandes suites. J'en eus scrupule, parce que, dans la vérité, j'ai toujours appréhendé ce qui pouvait faire effectivement du mal à l'État, et Caumartin ne put jamais être de cet avis par cette considération. Ce qui m'y *emporta, et, si je l'ose dire, et contre mon inclination, et contre mes maximes, fut la confusion où nous allions tomber en prenant l'autre chemin, et le ridicule d'une conduite par laquelle il me semblait que nous allions tous combattre à la façon des anciens andabates [1].

La dernière conversation que j'eus, sur ce détail, avec Monsieur, dans la grande allée des Tuileries, fut assez curieuse, et, par l'événement, presque prophétique. Je lui dis : « Que deviendrez-vous, Monsieur, quand Monsieur le Prince sera raccommodé à la cour, ou poussé en Espagne ? quand le Parlement donnera des arrêts contre le Cardinal et déclarera criminels ceux qui s'opposeront à son retour ? quand vous ne pourrez plus, avec honneur et sûreté, être ni mazarin ni frondeur ? » Monsieur me répondit : « Je serai fils de France [1], vous deviendrez cardinal et vous demeurerez coadjuteur. » Je lui repartis, sans balancer, comme par un *enthousiasme : « Vous serez fils de France à Blois, et je serai cardinal au bois de Vincennes. » Monsieur ne s'ébranla point, quoi que je lui pusse dire, et il fallut se réduire au parti de *brousser à l'aveugle, de jour à jour : c'est le nom que Patru donnait à notre manière d'agir. Je vous en expliquerai le détail, après que je vous aurai rendu compte d'un embarras très fâcheux que j'eus en ce temps-là.

Bartet, qui, comme vous avez déjà vu, était venu à Paris pour négocier avec MM. de Bouillon [2] et avec moi, avait aussi eu ordre de la Reine de voir Mme de Chevreuse, et d'essayer de lui persuader de s'attacher encore plus intimement à elle qu'elle n'avait fait jusque-là. Il la trouva dans une disposition très favorable pour sa négociation. Laigue était rempli [3] et de plus l'homme du monde le plus changeant de son naturel. Il y avait déjà quelque temps que Mlle de Chevreuse m'avait averti qu'il disait tous les jours à madame sa mère qu'il fallait finir, que tout était en confusion, que nous ne savions tous où nous allions. Bartet, qui était vif, pénétrant et insolent, s'étant aperçu du faible, en prit le défaut habilement ; il menaça, il promit, enfin il engagea Mme de Chevreuse à lui promettre qu'elle ne serait contraire en rien au retour de Monsieur le Cardinal, et qu'en cas qu'elle ne me pût gagner sur cet article, elle ferait tous ses efforts pour empêcher que M. de Noirmoutier, qui était gouverneur de Charleville et du Mont-Olympe, ne demeurât pas dans mes intérêts, quoiqu'il tînt ces deux places de moi. Noirmoutier se laissa corrompre par elle, sous des espérances qu'elle lui donna de la part de la cour ; et quand je le voulus obliger à offrir son service à Monsieur, lorsque le Cardinal entra avec ses troupes dans le royaume, il me déclara qu'il était au Roi ; qu'en tout ce qui me serait personnel, il passerait toujours par-dessus toute sorte de considération ; mais que, dans la conjoncture présente, où il s'agissait d'un démêlé de Monsieur avec la cour, il ne pouvait manquer à son devoir. Vous pouvez juger du ressentiment que j'eus de cette action. J'éclatai contre lui avec fureur, et au point que, quoique j'allasse tous les jours chez Mlle de Chevreuse, qui se déclara ouvertement contre madame sa mère en cette occasion, je ne saluais ni lui ni

Laigue, et ne parlais presque pas à Mme de Chevreuse. Je reprends la suite de mon discours.

La Saint-Martin de l'année 1651 ayant ouvert le Parlement, il députa MM. Doujat et Baron vers M. le duc d'Orléans, qui était à Limours, pour le prier de venir prendre sa place au sujet d'une déclaration que le Roi avait envoyée au parquet, dès le 8 du mois d'octobre, par laquelle il déclarait Monsieur le Prince criminel de lèse-majesté.

Monsieur vint au palais le 20 de novembre, et Monsieur le Premier Président, ayant *exagéré, même avec emphase, tout ce qui se passait en Guyenne, conclut par la nécessité qu'il y avait de procéder à l'enregistrement de la déclaration, pour obéir aux très justes volontés du Roi : ce fut son expression. Monsieur, qui, comme vous avez vu ci-dessus, avait pris sa résolution, répondit au premier président que ce n'était pas une affaire à précipiter ; qu'il fallait se donner du temps pour travailler à l'accommodement ; qu'il s'y appliquait de tout son pouvoir ; que M. Damville était en chemin pour lui apporter des nouvelles de la cour ; qu'il était étrange que l'on pressât une déclaration contre un prince du sang, et que l'on ne songeât pas seulement aux préparatifs que le cardinal Mazarin faisait pour entrer à main armée dans le royaume.

Je vous ennuierais fort inutilement, si je m'attachais au détail de ce qui se passa dans les assemblées des chambres, qui commencèrent, comme je viens de vous le dire, le 20 de novembre, puisque celles du 23, du 24, du 28 de ce mois, et du 1er et du 2 de décembre, ne furent, à proprement parler, employées qu'à une répétition continuelle de la nécessité de l'enregistrement de la déclaration, que Monsieur le Premier Président pressait au nom du Roi, et des raisons différentes que Monsieur alléguait pour obliger la Compagnie à le différer. Tantôt il attendait le retour d'un gentilhomme qu'il avait envoyé à la cour pour négocier ; tantôt il assurait que M. Damville devait arriver de la cour, au premier jour, avec des radoucissements ; tantôt il *incidentait sur la forme que l'on devait garder lorsqu'il s'agissait de condamner un prince du sang ; tantôt il soutenait que le préalable nécessaire de toutes choses était de songer à se précautionner contre le retour du Cardinal ; tantôt il produisait des lettres de Monsieur le Prince, adressées au Roi et au Parlement même, et par lesquelles il demandait à se justifier. Comme il vit et que le Parlement ne voulait pas même souffrir que l'on lût ses lettres, parce qu'elles venaient d'un prince qui avait les armes à la main contre son roi, et que ce même esprit portait le gros de la Compagnie à l'enregistrement, il quitta la partie, et il envoya M. de Choisy au Parlement, le 4, pour le prier de ne le point attendre pour la délibération qui concernait la déclaration, parce qu'il avait résolu de n'y point assister. L'on opina ; et il *passa de six-vingts voix, après qu'il y eut eu trois ou quatre avis différents, plus en la forme qu'en la substance, à faire lire, publier et *registrer au greffe la déclaration, pour être exécutée selon sa forme et teneur.

Ce qui consterna Monsieur fut que Croissy ayant proposé, à la fin de l'assemblée, de prendre jour pour délibérer sur le retour du cardinal Mazarin, dont personne ne doutait plus, ne fut presque pas écouté. Monsieur m'en parla le soir, et il me dit qu'il était résolu de faire agir le peuple pour éveiller le Parlement ; et je lui répondis ces propres paroles : « Le Parlement, Monsieur, ne s'éveillera que trop en paroles contre le Cardinal ; mais il s'endormira trop en *effet. Considérez, s'il vous plaît, ajoutai-je, que quand M. de Croissy a parlé, il était midi sonné, et que tout le monde voulait dîner. » Monsieur ne prit que pour une raillerie ce que je lui disais tout de bon et comme je le pensais, et il commanda à Ornane, maître de sa garde-robe, de faire faire une manière d'*émotion par le Maillart, duquel je vous ai parlé dans le second volume de cet ouvrage. Ce misérable mena, pour mieux couvrir son jeu, vingt ou trente gueux criailler de Monsieur. Ils allèrent de là chez Monsieur le Premier Président, qui leur fit ouvrir sa porte, et les menaça, avec son intrépidité ordinaire, de les faire pendre [1].

L'on donna, le 7, arrêt en pleine assemblée de chambres pour empêcher, à l'avenir, ces insolences ; mais l'on ne laissa pas d'y faire réflexion sur la nécessité de lever les prétextes qui y donnaient lieu, et l'on s'assembla,

le 9, pour délibérer touchant les bruits qui couraient du prochain retour de Monsieur le Cardinal. Monsieur, ayant dit qu'ils n'étaient que trop vrais, le premier président essaya d'éluder, par la proposition qu'il fit de mander les gens du Roi, et de faire lire les informations qui, suivant les arrêts précédents, devaient avoir été faites contre le Cardinal. M. Talon représenta qu'il ne s'agissait point de ces informations ; que, le Cardinal ayant été condamné par une déclaration du Roi, il ne fallait point chercher d'autre preuve ; et que, s'il fallait informer, ce ne pouvait être que contre les contraventions à cette déclaration. Il conclut à députer vers Sa Majesté pour l'informer des bruits qui couraient de ce retour, et pour la supplier de confirmer la parole royale qu'Elle avait donnée, sur ce sujet, à tous ses peuples. Il ajouta que défenses seraient faites à tous les gouverneurs de provinces et de places de donner passage au Cardinal, et que tous les parlements seraient avertis de cet arrêt et exhortés d'en donner un pareil. Après ces conclusions, l'on commença à opiner ; mais, la délibération n'ayant pu se consommer, et Monsieur s'étant trouvé mal, le dimanche au soir, l'assemblée fut remise au mercredi 13. Elle produisit, presque tout d'une voix, l'arrêt conforme aux conclusions, qui portaient, outre ce que je vous en ai dit ci-dessus, que le Roi serait supplié de donner part au Pape et aux autres princes étrangers des raisons qui l'avaient obligé à éloigner le Cardinal de sa personne et de ses conseils.

Il y eut, ce jour-là, un intermède qui vous fera connaître que ce n'était pas sans raison que j'avais prévu la difficulté du personnage que j'aurais à jouer, dans la conduite que nous prenions. Machault-Fleury, serviteur passionné de Monsieur le Prince, ayant dit en opinant que le trouble de l'État n'était causé que par des gens qui voulaient à toute force emporter le chapeau de cardinal, je l'interrompis pour lui répondre que j'étais si accoutumé à en voir dans ma maison, qu'apparemment je n'étais pas assez ébloui de sa couleur pour faire, en sa considération, tout le mal dont il m'accusait. Comme l'on ne doit jamais interrompre les avis, il s'éleva une fort grande clameur en faveur de Machault. Je suppliai la Compagnie d'excuser ma chaleur, « laquelle toutefois, ajoutai-je, ne procède pas, pour cette fois, de défaut de mépris. »

Quelqu'un ayant dit aussi, en opinant, qu'il fallait procéder à l'égard du Cardinal comme l'on avait procédé autrefois à l'égard de l'amiral de Coligny, c'est-à-dire mettre sa tête à prix [1], je me levai, aussi bien que tous les autres conseillers clercs, parce qu'il est défendu par les canons aux ecclésiastiques d'assister aux délibérations dans lesquelles il y a eu avis ouvert à la mort.

Le 18, messieurs des Enquêtes allèrent, par députés, à la Grande Chambre pour demander l'assemblée, sur une lettre que M. le cardinal Mazarin avait écrite à M. d'Elbeuf, en lui demandant conseil touchant son retour en France. Monsieur le Premier Président *avoua la lettre ; il dit que M. d'Elbeuf la lui avait envoyée ; qu'il avait, en même temps, dépêché au Roi pour lui en rendre compte et faire voir la conséquence ; et qu'il attendait la réponse de son envoyé, après laquelle il promettait d'assembler la Compagnie, si il ne plaisait à Sa Majesté de lui donner satisfaction. Les Enquêtes ne se contentèrent pas de cette parole de Monsieur le Premier Président ; elles renvoyèrent, le lendemain, qui fut le 19, leurs députés à la Grande Chambre, et l'on fut obligé d'assembler, [a]

le 20, après y avoir invité M. le duc d'Orléans. Le premier président ayant dit à la Compagnie que le sujet de l'assemblée était la lettre dont j'ai parlé ci-dessus et un voyage que M. de Navailles avait fait vers M. d'Elbeuf, les gens du Roi furent mandés, qui, par la bouche de M. Talon, conclurent à ce qu'en exécution de l'arrêt d'un tel jour et an, les députés du Parlement se rendissent au plus tôt vers le Roi, pour l'informer de ce qui se passe sur la frontière ; que Sa Majesté fût suppliée d'écrire à l'électeur de Cologne, pour faire sortir le cardinal Mazarin de ses terres et seigneuries ; que M. le duc d'Orléans fût prié d'envoyer au Roi, en son nom, à cette même fin, comme aussi au maréchal d'Hocquincourt et autres commandants de troupes, pour leur donner avis du dessein que le cardinal de Mazarin avait de rentrer en France ; que quelques conseillers de la cour fussent nommés pour se transporter sur la frontière, et pour dresser des procès-verbaux de ce qui se passerait à l'égard de ce retour ; qu'il fût fait défenses aux maires et échevins des villes de lui donner passage, ni lieu d'assemblée à aucunes troupes qui le dussent favoriser, ni retraite à aucun de ses parents, ni *domestiques ; que le sieur de Navailles fût ajourné à *comparoir en personne à ladite cour, pour rendre compte du commerce qu'il entretenait avec lui, et que l'on publierait *monitoire pour être informé de la vérité de ces commerces. Voilà le gros des conclusions conformément auxquelles l'arrêt fut donné [1].

Vous croyez sans doute que le cardinal Mazarin est foudroyé par le Parlement, en voyant que les gens du Roi même forment et enflamment les exhalaisons qui produisent un aussi grand tonnerre ? Nullement. Au même instant que l'on donnait cet arrêt, avec une chaleur qui allait jusques à la fureur, un conseiller ayant dit que les gens de guerre qui s'assemblaient sur la frontière, pour le service du Mazarin, se moqueraient de toutes les défenses du Parlement si elles ne leur étaient signifiées par des huissiers qui eussent de bons mousquets et de bonnes piques, ce conseiller, dis-je, du nom duquel je ne me ressouviens pas, mais qui, comme vous voyez, ne parlait pas de trop mauvais sens, fut repoussé par un soulèvement général de toutes les voix, comme si il eût avancé la plus forte *impertinence du monde ; et toute la Compagnie s'écria, même avec véhémence, que le licenciement des gens de guerre n'appartenait qu'à Sa Majesté.

Je vous supplie d'accorder, si il vous est possible, cette tendresse de cœur pour l'autorité du Roi, avec l'arrêt qui, au même moment, défend à toutes les villes de donner passage à celui que cette même autorité veut rétablir. Ce qui est de merveilleux est que ce qui paraît un prodige aux siècles à venir ne se sent pas dans les temps, et que ceux mêmes que j'ai vus depuis raisonner sur cette matière, comme je fais à l'heure qu'il est, eussent juré, dans les instants dont je vous parle, qu'il n'y avait rien de contradictoire entre la restriction et entre l'arrêt. Ce que j'ai vu dans nos troubles m'a expliqué, en plus d'une occasion, ce que je n'avais pu concevoir auparavant dans les histoires. L'on y trouve des faits si opposés les uns aux autres, qu'ils en sont incroyables ; mais l'expérience nous fait connaître que tout ce qui est incroyable n'est pas faux.

Vous verrez encore des preuves de cette vérité dans les suites de ce qui se passa au Parlement, que je reprendrai après vous avoir entretenu de quelques circonstances qui regardent la cour.

Il y eut, en ce temps-là, contestation dans le cabinet sur la manière dont la cour se devait conduire à l'égard du Parlement, les uns soutenant qu'il le fallait ménager avec soin, et les autres prétendant qu'il était plus à propos de l'abandonner à lui-même : ce fut le mot dont Brachet se servit, en parlant à la Reine. Il lui avait été inspiré et dicté par Ménardeau-Champré, conseiller de la Grande Chambre et homme de bon sens, qui lui avait donné charge de dire à la Reine, de sa part, que le mieux qu'elle pouvait faire était de laisser tomber, à Paris, toutes choses dans la confusion, qui sert toujours au rétablissement de l'autorité royale, quand elle vient jusques à un certain point ; qu'il fallait, pour cet effet, commander à Monsieur le [Premier] [a] Président d'aller faire sa charge de garde des sceaux à la cour, d'y appeler M. de La Vieuville avec tout ce qui avait trait aux finances, d'y faire venir le Grand Conseil, et caetera.

Cet avis, qui était fondé sur les indispositions que l'on croyait qu'un abandonnement de cet éclat produirait, dans une ville où l'on ne peut désavouer que tous les *établissements ordinaires n'aient un enchaînement, même très serré, les uns avec les autres : cet avis, dis-je, fut combattu, avec beaucoup de force, par tous ceux qui appréhendaient que les ennemis du Cardinal ne se servissent utilement, contre ses intérêts, de la faiblesse de M. le président Le Bailleul, qui, par l'absence du premier président, demeurait à la tête du Parlement, et de la nouvelle aigreur qu'un éclat comme celui-là produirait encore dans l'esprit des peuples. Le Cardinal balança longtemps entre les raisons qui appuyaient l'un et l'autre parti, quoique la Reine, qui, par son goût, croyait toujours que le plus aigre était le meilleur, se fût déclarée d'*abord pour le premier. Ce qui décida, à ce que le maréchal de La Ferté m'a dit depuis, fut le sentiment de M. de Senneterre, qui écrivit fortement au Cardinal pour l'appuyer, et qui lui fit même peur des expressions, fort souvent trop fortes, du premier président, lesquelles faisaient quelquefois, ajoutait Senneterre, plus de mal que ses intentions ne pouvaient jamais faire de bien. Cela était trop *exagéré. Enfin le premier président sortit de Paris, par ordre exprès du Roi, et il ne prit pas même congé du Parlement, à quoi il fut porté par M. de Champlâtreux, assez contre son inclination. M. de Champlâtreux eut raison, parce qu'enfin il eût pu courre fortune, dans l'*émotion qu'un spectacle comme celui-là eût pu produire. Je lui allai dire adieu, la veille de son départ, et il me dit ces propres paroles : « Je m'en vas à la cour, et je dirai la vérité ; après quoi il faudra obéir au Roi. » Je suis persuadé qu'il le fit effectivement comme il le dit. Je reviens à ce qui se passa au Parlement.

Le 29 décembre, les gens du Roi entrèrent dans la Grande Chambre. Ils présentèrent une lettre de cachet du Roi qui portait injonction à la Compagnie de différer l'envoi des députés qui avaient été nommés, par l'arrêt du 13, pour aller trouver le Roi, parce qu'il leur avait plus que suffisamment expliqué autrefois son intention. M. Talon ajouta qu'il était obligé, par le devoir de sa charge, de représenter l'émotion qu'une telle députation pourrait causer dans un temps aussi trouble. « Vous voyez, continua-t-il, tout le royaume *branle ; et voilà encore une lettre du parlement de Rouen qui vous écrit qu'il a donné l'arrêt contre le cardinal Mazarin, conforme au vôtre du 13. »

M. le duc d'Orléans prit la parole ensuite. Il dit que le cardinal Mazarin était arrivé le 25 à Sedan ; que les maréchaux d'Hocquincourt et de La Ferté l'allaient joindre avec une armée pour le conduire à la cour, et qu'il était temps de s'opposer à ses desseins, desquels l'on ne pouvait plus douter. Je ne vous puis exprimer à quel point alla le soulèvement des esprits. L'on eut peine à attendre que les gens du Roi eussent pris leurs conclusions, qui furent à faire partir incessamment les députés pour aller trouver le Roi, à déclarer, dès à présent, le cardinal Mazarin et ses adhérents criminels de lèse-majesté ; à enjoindre aux communes de leur courre sus, à défendre aux maires et échevins des villes de leur donner passage ; à vendre sa bibliothèque et tous ses meubles. L'arrêt ajouta que l'on prendrait préférablement, sur le prix, la somme de cent cinquante mille livres pour être données à celui qui *représenterait ledit Cardinal vif ou mort. A cette parole, tous les ecclésiastiques se levèrent, pour la raison que j'ai marquée dans une pareille occasion [1].

Vous vous imaginez sans doute que les affaires sont bien aigries, et vous en serez encore bien plus persuadée quand je vous aurai dit que le 2 de janvier suivant, c'est-à-dire le 2 de janvier 1652, l'on donna encore, sur les conclusions des gens du Roi et sur l'avis que l'on eut que le Cardinal avait déjà passé Epernay, l'on donna, dis-je, un second arrêt par lequel il fut ordonné, de plus, que l'on inviterait tous les autres parlements à donner un arrêt pareil à celui du 29 décembre ; que l'on envoirait deux conseillers, avec les quatre qui avaient été nommés, sur les rivières[1], avec ordre d'armer les communes, et que les troupes de M. le duc d'Orléans seraient commandées pour s'opposer à la marche du Cardinal, et que les ordres seraient envoyés pour leur subsistance. N'est-il pas vrai qu'il y avait apparence, après ces conclusions et après cet arrêt, que le Parlement voulait la guerre ? Nullement.

Un conseiller ayant dit que le premier pas, pour cette subsistance, était d'avoir de l'argent et d'en prendre dans les parties casuelles ce qui y était du droit annuel[2], fut rebuté avec indignation et avec clameur ; et la même Compagnie, qui venait d'ordonner la marche des troupes de Monsieur pour s'opposer à celle du Roi, traita la proposition de prendre ses deniers avec la même *religion et le même scrupule, qu'elle eût pu avoir dans la plus grande tranquillité du Royaume. Je dis, à la levée du Parlement, à Monsieur qu'il voyait que je ne lui avais pas menti quand je lui avais tant répété que l'on ne faisait jamais bien la guerre civile avec les conclusions des gens du Roi. Il dut s'en apercevoir, quoique d'une autre manière,

le lendemain 11[3] ; car le Parlement s'étant assemblé et le marquis de Sablonnières, mestre de camp du régiment de Valois, étant entré et ayant dit à Monsieur que Le Coudray-Geniers, qui était l'un des commissaires pour armer les communes, avait été tué, et que Bitaut, qui était l'autre, était prisonnier des ennemis[4], la commotion fut si générale dans tous les esprits, qu'elle n'eût pu être plus grande quand il se serait agi de l'assassinat du monde le plus noir et le plus horrible, médité et exécuté en pleine paix. Je me souviens que Bachaumont, qui était ce jour-là derrière moi, me dit à l'oreille, en se moquant de ses confrères : « Je vas acquérir une merveilleuse réputation ; car j'opinerai à écarteler M. d'Hocquincourt, qui a été assez insolent pour charger des gens qui arment les communes contre lui. » La colère que le Parlement eut de cette prévarication de M. d'Hocquincourt, et contre laquelle il décréta en forme, fut cause, à mon opinion, que l'on ne refusa pas l'audience à un gentilhomme de Monsieur le Prince, qui apportait une lettre et une requête de sa part ; car je ne vois pas par quelle autre raison l'on eût pu recevoir ce paquet envoyé au Parlement après l'enregistrement de la déclaration, puisque ce même Parlement avait refusé de voir une lettre et une remontrance de Monsieur le Prince, de cette même nature, le 2 de décembre, qui était un temps dans lequel il n'y avait encore aucune procédure en forme qui eût été faite contre lui dans la Compagnie.

Je fis remarquer cette circonstance, le soir du 11, à M. Talon, qui avait conclu lui-même à entendre l'envoyé ; et il me répondit ces propres mots : « Nous ne savons plus tous ce que nous faisons ; nous sommes hors des grandes règles. » Il ne laissa pas d'insister, dans ses conclusions, à ce que l'on ne touchât point aux deniers du Roi, qu'il maintint devoir être sacrés, quoi qu'il pût arriver[1]. Jugez, je vous supplie, comme cela se pouvait accorder avec l'autre partie des conclusions qu'il avait données, deux ou trois [jours] devant, par lesquelles il armait les communes et faisait marcher les troupes pour s'opposer à celles du Roi. J'ai *admiré, mille fois en ma vie, le peu de sens de ces malheureux gazetiers qui ont écrit l'histoire de ce temps-là. Je n'en ai pas vu un seul qui ait seulement fait une réflexion légère sur ces contradictions, qui en sont pourtant les pièces les plus curieuses et les plus remarquables. Je ne pouvais concevoir, dès ce temps-là, celles que je remarquais dans la conduite de M. Talon, parce qu'il était assurément homme d'un esprit ferme et d'un jugement solide, et je crus quelquefois qu'elles étaient *affectées. Je me souviens que je perdis cette pensée, après y avoir fait de grandes réflexions, et que j'eus des raisons, du détail desquelles je n'ai pas la mémoire assez fraîche, pour demeurer persuadé qu'il était emporté, comme tous les autres, par les torrents qui courent, dans ces sortes de temps, avec une impétuosité qui agitait les hommes, en un même moment, de différents côtés.

Voilà justement ce qui arriva à M. Talon dans la délibération de laquelle nous parlons ; car, après qu'il eut conclu à faire entrer l'envoyé de Monsieur le Prince et à lire sa lettre et sa requête, il ajouta qu'il fallait envoyer l'un et l'autre au Roi et n'y point délibérer que l'on n'eût sa réponse. La lettre de Monsieur le Prince au Parlement n'était qu'un offre qu'il faisait à la Compagnie de sa personne et de ses armes contre l'ennemi commun ; et la requête tendait à ce qu'il fût sursis à l'exécution de la déclaration qui avait été *registrée contre lui, jusques à ce que les déclarations et arrêts rendus contre le Cardinal eussent eu leur plein et entier effet. L'on ne put achever la délibération, quoique l'on eût opiné jusques à trois heures après-midi. Elle fut consommée le lendemain, qui fut

le 12, et arrêt fut donné, par lequel il fut dit que l'on redemanderait M. Bitault, et M. Geniers, qui n'était que prisonnier, à M. d'Hocquincourt ; et qu'en cas de refus, on rendait responsable lui et toute sa postérité de tout ce qui leur pourrait arriver ; que la déclaration et arrêts contre le Cardinal seraient exécutés ; que défenses seraient faites à tous les sujets du Roi de reconnaître le maréchal d'Hocquincourt et autres qui assistent le Cardinal, en qualité de commandants de troupes de Sa Majesté, et qu'il serait sursis à l'exécution de la déclaration et arrêts rendus contre Monsieur le Prince, jusques à ce que la déclaration et arrêts rendus contre le Cardinal aient été entièrement exécutés.

Ce qui se passa au Parlement le 16 et le 19 de janvier n'est d'aucune considération. M. de Nemours, qui revenait de Bordeaux et qui passait en Flandres pour en ramener les troupes que les Espagnols donnaient à Monsieur le Prince, arriva à Paris le soir du 19. Il est nécessaire de reprendre un peu de plus haut le détail de ce qui concerne cette marche de M. de Nemours, qui donna à Monsieur beaucoup d'ombrage.

Je vous ai déjà dit, ce me semble, que M. le duc d'Orléans était cruellement embarrassé, cinq ou six fois par jour, parce qu'il était persuadé que tout était à l'aventure et qu'il était même impossible de faire bien. Il y avait des moments où il prenait de cette sorte de courage que le désespoir produit ; et c'était dans ces moments où il disait que le pis qui lui pouvait arriver serait d'être en repos à Blois ; mais Madame, qui n'estimait pas ce repos pour lui, troublait souvent la douceur des idées qu'il s'en formait, et lui donnait, par conséquent, des appréhensions fréquentes des inconvénients qu'il ne craignait déjà que trop naturellement. La constitution où étaient les affaires n'aidait pas à lui donner de la hardiesse ; car, outre qu'il marchait toujours sur des précipices, les allures qu'il était obligé d'y suivre et d'y prendre étaient d'une nature à faire glisser les gens qui eussent été les plus fermes et les plus assurés. Comme il ne pouvait oublier le Jeudi saint [1], et qu'il craignait d'ailleurs extrêmement la dépendance dans laquelle il croyait qu'il tomberait infailliblement, si il s'unissait absolument avec Monsieur le Prince, il se contraignait lui-même, dans toutes ses démarches, à un point qu'il forçait, dix fois par jour, les plus naturelles ; et dans le temps qu'il espérait encore que l'on pourrait *traverser le retour de Monsieur le Cardinal par d'autres moyens que ceux de la guerre civile, il s'accoutuma si bien à garder les mesures qui étaient convenables à cette disposition, que quand il fut obligé de les changer, il tomba dans une conduite hétéroclite et toute pareille à celle du Parlement.

Vous avez déjà vu, en plusieurs occasions, que cette Compagnie, dans une même séance, commandait à des troupes de marcher et leur défendait, en même temps, de pourvoir à leur subsistance ; qu'elle armait les peuples contre les gens de guerre, qui avaient leur *commission et leur ordre en bonne forme de la cour, et qu'elle éclatait, au même moment, contre ceux qui proposaient que l'on licenciât ces gens de guerre ; qu'elle enjoignait aux communes de courre sus aux généraux des armes du Roi qui assisteraient le Mazarin, et qu'elle défendait au même instant, sur peine de la vie, de faire aucune levée sans *commission expresse de Sa Majesté. Monsieur, qui se figurait qu'en demeurant uni avec le Parlement, il fronderait le Mazarin sans dépendance de Monsieur le Prince, se laissa couler par cette jonction encore plus aisément dans la pente où il ne tombait déjà que trop naturellement par son irrésolution. Elle l'obligeait à tenir des deux côtés toutes les fois qu'il avait lieu de le faire. Ce qui était de son inclination lui devint nécessaire par son union avec une compagnie qui n'agissait jamais que sur le fondement d'accorder les ordonnances royaux [2] avec la guerre civile. Ce ridicule est en quelque manière *couvert dans les temps, à l'égard du Parlement, par la majesté d'un grand corps, que la plupart des gens croient infaillible ; il paraît toujours de bonne heure dans les particuliers, quels qu'ils soient, fils de France ou princes du sang. Je le disais tous les jours à Monsieur, qui en convenait, et puis revenait toujours à me dire en sifflant : « Qu'y a-t-il de mieux à faire ? » Je crois que ce mot servit de refrain, plus de cinquante fois, à tout ce qui se dit dans une conversation que j'eus avec lui le jour que M. de Nemours arriva à Paris. Monsieur me témoignant beaucoup de *chagrin de ce que les troupes qu'il allait quérir en Flandres fortifieraient trop Monsieur le Prince, « qui s'en servira après, ajouta-t-il, à ses fins et comme il lui plaira », je lui dis que j'étais au désespoir de le voir dans un état où rien ne lui pouvait donner de la joie, et où tout le pouvait et le devait affliger. « Si Monsieur le Prince est battu, lui disais-je, que ferez-vous avec le Parlement, qui attendrait les conclusions des gens du Roi quand le Cardinal serait avec une armée à la porte de la Grande Chambre ? Que ferez-vous si Monsieur le Prince est victorieux, puisque vous êtes déjà en défiance de quatre mille hommes que l'on est sur le point de lui amener ? »

Quoique j'eusse été très fâché, et par la raison de l'engagement que j'avais sur ce point avec la Reine, et par celle même de mon intérêt particulier, qu'il se fût uni intimement avec Monsieur le Prince, avec lequel d'ailleurs il ne pouvait s'unir sans se soumettre, même avec honte, vu l'inégalité des *génies, je n'eusse pas laissé de souhaiter qu'il n'eût pas la faiblesse, et d'*envie et de crainte, qu'il avait à son égard, parce qu'il me semblait qu'il y avait des *tempéraments à prendre, par lesquels il pouvait faire servir Monsieur le Prince à ses fins, sans lui donner tous les avantages qu'il en appréhendait. Je conviens que ces tempérament étaient difficiles dans l'exécution, et, par conséquent, qu'ils étaient impossibles à Monsieur, qui ne reconnaissait presque jamais de différence entre le difficile et l'impossible. Il est incroyable quelle peine j'eus à lui persuader que la bonne conduite voulait qu'il fît ses efforts à ce que le Parlement ne se déclarât pas contre ces troupes auxiliaires qui devaient venir à Monsieur le Prince. Je lui représentai avec force toutes les raisons qui l'obligeaient à ne les pas opprimer, dans la conjoncture où étaient les affaires, et à ne pas accoutumer la Compagnie à condamner les pas qui se faisaient contre le Mazarin.

Je convenais qu'il fallait blâmer publiquement l'union avec les étrangers pour soutenir la gageure ; mais je soutenais qu'il fallait, en même temps, éluder les délibérations que l'on voudrait faire sur ce sujet ; et j'en proposais les moyens, qui, par les diversions qui étaient naturelles et par les faiblesses du président Le Bailleul, eussent été même comme imperceptibles. Monsieur demeura très longtemps ferme à laisser aller la chose dans son cours, « parce que, ajouta-t-il, Monsieur le Prince n'est déjà que trop fort » ; et après que je l'eus convaincu par mes raisons, il fit ce que tous les hommes qui sont faibles ne manquent jamais de faire en pareille occasion : ils tournent si court, quand ils changent de sentiment, qu'ils ne mesurent plus leurs allures ; ils sautent au lieu de marcher ; et il prit tout d'un coup le parti, quoi que je lui pusse dire au contraire, de justifier la marche de ces troupes étrangères, et de la justifier dans le Parlement par des illusions qui ne trompent personne et qui ne servent qu'à faire voir que l'on veut tromper. Cette figure est de la rhétorique de tous les temps ; mais il faut avouer que celui du cardinal Mazarin l'a étudiée et pratiquée et plus fréquemment et plus insolemment que tous les autres. Elle y a été non seulement journellement employée, mais consacrée dans les arrêts, dans les édits et dans les déclarations ; et je suis persuadé que cet outrage public fait à la bonne foi a été, comme il me semble que je vous l'ai déjà dit dans la première partie de cet ouvrage, la principale cause de nos *révolutions.

Monsieur me dit qu'il prétendrait dans le Parlement que ces troupes n'étaient pas espagnoles, parce que les hommes qui les composaient étaient allemands. Vous remarquerez, s'il vous plaît, qu'il y avait trois ou quatre ans qu'elles servaient l'Espagne, en Flandres, sous le commandement d'un cadet de Wurtemberg, qui était nommément à la solde du Roi Catholique, et que beaucoup de gens de qualité, même du Pays-Bas, y étaient officiers. J'eus beau représenter à Monsieur que ce que nous blâmions tous les jours le plus dans la conduite du Cardinal était cette manière d'agir et de parler, si contraire aux vérités les plus reconnues, je n'y gagnai rien ; et il me répondit, en se moquant de moi, que je devais avoir observé que le monde veut être trompé. Ce mot est vrai, et il se vérifia même en cette occasion [a].

Je vous supplie de me permettre que je fasse ici une pause, pour observer qu'il n'est pas étrange que les historiens qui traitent des matières dans lesquelles ils ne sont pas entrés par eux-mêmes s'égarent si souvent, puisque ceux même qui

en sont les plus proches ne se peuvent défendre, dans
une infinité d'occasions, de prendre pour des réalités des
apparences quelquefois fausses dans toutes leurs circonstances.
Il n'y eut pas un homme, je ne dis pas dans le Parlement,
mais dans Luxembourg même, qui ne crût, en ce temps-là,
que mon unique application auprès de Monsieur ne fût de
rompre les mesures que Monsieur le Prince avait avec lui. Je
n'y eusse pas certainement manqué, si j'eusse seulement
entrevu qu'il eût eu la moindre disposition à en prendre de
bonnes et d'essentielles ; mais je vous assure qu'il était si
éloigné de celles même auxquelles l'état des affaires l'obligeait, par toutes les règles de la bonne conduite, que j'étais
forcé de travailler avec soin à lui persuader de demeurer, au
moins avec quelque sorte de *justesse, dans celle-ci, dans le
moment même que tout le monde se figurait que je ne
songeais qu'à l'en détourner.

Je n'étais pourtant pas fâché du bruit que les serviteurs
de Monsieur le Prince répandaient du contraire, quoique ces
bruits me coûtassent, de temps en temps, quelques *bourrades, que l'on me donnait en opinant dans les assemblées
des chambres. J'espérai, au commencement, de m'en pouvoir
servir utilement pour entretenir la Reine ; elle ne s'y laissa
pas *amuser longtemps ; et comme elle sut que, bien que
je lui tinsse fidèlement la parole que je lui avais donnée de
ne me point accommoder avec Monsieur le Prince, je ne
laissais pas de déconseiller à Monsieur de rompre avec lui,
elle m'en fit faire des reproches par Brachet, qui vint à Paris
dans ce temps-là. Je lui fis écrire sous moi un mémoire qui
lui justifiait clairement que je ne manquais en rien, comme
il était vrai, à tout ce que je lui avais promis, parce que je
ne m'étais engagé à quoi que ce soit qui fût contraire à ce
que j'avais conseillé à Monsieur. Brachet me dit, à son
retour, que la Reine en était convenue, après qu'il lui eut
fait peser mes raisons ; mais que M. de Châteauneuf s'était
récrié, en proférant ces propres paroles : « Je ne suis pas,
Madame, non plus que le coadjuteur, de l'avis du rappel de
Monsieur le Cardinal ; mais il est si criminel à un sujet de
dicter un mémoire pareil à celui que je viens de voir, que,
si j'étais son juge, je le condamnerais sans balancer sur cet
unique chef. » La Reine eut la charité de commander à
Brachet de me raconter ce détail, et de me dire que Monsieur

le Cardinal aurait plus de fidélité pour moi que ce scélérat, quoique je ne lui en donnasse pas sujet. Ce furent ses propres paroles. Je reviens au Parlement.

Ce qui s'y passa, depuis le 12 de janvier 1652 jusques au 24 du même mois, ne mérite pas votre attention, parce que l'on n'y parla presque que de l'affaire de MM. Bitault et Geniers, que l'on y traita toujours comme si il se fût agi d'un assassinat, qui eût été commis de sang-froid sur les degrés du Palais.

Le 24, M. le président de Bellièvre et les autres députés qui avaient été à Poitiers firent leur relation des remontrances qu'ils avaient faites au Roi, au nom du Parlement, contre le retour du Cardinal, avec toute la véhémence et toute la force imaginable. Ils dirent que Sa Majesté, après en avoir communiqué avec la Reine et son Conseil, leur avait fait répondre, en sa présence, par Monsieur le Garde des Sceaux, que quand le Parlement avait donné ses derniers arrêts, il n'avait pas su sans doute que M. le cardinal Mazarin n'avait fait aucune levée de gens de guerre que par les ordres exprès de Sa Majesté ; qu'il lui avait été commandé d'entrer en France et d'y amener ses troupes ; et qu'ainsi le Roi ne trouvait pas mauvais ce que la Compagnie avait fait jusques à ce jour, mais qu'il ne doutait pas aussi que quand elle aurait appris le détail dont il venait de l'informer, et su, de plus, que M. le cardinal Mazarin ne demandait que le moyen de se justifier, elle ne donnât à tous ses peuples l'exemple de l'obéissance qu'ils lui devaient.

Jugez, s'il vous plaît, quelle commotion put faire, dans le Parlement, une réponse si peu conforme aux paroles solennelles que la Reine lui avait réitérées plus de dix fois. M. le duc d'Orléans ne l'apaisa pas, en disant que le Roi lui avait envoyé Ruvigny pour lui faire le même discours, et pour lui ordonner de renvoyer dans leurs garnisons les régiments qui étaient sous son nom. La chaleur fut encore augmentée par les arrêts de Toulouse et de Rouen, donnés contre le Mazarin, dont l'on *affecta la lecture dans ce moment, aussi bien que celle d'une lettre du parlement de Bretagne, qui demandait à celui de Paris union contre les violences de M. le maréchal de La Meilleraye. M. Talon harangua, avec une véhémence qui avait quelque chose de la fureur, contre le Cardinal ; il tonna en faveur du parlement de Rennes contre le maréchal de La Meilleraye ; mais il conclut à des remontrances sur le retour du premier et à des informations contre le désordre des troupes du maréchal d'Hocquincourt. Le feu s'exhala en paroles ; midi sonna, et l'on remit la délibération au lendemain 25. Elle produisit un arrêt conforme à ces conclusions que je viens de vous rapporter, avec une addition toutefois qui y fut mise, particulièrement en vue du maréchal de La Meilleraye, qui était qu'il ne serait procédé, au Parlement, à la réception d'aucun duc, pair, ni maréchal de France, que le Cardinal ne fût hors du royaume.

Le pur hasard fit un incident, dans cette séance, qui fut pris par la plupart des gens pour un grand mystère. M. le maréchal d'Etampes ayant dit, en opinant, sans aucun dessein, que le Parlement devait s'unir avec Monsieur pour chasser l'ennemi commun, quelques conseillers le suivirent dans leur avis sans y entendre aucune *finesse ; et quelques autres le contredirent par ce pur esprit que je vous ai quelquefois dit être opposé à tout ce qui est ou paraît concert dans ces sortes de compagnies. M. le président de Novion, qui était raccommodé intimement avec la cour, prit très habilement cette conjoncture pour la servir ; et jugeant très bien que la personne du maréchal d'Étampes, qui était *domestique de Monsieur, lui donnait lieu de faire croire qu'il y avait de l'*art à ce qui n'avait été, dans la vérité, jeté qu'à l'aventure, il s'éleva, avec M. le président de Mesmes, contre ce mot d'union, comme contre la parole du monde la plus criminelle. Il *exagéra, avec éloquence, l'injure que l'on faisait au Parlement de le croire capable d'une jonction qui produirait infailliblement la guerre civile. La tendresse de cœur pour l'autorité royale saisit tout d'un coup toutes les imaginations ; l'on poussa les voix jusques à la clameur contre la proposition du pauvre maréchal d'Étampes, et l'on la rejeta avec fureur, de la même manière que si elle n'eût pas été avancée, peut-être plus de cinquante fois, depuis six semaines, par trente conseillers ; de la même manière que si le Parlement n'eût pas remercié Monsieur, dans toutes ses séances, des obstacles qu'il apportait au retour du Cardinal ; et enfin de la même manière que si les gens du Roi même n'eussent pas conclu, en deux ou trois rencontres différentes, à le prier de faire marcher ses troupes pour cet effet. Il faut revenir à ce que je vous ai déjà dit quelquefois, que rien n'est plus peuple que les compagnies [1].

M. le duc d'Orléans, qui était présent à cette scène, en fut atterré ; et ce fut ce qui le détermina à joindre ses troupes à celles de Monsieur le Prince. Il y avait longtemps qu'il les lui faisait espérer, et parce qu'il n'avait pas la force de les lui refuser, et parce qu'il en était pressé au dernier point par M. de Beaufort, qui y avait un intérêt personnel, en ce qu'il les devait commander ; mais il m'avoua, le soir du jour dans lequel ce ridicule acte se joua, qu'il avait eu bien de la peine à s'y résoudre ; mais qu'il confessait que puisqu'il n'y avait rien à espérer du Parlement, qu'il se perdrait lui-même et qu'il perdrait aussi tous ceux qui étaient embarqués avec lui ; qu'il ne fallait pas laisser périr Monsieur le Prince ; et peu s'en fallut qu'il ne me proposât de me raccommoder même avec lui. Il n'en vint toutefois pas jusque-là, soit qu'il fît réflexion sur mes engagements, qui ne lui étaient pas inconnus, soit, et c'est ce qui m'en parut, que la peur qu'il avait de se mettre dans la dépendance de Monsieur le Prince fût plus forte dans son esprit que celle qu'il venait de prendre de ce *contretemps du Parlement. Vous verrez la suite de toutes ces dispositions, après que je vous aurai rendu compte de ce qui se passa à la cour en ce temps-là.

Je vous ai déjà dit, ce me semble, que M. de Châteauneuf avait, à la fin, pris le parti de s'expliquer clairement avec la Reine contre le rétablissement du Cardinal, ce qu'il fit, à mon opinion, sans aucune espérance de réussir, et dans la seule vue de tirer mérite dans le public de la retraite, qu'il voyait inévitable et qu'il était bien aise de faire croire, au moins au peuple, être la suite et l'effet de la liberté avec laquelle il avait dissuadé le rappel du ministre. Il demanda son congé, il l'obtint.

M. le cardinal Mazarin arriva à la cour, où il fut reçu comme vous pouvez vous l'imaginer. Il y trouva M. Le Tellier, que MM. de Châteauneuf et de Villeroy y avaient déjà fait revenir pour je ne sais quelle fin, dont l'on faisait un mystère en ce temps-là, et le détail de laquelle je ne me puis remettre. Il détermina le Roi à prendre le chemin de Saumur, quoique beaucoup de gens lui conseillassent de marcher en Guyenne pour achever de *pousser Monsieur le

Prince. Il crut qu'il était plus à propos d'opprimer d'abord
M. de Rohan, qui, étant gouverneur d'Angers, s'était déclaré,
avec la ville et le château, pour les princes. Angers, assiégé
par MM. de La Meilleraye et d'Hocquincourt, ne tint que
fort peu et ne coûta que peu de monde. Le Pont-de-Cé, où
Beauvau commandait pour les princes, fut pris d'*abord et
presque sans résistance par MM. de Navailles et de Broglio.
Le Roi partit de Saumur et il alla à Tours, où M. l'archevêque
de Rouen jeta les premiers fondements de sa faveur, par les
plaintes qu'il porta au Roi, au nom des évêques qui se
trouvèrent à la cour, contre les arrêts qui avaient été rendus
au Parlement contre M. le cardinal Mazarin. Leurs Majestés
se rendirent ensuite à Blois, où M. Servien les rejoignit. Le
maréchal d'Hocquincourt s'en approcha avec l'armée, qui
faisait des désordres incroyables, faute de paiement [1]. Nous
verrons ses progrès, après que je vous aurai rendu compte
de ce qui se passait cependant à Paris.

Je suis persuadé que je vous ennuierais, si j'entrais dans
le détail de ce qui se traita au Parlement, dans les assemblées
des chambres, depuis le 25 de janvier jusques au 15 de
février. Il n'y en eut, ce me semble, qu'une ou deux, tout
au plus, qui ne furent employées qu'à donner des arrêts
pour le rétablissement des fonds destinés au paiement des
rentes de l'Hôtel de Ville, que la cour, selon sa louable
coutume, retirait aujourd'hui pour mettre la confusion dans
Paris, et remettait le lendemain de peur de l'y mettre trop
grande [2]. Ce qui fut de plus considérable dans le Palais, en
ce temps-là, fut que la Grande Chambre donna arrêt, le 8
de février, à la requête du procureur général, par lequel elle
défendait à qui que ce soit, sans exception, de lever des
troupes sans *commission du Roi. Jugez, je vous supplie,
comme cela se pouvait accorder avec sept ou huit arrêts que
vous avez vus ci-dessus.

Le 15 de février, le Parlement et la Ville reçurent deux
lettres de cachet par lesquelles le Roi leur donnait part et de
la rébellion de M. de Rohan et de la marche des troupes
d'Espagne, que M. de Nemours amenait, et leur en faisait
voir les inconvénients en les exhortant à l'obéissance. Monsieur prit la parole ensuite. Il représenta que M. de Rohan
ne s'était rendu maître de la ville et du château d'Angers, que
pour exécuter les arrêts de la Compagnie, qui ordonnaient à

tous les gouverneurs de places de s'opposer aux entreprises du Cardinal ; que Boislève, lieutenant général d'Angers et partisan passionné de ce ministre, en avait une toute formée sur cette place, et qu'ainsi M. de Rohan avait été obligé de le prévenir et de se saisir même de sa personne ; qu'il ne pouvait concevoir comme l'on pouvait concilier ce qui se passait tous les jours au Parlement ; que les chambres assemblées avaient donné sept ou huit arrêts consécutifs, portant injonction aux gouverneurs des provinces et des villes de se déclarer contre le Cardinal, et qu'il n'y avait que deux jours que la Tournelle [1], à la requête de l'évêque d'Avranches, frère de Boislève, avait donné arrêt contre M. le duc de Rohan, qui n'était coupable que d'avoir exécuté ceux des chambres assemblées ; que la Grande Chambre venait d'en donner un par lequel elle défendait de lever des troupes sans *commission du Roi, et qu'il n'y avait rien de plus contraire à la prière que le Parlement en corps avait faite et réitérée plusieurs fois à lui duc d'Orléans, d'employer toutes ses forces pour l'expulsion du Cardinal ; qu'au reste, il se croyait obligé d'avertir la Compagnie que tous les arrêts rendus n'avaient point encore été envoyés ni aux bailliages ni aux parlements, ainsi qu'il avait été ordonné. Il ajouta que M. Damville l'était venu trouver de la part du Roi et qu'il lui avait apporté la carte blanche pour l'obliger à consentir au rétablissement du Cardinal ; mais que rien au monde ne l'y pourrait jamais obliger, non plus qu'à se séparer des sentiments du Parlement, et caetera.

MM. les présidents Le Bailleul et de Novion soutinrent avec fermeté que les arrêts de la Grande Chambre et de la Tournelle, dont Monsieur venait de se plaindre, étaient juridiques, en ce qu'ils étaient rendus par des chambres où le nombre des juges était complet. Cette raison, aussi *impertinente que vous la voyez, vu la matière, satisfit la plupart des vieillards, noyés, ou plutôt *abîmés, dans les formes du Palais. La jeunesse, échauffée par Monsieur, s'éleva et força M. Le Bailleul à mettre la chose en délibération. M. Talon, avocat général, éluda *finement de s'expliquer sur les deux arrêts de la Grande Chambre et de la Tournelle, par la diversion qu'il donna à la Compagnie d'une déclamation, qui lui fut fort agréable, contre l'évêque d'Avranches, odieux et par l'infamie de sa vie et par l'attachement d'esclave qu'il avait au Cardinal. Il s'*égaya, à ce propos, sur la non-résidence des évêques, contre laquelle il fit donner effectivement un arrêt sanglant ; et il conclut à ce qu'il fût fait défense aux maires et échevins des villes, aussi bien qu'aux gouverneurs de places, de livrer passage aux troupes espagnoles conduites par M. de Nemours.

Ce fut en cet endroit où Monsieur exécuta ce que je vous ai dit ci-devant qu'il avait résolu, et même il y renchérit. Il soutint que ces troupes n'étaient point espagnoles ; qu'il les avait prises à sa solde. Ce discours, qui fut assez étendu, consomma du temps ; l'heure sonna et l'assemblée fut remise au lendemain 16.

Il n'y en eut point toutefois, parce que Monsieur envoya, dès le matin, s'excuser sous le prétexte d'une colique. Voici la véritable raison du délai.

Les derniers *contretemps du Parlement l'avaient embarrassé au-dessus de tout ce que je vous en puis exprimer ; et je crois qu'il m'avait dit, cent fois en moins de deux jours : « C'est une chose cruelle que de se trouver en un état où l'on ne peut rien faire qui soit bien. Je n'y avais jamais fait d'attention. Je le sens, je l'éprouve. » Son agitation, qui avait, comme la fièvre, ses accès et ses redoublements, ne fut jamais plus sensible que le jour qu'il commanda, ou plutôt qu'il permit à M. de Beaufort de faire agir ses troupes ; et comme je lui représentais qu'il me semblait qu'après les déclarations qu'il avait tant de fois réitérées dans le Parlement et partout ailleurs contre le Mazarin, le pas de donner du mouvement à ses troupes contre lui n'ajoutait pas tant à la mesure du *dégoût qu'il avait déjà donné à la cour qu'il le dût tant appréhender, il me répondit ces mémorables paroles, sur lesquelles j'ai fait depuis mille et mille réflexions : « Si vous étiez né fils de France, infant d'Espagne, roi de Hongrie ou prince de Galles, vous ne me parleriez pas comme vous faites. Sachez que nous autres princes nous ne comptons les paroles pour rien, mais que nous n'oublions jamais les actions. La Reine ne se ressouviendrait pas demain à midi de toutes mes déclamations contre le Cardinal, si je le voulais souffrir demain au matin. Si mes troupes tirent un coup de mousquet, elle ne me le pardonnera pas, quoi que je puisse faire, d'ici à deux mille ans. »

La conclusion générale que je tirai de ce discours fut que Monsieur était persuadé que tous les princes du monde, sur de certains chapitres, étaient faits les uns comme les autres ; et la particulière, qu'il n'était pas si animé contre le Cardinal, qu'il ne pensât à ne pas rendre la réconciliation impossible en cas de nécessité. Il m'en parut toutefois, un quart d'heure après cet apophtegme, plus éloigné que jamais : car M. Damville étant entré dans le cabinet des livres, où j'étais seul avec Monsieur, et l'ayant extrêmement pressé, au nom et de la part de la Reine, de lui promettre de ne point joindre ses troupes à celles de M. de Nemours qui s'avançaient, Monsieur demeura inflexible dans sa résolution, et il parla même, sur ce sujet, avec un fort grand sens et avec tous les sentiments qu'un fils de France, qui se trouve forcé par les conjonctures à une action de cette nature, peut et doit conserver dans ce malheur. Voici le précis de ce qu'il dit :

Qu'il n'ignorait pas que le personnage qu'il soutenait, en cette occasion, ne fût le plus fâcheux du monde, vu qu'il ne lui pouvait jamais rien apporter, et qu'il lui ôtait, par avance, et le repos et la satisfaction ; qu'il était assez connu pour ne laisser aucun soupçon que ce qu'il faisait fût l'effet de l'ambition ; que l'on ne le pouvait pas non plus attribuer à la haine, de laquelle l'on savait qu'il n'avait jamais été capable contre personne ; que rien ne l'y avait porté que la nécessité où il s'était trouvé de ne pas laisser périr l'État entre les mains d'un ministre incapable et abhorré du genre humain ; qu'il l'avait soutenu, dans la première guerre de Paris[1], contre le mouvement de sa conscience, par la seule considération de la Reine ; qu'il l'avait défendu, quoique avec le même scrupule, mais par la même raison, dans tout le cours des mouvements de Guyenne ; que la conduite déplorable qu'il y tint, un temps, et l'usage qu'il voulut faire, dans l'autre, des avantages que celle de lui Monsieur lui avait procurés, l'usage, dis-je, qu'il en voulut faire contre lui-même, l'avaient forcé de penser à sa sûreté ; et qu'il avouait, quoique à sa confusion, que Dieu s'était servi de ce motif pour l'obliger à prendre le parti que son devoir lui dictait depuis si longtemps ; qu'il n'avait point pris ce parti comme un factieux qui se cantonne dans un coin du royaume et qui y appelle les étrangers ; qu'il ne s'était uni qu'avec les parlements, qui ont, sans comparaison, plus d'intérêt que personne à la conservation de l'État ; que Dieu avait béni ses intentions, particulièrement en ce qu'il avait permis que l'on se défît de ce malheureux ministre, sans y employer le feu et le sang ; que le Roi avait accordé aux vœux et aux larmes de ses peuples cette justice, encore plus nécessaire pour son service que pour la satisfaction de ses sujets ; que tous les corps du royaume, sans en excepter aucun, en avaient témoigné leur joie par des arrêts, par des remerciements, par des feux et des réjouissances publiques ; que l'on était sur le point de voir l'union rétablie dans la maison royale, qui aurait réparé, en moins de rien, les pertes que les avantages que les ennemis avaient tirés de sa division y avaient causées ; que le mauvais démon de la France[1] venait de susciter ce scélérat pour remettre partout la confusion ; qu'elle était la plus dangereuse de toutes les possibles, parce que ceux mêmes qui avaient l'intention du monde la plus épurée de tout intérêt étaient ceux qui y pouvaient le moins remédier ; que dans la plupart des désordres qui étaient arrivés jusque-là dans l'État, l'on en avait pu espérer la fin, par la satisfaction que l'on pouvait toujours essayer de donner à ceux qui les avaient causés par leur ambition ; et qu'ainsi ce qui, presque toujours, avait fait le mal en avait été, au moins pour le plus souvent, le remède ; que ce grand symptôme n'était pas de la même nature ; qu'il était arrivé par une commotion universelle de tout le corps ; que les membres étaient dans l'impuissance de s'aider, en leur particulier, pour leur soulagement, parce qu'il n'y avait plus de remède que de pousser au dehors le venin qui avait infecté tout le corps ; que les parlements y étaient si engagés que, quand lui Monsieur d'Orléans et Monsieur le Prince s'en relâcheraient, ils ne les pourraient pas ramener ; et que lui Monsieur d'Orléans et Monsieur le Prince y étaient si obligés par leur propre sûreté, qu'ils se déclareraient contre les parlements si ils étaient capables de changer.

« Me conseilleriez-vous, Brion, disait Monsieur (il appelait le plus souvent ainsi M. le duc Damville, du nom qu'il portait quand il était son premier écuyer), me conseilleriez-vous de me fier aux paroles du Mazarin, après ce qui s'est passé ? Le conseilleriez-vous à Monsieur le Prince ? Et supposé que nous ne nous y puissions fier, croyez-vous que la Reine

doive balancer à nous donner la satisfaction que toute la
France, ou plutôt que toute l'Europe lui demande avec
nous ? Nul ne sent plus que moi le déplorable état où je
vois le royaume, et je ne puis regarder, sans frémissement,
les étendards d'Espagne, quand je fais réflexion qu'ils sont
sur le point de se joindre à ceux de Languedoc et de Valois,
mais le cas qui me force n'est-il pas de ceux qui ont fait
dire, et qui ont fait dire avec justice, que nécessité n'a point
de loi ? Et me puis-je défendre d'une conduite qui est
l'unique qui me puisse défendre, moi et tous mes amis, de
la colère de la Reine et de la vengeance de son ministre ? Il
a toute l'autorité royale en main ; il est maître de toutes les
places ; il dispose de toutes les vieilles troupes ; il *pousse
Monsieur le Prince dans un coin du royaume ; il menace le
Parlement et la capitale ; il recherche lui-même la protection
d'Espagne, et nous savons le détail de ce qu'il a promis, en
passant dans le pays de Liége, à don Antonio Pimentel •.
Que puis-je faire en cet état, ou plutôt que ne dois-je point
faire, si je ne veux me déshonorer et passer pour le dernier,
je ne dis pas des princes, mais des hommes ? Quand j'aurai
laissé opprimer Monsieur le Prince, quand j'aurai laissé
subjuguer la Guyenne, quand le Cardinal sera avec une
armée victorieuse aux portes de Paris, dira-t-on : "Le duc
d'Orléans est estimable d'avoir sacrifié sa personne, le
Parlement et la ville à la vengeance du Mazarin, plutôt que
d'avoir employé les armes des ennemis de la couronne" ?
Et ne dira-t-on pas, au contraire : "Le duc d'Orléans est un
lâche et un *innocent, de prendre des scrupules qui ne
conviendraient pas même à un capucin, s'il était aussi
engagé que l'est le duc d'Orléans" ? »

Voilà ce que Monsieur dit à M. Damville, avec ce torrent
d'éloquence qui lui était naturel, toutes les fois qu'il parlait
sans préparation.

• J'ai oublié de vous dire que ce don Antonio Pimentel lui fut envoyé
par Fuensaldagne, sous prétexte de l'escorter, et que le Cardinal lui donna
de grandes espérances d'une paix avantageuse au Roi Catholique. Don
Antonio m'a dit qu'il lui avait parlé en ces propres termes : *Grabugio fa
per voi,* je fais ce grabuge [pour vous]. Payez-moi, en ne faisant pour
Monsieur le Prince que la moitié de ce que vous y pouvez faire, ou dites,
dès à présent, ce que vous voulez pour la paix. La France me traite d'une
manière qui me donne lieu de vous pouvoir servir sans scrupule. *(Note de
Retz.)* [a]

Il n'en fût pas apparemment demeuré là, si l'on ne le fût venu avertir que M. le président de Bellièvre était dans sa chambre. Il sortit du cabinet des livres, et il m'y laissa avec M. Damville, qui m'entreprit, en mon particulier, avec une véhémence très digne du bon sens de la maison de Ventadour, pour me persuader que j'étais obligé, et par la haine que Monsieur le Prince avait pour moi et par les engagements que j'avais pris avec la Reine, d'empêcher que Monsieur ne joignît ses troupes à celles de M. de Nemours. Voici ce que je lui répondis, en propres termes, ou plutôt ce que je lui dictai sur ses tablettes, avec prière de les faire lire à la Reine et à Monsieur le Cardinal :

« J'ai promis de ne me point accommoder avec Monsieur le Prince ; j'ai déclaré que je ne pouvais quitter le service de Monsieur et que je ne pouvais, par conséquent, m'empêcher de le servir en tout ce qu'il ferait pour s'opposer au rétablissement de M. le cardinal Mazarin. Voilà ce que j'ai dit à la Reine devant Monsieur ; voilà ce que j'ai dit à Monsieur devant la Reine, et voilà ce que je tiens fidèlement. Le comte de Fiesque assure tous les jours M. de Brissac que Monsieur le Prince me donnera la carte blanche quand il me plaira : ce que je reçois avec tout le respect que je dois, mais sans y faire aucune réponse. Monsieur me commande de lui dire mon sentiment sur ce qu'il peut faire de mieux, supposé la résolution où il est de ne consentir jamais au retour du Cardinal, et je crois que je suis obligé, en conscience et en honneur, de lui répondre qu'il lui donnera tout l'avantage si il ne forme un corps de troupes assez considérable pour s'opposer aux siennes, et pour faire une diversion de celles avec lesquelles il opprime Monsieur le Prince. Enfin je vous supplie de dire à la Reine que je ne fais que ce je lui ai toujours dit que je ferais, et qu'elle ne peut avoir oublié ce que je lui ai dit tant de fois, qui est qu'il n'y a aucun homme dans le royaume qui soit plus fâché que moi que les choses y soient dans un état qui fasse qu'un sujet puisse et doive même parler ainsi à sa maîtresse. »

J'expliquai, à ce propos, à M. Damville ce qui s'était passé autrefois sur cela, dans les conversations que j'avais eues avec la Reine. Il en fut touché, parce qu'il était, dans la vérité, bien intentionné et passionné pour la personne du Roi ; et il s'affecta si fort, particulièrement de l'effort que

je lui dis que j'avais fait pour faire connaître à la Reine
qu'il ne tenait qu'à elle de se rendre maîtresse absolue de
tous nos intérêts, et des miens encore plus que de ceux des
autres, qu'il s'ouvrit, bien plus qu'il n'avait fait, de tendresse
pour moi, et qu'il me dit : « Ce misérable », en parlant du
Cardinal, « va tout perdre ; songez à vous, car il ne pense
qu'à vous empêcher d'être cardinal. Je ne vous en puis pas
dire davantage. » Vous verrez, dans peu, que j'en savais plus
sur ce chef que celui qui m'en avertissait.

Comme nous étions sur ce discours, Monsieur rentra dans
le cabinet des livres, en s'appuyant sur M. le président de
Bellièvre. Il dit à M. Damville qu'il allât chez Madame, qui
l'avait envoyé chercher. Il s'assit, et il me dit : « Je viens de
raconter à Monsieur le Président ce que j'ai dit devant vous
à M. Damville ; mais il faut que je vous dise, à tous deux,
ce dont je n'ai eu garde de m'ouvrir devant lui. Je suis
cruellement embarrassé, car je vois que ce que je lui ai
soutenu être nécessaire, et ce qui l'est en effet, ne laisse pas
d'être très mauvais : ce qui, je crois, n'est jamais arrivé en
aucune affaire du monde qu'en celle-ci. J'y ai fait réflexion
toute la nuit ; j'ai rappelé dans ma mémoire toute l'intrigue
de la Ligue, toute la faction des huguenots, tous les
mouvements du prince d'Orange [1], et je n'y ai rien trouvé
de si difficile que ce que je rencontre à toutes les heures, ou
plutôt à tous les moments, devant moi. » Il ramassa et il
*exagéra, en cet endroit, tout ce que vous avez vu jusques
ici répandu dans cet ouvrage sur cette matière, et je lui
répondis, aussi en cet endroit, tout ce que vous y avez pu
remarquer de mes pensées. Comme il est impossible de fixer
une conversation dont le sujet est l'incertitude même, il se
répondait au lieu de me répondre ; et ce qui arrive toujours,
en ce cas, est que celui qui se répond ne s'en aperçoit
jamais, et ainsi l'on ne finit point. Je suppliai Monsieur,
par cette raison, de me permettre que je misse par écrit mes
sentiments sur l'état des choses ; et je lui dis qu'il ne fallait
pour cela qu'une heure. Je n'étais pas fâché, pour vous dire
le vrai, de trouver lieu, à tout événement, de lui faire
confirmer par M. de Bellièvre ce que je lui avais avancé dans
les occasions. Il me prit au mot ; il passa dans la galerie, où
il y avait une infinité de gens, et j'écrivis sur la table du

cabinet des livres ce que vous allez voir, dont j'ai encore l'original.

« Je crois qu'il ne s'agit pas présentement de discuter ce que Son Altesse Royale a pu ou *dû faire, jusques ici ; et je suis même persuadé qu'il y a inconvénient, dans les grandes affaires, à rebattre le passé (c'était un des plus grands défauts de Monsieur), si ce n'est pour mémoire, et simplement autant qu'il peut avoir rapport à l'avenir. Monsieur n'a que quatre partis à prendre : ou à s'accommoder avec la Reine, c'est-à-dire avec M. le cardinal Mazarin ; ou à s'unir intimement avec Monsieur le Prince ; ou à faire un tiers parti dans le royaume ; ou à demeurer en l'état où il est aujourd'hui, c'est-à-dire à tenir un peu de tous les côtés : avec la Reine, en demeurant uni avec le Parlement, qui, en frondant le Cardinal, ne laisse pas de garder des mesures, à l'égard de l'autorité royale, qui rompent, deux fois par jour, celles de Monsieur le Prince ; avec Monsieur le Prince, en joignant ses troupes à celles de M. de Nemours ; avec le Parlement, en parlant contre le Mazarin et en ne se servant pas toutefois de l'autorité que [lui donnent][a] sa naissance et l'amour que le peuple de Paris a pour lui, pour pousser cette Compagnie plus loin qu'elle ne veut aller.

« De ces quatre partis, le premier, qui est celui de se raccommoder avec le Cardinal, a toujours été exclu de toutes les délibérations par Son Altesse Royale, parce qu'elle a supposé qu'il n'était ni de sa dignité, ni de sa sûreté. Le second, qui est de s'unir absolument et entièrement avec Monsieur le Prince, n'y a pas été reçu non plus parce que Monsieur n'a pas voulu se pouvoir seulement imaginer qu'il eût été capable de se proposer à soi-même (ce sont les termes dont il s'était servi) de se séparer du Parlement et de s'abandonner, par ce moyen, et à la discrétion de Monsieur le Prince et aux retours[1] de M. de La Rochefoucauld. Le troisième parti, qui est celui d'en former un troisième dans le royaume, a été rejeté par Son Altesse Royale, et parce qu'il peut avoir des suites trop dangereuses pour l'État, et parce qu'il ne pourrait réussir qu'en forçant le Parlement à prendre une conduite contraire à ses manières et à ses formes, ce qui est impossible que par des moyens qui sont encore plus contraires à l'inclination et aux maximes de Monsieur.

« Le quatrième parti, qui est celui que Son Altesse Royale

suit présentement, est celui-là même qui lui cause les peines
et les inquiétudes où elle est, parce qu'en tenant quelque
chose de tous les autres, il a presque tous les inconvénients
de chacun et n'a, à proprement parler, les avantages d'aucun.
Pour obéir à Monsieur, je vas *déduire mes sentiments sur
tous les quatre. Quoique je pusse trouver, en mon particulier,
mes avantages dans le raccommodement avec Monsieur le
Cardinal, et quoique, d'autre part, je sois si fort déclaré
contre lui que mes avis, sur tout ce qui le regarde, puissent
et doivent même être suspects, je ne balance pas à dire à
Son Altesse Royale qu'elle ne peut, sans se déshonorer,
prendre de *tempérament sur cet article, vu la disposition
de tous les parlements, de toutes les villes et de tous les
peuples, et qu'elle le peut encore moins avec sûreté, vu la
disposition des choses, celle de Monsieur le Prince, et caetera.
Les raisons de ce sentiment sautent aux yeux, et je ne les
touche qu'en passant. Je supplie Monsieur de ne me point
commander de m'expliquer sur le second parti, qui est celui
de s'unir entièrement avec Monsieur le Prince, pour deux
raisons, dont la première est que les engagements que j'ai
pris, en mon particulier et même par son consentement,
avec la Reine, sur ce point, lui devraient donner lieu de
croire que mes avis y pourraient être intéressés ; et la seconde
est que je suis convaincu que si il s'était résolu à se séparer
du Parlement, ce qui écherrait[1] à délibérer ne serait pas si il
faudrait s'unir à Monsieur le Prince, mais ce qu'il faudrait
que Monsieur fît pour se tenir Monsieur le Prince soumis à
lui-même ; et cette soumission de Monsieur le Prince à Son
Altesse Royale est une des principales raisons qui m'avait
obligé de lui proposer le tiers parti, sur lequel il faut que je
m'explique un peu plus au long, parce qu'il est comme
nécessaire de le traiter conjointement avec le quatrième, qui
est celui de prendre quelque chose de tous les quatre.

« Monsieur le Prince a fait des pas vers l'Espagne, qui ne
se peuvent jamais accorder que par miracle avec la pratique
du Parlement ; et lui ou ceux de son parti en font
journellement vers la cour, qui s'accordent encore moins
avec la constitution présente de ce corps. Monsieur est
inébranlable dans la résolution de ne se point séparer de ce
corps : ce qu'il serait obligé de faire, si il s'unissait de tout
point avec un prince qui, d'un côté par ses négociations, ou

au moins par celles de ses serviteurs, avec le Mazarin, donne des défiances continuelles à cette compagnie, et qui l'oblige en même temps, une fois ou deux par jour, par sa jonction publique avec l'Espagne, à se déclarer ouvertement contre lui. Il se trouve que Monsieur, dans le même instant qu'il ne peut s'unir avec Monsieur le Prince, par la considération que je viens de dire, il se trouve, dis-je, qu'il est obligé d'empêcher que Monsieur le Prince périsse parce que sa ruine donnerait trop de force au Cardinal. Cela supposé, il ne reste plus de choix qu'entre le tiers parti et celui que Son Altesse Royale suit aujourd'hui. Il est donc à propos, devant que d'entrer dans le détail et dans l'explication du tiers parti, d'examiner les inconvénients et les avantages de ce dernier[1].

« Le premier avantage que je remarque est qu'il a l'air de sagesse, ce qui est toujours bon, parce que la prudence est celle de toutes les vertus sur laquelle le commun des hommes distingue moins justement l'essentiel de l'apparent. Le second est que, comme il n'est pas décisif, il laisse ou il paraît toujours laisser Son Altesse Royale dans la liberté du choix, et par conséquent dans la faculté de prendre ce qui lui pourra convenir dans le chapitre des accidents. Le troisième avantage de cette conduite est que, tant que Monsieur la suivra, il ne renoncera pas à la qualité de médiateur, que sa naissance lui donne naturellement, et laquelle toute seule lui peut donner lieu en un moment, pourvu qu'il soit bien pris, de revenir avec bienséance et même avec fruit de tous les pas désagréables à la cour qu'il a faits jusques ici et qu'il sera peut-être obligé de faire à l'avenir. Voilà, à mon sens, les trois sortes d'utilités qui se peuvent remarquer dans la conduite que Monsieur a prise. Pesons-en les inconvénients : ils se présentent en foule, et ma plume aurait peine à les démêler. Je ne m'arrête qu'au capital, parce qu'il embrasse tous les autres.

« Son Altesse Royale offense tous les partis en donnant de la force à l'unique avec lequel il ne veut point de réconciliation, assez apparemment pour abattre le sien propre aussi bien que les autres, et trop même certainement pour obliger celui de Monsieur le Prince à s'accommoder avec la cour ; et cela justement dans le même moment qu'il lui en donne un prétexte très *spécieux, puisqu'il assiste tous les jours

aux délibérations d'une compagnie qui condamne ses armes
et qui enregistre, sans y balancer, les déclarations contre lui.
Monsieur voit et sent plus que personne l'importance de cet
inconvénient ; mais il croit, au moins en des instants, que
la garantie du Parlement et de Paris l'en peut défendre en
tout cas : ce que j'ai toujours pris la liberté de lui contester
avec tout le respect que je lui dois, parce qu'il ne se peut
que le Parlement, en continuant à se contenir dans ses
formes, ne tombe à rien dans la suite d'une guerre civile, et
que la ville, que Monsieur laisse dans le cours ordinaire de
sa soumission au Parlement, ne coure sa fortune, parce
qu'elle suivra sa conduite. C'est proprement cette conduite
qui, en dépit de toute la France et même de toute l'Europe,
rétablira le Cardinal par les mêmes moyens par lesquels elle
l'a déjà ramené dans le royaume. Il le vient de traverser
avec quatre ou cinq mille aventuriers, quoique Monsieur ait
un nombre de troupes considérable, pour le moins aussi
bonnes et aussi aguerries que celles qui ont conduit ce
ministre à Poitiers ; quoique la plupart des parlements soient
déclarés contre lui, quoiqu'il n'y ait presque pas une grande
ville dans l'État de laquelle la cour se puisse assurer, quoique
tous les peuples soient enragés contre le Mazarin. Ceci paraît
un prodige, il n'est rien moins ; car qu'y a-t-il de plus
naturel, quand l'on fait réflexion que ce Parlement n'agissant
que par des arrêts qui, en défendant les levées et le
*divertissement des deniers du Roi, favorisent beaucoup plus
le Cardinal qu'ils ne lui font de mal en le déclarant criminel ;
quand l'on pense que ces villes, dont le *branle naturel est
de suivre celui du Parlement, font justement comme lui, et
quand l'on songe que ces gens de guerre n'ont de mouvement
que par des ressorts qui, par la considération des égards que
Son Altesse Royale observe vers le Parlement, ont une infinité
de rapports nécessaires avec un corps dont la pratique
journalière est de condamner ce mouvement ? Il paraît aux
étrangers que Monsieur conduit le Parlement, parce que
cette compagnie déclame, comme lui, contre le Cardinal.
Dans le vrai, le Parlement conduit Monsieur, parce qu'il fait
que Monsieur ne se sert que très *médiocrement des moyens
qu'il a en main pour nuire au Cardinal. L'appréhension de
déplaire à ce corps est l'un des motifs qui l'ont empêché de

faire agir ses troupes, et de travailler aussi fortement qu'il le pouvait à en faire de nouvelles.

« La même politique voudra qu'il compense la jonction qu'il va faire de ses régiments avec l'armée de M. de Nemours par la complaisance et même l'approbation qu'il donnera, par sa présence, à toutes les délibérations que l'on fera, même avec fureur, contre leur marche. Ainsi il offensera la Reine, il outrera le Cardinal, il ne satisfera pas Monsieur le Prince, il ne contentera pas les Frondeurs. Il sera agité par toutes ces vues, encore plus qu'il ne l'a été jusques ici, parce que les objets qui les lui donnent se grossiront à tous les instants, et la *catastrophe de la pièce sera le retour d'un homme dont la ruine est crue si facile que le rétablissement n'en peut être que très honteux. J'ai pris la liberté de proposer à Son Altesse Royale un remède à ces inconvénients, et je l'expliquerai encore en ce lieu, pour ne manquer à rien de ce qu'elle m'a commandé de lui *déduire.

« Elle m'a fait l'honneur de me dire, plusieurs fois, que l'obstacle le plus grand qu'elle trouve à se résoudre à un parti décisif, qu'elle avoue être nécessaire si il est possible, est qu'elle ne le peut faire par elle-même sans se brouiller avec le Parlement, parce que le Parlement n'en peut jamais prendre un de cette nature par la raison de l'attachement qu'il a à ses formes, et qu'elle le peut encore moins du côté de Monsieur le Prince, et par cette même considération et par celle de la juste défiance qu'elle a des différentes cabales, qui ne partagent pas seulement, mais qui divisent son parti. Ces deux vues sont assurément très sages et très judicieuses, et ce sont celles qui m'avaient obligé de proposer à Monsieur un moyen qui me paraissait presque sûr pour remédier aux deux inconvénients que l'on ne peut nier être très considérables et très dangereux.

« Ce moyen était que Monsieur formât un tiers parti, composé des parlements et des grandes villes du royaume, indépendant et même séparé, par profession publique, des étrangers et de Monsieur le Prince même, sous le prétexte de son union avec eux. L'expédient qui me paraissait propre à rendre ce moyen possible était que Monsieur s'expliquât, dans les chambres assemblées, clairement et nettement de ses intentions, en disant à la Compagnie que la considération qu'il avait eue jusques ici pour elle l'avait obligé à agir contre ses vues, contre sa sûreté, contre sa gloire ; qu'il louait son intention, mais qu'il la priait de considérer que la conduite ambiguë qu'elle produisait anéantirait celle à laquelle tout le royaume conspirait contre le cardinal Mazarin ; que ce ministre, qui était l'objet de l'horreur de tous les peuples, triomphait de leur haine avec quatre ou cinq mille hommes, qui l'avaient conduit en triomphe à la cour, parce que le Parlement donnait tous les jours des arrêts en sa faveur, au moment même qu'il déclamait avec le plus d'aigreur contre lui ; que lui Monsieur était demeuré, par la complaisance qu'il avait pour ce corps, dans des ménagements qui avaient en leur manière contribué au même effet ; que, le mal augmentant, il ne pouvait plus s'empêcher d'y chercher des remèdes ; qu'il n'en manquait pas, mais qu'il était bien aise de les concerter avec la Compagnie, qui devait aussi, de son côté, prendre une bonne résolution et se fixer, pour une bonne fois, aux moyens efficaces de chasser le Mazarin, puisqu'elle avait jugé tant de fois que son expulsion était de la nécessité du service du Roi ; que l'unique moyen pour y parvenir était de bien faire la guerre, et que, pour la bien faire, il la fallait faire sans scrupule ; que le seul qu'il prétendait dorénavant d'y conserver était celui qui regardait les ennemis de l'État, avec lesquels il déclarait qu'il ne voulait ni union ni même commerce ; qu'il ne prétendait pas que l'on lui eût grande obligation de ce sentiment, parce qu'il sentait ses forces et qu'il connaissait qu'il n'avait aucun besoin de leur secours ; que par cette considération, et encore plus par celle du mal que la liaison avec les étrangers peut toujours faire à la couronne, il n'approuvait ni ne concourait à rien de ce que Monsieur le Prince avait fait à cet égard ; mais qu'à la réserve de cet article, il était résolu de ne plus garder de mesures et de faire comme lui, de lever des hommes et de l'argent, de se rendre maître des bureaux[1], de se saisir des deniers du Roi et de traiter comme ennemis ceux qui s'y opposeraient, en quelques formes et manière que ce pût être. Je croyais que Son Altesse Royale pouvait ajouter que la Compagnie n'ignorait pas que, le peuple de Paris étant aussi bien intentionné pour lui qu'il l'était, il lui était plus aisé d'exécuter ce qu'il lui proposait que de le dire ; mais que la considération qu'il avait pour elle faisait qu'il voulait

bien lui donner part de sa résolution devant que de la porter
à l'Hôtel de Ville, où il était résolu de la déclarer dès l'après-
dînée, et d'y délivrer en même temps ses *commissions.

« Je supplie Monsieur de se ressouvenir que, lorsque je lui
proposai ce parti, je pris la liberté de l'assurer, sur ma tête,
que ce discours, étant accompagné des circonstances que je
lui marquai en même temps, c'est-à-dire d'assemblée de
noblesse, de clergé, de peuple [1], ne recevrait pas un mot de
contradiction. J'allai plus loin, et je me souviens que je lui
dis que le Parlement, qui n'y donnerait, le premier jour,
que par *étonnement, y donnerait le second du meilleur de
son cœur. Les compagnies sont ainsi faites, et je n'en ai vu
aucune dans laquelle trois ou quatre jours d'*habitude ne
fasse recevoir pour naturel ce qu'elles n'ont même commencé
que par contrainte. Je représentai à Monsieur que quand il
aurait mis les affaires en cet état, il ne devrait plus craindre
que le Parlement se séparât de lui ; il ne pourrait plus
appréhender d'être livré à la cour par les négociations des
différentes cabales du parti des princes, puisque ceux qui,
dans le Parlement, étaient dans les intérêts de la cour, en
auraient un trop personnel et trop proche pour laisser
pénétrer leur sentiment, et puisque Monsieur le Prince serait
lui-même si dépendant de Son Altesse Royale, que son
principal soin serait de le ménager ; car il n'y aurait, à mon
opinion, aucun lieu d'appréhender qu'il se fût raccommodé
à la cour, si Monsieur eût pris ce parti, vu l'état des choses,
la force de celui de Monsieur, la déclaration du public et les
mesures secrètes que Son Altesse Royale eût pu garder avec
lui. Elle sait mieux que personne si elle n'est pas maîtresse
absolue du peuple de Paris, et si, quand il lui plaira de
parler décisivement en fils de France, et en fils de France
qui est et qui se sent chef d'un grand parti, il y a un seul
homme dans le Parlement et dans l'Hôtel de Ville qui ose,
je ne dis pas lui résister, mais le contredire. Elle n'aura pas
sans doute oublié que je lui avais proposé, en même temps,
des préalables, pour le dehors, qui n'étaient ni éloignés ni
difficiles : le ralliement du débris des troupes de M. de
Montrose, le licenciement de celles de Neubourg [2], la
déclaration de huit ou dix des plus grandes villes du royaume.
Monsieur n'a pas voulu entendre à ce parti, parce qu'il le
croit d'une suite trop dangereuse pour l'État. Dieu veuille

que celui qu'il a pris ne lui soit pas plus périlleux, et que la
confusion, où apparemment elle le jettera, ne soit plus à
craindre que la commotion dans laquelle il y aurait au moins
un fils de France au gouvernail ! »

J'avais dans Paris trois cents officiers au moins et le vicomte
de Lamet avait ménagé deux mille chevaux du licenciement
de Neubourg. J'étais assuré d'Orléans, de Troyes, de Limoges,
de Marseille, de Senlis et de Toulouse.

Voilà ce que j'écrivis sur la table du cabinet des livres, en
moins de deux heures. Je le lus à Monsieur, en présence de
M. le président de Bellièvre, qui l'approuva et l'appuya avec
bien plus de force que je n'avais jamais fait moi-même. La
contestation s'échauffa, Monsieur soutenant que, sans un
fracas de cette nature (c'est ainsi qu'il l'appela), il empêcherait bien que le Parlement ne se déclarât contre la marche
des troupes de M. de Nemours, qui était ce qu'il appréhendait plus que toutes choses, parce qu'il y allait joindre les
siennes. Vous verrez qu'il ne se trompa pas dans cette vue.
Il est vrai encore que je ne fus pas moins trompé sur un
autre chef ; car je soutins toujours à Monsieur, avec le
président de Bellièvre, qui était de mon avis, qu'il ne serait
pas en son pouvoir d'empêcher que le Parlement ne procédât
à l'exécution de la déclaration contre Monsieur le Prince,
quoiqu'il eût donné arrêt par lequel il s'engageait de ne le
pas faire jusques à ce que le Cardinal fût hors du Royaume ;
car la cour trouva si peu de *jour à cette exécution, du côté
du Parlement, qu'elle n'osa même la lui proposer.

Ces succès contribuèrent beaucoup à la perte de Monsieur ;
car ils l'endormirent et ils ne le sauvèrent pas. J'entrerai
dans la suite de ce détail, après que je vous aurai rendu
compte de ce qui se passa dans cette conversation, touchant
ma promotion au cardinalat, et de cette promotion qui se
fit en effet justement en ce temps-là.

Monsieur, qui était l'homme du monde le plus éloigné
de croire que l'on fût capable de parler sans intérêt, me dit,
dans la chaleur de la *dispute, qu'il ne concevait pas celui
que je pouvais m'imaginer dans un parti qui, en rompant
toute mesure avec la cour, ferait assurément révoquer ma
nomination. Je lui répondis que j'étais, à l'heure qu'il était,
cardinal, ou que je ne le serais de longtemps ; mais que je
le suppliais d'être persuadé que, quand ma promotion

dépendrait de ce moment, je ne changerais en rien mes sentiments, parce que je les lui disais pour son service et nullement pour mes intérêts. « Et vous n'avez, Monsieur, ajoutai-je, pour vous bien persuader de cette vérité, qu'à vous ressouvenir, s'il vous plaît, que le propre jour qu'elle [1] m'a nommé, je lui ai déclaré à elle-même que je ne quitterai jamais votre service. Je crois que je lui tiens aujourd'hui fidèlement ma parole en vous donnant le conseil que je crois le plus conforme à votre gloire ; et pour vous le faire voir, je supplie très humblement Votre Altesse Royale de lui envoyer le mémoire que je viens d'écrire. »

Monsieur eut honte de ce qu'il m'avait dit. Il me fit mille *honnêtetés. Il jeta le mémoire dans le feu, et il sortit du cabinet tout aussi *ahuri, me dit à l'oreille le président de Bellièvre, qu'il y était entré.

Je vous viens de dire que j'avais répondu à Monsieur que j'étais cardinal à l'heure où je lui parlais, ou que je ne le serais de longtemps. Je ne m'étais trompé que de peu, car je le fus effectivement cinq ou six jours après. J'en reçus la nouvelle le dernier de ce mois de février, par un courrier que le grand-duc me dépêcha [2].

Je vous dirai comme la chose se passa à Rome, après [a] que je vous aurai fait des excuses de vous avoir sans doute autant ennuyée que j'ai fait, et par la longueur de ce dernier mémoire, et par celle du discours de Monsieur à M. Damville, qui sont remplis de mille circonstances que vous aurez déjà trouvées comme semées dans les différents endroits de cet ouvrage. Mais comme la plupart de ces circonstances sont celles qui ont formé ce corps monstrueux et presque incompréhensible, même dans le genre du merveilleux historique, dans lequel il semble que tous les membres n'aient pu avoir aucuns mouvements qui leur fussent naturels, et même qui ne fussent contraires les uns aux [autres], j'ai cru qu'il était même heureux de rencontrer, dans le cours de la narration, une matière qui m'obligeât de les ramasser toutes ensemble, afin que vous puissiez, avec plus de facilité, découvrir, d'un coup d'œil, ce qui, n'étant que répandu dans les lieux différents, offusque la vérité de l'histoire par des contradictions, que rien ne peut jamais bien démêler que l'assemblage des raisonnements et des faits [3]. Je reviens à ma promotion.

Vous avez vu, dans le second volume de cette histoire, que j'avais envoyé à Rome l'abbé Charrier[1], qui trouva la face de cette cour tout à fait changée, par la retraite plutôt que par la disgrâce de la signora Olimpia, belle-sœur du Pape. Innocent s'était laissé toucher à des manières de réprimandes que l'Empereur, à l'instigation des jésuites, lui avait fait faire par son nonce de Vienne. Il ne voyait plus la signora ; et il soulageait le cruel ennui que l'on a toujours cru qu'il en avait par des conversations assez fréquentes avec Mme la princesse de Rossane, femme de son neveu, qui, quoique très spirituelle, n'approchait pas du *génie de la signora, mais qui, en *récompense, était beaucoup plus jeune et beaucoup plus belle. Elle s'acquit effectivement du pouvoir sur son esprit, et au point que la signora Olimpia en eut une cruelle jalousie, qui, en donnant encore de nouvelles lumières à son esprit, déjà extrêmement éclairé et habile par lui-même, lui fit enfin trouver le moyen de ruiner sa belle-fille auprès du Pape, et de rentrer dans sa première faveur. Ma nomination tomba justement dans le temps où celle de Mme la princesse de Rossane était la plus forte ; et il parut, en cette occasion, que la fortune voulût réparer la perte que j'avais faite en la personne de Pancirolle : c'est le seul endroit de ma vie où je l'ai trouvée favorable. Je vous ai dit ailleurs les raisons pour lesquelles j'avais lieu de croire que Mme la princesse de Rossane me le pourrait être, et sans comparaison davantage que la signora Olimpia, qui ne faisait rien qu'à force d'argent[2], et vous croyez aisément qu'il n'eût pas été aisé de me résoudre à en donner pour un chapeau[3].

L'abbé Charrier trouva à Rome tout ce que j'y avais espéré de Mme de Rossane, et le premier avis qu'elle lui donna fut de se défier au dernier point de l'ambassadeur, qui joignait aux ordres secrets que la cour lui avait donnés contre moi, la passion effrénée qu'il avait lui-même pour la pourpre. L'abbé Charrier profita très habilement de cet avis, car il joua toujours l'ambassadeur en lui témoignant une confiance abandonnée, et en lui faisant voir, en même temps, la promotion très éloignée. La haine que le Pape avait conservée depuis longtemps pour la personne de M. le cardinal Mazarin, contribua à ce jeu, et l'intérêt de monsignor Ghisi, secrétaire d'État, qui a été depuis le pape Alexandre VII, y concourut aussi avec beaucoup d'effet. Il était assuré du chapeau pour la première promotion, et il n'oublia rien de ce qui la pouvait avancer. Monsignor Azzolini, qui était secrétaire des brefs et qui avait été attaché à Pancirolle, avait hérité de son mépris pour le Cardinal et de sa bonne volonté pour moi. Ainsi M. le bailli de Valençay fut *amusé ; et il ne fut même averti de la promotion qu'après qu'elle fut faite. Le pape Innocent m'a dit qu'il savait, de science certaine, qu'il avait dans sa poche la lettre du Roi pour la révocation de ma nomination, avec ordre toutefois de ne la pas rendre que dans la dernière nécessité et à l'entrée du consistoire où les cardinaux seraient déclarés ; et l'abbé Charrier m'avait dépêché deux courriers pour me donner le même avis[1]. Ce qui est *constant est ce que j'ai su depuis par Champfleury, capitaine des gardes de Monsieur le Cardinal, qu'aussitôt qu'il eut reçu la nouvelle de ma promotion, qu'il apprit à Saumur, il lui commanda, à lui Champfleury, d'aller chez la Reine en diligence, et de la conjurer de sa part de se contraindre et d'en faire paraître de la joie.

Je ne puis m'empêcher, en cet endroit, de rendre honneur à la vérité, et de faire justice à mon imprudence, qui faillit à me faire perdre le chapeau. Je m'imaginai, et très mal à propos, qu'il n'était pas de la dignité du poste où j'étais de l'attendre, et que ce petit délai de trois ou quatre mois que Rome fut obligée de prendre, pour régler une promotion de seize sujets, n'était pas conforme aux paroles qu'elle m'avait données, ni aux *recherches qu'elle m'avait faites. Je me fâchai, et j'écrivis une lettre *ostensive à l'abbé Charrier, sur un ton qui n'était assurément ni du bon sens, ni de la bienséance. C'est la pièce la plus passable, pour le style, de toutes celles que j'aie jamais faites ; je l'ai cherchée pour l'insérer ici, et je ne l'ai pu retrouver[2]. La sagesse de l'abbé Charrier, qui la supprima à Rome, fit qu'elle me donna de l'honneur par l'événement, parce que tout ce qui est haut et audacieux est toujours justifié, et même consacré par le succès. Il ne m'empêcha pas d'en avoir une véritable honte ; je la conserve encore, et il me semble que je répare, en quelque façon, ma faute en la publiant. Je reprends le fil de ma narration.

J'en étais demeuré, ce me semble au 16 de février de l'année 1652.

Il y eut, le lendemain 17, une assemblée des chambres, dans laquelle vous verrez, à mon avis, plus que suffisamment, comme dans un tableau raccourci, ce qui se passa dans toutes celles qui furent même assez fréquentes depuis ce jour jusques au premier d'avril. Monsieur y prit d'abord la parole pour représenter à la Compagnie que la lettre du Roi, qui y avait été lue le 15 et qui le taxait de donner la main à l'entrée des ennemis dans le royaume, ne pouvait être que l'effet des calomnies dont on le noircissait dans l'esprit de la Reine ; que les gens de guerre que M. de Nemours amenait étaient des Allemands, auxquels l'on ne pouvait pas donner ce nom, et cætera. Voilà ce qui occupa proprement toutes les assemblées dont je vous viens de parler. Le président Le Bailleul qui présidait, les commençant presque toutes par l'*exagération de la nécessité de délibérer sur la lettre de Sa Majesté, les gens du Roi concluant toujours à commander aux communes de courre sus aux troupes de M. de Nemours, et Monsieur ne se lassant point de soutenir qu'elles n'étaient point espagnoles, et qu'après la déclaration qu'il faisait, qu'aussitôt que le Cardinal serait hors du royaume, elles se mettraient à la solde du Roi, il était fort superflu d'opiner sur leur sujet. Cette contestation recommençait presque tous les jours, même à différentes reprises ; et il est vrai, comme je vous le viens de dire, que Monsieur en éluda toujours la délibération. Mais il est vrai aussi que ce faux avantage l'*amusa, et qu'il fut si aise d'avoir ce qu'on lui avait soutenu qu'il n'aurait pas, qu'il ne voulut pas seulement examiner si ce qu'il avait lui suffisait : c'est-à-dire qu'il ne distingua pas assez entre la connivence et la déclaration du Parlement. Le président de Bellièvre lui dit très sagement, douze ou quinze jours après la conversation dont je vous viens de parler, que lorsque l'on a à combattre l'autorité royale, [la première toute seule][a] peut être très pernicieuse par l'événement ; il lui expliqua ce dictum très sensément. Vous en voyez la substance d'un coup d'œil.

Hors la contestation de laquelle je viens de vous rendre compte, dans laquelle il y eut toujours quelque *grain de ce contradictoire que je vous ai tant de fois expliqué, il n'y eut rien dans toutes ces assemblées de chambres qui soit digne, à mon sens, de votre curiosité. L'on lut, en quelques-unes, les réponses que la plupart des parlements de France firent, en ce temps-là, à celui de Paris, toutes conformes à ses intentions, en ce qu'ils lui donnaient part des arrêts qu'ils avaient rendus contre le Cardinal. L'on employa les autres à pourvoir à la conservation des fonds destinés au paiement des rentes de l'Hôtel de Ville et des gages des *officiers. L'on résolut, dans celle du 13 de mars, de faire, sur ce sujet, une assemblée des cours souveraines dans la chambre de Saint-Louis. Je ne me trouvai à aucunes de celles qui furent faites depuis le premier de mars, et parce que le cérémonial romain ne permet pas aux cardinaux de se trouver en aucune cérémonie publique jusques à ce qu'ils aient reçu le bonnet [1], et parce que, cette dignité ne donnant aucun rang au Parlement que lorsque l'on y suit le Roi, la place que je n'y pouvais avoir en son absence que comme coadjuteur, qui est au-dessous de celle des ducs et pairs, ne se fût pas bien accordée avec les prééminences de la pourpre. Je vous confesse que j'eus une joie sensible d'avoir un prétexte et même une raison de ne me plus trouver à ces assemblées, qui, dans la vérité, étaient devenues des *cohues, non pas seulement ennuyeuses, mais insupportables. Je vous ferai voir que, dans la suite, elles n'eurent pas beaucoup plus d'agrément, après que j'aurai touché, le plus légèrement qui me sera possible, un petit détail qui concerne Paris, et quelque chose en général de ce qui regarde la Guyenne.

Vous vous pouvez ressouvenir que je vous ai parlé de M. de Chavigny dans le second volume de cet ouvrage, et que je vous ai dit qu'il se retira en Touraine un peu après que le Roi eût été déclaré majeur [2]. Il ne trouva pas le secret de s'y savoir ennuyer, mais il s'y ennuya beaucoup en *récompense, et au point qu'il revint à Paris aussitôt qu'il en eut un prétexte ; et ce prétexte fut la nécessité, qu'il trouva dans les avis que M. de Gaucourt lui donna, de remédier aux cabales que je faisais auprès de Monsieur, contre les intérêts de Monsieur le Prince. Ce M. de Gaucourt était homme de grande naissance, car il était de la maison de ces puissants et anciens comtes de Clermont en Beauvaisis, si fameux dans nos histoires [3]. Il avait de l'esprit et du savoir-faire ; mais il s'était trop érigé en négociateur, ce qui n'est pas toujours la meilleure qualité pour la négociation. Il était attaché à Monsieur le Prince ; il avait à Paris sa principale *correspondance ; et son principal soin fut, au moins à ce qui m'en parut, de me ruiner dans l'esprit de Monsieur. Comme il n'y trouva pas facilité, il recourut à M. de Chavigny, qui revint à Paris en diligence, ou par cette raison, ou sous ce prétexte. M. de Rohan, qui y arriva dans ce temps-là, très satisfait de la défense d'Angers, quoiqu'elle eût été fort *médiocre, se joignit à eux pour ce même effet. Ils m'attaquèrent en forme, comme *fauteur *couvert du Mazarin ; et cependant que leurs émissaires gagnaient ceux de la lie du peuple qu'ils pouvaient corrompre par argent, ils n'oublièrent rien pour ébranler Monsieur par leurs calomnies, qui étaient appuyées de toute l'intrigue du cabinet, dans laquelle Raray, Beloy et Goulas, partisans de Monsieur le Prince, n'étaient pas ignorants.

J'éprouvai, en ce rencontre, que les plus habiles courtisans peuvent être de fort grosses dupes, quand ils se fondent trop sur leurs conjectures. Celles que ces messieurs tirèrent de ma promotion au cardinalat furent que je n'avais obtenu le chapeau que par le moyen des grands engagements que j'avais pris avec la cour. Ils agirent sur ce principe ; ils me déchirèrent auprès de Monsieur sur ce titre. Comme il en savait la vérité, il s'en moqua. Ils m'établirent dans son esprit au lieu de m'y perdre, parce qu'en fait de calomnie, tout ce qui ne nuit pas sert à celui qui est attaqué ; et vous allez voir le piège que les attaquants se tendirent à eux-mêmes en cette occasion. Je disais un jour à Monsieur que je ne concevais pas comme il ne se lassait point de toutes les sottises que l'on lui disait tous les jours contre moi, sur le même ton, et il me répondit en ces propres termes : « Ne comptez-vous pour rien le plaisir que l'on a à connaître, tous les matins, la méchanceté des gens couverte du nom de zèle, et, tous les soirs, leur sottise déguisée en pénétration ? » Je dis à Monsieur que je recevais cette parole avec respect, et comme une grande et belle leçon pour tous ceux qui avaient l'honneur d'approcher des grands princes.

Ce que les serviteurs de Monsieur le Prince faisaient contre moi, parmi le peuple, faillit à me coûter plus cher. Ils avaient des criailleurs à gages, qui m'étaient plus incommodes, en ce temps-là, qu'ils ne l'avaient été auparavant, parce qu'ils n'osaient paraître devant la nombreuse suite de gentilshommes et de *livrée qui m'accompagnait. Comme je n'avais pas encore reçu le bonnet, que les cardinaux français ne prennent que de la main du Roi, à qui le camérier du Pape est dépêché pour cet effet, je ne pouvais plus marcher en public qu'*incognito,* selon les règles du cérémonial ; et ainsi, lorsque j'allais à Luxembourg, c'était toujours dans un carrosse gris et sans *livrée, et je montais même dans le cabinet des livres par le petit degré, qui répond dans la galerie, afin d'éviter et le grand escalier et le grand appartement. Un jour que j'y étais avec Monsieur, Bruneau y entra tout effaré, pour m'avertir qu'il y avait lieu [a] dans la cour une assemblée de deux ou trois cents de ces criailleurs, qui disaient que je trahissais Monsieur et qu'ils me tueraient.

Monsieur me parut consterné à cette nouvelle. Je le remarquai, et l'exemple du maréchal de Clermont, assommé entre les bras du Dauphin [1], qui, tout au plus, ne pouvait pas avoir eu plus de peur que j'en voyais à Monsieur, me revenant dans l'esprit, je pris le parti que je crus le plus sûr, quoiqu'il parût le plus hasardeux, parce que je ne doutai point que la moindre apparence que Son Altesse Royale laisserait échapper à sa frayeur ne me fît assassiner ; et parce que je doutai encore moins que l'appréhension de déplaire à ceux qui criaient contre le Mazarin, dont il redoutait le murmure jusques au ridicule, jointe à son naturel, qui craignait tout, ne lui en fît donner beaucoup plus qu'il n'en fallait pour me perdre. Je lui dis que je le suppliais de me laisser faire, et qu'il verrait, dans peu, quel mépris l'on devait faire de ces canailles achetées à prix d'argent. Il m'offrit ses gardes, mais d'une manière à me faire connaître que je lui faisais fort bien ma cour de ne les pas accepter. Je descendis, quoique M. le maréchal d'Etampes se fût jeté à genoux devant moi pour m'en empêcher, je descendis, dis-je, avec MM. de Châteaurenault et d'Hacqueville, qui étaient seuls avec moi, et j'allai droit à ces séditieux, en leur demandant qui était leur chef. Un gueux d'entre eux, qui avait une vieille plume jaune à son chapeau, me répondit insolemment : « C'est moi. » Je me tournai du côté de la rue de Tournon, en disant : « Gardes de la porte, que l'on me pende ce coquin à ces grilles. » Il me fit une profonde révérence ; il me dit qu'il n'avait pas cru manquer au respect qu'il me devait ; qu'il était venu seulement avec ses camarades pour me dire que le bruit courait que je

voulais mener Monsieur à la cour et le raccommoder avec le
Mazarin ; qu'ils ne le croyaient pas ; qu'ils étaient mes
serviteurs et prêts à mourir pour mon service, pourvu que je
leur promisse d'être toujours bon frondeur. Ils m'offrirent
de m'accompagner ; mais je n'avais pas besoin de cette
escorte pour le voyage que j'avais résolu, comme vous l'allez
voir. Il n'était pas au moins fort long, car Mme de La
Vergne, mère de Mme de Lafayette et qui avait épousé en
secondes noces le chevalier de Sévigné, logeait où loge
présentement madame sa fille [1].

   Cette Mme de La Vergne était *honnête femme dans le
fond, mais intéressée au dernier point et plus susceptible de
vanité pour toute sorte d'intrigue, sans exception, que
femme que j'aie jamais connue. Celle dans laquelle je lui
proposai, ce jour-là, de me rendre de bons offices, était
d'une nature à effaroucher d'abord une prude. J'assaisonnai
mon discours de tant de protestations de bonne intention et
d'*honnêteté, qu'il ne fut pas rebuté ; mais aussi ne fut-il
reçu que sous les promesses solennelles que je fis de ne
prétendre jamais qu'elle étendît les offices que je lui
demandais au-delà de ceux que l'on peut rendre en conscience, pour procurer une bonne, chaste, pure, simple et
sainte amitié. Je m'engageai à tout ce que l'on voulut. L'on
prit mes paroles pour bonnes, et l'on se sut même très bon
gré d'avoir trouvé une occasion toute propre à rompre, dans
la suite, le commerce que j'avais avec Mme de Pommereux,
que l'on ne croyait pas si innocent. Celui dans lequel je
demandais que l'on me servît ne devait être que tout
spirituel et tout angélique ; car c'était celui de Mlle de La
Louppe, que vous avez vue depuis sous le nom de Mme
d'Olonne. Elle m'avait fort plu quelques jours auparavant,
dans une petite assemblée qui s'était faite dans le cabinet
de Madame ; elle était jolie, elle était belle, elle était
précieuse [2] par son air et par sa modestie. Elle logeait tout
proche de Mme de La Vergne ; elle était amie intime de
mademoiselle sa fille ; elles avaient même percé une porte
par laquelle elles se voyaient sans sortir du logis. L'attachement que M. le chevalier de Sévigné avait pour moi,
l'*habitude que j'avais dans sa maison, ce que je savais de
l'adresse de sa femme, contribuèrent beaucoup à mes
espérances. Elles se trouvèrent fort vaines par l'événement ;

car bien que l'on ne m'arrachât pas les yeux, bien que l'on ne m'étouffât pas à force de m'interdire les soupirs, bien que je m'aperçusse, à de certains airs, que l'on n'était pas fâché de voir la pourpre soumise, tout armée et tout éclatante qu'elle était, l'on se tint toujours sur un pied de sévérité, ou plutôt de modestie, qui me lia la langue, quoiqu'elle fût assez libertine, et qui doit étonner ceux qui n'ont point connu Mlle de La Louppe, et qui n'ont ouï parler que de Mme d'Olonne. Cette historiette, comme vous voyez, n'est pas trop à l'honneur de ma *galanterie. Je passe, pour un moment, aux affaires de Guyenne.

Comme je fais profession de ne vous rendre compte précisément que de ce que j'ai vu moi-même, je ne toucherai ce qui se passa en ce pays-là que fort légèrement, et simplement autant qu'il est nécessaire de le faire pour vous faire mieux entendre ce qui y a eu du rapport du côté de Paris. Je ne vous puis pas même assurer si je serai bien juste dans le peu que je vous en dirai, parce que je n'en parlerai que sur des mémoires qui peuvent ne l'être pas eux-mêmes. J'ai fait tout ce qui a été en moi pour tirer de Monsieur le Prince le détail de ses actions de guerre, dont les plus petites ont toujours été plus grandes que les plus héroïques des autres hommes, et ce serait avec une joie sensible que j'en relèverais et honorerais cet ouvrage [a]. Il m'avait promis de m'en donner un extrait, et il l'aurait fait, à mon sens, si l'inclination et la facilité qu'il a à faire des merveilles n'étaient égalées par l'aversion et par la peine qu'il a [à] les raconter.

Je vous ai déjà dit que M. le comte d'Harcourt commandait les armes du Roi en Guyenne, et qu'il y avait les troupes de l'Europe les plus aguerries. Toutes celles de Monsieur le Prince étaient de nouvelle levée, à la réserve de ce que M. de Marsin avait amené de Catalogne [1], qui ne faisaient pas un corps assez considérable pour se pouvoir opposer à celles du Roi. Monsieur le Prince, à le bien prendre, soutint les affaires par sa seule personne. Vous avez vu ci-dessus qu'il s'était saisi de Saintes [2]. Il laissa, pour y commander, M. le prince de Tarente. Il retourna en Guyenne et il se campa auprès de Bourg. Le comte d'Harcourt l'y suivit et détacha le chevalier d'Aubeterre pour le reconnaître. Ce chevalier fut *poussé par le régiment de Balthazar, qui donna le temps à Monsieur le Prince de se poster sur une hauteur, où il fit paraître son corps si grand, quoiqu'il fut très petit, que le comte d'Harcourt ne l'y osa attaquer. Il se retira à Libourne après cette action, qui fut d'un très grand capitaine. Il y laissa quelque infanterie et il alla à Bergerac, place fameuse par les guerres de la religion[1], et il fit travailler à en relever les fortifications. M. de Saint-Luc, lieutenant de Roi en Guyenne, crut qu'il pourrait surprendre M. le prince de Conti, qui était logé avec de nouvelles troupes à Caudecoste ; et il s'avança de ce côté-là avec deux mille hommes de pied et sept cents chevaux, composés des meilleurs qui fussent dans l'armée du Roi. Il fut surpris lui-même par Monsieur le Prince, qui fut averti de son dessein et qu'il vit au milieu de ses quartiers, devant qu'il eût eu la première nouvelle de sa marche. Il ne s'ébranla pas néanmoins ; il se posta sur une hauteur, à laquelle l'on ne pouvait aller que par un défilé. L'on passa presque tout le jour à escarmoucher, cependant que Monsieur le Prince attendait trois canons qu'il avait mandés d'Agen. Il en avait un pressant besoin ; car il n'avait en tout avec lui, en comptant les troupes de M. le prince de Conti, que cinq cents hommes de pied et deux mille chevaux, et tous gens de nouvelle levée. La faiblesse ne donne pas pour l'ordinaire la hardiesse ; celle de Monsieur le Prince fit plus en cette occasion, car elle lui donna de la vanité ; et c'est, je crois, la seule fois de sa vie qu'il en a eu. Il se ressouvint que la frayeur que sa présence pourrait inspirer aux ennemis les pourrait ébranler. Il leur renvoya quelques prisonniers qui leur apprirent qu'il était là en personne. Il les chargea en même temps ; ils plièrent d'*abord, et l'on peut dire qu'il les renversa moins par le choc de ses armes que par le bruit de son nom. La plupart de l'infanterie se jeta dans Miradoux, où elle fut assiégée incontinent. Les régiments de Champagne et de Lorraine, que Monsieur le Prince ne voulait recevoir qu'à *discrétion, défendirent cette *méchante place avec une valeur incroyable, et ils donnèrent le temps à M. le comte d'Harcourt de la secourir. Monsieur le Prince envoya son artillerie et ses bagages à Agen ; il mit des garnisons dans quelques petites places qui pouvaient incommoder les ennemis ; et ensuite, il se rendit lui-même à Agen, ayant avec lui MM. de La Rochefoucauld, de Marsin et de

Montespan, pour observer les desseins de M. le comte d'Harcourt, qui laissa, de son côté, quelques-unes de ses troupes au siège de Staffort, ce me semble, et de Laplume, et qui, avec les autres, fit attaquer quelques fortifications que l'on avait commencées à l'un des faubourgs d'Agen, par MM. de Lillebonne, chevalier de Créquy et Coudray-Montpensier. Ils se signalèrent à cette attaque, qui fut faite en présence de Monsieur le Prince ; mais ils furent repoussés avec une vigueur extraordinaire et le comte d'Harcourt s'alla consoler de sa perte par la prise de ces deux ou trois petites places dont je vous ai parlé ci-dessus.

Monsieur le Prince, qui avait fait dessein de revenir à Paris, pour les raisons que je vous vas dire, se résolut de laisser, pour commander en Guyenne, M. le prince de Conti, et M. de Marsin, en qualité de lieutenant général sous monsieur son frère ; mais il crut qu'il serait à propos, devant qu'il partît, qu'il s'assurât tout à fait d'Agen, qui était, à la vérité, déclaré pour lui, mais qui, n'ayant point de garnison, pouvait à tous les moments changer de parti. Il gagna les jurats, qui consentirent qu'il fît entrer dans la ville le régiment de Conti. Le peuple, qui ne fut pas du sentiment de ces magistrats, se souleva et il fit des barricades. Monsieur le Prince m'a dit qu'il courut plus de fortune, en cette occasion, qu'il n'en aurait couru dans une bataille. Je ne me ressouviens pas du détail, et ce que je m'en puis remettre est que MM. de La Rochefoucauld, de Marcillac et de Montespan haranguèrent dans l'Hôtel de Ville et qu'ils calmèrent la sédition, à la satisfaction de Monsieur le Prince [1]. Je reviens à son voyage.

MM. de Rohan, de Chavigny et de Gaucourt le pressaient, par tous les courriers, de ne pas s'abandonner si absolument aux affaires des provinces qu'il ne songeât à celle de la capitale, qui était en tout sens la capitale. M. de Rohan se servit de ce mot dans une de ses lettres que je surpris. Ces messieurs étaient persuadés que je rompais toutes leurs mesures auprès de Monsieur, qui, à la vérité, rejetait tout ce qu'il ne voulait pas faire pour les intérêts de Monsieur le Prince, sur les ménagements que le poste où j'étais à Paris l'obligeait d'avoir pour moi. Il confessait quelquefois, en parlant à moi-même, qu'il se servait de ce prétexte, en de certaines occasions ; et il y en eut même où il me força, à force de m'en persécuter, à donner des apparences qui pussent confirmer ce qu'il leur voulait persuader. Je lui représentai plusieurs fois qu'il ferait tant par ses *journées, qu'il obligerait Monsieur le Prince de venir à Paris, qui était, de toutes les choses du monde, celle qu'il craignait le plus. Mais comme le présent touche toujours, sans comparaison, davantage les âmes faibles que l'avenir même le plus proche, il aimait mieux s'empêcher de croire que Monsieur le Prince pût faire ce voyage dans quelque temps, que de se priver du soulagement qu'il trouvait, dans le moment même, à rejeter sur moi les murmures et les plaintes que ses ministres lui faisaient sur mille chefs, à tous les instants. Ces ministres, qui se trouvèrent bien plus fatigués que satisfaits de ses *méchantes *défaites, pressèrent Monsieur le Prince, au dernier point, d'accourir lui-même au besoin pressant, et leurs instances furent puissamment fortifiées par les nouvelles qu'il reçut en même temps de M. de Nemours, qu'il est bon de traiter un peu en détail.

M. de Nemours entra, en ce temps-là, sans aucune résistance, dans le royaume, toutes les troupes du Roi étant divisées ; et quoique M. d'Elbeuf et MM. d'Aumont, Digby et de Vaubecourt en eussent à droit, à gauche, il pénétra jusques à Mantes et il y passa la Seine sur le pont, qui lui fut livré par M. le duc de Sully, gouverneur de la ville et mécontent de la cour parce que l'on avait ôté les sceaux à Monsieur le Chancelier son beau-père. Il campa à Houdan, et il vint à Paris avec M. de Tavannes, qui commandait ce qu'il avait conservé des troupes de Monsieur le Prince, et Clinchamp, qui était officier général dans les étrangères.

Voilà le premier faux pas que cette armée fit ; car si elle eût marché sans s'arrêter et que M. de Beaufort l'eût jointe avec les troupes de Monsieur, comme il la joignit depuis, elle eût passé la Loire sans difficulté et eût fort embarrassé la marche du Roi. Tout contribua à ce retardement : l'incertitude de Monsieur, qui ne se pouvait déterminer pour l'action, même dans les choses les plus résolues ; l'amour de Mme de Montbazon, qui *amusait à Paris M. de Beaufort ; la puérilité de M. de Nemours, qui était bien aise de montrer son bâton de général à Mme de Châtillon ; et la fausse politique de Chavigny, qui croyait qu'il serait beaucoup plus maître de l'esprit de Monsieur, quand il lui éblouirait les yeux par ce grand nombre d'écharpes[1] de couleurs toutes différentes : ce fut le terme dont il se servit en parlant à Croissy, qui fut assez imprudent pour me le redire, quoiqu'il fût beaucoup plus dans les intérêts de Monsieur le Prince que dans les miens. Je ne tins pas le cas secret à Monsieur, qui en fut fort piqué. Je pris ce temps pour le supplier de trouver bon que je fisse voir, en sa présence, à ces messieurs, qu'ils n'étaient pas en état d'éblouir des yeux sans comparaison moins forts, en tout sens, que les siens[2]. Comme il me voulut faire expliquer, l'on lui vint dire que MM. de Beaufort et de Nemours entraient dans sa chambre. Je l'y suivis, quoique ce ne fût pas ma coutume parce que je n'avais pas encore le bonnet ; et comme l'on entra en conversation publique, car il y avait du monde jusques à faire foule, je mis mon chapeau sur ma tête aussitôt qu'il eût mis le sien[3]. Il le remarqua, et à cause de ce que je venais de lui dire, et à cause que je ne l'avais jamais voulu faire, quoiqu'il me le commandât toujours. Il en fut très aise, et il *affecta d'entretenir la conversation plus d'une grosse heure, après laquelle il me prit en particulier et me ramena dans la galerie. Vous jugez bien qu'il fallait qu'il fût bien en colère ; car je crois qu'il y avait dans sa chambre plus de cinquante écharpes rouges, sans les isabelle. Cette colère dura tout le soir, car il me dit, le lendemain, que Goulas, secrétaire de ses commandements et intime de M. de Chavigny, étant venu lui dire, avec un grand empressement, que tous ces officiers étrangers prenaient de grands ombrages des longues conversations que j'avais avec lui, il l'avait rebuté avec une fort grande aigreur, en lui disant : « Allez au diable, vous et vos officiers étrangers ; s'ils étaient aussi bons frondeurs que le cardinal de Rais, ils seraient à leur poste, et ils ne s'*amuseraient pas à ivrogner dans les cabarets de Paris. » Ils partirent enfin, et, en vérité, plus par mes instances que par celles de Chavigny, qui croyait toujours que je n'oubliais rien pour les retarder ; car Monsieur répara bientôt, même avec soin, ce qu'il avait laissé échapper dans la colère, parce qu'il lui convenait (au moins se l'imaginait-il ainsi) de me faire servir de prétexte, quelquefois à ce qu'il faisait, et presque toujours à ce qu'il ne faisait pas. Vous verrez quelle marche ces troupes prirent, après que je vous aurai rendu compte de ce qui se passa à Orléans dans ce même temps.

Il ne se pouvait pas que cette importante ville ne fût très dépendante de Monsieur, étant son apanage, et, de plus, ayant été quelque temps son plus ordinaire séjour. M. le marquis de Sourdis, de plus, qui en était gouverneur, était dans ses intérêts. Monsieur y avait envoyé, outre cela, M. le comte de Fiesque, pour s'opposer aux efforts que M. Le Gras, maître des requêtes, faisait pour persuader aux habitants d'ouvrir leurs portes au Roi, à qui, dans la vérité, elles eussent été d'une fort grande utilité. MM. de Beaufort et de Nemours, qui en voyaient encore de plus près la conséquence, parce qu'ils avaient pris leur marche de ce côté-là, écrivirent à Monsieur qu'il y avait dans la ville une faction très puissante pour la cour, et que sa présence y était très nécessaire. Vous croyez facilement qu'elle l'était encore beaucoup plus à Paris. Monsieur ne balança pas un moment, et tout le monde, sans exception, fut d'un même avis sur ce point. Mademoiselle s'offrit d'y aller : ce que Monsieur ne lui accorda qu'avec beaucoup de peine, par la raison de la bienséance, mais encore plus par celle du peu de confiance qu'il avait en sa *conduite. Je me souviens qu'il me dit, le jour qu'elle prit congé de lui : « Cette chevalerie[1] serait bien ridicule, si le bon sens de Mmes de Fiesque et de Frontenac ne la soutenait. » Ces deux dames allèrent effectivement avec elle, aussi bien que M. de Rohan et MM. de Croissy et de Bermont, conseillers du Parlement. Patru disait, un peu trop librement, que comme les murailles de Jéricho étaient tombées au son des trompettes, celles d'Orléans s'ouvriraient au son des violons[2]. M. de Rohan passait pour les aimer un peu trop violemment[3]. Enfin tout ce ridicule réussit par la vigueur de Mademoiselle, qui fut effectivement très grande ; car, quoique le Roi fût très proche avec des troupes, et que M. Molé, garde des sceaux et premier président, fût à la porte, qui demandait à entrer de sa part, elle passa l'eau dans un petit bateau ; elle obligea les bateliers, qui sont toujours en nombre sur le port, de démurer une petite poterne qui était demeurée fermée depuis fort longtemps, et elle marcha, avec le concours et l'acclamation du peuple, droit à l'Hôtel de Ville, où les magistrats étaient assemblés pour délibérer si l'on recevrait

Monsieur le Garde des Sceaux. Vous pouvez croire qu'elle décida.

MM. de Beaufort et de Nemours la vinrent joindre aussitôt, et ils résolurent avec elle de se saisir ou de [Gergeau][a] ou de Gien, qui sont de petites villes, mais qui ont toutes deux des ponts sur la rivière de Loire. Celui de [Gergeau] fut vivement attaqué par M. de Beaufort ; mais il fut encore mieux défendu par M. de Turenne, qui venait de prendre le commandement de l'armée du Roi, qu'il partageait toutefois avec M. le maréchal d'Hocquincourt ; et celle de Monsieur fut obligée de quitter cette entreprise, après y avoir perdu le baron de Sirot, homme de réputation, et qui y servait de lieutenant général. Il se vantait, et je crois avec vérité, qu'il avait fait le coup de pistolet avec le grand Gustave, roi de Suède, et le brave Christian, roi de Danemark[1].

M. de Nemours, qui avait naturellement et aversion et mépris pour M. de Beaufort, quoique son beau-frère, se plaignit de sa conduite à Mademoiselle, comme si elle avait été cause de ce que le dessein sur [Gergeau] n'eût pas réussi. Ils eurent sur cela des paroles dans l'antichambre de Mademoiselle, et un prétendu démenti que M. de Beaufort voulut assez légèrement, au moins à ce que l'on disait en ce temps-là, avoir reçu, produisit un prétendu soufflet, que M. de Nemours ne reçut aussi, à ce que j'ai ouï dire à des gens qui y étaient présents, qu'en imagination. C'était au moins un de ces soufflets problématiques dont il est parlé dans les *Petites Lettres* du Port-Royal[2]. Mademoiselle accommoda, au moins en apparence, cette querelle[3], et après une grande contestation qui n'avait pas servi à en adoucir les commencements, il fut résolu que l'on irait à Montargis, poste important dans la conjoncture, parce que de là l'armée des princes, qui serait ainsi entre Paris et le Roi, pourrait donner la main à tout. M. de Nemours, qui souhaitait avec passion de pouvoir secourir Mouron, opiniâtra longtemps qu'il serait mieux d'aller passer la rivière de Loire à Blois, pour prendre par les derrières l'armée du Roi, qui, par la crainte d'abandonner trop pleinement les provinces de delà à celle de Monsieur, aurait encore plus de difficulté à se résoudre d'avancer vers Paris, qu'elle n'y en trouverait par l'obstacle que Montargis lui pourrait mettre. L'autre avis l'emporta dans le conseil de guerre, et par le nombre et par l'autorité de Mademoiselle, et j'ai ouï dire même aux gens du métier qu'il le devait emporter par la raison, parce qu'il eût été ridicule d'abandonner tout ce qui était proche de Paris aux forces du Roi, dont l'on voyait clairement que l'unique dessein était de s'en approcher, ou pour gagner la capitale ou pour l'ébranler. Chavigny en parla à Monsieur, en ces propres termes, en présence de Madame, qui me le redit le lendemain ; et je ne comprends pas sur quoi se sont pu fonder ceux qui se sont voulu imaginer qu'il y eût de la contestation sur cet article à Luxembourg. Monsieur n'eût pas manqué, si cela eût été, de me faire valoir ce qu'il n'eût pas déféré aux conseils des serviteurs de Monsieur le Prince. Ils furent tous du même sentiment ; et Goulas pestait même hautement contre la conduite de M. de Nemours, qui veut, ce disait-il, sauver Mouron et perdre Paris. Je reviens au voyage de Monsieur le Prince.

Je vous ai déjà dit que ceux qui agissaient pour ses intérêts, auprès de Monsieur, le pressaient de revenir à Paris, et que leurs instances furent fortement appuyées par la nécessité qu'il crut à soutenir, ou plutôt à réparer, pas sa présence, ce que l'incapacité et la mésintelligence de MM. de Beaufort et de Nemours diminuaient du poids que la valeur et l'expérience des troupes qu'ils commandaient devaient donner à leur parti. Comme Monsieur le Prince avait à traverser presque tout le royaume, il lui fut nécessaire de tenir sa marche extrêmement couverte. Il ne prit avec lui que MM. de La Rochefoucauld, de Marcillac, le comte de Lévis, Guitaut, Chavagnac, Gourville et un autre, du nom duquel je ne me souviens pas. Il passa, avec une extrême diligence, le Périgord, le Limousin, l'Auvergne et le Bourbonnais. Il fut manqué de peu, auprès de Châtillon-sur-Loing, par Sainte-Maure, *pensionnaire du Cardinal, qui le suivait avec deux cents chevaux, sur un avis que quelqu'un, qui avait reconnu Guitaut, en donna à la cour. Il trouva dans la forêt d'Orléans quelques officiers de ses troupes, qui étaient en garnison à Lorris, et il fut reçu de toute l'armée avec toute la joie que vous vous pouvez imaginer. Il dépêcha de là Gourville à Monsieur, pour lui rendre compte de sa marche et pour l'assurer qu'il serait à lui dans trois jours. Les instances de toute l'armée, fatiguée jusques à la dernière extrémité de l'ignorance de ses généraux, l'y retinrent davantage ; et, de plus, il n'a jamais eu peine à demeurer dans les lieux où il a pu faire de grandes actions. Vous en allez voir une des plus belles de sa vie.

Il parut, au premier pas que Monsieur le Prince fit dès qu'il eut joint l'armée, que l'avis de M. de Nemours, duquel je vous ai parlé ci-dessus, n'était pas le bon ; car il marcha droit à Montargis, qu'il prit sans coup férir, Mondreville, qui s'était jeté dans le château avec huit ou dix gentilshommes et deux cents hommes de pied, l'ayant rendu d'*abord. Il y laissa quelque garnison, et il marcha, sans perdre un moment, droit aux ennemis, qui étaient dans des quartiers séparés. Le Roi était à Gien, M. de Turenne avait son quartier général à Briare, et celui de M. d'Hocquincourt était à Bléneau.

Comme Monsieur le Prince sut que les troupes du dernier étaent dispersées dans les villages, il s'avança vers Châteaurenard ; il tomba, comme un foudre, au milieu de tous ces quartiers. Il tailla en pièces tout ce qui était de cavalerie de Maignas, de Roquépine, de Beaujeu, de Bourlemont et de Moret, qui essayaient de gagner le logement des dragons, comme il leur avait été ordonné ; mais trop tard. Il força ensuite, l'épée à la main, le quartier même des dragons, cependant que Tavannes traitait de même celui des Cravattes[1]. Il poussa les fuyards jusques à Bléneau, où il trouva M. d'Hocquincout en bataille, avec sept cents chevaux, qui chargea avec vigueur les gens de Monsieur le Prince, qui, dans l'obscurité de la nuit, s'étaient égarés et divisés, et qui, de plus, malgré les efforts de leurs commandants, s'*amusaient à piller un village. Monsieur le Prince les rallia et les remit en bataille, à la vue des ennemis, quoiqu'ils fussent bien plus forts que lui, et quoiqu'il fût obligé, par la grande [résistance] qu'il trouva, de tenir bride en main[2] à la première charge, dans laquelle il eut un cheval tué sous lui. Il les chargea avec tant de vigueur, à la seconde, qu'il les renversa pleinement, et au point qu'il ne fut plus au pouvoir de M. d'Hocquincourt de les rallier. M. de Nemours fut fort blessé en cette occasion, et MM. de Beaufort, de La Rochefoucauld et de Tavannes s'y signalèrent. M. de Turenne, qui avait averti, dès le matin, le maréchal d'Hocquincourt que ses quartiers étaient trop séparés et trop exposés, et que M. d'Hocquincourt avait averti, le soir, que

Monsieur le Prince venait à lui, M. de Turenne, dis-je, sortit
de Briare ; il se mit en bataille auprès d'un village qui
s'appelle, ce me semble, Ouzouer. Il jeta cinquante chevaux
dans un bois qui se trouvait entre lui et les ennemis, et par
lequel l'on ne pouvait passer sans défiler. Il les en retira
aussitôt, pour obliger Monsieur le Prince à s'engager dans
ce défilé, par l'opinion qu'il aurait que la retraite de ces
cinquante maîtres [1] eût été d'effroi. Son stratagème lui
réussit ; car Monsieur le [Prince] jeta effectivement dans le
bois trois ou quatre cents chevaux qui, à la sortie, furent
renversés par M. de Turenne, et qui eussent eu peine à se
retirer, si Monsieur le Prince n'eût fait avancer de l'infanterie,
qui arrêta sur *cul ceux qui les suivaient. M. de Turenne se
posta sur une hauteur derrière ce bois, et il y mit son
artillerie, qui tua beaucoup de gens de l'armée des princes,
et entre autres Marey, frère du maréchal de Grancey,
*domestique de Monsieur, et qui servait de lieutenant
général dans ses troupes. On demeura tout le reste du jour
en présence, et, sur le soir, chacun se retira dans son camp.
Il est difficile de juger qui eut plus de gloire en cette
journée, ou de Monsieur le Prince ou de M. de Turenne.
L'on peut dire, en général, qu'ils y firent tous deux ce que
les deux plus grands capitaines du monde y pouvaient faire.
M. de Turenne y sauva la cour, qui, à la nouvelle de la
défaite de M. d'Hocquincourt, fit charger son bagage [2], sans
savoir précisément où elle pourrait être reçue ; et M. de
Senneterre m'a dit depuis, plusieurs fois, que c'est le seul
endroit où il ait vu la Reine abattue et affligée. Il est
*constant que si M. de Turenne n'eût soutenu l'affaire par
sa grande capacité, et si son armée eût eu le sort de celle de
M. d'Hocquincourt, il n'y eût pas eu une ville qui n'eût
fermé les portes à la cour. Le même M. de Senneterre
ajoutait que la Reine le lui avait dit ce jour-là en pleurant.

L'avantage de Monsieur le Prince sur le maréchal d'Hocquincourt ne fut pas à beaucoup près d'une si grande utilité
à son parti, parce qu'il ne le poussa pas dans les suites
jusques où sa présence l'eût vraisemblablement porté, si il
fût demeuré à l'armée. Vous verrez ce qui s'y passa en son
absence, après que je vous aurai rendu compte et du premier
effet du voyage de Monsieur le Prince à Paris, et d'un petit
détail qui me regarde en mon particulier.

Vous avez vu, ci-dessus, que Monsieur le Prince avait envoyé Gourville à Monsieur, aussitôt qu'il eut joint l'armée, pour lui dire qu'il serait dans trois jours à Paris. Cette nouvelle fut un coup de foudre pour Monsieur. Il m'envoya quérir aussitôt, et il s'écria en me voyant : « Vous me l'aviez bien dit, quel embarras ! quel malheur ! nous voilà pis que jamais. » J'essayai de le remettre, mais il me fut impossible ; et tout ce que j'en pus tirer fut qu'il ferait bonne mine et qu'il cacherait son sentiment à tout le monde, avec le même soin avec lequel il l'avait déguisé à Gourville. Il s'acquitta très exactement de sa parole, car il sortit du cabinet de Madame avec le visage du monde le plus gai.

Il publia la nouvelle avec de grandes démonstrations de joie, et il ne laissa pas de me commander, un quart d'heure après, de ne rien oublier pour troubler la fête, c'est-à-dire pour essayer de mettre les choses en état d'obliger Monsieur le Prince à ne faire que fort peu de séjour à Paris. Je le suppliai de [ne] me point donner cette *commission, « laquelle, Monsieur, lui dis-je, n'est pas de votre service, pour deux raisons, dont la première est que je ne la puis exécuter qu'en donnant au Cardinal un avantage qui ne vous convient pas, et l'autre, que vous ne la soutiendrez jamais, de l'humeur dont il a plu à Dieu de vous faire. » Cette parole dite à un fils de France vous paraîtra sans doute peu respectueuse ; mais je vous supplie de considérer que Saint-Rémy, lieutenant de ses gardes, la lui avait dite à propos d'une bagatelle, deux ou trois jours devant ; que Monsieur avait trouvé l'expression plaisante, et qu'il la redisait, depuis ce jour-là, à toute occasion. Dans la vérité, elle n'était pas impropre pour celle dont il s'agissait, comme vous le verrez par la suite. La contestation fut assez forte, je résistai longtemps. Je fus obligé de me rendre et d'obéir. J'eus même plus de temps pour travailler à ce qu'il m'ordonnait que je n'avais cru ; car Monsieur le Prince, au-devant duquel Monsieur alla même jusques à Juvisy, le 1er d'avril, dans la croyance qu'il arriverait ce jour-là à Paris, n'y fut que le 11 ; de sorte que j'eus tout le loisir nécessaire pour ménager M. Le Fèvre, prévôt des marchands, qui me devait sa charge et qui était mon ami particulier. Il n'eut pas peine de persuader M. le maréchal de L'Hôpital, gouverneur de Paris, qui était très bien intentionné pour la

cour. Ils firent une assemblée à l'Hôtel de Ville, dans
laquelle ils firent résoudre que Monsieur le Gouverneur irait
trouver Son Altesse Royale, pour lui dire qu'il paraissait à la
Compagnie qu'il était contre ordre que l'on reçût Monsieur
le Prince dans la ville, devant qu'il se fût justifié de la
déclaration du Roi, qui avait été vérifiée au Parlement contre
lui.

Monsieur, qui fut transporté de joie de ce discours,
répondit que Monsieur le Prince ne venait que pour conférer
avec lui de quelques affaires particulières, et qu'il ne
séjournerait que vingt-quatre heures à Paris. Il me dit,
aussitôt que le maréchal fut sorti de sa chambre : « Vous
êtes un *galant homme, *havete fatto polito* [1]. Chavigny sera
bien attrapé. » Je lui répondis, sans balancer : « Je ne vous
ai jamais, Monsieur, si mal servi ; souvenez-vous, s'il vous
plaît, de ce que je vous dis aujourd'hui. » M. de Chavigny,
qui apprit en même temps le mouvement de l'Hôtel de
Ville et la réponse de Monsieur, lui en fit des réprimandes
et des bravades, qui passèrent jusques à l'insolence et à la
fureur. Il déclara à Monsieur que Monsieur le Prince était
en état de demeurer sur le pavé tant qu'il lui plairait, sans
être obligé d'en demander congé à personne. Il fit, par le
moyen de Pesche, fameux séditieux, un concours de cent ou
six-vingts gueux, sur le Pont-Neuf, qui faillirent à piller la
maison de M. Du Plessis-Guénégaud, et il effraya si fort
Monsieur, qu'il l'obligea à faire une réprimande publique
et au maréchal de L'Hôpital et au prévôt des marchands,
parce qu'ils avaient enregistré dans le greffe de la Ville la
réponse que Son Altesse Royale leur dit ne leur avoir faite
qu'en particulier et qu'en *confiance. Comme je voulus, le
soir, insinuer à Monsieur que j'avais eu raison de ne lui pas
conseiller ce qui s'était fait, il m'interrompit brusquement,
en me disant ces propres paroles : « Il ne faut pas juger par
l'événement. J'avais raison hier, vous l'avez aujourd'hui :
que faire entre tous ces gens-ci ? » Il *devait ajouter : « et
avec moi ? » Je l'y ajoutai de moi-même ; car, comme je vis
que, malgré toutes ces expériences, il continuait dans la
même conduite qu'il avait mille fois condamnée, en me
parlant à moi-même, depuis que Monsieur le Prince fut allé
en Guyenne, je me le tins pour dit, et je me résolus de
demeurer, tout le plus qu'il me serait possible, dans

l'inaction, qui n'est, à la vérité, jamais bien sûre à de certaines gens, dans les temps qui sont fort troublés, mais que je me croyais nécessaire, et par les manières de Monsieur, que je ne pouvais redresser, et par la considération de l'état où je me trouvais dans le moment, que je vous supplie de me permettre que je vous explique un peu plus au long.

La vérité me force de vous dire qu'aussitôt que je fus cardinal, je fus touché des inconvénients de la pourpre, parce que j'avais fait peut-être plus de mille fois en ma vie réflexion que je l'avais trop été de l'éclat de la coadjutorerie. Une des sources de l'abus que les hommes font presque toujours de leur dignité est qu'ils s'en éblouissent d'*abord qu'ils en sont revêtus, et l'éblouissement est cause qu'ils tombent dans les premières fautes, qui sont les plus dangereuses par une infinité de raisons. La hauteur que j'avais *affectée dès que je fus coadjuteur me réussit, parce qu'il parut que la bassesse de mon oncle l'avait rendue nécessaire. Mais je connus clairement que sans cette considération, et même sans les autres assaisonnements que la qualité des temps, plutôt que mon adresse, me donna lieu d'y mettre, je connus, dis-je, clairement qu'elle n'eût pas été d'un bon sens, ou au moins qu'elle ne lui eût pas été attribuée. Les réflexions que j'avais eu le temps de faire sur cela m'obligèrent à y avoir une attention particulière à l'égard du chapeau, dont la couleur vive et éclatante fait tourner la tête à la plupart de ceux qui en sont honorés. La plus sensible, à mon opinion, et la plus palpable de ses[a] illusions est la prétention de précéder les princes du sang, qui peuvent devenir nos maîtres à tous les instants, et qui, en attendant, le sont presque toujours, par leur *considération, de tous nos proches. J'ai de la reconnaissance pour les cardinaux de ma maison, qui m'ont fait sucer avec le lait cette leçon par leur exemple ; et je trouvai une occasion assez heureuse de la débiter, le propre jour que je reçus la nouvelle de ma promotion. Châteaubriant, dont vous avez déjà vu le nom dans le seconde partie de cette histoire, me dit, en présence d'une infinité de gens qui étaient dans ma chambre : « Nous ne saluerons plus les premiers, présentement » : ce qu'il disait, parce que, bien que je fusse très mal avec Monsieur le Prince et que je marchasse presque toujours fort accompagné, je le saluais, comme vous pouvez croire, partout où je

le rencontrais, avec tout le respect qui lui était dû par tant
de titres. Je lui répondis : « Pardonnez-moi, Monsieur, nous
saluerons toujours les premiers, et plus bas que jamais. A
Dieu ne plaise que le bonnet rouge me fasse tourner la tête
au point de disputer le rang aux princes du sang. Il suffit à
un gentilhomme d'avoir l'honneur d'être à leurs côtés. »
Cette parole, qui a depuis, à mon sens, comme vous le
verrez dans la suite, conservé en France le rang au chapeau [1]
par l'*honnêteté de Monsieur le Prince et par son amitié
pour moi ; cette parole, dis-je, fit un fort bon effet, et elle
commença à diminuer l'*envie : ce qui est le plus grand de
tous les secrets.

Je me servis encore, pour cet effet, d'un autre moyen.
MM. les cardinaux de Richelieu et Mazarin, qui avaient
confondu le ministériat dans la pourpre, avaient attaché à
celle-ci de certaines hauteurs qui ne conviennent à l'autre
que quand elles sont jointes ensemble. Il eût été difficile de
les séparer en ma personne, au poste où j'étais à Paris. Je le
fis de moi-même, en y mettant des circonstances qui firent
que l'on ne le pouvait attribuer qu'à ma modération ; et je
déclarai publiquement que je ne recevrais purement que les
honneurs qui avaient toujours été rendus aux cardinaux de
mon nom. Il n'y a que manière en la plupart des choses du
monde. Je ne donnai la *main à personne sans exception ;
je n'accompagnai les maréchaux de France, les ducs et pairs,
le chancelier, les princes étrangers, les princes bâtards, que
jusques au haut de mon degré : tout le monde fut très
content.

Le troisième expédient auquel je pensai fut de ne rien
oublier de tout ce que la bienséance me pourrait permettre
pour rappeler tous ceux qui s'étaient éloignés de moi dans
les différentes *partialités. Il ne se pouvait qu'ils ne fussent
en bon nombre, parce que ma fortune avait été si variable
et si agitée, qu'une partie des gens avait appréhendé d'y
être enveloppée en de certains temps, et qu'une partie s'était
opposée à mes intérêts en quelques autres. Ajoutez à ceux-
là ceux qui avaient cru qu'ils pouvaient faire leur cour à
mes dépens. Je vous ennuierais si j'entrais dans ce détail, et
je me contenterai de vous dire que M. de Bercy vint chez
moi à minuit ; que je vis M. de Novion chez le P. dom
Carrouges, chartreux ; que [je] vis, aux Célestins, M. le

président Le Coigneux[1]. Tout le monde fut ravi de se raccommoder avec moi, dans un moment où la mitre de Paris recevait un aussi grand éclat de la splendeur du bonnet. Je fus ravi de me raccommoder de tout le monde, dans un instant où mes avances ne se pouvaient attribuer qu'à *générosité. Je m'en trouvai très bien ; et la reconnaissance de quelques-uns de ceux auxquels j'avais épargné le *dégoût du premier pas m'a payé plus que suffisamment de l'ingratitude de quelques autres. Je maintiens qu'il est autant de la politique que de l'*honnêteté de ceux qui sont les plus puissants de soulager la honte des moins considérables, et de leur tendre la main, quand ils n'osent eux-mêmes la présenter.

La conduite que je suivis, avec application, sur ces différents chefs que je viens de vous marquer, convenait en plus d'une manière à la résolution que j'avais faite de rentrer, autant qu'il serait en mon pouvoir, dans le repos que les grandes dignités, que la fortune avait assemblées dans ma personne, pouvaient, ce me semblait, même assez naturellement, me procurer.

Je vous ai déjà dit que l'*incorrigibilité, si j'ose ainsi parler, de Monsieur m'avait rebuté à un point que je ne pouvais plus seulement m'imaginer qu'il y eût le moindre fondement du monde à faire sur lui. Voici un incident qui vous fera connaître que j'eusse été bien aveuglé[a] si j'eusse été capable de compter sur la Reine.

Vous vous pouvez souvenir de ce que je vous ai dit, sur la fin du second volume, d'une imprudence de Mlle de Chevreuse, à propos du personnage que je jouais de concert avec madame sa mère, à l'égard de la Reine[2]. Elle en mit de part sa fille, contre mon sentiment, laquelle d'abord entendit très bien la raillerie ; et je me souviens même qu'elle prenait plaisir à me faire répéter la comédie de la Suissesse : c'est ainsi qu'elle appelait la Reine. Il arriva un soir qu'y ayant beaucoup de monde chez elle, quelqu'un montra une lettre qui venait de la cour et qui portait que la Reine était fort embellie. La plupart des gens se prirent à rire, et je ne sais, en vérité, pourquoi je ne fis pas comme les autres. Mlle de Chevreuse, qui était la personne du monde la plus capricieuse, le remarqua, et elle me dit qu'elle ne s'en étonnait pas, après ce qu'elle avait remarqué

depuis quelque temps ; et ce qu'elle avait remarqué,
s'imaginait-elle, était que j'avais beaucoup de refroidissement
pour elle, et que j'avais même un commerce avec la cour,
dont je ne lui disais rien. Je crus d'abord qu'elle se moquait,
parce qu'il n'y avait pas seulement ombre d'apparence à ce
qu'elle me disait ; et je ne connus qu'elle parlait tout de
bon, qu'après qu'elle m'eut dit qu'elle n'ignorait rien de
ce qu'un tel valet de pied de la Reine m'apportait tous les
jours. Il est vrai qu'il y avait un valet de pied [de] la Reine,
qui, depuis quelque temps, venait très souvent chez moi ;
mais il est vrai aussi qu'il ne m'apportait rien, et qu'il ne
s'y était adonné que parce qu'il était parent d'un de mes
gens. Je ne sais par quel hasard elle sut cette fréquentation ;
je sais encore moins ce qui la put obliger à en tirer des
conséquences. Enfin elle les tira ; elle ne put s'empêcher de
murmurer et de menacer. Elle dit, en présence de Séguin,
qui avait été valet de chambre de madame sa mère, et qui
avait quelque charge chez le Roi ou chez la Reine, que je
lui avais avoué mille fois que je ne concevais pas comme
l'on eût pu être amoureux de cette Suissesse. Enfin elle fit
si bien par ses *journées, que la Reine eut vent que je l'avais
traitée de Suissesse, en parlant à Mlle de Chevreuse. Elle ne
me l'a jamais pardonné, comme vous verrez par la suite ; et
j'appris que ce mot obligeant était allé jusques à elle,
justement trois ou quatre jours devant que Monsieur le
Prince arrivât à Paris. Vous concevez aisément que cette
circonstance, qui ne me marquait pas que j'eusse lieu
d'espérer qu'il pût y avoir, à l'avenir, beaucoup de douceur
pour moi à la cour, n'affaiblissait pas les pensées que j'avais
déjà de sortir d'affaire. Le lieu de la retraite n'était pas trop
affreux ; l'ombre des tours de Notre-Dame y pouvait donner
du *rafraîchissement, et le chapeau de cardinal la défendait
encore du mauvais vent. J'en concevais les avantages, et je
vous assure qu'il ne tint pas à moi de les prendre. Il ne
plut pas à la fortune. Je reviens à ma narration.

   Le 11 d'avril, Monsieur le Prince arriva à Paris, et Monsieur
fut au-devant de lui à une lieue de la ville.

   Le 12, ils allèrent ensemble au Parlement. Monsieur prit
la parole, d'*abord qu'il fût entré, pour dire à la Compagnie
qu'il amenait monsieur son cousin, pour l'assurer qu'il
n'avait, ni n'aurait jamais d'autre intention que celle de

servir le Roi et l'État ; qu'il suivrait toujours les sentiments de la Compagnie ; et qu'il offrait de poser les armes, aussitôt que les arrêts qui ont été rendus par elle contre le cardinal Mazarin eussent été exécutés. Monsieur le Prince parla ensuite sur le même ton, et il demanda même que la déclaration publique qu'il en faisait fût mise sur le registre.

M. le président Bailleul lui répondit que la Compagnie recevait toujours à honneur de le voir en sa place ; mais qu'il ne lui pouvait dissimuler la sensible douleur qu'elle avait de lui voir les mains teintes du sang des gens du Roi, qui avaient été tués à Bléneau. Un vent s'éleva à ce mot, du côté des bancs des Enquêtes, qui faillit à étouffer, par son impétuosité, le pauvre président Bailleul : cinquante ou soixante voix le désavouèrent d'une volée, et je crois qu'elles eussent été suivies de beaucoup d'autres, si M. le président de Nesmond n'eût interrompu et apaisé la *cohue, par la relation qu'il fit des remontrances qu'il avait portées, par écrit, au Roi, à Sully, avec les autres députés de la Compagnie. Elles furent très fortes et très vigoureuses contre la personne et contre la conduite du Cardinal. Le Roi leur fit répondre, par Monsieur le Garde des Sceaux, qu'il les considérerait, après que la Compagnie lui aurait envoyé les informations sur lesquelles il voulait juger lui-même. Les gens du Roi entrèrent dans ce moment, et ils présentèrent une déclaration et une lettre de cachet qui portait cet ordre au Parlement, avec celui d'enregistrer, sans délai, la déclaration par laquelle il était sursis à celle du 6 de septembre et aux arrêts donnés contre Monsieur le Cardinal [1].

Les gens du Roi, qui furent appelés aussitôt, conclurent, après une fort grande invective contre le Cardinal, à de nouvelles remontrances pour représenter au Roi l'impossibilité où la Compagnie se trouvait d'enregistrer cette déclaration, qui, contre toute sorte de règles et de formes, soumettait à de nouvelles procédures judiciaires, susceptibles de mille contredits et de mille reproches, la déclaration du monde la plus authentique et la plus revêtue de toutes les marques de l'autorité royale, et qui, par conséquent, ne pouvait être révoquée que par une autre déclaration qui fût aussi solennelle, et qui eût les mêmes *caractères. Ils ajoutèrent qu'il fallait que les députés se plaignissent à Sa Majesté de ce que l'on avait refusé de lire les remontrances en sa présence ; qu'ils insistassent sur ce point, aussi bien que sur celui de ne point envoyer les informations que la cour demandait ; et que l'on fît registre de tout ce qui s'était passé ce jour-là au Parlement, dont la copie serait envoyée à Monsieur le Garde des Sceaux. Voilà les conclusions que M. Talon donna avec une force et avec une éloquence merveilleuse. L'on commença ensuite la délibération, laquelle, faute de temps, fut remise au lendemain 13. L'arrêt suivit, sans contestation aucune, les conclusions ; et il y ajouta que la déclaration qui avait été faite par M. le duc d'Orléans et par Monsieur le Prince serait portée au Roi par les députés ; que les remontrances et le registre seraient envoyés à toutes les compagnies souveraines de Paris et à tous les parlements du royaume, pour les convier de députer aussi de leur part ; et qu'assemblée générale serait faite incessamment à l'Hôtel de Ville, à laquelle M. d'Orléans et Monsieur le Prince seraient conviés de se trouver, et de faire les mêmes déclarations qu'ils avaient faites au Parlement ; et que cependant la déclaration du Roi contre le cardinal Mazarin et tous les arrêts rendus contre lui seraient exécutés.

Les assemblées des chambres du 15, du 17 et du 18 ne furent presque employées qu'à discuter les difficultés qui se présentèrent pour le règlement de cette assemblée générale de l'Hôtel de Ville : par exemple, si Monsieur et Monsieur le Prince seraient présents à la délibération de l'Hôtel de Ville, ou si ils se retireraient après avoir fait leur déclaration ; si le Parlement pouvait ordonner l'assemblée de l'Hôtel de Ville, ou si il devait simplement convier le prévôt des marchands et les autres officiers de la Ville, et quelques principaux bourgeois de chaque quartier de s'assembler.

Le 19, cette assemblée se fit, à laquelle seize députés du Parlement se trouvèrent. M. d'Orléans et Monsieur le Prince y firent leur déclaration, toute pareille à celles qu'ils avaient faites au Parlement ; et après qu'ils se furent retirés, et que le procureur du Roi de la Ville [1] eut conclu à faire de très humbles remontrances au Roi, et, par écrit, contre le cardinal Mazarin, M. Aubry, président aux Comptes, et plus ancien conseiller de Ville, prit la parole pour dire qu'il était trop tard pour commencer à délibérer, et qu'il était nécessaire de remettre l'assemblée au lendemain. Il avait raison en toute manière, car sept heures étaient sonnées, et il avait intelligence avec la cour.

Le 20, Monsieur et Monsieur le Prince allèrent au Parlement ; et Monsieur dit à la Compagnie qu'il savait que M. le maréchal de L'Hôpital, gouverneur de Paris, et Monsieur le Prévôt des marchands avaient reçu une lettre de cachet qui leur défendait de continuer l'assemblée ; que cette lettre n'était qu'une paperasse du Mazarin, et qu'il priait la Compagnie d'envoyer quérir, sur l'heure, le prévôt des marchands et les échevins, et de leur enjoindre de n'y avoir aucun égard. L'on n'eut pas la peine de les mander : ils vinrent d'eux-mêmes à la Grande Chambre, pour y donner part de cette lettre de cachet, et pour dire, en même temps, qu'ils avaient indiqué une assemblée du Conseil de la Ville pour aviser à ce qu'il y aurait à faire. L'on opina, après les avoir fait sortir, et l'on les fit rentrer aussitôt, pour leur dire que la Compagnie ne désapprouvait pas cette assemblée du Conseil de Ville, parce qu'elle était dans l'ordre et selon la coutume ; mais qu'elle les avertissait qu'une assemblée générale, et faite pour des affaires de cette importance, ne devait ni ne pouvait être arrêtée par une simple lettre de cachet. L'on lut ensuite la lettre qui devait être envoyée à tous les parlements du royaume ; elle était courte, mais forte, décisive et pressante.

L'après-dînée du même jour, l'assemblée de l'Hôtel de Ville se fit ainsi qu'elle y avait été résolue, le matin, par le Conseil. Le président Aubry ouvrit celui des conclusions[1]. Des Nots, apothicaire, qui parla fort bien, ajouta qu'il fallait écrire à toutes les villes de France où il y aurait ou parlement, ou évêché, ou présidial[2], pour les inviter à faire une pareille assemblée et de pareilles remontrances contre le Cardinal. Cet avis, qui fut supérieur de beaucoup, ce jour-là, ayant été embrassé de plus de sept voix[3], fut le moindre en nombre dans l'assemblée suivante, qui fut celle du 22. Quelqu'un ayant dit que cette union des villes était une espèce de ligue contre le Roi, la pluralité revint à celui de M. le président Aubry, qui était de se contenter de faire des remontrances au Roi, pour lui demander l'éloignement de M. le cardinal Mazarin et le retour de Sa Majesté à Paris. Ce même jour, Messieurs les Princes allèrent à la Chambre des comptes, et ils y firent enregistrer les mêmes protestations qu'ils avaient faites au Parlement et à la Ville. L'on y résolut aussi les remontrances contre le Cardinal.

Le 23, Monsieur dit au Parlement que l'armée du Mazarin s'étant saisie, sous prétexte de l'approche du Roi, de Melun et de Corbeil, contre la parole, que le maréchal de L'Hôpital avait donnée, que les troupes ne s'avanceraient pas du côté de Paris plus près que de douze lieues, il était obligé de faire approcher les siennes. Il alla ensuite, accompagné de Monsieur le Prince, à la Cour des aides, où les choses se passèrent comme dans les autres compagnies.

Quoique je vous puisse répondre de la vérité de tous les faits que je viens de poser à l'égard des assemblées qui se firent en ce temps-là, c'est-à-dire depuis le 1er de mars jusques au 23 d'avril, parce qu'il n'y en a aucun que je n'aie vérifié moi-même sur les registres du Parlement ou sur ceux de l'Hôtel de Ville, je n'ai pas cru qu'il fût de la sincérité de l'histoire que je m'y arrêtasse avec autant d'attention ou plutôt avec autant de réflexion que je l'ai fait à propos des assemblées des chambres auxquelles j'avais assisté en personne. Il y a autant de différence entre un récit que l'on fait sur des mémoires, quoique bons, et une narration de faits que l'on a vus soi-même, qu'il y en a entre un portrait auquel l'on ne travaille que sur des ouï-dire, et une copie que l'on tire sur les originaux. Ce que j'ai trouvé dans ces registres ne peut être tout au plus que le corps ; il est au moins *constant que l'on n'y saurait reconnaître l'esprit des délibérations, qui s'y discerne assez souvent beaucoup davantage par un coup d'œil, par un mouvement, par un air, qui est même quelquefois presque imperceptible, que par la substance des choses qui paraissent plus importantes, et qui sont toutefois les seules dont les registres nous doivent et puissent tenir compte. Je vous supplie de recevoir cette petite observation comme une marque de l'exactitude que j'ai, et que j'aurai toute ma vie, à ne manquer à rien de ce que je vous dois à l'éclaircissement d'une matière sur laquelle vous m'avez commandé de travailler. Le compte que je vas vous rendre de ce que je remarquais, en ce temps-là, du mouvement intérieur de toutes les machines, est plus de mon fait, et j'espère que je serai assez *juste.

Il n'est pas possible, qu'après avoir vu le consentement

uniforme de tous les corps conjurés à la ruine de M. le cardinal Mazarin, vous ne soyez très persuadée qu'il est sur le bord du précipice et qu'il faut un miracle pour le sauver. Monsieur le fut, comme vous, au sortir de l'Hôtel de Ville, et il me fit la guerre, en présence du maréchal d'Etampes et du vicomte d'Hostel, de ce que j'avais toujours cru que le Parlement et la Ville lui manqueraient. Je confesse encore, comme je le lui confessai à lui-même ce jour-là, que je m'étais trompé sur ce point, et que je fus surpris, au delà de tout ce que vous vous en pouvez imaginer, du pas que le Parlement avait fait. Ce n'est pas que la cour n'y eût *contribué tout ce qui était en elle ; et l'imprudence du Cardinal, qui y précipita cette Compagnie malgré elle, était certainement plus que suffisante pour m'épargner, ou du moins pour me diminuer la honte que je pouvais avoir de n'avoir pas eu d'assez bonnes vues. Il s'avisa de faire commander, au nom du Roi, au Parlement de révoquer et d'annuler, à proprement parler, tout ce qu'il avait fait contre le Mazarin, justement au moment que Monsieur le Prince arrivait à Paris ; et l'homme du monde qui gardait le moins de mesure et le moins de bienséance à l'égard des illusions, et qui les aimait le mieux, même où elles n'étaient pas nécessaires, *affecta de ne s'en point servir dans une occasion où je crois qu'un fort homme de bien l'eût pu employer sans scrupule.

Il est certain que rien n'était plus odieux en soi-même que l'entrée de Monsieur le Prince dans le Parlement, quatre jours après qu'il eut taillé en pièces quatre *quartiers de l'armée du Roi ; et je suis convaincu que si la cour ne se fût point pressée et qu'elle fût demeurée dans l'inaction à cet instant, tous les corps de la Ville, qui dans la vérité commençaient à se lasser de la guerre civile, eussent été fatigués, dès le suivant, d'un spectacle qui les y engageait même ouvertement. Cette conduite eût été sage. La cour prit la contraire, et elle ne manqua pas aussi de faire un contraire effet ; car, en désespérant le public, elle l'accoutuma en un quart d'heure à Monsieur le Prince. Ce ne fut plus celui qui venait de défaire les troupes du Roi ; ce fut celui qui venait à Paris pour s'opposer au retour du Mazarin. Ces *espèces se confondirent même dans l'imagination de ceux qui eussent juré qu'elles ne s'y confondaient pas. Elles ne se démêlent, dans les temps où tous les esprits sont prévenus, que dans les *spéculations des philosophes, qui sont peu en nombre, et qui, de plus, y sont toujours comptés pour rien, parce qu'ils ne mettent jamais à la main la hallebarde. Tous ceux qui crient dans les rues, tous ceux qui haranguent dans les compagnies, se saisissent de ces idées. Voilà justement ce qui arriva par l'imprudence du Mazarin ; et je me souviens que Bachaumont, que vous connaissez, me disait, le propre jour que les gens du Roi présentèrent au Parlement la dernière lettre de cachet dont je vous ai parlé, que le Cardinal avait trouvé le secret de faire Boislève frondeur. C'était tout dire ; car ce Boislève était le plus décrié de tous les mazarins.

Vous croyez, sans doute, que Monsieur et Monsieur le Prince ne manquèrent pas cette occasion de profiter de l'imprudence de la cour. Nullement. Ils n'en manquèrent aucune de corrompre, pour ainsi parler, celle-là ; et c'est particulièrement en cet endroit où il faut reconnaître qu'il y a des fautes qui ne sont pas tout à fait humaines. Vous ne serez pas surprise de celles de Monsieur ; mais je le suis encore de celles de Monsieur le Prince, qui était, dès ce temps-là, l'homme du monde le moins propre naturellement à les commettre. Sa jeunesse, son élévation, son courage, lui pouvaient faire faire des faux pas d'une autre nature, desquels l'on n'eût pas eu sujet de s'étonner. Ceux que je vas marquer ne pouvaient avoir aucun de ces principes. L'on leur en peut encore moins trouver dans les qualités opposées, desquelles homme qui vive ne l'a jamais pu soupçonner ; et c'est ce qui me fait conclure que l'aveuglement dont l'Ecriture nous parle si souvent est, même humainement parlant, sensible et palpable quelquefois dans les actions des hommes[1]. Y avait-il rien de plus naturel à Monsieur le Prince, ni plus selon son inclination, que de pousser sa victoire et d'en prendre les avantages qu'il en eût pu apparemment tirer si il eût continué à faire agir en personne son armée ? Il l'abandonne, au lieu de prendre ce parti, à la conduite de deux novices ; et les inquiétudes de M. de Chavigny, qui le rappelle à Paris sur un prétexte ou sur une raison qui, au fond, n'avait point de réalité, l'emportent dans son esprit sur son inclination toute guerrière, et sur l'intérêt solide qui l'eût dû attacher à ses troupes. Y avait-il rien de plus nécessaire à Monsieur et à Monsieur le Prince que de fixer, pour ainsi dire, le moment heureux dans lequel l'imprudence du Cardinal venait de livrer à leur disposition le premier parlement du royaume, qui avait balancé à se déclarer jusque-là, et qui avait même fait, de temps en temps, des démarches non pas seulement faibles, mais ambiguës ? Au lieu de se servir de cet instant, en achevant d'engager tout à fait le Parlement, ils lui font de ces sortes de peurs qui ne manquent jamais de *dégoûter dans les commencements, et d'effaroucher dans les suites les compagnies, et ils lui laissent de ces sortes de libertés qui les accoutument d'abord à la résistance, et qui la produisent infailliblement à la fin.

Je m'explique. Aussitôt que l'on eut la nouvelle de l'approche de Monsieur le Prince, il y eut des placards affichés et une grande émeute faite sur le Pont-Neuf. Il n'y eut point de part, et il n'y en put même avoir, car il n'était pas encore arrivé à Paris lorsqu'elle arriva, ce qui fut le 2 de mars [1]. Mais il est vrai qu'elle fut commandée par Monsieur, comme je vous l'ai dit dans un autre lieu.

Le 25 d'avril, le bureau des entrées de la porte Saint-Antoine fut rompu et pillé par la populace, et M. de Cumont, conseiller du Parlement, qui s'y trouva par hasard, l'étant venu dire à Monsieur, dans le cabinet des livres où j'étais, eut pour réponse ces propres paroles : « J'en suis fâché, mais il n'est pas mauvais que le peuple s'éveille de temps en temps ; il n'y a personne de tué, le reste n'est pas grande chose. »

Le 30 du même mois, le prévôt des marchands et autres officiers de la Ville, qui revenaient de chez Monsieur, faillirent à être massacrés au bas de la rue de Tournon ; et ils se plaignirent, dès le lendemain, dans les chambres assemblées, qu'ils n'avaient reçu aucun secours, quoiqu'ils l'eussent fait demander et à Luxembourg et à l'hôtel de Condé.

Le 10 de mai, le procureur du Roi de la Ville et deux échevins eussent été tués dans la salle du Palais sans M. de Beaufort, qui eut très grande peine à les sauver.

Le 13, M. Quelin, conseiller du Parlement et capitaine de son quartier, ayant mené sa compagnie au Palais pour la garde ordinaire, fut abandonné de tous les bourgeois qui la composaient, et qui criaient qu'ils n'étaient pas faits pour garder des mazarins ; et le 24 du même mois, M. Molé de Sainte-Croix porta sa plainte, en plein Parlement, de ce que, le 20, il avait été attaqué et presque mis en pièces par les séditieux.

Vous observerez, si il vous plaît, que toute la canaille, qui seule faisait ce désordre, n'avait dans la bouche que le nom et le service de Messieurs les Princes, qui, dès le lendemain, la désavouèrent dans les assemblées des chambres. Ce désaveu, qui se faisait même, au moins pour l'ordinaire, de très bonne foi, donnait lieu aux arrêts sanglants que le Parlement donnait à toutes occasions contre ces séditieux ; mais il n'empêchait pas que ce même parlement ne crût que ceux qui désavouaient la sédition ne l'eussent faite ; et ainsi il ne diminuait rien de la haine que beaucoup de particuliers en concevaient, et il accoutumait le corps à donner des arrêts qui n'étaient pas, au moins à ce qu'il s'imaginait, du goût de Messieurs les Princes. Je sais bien, comme je l'ai dit ailleurs, que, dans les temps où il y a de la faction et du trouble, ce malheur est inséparable des pouvoirs populaires, et nul ne l'a plus éprouvé que moi ; mais il faut avouer aussi que Monsieur et Monsieur le Prince n'eurent pas toute l'application nécessaire à sauver les apparences de ce qu'ils ne faisaient pas en effet [1]. Monsieur, qui était faible, craignait de se brouiller avec le peuple en réprimant avec trop de véhémence les criailleurs ; et Monsieur le Prince, qui était intrépide, ne faisait pas assez de réflexion sur les mauvais et puissants effets que ces *émotions faisaient à son égard dans les esprits de ceux qui en avaient peur.

Il faut que je me confesse en cet endroit, et que je vous avoue que comme j'avais intérêt à affaiblir le crédit de Monsieur le Prince dans le public, je n'oubliai, pour y réussir, aucune des couleurs que je trouvai sur ce sujet, assez abondamment, dans les manières de beaucoup de gens de son parti. Jamais homme n'a été plus éloigné que Monsieur le Prince d'employer ces sortes de moyens ; il n'y en a jamais eu un seul sur qui il fût plus aisé d'en jeter l'*envie et les apparences. Pesche était tous les jours dans la cour de l'hôtel de Condé, et le commandeur de Saint-Simon ne bougeait de l'antichambre. Il faut que ce dernier se soit mêlé d'un étrange métier, puisque je, nonobstant sa qualité, n'ai pas honte de le confondre avec un misérable criailleur de la lie du peuple. Il est certain que je me servis utilement de ces deux noms contre les intérêts de Monsieur le Prince, qui, dans la vérité, n'avait de tort, à cet égard, que celui de ne pas faire assez d'attention à leurs sottises. J'ose dire, sans manquer au respect que je lui dois, qu'il fut moins excusable en celle qu'il n'eut pas à s'opposer d'*abord à de certaines libertés que des particuliers prirent, dans tous les corps, de lui résister en face et de l'attaquer même personnellement. Je sais bien que la douceur naturelle de Monsieur, jointe à l'ombrage que monsieur son cousin lui donnait toujours, l'obligeait quelquefois à dissimuler ; mais je sais bien aussi qu'il eut lui-même trop [de] douceur en ces rencontres, et que si il eût pris les choses sur le ton qu'il les pouvait prendre, dans le moment que la cour lui donna si beau jeu, il eût soumis Paris et Monsieur même à ses volontés, sans violence. La même vérité qui m'oblige à remarquer la faute m'oblige à en admirer le principe ; et il est si beau à l'homme du monde du courage le plus héroïque d'avoir péché par excès de douceur, que ce qui ne lui [a] pas *succédé dans la politique, doit être au moins admiré et exalté par tous les gens de bien dans la morale. Il est nécessaire d'expliquer en peu de paroles ce détail.

M. le procureur général Fouquet, connu pour mazarin, quoiqu'il déclamât à sa place contre lui comme tous les autres, entra dans la Grande Chambre le 17 d'avril, et , en présence de M. le duc d'Orléans et de Monsieur le Prince, requit, au nom du Roi, que Monsieur le Prince lui donnât communication de toutes les associations et de tous les traités qu'il avait faits et dedans et dehors le royaume ; et il ajouta qu'en cas que Monsieur le Prince la refusât, il demandait acte de sa réquisition et de l'opposition qu'il faisait à l'enregistrement de la déclaration, que Monsieur le Prince venait de faire, qu'il poserait les armes aussitôt que M. le cardinal Mazarin serait éloigné.

M. Ménardeau opina publiquement, dans la grande assemblée de l'Hôtel de Ville, qui fut faite le 20 avril, à ne point faire de remontrances contre le Cardinal qu'après que Messieurs les Princes auraient posé les armes.

Le 22 du même mois, MM. les présidents des Comptes, à la réserve du premier, ne se trouvèrent pas à la Chambre, sous je ne sais quel prétexte, qui parut, en ce temps-là, assez léger : je ne me ressouviens pas du détail. M. Perrochel, un instant après, soutint à Messieurs les Princes, en face, qu'il fallait donner arrêt qui portât défense de lever aucunes troupes sans la permission du Roi ; et, le même jour, M. Amelot, premier président de la Cour des aides, dit à Monsieur le Prince, ouvertement, qu'il s'étonnait de voir sur les fleurs de lis [1] un prince qui, après avoir tant de fois triomphé des ennemis de l'État, venait de s'unir avec eux, et cætera. Je ne vous rapporte ces exemples que comme échantillons. Il y en eut tous les jours quelqu'un de cette espèce, et il n'y en eut point, pour peu considérable qu'il parût sur l'heure, qui ne laissât dans les esprits une de ces sortes d'impressions qui ne se sentent pas d'abord, mais qui se réveillent dans les suites. Il est de la prudence d'un chef de parti de souffrir tout ce qu'il doit dissimuler [2], mais il ne doit pas dissimuler ce qui accoutume les corps ou les particuliers à la résistance. Monsieur, qui, par son humeur et par l'ombrage que Monsieur le Prince lui faisait à tous les instants, ne voulait déplaire à qui que ce soit, Monsieur le Prince, qui n'était dans la faction que par force, n'étudiaient [a] pas avec assez d'application les principes d'une science dans laquelle l'amiral de Coligny disait que l'on ne pouvait jamais être docteur. Ils laissèrent l'un et l'autre non seulement la liberté, mais encore la licence des suffrages à tous les particuliers. Ils crurent, dans toutes les occasions dont je viens de parler, que le plus de voix qu'ils y avaient eues leur suffisait, comme il leur aurait effectivement suffi, si il ne s'était agi que d'un procès ; ils ne connurent pas d'assez bonne heure la différence qu'il y a entre la liberté et la licence des suffrages ; ils ne purent se persuader qu'un discours haut, sentencieux et décisif, fait à propos et dans des moments qui se trouvent quelquefois décisifs par eux-mêmes, eût pu faire et produire cette distinction, sans la moindre ombre de violence ; et ainsi ils laissèrent toujours, dans Paris, un air de parti contraire, qui ne manque jamais de s'épaissir quand il est agité par les vents qu'y jette l'autorité royale.

Si il eût plu à Monsieur et à Monsieur le Prince de faire sortir de Paris, même avec civilité, le moindre de ceux qui leur manquèrent au respect dans ces rencontres, les compagnies même dont ils étaient membres y eussent donné leurs suffrages. Le président Amelot fut désavoué publiquement par la Cour des aides de ce qu'il avait dit à Monsieur le Prince. Elle eût opiné à son éloignement, si Monsieur le Prince eût voulu ; elle l'en aurait remercié le jour même, et le lendemain elle aurait tremblé. Le secret, dans ces grands mouvements, est de retenir les gens dans l'obéissance par des frayeurs qui ne leur soient causées que par les choses dont ils aient été eux-mêmes les instruments. Ces peurs sont, pour l'ordinaire, les plus efficaces et toujours les moins odieuses. Vous verrez ce que la conduite contraire produisit. Mais ce qui aida fort à produire la conduite contraire fut la démangeaison de négociation (c'est ainsi que le vieux Saint-Germain l'appelait), qui, à proprement parler, était la maladie populaire du parti de Monsieur le Prince.

M. de Chavigny, qui avait été, dès son enfance, nourri dans le *cabinet, ne pensait qu'à y rentrer par toute voie. M. de Rohan, qui n'était, à parler proprement, bon qu'à danser, ne se croyait lui-même bon que pour la cour. Goulas ne voulait que ce que voulait M. de Chavigny : voilà des naturels bien susceptibles de propositions de négociations. Monsieur le Prince était, par son inclination, par son éducation et par les maximes[a], plus éloigné de la guerre civile qu'homme que j'aie jamais connu sans exception ; et Monsieur, dont le *caractère dominant était d'avoir toujours peur et défiance, était celui de tous ceux que j'aie jamais vus le plus capable de donner dans tous les panneaux, à force de les craindre tous. Il était en cela semblable aux lièvres. Voilà des esprits bien portés à recevoir les propositions de négociation.

Le fort de M. le cardinal Mazarin était proprement de *ravauder, de donner à entendre, de faire espérer ; de jeter des lueurs, de les retirer ; de donner des vues, de les brouiller. Voilà un *génie tout propre à se servir des illusions que l'autorité royale a toujours abondamment en main pour engager à des négociations. Il y engagea, dans la vérité, tout le monde ; et cet engagement fut ce qui produisit, en partie, comme je vous le viens de dire, la conduite que je vous ai expliquée ci-dessus, en ce qu'il *amusa par de fausses espérances d'accommodement ; et ce fut encore ce qui acheva, pour ainsi dire, de la gâter et de la corrompre, en ce qu'il donna du courage à ceux qui, dans la Ville et dans le Parlement, avaient de bonnes intentions pour la cour, et qu'il l'ôta à ceux qui étaient de bonne foi dans le parti. Je vous expliquerai ce détail après que je vous aurai rendu compte du mouvement des armées de l'un et de l'autre parti, et de celui que je fus obligé de me donner, contre mon inclination et contre ma résolution, dans ces conjonctures.

Le Roi, dont le dessein avait toujours été de s'approcher de Paris, comme il me semble que je vous l'ai déjà dit, partit de Gien aussitôt après le combat de Bléneau, et il prit son chemin par Auxerre, par Sens et par Melun, jusques à Corbeil, cependant que MM. de Turenne et d'Hocquincourt, qui s'avancèrent avec l'armée jusques à Moret, couvraient sa marche, et que MM. de Beaufort et de Nemours, qui avaient été obligés de quitter Montargis faute de fourrage, s'étaient allés camper à Étampes. Leurs Majestés étant passées jusques à Saint-Germain, M. de Turenne se posta à Palaiseau : ce qui obligea Messieurs les Princes de mettre garnison dans Saint-Cloud, au pont de Neuilly et à Charenton. Vous croyez aisément que tous ces mouvements de troupes ne se faisaient pas sans beaucoup de désordre et de pillage ; et ce pillage, qui était trouvé tout aussi mauvais au Parlement que celui des tireurs de laine sur le Pont-Neuf [1], y donnait tous les jours quelque scène qui n'aurait pas été indigne du *Catholicon* [2]. Celle dans laquelle je jouais mon personnage à Luxembourg n'était pas assurément de la même nature. J'y allais tous les jours *réglément, et parce que Monsieur le voulait ainsi, pour faire voir à Monsieur le Prince qu'en cas de besoin il serait toujours assuré de moi, et parce qu'il me convenait aussi, en mon particulier, que le public vît que ce que les partisans de Monsieur le Prince publiaient incessamment contre moi, de mon intelligence avec le Mazarin, n'était ni cru ni approuvé de Son Altesse Royale. J'étais toujours dans le cabinet des livres, parce que le défaut du bonnet, que je n'avais pas encore reçu de la main du Roi, faisait que je ne paraissais pas en public [3]. Monsieur le Prince était très souvent en même temps dans la galerie ou dans la chambre. Monsieur allait et venait sans cesse de l'un à l'autre, et parce qu'il ne demeurait jamais en place, et parce qu'il l'*affectait même quelquefois pour différentes fins. Le commun du monde, qui prend toujours plaisir à être mystérieux, voulait que l'agitation que lui était naturelle fût l'effet des différentes impressions que nous lui donnions.

Monsieur [le Prince] m'attribuait tout ce que Monsieur ne faisait pas pour le bien du parti. Le peu d'ouverture que j'avais laissée aux offres qu'il avait fait faire pour moi à M. de Brissac, par le moyen de M. le comte de Fiesque, l'avait encore tout fraîchement aigri. Il y eut même des rencontres où Monsieur crut qu'il lui convenait qu'il ne s'adoucît pas à mon égard. Les libelles recommencèrent ; j'y répondis. La trêve de l'écriture se rompit ; et ce fut en cette occasion, ou au moins dans les suivantes, où je mis au jour quelques-uns de ces libelles desquels je vous ai parlé dans le second volume de cet ouvrage [1], quoique ce n'en fût pas le lieu, pour n'être pas obligé de retoucher une matière qui est trop légère en elle-même pour être rebattue tant de fois. Je me contenterai de vous dire que *Les Contretemps du sieur de Chavigni, premier ministre de Monsieur le Prince,* que je dictai en badinant à M. de Caumartin, touchèrent à un point cet esprit altier et superbe, qu'il ne put s'empêcher d'en verser des larmes, en présence de douze ou quinze personnes de qualité qui étaient dans sa chambre. L'un de ceux-là me l'ayant dit, le lendemain, je lui répondis en présence de MM. de Liancourt et de Fontenay : « Je vous supplie de dire à M. de Chavigny que, connaissant en sa personne autant de bonnes qualités que j'en connais, je travaillerais à son panégyrique encore plus volontiers que je n'ai fait au libelle qui l'a tant touché. »

Je vous ai dit ci-dessus que j'avais fait la résolution de demeurer tout le plus qu'il me serait possible dans l'inaction, parce qu'il est vrai que j'avais beaucoup à perdre et rien à gagner dans le mouvement. J'accomplis, en partie, cette résolution, parce qu'il est vrai que je n'entrai presque en rien de tout ce qui se fit en ce temps-là, étant très convaincu qu'il n'y avait rien de bon à faire pour l'ordinaire, et que le bon même ne se ferait pas dans le peu d'occasions où il était possible, à cause des vues différentes et compliquées que chacun avait et même que chacun devait avoir, vu l'état des choses. Je m'enveloppai donc, pour ainsi dire, dans mes grandes dignités, auxquelles j'abandonnai les espérances de ma fortune ; et, je me souviens qu'un jour, M. le président de Bellièvre me disant que je me devais donner plus de mouvement, je lui repartis sans balancer : « Nous sommes dans une grande tempête, où il me semble que nous voguons tous contre le vent. J'ai deux bonnes rames en main, dont l'une est la masse de cardinal et l'autre la crosse de Paris[1]. Je ne les veux pas rompre et je n'ai présentement qu'à me soutenir. »

Je vous ai déjà dit que l'obligation de voir Monsieur très souvent me força à ne pas garder toutes les apparences de cette inaction. Je me trouvai nécessité à ne la pas même observer pleinement et entièrement par les criailleries des partisans de Monsieur le Prince, qui m'attaquèrent par leurs libelles, comme *fauteur du Mazarin. Je fus obligé d'y répondre, et cet éclat, joint à la cour assidue que je faisais à Luxembourg, qui paraissait d'autant plus mystérieuse qu'elle paraissait *couverte, par la raison que vous avez déjà vue, quoiqu'elle fût publique ; cet éclat, dis-je, fit trois effets très mauvais contre moi. Le premier fut qu'il fit croire, même aux indifférents, que je ne pouvais demeurer en repos ; le second, qu'il persuada à Monsieur le Prince que j'étais irréconciliable avec lui ; et le troisième, qu'il acheva d'aigrir, au dernier point, la cour contre moi, parce que je ne me pouvais défendre contre les libelles de Monsieur le Prince qu'en insérant dans les miens des choses qui ne pouvaient être agréables à Monsieur le Cardinal.

Cet embarras n'était évitable que par des inconvénients qui étaient encore plus grands que l'embarras. Je ne me pouvais défendre du premier que par une retraite entière, qui n'eût été ni de la bienséance, dans un temps où l'on l'eût attribuée à la peur que l'on eût cru que j'eusse eue de Monsieur le Prince, ni du respect et du service que je devais à Monsieur, dans un moment où ma présence, au moins selon ce qu'il se l'imaginait, lui était nécessaire. Je ne pouvais me parer du second qu'en me raccommodant avec Monsieur le Prince, ou en lui laissant prendre contre moi, dans le public, tous les avantages qu'il lui plairait. Ce dernier parti eût été d'un *innocent ; l'autre était impraticable, et par les engagements que j'avais sur cet article particulier avec la Reine, et par la disposition de Monsieur, qui me voulait toujours tenir en laisse, pour me lâcher en cas de besoin. Je ne pouvais éviter le troisième sans faire des pas vers la cour, desquels Monsieur le Cardinal n'eût pas manqué de se servir pour me perdre. En voici un exemple.

Aussitôt que j'eus reçu la nouvelle de ma promotion, j'envoyai Argenteuil au Roi et à la Reine pour leur en rendre compte, et je lui donnai charge expresse de ne point voir Monsieur le Cardinal, auquel j'étais bien éloigné, comme vous avez vu, de m'en croire obligé, et que j'étais, de plus, bien aise de marquer, par une circonstance de cette nature, et dans le Parlement et dans le peuple, pour mon ennemi. Monsieur eut ou l'*honnêteté ou la prudence de me dire, de lui-même, qu'il avouait que l'ordre que je donnais sur cela à Argenteuil était nécessaire ; mais qu'il y fallait toutefois un *retentum (ce fut son mot) ; et, qu'en l'état où étaient les choses et où elles seraient peut-être quand il arriverait à Saumur, où la cour était à cette heure-là, il était à propos de lui laisser la bride plus longue et de ne lui pas ôter la liberté de conférer secrètement avec le Cardinal, si il le souhaitait, et si Madame la Palatine, à qui j'adressais Argenteuil pour le présenter à la Reine, croyait qu'il y pût y avoir quelque utilité : « Que savons-nous, ajouta Monsieur, si, par l'événement, cela ne pourra pas être bon à quelque chose, même pour le gros des affaires ? La bonne conduite veut que l'on ne perde pas les occasions naturelles d'*amuser, quand l'on a affaire à des amuseurs en titre d'*office. Le Mazarin ne manquera jamais de dire : *la conférence ;* mais quel inconvénient ? C'est un menteur fieffé que personne ne croit, et il la dira, fausse comme véritable. » Voilà les paroles de Monsieur : elles furent prophétiques. Monsieur le Cardinal voulut voir Argenteuil chez Madame la Palatine, la nuit. Il lui dit, par excès de tendresse pour moi, que si j'avais été assez malhabile pour lui avoir ordonné de le voir publiquement, il y aurait suppléé, pour me servir, par un refus public. Il entra bonnement dans tous mes égards, dans tous mes intérêts. Il lui voulut faire croire qu'il était résolu de partager le ministériat avec moi. Véritablement, Argenteuil n'était pas encore revenu à Paris que Monsieur était averti par Goulas, non pas de ce qui s'était passé réellement à l'égard de cette visite, mais de tout ce qui s'y fût passé effectivement, si elle eût été recherchée par moi et faite à l'insu de Son Altesse Royale et contre son service. Cet échantillon vous fait voir les replis de la pièce qui était sur le métier, et peut contribuer, ce me semble, à justifier la conduite que j'eus en ce temps-là.

J'écris, par votre ordre, l'histoire de ma vie, et le plaisir que je me fais de vous obéir avec exactitude a fait que m'épargne si peu moi-même. Vous avez pu jusques ici vous apercevoir que je ne me suis pas appliqué à faire mon *apologie. Je m'y trouve forcé en ce rencontre, parce que c'est celui où l'artifice de mes ennemis a rencontré le plus de facilité à surprendre la crédulité du vulgaire. Je savais que l'on disait, en ce temps-là : « Est-il possible que le cardinal de Rais ne soit pas content d'être, à son âge, cardinal et archevêque de Paris ? et comme se peut-il mettre dans l'esprit que l'on conquerre, à force d'armes, la première place dans les conseils du Roi ? » Je sais qu'encore aujourd'hui les misérables gazettes de ce temps-là sont pleines de ces ridicules idées. Je conviens qu'elles l'eussent été encore sans comparaison davantage dans mes espérances et dans mes vues, qui, en vérité, en étaient très éloignées, je ne dis pas seulement par la force de la raison, à cause des conjonctures, mais je dis même par mon inclination, qui me portait avec tant· de rapidité et aux plaisirs et à la gloire, que le ministériat, qui trouble beaucoup ceux-là et qui rend toujours celle-ci odieuse, était encore moins à mon goût qu'à ma portée [1]. Je ne sais si je fais mon apologie en vous parlant ainsi ; je ne crois pas au moins vous faire mon éloge. Sur le tout, je vous dois la vérité, qui ne me servira pas beaucoup devant la postérité pour ma décharge, mais qui, au moins, ne sera pas inutile pour faire connaître que la plupart des hommes du commun qui raisonnent sur les actions de ceux qui sont dans les grands postes sont tout au moins des dupes présomptueux [2]. Je m'aperçois bien qu'il y a trop de prolixité dans cette digression. Vous l'attribuerez peut-être à vanité : je ne le crois pas, et je sens que le plaisir que j'ai à me pouvoir justifier est uniquement l'effet de celui que je trouve à n'être pas désapprouvé de vous.

Il n'est pas possible que, lorsque vous faites réflexion sur l'embarras où j'étais, dans le temps que je viens de vous décrire, vous ne vous ressouveniez de ce que je vous ai déjà dit plus d'une fois, qu'il y en a où il est impossible de bien faire. Je crois que Monsieur me répétait ces paroles cent fois par jour, avec des soupirs et des regrets incroyables de ne m'avoir pas cru, quand je lui représentais et qu'il tomberait en cet état, et qu'il y ferait tomber tout le monde. Il était encore aggravé, à mon égard, par les *contretemps, que je puis, ce me semble, appeler domestiques, qui m'arrivèrent dans ces conjonctures.

Vous avez déjà vu que Mme de Chevreuse, Noirmoutier et Laigue avaient commencé à faire, en quelque façon, bande à part, et que, sous le prétexte de ne pouvoir entrer ni directement ni indirectement dans les intérêts de Monsieur le Prince, ils s'étaient séparés effectivement de ceux de Monsieur, quoiqu'ils y gardassent toujours les mesures de l'*honnêteté et du respect. Celles qu'ils avaient avec la cour étaient beaucoup plus étroites. L'abbé Fouquet*avait succédé, pour cette négociation, à Bartet. Je l'appris par Monsieur même, qui m'obligea, ou plutôt qui me força à la pénétrer plus que je n'eusse fait sans son ordre exprès ; car, dans la vérité, depuis ce qui s'était passé à l'hôtel de Chevreuse quand Monsieur le Cardinal rentra dans le royaume, je n'y comptais plus rien, et je ne continuais même à y aller que parce que j'y voyais Mlle de Chevreuse, qui ne m'avait point manqué. Je me sentais obligé à Monsieur de ce qu'il n'avait ajouté aucune foi aux mauvais offices que Chavigny et Goulas me rendaient, du matin au soir, sur les *correspondances de l'hôtel de Chevreuse avec la cour, qui donnaient, à la vérité, un beau champ de me calomnier ; et ainsi je me sentis aussi plus obligé moi-même à les éclairer.

Cette considération fit que, contre mon inclination, je pris quelques mesures avec l'abbé Fouquet. Je dis contre mon inclination ; car le peu qui m'avait paru de cet esprit chez Mme de Guémené, où il allait voir assez souvent une Mlle de Ménessin, qui était sa parente, ne m'avait pas donné du goût pour sa personne. Il était, en ce temps-là, fort jeune ; mais il avait, dès ce temps-là, un je ne sais quel air d'emporté et de fou qui ne me revenait pas. Je le vis deux ou trois fois, sur la brune, chez Le Fèvre de La Barre, qui était fils du prévôt des marchands et son ami, sous prétexte de conférer avec lui pour rompre les cabales que Monsieur

le Prince faisait pour se rendre maître du peuple. Notre
commerce ne dura pas longtemps, et parce que, de mon
côté, j'en tirai d'*abord les éclaircissements qui m'étaient
nécessaires, et parce que lui, du sien, se lassa bientôt des
conversations qui n'allaient à rien. Il voulait, dès le premier
moment, que je fusse mazarin sans réserve, comme lui ; il
ne concevait pas qu'il fût à propos de garder des mesures.
Je crois qu'il peut être devenu depuis un habile homme ;
mais je vous assure qu'en ce temps-là il ne parlait que
comme un écolier qui ne fût sorti que la veille du collège
de Navarre. Je crois que cette qualité put ne lui pas nuire
auprès de Mlle de Chevreuse, de laquelle il devint amoureux,
et laquelle devint aussi amoureuse de lui. La petite de Roie,
qui était une Allemande, fort jolie, qui était à elle, m'en
avertit. Je me consolai assez aisément, avec la suivante, de
l'infidélité de la maîtresse, dont, pour vous dire le vrai, le
choix ne m'humilia point. Je ne laissai pas de prendre la
liberté de faire quelques railleries de l'abbé Fouquet, qui se
persuada, ou qui se voulut persuader, qu'elles avaient passé
jeu, et que j'avais dit que je lui ferais donner des coups de
bâton. Je n'y avais jamais pensé : il en a eu le même
ressentiment que si la chose eût été vraie. Il contribua
beaucoup à ma prison ; et M. Le Tellier me dit à Fontainebleau, après que je fus revenu des pays étrangers, qu'il avait
proposé maintes fois à la Reine de me tuer. Ma colère contre
lui ne fut pas si grande : elle se mesura à ma jalousie, qui
ne fut que *médiocre.

Mlle de Chevreuse n'avait que de la beauté, de laquelle
l'on se rassasie quand elle n'est pas accompagnée. Elle
n'avait de l'esprit que pour celui qu'elle aimait ; mais
comme elle n'aimait jamais longtemps, l'on ne trouvait pas
aussi, longtemps, qu'elle eût de l'esprit. Elle s'indisposait
contre ses amants, comme contre ses *hardes. Les autres
femmes s'en lassent : elle les brûlait, et ses filles avaient
toutes les peines du monde à sauver une jupe, des coiffes,
des gants, un point de Venise. Je crois que si elle eût pu
mettre au feu ses galants, quand elle s'en lassait, elle l'eût
fait du meilleur de son cœur. Madame sa mère, qui la
voulut brouiller avec moi, quand elle se résolût de s'unir
entièrement à la cour, n'y put réussir, quoiqu'elle eût fait
en sorte que Mme de Guémené lui eût fait lire un billet de

ma main, par laquelle[a] je m'étais donné corps et âme à elle, comme les sorciers se donnent au diable[1]. Dans l'éclat qu'il y eut entre l'hôtel de Chevreuse et moi, à l'entrée du Cardinal dans le royaume, elle éclata avec fureur en ma faveur ; elle changea deux mois après, à propos de rien et sans savoir pourquoi. Elle prit tout d'un coup de la passion pour Charlotte, une fille de chambre fort jolie, qui était à elle, qui allait à tout ; elle ne lui dura que six semaines, après lesquelles elle devint amoureuse de l'abbé Fouquet, jusques au point de l'épouser si il eût voulu.

Ce fut dans ce temps que Mme de Chevreuse, se voyant assez hors d'*œuvre à Paris, prit le parti d'en sortir et de se retirer à Dampierre, sous l'espérance que Laigue, qui avait fait un voyage à la cour, lui rapporta qu'elle y serait très bien reçue. Je déchargeai à Mlle de Chevreuse mon cœur, qui en vérité n'était pas fort gros, et je ne laissai pas de faire accompagner la mère et la fille, et au sortir de Paris et même dans la campagne, jusques à Dampierre, par tout ce que j'avais auprès de moi et de noblesse et de cavalerie. Je ne puis finir ce léger crayon que je vous donne ici de l'état où je me trouvais à Paris, sans rendre la justice que je dois à la *générosité de Monsieur le Prince.

Angerville, qui était à M. le prince de Conti, vint de Bordeaux, en dessein d'entreprendre sur moi ; au moins Monsieur le Prince le crut-il ou le soupçonna-t-il. J'ai honte de n'être pas plus éclairci de ce détail, parce que l'on ne le peut jamais assez être des bonnes actions, et particulièrement de celles dont l'on doit avoir de la reconnaissance. Monsieur le Prince, le rencontrant dans la rue de Tournon, lui dit qu'il le ferait pendre, si il ne partait dans deux heures pour aller retrouver son maître.

Quelques jours après, Monsieur le Prince étant chez Prudhomme, qui logeait dans la rue d'Orléans, et ayant en file dans la rue sa compagnie de gardes et un fort grand nombre d'officiers, M. de Rohan y arriva, tout échauffé, pour lui dire qu'il me venait de laisser en beau début ; que j'étais à l'hôtel de Chevreuse très mal accompagné, et que je n'avais auprès de moi que le chevalier d'Humières, enseigne de mes gendarmes, avec trente *maîtres. Monsieur le Prince lui répondit en souriant : « Le cardinal de Rais est trop fort ou trop faible. » Marigny me raconta, presque dans

le même temps, que, s'étant trouvé dans la chambre de
Monsieur le Prince, et ayant remarqué qu'il lisait avec
attention un livre, il avait pris la liberté de lui dire qu'il
fallait que ce fût un bel ouvrage, puisqu'il y prenait tant de
plaisir, et que Monsieur le Prince lui répondit : « Il est vrai
que j'y en prends beaucoup, car il me fait connaître mes
fautes, que personne n'ose me dire. » Vous observerez, s'il
vous plaît, que ce livre était celui qui était intitulé : *Le Vrai
et le Faux du prince de Condé et du cardinal de Rais,* qui
pouvait piquer et fâcher Monsieur le Prince, parce que je
reconnais de bonne foi que j'y avais manqué au respect que
je lui devais [1]. Ces paroles sont belles, hautes, sages, grandes,
et proprement des apophtegmes, desquels le bon sens de
Plutarque aurait honoré l'antiquité avec joie.

Je reprends le fil de ce qui se passait en ce temps-là dans
les chambres assemblées, dont vous avez déjà vu la meilleure
partie dans ces observations, sur lesquelles il y a déjà quelque
temps que je me suis même assez étendu.

Je vous y ai parlé de la démangeaison de négociation
comme de la maladie qui régnait dans le parti des Princes.
M. de Chavigny en avait une *réglée, mais secrète, avec
Monsieur le Cardinal, par le canal de M. de Fabert. Elle ne
réussit pas, parce que le Cardinal ne voulait point, dans le
fond, d'accommodement, et il n'en recherchait que les
apparences, pour décrier dans le Parlement et dans le peuple
M. le duc d'Orléans et Monsieur le Prince. Il employa pour
cela le roi d'Angleterre, qui proposa au Roi, à Corbeil, une
conférence. Elle fut acceptée à la cour, et elle le fut aussi à
Paris par Monsieur et par Monsieur le Prince, auxquels la
reine d'Angleterre en parla. Monsieur en donna part au
Parlement le 26 d'avril, et fit partir, dès le lendemain, MM.
de Rohan, de Chavigny et Goulas pour aller à Saint-Germain,
où le Roi était allé de Corbeil. Je pris la liberté de demander
le soir à Monsieur s'il avait quelque certitude, ou au moins
quelque lumière, que cette conférence pût être bonne à
quelque chose ; et il me répondit en sifflant : « Je ne le
crois pas, mais que faire ? Tout le monde négocie, je ne
veux pas demeurer tout seul. » Permettez-moi, je vous
supplie, de marquer cette réponse comme l'*époque de
toute la conduite que Monsieur tint à l'égard de toutes les
négociations que vous verrez dans la suite. Il n'y eut jamais

d'autre vue que celle-là ; il n'y apporta jamais ni plus de dessein, ni plus d'*art, ni plus de *finesse. Il ne me fit jamais d'autre réponse, quand je lui représentais les inconvénients de cette conduite : ce que je ne faisais pourtant jamais, qu'il ne me l'eût commandé plus de cinq ou six fois.

Je crois que vous ne vous étonnez plus de mon inaction ; elle vous surprendra encore moins quand je vous aurai dit qu'après la négociation de laquelle je vous viens de parler, qui n'alla à rien qu'à décrier le parti, comme vous l'allez voir, il y en eut cinq ou six autres, ou plutôt qu'il y en eut un tissu, que MM. de Rohan et de Chavigny, Goulas, Gourville et Mme de Châtillon tinrent, à différentes reprises, sur le métier. Ils ne travaillèrent pas tout seuls à l'ouvrage : je le brodai de tout ce qui en pouvait rehausser les couleurs dans le public. Comme il me convenait de rejeter sur ce parti-là la haine et l'*envie du mazarinisme, dont il essayait de me charger en toutes occasions, je n'oubliais rien de tout ce qui était en moi pour découvrir et pour faire éclater dans le monde les avantages que les particuliers qui le composaient n'oubliaient pas de leur côté de rechercher dans les traités. Les propositions du gouvernement de Guyenne pour Monsieur le Prince, de la Provence pour monsieur son frère, de l'Auvergne pour M. de Nemours ; les cent mille écus et le *pour*[1] que l'on demandait pour M. de La Rochefoucauld ; le bâton de maréchal de France pour M. Du Daugnon ; les lettres de duc pour M. de Montespan ; la surintendance des finances pour M. Dognon[a] ; le pouvoir de faire la paix générale à Monsieur ; et à Monsieur le Prince celui de nommer des ministres, y furent figurés de toute leur étendue. Je ne crus pas être imposteur en publiant que tout ce que je viens de vous dire avait été proposé, parce qu'il est vrai que les avis que j'avais de la cour me l'assuraient.

Je ne voudrais pas jurer qu'il n'y eût, dans ces avis, de l'exagération sur de certains points. Ce que je sais, de science certaine, est que Monsieur le Cardinal faisait espérer tout ce que l'on prétendait, et qu'il ne fut jamais un intant dans la pensée d'en tenir quoi que ce soit. Il se donna le plaisir de donner au public le spectacle de MM. de Rohan, de Chavigny et de Goulas conférant avec lui, et devant le Roi, et en particulier, au moment même que Monsieur et Monsieur le

Prince disaient publiquement, dans les chambres assemblées, que le préalable de tous les traités était de n'avoir aucun commerce avec le Mazarin. Il joua la comédie en leur présence, dans laquelle il se fit retenir, comme par force, par le Roi, qu'il suppliait à mains jointes de lui permettre qu'il pût s'en retourner en Italie. Il se donna la satisfaction de montrer à toute la cour Gourville, qu'il ne laissait pas de faire monter par un escalier dérobé. Il se donna la joie d'*amuser Gaucourt, qui, par sa profession de négociateur, donnait encore plus d'éclat à la négociation[1].

Enfin, les choses en vinrent au point, que Mme de Châtillon alla publiquement à Saint-Germain. Nogent disait qu'il ne lui manquait, en entrant dans le château, que le rameau d'olive à la main. Elle y fut reçue et traitée effectivement comme Minerve aurait pu l'y être. La différence fut que Minerve aurait apparemment prévu le siège d'Etampes, que Monsieur le Cardinal entreprit dans le même instant, et dans lequel il ne tint presque à rien qu'il n'ensevelît tout le parti de Monsieur le Prince.[2] Vous verrez le détail de ce siège dans la suite, et je ne le touche ici que parce qu'il servit de clôture à ces négociations que je viens de marquer, et que j'ai été bien aise de renfermer toutes ensemble dans ces deux ou trois pages, afin que je ne fusse pas obligé d'interrompre si fréquemment le fil de ma narration.

Vous l'interrompez sans doute vous-même, à l'heure qu'il est, en me disant qu'il fallait que M. le cardinal Mazarin fût bien habile pour jeter, aussi utilement pour lui, tant de fausses apparences d'accommodement ; et je vous supplie de me permettre de vous répondre que toutes les fois que l'on dispose de l'autorité royale, l'on trouve des facilités incroyables à *amuser ceux qui ont beaucoup d'aversion à faire la guerre au Roi. Je ne sais si j'excuse Monsieur le Prince, je ne sais si je le loue : je dis la vérité, que j'ai pris la liberté de lui dire à lui-même. Il ne s'en fallut pas beaucoup qu'il n'y eût des gens dans le Parlement qui ne prissent la même, le jour que Monsieur y parla des conférences que MM. de Rohan, de Chavigny et Goulas avaient eues à Saint-Germain avec le Cardinal.

Ce fut le 30 d'avril. Le murmure y fut si grand que Monsieur, qui craignit l'éclat, dit publiquement qu'il ne les y renvoirait jamais que le Cardinal n'en fût sorti. L'on y résolut aussi que Monsieur le Procureur Général irait à la cour pour solliciter les passeports nécessaires pour les députés qui devaient faire les nouvelles remontrances, et pour se plaindre des désordres que les gens de guerre commettaient aux environ de Paris.

Le 3 de mai, Monsieur le Procureur Général fit la relation de ce qu'il avait fait à Saint-Germain, en conséquence des ordres de la Compagnie, et il dit que le Roi entendrait les remontrances lundi 6 du mois, et que Sa Majesté était très fâchée que la conduite de Monsieur et de Monsieur le Prince l'obligeassent[a] à tenir son armée si près de Paris. L'on commença, ce jour-là, la garde des portes, pour laquelle toutefois le corps de Ville souhaita une lettre de cachet, qui en portât le commandement. La cour l'envoya, parce qu'elle vit bien que Monsieur, à la fin, la ferait faire de son autorité. Elle était à la vérité plus que nécessaire, le désordre et le*tumulte populaire croissant dans Paris à vue d'œil.

Le 6, les remontrances du Parlement et de la Chambre des comptes furent portées au Roi, avec une grande force, et le 7, celles de la Cour des aides et celles de la Ville se firent. La réponse du Roi aux unes et aux autres fut qu'il ferait retirer ses troupes, quand celles des princes seraient éloignées. Monsieur le Garde des Sceaux, qui parla au nom de Sa Majesté, ne proféra pas seulement le nom de Monsieur le Cardinal.

Le 10, il fut arrêté, au Parlement, que l'on envoirait les gens du Roi à Saint-Germain, et pour y demander réponse touchant l'éloignement du cardinal Mazarin, et pour insister encore sur l'éloignement des armées des environs de Paris.

Le 11, Monsieur le Prince vint au Palais pour avertir la Compagnie que le pont de Saint-Cloud était attaqué. Il sortit aussitôt ; il fit prendre les armes à ce qu'il trouva de bourgeois de bonne volonté ; il les mena jusques au bois de Boulogne, où il apprit que ceux qui avaient cru qu'ils emporteraient d'emblée le pont de Saint-Cloud, y ayant trouvé de la résistance, s'étaient retirés. Il se servit de l'ardeur de ce peuple pour se saisir de Saint-Denis, où deux cents Suisses étaient en garnison. Il les prit l'épée à la main et sans aucune forme de siège, ayant passé le premier le fossé ; et il revint, le lendemain au matin, à Paris, après y avoir

laissé le régiment de Conti, ce me semble, pour le garder.
Il y fut inutile, car Renneville ou Saint-Maigrin, je ne sais
plus précisément lequel ce fut, le reprit, deux jours après,
avec toute sorte de facilité, les bourgeois s'étant déclarés
pour le Roi. La Lande, qui y commandait pour Monsieur le
Prince, fit une assez grande résistance dans les voûtes de
l'église de l'abbaye, qu'il défendit deux ou trois jours.

Le 14, il y eut un grand mouvement au Parlement, où
plusieurs voix confuses s'élevèrent pour demander que l'on
délibérât sur les moyens que l'on pourrait tenir pour
empêcher les séditions et les insolences qui se commettaient
journellement dans la ville et même dans la salle du Palais.
Monsieur, qui en fut averti et qui eut peur que, sous ce
prétexte, les mazarins du Parlement ne fissent faire à la
Compagnie quelque pas qui fût contraire à ses intérêts, vint
au Palais assez à l'improviste, et il proposa qu'elle lui donnât
un plein pouvoir. Ce discours, qui fut inspiré à Monsieur
par M. de Beaufort, à la chaude, sans dessein et très
légèrement, fit trois mauvais effets, dont le premier fut que
tout le monde se persuada qu'il avait été fait après une
profonde délibération ; le second, qu'il diminua beaucoup
de la dignité de Monsieur, dont la naissance et le poste
n'avaient pas besoin, vu les conjonctures, d'une autorité
empruntée, pour calmer les séditions ; et le troisième, que
les présidents en prirent tant de courage, qu'ils osèrent dire
en face à Monsieur que personne n'ignorait le respect que
l'on lui devait, et que, par cette raison, il n'était pas à
propos de mettre cette proposition dans le registre. Il n'y a
rien de si dangereux que les propositions qui paraissent
mystérieuses et qui ne le sont pas, parce qu'elles attirent
toute l'*envie qui est inséparable du mystère, et qu'elles
sont même un obstacle aux avantages que l'on prétend d'en
tirer.

Le 15, Monsieur fit une fâcheuse expérience de cette
vérité, car il eut le déplaisir de voir un *ajournement
personnel, donné par les trois chambres, à un imprimeur,
qui avait mis au jour un libelle qui portait que le Parlement
avait remis toute son autorité et celle de la Ville entre les
mains de Monsieur. Il me dit ce soir, en jurant, qu'il ne
s'étonnait plus que M. du Maine, dans la Ligue, n'avait pu
souffrir les *impertinences de cette compagnie [1]. Il se servit

de cette expression, à laquelle il en ajouta une autre, qui est encore plus licencieuse. Je lui répondis quelque chose dont je ne me souviens plus, mais je sais qu'il le mit sur ses tablettes, en riant et en me disant : « Je le paraphraserai à Monsieur le Prince. »

Le 16, M. le président de Nesmond fit la relation des remontrances que le Roi fit lire en la présence des députés, après qu'il en fut[a] toutefois quelque difficulté. Il leur répondit qu'il y ferait réponse par écrit, dans deux ou trois jours. Monsieur le Procureur Général fit ensuite le rapport de sa députation, et il dit qu'ayant demandé l'éloignement des troupes à dix lieues de Paris, et expliqué la déclaration que Messieurs les Princes avaient faite, de faire aussi retirer celles qu'ils avaient au pont de Saint-Cloud et à Neuilly, le Roi avait nommé de sa part M. le maréchal de l'Hôpital, et envoyé un passeport en blanc pour celui qui serait envoyé par Monsieur pour conférer ensemble des moyens de procéder à cet éloignement. Il ajouta que le comte de Béthune, qui avait été choisi par Monsieur à cet effet, en avait conféré avec MM. de Bouillon, de Villeroy et Le Tellier ; et que Sa Majesté se relâchait, à la considération de sa bonne ville de Paris, à accorder cet éloignement, pourvu que Messieurs les Princes exécutassent aussi de bonne foi ce à quoi ils s'étaient aussi engagés sur le même chef. Monsieur le Procureur Général, qui était assisté de M. Bignon, avocat général, présenta ensuite à la Compagnie un écrit signé LOUIS, et plus bas : GUÉNÉGAUD, qui portait que le Roi manderait au plus tôt deux présidents et deux conseillers de chaque chambre pour leur faire entendre ses volontés à l'égard des remontrances. Le Parlement en ordonna de nouvelles sur ces rapports, dans lesquelles le nom du Cardinal fut encore pour ainsi dire réaggravé[1].

Le 24 et le 28 de mai ne produisirent rien de considérable dans les chambres assemblées.

Le 29, les députés des Enquêtes entrèrent dans la Grande Chambre et y demandèrent l'assemblée des chambres, pour délibérer sur les moyens qu'il y avait de faire la somme des cent cinquante mille livres promises à celui qui *représenterait en justice le cardinal Mazarin[2]. Le Clerc de Courcelle qui vit qu'à ce même moment le grand vicaire de Monsieur de Paris entrait au parquet des gens du Roi, pour y conférer de la descente de la châsse de sainte Geneviève[1], dit assez plaisamment : « Nous sommes aujourd'hui en dévotion de fête double ; nous ordonnons des processions, et nous travaillons à faire assassiner un cardinal. » Il est temps de parler du siège d'Étampes.

Vous avez [vu] ci-dessus, que l'on était convenu, dans les deux partis, que l'on éloignerait de dix lieues les troupes des environs de Paris. M. de Turenne, qui avait déjà, quelque temps auparavant, assez maltraité celles de Messieurs les Princes dans le faubourg d'Étampes, où les régiments de Bourgogne, d'infanterie, et ceux de Wurtenberg et de Brow, de cavalerie, avaient beaucoup souffert, se résolut de les opprimer toutes en gros dans la ville même ; et la faiblesse de la place, jointe à l'absence de tous les généraux, lui fit croire que la chose n'était pas impraticable. Le comte de Tavannes, qui y commandait pour Monsieur le Prince (car MM. de Beaufort et de Nemours étaient à Paris), fit l'une des plus belles et des plus vigoureuses résistances qui se soit faite de nos jours. Il y eut beaucoup de sang répandu de part et d'autre ; les chevaliers de La Vieuville et de Parabère y furent tués de côté du Roi, et MM. de Vardes et de Schomberg y furent blessés. Les attaques y furent fréquentes et vives ; la défense n'y fut pas moindre. Le petit nombre eût enfin cédé au plus fort, si M. de Lorraine ne fût arrivé à propos, qui obligea M. de Turenne à lever le siège. Cette marche de M. de Lorraine mérite de vous être expliquée[2].

Il y avait assez longtemps que les Espagnols le pressaient d'entrer en France et de secourir Messieurs les Princes. Monsieur et Madame l'en sollicitaient avec empressement. Il ne répondait à ceux-là qu'en leur demandant de l'argent ; il ne répondait à ceux-ci qu'en leur demandant Jametz, Clermont et Stenay, qui avaient autrefois été de son domaine, et que le Roi avait donnés depuis à Monsieur le Prince. Monsieur me força un jour de dicter à Fremont une instruction pour Le Grand, qu'il envoyait à Bruxelles pour le persuader ; et je puis dire, avec vérité, que ç'a été le seul trait de plume que j'aie fait dans tout le cours de cette guerre. Je disais toujours à Monsieur que je me voulais conserver la satisfaction de pouvoir au moins penser, dans moi-même, que je n'étais en rien d'une affaire où tout allait *a la peggio*[3] et je l'avais presque accoutumé à ne me plus demander même mon sentiment sur ce qui s'y passait, en lui répondant toujours par monosyllabe. Il m'en grondait un jour, et je le lui avouai en lui disant : « Et le monosyllabe, Monsieur, est unique ; car c'est toujours non. »

Je ne pus tenir la même conduite à l'égard de la marche de M. de Lorraine ; car il voulut absolument, et Madame encore plus que lui, que je dressasse l'instruction dont je viens de parler. Je ne sais si elle ébranla M. de Lorraine, ou si elle le trouva ébranlé. Il marcha avec son armée, qui était composée de huit mille hommes, et de vieilles et bonnes troupes ; il les laissa à Lagny et il vint à Paris, où il entra à cheval, avec un applaudissement incroyable du peuple. Monsieur et Monsieur le Prince allèrent au devant de lui jusques au Bourget, le dernier de mai, et ils y furent accompagnés de MM. de Beaufort, de Nemours, de Rohan, de Sully, de La Rochefoucauld, de Gaucourt, de Chavigny et de don Gabriel de Tolède. Il se trouva, par hasard, que ces deux derniers figurèrent ensemble dans cette entrée. Monsieur, qui haïssait M. de Chavigny, me le dit, le soir, avec un emportement de joie ; et je lui répondis que j'étais surpris de ce qu'il me paraissait étonné de cela ; que M. de Chavigny ne faisait que ce que le président Jeannin, qui avait été l'un des plus grands ministres d'Henri IV, avait fait autrefois ; que la différence n'était qu'au temps ; que le président Jeannin avait *escadronné avec les Espagnols devant qu'il fût ministre, et que M. de Chavigny n'y escadronnait qu'après[1]. Monsieur fut très satisfait de l'apologie, et il la fit courir malicieusement dans Luxembourg, à un tel point, que je la retrouvai sur le degré et dans les cours une heure après.

Je gardai beaucoup plus de mesures à l'égard de M. de Lorraine, quoiqu'il fût frère de Madame, à laquelle j'étais très particulièrement attaché. Je me contentai de lui envoyer un gentilhomme et de l'assurer de mes services. Monsieur souhaita que je le visse : en quoi il se trouva de la difficulté, parce que les ducs de Lorraine prétendent la *main chez les cardinaux. Nous nous trouvâmes chez Madame, et, après, dans la galerie, chez Monsieur, où il n'y a point de rang, et où, de plus, quand il y en aurait eu, il ne se serait point trouvé d'embarras, parce qu'il ne me disputait pas le pas en lieu tiers[2]. Cette conférence ne se passa qu'en civilités et

qu'en railleries, dans lesquelles il était inépuisable. Il lui
vint, deux ou trois [jours] après, dans l'esprit une nouvelle
envie de m'entretenir. Madame me commanda de le voir au
Noviciat des jésuites. Je lui dis d'abord que j'étais très fâché
que le cérémonial romain ne m'eût pas permis de lui rendre
mes devoirs chez lui, comme je l'aurais souhaité ; et il me
paya sur-le-champ en même monnaie, en me répondant
qu'il était au désespoir que le cérémonial de l'Empire l'eût
empêché de se rendre chez moi, ce qu'il eût souhaité. Il me
demanda ensuite, sans aucun préalable, si son nez me
paraissait propre à recevoir des chiquenaudes. Il pesta tout
d'une suite contre l'archiduc, contre Monsieur et contre
Madame, qui lui en faisaient recevoir douze ou quinze par
jour, en l'obligeant de venir au secours de Monsieur le
Prince, qui lui détenait son bien[1]. Il entra de là dans un
détail de propositions et d'ouvertures, auxquelles je vous
proteste que je n'entendis rien. Je crus que je ne pouvais
mieux lui répondre que par des discours auxquels je vous
assure qu'il n'entendit pas grand'chose. Il s'en est ressouvenu
toute sa vie ; et lorsqu'il revint en Lorraine, le premier
*compliment qu'il me fit faire par M. l'abbé de Saint-
Mihiel fut qu'il ne doutait pas que nous nous entendrions
dorénavant l'un l'autre bien mieux que nous ne nous étions
entendus à Paris au Noviciat[2].
    J'eusse eu tort, pour vous dire le vrai, de m'expliquer
plus clairement avec lui, sachant ce que je savais de ce qui
se passait de tous côtés à son égard. J'étais très bien averti
que la cour lui donnait à peu près la carte blanche, et je
n'ignorais pas que bien qu'il la pût remplir presque à sa
mode, il ne laissait pas d'écouter de simples propositions,
qui étaient bien au-dessous de celles que l'on lui offrait.
    Mme de Chevreuse, qui n'était pas encore sortie de Paris
en ce temps-là, lui dit, plutôt en riant que sérieusement,
qu'il pouvait faire la plus belle action du monde, si il faisait
lever le siège d'Étampes, en quoi il satisferait pleinement et
Monsieur [et] les Espagnols, et si, au même moment, il
ramenait ses troupes en Flandre, en quoi il plairait au dernier
point à la Reine, de qui il avait en tout temps fait profession
publique d'être serviteur particulier. Comme ce parti, qui
tenait des deux côtés, plut à son incertitude naturelle, il le
prit sans balancer, et Mme de Chevreuse s'en fit honneur à

la cour, qui, de sa part, ne fut pas fâchée de couvrir la nécessité où elle se trouva, de lever le siège d'Étampes, de quelque apparence de négociation, qu'elle grossit dans le monde de mille et mille particularités, que les raisonnements du vulgaire honorent toujours de mille et mille mystères. Il n'y eut rien au monde de plus simple que ce qui se fit en ce rencontre ; et quoique je ne fusse plus du tout, en ce temps-là, du secret ni de la mère ni de la fille, comme vous avez vu ci-dessus, j'en fus assez instruit, malgré l'une et l'autre, pour vous pouvoir assurer pour certain ce que je vous en dis. La conduite que M. de Lorraine prit, dès le lendemain, est une marque que je ne me trompe pas, ou du moins une preuve que M. de Lorraine ne fut pas longtemps content de lui-même à l'égard de cette action ; car, quoiqu'il eût soutenu d'abord à Monsieur qu'il lui avait rendu un service signalé, en obligeant la cour à lever le siège d'Étampes, il me parut, aussitôt après, qu'il eut honte d'avoir fait ce traité, et que cette honte l'obligea à leur accorder ce qu'ils[1] lui demandèrent, qui était de ne point s'en retourner encore et de demeurer à Villeneuve-Saint-Georges, jusques à ce que les troupes sorties d'Étampes fussent effectivement en lieu de sûreté[2].

M. de Turenne, voyant que M. de Lorraine ne tenait pas la parole qu'il avait donnée de reprendre le chemin des Pays-Bas, marcha à Corbeil, en dessein d'y passer la Seine et de le combattre. Il y eut des allées et des venues en explication de ce qui avait été promis ou non promis, pendant lesquelles l'armée lorraine se retrancha. M. de Turenne s'étant avancé avec celle du Roi, ayant passé la rivière d'Yerres, et s'étant mis en bataille en présence des Lorrains, l'on n'attendait, de part et d'autre, que le signal du combat, qui certainement eût été sanglant, vu la bonté des troupes qui composaient les deux armées, mais qui apparemment eût *succédé à l'avantage des troupes du Roi, parce que celles de Lorraine n'avaient pas assez de terrain. Dans cet instant, que l'on peut appeler fatal, milord Germain vint dire à M. de Turenne que M. de Lorraine était prêt d'exécuter ce dont l'on était convenu à telle et à telle condition. L'on négocia sur l'heure même. Le roi d'Angleterre, qui, sur l'*apparence d'une bataille avait joint M. de Turenne, fit lui-même des allées et des venues ; et l'on

convint que M. de Lorraine sortirait du royaume dans quinze
jours, et du poste où il était, dès le lendemain ; qu'il
remettrait entre les mains de M. de Turenne les bateaux qui
lui avaient été envoyés de Paris, pour faire un pont sur la
rivière, et qu'aussi M. de Turenne ne se pourrait servir de
ces bateaux pour passer la Seine et pour empêcher le passage
des troupes sorties d'Étampes ; que celles de Messieurs les
Princes, qui étaient dans son camp, pussent rentrer dans
Paris en sûreté, et que le Roi fît fournir des vivres à l'armée
lorraine dans sa retraite. Ces deux dernières conditions ne
reçurent pas beaucoup de contradiction, M. de Turenne
disant qu'il était très persuadé que l'armée lorraine épargnerait au Roi, par le soin qu'elle prendrait à se pourvoir elle-
même, la peine et la dépense que l'on stipulait ; et que,
pour ce qui était de la liberté que l'on demandait pour les
troupes des princes, de se pouvoir rendre à Paris en sûreté,
il la leur accordait avec joie, parce qu'il était assuré que la
ville en serait bien plus effrayée que rassurée. M. de Beaufort,
qui avait amené au camp cinq cents ou six cents bourgeois
volontaires, dit, le lendemain au soir, à Monsieur, qu'ils
avaient été si épouvantés, qu'il avait peur lui-même qu'ils
ne donnassent l'alarme à toute la ville. Monsieur le Prince,
qui était malade en ce temps-là, n'avait pas été d'avis, par
cette raison, que l'on les laissât sortir dans cette conjoncture.
Je reviens au Parlement.

J'ai eu si peu de part dans les dernières assemblées et
dans les dernières occasions desquelles je viens de parler,
qu'il y a déjà quelque temps que je me fais à moi-même
un scrupule de les insérer dans un ouvrage qui ne doit
être proprement qu'un simple compte que vous m'avez
commandé de vous rendre de mes actions.

Il est vrai que la nouvelle de ma promotion tomba
justement sur un point où l'état des choses que je vous ai
expliquées ci-devant eût fait de moi une figure presque
immobile, quand même j'aurais continué d'assister tous les
jours aux délibérations du Parlement. La pourpre, qui m'en
ôta la séance, en fit une figure muette dans le Palais. Je
vous ai dit qu'elle ne le fut guère moins en effet à
Luxembourg ; et je puis assurer, de bonne foi, qu'elle n'y
eut presque qu'un mouvement imaginaire, et tel qu'il plut
aux *spéculatifs de se *fantasier[1]. Mais comme il leur

plut de se fantasier toutes choses sur mon sujet, j'étais continuellement exposé à la défiance des uns, à la frayeur des autres et au raisonnement de tous. Ce personnage, qui n'est jamais que de pure défensive, et encore tout au plus, est très dangereux dans les temps dans lesquels l'on le joue ; il est très incommode dans ceux dans lesquels l'on le décrit, parce qu'il a toujours beaucoup d'apparence de vaine gloire et d'amour-propre. Il semble que l'on s'incorpore soi-même dans tout ce qui s'est passé de considérable dans un État, quand, dans un ouvrage qui ne doit regarder que sa personne, l'on s'étend sur des matières auxquelles l'on n'a eu aucune part. Cette considération m'a fait chercher avec soin les moyens de démêler celles qui sont de cette nature du reste [de] cette histoire, qui n'est que particulière ; et il m'a été impossible de les trouver, parce que la figure, quoique *médiocre, que j'ai faite dans les temps qui ont précédé et qui ont suivi ceux dans lesquels je n'ai point agi, leur donne tant de rapport et tant d'enchaînement les uns avec les autres, qu'il serait très difficile que l'on vous les pût bien faire entendre, si l'on les déliait tout à fait. Voilà ce qui m'oblige à continuer le récit de ce qui se passa dans ces temps-là, que j'abrégerai toutefois le plus qu'il me sera possible, parce que ce n'est jamais qu'avec une extrême peine que j'écris sur les mémoires d'autrui. Je poserai les faits, je n'y raisonnerai point ; je *déduirai ce qui me paraîtra le plus de poids ; j'omettrai ce qui me semblera le plus léger ; et, en ce qui regarde les assemblées du Parlement, je n'observerai les dates qu'à l'égard de celles qui ont produit des délibérations considérables. Je ne parlerai pas seulement des autres ; et je suis persuadé que je vous les représente plus que suffisamment, en vous disant qu'elles ne furent presque employées qu'en déclamations contre le Cardinal, en plaintes et en arrêts contre les insolences et les séditions du peuple, et en désaveux faits par Messieurs les Princes de ces séditions, qui, dans la vérité, n'étaient, au moins pour la plupart, que trop naturelles.

Le 1 de juin, Monsieur envoya au Parlement pour savoir quelle place il donnerait à M. de Lorraine dans l'assemblée des chambres. Il répondit, tout d'une voix, que, M. de Lorraine étant, comme il était, ennemi de l'État, il ne lui en pouvait donner aucune. Monsieur, qui me fit l'honneur de venir chez moi, deux ou trois jours après, parce que j'étais malade d'une fluxion sur les yeux, me dit : « Eussiez-vous cru que le Parlement m'eût fait cette réponse ? » Et je lui répondis : « J'aurais bien moins cru, Monsieur, que vous eussiez hasardé de vous l'attirer. » Il me repartit en colère : « Si je ne l'eusse hasardé, Monsieur le Prince eût dit que j'eusse été mazarin. » Vous voyez en ce mot le principe de tout ce que Monsieur faisait en ce temps-là.

Le 7, l'on fit un fort grand bruit au Parlement de l'approche des troupes de Lorraine, qui avaient passé Lagny, et qui faisaient beaucoup de désordres dans la Brie ; et l'on y parla de leur marche, avec la même surprise et la même horreur que l'on aurait pu faire, si il n'y avait eu dans le royaume aucune *partialité[1].

Le 10, M. le président de Nesmond fit la relation de ce qui s'était passé en sa députation vers le Roi, qui s'était avancé à Melun dès le commencement du siège d'Étampes. La réponse de Sa Majesté fut que la Compagnie pouvait envoyer qui il lui plairait pour conférer avec ceux qu'elle voudrait choisir, et pour aviser aux moyens de rétablir le calme dans le royaume. L'on opina ensuite et l'on résolut de renvoyer à la cour les mêmes députés pour entendre la volonté du Roi, et renouveler toutefois les remontrances contre le cardinal Mazarin. Monsieur et Monsieur le Prince n'avaient pas été de l'avis de l'arrêt, et ils avaient soutenu qu'il ne fallait recevoir aucune proposition de conférence, dont le préalable ne fût l'éloignement réel et effectif du Mazarin.

Le 14, les plaintes se renouvelèrent contre l'approche des troupes de Lorraine, et elles furent au point que les gens du Roi furent mandés au Parlement. Ils conclurent à ce que M. le duc d'Orléans fût prié de les faire retirer. Un conseiller, du nom duquel je ne me ressouviens pas, ayant dit qu'il ne concevait pas comme l'on prétendait qu'il fût utile à la Compagnie qu'elles se retirassent en l'état où elle était avec la cour, Ménardeau répondit que, cette raison obligeant encore davantage le Parlement à lever tous les prétextes que l'on pouvait prendre pour le calomnier dans l'esprit du Roi, il était d'avis de donner arrêt par lequel il serait enjoint aux communes de leur courir sus. L'on en demeura à dire que l'on en parlerait plus au long quand Monsieur serait au

Palais. Vous croyez apparemment que la retraite de M. de Lorraine, de laquelle je vous ai déjà parlé et qui fut sue le 16 à Paris, ne fit pas une grande commotion dans les esprits, puisqu'elle avait été souhaitée de tant de gens ; elle fut incroyable, et je remarquai que beaucoup de ceux qui avaient crié hautement contre son approche crièrent le plus hautement contre son éloignement. Il n'est pas étrange que les hommes ne se connaissent pas : il y a des temps où l'on peut dire même qu'ils ne se *sentent point.

Le 20, le président de Nesmond fit la relation de ce qui s'était passé à sa députation à Melun, et la lecture de la réponse qui lui avait été faite par le Roi, dont la substance était : que bien que Sa Majesté ne pût ignorer que la demande que l'on faisait de l'éloignement de M. le cardinal Mazarin ne fût qu'un prétexte, Elle ne laisserait peut-être pas de lui accorder ce qu'il demande tous les jours lui-même avec instance, après avoir réparé son honneur par des déclarations que l'on doit à son innocence, si Elle était assurée qu'Elle peut avoir de bonnes et de réelles sûretés de la part de Messieurs les Princes, pour l'exécution des offres qu'ils ont faites, en cas de son éloignement ; que Sa majesté désire donc d'apprendre :

1° Si ils renonceront, en ce cas, à toute ligue et à toutes associations faites avec les princes étrangers ;

2° Si ils n'auront plus aucune prétention ;

3° Si ils se rendront auprès de Sa Majesté ;

4° Si ils feront sortir les étrangers qui sont dans le royaume ;

5° Si ils licencieront leurs troupes ;

6° Si Bordeaux rentrera dans son devoir, aussi bien que M. le prince de Conti et Mme de Longueville ;

7° Si les places que Monsieur le Prince a fortifiées se remettront en leur premier état.

Voilà les principales des douze questions sur lesquelles M. le duc d'Orléans s'emporta, et même avec beaucoup d'émotion, en disant qu'il était inouï que l'on mît ainsi sur la sellette un fils de France et un prince du sang, et que la déclaration qu'ils avaient faite l'un et l'autre, qu'ils poseraient les armes aussitôt que le cardinal Mazarin serait hors du royaume, était plus que suffisante pour satisfaire la cour, si elle avait de bonnes intentions. L'on opina ; mais la

délibération, n'ayant pu être achevée, fut remise au lendemain 21.

Monsieur ne s'y étant pu trouver, parce qu'il avait eu la
nuit une fort grande colique, l'on n'y traita, en présence de
Monsieur le Prince, que d'un fonds que l'on cherchait pour
la subsistance des pauvres, qui souffraient beaucoup dans la
ville [1], et de celui qui était nécessaire pour faire la somme
des cent cinquante mille livres pour la tête à prix. Il fut dit,
à l'égard de ce dernier chef, que l'on ferait incessamment
inventaire de ce qui restait des meubles du Cardinal.

M. de Beaufort fit, ce jour-là, une *lourderie digne de
lui. Comme il y avait eu, le matin, une fort grande émeute
dans le Palais, dans laquelle MM. de Vassan et Particel [a]
auraient été massacrés sans lui, il crut qu'il ferait mieux,
pour détourner le peuple du Palais, de l'assembler dans la
Place Royale ; il y donna un rendez-vous public pour l'après-
dînée. Il y amassa quatre ou cinq mille gueux, à qui il est
*constant qu'il y fit proprement un sermon qui n'allait qu'à
les exhorter à l'obéissance qu'ils devaient au Parlement. J'en
sus tout le détail par des gens de créance que j'y avais
envoyés moi-même exprès. La frayeur, qui avait déjà saisi la
plupart des présidents et des conseillers, leur fit croire que
cette assemblée n'avait été faite que pour les perdre. Ils
firent parler M. de Beaufort de toutes les manières qui
pouvaient redoubler leur alarme, et ils la prirent si chaude,
qu'il ne fut pas au pouvoir de Monsieur, ni de Monsieur le
Prince, de rassurer messieurs les présidents, qui ne purent
jamais se résoudre d'aller au Palais. Ce qui arriva, le même
soir, à M. le président de Maisons, dans la rue de Tournon,
ne les rassura pas. Il faillit à être tué par une foule de
peuple, comme il sortait de chez Monsieur, et Monsieur le
Prince et M. de Beaufort eurent beaucoup de peine à le
sauver. Cette journée fit voir que M. de Beaufort ne savait
pas que qui assemble un peuple l'*émeut toujours. Il y
parut ; car, deux ou trois jours après ce beau sermon, la
sédition fut plus forte qu'elle n'avait encore été dans la salle
du Palais ; et M. le président de Novion fut même poursuivi
dans les rues et courut toute la risque qu'un homme peut
courir.

Le 25, Messieurs les Princes déclarèrent, dans les chambres
assemblées, qu'aussitôt que M. le cardinal Mazarin serait

hors du royaume, ils exécuteraient fidèlement tous les articles qui étaient portés dans la réponse du Roi, et envoiraient ensuite des députés pour conclure ce qui resterait à faire ; et l'on donna ensuite arrêt, par lequel il fut dit que les députés du Parlement retourneraient incessamment à la cour pour porter cette déclaration au Roi.

Le 26, aucun président ne se trouva au Palais.

Le 27, M. le président de Novion y fut et donna un sanglant arrêt contre les séditieux.

L'on n'employa les autres jours qu'à donner les ordres nécessaires pour la sûreté de la ville, à quoi l'on était très embarrassé, parce que ceux de la garde étaient assez souvent ceux-là mêmes qui se soulevaient.

Il est temps, ce me semble, que je reprenne ce qui est de la guerre.

Monsieur le Prince, qui avait eu quelques accès de fièvre tierce, alla jusques à Linas recevoir ses troupes, qui revenaient d'Etampes ; et comme la cour n'avait observé en façon du monde ce qu'elle avait promis, touchant l'éloignement des siennes des environs de Paris, il ne s'y crut pas plus obligé de son côté, et il posta sa petite armée à Saint-Cloud, poste considérable, parce que le pont lui donnait lieu de la porter, en cas de besoin, où il lui plairait. M. de Turenne, qui était avec celle du Roi aux environs de Saint-Denis, où Sa Majesté était venue elle-même pour être plus proche de Paris, fit un pont de bateaux à Épinay, en intention de venir attaquer les ennemis devant qu'ils eussent le temps de se retirer. M. de Tavannes en eut avis et il l'envoya aussitôt à Monsieur le Prince, qui se rendit au camp en toute diligence. Il le leva sur le soir, et il marcha vers Paris, en dessein d'arriver au jour à Charenton, d'y passer la Marne et de prendre un poste dans lequel il ne pourrait être attaqué [1]. M. de Turenne ne lui en donna pas le temps, car il attaqua son arrière-garde dans le faubourg Saint-Denis. Monsieur le Prince en fut quitte pour quelques hommes qu'il perdit du régiment de Conti, et il manda à Monsieur, par le comte de Fiesque, qu'il lui répondait qu'il gagnerait le faubourg Saint-Antoine, dans lequel il prétendait qu'il aurait plus de lieu de se défendre. C'est en cet endroit où je regrette, plus que je n'ai jamais fait, que Monsieur le Prince ne m'ait pas tenu la parole qu'il m'avait donnée, de me donner le mémoire de ses actions. Celle qu'il fit en ce rencontre est l'une des plus belles de sa vie. J'ai ouï dire à Lanques, qui ne le quitta point ce jour-là, qui est homme du métier et qui est plus mécontent de lui que personne qui vive, qu'il y eut quelque chose de surhumain dans sa valeur et dans sa capacité en cette occasion. Je serais inexcusable si j'entreprenais de décrire le détail de l'action du monde la plus grande et la plus héroïque, sur des mémoires qui courent les rues et que j'ai ouï dire à des gens de guerre être très mauvais, et je me contenterai de vous dire qu'après le combat du monde le plus sanglant et le plus opiniâtré, il sauva ses troupes, qui n'étaient qu'une poignée du monde, attaquée par M. de Turenne, et par M. de Turenne renforcé de l'armée de M. le maréchal de La Ferté. Il y perdit le comte de Bossut, flamand, La Roche-Giffart, et Flammarens, et Lauresse, du nom de Montmorency. MM. de La Rochefoucauld, de Tavannes, de Coigny, le vicomte de Melun et le chevalier de Forts[a], y furent blessés. Esclainvilliers le fut du côté du Roi, et MM. de Saint-Maigrin et de Mancini tués.

Je ne vous puis exprimer l'agitation de Monsieur dans le cours de ce combat. Tout le possible lui vint dans l'esprit, et, ce qui arrive toujours en ce rencontre, tout l'impossible succéda dans son imagination à tout le possible. Jouy, qu'il m'envoya sept fois en moins de trois heures, me dit qu'il avait peur un moment que la ville ne se révoltât contre lui ; qu'il craignait, un instant après, qu'elle ne se déclarât trop pour Monsieur le Prince. Il envoya des gens inconnus pour voir ce qui se faisait chez moi, et rien ne le rassura véritablement que le rapport que l'on lui fit que je n'avais que mon suisse à ma porte. Il dit à Bruneau, de qui je le sus le lendemain, que le mal n'était pas grand dans la ville, puisque je ne me précautionnais pas davantage. Mademoiselle, qui avait fait tous ses efforts pour obliger Monsieur à aller dans la rue Saint-Antoine pour faire ouvrir la porte à Monsieur le Prince, qui commençait à être très pressé dans le faubourg, prit le parti d'y aller elle-même. Elle entra dans la Bastille, où Louvières n'osa, par respect, lui refuser l'entrée ; elle fit tirer le canon sur les troupes du maréchal de La Ferté, qui s'avançaient pour prendre en flanc celles de Monsieur le Prince. Elle harangua ensuite la garde qui était à la porte Saint-Antoine. Elle s'ouvrit, et Monsieur le Prince y entra avec son armée, plus couverte de gloire que de blessures, quoiqu'elle en fût chargée. Ce combat si fameux arriva le 2 de juillet[1].

Le 4, l'assemblée générale de l'Hôtel de Ville, qui avait été ordonnée le 1 par le Parlement, pour aviser à ce qui était à faire pour la sûreté de la ville, fut tenue l'après-dînée. Monsieur et Monsieur le Prince s'y trouvèrent, sous prétexte de remercier la Ville de ce qu'elle avait donné l'entrée à leurs troupes, le jour du combat, mais, dans la vérité, pour l'engager à s'unir encore plus étroitement avec eux ; au moins, voilà ce que Monsieur en sut. Voici le vrai, que je n'ai su que longtemps depuis, de la bouche même de Monsieur le Prince, qui me l'a dit trois ou quatre ans après à Bruxelles[2]. Je ne me ressouviens pas précisément si il me confirma ce qui était fort répandu dans le public, de l'avis que M. de Bouillon lui avait donné que la cour ne songerait jamais sérieusement et de bonne foi à se raccommoder avec lui, jusques à ce qu'elle connût clairement qu'il fût effectivement maître de Paris. Je sais bien que je lui demandai à Bruxelles, si ce que l'on avait dit sur cela était véritable ; mais je ne me puis remettre ce qu'il me répondit sur ce particulier de M. de Bouillon.

Voici ce qu'il m'apprit du gros de l'affaire. Il était persuadé que je le desservais beaucoup auprès de Monsieur, ce qui n'était pas vrai, comme vous l'avez vu ci-devant ; mais il l'était aussi que je lui nuisais beaucoup dans la ville, ce qui n'était pas faux, par les raisons que je vous ai aussi expliquées ci-dessus. Il avait observé que je ne me gardais nullement, et que je me servais même avec quelque affectation du prétexte de l'incognito auquel le cérémonial m'obligeait, pour faire voir ma sécurité et la confiance que j'avais en la bonne volonté du peuple, au milieu de ses plus grands mouvements. Il se résolut, et très habilement, de s'en servir de sa part pour faire une des plus belles et des plus sages actions qui ait peut-être été pensée de tout le siècle. Il fit dessein d'*émouvoir le peuple le matin du jour de l'assemblée de l'Hôtel de Ville, de marcher droit à mon logis, sur les dix heures, qui était justement l'heure où l'on savait qu'il y avait le moins du monde, parce que c'était celle où, pour l'ordinaire, j'étudiais ; de me prendre civilement dans son carrosse, de me mener hors de la ville, et de me faire, à la porte, une défense en forme de n'y plus rentrer. Je suis convaincu que le coup était sûr, et qu'en l'état où était Paris, les mêmes gens qui eussent mis la hallebarde à la main pour me défendre, si ils eussent eu loisir d'y faire réflexion, en eussent approuvé l'exécution, étant certain que, dans les *révolutions qui sont assez grandes pour tenir tous les esprits dans l'inquiétude, ceux qui *priment sont toujours applaudis, pourvu que d'*abord ils réussissent. Je n'étais point en défense. Monsieur le Prince se fût rendu maître du Cloître sans coup férir ; et j'eusse peut [-être] été à la porte de la ville devant qu'il y eût eu une alarme assez forte pour s'y opposer. Rien n'était mieux imaginé : Monsieur, qui eût été atterré du coup, y eût donné des éloges. L'Hôtel de Ville, auquel Monsieur le Prince en eût donné part sur l'heure même, en eût tremblé. La douceur avec laquelle Monsieur le Prince m'aurait traité, aurait été louée et admirée. Il y aurait eu un grand *déchet de réputation pour moi à m'être laissé surprendre, comme en effet j'avoue qu'il y avait eu beaucoup et d'imprudence et de témérité à n'avoir pas prévu ce possible [1]. La fortune tourna contre Monsieur le Prince ce beau dessein, et elle lui donna le *succès le plus funeste que la conjuration la plus noire eût pu produire.

Comme la sédition avait commencé vers la place Dauphine, par des poignées de paille que l'on forçait tous les passants de mettre à leur chapeau [2], M. de Cumont, conseiller au Parlement et serviteur particulier de Monsieur le Prince, qui y avait été obligé comme les autres qui avaient passé par là, alla en grande diligence à Luxembourg pour en avertir Monsieur et le supplier d'empêcher que Monsieur le Prince, qui était dans la galerie, ne sortît dans cette *émotion, « laquelle apparemment, dit Cumont à Monsieur, est faite, ou par les mazarins, ou par le cardinal de Rais, pour faire périr Monsieur le Prince ». Monsieur courut aussitôt après monsieur son cousin, qui descendait le petit escalier pour monter en carrosse, et pour venir chez moi et y exécuter son dessein. Il le retint par autorité et même par force ; il le fit dîner avec lui et il le mena ensuite à l'Hôtel de Ville, où l'assemblée dont je vous ai parlé se devait tenir. Ils en sortirent après qu'ils eurent remercié la compagnie, et témoigné la nécessité qu'il y avait de songer aux moyens de se défendre contre le Mazarin. La vue d'un trompette, qui arriva, dans ce temps-là, de la part du Roi, et qui porta ordre de remettre l'assemblée à huitaine, échauffa le peuple, qui était dans la Grève, et qui criait sans cesse qu'il fallait que la Ville s'unît avec Messieurs les Princes. Quelques officiers, que Monsieur le Prince avait mêlés, le matin, dans la populace, n'ayant point reçu l'ordre qu'ils attendaient, ne purent employer sa fougue ; elle se déchargea sur l'objet le plus présent.

L'on tira dans les fenêtres de l'Hôtel de Ville ; l'on mit le feu aux portes, l'on entra dedans l'épée à la main, l'on massacra M. Le Gras, maître des requêtes, M. Janvry, conseiller au Parlement, M. Miron, maître des comptes, un des plus hommes de bien et des plus accrédités dans le peuple qui fussent à Paris. Vingt-cinq ou trente bourgeois y périrent aussi ; et M. le maréchal de L'Hôpital ne fut tiré de ce péril que par un miracle et par le secours de M. le président Barentin. Un garçon de Paris, appelé Noblet, duquel je vous ai déjà parlé à propos de ce qui m'arriva avec M. de La Rochefoucauld dans le parquet des huissiers [1], eut encore le bonheur de servir utilement le maréchal en cette occasion. Vous vous pouvez imaginer l'effet que le feu de l'Hôtel de Ville et le sang qui y fut répandu produisirent dans Paris [2]. La consternation d'*abord y fut générale ; toutes les boutiques y furent fermées en moins d'un clin d'œil. L'on demeura quelque temps en cet état, l'on se réveilla un peu vers les six heures, en quelques quartiers, où l'on fit des barricades pour arrêter les séditieux, qui se dissipèrent toutefois presque d'eux-mêmes. Il est vrai que Mademoiselle y contribua : elle alla elle-même, accompagnée de M. de Beaufort, à la Grève, où elle en trouva encore quelques restes, qu'elle écarta. Ces misérables n'avaient pas rendu tant de respect au saint sacrement que le curé de Saint-Jean leur présenta, pour les obliger d'éteindre le feu qu'ils avaient mis aux portes de l'Hôtel de Ville [3].

Monsieur de Châlons vint chez moi, au plus fort de ce mouvement ; et la crainte qu'il avait pour ma personne l'emporta sur celle qu'il *devait avoir pour la sienne, dans un temps où les rues n'étaient sûres pour personne sans exception. Il me trouva avec si peu de précaution qu'il m'en fit honte, et je ne puis encore concevoir, à l'heure qu'il est, ce qui me pouvait obliger à en avoir si peu, dans une occasion où j'en avais, ou du moins où j'en pouvais avoir tant de besoin. C'est l'une de celles qui m'a persuadé, autant que chose du monde, que les hommes sont souvent estimés par les endroits par lesquels ils sont les plus blâmables. L'on loua ma fermeté ; l'on devait blâmer mon imprudence ; celle-ci était effective, l'autre n'était qu'imaginaire ; et la vérité est que [je] n'avais fait aucune réflexion sur le péril. Je n'y fus plus insensible quand l'on me l'eut fait faire. M. de Caumartin envoya sur-le-champ quérir chez lui mille pistoles (car je n'en avais pas vingt chez moi), avec lesquelles je fis quelques soldats. Je les joignis à des officiers réformés écossais, que j'avais toujours conservés des restes du comte de Montrose. Le marquis de Sablonnières, mestre de camp du régiment de Valois, m'en donna cent des meilleurs hommes, commandés par deux capitaines du même régiment, qui étaient mes *domestiques. Quérieux m'amena trente gendarmes de la compagnie du cardinal Antoine, qu'il commandait. Busy-Lamet m'envoya quatre hommes choisis dans la garnison de Mézières. Je garnis tout mon logis et toutes les tours de Notre-Dame de grenades ; je pris mes mesures, en cas d'attaque, avec les bourgeois des ponts Notre-Dame et de Saint-Michel, qui m'étaient fort affectionnés. Enfin je me mis en état de disputer le terrain et de n'être plus exposé à l'*insulte.

Ce parti paraissait plus sage que celui de l'aveugle sécurité dans laquelle j'étais auparavant. Il ne l'était pas davantage, au moins par comparaison à celui que j'eusse choisi, si j'eusse su connaître mes véritables intérêts et prendre l'occasion que la fortune me présentait. Il n'y avait rien de plus naturel et à ma profession et à l'état où j'étais que de quitter Paris, après une *émotion qui jetait la haine publique sur le parti qui, dans ce temps-là, paraissait m'être le plus contraire. Je n'eusse point perdu ceux des Frondeurs qui étaient de mes amis, parce qu'ils eussent considéré ma retraite comme une résolution de nécessité. Je me fusse insensiblement, et presque sans qu'ils eussent pu s'en défendre eux-mêmes, [rétabli][a] dans l'esprit des pacifiques, parce qu'ils m'eussent regardé comme exilé pour une cause qui leur était commune. Monsieur n'eût pas pu se plaindre de ce que j'abandonnais un lieu où il paraissait assez qu'il n'était plus le maître. M. le cardinal Mazarin même eût été obligé, en ce cas, et par la bienséance et par l'intérêt, de me ménager ; et il ne se pouvait même que naturellement l'aigreur que la cour avait contre moi ne diminuât de beaucoup par une conduite qui eût beaucoup contribué à noircir celle de ses ennemis. Les circonstances dont j'eusse pu accompagner ma retraite eussent empêché facilement que je n'eusse participé à la haine publique que l'on avait contre le Mazarin, parce que je n'avais qu'à me retirer au pays de Rais, sans aller à la cour, ce qui eût même purgé le soupçon du mazarinisme pour le passé. Ainsi je fusse sorti de l'embarras journalier où j'étais et de celui que je prévoyais pour l'avenir, et que je prévoyais sans en pouvoir jamais prévoir l'issue. Ainsi j'eusse attendu, en patience, ce qu'il eût plu à la Providence d'ordonner de la destinée des deux partis, sans courre aucune des risques auxquelles j'étais exposé à tous les moments des deux côtés. Ainsi je me fusse approprié l'amour publique, que l'horreur que l'on a d'une action concilie toujours infailliblement à celui qu'elle fait souffrir. Ainsi je me fusse trouvé, à la fin des troubles, cardinal et archevêque de Paris, chassé de son siège par le parti qui était publiquement joint avec l'Espagne ; purgé de la faction par ma retraite hors de Paris ; purgé du mazarinisme par ma retraite hors de la cour ; et le pis du pis qui me pouvait arriver, après tous ces avantages, était d'être sacrifié, par les deux partis, s'ils se fussent réunis contre moi, à l'emploi de Rome [1], qu'ils eussent été ravis de me faire accepter avec toutes les conditions que j'eusse voulu, et qui à un cardinal archevêque de Paris ne peut jamais être à charge, parce qu'il y a mille occasions dans lesquelles il a toujours lieu d'en revenir. J'eus toutes ces vues, et plus grandes et plus étendues qu'elles ne sont sur ce papier. Je ne doutai pas un instant que ce ne fussent les justes et les bonnes ; je ne balançai pas un moment à ne les pas suivre. L'intérêt de mes amis, qui s'imaginaient que je trouverais à la fin, dans le chapitre des accidents, lieu de les servir et de les élever, me représenta d'*abord qu'ils se plaindraient de moi, si je prenais un parti qui me tirait d'affaire et qui les y laissait. Je ne me suis jamais repenti d'avoir préféré leur considération à la mienne propre ; elle fut appuyée par mon orgueil, qui eût eu peine à souffrir que l'on eût cru que j'eusse quitté le pavé à Monsieur le Prince. Je me reproche et je me confesse de ce mouvement, qui eut toutefois, en ce temps-là, un grand pouvoir sur moi. Il fut imprudent, il fut faible ; car je maintiens qu'il y a autant de faiblesse que d'imprudence à sacrifier ses grands et solides intérêts à des *pointilles de gloire, qui est toujours fausse, quand elle nous empêche de faire ce qui est plus grand que ce qu'elle nous propose. Il faut reconnaître de bonne foi qu'il n'y a que l'expérience [qui] puisse apprendre aux hommes à ne pas préférer ce qui les pique dans le présent à ce qui les doit toucher bien plus essentiellement dans l'avenir. J'ai fait cette remarque une infinité de fois. Je reviens à ce qui regarde le Parlement.

Je vous expliquerai, en peu de paroles, tout ce qui s'y passa depuis le 4 de juillet jusques au 13. La face en fut très *mélancolique : tous les présidents au *mortier s'étant retirés, et beaucoup des conseillers même s'étant aussi absentés, par la frayeur des séditions, que le feu et le massacre de l'Hôtel de Ville n'avaient pas diminuée, cette solitude obligea ceux qui restaient à donner arrêt qui portait défense de *désemparer : en quoi ils furent mal obéis. Il se trouvait, par la même raison, fort peu de monde aux assemblées de l'Hôtel de Ville. Le prévôt des marchands, qui ne s'était sauvé de la mort que par un miracle, le jour de l'incendie, n'y assistait plus. M. le maréchal de L'Hôpital demeurait clos et *couvert dans sa maison. Monsieur fit établir, en sa place, par une assemblée peu nombreuse, M. de Beaufort pour gouverneur, et M. de Broussel pour prévôt des marchands. Le Parlement ordonna à ses députés, qui étaient à Saint-Denis, de presser leur réponse, et, en cas qu'ils ne la pussent obtenir, de revenir dans trois jours prendre leurs places.

Le 13, les députés écrivirent à la Compagnie, et ils lui envoyèrent la réponse du Roi par écrit. En voici la substance : « Que bien que Sa Majesté eût tout sujet de croire que l'instance que l'on faisait pour l'éloignement de M. le cardinal Mazarin ne fût qu'un prétexte, elle voulait bien lui permettre de se retirer de la cour, après que les choses nécessaires pour établir le calme dans le royaume auraient été réglées, et avec les députés du Parlement, qui étaient déjà présents à la cour, et avec ceux qu'il plairait à Messieurs les Princes d'y envoyer. » Messieurs les Princes, qui avaient connu que le Cardinal ne proposait jamais de conférence que pour les décrier dans les esprits des peuples, se récrièrent à cette proposition ; et Monsieur dit, avec chaleur, qu'elle n'était qu'un piège que l'on leur tendait, et que lui, ni monsieur son cousin, n'avaient aucun besoin d'envoyer des députés en leur nom, puisqu'ils avaient toute confiance à ceux du Parlement. L'arrêt qui suivit fut conforme au discours de Monsieur, et ordonna aux députés de continuer leurs instances pour l'éloignement du Cardinal. Messieurs les Princes écrivirent aussi au président de Nesmond, pour l'assurer qu'ils continuaient dans la résolution de poser les armes aussitôt que le Cardinal serait effectivement éloigné.

Le 17, les députés mandèrent au Parlement que le Roi était parti de Saint-Denis pour aller à Pontoise ; qu'il leur avait commandé de le suivre ; que, sur la difficulté qu'ils en avaient faite, il leur avait ordonné de demeurer à Saint-Denis.

Le 18, ils écrivirent qu'ils avaient reçu un nouvel ordre de Sa Majesté de se rendre incessamment à Pontoise. La Compagnie s'émut beaucoup, et donna arrêt par lequel il fut dit que les députés retourneraient à Paris incessamment. Monsieur, Monsieur le Prince et M. de Beaufort sortirent eux-mêmes, avec huit cents hommes de pied et douze cents chevaux, pour les ramener, et pour faire croire au peuple que l'on les tirait d'un fort grand péril.

La cour ne s'endormait pas de son côté : elle lâchait à tous moments des arrêts du Conseil qui cassaient ceux du Parlement. Elle déclara nul tout ce qui s'était fait, tout ce qui se faisait et tout ce qui se ferait dans les assemblées de l'Hôtel de Ville ; et elle ordonna même que les deniers destinés au paiement de ses rentes ne seraient portés dorénavant qu'au lieu où Sa Majesté ferait sa résidence.

Le 19, M. le président de Nesmond fit la relation de ce qu'il avait fait à la cour avec les autres députés. Cette relation, qui était toute remplie de dits et de contredits, ne contenait rien en substance de plus que ce que vous en avez vu dans les précédentes, à la réserve d'un article d'une lettre écrite par M. Servien aux députés, qui portait qu'en cas que Monsieur et Monsieur le Prince continuassent à faire difficulté d'envoyer des députés en leur nom, Sa Majesté consentait qu'ils chargeasent ceux du Parlement de leurs intentions. Cette même lettre assurait que le Roi éloignerait Monsieur le Cardinal de ses conseils aussitôt que l'on serait convenu des articles qui pourraient être contestés dans la conférence, et qu'il n'attendrait pas même pour le faire qu'ils fussent exécutés. L'on opina ensuite ; mais l'on ne put finir la délibération que le 20. Il *passa à déclarer que, le Roi étant détenu prisonnier par le cardinal Mazarin, M. le duc d'Orléans serait prié de prendre la qualité de lieutenant général de Sa Majesté, et Monsieur le Prince convié à prendre sous lui le commandement des armes, tant et si longtemps que le cardinal Mazarin ne serait pas hors du royaume [1] ; que copie de l'arrêt serait envoyée à tous les parlements de France, qui seraient priés d'en donner un pareil. Ils ne déférèrent point à la prière ; car, à la réserve de celui de Bordeaux, il n'y en eut aucun qui en délibérât seulement ; et, bien au contraire, celui de Bretagne avait mis *surséance à ceux qu'il avait donnés auparavant, jusques à ce que les troupes espagnoles, qui étaient entrées en France, fussent tout à fait hors du royaume. Monsieur ne fut pas mieux obéi sur ce qu'il écrivit de sa nouvelle dignité à tous les gouverneurs de provinces, et il m'avoua de bonne foi, quelque temps après, qu'un seul, à l'exception de M. de Sourdis, ne lui avait fait réponse [2]. La cour les avait avertis de leur devoir par un arrêt solennel, que le Conseil donna en cassation de celui du Parlement qui établissait la lieutenance générale. Son autorité n'était pas même établie, au moins en la manière qu'elle le devait [a] être, dans Paris ; car, deux misérables ayant été condamnés à être pendus le 23, pour avoir mis le feu à l'Hôtel de Ville, les compagnies de bourgeois qui furent commandées pour tenir la main à l'exécution refusèrent d'obéir.

Le 24, l'on ordonna que l'on ferait une assemblée générale à l'Hôtel de Ville, pour aviser aux moyens de trouver de l'argent pour la subsistance des troupes, et que l'on vendrait les statues qui étaient dans le palais Mazarin, pour faire le fonds de la tête à prix.

Le 26, Monsieur dit, dans les chambres assemblées, que, sa nouvelle qualité de lieutenant général l'obligeant à former un conseil, il priait la Compagnie de nommer deux de son corps qui y entrassent, et de lui dire aussi si elle n'approuvait pas qu'il priât Monsieur le Chancelier d'y assister. Il *passa à cet avis, et M. Bignon même, avocat général, et le Caton de son temps, n'y fut pas contraire ; car il dit dans ses conclusions, qui furent d'une force et d'une éloquence admirable, que le Parlement n'avait point donné à Monsieur la qualité de lieutenant général, mais qu'il la pouvait prendre dans la conjoncture, comme l'ayant de droit par sa naissance, qui le constituait naturellement le premier magistrat du royaume. Il allégua sur cela Henri le Grand, qui, étant premier prince du sang, s'était appelé ainsi dans un discours qu'il avait fait dans le temps des troubles.

Le ᵃ 27, le Conseil fut établi par M. le duc d'Orléans, et il fut composé de Monsieur, de Monsieur le Prince, de MM. de Beaufort, de Nemours, de Sully, de Brissac, de La Rochefoucauld et de Rohan ; les présidents de Nesmond et de Longueil ; Aubry et Larcher, présidents des Comptes ; Dorieux et Le Noir, de la Cour des aides.

Le 29, il fut résolu, dans l'assemblée de l'Hôtel de Ville, de lever huit cent mille livres pour fortifier les troupes de Son Altesse Royale, et d'écrire à toutes les grandes villes du royaume pour les exhorter à s'unir avec la capitale. Le Roi ne manqua pas de casser, par des arrêts du Conseil, tous ceux du Parlement et toutes ces délibérations de l'Hôtel de Ville.

Je crois que je me suis acquitté exactement de la parole que je vous ai donnée de ne vous guère importuner de mes réflexions sur tout ce qui se passa dans les temps que je viens de parcourir plutôt que de décrire. Ce n'est pas, comme vous le jugez aisément, faute de matière : il n'y en a peut guère avoir qui en soit plus digne, ni qui en dût être plus féconde. Les événements en sont bizarres, rares, extraordinaires ; mais, comme je n'étais pas proprement dans l'action et que je ne la voyais même que d'une loge qui n'était qu'au coin du théâtre, je craindrais, si j'entrais trop avant [dans] le détail, de mêler dans mes vues mes conjectures ; et j'ai tant de fois éprouvé que les plus raisonnables sont souvent fausses, que je les crois toujours indignes de l'histoire, et d'une histoire particulièrement qui n'est faite que pour une personne à laquelle on doit, par tant de titres, une vérité pleinement incontestable. En voici deux, sur cette matière, qui sont de cette nature.

L'une est que, bien que je ne puisse vous démêler en particulier les différents ressorts des machines que vous venez de voir sur le théâtre, parce que j'en étais dehors, je puis vous assurer que l'unique qui faisait agir si pitoyablement Monsieur était la persuasion où il était que, tout étant à l'aventure, le parti le plus sage était celui de suivre toujours le flot, c'était son expression ; et que ce qui obligeait Monsieur le Prince à se conduire comme il se conduisait était l'aversion qu'il avait à la guerre civile, qui fomentait et réveillait même à tout moment, dans le plus intérieur de son cœur, l'espérance de la terminer promptement par une négociation[1]. Vous remarquerez, s'il vous plaît, qu'elles n'eurent jamais d'intermission. Je vous ai expliqué le détail de ces différents mouvements dans ce que je vous ai expliqué ci-dessus ; mais je crois qu'il n'est pas inutile de vous le marquer encore en général dans le cours d'une narration laquelle vous présente, à tous les instants, des incidents dont vous me demandez sans doute les raisons, que j'omets, parce que je n'en sais pas le particulier.

Je vous ai déjà dit que j'avais rebuté Monsieur par mes monosyllabes[2]. Je m'y étais fixé à dessein, et je ne les quittai que lorsqu'il s'agit de la lieutenance générale. Je la combattis de toute ma force, parce qu'il me força de lui en dire mon sentiment. Je la lui traitai d'odieuse, de pernicieuse et d'inutile, et je m'en expliquai et si hautement et si clairement, que je lui dis que je serais au désespoir que tout le monde ne sût pas sur cela mes sentiments, et que l'on crût que ceux qui avaient mon *caractère particulier dans le Parlement fussent capables d'y donner leur voix. Je lui tins ma parole. M. de Caumartin s'y signala même par l'avis contraire. Je croyais devoir cette conduite au Roi, à l'État et à Monsieur même. J'étais convaincu, comme je le suis encore, que les mêmes lois qui nous permettent quelquefois de nous dispenser de l'obéissance exacte nous défendent toujours de ne pas respecter le titre du sanctuaire, qui, en ce qui regarde l'autorité royale, est le plus essentiel[3]. J'étais de plus en état, à vous dire le vrai, de soutenir mes maximes et mes démarches ; car la contenance que j'avais tenue dans la *révolution de l'Hôtel de Ville avait saisi l'imagination des gens, et leur avait fait croire que j'avais beaucoup plus de force que je n'en avais en effet. Ce qui la fait croire l'augmente ; j'en avais fait l'expérience ; je m'en étais servi avec fruit, aussi bien que des autres moyens que je trouvai encore en abondance dans les dispositions de Paris, qui s'aigrissait tous les jours contre le parti des princes, et par les taxes desquelles l'on se voyait menacé, et par le massacre de l'Hôtel de Ville, qui avait jeté l'horreur dans tous les esprits, et par le pillage des environs, où l'armée, qui, depuis le combat de Saint-Antoine, était campée dans le faubourg Saint-Victor, faisait des ravages incroyables. Je profitais de tous ces désordres. Je les relevais d'une manière qui me rendait agréable à tous ceux qui les blâmaient ; je ramenais doucement et insensiblement à moi tous ceux des pacifiques qui n'étaient pas attachés, par profession particulière, au Mazarin. Je réussis dans ce manège au point que je me trouvai, à Paris, en état de disputer le pavé à tout le monde, et qu'après m'être tenu sur la défensive trois semaines, dans mon logis, avec les précautions que je vous ai marquées ci-dessus, j'en sortis même avec pompe, nonobstant le cérémonial romain [1]. J'allai tous les jours à Luxembourg ; je passai au milieu de gens de guerre que Monsieur le Prince avait dans le faubourg, et je crus que j'étais assez assuré du peuple, pour croire que j'en pouvais user ainsi avec sûreté. Je ne m'y trompai pas, au moins par l'événement. Je reviens au Parlement.

Le 6 d'août, Beschefert, substitut du procureur général, apporta aux chambres assemblées deux lettres du Roi, l'une adressée à la Compagnie, l'autre au président de Nesmond, avec une déclaration du Roi, qui portait la translation du Parlement à Pontoise. La cour avait pris cette résolution, après avoir connu que son séjour à Saint-Denis n'avait pas empêché que le Parlement et l'Hôtel de Ville n'eussent fait les pas que vous avez vus ci-devant. L'on s'émut fort dans l'assemblée des chambres à cette nouvelle. L'on opina, et il fut dit que les lettres et la déclaration seraient mises au greffe, pour y être fait droit après que le cardinal Mazarin serait hors de France. Ce parlement de Pontoise, composé de quatorze *officiers à la tête desquels étaient MM. les présidents Molé, de Novion et Le Coigneux, qui s'étaient, un peu auparavant, retirés de Paris, en habit déguisé, fit des remontrances au Roi, tendantes à l'éloignement du cardinal Mazarin. Le Roi lui accorda ce qu'il lui demandait,

à l'instance même de ce bon et désintéressé ministre, qui
sortit effectivement de la cour et se retira à Bouillon[1]. Cette
comédie, très indigne de la majesté royale, fut accompagnée
de tout ce qui la pouvait rendre encore plus ridicule. Les
deux parlements se foudroyèrent par des arrêts sanglants
qu'ils donnaient les uns contre les autres.

Le 13 août, celui de Paris ordonna que ceux qui assisteraient
à l'assemblée de Pontoise seraient rayés du tableau et du
registre.

Le 17 du même mois, celui de Pontoise vérifia la
déclaration du Roi, qui portait injonction [au][a] parlement
de Paris de se rendre à [Pontoise] dans trois jours, à peine
de suppression de leurs charges.

Le 22, Monsieur et Monsieur le Prince firent déclaration
au Parlement, à la Chambre des comptes et à la Cour des
aides, que vu l'éloignement du cardinal Mazarin, ils étaient
prêts de poser les armes, pourvu qu'il plût à Sa Majesté de
donner une amnistie, d'éloigner ses troupes des environs de
Paris, de retirer celles qui étaient en Guyenne, et donner
une route et sûreté pour la retraite de celles d'Espagne,
permettre à Messieurs les Princes d'envoyer vers Sa Majesté,
pour conférer de ce qui pourrait rester à ajuster. Le Parlement
donna arrêt ensuite, par lequel il fut ordonné que Sa Majesté,
serait remerciée de l'éloignement du Cardinal, et très
humblement suppliée de revenir en sa bonne ville de Paris.

Le 26, le Roi fit vérifier au parlement de Pontoise
l'amnistie, qu'il donna à tous ceux qui avaient pris les armes
contre lui ; mais avec des restrictions qui faisaient que peu
de gens y pouvaient trouver leur sûreté.

Les 29 et 31 d'août et le 2 de septembre, l'on ne parla
presque à Paris, dans les chambres assemblées, que du refus
que la cour avait fait à Monsieur et à Monsieur le Prince des
passeports qu'ils lui avaient demandés pour MM. le maréchal
d'Étampes, comte de Fiesque et Goulas, et de la réponse
que le Roi avait faite à une lettre de Monsieur. Cette réponse
était en substance : qu'il s'étonnait que M. le duc d'Orléans
n'eût pas fait réflexion qu'après l'éloignement de M. le
cardinal Mazarin, il n'avait autre chose à faire, suivant sa
parole et sa déclaration, qu'à poser les armes, renoncer à
toutes associations et traités, et faire retirer les étrangers :

après quoi ceux qui viendraient de sa part seraient très bien reçus.

Le 2 de septembre, l'on opina sur cette réponse du Roi, mais l'on n'eut pas le temps d'achever la délibération ; il fut seulement arrêté que défenses seraient faites aux lieutenants criminel et particulier [1] de faire publier aucune déclaration du Roi, sans ordre du Parlement : ce qui fut ordonné sur l'avis que l'on eut que ces *officiers avaient reçu commandement du Roi de faire publier et afficher dans la ville celle d'amnistie, qui avait été vérifiée à Pontoise.

Le 3, l'on acheva la délibération sur la réponse du Roi à Monsieur ; il fut arrêté que les députés de la Compagnie iraient trouver le Roi pour le remercier de l'éloignement de M. le cardinal Mazarin et pour le supplier de revenir en sa bonne ville de Paris ; que M. le duc d'Orléans et Monsieur le Prince seraient priés d'écrire au Roi et de l'assurer qu'ils mettraient bas les armes aussitôt qu'il aurait plu à Sa Majesté d'envoyer les passeports nécessaires pour la retraite des étrangers, et une amnistie en bonne forme et qui fût vérifiée dans tous les parlements du royaume ; que Sa Majesté serait aussi suppliée de recevoir les députés de Messieurs les Princes ; que la Chambre des comptes et la Cour des aides de Paris seraient conviées de faire la même députation ; qu'assemblée générale serait faite dans l'Hôtel de Ville, et que l'on écrirait à M. le président de Mesmes, qui s'était aussi retiré à [Compiègne] [a], afin qu'il sollicitât les passeports.

Permettez-moi, je vous supplie, de faire une pause en cet endroit, et de considérer avec attention cette illusion scandaleuse et continuelle avec laquelle un ministre se joue effrontément du nom et de la parole sacrée d'un grand roi, et avec laquelle, d'autre part, le plus auguste parlement du royaume, la Cour des pairs [2], se joue, pour ainsi parler, d'elle-même, par des contradictions perpétuelles et plus convenables à la légèreté d'un collège qu'à la majesté d'un sénat. Je vous ai déjà dit quelquefois [3] que les hommes ne se *sentent pas dans ces sortes de fièvre d'État, qui tiennent de la frénésie. Je connaissais, en ce temps-là, des gens de bien qui étaient persuadés, jusques au martyre, si il eût été nécessaire, de la justice de la cause de Messieurs les Princes. J'en connaissais d'autres, et d'une vertu désintéressée et consommée, qui fussent morts avec joie pour la défense de celle de la cour. L'ambition des grands se sert de ces dispositions comme il convient à leurs intérêts. Ils aident à aveugler le reste des hommes, et ils s'aveuglent eux-mêmes après, encore plus dangereusement que le reste des hommes.

Le *bonhomme M. de Fontenay, qui avait été deux fois ambassadeur à Rome, qui avait de l'expérience, du bon sens, et de l'intention sincère et droite pour l'État, déplorait tous les jours avec moi la léthargie dans laquelle les divisions domestiques font tomber même les meilleurs citoyens à l'égard du dehors de l'État [1]. L'archiduc reprit, cette année-là, Gravelines et Dunkerque. Cromwell prit, sans déclaration de guerre et avec une insolence injurieuse à la couronne, sous je ne sais quel prétexte de représaille, une grande partie des vaisseaux du Roi. Nous perdîmes Barcelone et la Catalogne, et la clef de l'Italie avec Casal. Nous vîmes Brisach[2] révolté, sur le point de retomber entre les mains de la maison d'Autriche ; nous vîmes les drapeaux et les étendards d'Espagne voltigeant sur le Pont-Neuf ; les écharpes jaunes de Lorraine parurent dans Paris, avec la même liberté que les isabelle et que les bleues[3]. L'on s'accoutumait à ces spectacles et à ces funestes nouvelles de tant de pertes. Cette habitude, qui pouvait avoir de terribles conséquences, me fit peur, et certainement beaucoup plus pour l'État que pour ma personne. M. de Fontenay, qui en était pénétré, et qui le fut même de ce qu'il m'en vit touché, m'exhorta à sortir moi-même de la léthargie, « où vous êtes, me dit-il, à votre mode. Car enfin si vous vous considérez tout seul, vous avez pris le bon parti ; mais si vous faites réflexion sur l'état où est la capitale du royaume, à laquelle vous êtes attaché par tant de titres, croyez-vous n'être pas obligé à vous donner plus de mouvement que vous ne vous en donnez ? Vous n'avez aucun intérêt, vos intentions sont bonnes ; faut-il que par votre inaction vous fassiez autant de mal à l'État, que les autres en font par leurs mouvements les plus irréguliers ? »

M. de Sève-Chastignonville, que vous avez vu depuis dans le conseil du Roi, et qui était mon ami très particulier et homme d'une grande intégrité, m'avait fait, depuis un mois ou six semaines, même avec empressement, des instances pareilles. M. de Lamoignon, qui est présentement premier président du parlement de Paris et qui a eu, dès sa jeunesse, toute la réputation que mérite une aussi grande capacité que la sienne, jointe à une aussi grande vertu, me faisait tous les jours le même discours. M. de Valençay, conseiller d'État, qui n'avait pas, à beaucoup près, les talents des autres, mais qui était aussi bien qu'eux colonel de son quartier, me venait dire tous les dimanches au matin à l'oreille : « Sauvez l'État, sauvez la ville ! J'attends vos ordres. » M. Des Roches, chantre de Notre-Dame, et qui avait la *colonelle du Cloître, homme de peu de sens, mais de bonne intention, pleurait *réglément avec moi, deux ou trois fois la semaine, sur le même sujet.

Ce qui me toucha le plus sensiblement, de toutes ces exhortations, fut une parole de M. de Lamoignon, dont j'estimais autant le bon sens que la probité. « Je vois, Monsieur, me dit-il, un jour qu'il se promenait avec moi dans ma chambre, qu'avec un désintéressement parfait, qu'avec l'intention du monde la plus droite, vous allez tomber de l'amour public dans la haine publique. Il y a déjà quelque temps que les esprits, qui étaient tous pour vous dans les commencements, se sont partagés ; vous avez regagné du terrain par les fautes de vos ennemis ; je vois que vous commencez à le reperdre, et que les Frondeurs croient que vous ménagez le Mazarin, et que les mazarins croient que vous appuyez les Frondeurs. Je sais que cela n'est pas vrai, et je juge même qu'il ne peut être vrai ; mais ce qui me fait peur pour vous est qu'il commence à être cru par une espèce de gens dont l'opinion forme toujours, avec le temps, la réputation publique. Ce sont ceux qui ne sont ni frondeurs ni mazarins, et qui ne veulent que le bien de l'État. Cette espèce de gens ne peut rien dans le commencement des troubles ; elle peut tout dans les fins. »

Il n'y a rien, comme vous voyez, de plus sensé que ce discours ; mais, comme il ne m'était pas tout à fait nouveau et que j'avais déjà fait beaucoup de réflexions qui au moins en approchaient, il ne m'émut pas au point du dernier mot par lequel il le termina : « Voici d'étranges temps, Monsieur, ajouta-t-il, voici d'étranges conjonctures. Il est d'un homme sage d'en sortir avec précipitation, même à perte, parce que l'on court fortune d'y perdre tout son honneur, quoique l'on s'y conduise avec toute sorte de sagesse. Je doute fort que le connétable de Saint-Pol ait été aussi coupable et ait eu d'aussi mauvaises intentions que l'on nous le dit[1]. » Cette dernière parole, qui est d'un sens droit et profond, me pénétra, et d'autant plus, que le P. dom Carrouges, chartreux, que j'avais été voir le veille dans sa cellule, m'avait dit, à propos de la conduite que je tenais : « Elle est si nette, elle est si haute, que tous ceux qui n'en seraient pas capables, au poste où vous êtes, y conçoivent du mystère, et, dans les temps embarrassés, tout ce qui passe pour mystère est odieux. » Je vous rendrai compte de l'effet que tous ces discours dont je vous viens de parler firent sur mon esprit, après que j'aurai touché, le plus brièvement qu'il me sera possible, quelques faits particuliers qui méritent de n'être pas omis.

Vous avez vu ci-dessus que le Roi, après qu'il eut établi le parlement de Pontoise, était allé à Compiègne. Il n'y mena pas M. de Bouillon, qui mourut en ce temps-là, d'une fièvre continue ; mais il y fit venir Monsieur le Chancelier, qui sortit de Paris déguisé, et qui préféra le conseil du Roi à celui de Monsieur, dans lequel il est vrai qu'il eût fort bien [fait] de ne pas entrer. Il n'y a que sa faiblesse qui puisse excuser un pas de cette nature à un chancelier de France ; mais je ne suis pas moins persuadé qu'il n'y a aussi que la mollesse du gouvernement du cardinal Mazarin qui eût pu remettre à la tête de tous les conseillers et de toutes les justices du royaume un chancelier qui avait été capable de le faire. L'un des plus grands maux que le ministériat de M. le cardinal Mazarin ait fait au royaume est le peu d'attention qu'il a eu à en garder la dignité. Le mépris qu'il en a fait lui a réussi ; et ce succès est un second malheur que je tiens encore plus grand que le premier, parce qu'il *couvre et qu'il pallie les inconvénients qui arriveront infailliblement tôt ou tard à l'État, de l'habitude que l'on en a prise.

La Reine, qui avait de la hauteur, eut assez de peine à se résoudre au rappel du chancelier ; mais le Cardinal était le maître, et au point que, quand il s'enthousiasma de M. de Bouillon, entre les mains de qui il mit même les finances, il répondit à la Reine, qui l'avertissait de ne pas se fier à un homme de cet esprit et de cette ambition : « Il vous appartient bien, Madame, de me donner des avis. » Je sus cette particularité trois jours après par Varenne, à qui M. de Bouillon lui-même l'avait dit.

Il ne serait pas juste d'oublier, en ce lieu, la mort de M. de Nemours, qui fut tué en duel, dans le marché aux chevaux, par M. de Beaufort. Vous vous pouvez ressouvenir de ce que je vous ai dit de leur querelle, à propos du combat de Gergeau [1]. Elle se renouvela par la dispute de la préséance dans le conseil de Monsieur. M. de Nemours força presque M. de Beaufort à se battre ; il y périt sur-le-champ, d'un coup de pistolet dans la tête. M. de Villars, que vous connaissez, le servait en cette occasion, et il tua Héricourt, lieutenant des gardes de M. de Beaufort. Je reviens à Luxembourg.

Vous croyez aisément que la confusion de Paris n'aidait pas à mettre l'ordre dans la cour de Monsieur. La mort [de] M. de Valois, qui arriva le jour de saint Laurent, y mit la douleur, qui fait toujours la consternation, quand elle tombe sur le point de l'incertitude et de l'embarras. Un avis donné à Monsieur, justement dans cet instant, par Mme de Choisy, d'une négociation de M. de Chavigny avec la cour, du détail de laquelle je vous parlerai dans la suite, le toucha infiniment. Les nouvelles qui arrivaient de tous côtés, assez mauvaises pour le parti, le trouvant en cet état, agitaient son esprit encore plus qu'il ne l'était dans son assiette naturelle, quoiqu'elle ne fût jamais bien ferme. Persan avait été obligé de rendre Mouron à Palluau, qui fut fait maréchal de France après cette expédition. M. le comte d'Harcourt avait presque toujours eu avantage dans la Guyenne, et Bordeaux même se trouvait divisé en tant de folles *partialités, qu'il eût été difficile d'y faire aucun fondement. Marigny disait, assez plaisamment, que Madame la Princesse et Mme de Longueville, M. le prince de Conti et Marsin, le parlement, les jurats et l'Ormée [2], Marigny et Sarasin y avaient chacun leur faction. Il avait commencé à Commercy une manière de *Catholicon* [3] de ce qu'il avait vu en ce pays-là, qui en faisait une image bien ridicule. Je n'en sais pas assez le détail pour vous en entretenir, et je me contente de vous dire que ce qui en était revenu à Monsieur ne contribuait pas à lui donner du repos dans ces agitations, et à lui faire croire que le parti où il était engagé fût le bon.

La providence de Dieu, qui, par des ressorts inconnus à

ceux mêmes qu'elle fait agir, dispose les moyens pour leur fin, se servit des exhortations de ces messieurs, que je viens de vous nommer, pour me porter à changer ma conduite, justement au moment dans lequel ce changement trouvait Monsieur dans des dispositions susceptibles de celle que je lui pourrais inspirer. La plus grande difficulté fut à me l'inspirer à moi-même ; car, quoique je n'eusse, dans le vrai, que de très bonnes et de très sincères intentions pour l'État, et quoique je ne souhaitasse que de sortir d'affaire avec quelque sorte d'honneur, je ne laissais pas de vouloir conserver un certain décorum, qu'il était assez difficile de rencontrer bien *juste dans la conjoncture présente. Je convenais avec ces messieurs qu'il y avait de la honte à demeurer les bras croisés, et à laisser périr la capitale et peut-être l'État ; mais ils convenaient aussi, avec moi, qu'il y avait fort peu d'honneur à revenir d'aussi loin que de contribuer au rétablissement d'un ministre odieux à tout le royaume, et dans la perte duquel je m'étais autant distingué. Nous ne pouvions douter, ni les uns ni les autres, que tous les pas que nous ferions pour la paix, feraient cet effet infailliblement, quoique indirectement, parce que nous ne pouvions ignorer que ce rétablissement était l'unique vue de la Reine.

M. de Fontenay me convainquit à la fin, par ce raisonnement, qu'il me fit une après-dînée dans les Chartreux, en nous promenant : « Vous voyez que le Mazarin n'est qu'une manière de godenot [1], qui se cache aujourd'hui, qui se montrera demain ; mais vous voyez aussi que, soit qu'il se cache, soit qu'il se montre, le filet qui l'avance et qui le retire est celui de l'autorité royale, lequel ne se rompra pas sitôt apparemment, de la manière que l'on se prend à le rompre. Beaucoup de ceux mêmes qui lui paraissent le plus contraires seraient bien fâchés qu'il pérît ; beaucoup d'autres seront très consolés qu'il se sauve ; personne ne travaille véritablement et entièrement à sa ruine ; et vous-même, Monsieur (il parlait à moi), vous-même vous n'y donnez que mollement, parce qu'il y a une infinité d'occasions dans lesquelles l'état où vous êtes avec Monsieur le Prince ne vous permet pas de vous étendre contre la cour aussi librement et aussi pleinement que vous le feriez sans cette considération. Je conclus qu'il est impossible que le Cardinal ne se rétablisse pas, ou par une négociation avec Monsieur le Prince, qui entraînera Monsieur toutes les fois qu'il lui plaira de se raccommoder et de le raccommoder à la cour, ou par la lassitude des peuples, qui ne s'aperçoivent déjà que trop clairement que l'on ne sait faire, dans ce parti, ni la paix ni la guerre. Dans tous ces deux cas, que je tiens pour infaillibles, vous perdez beaucoup ; car si vous ne vous tirez d'embarras, devant que le mouvement finisse par un accommodement de la cour avec Monsieur le Prince, vous aurez peine à vous démêler d'une intrigue dans laquelle et la cour et Monsieur le Prince songeront assurément à vous faire périr.

« Si la *révolution vient par la lassitude des peuples, en êtes-vous mieux ? et cette lassitude, de laquelle l'on se prend toujours à ceux qui ont le plus brillé dans le mouvement, ne peut-elle pas corrompre et tourner contre vous-même la sage inaction dans laquelle vous êtes demeuré depuis quelque temps ? Voilà, ce me semble, ce que vous pouvez prévoir ; mais voilà aussi ce que vous ne pouvez éviter, qu'en en trouvant l'issue devant que la guerre civile se termine par l'un ou l'autre de ces moyens que je viens de vous expliquer. Je sais bien que l'engagement où vous êtes avec Monsieur, et même avec le public, touchant le Mazarin, ne vous permet pas de travailler à son rétablissement ; et vous savez que, par cette raison, je ne vous ai jamais rien proposé, tant qu'il a été à la cour. Il n'y est plus ; et, quoique son éloignement ne soit qu'un jeu et qu'une illusion, il ne laisse pas de vous donner lieu de faire de certaines démarches qui conduisent naturellement à ce qui vous est bon. Paris, tout soulevé qu'il est, souhaite avec passion la présence du Roi, et ceux qui la demanderont les premiers seront ceux qui en auront l'*agrément dans le peuple. J'avoue que ce peuple, selon ses principes, ne sait ce qu'il demande, car cette présence contribuera apparemment à y ramener plus tôt le Mazarin ; mais enfin il la demande ; et, comme le Cardinal est éloigné, ceux qui la demanderont les premiers ne passeront pas pour mazarins. C'est votre unique compte ; car, comme vous n'avez point d'intérêt particulier, et que vous ne voulez dans le fond que le bien de l'État et la conservation de votre réputation dans le public, vous faites l'un sans nuire à l'autre.

« Je conviens que, si vous pouviez empêcher le rétablissement du Cardinal, le parti que je vous propose ne serait ni d'un politique, ni d'un homme de bien ; car ce rétablissement doit être considéré, par une infinité de raisons, comme une calamité publique ; mais, supposé, comme vous le supposez vous-même, qu'il soit infaillible par la mauvaise conduite de ses ennemis, je ne conçois pas comme la vue d'une chose que vous ne pouvez empêcher vous peut empêcher vous-même de chercher à sortir de l'embarras où vous [vous] trouvez, par une porte qui vous ouvre un champ et de gloire et de liberté. Paris, dont vous êtes archevêque, gémit sous le poids ; le Parlement n'y est plus qu'un fantôme ; l'Hôtel de Ville est un désert ; Monsieur et Monsieur le Prince n'y sont maîtres qu'autant qu'il plaît à la canaille la plus insensée ; les Espagnols, les Allemands et les Lorrains sont dans ses faubourgs, qui ravagent jusque dans ses jardins. Vous qui en êtes le pasteur et le libérateur, en deux ou trois rencontres vous avez été obligé de vous garder dans votre propre maison trois semaines durant ; et vous savez bien qu'encore aujourd'hui vos amis sont en peine, quand vous n'y marchez pas armé. Ne comptez-vous pour rien de faire finir toutes ces misères, et manquerez-vous le moment unique que la Providence vous donne pour vous donner l'honneur de les terminer ? Le Cardinal, qui est un homme de *contretemps, peut revenir demain ; et, si il était à la Cour, le parti que je vous propose vous serait plus impraticable qu'à homme qui vive. Ne perdez pas l'instant qui vous convient aussi, par la raison des contraires, plus qu'à homme qui vive. Prenez avec vous votre clergé, menez-le à Compiègne remercier le Roi de l'éloignement du Mazarin ; demandez-lui son retour dans la capitale ; entendez-vous avec ceux des corps qui ne veulent que le bien, qui sont presque tous vos amis particuliers et qui vous considèrent déjà comme leur chef naturel par votre dignité, dans une occasion qui lui est si propre et si convenable. Si le Roi revient effectivement à Paris, toute la ville vous en aura l'obligation ; si il vous refuse, elle ne laissera pas d'avoir de la reconnaissance de votre intention. Si vous pouvez gagner Monsieur sur ce point, vous sauvez tout l'État, parce que je suis persuadé que si il savait jouer son personnage en ce rencontre, il ramènerait le Roi à Paris et que le Mazarin n'y reviendrait jamais. Je suppose qu'il y revienne dans les temps, prévenez ce hasard, que je vois bien que vous craignez à cause du reproche que le peuple vous en pourrait faire ; prévenez, dis-je, ce hasard par l'emploi de Rome, auquel vous m'avez dit plusieurs fois que vous étiez résolu, plutôt que de figurer avec lui. Vous êtes cardinal, vous êtes archevêque de Paris, vous avez l'amour public, vous n'avez que trente-sept ans : sauvez la ville, sauvez l'État ! »

Voilà, en substance, ce que M. de Fontenay me dit, et même ce qu'il me dit avec une rapidité qui n'était nullement de sa froideur ordinaire ; et il est vrai que j'en fus touché ; car, quoiqu'il ne m'apprît rien à quoi je n'eusse déjà pensé, comme vous l'avez vu par les réflexions que j'avais faites à mon égard sur l'incendie de l'Hôtel de Ville, je ne laissai pas de me sentir plus ému de ce qu'il me représentait sur cette matière que de tout ce qui m'en avait été dit jusque-là, et même que de tout ce que je m'en étais moi-même imaginé.

Il y avait déjà assez longtemps que cette députation du clergé nous roulait dans l'esprit, à M. de Caumartin et à moi, et que nous en examinions et les manières et les suites. Je dois à M. Joly la justice de dire que ce fut lui le premier qui l'imagina, aussitôt que M. le cardinal Mazarin se fut éloigné. Nous joignîmes tout ensemble à la substance les circonstances que nous y jugeâmes les plus nécessaires ou les plus utiles. La première et la plus importante en tout sens fut de porter Monsieur à approuver du moins cette conduite ; et les dispositions où je vous ai marqué ci-dessus qu'il était nous donnaient lieu de croire que nous le pourrions tenter avec fruit. J'employai, pour cet effet, celles des raisons qui étaient le plus à son usage dans ce que je vous ai dit ci-devant, à propos des sentiments de M. de Fontenay. J'y ajoutai les avantages qu'il se donnerait à lui-même en procurant une amnistie bonne, véritable, non fallacieuse, et au Parlement et à la Ville, que l'on ne lui refuserait pas certainement, s'il faisait voir à la cour un désir sincère de s'accommoder. Je lui fis voir que quand sa retraite à Blois, après laquelle il *respirait depuis si longtemps, aurait été précédée du soin qu'il aurait eu de chercher dans la paix les sûretés nécessaires et au public et aux particuliers, elle ne lui pourrait donner que de la gloire, et d'autant plus qu'elle ne serait considérée que comme l'effet de la ferme résolution qu'il aurait prise de n'avoir aucune part au rétablissement du ministre ; que celle que je prétendais en mon particulier de faire à Rome, devant que ce rétablissement s'effectuât, se pourrait attribuer à nécessité, parce que beaucoup de gens croiraient que j'y serais forcé par la crainte de ne pouvoir trouver ma sûreté dans les suites de ce rétablissement ; que sa naissance le mettait au-dessus et de ces discours et de ces soupçons ; et que, si il faisait pour le public, devant que de se retirer, ce qui lui serait assurément très aisé du côté de la cour, il serait à Blois avec quatre gardes, chéri, respecté, honoré et des Français et des étrangers, et en état de profiter, même pour le bien de l'État, toutes les fois qu'il lui plairait, de toutes les fautes qui se feraient dans tous les partis.

Je vous supplie d'observer que, quand je fis ce discours à Monsieur, j'étais averti de bonne part qu'il avait eu, cinq ou six [jours] devant, la dernière frayeur que je ne m'accommodasse avec Monsieur le Prince. Il me l'avait lui-même assez témoigné, quoique indirectement. Mais Jouy, à qui il s'en était ouvert à fond, à propos d'un je ne sais quel avis qu'il avait eu que M. de Brissac y travaillait de nouveau, m'avait dit que Monsieur s'était récrié : « Si cela est, nous avons la guerre civile pour l'éternité. » Vous jugez bien que cette circonstance ne me détourna pas de la résolution que j'avais prise de le tenter. Je n'eus pas lieu de m'en repentir ; car, aussitôt que je fus entré en matière, il entra lui-même dans tout ce que je lui disais. Il me railla sur la cessation des monosyllabes, ce qui était toujours signe en lui qu'il approuvait ce dont on lui parlait. Il ajouta ensuite des raisons aux miennes, ce qui en est un certain en tout le monde ; et puis, tout d'un coup, il revint comme si il fût parti de bien loin, ce qui était son air, particulièrement quand il n'avait bougé d'une place ; et il me dit : « Mais que ferons-nous de Monsieur le Prince ? » Je lui répondis : « C'est à Votre Altesse Royale, Monsieur, à savoir où Elle en est avec lui, car l'honneur est préférable à toutes choses ; mais, comme j'ai lieu de croire que les négociations que l'on voit à droit et à gauche se font en commun, je m'imagine que vous vous pouvez entendre sur ce que je vous propose, comme vous vous entendez sur le reste. — Vous vous jouez, me repartit-il ; mais je ne suis pas, sur ce point, si embarrassé que vous le pourriez croire. Monsieur le Prince a plus d'impatience que vous d'être hors de Paris et il aimerait mieux [être] à la tête de quatre escadrons dans les Ardennes, que de commander à douze millions de gens tels que nous les avons ici, sans excepter le président Charton. [1] » Il était vrai ; et Croissy, qui était un des hommes du monde qui avait le moins de secret, défaut qui est assez rare aux gens qui sont accoutumés aux grandes affaires, me disait tous les jours que Monsieur le Prince séchait d'ennui, et qu'il était si las d'entendre parler de Parlement, de Cour des aides, de Chambre des comptes et d'Hôtel de Ville, qu'il disait souvent que monsieur son grand-père n'avait jamais été plus fatigué des *ministres de La Rochelle. [2]

Je ne laissai pas de connaître, à ce discours de Monsieur, qu'il cherchait des raisons pour se satisfaire lui-même à l'égard de Monsieur le Prince. J'affectai, pour me satisfaire moi-même, de ne lui en fournir ni de ne lui en suggérer aucune ; je demeurai dans la règle des monosyllabes sur ce fait particulier, sur lequel il ne tint pas toutefois à Monsieur de me faire parler, non plus que sur les différentes négociations dont les bruits couraient toujours, faux ou vrais. Je me contentai de prendre ou plutôt de former ma mission. En voici la substance. Monsieur me commanda de faire une assemblée générale des communautés ecclésiastiques ; de faire députer à la cour de toutes ces communautés ; d'y mener et d'y présenter moi-même la députation, qui serait à l'effet de supplier le Roi de donner la paix à ses peuples et de revenir dans sa bonne ville de Paris ; de travailler par le moyen de mes amis dans les autres corps de la Ville pour le même effet ; de faire savoir à la cour, par Madame la Palatine, sans aucune lettre toutefois, au moins que l'on pût montrer, que Son Altesse Royale donnait le premier *branle à ce mouvement ; de ne rien négocier pourtant en détail que lorsque je serais moi-même à Compiègne, où je dirais à la Reine qu'elle voyait bien que Monsieur ne ferait ni même ne souffrirait les démarches de tous les corps, si il n'avait de très bonnes et de très sincères intentions ; qu'il voulait la paix et qu'il la voulait de bonne foi ; que les engagements publics qu'il avait pris contre M. le cardinal Mazarin ne lui avaient pas permis de la conclure, ni même de l'avancer tant qu'il avait été à la cour ; que, présentement qu'il en était dehors, il souhaitait avec passion de faire connaître à Sa Majesté qu'il n'y avait eu que cet obstacle qui l'eût empêché d'y travailler avec succès ; qu'il lui déclarait par moi qu'il renonçait à tous les intérêts particuliers ; qu'il n'en prétendait ni pour lui ni pour aucun de son parti ; qu'il ne demandait que la sûreté publique, pour laquelle il n'y avait qu'à *expliquer quelques articles de l'amnistie et qu'à la revêtir de quelques formes qui se trouveraient être par l'événement autant du service du Roi que de la satisfaction des particuliers ; qu'après qu'il aurait eu celle de voir le Roi dans le Louvre, il se retirerait avec autant de joie que de promptitude à Blois, en résolution de n'y penser qu'à son repos et qu'à son salut ; et que tout ce qui se ferait après cela à la cour ne serait plus sur son compte, pourvu que l'on voulût bien ne l'y pas mettre et le laisser dans sa solitude, où il promettait de demeurer de bonne foi.

Cette dernière période était, comme vous voyez, substantielle. Monsieur ajouta à cette instruction un ordre précis et particulier d'assurer la Reine que, si Monsieur le Prince ne se voulait contenter de pouvoir demeurer en repos dans son gouvernement, avec la pleine jouissance de toutes ses pensions et de toutes ses charges, il l'abandonnerait. Comme je lui représentai qu'il me paraissait qu'il pouvait et qu'il devait même adoucir cette expression : « Point de fausse *générosité, reprit-il en colère ; je sais ce que je dis, et je le saurai bien soutenir et justifier. » Voilà précisément comme je sortis de chez Monsieur. J'exécutai ses ordres à la lettre, et je ne rencontrai dans leur exécution aucune difficulté que du côté duquel je n'en devais pas attendre. Ce que je vas vous raconter est incroyable.

Après que j'eus ménagé tous les préalables que je crus nécessaires à un projet de cette nature, j'envoyai Argenteuil ou Joly à Madame la Palatine (je ne me ressouviens pas précisément lequel ce fut), pour en conférer avec elle. Elle l'approuva au dernier point ; mais elle m'écrivit que, si je désirais effectivement qu'il réussît, c'est-à-dire qu'il obligeât le Roi de revenir à Paris, il était nécessaire que je surprisse la cour, parce que, si je lui donnais le loisir de consulter l'oracle[1], il ne répondrait que selon ce qui lui aurait été inspiré et soufflé par les prêtres des idoles, lesquels (me mandait-elle par un chiffre que j'avais avec elle, que nous avions toujours cru être indéchiffrable) aiment mieux que tout le temple périsse, que vous y mettiez seulement une pierre pour le réparer. Elle me demanda seulement cinq jours de délai pour avoir le temps d'en donner avis elle-même au Cardinal. Elle le tourna d'une manière qui le força, pour ainsi dire, à y donner les mains et à écrire à la Reine qu'elle devait recevoir au moins agréablement ma députation.

Dès que les Tellier, les Servien, les Ondedei et les Fouquet en eurent le vent, ils s'y opposèrent de toute leur force, disant que ce ne pouvait être qu'un piège dans lequel je voulais faire tomber la cour, et que, si mon intention avait été droite et sincère, j'aurais commencé par une négociation et non pas par une proposition qui forçait le Roi de revenir à Paris sans avoir pris ses sûretés préalablement, ou de s'attirer les plaintes de toute la ville en n'y revenant pas. Madame la Palatine, qui avait l'ordre du Cardinal en main, se sentait bien forte et leur répondait que, quand j'aurais la meilleure volonté du monde, je ne pouvais pas me conduire autrement que je me conduisais, parce qu'il était beaucoup moins sûr pour moi de me *commettre à une négociation dans laquelle l'on me pouvait tendre à moi-même mille et mille pièges, qu'à une députation sur laquelle enfin le pis du pis pour moi était de faire connaître une bonne intention sans effet. Ondedei soutenait que l'unique fin de ma proposition était de pouvoir aller à la cour en sûreté pour prendre mon bonnet. Madame la Palatine repartait que la réception de ce bonnet, qui n'était qu'une pure cérémonie, m'était , comme il était vrai, de toutes les choses du monde la plus indifférente [1]. L'abbé Fouquet revenait à la charge, et soutenait que les intelligences qu'il avait dans Paris y rétabliraient le Roi au premier jour, sans qu'il en eût l'obligation à des gens qui ne proposaient de l'y remettre que pour être plus en état de s'y maintenir eux-mêmes contre lui.

MM. Le Tellier et Servien, qui avaient été, au commencement, de leur avis, se rendirent, sur la fin, et à l'ordre du Cardinal, et peut-être aux fortes et solides raisons de la Palatine ; et la Reine, qui avait tenu l'abbé Charrier, que j'avais envoyé pour obtenir les passeports, trois jours entiers à Compiègne, même depuis la parole qu'elle avait donnée de les accorder, les fit expédier, et elle y ajouta même beaucoup d'*honnêtetés. Je partis aussitôt après avec les députés de tous les corps ecclésiastiques de Paris et près de deux cents gentilshommes qui m'accompagnaient, outre lesquels j'avais avec moi cinquante gardes de Monsieur. J'eus avis à Senlis que l'on avait résolu à la cour de n'y pas loger mon cortège ; et Bautru même, qui s'était mis de mon cortège, pour pouvoir sortir de Paris, dont les portes étaient gardées, me dit qu'il me conseillait de n'y pas entrer avec tant de gens. Je lui répondis que je ne croyais pas aussi qu'il m'eût conseillé de marcher seul avec des chanoines, des curés et des religieux, dans un temps où il y avait, à la campagne, un nombre infini de *coureurs de tous les partis. Il en convint et il prit les devants, pour expliquer à la Reine et cette escorte et ce cortège, que l'on lui avait très ridiculement grossi. Tout ce qu'il put obtenir fut que l'on me donnerait logement pour quatre-vingts chevaux. Vous remarquerez, s'il vous plaît, que j'en avais cent douze, seulement pour les carrosses.

Cette faiblesse ne me fit que pitié ; ce qui me donna de l'ombrage fut que je ne trouvai point sur mon chemin l'escouade des gardes du corps qui avait accoutumé, en ce temps-là, d'aller au-devant des cardinaux, la première fois qu'ils paraissaient à la cour. Ma défiance se fût changée en appréhension, si j'eusse su ce que je n'appris qu'à mon retour à Paris, qui est que la cause pour laquelle l'on ne m'avait pas fait cet honneur était que l'on n'était pas encore bien résolu de ce que l'on ferait de ma personne, les uns soutenant qu'il me fallait arrêter, les autres, qu'il était nécessaire de me tuer, et quelques-uns disant qu'il y avait trop d'inconvénients à violer, en cette occasion, la foi publique. M. le prince Thomas fit dire à mon père, par le P. Senault, de l'Oratoire, le propre jour que je retournai à Paris, qu'il avait été de ce dernier avis ; qu'il ne nommait personne, mais qu'il y avait au monde des gens bien scélérats. Madame la Palatine ne me témoigna pas que l'on eût été jusque-là ; mais elle me dit, dès le lendemain que je fus arrivé, qu'elle m'aimait mieux à Paris qu'à Compiègne. La Reine me reçut pourtant fort bien ; elle se fâcha devant moi contre l'exempt des gardes, qui ne m'avait pas rencontré, et

qui s'était égaré, disait-elle, dans la forêt. Le Roi me donna
le bonnet le matin du lendemain, et audience l'après-dînée.
Je lui parlai ainsi[a].

« Sire, tous les sujets de Votre Majesté lui peuvent
représenter leurs besoins ; mais il n'y a que l'Église qui ait
droit de vous parler de vos devoirs ; nous le devons, Sire,
par toutes les obligations que notre *caractère nous impose,
mais nous le devons particulièrement quand il s'agit de la
conservation des peuples, parce que la même puissance qui
nous a établis médiateurs entre Dieu et les hommes, fait
que nous sommes naturellement leurs intercesseurs envers
les rois, qui sont les images vivantes de la Divinité sur la
terre[1].

« Nous nous présentons donc à Votre Majesté en qualité
de ministres de la parole ; et, comme les dispensateurs
légitimes des oracles éternels, nous vous annonçons l'évangile
de la paix, en vous remerciant des dispositions que vous y
avez déjà données, et en vous suppliant très humblement
d'accomplir cet ouvrage si glorieux à Votre Majesté et si
nécessaire au repos de vos peuples ; et nous vous le
demandons avec autorité, parce que nous vous parlons au
nom de Celui de qui les ordres vous doivent être aussi sacrés
qu'ils le sont au moindre de vos sujets. Mais, Sire, cette
dignité que nous sommes obligés de conserver, et dans nos
actions et dans nos paroles, ne diminue en rien le respect
que nous devons à votre personne sacrée ; elle l'augmente
au contraire et nous confirme de plus en plus dans votre
service, parce que nous ne saurions élever notre esprit, en
pensant que nous avons l'honneur d'être les premiers sujets
de Votre Majesté, que nous ne confessions, en même temps,
que cette qualité nous oblige encore plus particulièrement
que le reste des hommes à vous donner toutes les marques
imaginables de notre obéissance et de notre fidélité.

« Nous le faisons, Sire, par des paroles que nous pouvons
dire effectives, puisqu'elles ont été précédées par des effets.
L'Église de Paris n'a jamais fait de vœux que pour les
avantages de votre couronne, et ses oracles n'ont parlé que
pour votre service. Elle ne croit pas, Sire, qu'elle puisse
donner une suite plus convenable à toutes les autres actions,
que la supplication très humble qu'elle fait présentement à

Votre Majesté, de donner la paix à la ville capitale de votre royaume, parce qu'elle est persuadée que cette paix n'est pas plus nécessaire pour le soulagement des misérables que pour l'affermissement solide et véritable de votre autorité.

« Nous voyons nos campagnes ravagées, nos villes désertes, nos maisons abandonnées, nos temples violés, nos autels profanés ; nous nous contenterions de lever les yeux au Ciel et de lui demander justice de ces impiétés et de ces sacrilèges, qui ne peuvent être assez punis par la main des hommes, et, pour ce qui touche nos propres misères, le respect que nous avons pour tout ce qui porte le *caractère de Votre Majesté nous obligerait sans doute, même dans le plus grand effort de nos souffrances, à étouffer les gémissements et les plaintes que nous causent vos armes, si votre intérêt, Sire, encore plus pressamment que le nôtre, n'animait nos paroles, et si nous n'étions fortement persuadés que, comme notre véritable repos consiste dans notre obéissance, votre véritable grandeur consiste dans votre justice et dans votre bonté ; et qu'il est même de la dignité d'un grand monarque d'être au-dessus de beaucoup de formalités, qui sont aussi inutiles et aussi préjudiciables, en quelques rencontres, qu'elles peuvent être nécessaires en d'autres occasions ; et Votre Majesté, Sire, me permettra de lui dire, avec la même liberté que me donne mon *caractère, qu'il n'y en a jamais eu de plus superflues que celles dont il s'agit aujourd'hui, puisque vous avez tous les avantages essentiels, et puisque vous avez effectivement les cœurs de tous vos peuples ; et c'est en cet endroit, Sire, où je me sens forcé, par le secret instinct de ma conscience, de déchirer ce voile qui ne couvre que trop souvent, dans les cours des grands princes, les vérités les plus importantes et les plus nécessaires.

« Je ne doute point, Sire, que l'on ne vous parle très différemment des dispositions de Paris : nous les connaissons, Sire, plus particulièrement que le reste des hommes, parce que nous sommes les véritables dépositaires de l'intérieur des consciences, et, par conséquent, du plus secret des cœurs ; et nous vous protestons, par la même vérité qui nous les a confiées, que nous n'en voyons point dans vos peuples qui ne soient très conformes à votre service ; que vous serez, quand il vous plaira, aussi absolu dans Paris que dans Compiègne ; que rien ne vous y doit faire ombrage, et qu'il n'y a personne qui y puisse partager ni les affections des peuples, ni l'autorité de Votre Majesté ; et nous ne saurions, Sire, vous justifier cette vérité par des preuves plus claires et plus convaincantes, qu'en vous suppliant très humblement de considérer qu'il faut bien que vous ayez les cœurs de ceux qui n'attendent qu'un seul de vos regards pour se laisser vaincre. Je me trompe, Sire, je parle improprement, je sens que je blesse par cette parole les oreilles de Votre Majesté : elle ne veut vaincre que ses ennemis, et ses armes sans doute n'ont point d'autres objets que ceux qu'Henri le Grand, aïeul de Votre Majesté, choisit dans les plaines d'Ivry. Je dis qu'il choisit, Sire, parce qu'il distingua les Français et les étrangers par cette belle parole, qu'il prononça à la tête de son armée : « Sauvez les Français ». Il fit cette distinction, l'épée à la main, et l'observa encore plus religieusement après toutes ses victoires [1].

« Ce parlement qui, dans les grandes agitations de l'État, était demeuré dans Paris, contre ses intentions et contre ses ordres, fut continué dans sa séance et dans ses fonctions par ce grand et sage prince, dès le lendemain qu'il y fut entré en victorieux et en triomphant ; il fit publier l'amnistie générale le même jour dans le Palais ; et il semble que ce prince, tout admirable, eût cru qu'il eût manqué quelque chose à sa clémence, s'il ne l'eût fait éclater dans le même lieu où l'on avait, en quelque rencontre, rendu si peu de justice et de déférence à ses volontés. Et il faut avouer que la providence de Dieu prit un soin tout particulier de couronner sa modération et sa justice, parce que son autorité, qui avait été si violemment attaquée et presque abattue, se trouva relevée, par sa prudence et par sa douceur, en un point et plus haut et plus fixe que n'avait jamais été celle de ses prédécesseurs.

« Si je n'appréhendais de donner la moindre apparence d'une comparaison aussi injuste que serait celle d'un siècle furieux, et qui attaqua, pour ainsi parler, la royauté dans son trône, et de ces derniers temps, où il faut avouer que les intentions des sujets de Votre Majesté n'ont rien eu de semblable ni d'approchant, je dirais, Sire, en cette occasion, ce que l'on doit dire, à mon sens, à Votre Majesté, dans toutes les rencontres de votre vie : que vous suivrez sans doute les *vestiges de ce grand monarque, et que vous n'aurez pas moins de bonté pour une grande ville qui vous offre avec ardeur le sang de tous ses citoyens, pour le répandre pour votre service, que le grand Henri n'en eut pour des sujets rebelles qui lui disputaient sa couronne et qui attentaient à sa vie [1].

« J'ai, Sire, un droit tout particulier et *domestique de vous proposer cet exemple. Dans cette fameuse conférence, qui fut tenue dans l'abbaye de Saint-Antoine aux faubourgs de Paris, le roi Henri le Grand dit au cardinal de Gondi qu'il était résolu de ne s'arrêter à aucune formalité dans une affaire où la paix seule était essentielle. Je ne connaîtrais nullement le mérite et la valeur de ce discours si je prétendais le pouvoir orner par des paroles : je me contente, Sire, de le rapporter fidèlement à Votre Majesté, et de le rapporter avec le même esprit que le cardinal de Gondi l'a reçu [2].

« Ainsi, Sire, en imitant et la modération et la prudence de ce grand monarque, vous régnerez d'un règne semblable à celui de Dieu, parce que votre autorité n'aura de bornes que celles qu'elle se donnera à elle-même, par les règles de la raison et de la justice [3]. Ainsi vous rétablirez solidement l'autorité royale, dans laquelle consiste véritablement le repos, la sûreté et le bonheur de tous vos sujets. Ainsi vous réunirez les cœurs de tous vos peuples, partagés par tant de factions différentes, et dont la division ne sera jamais que fatale à votre service. Ainsi vous réunirez toutes vos compagnies souveraines dans ce même lieu, où elles ont soutenu, avec tant de vigueur et avec tant de gloire, les droits de vos ancêtres. Ainsi vous réunirez la maison royale. Ainsi vous aurez dans vos conseils et à la tête de vos armées M. le duc d'Orléans, dont l'expérience, la modération et les intentions absolument désintéressées peuvent être si utiles et sont si nécessaires pour la conduite de votre État. Ainsi vous y aurez Monsieur le Prince, si capable de vous seconder dans vos conquêtes.

« Et quand nous pensons, Sire, qu'un seul moment peut produire tous ces avantages, et quand nous pensons, en même temps, que ce moment n'est pas encore arrivé, nous sentons dans nos âmes des mouvements mêlés de douleur et de joie, d'espérance et de crainte. Quelle apparence que la fin de nos maux ne soit pas proche, puisqu'ils ne tiennent plus qu'à quelques formalités légères [4] et qu'un instant peut assoupir ? quelle apparence qu'elles ne fussent pas déjà terminées, si la justice de Dieu ne voulait peut-être châtier nos péchés et nos crimes, par des maux que nous endurons contre toutes les règles de la politique, même la plus humaine ? Il est, Sire, de votre devoir de prévenir par des actions de piété et de justice les châtiments du Ciel, qui menacent un royaume dont vous êtes le père ; il est, Sire, de votre devoir d'arrêter, par une bonne et prompte paix, le cours de ces profanations abominables qui déshonorent la terre et qui attirent les foudres du Ciel : vous le devez comme chrétien, vous le devez et vous le pouvez comme roi.

« Un grand archevêque de Milan porta autrefois cette parole au plus grand des empereurs chrétiens, dans une occasion moins importante que celle dont il s'agit présentement et qui regardait moins les intérêts de Dieu[1]. L'Église de Paris vous la porte aujourd'hui, Sire, avec plus de sujet, et Dieu veuille que ce soit avec autant de succès ! Dieu veuille inspirer à Votre Majesté la résolution et l'application de ce remède si prompt et si salutaire, qui consiste dans son retour à Paris, que nous vous demandons, Sire, avec tous les respects que vous doivent des sujets très soumis, mais avec tous les mouvements que peuvent former des cœurs passionnés pour le véritable service de Votre Majesté et pour le repos de son royaume.

« Ainsi, Sire, dès le commencement de votre vie, vous accomplirez un des plus considérables points du testament du plus grand et du plus saint de vos prédécesseurs. Saint Louis, étant à l'article de la mort, recommanda très particulièrement au Roi son fils la conservation des grandes villes de son royaume, comme le moyen le plus propre pour conserver son autorité. Ce grand prince devait ces sentiments si raisonnables et si bien fondés à l'éducation de la reine Blanche de Castille, sa mère ; et Votre Majesté, Sire, devra sans doute ces mêmes maximes aux conseils de cette grande Reine qui vous a donné à vos peuples et qui anime, par des vertus qui sont sans comparaison et sans exemple, le même sang qui a coulé dans les veines de Blanche et les mêmes avantages qu'elle a autrefois possédés dans la France[2]. »

La[a] réponse du Roi fut *honnête, mais générale, et j'eus même beaucoup de peine à la tirer par écrit[3].

Voilà ce qui parut à tout le monde de mon voyage de Compiègne : voici ce qui s'y passa dans le secret.

Je dis à la Reine, dans une audience particulière qu'elle me donna dans son petit cabinet, que je ne venais pas seulement à Compiègne en qualité de député de l'Église de Paris, mais que j'en avais encore une autre, que j'estimais beaucoup davantage, parce que je la croyais beaucoup moins inutile à son service que l'autre : que c'était celle d'envoyé de Monsieur, qui m'avait commandé d'assurer Sa Majesté qu'il était dans la résolution de la servir réellement et effectivement, promptement et sans aucun délai ; et, en proférant ce dernier mot, je tirai de ma poche un petit billet signé GASTON, qui contenait ces mêmes paroles. Le premier mouvement de la Reine fut d'une joie extraordinaire, et cette joie tira d'elle, à mon opinion, plus que l'*art, quoi que l'on en ait voulu dire depuis, ces propres paroles : « Je savais bien, Monsieur le Cardinal, que vous me donneriez à la fin des marques de l'affection que vous avez pour moi. » Comme je commençais à entrer en matière, Ondedei gratta à la porte ; et, comme je voulus me lever de mon siège pour l'aller ouvrir, la Reine me prit par le bras et elle me dit : « Demeurez là, attendez-moi. » Elle sortit, elle entretint Ondedei près d'un quart d'heure. Elle revint, elle me dit que Ondedei lui venait de donner un paquet d'Espagne. Elle me parut embarrassée et changée dans sa manière de me parler, au-delà de tout ce que je vous puis dire. Bluet, duquel je vous ai parlé dans le second volume de cette histoire, m'a dit que Ondedei, qui avait su que j'avais demandé à la Reine une audience particulière, l'était venu interrompre, en lui disant qu'il avait reçu ordre de M. le cardinal Mazarin de la conjurer de ne m'en donner aucune de cette nature, qui ne servirait qu'à donner de l'ombrage à ses fidèles serviteurs.

Ce Bluet m'a juré plus d'une fois qu'il avait vu cette lettre en original entre les mains d'Ondedei, et qu'il ne la reçut que justement dans le temps où j'étais enfermé avec la Reine dans le petit cabinet. Il est vrai aussi que j'observai que, quand elle y rentra, elle se mit auprès d'une fenêtre dont les vitres descendent jusques au plancher, et qu'elle me fit asseoir en lieu où tout ce qui était dans la cour la pouvait voir et moi aussi. Ce que je vous raconte est assez bizarre, et j'aurais encore peine à le croire, si tout ce que j'observai dans la suite ne m'avait fait connaître que la défiance était si généralement répandue à Compiègne, et en tous les particuliers et sur tous les particuliers, que qui ne l'a pas vu ne le peut concevoir. MM. Servien et Le Tellier se haïssaient cordialement. Ondedei était leur espion, comme il l'était de tout le monde. L'abbé Fouquet aspirait à la seconde place dans l'espionnage. Bartet, Brachet, Siron et le maréchal Du Plessis y étaient pour leur *vade. Madame la Palatine m'avait informé de la *carte du pays ; mais je vous confesse que je ne me l'étais pu figurer au point que je la trouvai.

La Reine toutefois ne put s'empêcher, nonobstant l'avis d'Ondedei, de me témoigner et joie et reconnaissance. « Mais comme, ajouta-t-elle, les conversations particulières feraient philosopher le monde plus qu'il ne convient à Monsieur et à vous-même, à cause des égards qu'il faut garder vers le peuple, voyez la Palatine, et convenez avec elle de quelque heure secrète où vous puissiez voir M. Servien. » Bluet me disait depuis que c'était celui que Ondedei lui avait suggéré pour parler d'affaire avec moi, parce que c'était celui qui avait paru le plus malintentionné pour moi, et que Servien, qui craignit les mauvais offices des subalternes, avait refusé d'entrer en aucune négociation particulière avec moi, à moins qu'il eût pour collègue, ou plutôt pour témoin, M. Le Tellier, « qui ne manquera pas, dit-il à la Reine, de faire suggérer à Monsieur le Cardinal que je prends des mesures avec le cardinal de Rais ; et c'est pour cela, Madame, que je supplie très humblement Votre Majesté qu'il en soit de part. » Je ne sais ce que je vous dis de cela que par Bluet, qui était, à la vérité, un assez bon auteur pour ce petit détail, car il était intime d'Ondedei. Ce qui me fait croire qu'il ne l'avait pas inventé est que je trouvai effectivement chez Madame la Palatine, où j'allai entre onze heures et minuit, M. Le Tellier avec M. Servien, dont je fus assez surpris, parce que je n'avais pas lieu de croire qu'il eût de fort bonnes dispositions pour moi. Je vous rendrai compte, dans la suite, des raisons que j'avais de le soupçonner.

Il me parut que ces messieurs avaient déjà été informés par la Reine de ce que j'avais à leur proposer. En voici la substance : que Monsieur était résolu de conclure la paix de bonne foi, et que, pour faire connaître à la Reine la sincérité de ses intentions, il avait voulu, contre toutes les règles et tous les usages de la politique ordinaire, commencer par les effets ; qu'il lui eût été difficile d'en donner un plus efficace et plus essentiel, qu'une députation aussi solennelle de l'Église de Paris, résolue et exécutée à la face de Monsieur le Prince et des troupes d'Espagne, logées dans les faubourgs, et qu'il offrait, sans balancer, sans négocier, sans demander ni directement ni indirectement aucun avantage particulier, de se déclarer contre tous ceux qui s'opposeraient et à la paix et au retour du Roi dans Paris, pourvu que l'on lui donnât pouvoir de promettre à Monsieur le Prince que l'on le laisserait en repos dans ses gouvernements, en renonçant de sa part à toute association avec les étrangers, et que l'on envoyât une amnistie pleine, entière, et non captieuse, pour être vérifiée par le parlement de Paris.

Il eût été difficile de s'imaginer qu'une proposition de cette nature n'eût pas été, je ne dis pas reçue, mais applaudie, parce que, supposé même qu'elle n'eût pas été sincère, ce qu'ils pouvaient soupçonner, au moins selon leurs maximes corrompues, ils en eussent pu toujours tirer leur avantage en plus d'une manière. Ce qui me fit juger que ce ne fut pas la défiance qu'ils eussent de moi qui les empêcha d'en profiter, mais celle qu'ils avaient l'un de l'autre, fut qu'ils se regardèrent, et qu'ils attendirent, même assez longtemps, qui s'expliquerait le premier. La suite et encore davantage l'air de la conversation, qui ne se peut exprimer, me marquèrent plus que suffisamment que je ne me trompais pas dans ma conjecture. Je n'en tirai que des galimatias, et Madame la Palatine, qui, quoique très connaissante de cette cour, en fut surprise au dernier point, m'avoua, le lendemain au matin, qu'il y entrait beaucoup de ce que j'avais soupçonné, « quoique, à tout hasard, ajouta-t-elle, je sois résolue, si vous y consentez, de leur parler comme si j'étais persuadée que ce ne soit que la défiance qu'ils ont de vous qui les empêche d'agir comme des hommes ; car il est vrai, continua-t-elle, que ce que j'en ai vu cette nuit n'est pas humain. » J'y donnai les mains, pourvu qu'elle ne parlât que comme d'elle-même ; car il est vrai qu'après ce qui m'avait paru de leur manière d'agir, je ne me pouvais pas résoudre à aller aussi loin et que je l'avais résolu et que j'en avais le pouvoir. Elle y suppléa ; car elle ne dit pas seulement à la Reine ce qui s'était passé la nuit chez elle, mais elle y ajouta ce qu'il n'avait tenu qu'à ces messieurs qu'il s'y fût passé. Enfin elle l'assura que, moyennant ce que je vous ai marqué ci-dessus, Monsieur abandonnerait Monsieur le Prince et se retirerait à Blois, après quoi il ne se mêlerait plus de ce qui pourrait arriver. C'était là le grand mot et qui devait décider. La Reine l'entendit et même elle le sentit. Tous les subalternes entreprirent de le lui vouloir faire passer pour un piège, en lui disant que Monsieur ne donnait cette lueur que pour attirer et tenir le Roi dans Paris, au moment même que lui Monsieur s'y donnait une nouvelle autorité par l'honneur qu'il s'y donnerait du retour du Roi, très agréable au public, et par la porte que l'on voyait qu'il *affectait de se réserver en ne s'expliquant point sur celui de M. le cardinal Mazarin.

J'ai déjà remarqué que je connus clairement que ce raisonnement était moins l'effet d'aucune défiance qu'ils eussent en *effet, sur une matière qui commençait à être assez éclaircie par l'état des choses, que de la crainte que chacun d'eux avait, en son particulier, de faire quelque pas vers moi que son compagnon pût interpréter auprès du Cardinal ; et il est aisé de juger que, si la conduite qu'ils tinrent, en cette occasion, leur eût été inspirée par la défiance qu'eux-mêmes inspirèrent dans l'esprit de la Reine, ils eussent cherché des *tempéraments qui les eussent pu empêcher de tomber dans le piège qu'ils eussent appréhendé, et qui, d'autre part, eussent contribué à ne pas aigrir et les esprits et les affaires, dans un moment où il était si nécessaire de les radoucir. L'événement, qui fut favorable à la cour, a justifié cette conduite, et je sais que les ministres ont dit depuis qu'ils étaient si assurés des dispositions de Paris, qu'ils n'avaient pas besoin de ces ménagements. Jugez-en, je vous supplie, par ce que vous allez voir, après que je vous aurai encore suppliée d'observer une ou deux circonstances, qui, quoique très légères, vous marqueront l'état où tous ces espions de profession, dont je vous ai tantôt parlé, mettaient la cour.

La Reine leur était si soumise et elle craignait leurs rapports à un tel point, qu'elle conjura Madame la Palatine de dire à Ondedei, sans affectation, qu'elle lui avait fait de grandes railleries de moi, et elle lui dit à lui-même que je l'avais assurée que Monsieur le Cardinal était un *honnête homme, et que je ne prétendais pas à sa place. Je vous puis assurer, à mon tour, que je ne lui avais dit ni l'une ni l'autre de ces sottises. Elle n'oublia pas non plus de faire sa cour à l'abbé Fouquet, en se moquant avec lui de la dépense que j'avais faite en ce voyage. Il est vrai qu'elle fut immense, pour le peu de temps qu'il dura. Je tenais sept tables servies en même temps, et j'y dépensais huit cents écus par jour. Ce qui est nécessaire n'est jamais ridicule. La Reine me dit, lorsque je reçus ses commandements, qu'elle remerciait Monsieur, qu'elle se sentait très obligée, qu'elle espérait qu'il continuerait à suivre les dispositions nécessaires au retour du Roi, qu'elle l'en priait et qu'elle ne ferait pas un pas sans le concerter avec lui ; sur quoi je lui répondis : « Je crois, Madame, qu'il aurait été à propos de commencer dès aujourd'hui. » Elle rompit le discours.

J'eus sujet de me consoler des railleries de M. l'abbé Fouquet, par la manière dont je fus reçu à Paris. J'y rentrai avec un applaudissement incroyable, et j'allai descendre à Luxembourg, où je rendis compte à Monsieur de ma légation. Il faillit à tomber de son haut. Il s'emporta, il pesta contre la cour ; il entra vingt fois chez Madame, il en sortit autant de fois, et puis il me dit tout d'un coup : « Monsieur le Prince s'en veut aller. Le comte de Fuensaldagne lui mande qu'il a ordre de lui mettre entre les mains toutes les forces d'Espagne ; mais il ne le faut pas laisser partir. Ces gens-là nous viendraient étrangler dans Paris. Il faut que la cour y ait des intelligences que nous ne connaissons pas. Pourrait-elle agir comme elle fait, si elle ne sentait ses forces ? »

Voilà l'une des moindres périodes d'un discours de Monsieur, qui dura plus d'une grande heure ; je ne l'interrompais pas, et même, quand il m'interrogeait, je ne lui répondais presque que par monosyllabes. Il s'impatienta à la fin, et il me commanda de lui dire mon sentiment, en ajoutant : « Je vous pardonne vos monosyllabes quand je fais ce qu'il plaît à Monsieur le Prince contre vos sentiments ; mais, quand je suis vos sentiments, comme je l'ai fait en cette occasion, je veux que vous me parliez à fond. — Il est juste, Monsieur, lui répondis-je, que je parle toujours ainsi

à Votre Altesse Royale, quelques sentiments qu'il lui plaise
de prendre. Je ne désavoue pas les miens en ce rencontre ;
je fais plus, car je ne m'en repens pas. Je ne considère point
les événements : la fortune en décide ; mais elle n'a aucun
pouvoir sur le bon sens. Le mien est moins infaillible que
celui des autres, parce que je ne suis pas si habile ; mais,
pour cette fois, je le tiens aussi droit que si il avait bien
réussi, et il ne me sera pas difficile de le justifier à Votre
Altesse Royale. »

Monsieur m'arrêta en cet endroit, même avec précipitation,
et il me dit : « Ce n'est pas ce que j'ai voulu dire. Je sais
bien que nous avons eu raison ; mais enfin ce n'est pas assez
d'avoir raison en ce monde, et c'est encore moins de l'avoir
eue. Qu'est-il de faire ?[a] Nous allons être pris à la gorge :
vous voyez comme moi que la cour ne peut pas être aveuglée
au point d'agir comme elle fait, et qu'il faut ou qu'elle soit
accommodée avec Monsieur le Prince, ou qu'elle soit
maîtresse de Paris sans moi. » Madame, qui avait impatience
de savoir à quoi cette scène se terminerait, entra à ce mot
dans le cabinet des livres, et, pour vous dire le vrai, j'en eus
une grande joie, parce qu'en tout où elle n'était pas
prévenue, elle avait le sens droit, quoique son esprit fût assez
borné. Monsieur continuant devant elle à me commander de
lui dire mon sentiment, je le suppliai de me permettre de
le lui mettre par écrit : ce qui était toujours le mieux avec
lui, parce que sa vivacité faisait qu'il interrompait à tout
moment le fil de ce que l'on lui disait. Voici ce que j'ai
transcrit sur l'original que j'ai retrouvé par un fort grand
hasard.

« Je crois que Son Altesse Royale doit supposer pour
certain que la hauteur de la cour vient moins de la
connaissance qu'elle ait de ses forces, que de la confusion
où l'absence du Cardinal et la multitude de ses agents la
mettent deux ou trois fois par jour ; mais, comme une partie
de la discussion dont il s'agit présentement doit être fondée
sur ce principe, il n'est pas juste que Monsieur m'en croie
sur ma parole, qui enfin n'est fondée elle-même que sur ce
que je crois en avoir vu à Compiègne, et en quoi, par
conséquent, je puis me tromper. Je le supplie, par cette
raison, de prendre, comme par préalable à toutes choses, la
résolution de s'éclaircir sur ce point, et de pénétrer si ce

que je crois avoir vu à Compiègne est fondé, c'est-à-dire, pour me mieux expliquer, si il est vrai que la cour ait véritablement la hauteur qui m'y a paru, et si cette hauteur est l'effet ou de la confusion que je vous viens de marquer, ou de la défiance et de l'aversion qu'elle ait pour ma personne. Son Altesse Royale peut voir clair à ce détail en deux jours, par le canal de M. Damville, et par celui de ceux de sa maison, qui sont plus agréables que moi à la Reine. Si j'ai vu faux, il ne m'y paraît rien de nouveau qui la doive empêcher de pousser sa *pointe et de travailler à la paix, comme elle l'avait résolu, en se servant des gens qui seront écoutés à la cour plus favorablement que moi. Si je ne me suis pas trompé dans ma conjecture, il s'agit de délibérer si Monsieur doit changer de pensée, ne plus songer à s'accommoder et faire la guerre tout de bon, au risque de tout ce qui en peut arriver, ou se sacrifier lui-même au repos de l'État et à la tranquillité publique. Ceux à qui il commande de lui dire leurs sentiments sur cette matière sont fort embarrassés, parce qu'il n'y va rien moins pour eux que de passer ou pour des factieux qui veulent éterniser la guerre civile, ou pour des traîtres qui vendent leur parti, ou pour des idiots qui traitent dans le *cabinet les affaires d'État, comme ils traiteraient en Sorbonne des cas de conscience ; et le malheur est que ce ne sera pas leur bonne ou mauvaise conduite, ni leur bonne ou mauvaise intention, qui leur donneront ou qui les défendront de ces titres ; ce sera la fortune, ou même la propre conduite de leurs ennemis. Cette observation ne m'empêchera pas de parler à Son Altesse Royale, en cette occasion, avec la même liberté que je me sentirais, si je n'y mettais rien du mien, dans une conjoncture où je suis assuré que l'on ne peut rien dire qui ne soit mal, par la même raison qui fait que l'on n'y peut rien faire qui soit bien.

« Monsieur n'a, ce me semble, que deux partis à prendre, comme je viens de dire, supposé que la cour soit dans les dispositions où je la crois, qui sont ou de plier à tout ce qu'elle voudra, et de consentir qu'elle se rétablisse dans Paris par elle-même, sans lui en avoir aucune obligation et sans avoir donné aucune sûreté au public, ou de s'y opposer avec vigueur et avec fermeté, et de l'obliger, par une et grande et forte résistance, à entrer en traité et à pacifier l'État par les mêmes moyens que l'on a toujours cherchés à la fin des guerres civiles. Si le respect que je dois à Son Altesse Royale me permettait de me compter seulement pour un zéro, dans une aussi grande affaire que celle-ci, je prendrais la liberté de lui dire que le premier parti me serait bon, parce qu'il me conduirait au travers, à la vérité, de quelques murmures qu'il élèverait contre moi dans les commencements, au poste que je suis persuadé ne m'être pas mauvais. Les Frondeurs diraient d'abord que mes conseils auraient été faibles ; les pacifiques, dont le nombre est toujours le plus grand dans la fin des troubles, diraient qu'ils sont sages et d'un homme de bien. Je serais, sur le tout, cardinal et archevêque de Paris, relégué, si vous voulez, à Rome, mais relégué pour un temps, et, pour ce temps-là même, dans les plus grands emplois. Les politiques se joindraient, par l'événement, aux pacifiques ; le feu contre le Mazarin serait ou éteint ou assoupi par son rétablissement ; les murmures qui se seraient élevés contre moi seraient oubliés, ou l'on ne s'en ressouviendrait que pour faire dire encore davantage que je serais un habile et *galant homme, qui me serais tiré fort adroitement d'un très *méchant pas.

« Voilà comme se traite dans les esprits des hommes la réputation des particuliers. Il n'en va pas ainsi de celle des grands princes, parce que leur naissance et leur élévation étant toujours plus que suffisantes pour tirer leur personne et leur fortune du naufrage, ils n'en peuvent jamais sauver leur réputation par les mêmes excuses qui en préservent les subalternes. Quand Monsieur aura laissé transférer le Parlement, interdire l'Hôtel de Ville, enlever les chaînes de Paris [1], exiler la moitié des compagnies souveraines, l'on ne dira pas : "Qu'eût-il fait pour l'empêcher ? il se fût peut-être perdu lui-même" ; l'on dira : "Il n'a tenu qu'à lui de l'empêcher ; ce n'était pas une affaire, il n'avait qu'à le vouloir". L'on m'objectera que, par la même raison, quand il aura fait la paix, quand il sera retiré à Blois, quand le cardinal Mazarin sera rétabli, l'on m'objectera, dis-je, que l'on fera ces mêmes discours ; mais je soutiens que la différence y sera très grande et tout entière en ce que Monsieur peut ne pas prévoir, au moins à l'égard des peuples, ce rétablissement du Mazarin, et ne peut pas ne point voir, comme présent [2], dès à cette heure, cette punition de Paris, qui, si il ne s'y oppose, arrivera peut-être dès demain. J'appréhende pour le *gros de l'État le rétablissement de M. le cardinal Mazarin ; il ne me ferait pas de peine, au moins pour le présent, pour Paris. Ce n'est ni son humeur ni son intérêt de le châtier ; et, si il était à la cour à l'heure qu'il est, je craindrais moins pour la ville que je ne crains. Ce qui me fait trembler pour elle est l'aigreur naturelle de la Reine, la violence de Servien, la dureté du Tellier, l'emportement d'un abbé Fouquet, la folie d'un Ondedei. Tout ce que ces gens-là conseilleront dans les premiers mouvements d'une réduction, tout ce qu'ils exécuteront sera sur le compte de Monsieur, et de Monsieur qui sera encore ou dans Paris ou à la porte de Paris ; au lieu que tout ce qui arriverait, après qu'il aurait fait un traité raisonnable, qu'il aurait pris toutes les sûretés convenables à une affaire de cette nature, de concert même avec le Parlement et avec tous les autres corps de la Ville, et après qu'ensuite il se serait retiré à Blois, au lieu, dis-je, que tout ce qui arriverait après cela, je dis tout, sans excepter même le retour du Cardinal, serait purement sur le compte de la cour, à la décharge et à l'honneur même de Monsieur. Voilà mes pensées touchant le premier parti ; voici mes réflexions sur le second, qui est celui de continuer, ou plutôt de renouveler la guerre.

« Monsieur ne le peut plus faire, à mon sens, qu'en retenant auprès de lui Monsieur le Prince. La cour a gagné beaucoup de terrain, dans les provinces particulièrement, où l'ardeur des parlements est beaucoup attiédie. Paris même n'est pas, à beaucoup près, comme il était ; et, quoiqu'il s'en faille beaucoup qu'il ne soit aussi comme l'on le veut persuader à la cour, il est *constant qu'il est nécessaire de le soutenir, et que les moments mêmes commencent à y devenir précieux. La personne de Monsieur le Prince n'y est pas aimée ; sa valeur, sa naissance, ses troupes y sont toujours d'un très grand poids. Enfin je suis persuadé que, si Monsieur prend le second parti, le premier pas qu'il doit faire est de s'assurer de monsieur son cousin ; le second, à mon avis, est de s'expliquer publiquement, sans délai, et dans le Parlement et dans l'Hôtel de Ville, de ses intentions et des raisons qu'il a de les avoir ; d'y faire mention des avances qu'il a faites, par moi, à la cour et du dessein formé qu'elle a de rentrer dans Paris sans donner aucune sûreté, ni aux compagnies souveraines, ni à la Ville ; et de la résolution que lui Monsieur a prise de s'y opposer de toute sa force, et de traiter comme ennemis tous ceux qui, directement ou indirectement, auront le moindre commerce avec elle.

« Le troisième pas, à mon opinion, est d'exécuter avec vigueur ces déclarations et de faire la guerre comme si l'on ne devait jamais penser à faire la paix. Le pouvoir que Son Altesse Royale a dans le peuple me fait croire, même sans en douter, que tout ce que [je] viens de proposer est possible ; mais j'ajoute qu'il ne le sera plus dès qu'elle n'y emploiera pas toute son autorité, parce que les démarches contraires qu'elle a laissé faire vers la cour ont rendu plus difficiles celles qui lui sont présentement nécessaires. C'est à elle à considérer ce qu'elle peut attendre de Monsieur le Prince, ce qu'elle en doit craindre, jusques où elle veut aller avec les étrangers, où elle s'en veut tenir avec le Parlement, ce qu'elle veut résoudre sur l'Hôtel de Ville ; car, à moins que de se fixer sur tous ces points, d'y prendre des résolutions certaines, de ne s'en départir point et de se résoudre à ne plus garder ces *tempéraments qui prétendent l'impossible, en prétendant de concilier les contradictoires, Monsieur retombera dans tous les inconvénients où il s'est vu, et qui seront sans comparaison plus dangereux que par le passé, en ce que l'état où sont les choses fait qu'ils seront décisifs. Il ne m'appartient pas de décider sur une matière de cette conséquence ; c'est à Monsieur à se résoudre : *sola mihi obsequii gloria relicta est.* [1] »

Voilà ce que j'écrivis à la hâte, et presque d'un trait de plume, sur la table du cabinet des livres de Luxembourg. Monsieur le lut avec application. Il le porta à Madame. L'on raisonna sur ce fond tout le soir ; l'on ne conclut rien, Monsieur balançant toujours et ne choisissant point.

Je trouvai M. de Caumartin chez M. le président de Bellièvre, qui s'était fait porter, à cause d'une fluxion qu'il avait sur l'œil, dans une maison du faubourg Saint-Michel où il y avait plus d'air que chez lui, au retour de cette conférence. Je lui rapportai le précis du raisonnement que vous venez de voir. Il m'en gronda, en me disant ces propres paroles : « Je ne sais à quoi vous pensez ; car vous [vous] exposez à la haine de tous les deux partis en disant trop la

vérité de tous les deux » ; et je lui dis ces propres mots :
« Je sais bien que je manque à la politique, mais je satisfais
à la morale ; et j'estime plus l'une que l'autre. » Le président
de Bellièvre prit la parole et dit : « Je ne suis pas de votre
sentiment, même selon la politique. Monsieur le Cardinal
joue le *droit du jeu, en l'état où sont les affaires. Elles
sont si incertaines, et particulièrement avec Monsieur, qu'un
homme sage n'en peut prendre sur soi la décision. »

Monsieur m'envoya quérir, deux heures [après], chez Mme
de Pommereux, et je trouvai à la porte de Luxembourg un
page qui me dit, de sa part, que je l'allasse attendre dans la
chambre de Madame. Il n'avait pas voulu que je l'allasse
interrompre dans le cabinet des livres, parce qu'il y était
enfermé avec Goulas, qu'il questionnait sur le sujet que
vous allez voir. Il vint, quelque temps après, chez Madame,
et il me dit d'abord : « Vous m'avez tantôt dit que le
premier pas qu'il fallait que je fisse, en cas que je me
résolusse à la continuation de la guerre, serait de m'assurer
de Monsieur le Prince : comment diable le puis-je faire ?
— Vous savez, Monsieur, lui répondis-je, que je ne suis pas
avec lui en état de vous répondre sur cela ; c'est à Votre
Altesse Royale à savoir ce qu'elle y peut et ce qu'elle n'y
peut pas. — Comment voulez-vous que je le sache ? reprit-
il, Chavigny a un traité presque conclu avec l'abbé Fouquet.
Vous souvient-il de l'avis que Mme de Choisy me donna
dernièrement assez en général ? J'en viens d'apprendre tout
le détail. Monsieur le Prince jure qu'il n'est point de tout
cela et que Chavigny est un traître ; mais qui le sait ? »

Ce détail était que Chavigny traitait avec l'abbé Fouquet,
et qu'il promettait à la cour de faire tous ses efforts pour
obliger Monsieur le Prince à s'accommoder, à des conditions
raisonnables, avec M. le cardinal Mazarin. Une lettre de
l'abbé Fouquet à M. Le Tellier, qui fut prise par un *parti
allemand et qui fut apportée à Tavannes, justifia pleinement
Monsieur le Prince de cette négociation ; car elle portait, en
termes formels, qu'en cas que Monsieur le Prince ne se
voulût pas mettre à la raison, lui, Chavigny, s'engageait à
la Reine à ne rien oublier pour le brouiller avec Monsieur[1].

Monsieur le Prince, qui eut en main l'original de cette
lettre, s'emporta contre lui au dernier point : il le traita de
perfide en parlant à lui-même. M. de Chavigny, outré de ce

traitement, se mit au lit et il n'en releva pas. M. de Bagnols, qui était de ses amis et des miens aussi, me vint prier de l'aller voir. Je le trouvai sans connaissance, et je rendis à sa famille tout ce que j'avais souhaité de rendre à sa personne. Je me souviens que Mme Du Plessis-Guénégaud était dans sa chambre, où il expira deux ou trois jours après.

M. de Guise revint, presque au même temps, de sa prison d'Espagne, et il me fit l'honneur de me venir voir dès le lendemain qu'il fut arrivé. Je le suppliai de se modérer, à ma *considération, dans les plaintes très aigres qu'il faisait contre M. de Fontenay, qu'il prétendait avoir mal vécu avec lui à l'égard des *révolutions de Naples, dans le temps de son ambassade de Rome ; et il déféra à mon instance, avec une *honnêteté digne d'un si grand nom.

J'avais toujours aussi réservé à traiter, en ce lieu, de l'affaire de Brisach, que j'ai touchée dans le second volume de cette histoire, parce que ce fut à peu près le temps où M. le comte d'Harcourt quitta l'armée et le service du Roi, pour se jeter dans cette importante place[1]. Mais, comme je n'ai pu retrouver le mémoire très beau et très fidèle que j'en avais, écrit de la main d'un officier de la garnison, qui avait du sens et de la *candeur, j'aime mieux en passer le détail sous silence et me contenter de vous dire que le bon génie[2] de la France défendit et sauva les fleurs de lis, dans ce poste fameux et important, en dépit de toutes les imprudences du Cardinal et de toutes les infidélités de Mme de Guébriant, par la bonne intention de Charlevoix, et par les incertitudes du comte d'Harcourt. Je reprends le fil de mon discours.

L'irrésolution de Monsieur était d'une espèce toute particulière[a]. Elle l'empêchait souvent d'agir, quand même il était le plus nécessaire d'agir ; elle le faisait quelquefois agir, quand même il était le plus nécessaire de ne point agir. J'attribue l'un et l'autre à son irrésolution, parce que l'un et l'autre venait, à ce que j'en ai observé, des vues différentes et opposées qu'il avait, et qui lui faisaient croire qu'il pourrait se servir utilement, quoique différemment, de ce qu'il faisait ou de ce qu'il ne faisait pas, selon les différents partis qu'il prendrait. Il me semble que je m'explique mal et que vous m'entendrez mieux par l'exposition des fautes que je prétends avoir été les effets de cette irrésolution.

Je proposai à Monsieur, le premier ou le second jour de septembre, de travailler de bonne foi à la paix ; mais je lui représentai que rien n'était plus important que de se tenir *couvert, au dernier point, de ce dessein vers la cour même, pour les raisons que vous avez vues ci-devant. Il en convint. Il y eut, le 5, une assemblée de l'Hôtel de Ville, que Monsieur le Prince lui-même procura pour faire croire au peuple qu'il n'était pas contraire au retour du Roi ; et le président de Nesmond, au moins à ce que l'on m'a dit depuis, fut celui qui lui persuada que cette démonstration lui était nécessaire. Je ne me suis jamais ressouvenu de lui en parler. Cette assemblée résolut de faire une députation solennelle au Roi pour le supplier de revenir en sa bonne ville de Paris. Elle n'était nullement du compte de Monsieur, qui, ayant résolu de se donner l'honneur et le mérite de celle de l'Église, ne devait pas souffrir qu'elle fût précédée par celle de la Ville, des suites de laquelle d'ailleurs il ne pouvait pas s'assurer. Il s'y engagea pourtant, sans balancer, et non pas seulement à la souffrir, mais à y assister lui-même. Je ne le sus que le soir, et je lui en parlai, avec liberté, comme d'une *glissade. Il me répondit : « Cette députation n'est qu'une *chanson. Qui ne sait que l'Hôtel de Ville ne peut rien ? Monsieur le Prince me l'a demandé ; il croit que cela lui est bon pour adoucir les esprits aigris par le feu de l'Hôtel de Ville. Mais de plus (voici le mot qui est à remarquer), qui sait si nous exécuterons la résolution que nous avons faite pour la députation de l'Église ? Il faut aller au jour la journée en ces diables de temps, et ne pas tant songer à la cadence. » Cette réponse vous explique, ce me semble, mon galimatias.

En voici un autre exemple. Le Roi ayant refusé, comme vous l'allez voir, cette députation de l'Hôtel de Ville, le *bonhomme Broussel, qui eut scrupule de souffrir que son nom fût allégué comme un obstacle à la paix, alla déclarer, le 24, à l'Hôtel de Ville, qu'il se *déportait de sa magistrature. Comme j'en fus averti d'assez bonne heure pour l'empêcher de faire cette démarche, je l'allai dire à Monsieur, qui pensa un peu, et puis il me dit : « Cela nous serait bon si la cour avait bien répondu à nos bonnes intentions ; mais je conviens que cela ne nous vaut rien pour le présent. Mais il faut aussi que vous conveniez que, si elle revient à elle, comme il n'est pas possible qu'elle demeure toujours dans son aveuglement, nous ne serions pas fâchés que ce bonhomme fût hors de là. »

Vous voyez, en ce discours, l'image et l'effet de l'incertitude. Je ne vous rapporte ces deux exemples que comme des échantillons d'un long tissu de procédés de cette nature, desquels Monsieur, qui avait assurément beaucoup de lumière, ne se pouvait toutefois corriger. Il faut aussi avouer que la cour ne lui donnait pas lieu, par le profit qu'elle sût[a] faire de ses fautes, d'y faire beaucoup de réflexion. La fortune toute seule les tourna à son avantage, et, si Monsieur et Monsieur le Prince se fussent servis, comme ils eussent pu, du refus qu'elle fit de recevoir la députation de l'Hôtel de Ville, elle eût couru grande risque de n'en avoir de longtemps. Elle répondit à Piétre, procureur du Roi de la Ville[1], qui était allé demander audience pour les échevins et quarteniers, qu'elle ne la leur pouvait accorder tant qu'elle reconnaîtrait M. de Beaufort pour gouverneur et M. de Broussel pour prévôt des marchands. Le président Viole me dit, aussitôt qu'il eut appris cette nouvelle : « Je n'approuvais pas cette députation, parce que je croyais qu'il y pouvait avoir plus de mal que de bien pour Monsieur et pour Monsieur le Prince. Tout y est bon pour eux présentement, par l'imprudence de la cour. » L'abdication volontaire du *bonhomme Broussel consacra, pour ainsi parler, cette imprudence. Ce qui est vrai est qu'il y avait des *tempéraments à prendre, même en conservant la dignité du Roi, qui n'eussent pas aigri les esprits au point que ce refus les aigrit. Si l'on en eût fait l'usage que l'on en pouvait faire, les ministres s'en fussent repentis pour longtemps. Ils *poussèrent cette affaire et toutes les autres[b] de ce temps-là avec une hauteur et avec une étourderie qui les *devait perdre. Elle les a sauvés par un miracle ; mais la flatterie et la servitude des cours font qu'elles ne croient jamais devoir aux miracles rien de ce qui tourne à leurs avantages.

Ce qui est admirable est que la cour se conduisait comme je viens de vous l'expliquer, justement dans le moment que la parti de Messieurs les Princes se fortifiait, et même très considérablement. M. de Lorraine, qui crut qu'il avait satisfait, en sortant du royaume, au traité qu'il avait fait avec M. de Turenne à Villeneuve-Saint-Georges[2], fit tirer deux coups de canon aussitôt qu'il fut arrivé à Vanault-les-Dames, qui est dans le Barrois. Il rentra en Champagne, avec toutes ses troupes et un renfort de trois mille chevaux allemands, commandés par le prince Ulric de Wurtemberg. M. le chevalier de Guise servait sous lui de lieutenant général, et le comte de Pas, duquel j'ai déjà parlé en quelque lieu, y avait joint, ce me semble, quelque cavalerie. M. de Lorraine remarcha vers Paris, à petites journées, enrichissant son armée du pillage ; et il se vint camper auprès de Villeneuve-Saint-Georges, où les troupes de Monsieur, commandées par M. de Beaufort, celles de Monsieur le Prince, car il était malade à Paris, commandées par MM. le prince de Tarente et de Tavannes, et celles d'Espagne commandées par Clinchamp, sous le nom de M. de Nemours, le vinrent joindre. Ils résolurent tous ensemble de s'approcher de M. de Turenne, qui tenant Corbeil et Melun et tout le dessus de la rivière, ne manquait de rien, au lieu que les confédérés, qui étaient obligés de chercher à vivre aux environs de Paris, pillaient les villages et renchérissaient, par conséquent, les denrées dans la ville. Cette considération, jointe à la supériorité du nombre qu'ils avaient sur M. de Turenne, les obligea à chercher l'occasion de le combattre. Il s'en défendit avec cette capacité qui est connue et respectée de tout l'univers, et le tout se passa en rencontres de *partis et en petits combats de cavalerie, qui ne décidèrent rien.

L'imprudence, ou plutôt l'ignorance et du Cardinal et des sous-ministres, fut sur le point de précipiter leur parti, par une faute qui leur *devait être plus préjudiciable sans comparaison que la défaite même de M. de Turenne. Prévôt, chanoine de Notre-Dame et conseiller au Parlement, autant fou qu'un homme le peut être, au moins de tous ceux à qui l'on laisse la clef de leur chambre, se mit dans l'esprit de faire une assemblée, au Palais-Royal, des véritables serviteurs du Roi : c'était le titre. Elle fut composée de quatre cents ou cinq cents bourgeois, dont il n'y en avait pas soixante qui eussent des manteaux noirs[1]. M. Prévôt dit qu'il avait reçu une lettre de cachet du Roi, qui lui commandait de faire main basse sur tous ceux qui auraient de la paille au chapeau et qui n'y mettraient pas du papier[2]. Il l'eut effectivement, cette lettre. Voilà le commencement de la plus ridicule levée de boucliers qui se soit faite depuis la procession de la Ligue[1]. Le *progrès fut que toute cette compagnie fut huée comme l'on hue les masques, en sortant du Palais-Royal, le 24 de septembre, et que, le 26, M. le maréchal d'Étampes, qui y fut envoyé par Monsieur, les dissipa par deux ou trois paroles. La fin de l'expédition fut qu'ils ne s'assemblèrent plus, de peur d'être pendus, comme ils en furent menacés, le même jour, par un arrêt du Parlement, qui porta défenses, sur peine de la vie, et de s'assembler et de prendre aucune marque. Si Monsieur et Monsieur le Prince se fussent servis de cette occasion, comme ils le pouvaient, le parti du Roi était *exterminé ce jour-là de Paris pour très longtemps. Le Maire, le parfumeur, qui était un des conjurés, courut chez moi, pâle comme un mort et tremblant comme la feuille, et je me souviens que je ne le pouvais rassurer et qu'il se voulait cacher dans la cave. Je pouvais moi-même avoir peur ; car, comme l'on savait que je n'étais pas dans les intérêts de Monsieur le Prince, le soupçon pouvait assez facilement tomber sur moi. Monsieur n'était pas, comme vous avez vu, dans les dispositions de se servir de ces conjonctures, et Monsieur le Prince était si las de tout ce qui s'appelait peuple, qu'il n'y faisait plus seulement de réflexion. Croissy m'a dit depuis qu'il ne tint pas à lui de le réveiller à ce moment, et de lui faire connaître qu'il ne le fallait pas perdre. Je ne me suis jamais ressouvenu de lui en parler.

Voici une autre faute, qui n'est pas à mon opinion, moindre que la première. M. de Lorraine, qui aimait beaucoup la négociation, y entra d'*abord qu'il fut arrivé, et il me dit, en présence de Madame, qu'elle le suivait partout ; qu'il était sorti de Flandre, de lassitude de *traitailler avec le comte de Fuensaldagne, et qu'il la retrouvait à Paris malgré lui : « Car que faire autre chose ici, dit-il, où il n'y a pas jusques au baron du Jour qui ne prétende faire son traité à part ? ». Ce baron du Jour était une manière d'homme assez extraordinaire de la cour de Monsieur ; et M. de Lorraine ne pouvait pas mieux exprimer qu'il y avait un grand cours de négociation, qu'en marquant qu'elle était descendue jusques à lui ; et ce qui lui faisait encore croire qu'elle était montée jusques à Monsieur était qu'il avait remarqué que, depuis quelque temps, il ne l'avait pas pressé de s'avancer, comme il avait fait auparavant. Son observation était vraie et il est *constant que Monsieur, qui voulait la paix de bonne foi, craignait, et avec raison, que Monsieur le Prince, se voyant renforcé d'un secours aussi considérable, n'y mît des obstacles invincibles.

Il fut très aise, par cette considération, de voir que M. de Lorraine fût dans la disposition de négocier aussi lui-même, et d'envoyer à la cour M. de Joyeuse-Saint-Lambert « lequel, me dit Monsieur, n'aura que le *caractère de M. de Lorraine, et ne laissera pas de pénétrer si il n'y a rien à faire pour moi ». Je lui répondis ces propres paroles : « Il sera, Monsieur, peut-être plus heureux que moi ; je le souhaite, mais je ne le crois pas. » Je fus prophète ; car ce M. de Joyeuse fut douze jours à la cour sans avoir aucune réponse. Il en fit une, je pense, de sa tête, qui fut un galimatias auquel personne ne put rien entendre, que la cour, qui le désavoua. M. le maréchal d'Étampes, que Monsieur y avait encore envoyé, sous l'espérance que M. Le Tellier avait fait donner à Madame qu'il y serait écouté comme particulier, sur tout ce qu'il y pourrait dire de la part de Monsieur, en revint, pour le moins, aussi mal satisfait que M. de Saint-Lambert ; et

le 30 de septembre, M. Talon acheva d'éclaircir Monsieur et le public des intentions de la Reine, en envoyant au Parlement par M. Doujat, à cause de son indisposition, les lettres qu'il avait reçues de Monsieur le Chancelier et de Monsieur le Premier Président, en réponse de celles qu'il leur avait écrites ensuite de la délibération du 26. Ces lettres portaient que le Roi, ayant transféré son Parlement à Pontoise et interdit toutes fonctions à ses *officiers dans Paris, il n'en pouvait recevoir aucune députation, jusques à ce qu'ils eussent obéi. Je ne vous puis exprimer la consternation de la Compagnie : elle fut au point que Monsieur eut peur qu'elle ne l'abandonnât, et que cette appréhension lui fit faire un très *méchant pas, car elle l'obligea à tirer une lettre de sa poche, par laquelle la Reine lui écrivait presque des douceurs ; et cette lettre lui était venue par le maréchal d'Étampes, qui, quoique très bien intentionné pour la cour, ne l'avait pas prise pour bonne, non plus que Monsieur, qui me l'avait montrée la veille, en me disant : « Il faut que la Reine me croie bien sot de m'écrire de ce style, dans le temps qu'elle agit comme elle fait. » Vous voyez donc qu'il n'était pas la dupe de cette lettre, ou plutôt qu'il ne l'avait pas été jusque-là, car il en devint effectivement la dupe, quand il la voulut faire valoir au Parlement, parce que le Parlement s'en persuada que Monsieur traitait son accommodement en particulier avec la cour ; et ainsi il jeta de la défiance de sa conduite dans la Compagnie, au lieu de s'y donner de [la]ᵃ considération. Il ne se put jamais défaire de cet air de mystère sur ce chef, quoi que Madame lui pût dire ; il le crut toujours nécessaire à sa sûreté, pour empêcher, ce disait-il, les gens de courre sans lui à l'accommodement, et cet air de négociation, joint aux apparences que le parti de Monsieur le Prince en donnait à tous les instants, fut ce qui, à mon avis, fit la paix, beaucoup plus tôt que les négociations les plus réelles et les plus effectives ne l'eussent pu faire. Les grandes affaires consistent encore plus dans l'imagination que les petites ; celle des peuples fait quelquefois toute seule la guerre civile. Elle fit en ce rencontre la paix ; l'on ne la doit pas attribuer à leur lassitude, parce qu'il s'en fallait bien qu'elle fût au point de les obliger, je ne dis pas à rappeler, je dis même à recevoir le Mazarin. Il est *constant qu'ils ne souffrirent son retour, que quand ils se persuadèrent qu'ils ne le pouvaient plus empêcher ; mais quand le corps du public en fut persuadé, les particuliers y coururent ; et ce qui en persuada et les particuliers et le public fut la conduite des chefs.

La manière mystérieuse dont Monsieur parla, dans ces dernières assemblées, pour faire paraître qu'il avait encore de la considération à la cour, acheva ce qui était déjà bien commencé. Tout le monde crut la paix faite, tout le monde la voulut faire pour soi.

Aussitôt que l'on sut la négociation de M. de Joyeuse, qui retourna, le 3 d'octobre, de Saint-Germain, où le Roi était revenu, le Parlement mollit et se laissa entendre publiquement que, pourvu que le Roi donnât un amnistie pleine et entière, et qui fût vérifiée dans le parlement de Paris, il ne chercherait point d'autres sûretés. Il ne [s']expliqua pas de ce détail par un arrêt mais il fit presque le même effet, en suppliant M. le duc d'Orléans de s'en satisfaire lui-même, et de l'écrire au Roi.

Le 10, M. Servin ayant représenté qu'il serait à propos de prier M. le duc de Beaufort de se *déporter du gouvernement de Paris, à cause du refus que le Roi avait fait de recevoir les députés de l'Hôtel de Ville tant qu'il en retiendrait le titre ; M. Servin, dis-je, qui aurait été étouffé dans un autre temps par les clameurs publiques, ne fut ni rebuté, ni sifflé ; et il fut dit même, la même matinée, que les conseillers du Parlement, qui étaient officiers dans les *colonelles, iraient, si il leur plaisait, à Saint-Germain, dans les députations de l'Hôtel de Ville, qui ne faisaient toutefois, dans les instances qu'ils faisaient au Roi pour revenir en sa bonne ville de Paris, aucune mention de la vérification de l'amnistie au parlement de Paris. Quel galimatias !

Le 11, Monsieur promit à la Compagnie de tirer la démission du gouvernement de Paris de M. de Beaufort ; et MM. Doujat et Servin y firent la relation des plaintes qu'ils avaient faites, la veille, à M. le duc d'Orléans, des désordres des troupes, et de la parole qu'il leur avait donnée de les faire retirer. M. de Lorraine, que je trouvai, ce jour-là, dans la rue Saint-Honoré, et qui avait failli à être tué par les bourgeois de la garde de la porte Saint-Martin, parce qu'il voulait sortir de la ville, releva de toutes ses couleurs l'uniformité[1] de cette conduite. Il me dit qu'il travaillait à un livre qui portait ce titre, et qu'il le dédierait à Monsieur : « Ma pauvre petite sœur en pleurera, ajouta-t-il, mais qu'importe ? elle s'en consolera avec Mlle Claude[2]. »

Le 12, Monsieur fit beaucoup d'excuses au Parlement de ce que les troupes ne s'éloignaient pas avec autant de promptitude qu'elles auraient fait sans les mauvais temps. Vous êtes sans doute fort étonnée de ce que je parle, en cette façon, de ces mêmes troupes, qui, huit ou dix jours auparavant, étaient publiquement, avec leurs écharpes rouges et jaunes, sur le pavé, en état de combattre même avec avantage celles du Roi. Un historien qui décrirait des temps qui seraient plus éloignés de son siècle chercherait des liaisons à des incidents aussi peu vraisemblables et aussi contradictoires, si l'on peut parler ainsi, que sont ceux-là. Il n'y eut pas plus d'intervalle que celui que je vous ai marqué entre les uns et les autres ; il n'y eut pas plus de mystère. Tout ce que les politiques du vulgaire se sont voulu figurer, pour concilier ces événements, n'est que fiction, n'est que chimère. J'en reviens toujours à mon principe, qui est que les fautes capitales font, par des conséquences presque inévitables, que ce qui paraît et est en effet le plus étrange et le plus extravagant est possible.

Le 13, les colonels reçurent ordre du Roi d'aller par députés à Saint-Germain ; M. de Sève, le plus ancien, y porta la parole. Le Roi leur donna à dîner et il leur fit même l'honneur d'entrer dans la salle, cependant le repas. Ce même jour, Monsieur le Prince partit de Paris avec une joie qui passait tout ce que vous vous pouvez figurer : il y avait très longtemps qu'il en avait le dessein. Beaucoup de gens ont cru que l'amour de Mme de Châtillon l'y avait retenu ; beaucoup d'autres sont persuadés qu'il avait espéré jusques à la fin de s'accommoder avec la cour. Je ne me puis remettre ce qu'il m'a dit sur ce point ; car il n'est pas possible que, dans les grandes conversations que j'ai eues avec lui sur le passé, je ne lui en aie parlé.

Le 14, M. de Beaufort fit un compliment court et mauvais au Parlement, sur ce qu'il avait remis le gouvernement de Paris.

Le 16, Monsieur déclara nettement au Parlement que le Roi avait désavoué, en tout et partout, M. de Joyeuse ; mais il ajouta, selon son style ordinaire, qu'il attendait quelque meilleure nouvelle d'heure en heure. Comme il vit que je m'étonnais de la continuation de cette conduite, il me dit ces propres paroles : « Voudriez-vous répondre de Paris, d'un quart d'heure à l'autre ? Que sais-je si, dans un moment, le peuple ne me livrerait pas au Roi, s'il croyait que je n'eusse aucune mesure avec lui ? Que sais-je si, dans un instant, il ne me livrera pas à Monsieur le Prince, s'il lui prenait fantaisie de revenir sur ses pas et de le soulever ? » Je crois que vous êtes moins surprise de la conduite de Monsieur en voyant ses principes. L'on dit que l'on ne doit jamais combattre contre les principes ; ceux de la peur se peuvent encore moins attaquer que tous les autres : ils sont inabordables.

Le 19, Monsieur dit au Parlement qu'il avait reçu une lettre du Roi qui lui mandait qu'il viendrait le lundi, qui était le 21, à Paris : à quoi il ajouta qu'il était fort surpris de ce que Sa Majesté n'envoyait pas au préalable une amnistie, qui fût vérifiée dans le parlement de Paris. La consternation fut extrême. L'on opina, et l'on arrêta de supplier le Roi d'accorder cette grâce et au Parlement et à ses peuples.

Cette lettre du Roi à Monsieur lui fut apportée le 18 au soir ; il m'envoya quérir aussitôt, et il me dit que la conduite de la cour était incompréhensible ; qu'elle jouait à perdre l'État, et qu'il ne tenait à rien qu'il ne fermât les portes au Roi. Je lui répondis que, pour ce qui était de la conduite de la cour, je la concevais fort bien ; qu'elle n'hasardait rien, connaissant comme elle faisait ses bonnes et pacifiques intentions ; qu'il me paraissait qu'elle agissait, au moins dans ses fins, avec beaucoup de prudence, qu'elle avait tâté le pavé bien plus qu'elle ne l'avait fait dans les commencements ; que je ne voyais pas quelle difficulté elle pouvait faire de revenir à Paris, après que Monsieur avait permis, dès le 14 de ce mois, le rétablissement du prévôt des marchands et des échevins, ordonné et exécuté sans aucun concert avec lui. Monsieur jura cinq ou six fois de suite, et, après avoir un peu *rêvé, il me dit : « Allez ; je veux demeurer deux heures tout seul ; revenez à ce soir sur les huit heures. »

Je le trouvai dans le cabinet de Madame, qui le catéchisait, ou plutôt qui l'exhortait ; car il était dans un emportement inconcevable, et l'on eût dit, de la manière dont il parlait, qu'il était à cheval, armé de toutes pièces et prêt à couvrir de sang et de carnage les campagnes de Saint-Denis et de Grenelle. Madame était épouvantée ; et je vous avoue que, quoique je connusse assez Monsieur pour ne me pas donner avec précipitation des idées si cruelles de ses discours, je ne laissai pas de croire qu'il était, en effet, plus ému qu'à son ordinaire ; car il me dit d'*abord : « Eh bien ! qu'en dites-vous ? Y a-t-il sûreté à traiter avec la cour ? — Nulle, Monsieur, lui répondis-je, à moins que de s'aider soi-même par de bonnes précautions ; et Madame sait que je n'ai jamais parlé autrement à Votre Altesse Royale. — Non, assurément, reprit Madame. — Mais ne m'aviez-vous pas dit, continua Monsieur, que le Roi ne viendrait pas à Paris sans prendre des mesures avec moi ? — Je vous avais dit, Monsieur, lui repartis-je, que la Reine me l'avait dit, mais que les circonstances avec lesquelles elle me l'avait dit m'obligeaient à avertir Votre Altesse Royale qu'elle n'y devait faire aucun fondement. » Madame prit la parole : « Il

ne vous l'a que trop dit, mais vous ne l'avez pas cru. »
Monsieur reprit : « Il est vrai, je ne me plains pas de lui,
mais je me plains de cette maudite Espagnole. — Il n'est
pas temps de se plaindre, repartit Madame ; il est temps
d'agir d'une façon ou de l'autre. Vous vouliez la paix quand
il ne tenait qu'à vous de faire la guerre ; vous voulez la
guerre, quand vous ne pouvez plus faire ni la paix ni la
guerre. — Je ferai demain la guerre, reprit Monsieur d'un
ton guerrier, et plus facilement que jamais. Demandez-le à
M. le cardinal de Rais. »
    Il croyait que j'allais lui disputer cette thèse. Je m'aperçus
qu'il le voulait pour pouvoir dire après qu'il aurait fait des
merveilles si l'on ne l'avait retenu. Je ne lui en donnai pas
lieu ; car je lui répondis froidement et sans m'échauffer :
« Sans doute, Monsieur. — Le peuple n'est-il pas toujours à
moi ? reprit Monsieur. — Oui, Monsieur, lui repartis-je.
— Monsieur le Prince ne reviendra-t-il pas si je le mande ?
ajouta-t-il. — Je le crois, Monsieur, lui dis-je. — L'armée
d'Espagne ne s'avancera-t-elle pas si je le veux ? continua-t-
il. — Toutes les apparences y sont, Monsieur », lui répliquai-
je. Vous attendez, après cela, ou une grande résolution, ou
du moins une grande délibération : rien moins ; et je ne
vous saurais mieux expliquer l'issue de cette conférence,
qu'en vous suppliant de vous ressouvenir de ce que vous
avez vu quelquefois à la comédie italienne. La comparaison
est beaucoup irrespectueuse, et je ne prendrais pas la liberté
de la faire si elle était de mon invention ; ce fut Madame
elle-même à qui elle vint dans l'esprit, aussitôt que Monsieur
fut sorti du cabinet, et elle la fit moitié en riant, moitié en
pleurant. « Il me semble, me dit-elle, que je vois Trivelin
qui dit à Scaramouche : « Que je t'aurais dit de belles
choses, si tu n'avais pas eu assez d'esprit pour ne me pas
contredire ! [1] »
    Voilà comme finit la conversation, Monsieur concluant
que, bien qu'il fût très fâcheux que le Roi vînt à Paris sans
concert avec lui et sans une amnistie vérifiée au Parlement,
il n'était toutefois pas de son devoir ni de sa réputation de
s'y opposer, parce que personne ne pouvait ignorer qu'il ne
le pût, si il le voulait, et qu'ainsi tout le monde lui ferait
justice, en reconnaissant qu'il n'y avait que la considération
et le repos de l'État qui l'obligeât à prendre une conduite

qui, pour son particulier, lui devait faire de la peine. Madame, qui pourtant, dans le fond, était de son avis, au moins pour l'opération, par les raisons que vous avez vues ci-devant, ne lui put laisser passer pour bonne cette expression, et elle lui dit avec fermeté et même avec colère : « Ce raisonnement, Monsieur, serait bon à M. le cardinal de Rais, et non pas à un fils de France ; mais il ne s'agit plus de cela, et il ne faut songer qu'à aller de bonne grâce au-devant du Roi. » Il se récria à ce mot, comme si elle lui eût proposé de s'aller jeter dans la rivière. « Allez-vous-en donc, Monsieur, tout à cette heure, reprit-elle. — Et où diable irai-je ? » répondit-il. Il se tourna à ce mot, et rentra chez lui, où il me commanda de le suivre. Ce fut pour me demander si la Palatine ne m'avait rien fait savoir du retour du Roi. Je lui dis que non, comme il était vrai ; mais il ne fut pas vrai longtemps ; car, une heure après, j'en reçus un billet, qui portait que la Reine lui avait commandé de m'en faire part, et de m'écrire que Sa Majesté ne doutait point que je n'achevasse, en cette occasion, ce que j'avais si bien et si heureusement commencé à Compiègne. Madame la Palatine me faisait beaucoup d'excuse, dans un billet séparé et écrit en chiffre, de ce qu'elle m'en avait donné l'avis si [tard]ᵃ. « Vous connaissez le terrain, ajoutait-elle ; l'on est à Saint-Germain comme l'on était à Compiègne. » C'était assez dire pour moi. Tout ce que je vous viens de dire se passa le 20 d'octobre.

Le 21, le Roi, qui avait couché à Rueil, revint à Paris, et il envoya, de Rueil même, Nogent et M. Damville à Monsieur, pour prier Monsieur de venir au-devant de lui : il ne s'y put jamais résoudreᵇ, quoiqu'ils l'en pressassent extrêmement. Ils avaient raison, et je suis encore persuadé que Monsieur n'avait pas tort. Ce n'est pas qu'il y eût aucun dessein contre sa personne, au moins à ce que j'ai ouï dire depuis à M. le maréchal de Villeroy ; mais je crois que si il eût été au-devant du Roi, et que le Roi s'en fût voulu assurer, il y eût pu réussir, vu la disposition où était le peuple. Ce n'est pas qu'elle ne fût, dans le fond, très bonne pour Monsieur, et, sans comparaison, meilleure que pour la cour ; mais il y avait une agitation et un égarement dans les esprits qui se pouvait, à mon sens, tourner à tout ; et je ne sais si l'éclat de la majesté royale, tombant tout d'un coup sur cette agitation et sur cet égarement, ne l'eût pas emporté[a]. Je dis que je ne le sais pas, parce qu'il est *constant que, dans la constitution où étaient les esprits, la pente du menu peuple et même celle du moyen était encore tout entière pour Monsieur ; mais enfin il y avait, à mon sens, raison et fondement suffisant pour l'empêcher de se hasarder, particulièrement hors des murailles. Je m'étonnais bien plus que les ministres exposassent la personne du Roi au mécontentement, à la défiance et à la frayeur de Monsieur, aux craintes d'un parlement qui avait sujet de croire que l'on le venait étrangler, et au caprice d'un peuple qui avait toujours de l'attachement pour des gens desquels le Cardinal était bien loin d'être assuré. L'événement a tellement justifié la conduite que la cour tint en cette occasion, qu'il est presque ridicule de la blâmer. J'estime qu'elle fut imprudente, aveugle et téméraire au-delà de ce que l'on en peut exprimer. Je ne dirai pas sur ce chef, comme sur l'autre, que je ne sais pas : je dirai que je sais, et de science certaine, que, si Monsieur eût voulu, la Reine et les sous-ministres eussent été ce jour-là séparés du Roi.

Les courtisans se laissent toujours *amuser aux acclamations du peuple, sans considérer qu'elles se font presque également pour tous ceux pour qui elles se font. J'entendais ce soir-là, dans le Louvre[1], des gens qui flattaient la Reine sur ces acclamations ; et M. de Turenne, qui était au *cercle derrière moi, me disait à l'oreille : « Ils en firent presque autant dernièrement pour M. de Lorraine. » Je l'eusse bien étonné, si je lui eusse répondu : « Il y a bien des gens qui, au milieu de ces acclamations, ont proposé à Monsieur de supplier le Roi d'aller loger à l'Hôtel de Ville. » Il était vrai : M. de Beaufort même l'en avait pressé avec douze ou quinze conseillers du Parlement. Il y en a de certains qui vivent encore, et desquels, si je les nommais, l'on serait bien étonné. Monsieur n'y voulut point entendre ; et je m'y opposai de toute ma force, quand Monsieur me dit que l'on lui avait fait cette proposition. Elle était, à mon opinion, possible quant au succès présent, restant certain qu'il n'y avait pas un officier dans les *colonelles qui n'eût été massacré par ses soldats, si il eût seulement fait mine de *branler contre le nom de Monsieur ; mais respect, conscience, et tout ce que vous vous pouvez imaginer sur cela à part, la proposition était écervelée, vu les circonstances et les suites. Vous voyez, d'un coup d'œil, les unes et les autres dans ce que je vous ai dit ci-dessus. Ce ne fut assurément que par le principe de mon devoir que je n'y donnai pas ; car je me croyais beaucoup plus en péril que je ne m'y suis cru de ma vie.

J'allai attendre le Roi au Louvre, où je demeurai, deux ou trois heures devant qu'il arrivât, avec Mme de Lesdiguières et M. de Turenne. Il me demanda bonnement avec inquiétude si je me croyais en sûreté. Je lui serrai la main, parce que je m'aperçus que Froulay, qui était un grand mazarin, l'avait entendu, et je lui répondis : « Oui, Monsieur, et en tout sens. Mme de Lesdiguières sait bien que j'ai raison. » Je ne l'avais pourtant pas ; car je suis persuadé que, si l'on m'eût arrêté ce jour-là, il n'en fût rien arrivé. Ce que je vous dis de ces possibilités de l'un et de l'autre côté vous paraît sans doute contradictoire, et j'avoue qu'il ne se peut concevoir que par ceux qui ont vu les choses, et encore qui les ont vues par le dedans.

La Reine me reçut admirablement ; elle dit au Roi de m'embrasser comme celui à qui il devait particulièrement son retour à Paris. Cette parole, qui fut entendue de beaucoup de gens, me donna une véritable joie, parce que je crus que la Reine ne l'aurait pas dite publiquement, si elle avait eu dessein de me faire arrêter. Je demeurai au *cercle jusques à ce que l'on allât au Conseil. Comme je sortais, je trouvai dans l'antichambre Jouy, qui me dit que Monsieur me l'avait envoyé pour savoir s'il était vrai que l'on m'eût fait prendre place au Conseil, et pour m'ordonner d'aller chez lui. Je rencontrai, comme j'y entrais, M. d'Aligre, qui en sortait, et qui venait de lui commander, de la part du Roi, de sortir de Paris, dès le lendemain, et de se retirer à Limours. Cette faute a encore été consacrée par l'événement ; mais elle est, à mon sens, une des plus grandes et des plus signalées qui ait jamais été commise dans la politique. Vous me direz que la cour connaissait Monsieur ; et je vous répondrai qu'elle le connaissait si peu en cette occasion, qu'il ne s'en fallut rien qu'il ne prît, ou plutôt qu'il n'exécutât la résolution, qu'il prit en effet, de s'aller poster dans les Halles, d'y faire les barricades, de les pousser jusques au Louvre, et d'en chasser le Roi. Je suis convaincu qu'il y eût réussi, même avec facilité, si il l'eût entrepris, et que le peuple n'eût balancé en rien, voyant Monsieur en personne, et Monsieur ne prenant les armes que pour s'empêcher d'être exilé. L'on m'a accusé d'avoir beaucoup échauffé Monsieur dans ce rencontre : voici la vérité.

Lorsque j'entrai à Luxembourg, il me parut consterné, parce qu'il s'était mis dans l'esprit que le commandement que M. d'Aligre venait de lui porter, de la part du Roi, n'était que pour l'*amuser, et pour lui faire croire que l'on ne pensait pas à l'arrêter. Il était dans une agitation inconcevable ; il s'imaginait que toutes les mousquetades que l'on tirait (et l'on en tire toujours beaucoup, de ces jours de réjouissance) étaient celles du régiment des gardes qui marchait pour l'investir. Tous ceux qu'il envoyait lui rapportaient que tout était paisible, et que rien ne *branlait ; mais il ne croyait personne, et il mettait, à tous moments, la tête à la fenêtre, pour mieux entendre si le tambour ne battait pas. Enfin il prit un peu de courage, ou au moins il en prit assez pour me demander si j'étais à lui : à quoi je ne lui répondis que par ce demi-vers du *Cid* :

> *Tout autre que mon père...* [1]

Ce mot le fit rire, ce qui lui était fort rare, quand il avait peur. « Donnez-m'en une preuve, continua-t-il, raccommodez-vous avec M. de Beaufort — Très volontiers, Monsieur », lui répondis-je. Il m'embrassa, et alla ouvrir la porte de la galerie, qui répond à la porte de la chambre où il couchait, et où il était pour lors. J'en vis sortir M. de Beaufort qui se jeta à mon cou, et qui me dit : « Demandez à Son Altesse Royale ce que je lui viens de dire sur votre sujet. Je connais les gens de bien. Allons, Monsieur, chassons les mazarins à tous les diables pour une bonne fois. » La conversation commença ainsi ; Monsieur la soutint par un discours amphibologique, qui, dans la bouche de Gaston de Foix, m'eût marqué un grand exploit, mais qui, dans celle de Gaston de France, ne me présagea qu'un grand rien [2]. M. de Beaufort appuya, de toute sa force, la nécessité et la possibilité de la proposition qu'il faisait, qui était que Monsieur marchât, à la petite pointe du jour, droit aux Halles, et qu'il y fît les barricades, qu'il pousserait après où

il lui conviendrait. Monsieur se tourna vers moi en me
disant, comme l'on fait au Parlement : « Votre avis, Monsieur
le Doyen. » Voici, en propres termes, ce que je lui répondis.
Je l'ai transcrit sur l'original que je dictai à Montrésor, chez
moi, au retour de chez Monsieur, et que j'ai encore de sa
main.

« Je crois, Monsieur, que je devrais en effet parler, en
cette occasion, comme Monsieur le Doyen, mais comme
Monsieur le Doyen quand il opina à faire des prières de
quarante heures [1]. Je ne sache guère d'occasion où l'on en
ait eu plus de besoin. Elles me seraient, Monsieur, encore
bien plus nécessaires qu'à un autre, parce que je ne puis
être d'aucun avis qui n'ait des apparences cruelles et même
des inconvénients terribles. Si mon sentiment est que vous
souffriez le traitement injurieux que l'on vous fait, le public,
qui va toujours au mal, n'aura-t-il pas ou sujet ou prétexte
de dire que je trahis vos intérêts, et que mon avis ne sera
que la suite de tous les obstacles que j'ai mis aux desseins
de Monsieur le Prince ? Si j'opine à ce que Votre Altesse
Royale désobéisse et suive les vues de M. de Beaufort,
pourrai-je m'empêcher de passer pour un homme qui souffle
de la même bouche le chaud et le froid, qui veut la paix
quand il espère d'en tirer ses avantages en la traitant, qui
veut la guerre quand l'on n'a pas voulu qu'il la traitât, qui
conseille de mettre Paris à feu et à sang et d'attacher ce feu
à la porte du Louvre, en entreprenant sur la personne du
Roi ? Voilà, Monsieur, ce que l'on dira, et ce que vous-
même pourrez croire peut-être en de certains moments.
J'aurais lieu, après avoir prédit à Votre Altesse Royale, peut-
être plus de mille fois, qu'elle tomberait par ses incertitudes
en l'état où elle se voit, j'aurais lieu, dis-je, de la supplier,
avec tout le respect que je lui dois, de me dispenser de lui
parler sur une matière qui est moins en son entier à mon
égard, que d'homme qui vive [2]. Je ne me servirai toutefois
que de la moitié de ce droit, c'est-à-dire, quoique je ne
fasse pas *état de me déterminer moi-même sur le sentiment
que Votre Altesse Royale doit préférer, je ne laisserai pas de
lui exposer les inconvénients de tous les deux, avec la même
liberté que si je croyais me pouvoir fixer moi-même à l'un
ou à l'autre.

« Si elle obéit, elle est responsable à tout le public de

tout ce qu'il souffrira dans la suite. Je ne juge point du détail de ce qu'il souffrira, car qui peut juger d'un futur qui dépend des *mezzi termini*[1] du Cardinal, de l'impétuosité d'Ondedei, de l'*impertinence de l'abbé Fouquet, de la violence de Servien ? Mais enfin vous répondrez de tout ce qu'ils feront au public, parce qu'il sera persuadé qu'il n'aura tenu qu'à vous de l'empêcher. Si vous n'obéissez pas, vous courez fortune de bouleverser l'État. »

Monsieur m'interrompit à ce mot, et il me dit même avec précipitation : « Ce n'est pas de quoi il s'agit ; il s'agit de savoir si je suis en état, c'est-à-dire en pouvoir de ne pas obéir. — Je le crois, Monsieur, lui répondis-je ; car je ne vois pas comme la cour se pourra prendre à vous faire obéir. Il faudra que le Roi marche en personne à Luxembourg, et ce sera une grosse affaire. » M. de Beaufort *exagéra l'impossibilité qu'il y trouverait, et au point que je m'aperçus que Monsieur commençait à s'en persuader ; et il était tout propre, supposé cette persuasion, à prendre le parti de demeurer chez lui les bras croisés, parce que, de sa pente, il allait toujours à ne point agir. Je crus que j'étais obligé, par toutes sortes de raisons, à lui éclaircir cette thèse : ce que je fis en lui représentant qu'elle méritait d'être considérée et traitée avec distinction[2] ; que je convenais que le peuple ne souffrirait pas apparemment que l'on allât prendre Monsieur dans Luxembourg, à moins que le Roi n'eût mis à cette entreprise de certains préalables que le temps pourrait amener ; que si il accoutumait les peuples à reconnaître l'autorité, que je ne doutais point qu'il n'y pût réussir, et même bientôt, parce que je ne doutais pas qu'il ne les y accoutumât bientôt par sa présence ; que tous les instants l'augmenteraient ; qu'il en avait déjà plus à dix heures du soir, qui venaient de sonner à la montre de Monsieur, qu'il n'en avait à cinq, et que la preuve en était palpable en ce qu'il s'était saisi de la porte de la Conférence, qu'il faisait garder paisiblement et sans que personne en murmurât, seulement par le régiment des gardes, qui n'en aurait pas seulement approché, si il avait plu à Monsieur de la faire fermer seulement un quart d'heure entre trois et quatre ; que si Son Altesse Royale laissait prendre tous les postes de Paris comme celui-là et *matrasser le Parlement, comme l'on le matrasserait peut-être le lendemain au matin, je ne croyais pas qu'il y eût grande sûreté pour lui, peut-être dès l'après-dînée. Ce mot remit la frayeur dans le cœur de Monsieur, et il s'écria : « C'est-à-dire que je ne puis rien pour la défensive. — Non. Monsieur, lui répondis-je, vous y pouvez tout aujourd'hui et demain au matin. Je n'en voudrais pas répondre demain au soir. »

M. de Beaufort, qui crut que mon discours allait à proposer et à appuyer l'offensive, vint à la charge comme pour me soutenir ; mais je l'arrêtai tout court en lui disant : « Je vois bien, Monsieur, que vous ne prenez pas ma pensée ; je ne parle à Son Altesse Royale comme je fais, que parce que j'ai vu qu'il croyait qu'il pouvait demeurer à Luxembourg, en toute sûreté, malgré le Roi. Je ne serai jamais d'aucun avis en l'état où les affaires sont réduites. Ç'a toujours été à Monsieur à décider. C'est même à lui [à] proposer, et à nous à exécuter. Il ne sera jamais dit que je lui aie conseillé ni de souffrir le traitement qu'il reçoit, ni de faire demain au matin les barricades. Je lui ai tantôt dit les raisons que j'ai pour cela. Il m'a commandé de lui expliquer les inconvénients que je crois aux deux partis ; je m'en suis acquitté. » Monsieur me laissa parler tant que je voulus, et, après qu'il eut fait trois ou quatre tours de chambre, il revint à moi et il me dit : « Si je me résous à disputer le pavé, vous déclarerez-vous pour moi ? » Je lui répondis : « Oui, Monsieur, et sans balancer ; je le dois, je suis attaché à votre service, je n'y manquerai pas certainement, et vous n'avez qu'à commander ; mais j'en serai au désespoir, parce qu'en l'état où sont les choses, un homme de bien ne peut pas n'y pas être, quoi que vous fassiez. » Monsieur, qui n'avait qu'une bonté de *facilité, mais qui n'était pas tendre, ne laissa pas d'être ému de ce que je lui disais. Les larmes lui vinrent aux yeux ; il m'embrassa, et puis tout d'un coup il me demanda si je croyais qu'il pût se rendre maître de la personne du Roi. Je lui répondis qu'il n'y avait rien au monde de plus impossible, la porte de la Conférence étant gardée comme elle était. M. de Beaufort lui en proposa des moyens qui étaient impraticables en tout sens. Il offrait de s'aller poster à l'entrée du Cours, avec la maison de Monsieur [1]. Enfin il dit mainte folie, à ce qu'il me paraissait. Je persistai dans ma manière de parler et d'agir, et je connus, devant que de sortir de Luxembourg, et, pour vous dire le vrai, avec plaisir, que Monsieur prendrait le parti d'obéir, car je lui vis une joie sensible de ce que je m'étais défendu d'appuyer l'offensive. Il ne laissa pas de nous en entretenir tout le reste du soir, et de nous commander même de faire tenir nos amis tous prêts et de nous trouver, dès la pointe du jour, à Luxembourg. M. de Beaufort s'aperçut, comme moi, que Monsieur avait pris sa résolution, et il me dit en descendant l'escalier : « Cet homme n'est pas capable d'une action de cette nature. — Il est encore bien moins capable de la soutenir, lui répondis-je ; et je crois que vous êtes enragé de la lui proposer, en l'état où sont les affaires. — Vous ne le connaissez pas encore, me repartit-il ; si je ne la lui avais proposée, il me le reprocherait d'ici à dix ans. »

Je trouvai, en arrivant chez moi, Montrésor qui m'y attendait, et qui se moqua fort de mes scrupules ; car il appela ainsi tous les égards qu'il remarqua dans l'écrit que vous venez de voir et que je lui dictai. Il m'assura fort que Monsieur avait plus d'envie d'être à Limours que la Reine n'en avait de l'y envoyer ; et, sur le tout, il convint que la cour avait fait une faute terrible de l'y pousser, parce que la peur de n'y pas être en sûreté lui pouvait aisément faire entreprendre ce à quoi il n'eût jamais pensé, si l'on l'eût le moins du monde ménagé. L'événement a encore justifié cette imprudence, qui était d'autant plus grande, que la cour, qui avait sujet de me croire outré et en défiance, ne me faisait pas, à mon sens, la justice de croire que j'eusse pour l'État d'aussi bons sentiments que je les avais en *effet. Je suis convaincu que, vu l'humeur de Monsieur, incorrigible de tout point, la division du parti, irrémédiable par une infinité de circonstances, et le *dégingandement (si l'on se peut servir de ce mot) passé, présent et à venir de toutes ses parties, l'on n'eût pu soutenir ce que l'on eût entrepris, et que, par cette raison, toutes les autres même à part, il n'y en eût point eu à conseiller à Monsieur d'entreprendre. Mais je ne suis pas moins persuadé que, si l'eût entrepris, il eût réussi pour le moment, et qu'il eût poussé le Roi hors de Paris. Ce que je dis paraîtra à beaucoup de gens pour un paradoxe ; mais toutes les grandes choses qui ne sont pas exécutées paraissent toujours impraticables à ceux qui ne sont pas capables des grandes choses ; et je suis assuré que tel ne s'est point étonné des barricades de M. de Guise, qui s'en fût moqué comme d'une chimère, si l'on les lui eût proposées un quart d'heure auparavant qu'elles fussent élevées [1]. Je ne sais si je n'ai point déjà dit, en quelque endroit de cet ouvrage, que ce qui a le plus distingué les hommes est que ceux qui ont fait les grandes actions ont vu devant les autres le point de leur possibilité.

Je reviens à Monsieur. Il partit pour Limours, un peu devant la pointe du jour, et il *affecta même de sortir une heure plus tôt qu'il ne nous l'avait dit, à M. de Beaufort [et] à moi. Il nous fit dire par Jouy, qui nous attendait à la porte de Luxembourg, qu'il avait eu ses raisons pour cette conduite, que nous les saurions un jour, et que nous nous accommodassions avec la cour, si il nous était possible. Je n'en fus pas surpris en mon particulier ; M. de Beaufort en pesta beaucoup.

Le 22, le Roi tint son lit de justice au Louvre. Il y fit lire quatre déclarations. La première fut celle de l'amnistie, et la seconde celle du rétablissement du Parlement à Paris ; la troisième portait un ordre de sortir de Paris à MM. de Beaufort, de Rohan, Viole, Thou, Broussel, Portail, Bitault, Croissy, Machault-Fleury, Martineau et Perrault ; par la même déclaration, il était défendu au Parlement de se mêler dorénavant d'aucune affaire [d']État ; la quatrième établissait une chambre des vacations. L'on avait arrêté, le matin, devant que le Roi fût entré, que l'on ferait instance auprès de Sa Majesté pour le rétablissement des exilés. Ils obéirent tous le même jour.

J'allai, l'après-dînée, chez la Reine, qui, après avoir été quelque temps au *cercle, me commanda d'entrer avec elle dans son petit cabinet. Elle me traita parfaitement bien ; elle me dit qu'elle savait que j'avais adouci, autant qu'il m'avait été possible, et les affaires et les esprits ; qu'elle croyait que je l'aurais fait encore et plus promptement et plus publiquement, si je n'avais été obligé d'observer beaucoup d'égards avec mes amis, qui n'étaient pas tous de même opinion ; qu'elle me plaignait ; qu'elle voulait m'aider à sortir de l'embarras où je me trouvais. Voilà, comme vous voyez, bien de l'*honnêteté et même bien de la bonté, en apparence. Voici le fond.

Elle était plus animée contre moi que jamais, parce que Beloy, qui était domestique de Monsieur, mais qui était toujours en secret à quelque autre, et qui avait repris des mesures à la cour depuis que les affaires de Monsieur le Prince avaient décliné, l'avait fait avertir, le matin, dès qu'elle fut éveillée, que j'avais offert à Monsieur de faire ce qu'il me commanderait. Il ne savait rien du détail de ce qui s'était passé, le soir, entre Monsieur, M. de Beaufort et moi ; mais, comme il entra dans sa chambre, aussitôt que nous en fûmes sortis, avec Jouy, Monsieur, qui était dans l'agitation et dans le trouble, leur dit : « Si je voulais, je ferai bien danser l'Espagnole. » Beloy, ou par curiosité, ou malicieusement, lui répondit : « Mais, Monsieur, Votre Altesse Royale est-elle bien assurée de M. le cardinal de Rais ? — Le cardinal de Rais est homme de bien, dit Monsieur ; il ne me manquera pas. » Jouy, qui l'avait entendu, me le rapporta fidèlement le matin, et je ne doutai pas que Beloy ne l'eût aussi rapporté à la Reine, qui d'ailleurs ne pouvait pas savoir qu'au même moment que j'avais fait à Monsieur l'offre à laquelle mon honneur m'obligeait, je n'avais rien oublié de tout ce que ce même honneur me permettait pour empêcher le bouleversement de l'État. Je fis, à l'instant même que Jouy me donna cet avis, une grande réflexion sur les scrupules dont Montrésor m'avait tant fait la guerre la veille. Il est vrai qu'ils ne réussissent pas dans les cours, au moins pour l'ordinaire ; mais il y a des gens qui préfèrent au succès la satisfaction qu'ils trouvent dans eux-mêmes.

Vous vous seriez étonnée de la manière dont je répondis à la Reine, si je ne vous avais, au préalable, rendu compte de ce petit détail, qui comprend la raison que j'eus de lui parler comme je fis ; je dis : que j'eus de plus, car vous avez vu que, devant même, je lui parlais presque toujours avec la même sincérité. Je lui dis donc que j'avais une joie sensible d'avoir enfin rencontré le moment, que j'avais souhaité si passionnément depuis longtemps, de la pouvoir servir sans restriction ; que, tant que Monsieur avait été engagé dans le mouvement, je n'avais pu suivre mon inclination, par la raison de mes engagements avec lui, sur lesquels elle savait que je ne l'avais jamais trompée ; que, si j'avais eu l'honneur de la voir en particulier, la veille du jour où je lui parlais, j'en aurais usé à mon ordinaire, parce que je n'en aurais pas pu user autrement avec honneur ;

que Monsieur, étant sorti de Paris, en pensée et en résolution de ne plus entrer dans aucune affaire publique, m'avait rendu ma liberté, c'est-à-dire qu'il m'avait proprement remis dans mon naturel, dont j'avais une joie que je ne pouvais assez exprimer à Sa Majesté. Elle me répondit le plus *honnêtement du monde ; mais je m'aperçus qu'elle me voulait faire parler sur les dispositions de Monsieur. Elle eut contentement ; car je l'assurai, et avec beaucoup de vérité, qu'il était fort résolu à demeurer en repos dans sa solitude. « Il ne l'y faut pas laisser, reprit-elle ; il peut être utile au Roi et à l'État. Il faut que vous l'alliez quérir, et que vous nous le rameniez. »

Je faillis à tomber de mon haut, car je vous avoue que je ne m'attendais pas à ce discours. Je le compris pourtant bientôt, non pas qu'elle me l'expliquât clairement, mais elle me fit entendre que, la dignité du Roi étant satisfaite par l'obéissance que Monsieur lui avait rendue, il ne tiendrait qu'à lui de se rétablir plus que jamais dans ses bonnes grâces, en couronnant la bonne conduite qu'il venait de prendre par des complaisances justes, raisonnables, et dans lesquelles même il pourrait trouver son compte. Vous voyez que ces expressions n'étaient pas extrêmement obscures. Quand la Reine vit que je n'y répondais que par des termes généraux, elle se referma, non pas seulement sur la matière, mais encore sur la manière dont elle m'avait traité auparavant. Elle rougit, et elle me parla pourtant plus froidement, ce qui était toujours en elle un signe de colère. Elle se remit pourtant un peu après, et elle me demanda si j'avais toujours confiance en Mme de Chevreuse : à quoi je lui répondis que j'étais toujours beaucoup son serviteur. Elle reprit brusquement cette parole, et il me parut même qu'elle la reprit avec joie, en me disant : « J'entends bien, vous en avez davantage en la Palatine, et vous avez raison. — J'en ai beaucoup, Madame, lui répondis-je, en Madame la Palatine ; mais je supplie Votre Majesté de me permettre que je n'en aie plus qu'à elle-même. — Je le veux bien, me dit-elle assez bonnement. Adieu : toute la France est là dedans qui m'attend. »

Je vous supplie de trouver bon que je vous rende compte, en cet endroit, d'un détail qui y est nécessaire, et qui vous fera connaître que ceux qui sont à la tête des grandes affaires ne trouvent pas moins d'embarras dans leur propre parti, que dans celui de leurs ennemis. Les miens, quoique tout-puissants dans l'État, l'un par sa naissance, par son mérite et par sa faction, l'autre par sa faveur, n'avaient pu, avec tous leurs efforts, m'obliger à quitter mon poste ; et je puis dire, sans vanité, que je l'aurais conservé, et même avec dignité, en lâchant seulement un peu la voile, si les différents intérêts, ou plutôt si les différentes *visions de mes amis ne m'eussent forcé à prendre une conduite qui me fit périr, par la pensée qu'elle donna que je voulais tenir contre le vent. Pour vous faire entendre ce détail, qui est assez curieux, il est, à mon avis, nécessaire que je vous fasse celui qui concerne un certain nombre de gens que l'on appelait mes amis ; je dis : que l'on appelait, parce que tous ceux qui passaient pour cela dans le monde ne l'étaient pas.

Par exemple, je n'avais pas rompu avec Mme de Chevreuse, ni avec Laigue. Noirmoutier n'avait rien oublié de toutes les avances qu'il m'avait pu faire pour se raccommoder avec moi ; et les instances de tous mes amis m'avaient obligé de les recevoir et de vivre civilement avec lui. Montrésor, qui, à toutes fins, m'avait déclaré cent fois en sa vie qu'il n'était dans mes intérêts qu'avec subordination à ceux de la maison de Guise, ne laissait pas de prétendre droit à pouvoir entrer dans mes affaires, parce qu'enfin il avait été du secret de quelques-unes. Ce droit, qui est proprement celui de s'intriguer pour négocier, lui était commun avec ces autres que je vous viens de nommer immédiatement devant lui. Il ne s'en servit pas en cette dernière occasion tant que les autres, quoiqu'il en parlât autant et plus qu'eux. Il se contenta de *prôner chez moi, les soirs, sur un ton fâcheux ; mais il ne fit point de mauvais pas du côté de la cour, comme fit M. de Noirmoutier, qui, pour se faire valoir à M. le cardinal Mazarin, qu'il alla voir sur la frontière, lui montra une lettre de moi, avec une fausse date, par laquelle je l'avais chargé autrefois d'une *commission qu'il rapportait au temps présent. Monsieur le Cardinal se douta de la *fourbe, sur je ne sais quelle circonstance, dont je ne me ressouviens pas présentement, et il ne lui a jamais pardonné.

Mme de Chevreuse n'en usa pas ainsi ; mais comme elle n'avait pas trouvé à la cour ni la considération, ni la confiance qu'elle en avait espérées, elle cherchait fortune, et elle eût bien voulu se mêler, au retour du Roi dans Paris, d'une affaire qui paraissait grosse, parce que l'on la regardait comme un préalable nécessaire à celui de Monsieur le Cardinal à la cour. Laigue, qui m'avait traité assez familièrement devant son départ, recommença à me voir soigneusement et presque sur l'ancien pied ; et Mlle de Chevreuse même, par l'ordre de madame sa mère, si je ne suis fort trompé, me fit des avances pour se raccommoder avec moi. Elle avait les plus beaux yeux du monde, et un air à les tourner qui était admirable, et qui lui était particulier. Je m'en aperçus le soir qu'elle arriva à Paris ; mais je dis simplement que je m'en aperçus. J'en usai*honnêtement avec la mère, avec la fille et avec Laigue, et rien de plus. L'on pourrait croire qu'il n'y aurait, en ces rencontres, qu'à en user ainsi pour se tirer d'affaire ; mais il n'est pas vrai, parce que les avances que ceux qui s'adoucissent font aux puissances tournent toujours infailliblement au désavantage de celui qui les désavoue en ne les suivant pas ; et, de plus, il est bien difficile que ceux qui sont désavoués n'en conservent toujours quelque ressentiment, et ne donnent au moins, dans la chaleur, quelque coup de dent. Je sais que Laigue m'en donna, même grossièrement, et à droit et à gauche. Je n'ai rien su sur cela de Mme de Chevreuse, qui d'ailleurs a de la bonté, ou plutôt de la *facilité naturelle. Mlle de Chevreuse ne me pardonna pas ma résistance à ses beaux yeux ; et l'abbé Fouquet, qui servait en ce temps-là son *quartier auprès d'elle, a dit, depuis sa mort, à un homme de qualité, de qui je le sais, qu'elle me haïssait autant qu'elle m'avait aimé. Je puis jurer, avec toute sorte de vérité, que je ne lui en avais jamais donné le moindre sujet. La pauvre fille mourut d'une fièvre maligne, qui l'emporta en vingt-quatre heures, devant que les médecins se fussent seulement doutés qu'il pût y avoir le moindre péril à sa maladie. Je la vis un moment, avec Madame sa mère, qui était au chevet de son lit, et qui ne s'attendait à rien moins qu'à la perte qu'elle en fit le lendemain matin à la pointe du jour.

J'avais une seconde espèce d'amis, c'est-à-dire de gens qui s'étaient fourrés dans le parti de la Fronde, et qui, dans les subdivisions du parti, s'étaient joints particulièrement à moi ; et de ceux-là, les *volées étaient différentes. Elles s'accordaient toutes en un point, qui était qu'ils espéraient beaucoup pour leur intérêt particulier de mon accommodement, ce qui était la disposition toute prochaine à croire que j'aurais pu faire tout ce que je n'aurais pas fait pour eux. Ces sortes de gens sont très fâcheux, parce que, dans les grands partis, ils font une multitude d'hommes à laquelle, pour mille différents *respects, l'on ne se peut ouvrir de ce que l'on peut ou de ce que l'on ne peut pas, et auprès de laquelle, par conséquent, l'on ne se peut jamais justifier. Ce mal est sans remède, et il est de ceux-là où il ne faut chercher que la satisfaction de sa conscience. Je l'ai eue, toute ma vie, plus tendre sur cet article, qu'il ne convient à un homme qui s'est mêlé d'aussi grandes affaires que moi. Il n'y a guère de matière où le scrupule soit plus inutile, et tout ensemble plus incommode. Je n'en souffris pas en *effet par l'événement, dans l'occasion dont il s'agit ; mais j'en avais déjà assez souffert par la prévoyance.

La troisième espèce d'amis que j'avais, en ce temps-là, était un nombre choisi de gens de qualité qui étaient unis avec moi et d'intérêt et d'amitié, qui étaient de mon secret, et avec lesquels je concertais de bonne foi ce que j'avais à faire. Ceux-là étaient MM. de Brissac, de Bellièvre, et de Caumartin, parmi lesquels M. de Montrésor, comme je vous l'ai déjà dit, se mêlait, par la rencontre de beaucoup d'affaires précédentes auxquelles il avait eu part. Il n'y en avait pas un dans ce petit nombre qui ne fût en droit de prétendre. La qualité de M. de Brissac et l'attachement qu'il avait pour moi, dans les affaires les plus épineuses, m'obligeaient à préférer ses intérêts aux miens propres, et d'autant plus qu'il n'avait pas profité de ce que j'avais stipulé pour lui, quand Messieurs les Princes furent arrêtés, touchant le gouvernement d'Anjou [1]. Ce ne fut, à la vérité, ni la faute de la cour, ni la mienne, le traité qu'il en avait commencé n'ayant manqué que par le défaut d'argent qu'il ne put fournir ; mais enfin il n'avait rien, et il était juste, au moins à mon égard, qu'il fût pourvu. M. le président de Bellièvre avait, dès ce temps-là, des vues pour la première présidence, mais, comme il était homme de bon sens, il n'y pensa plus, dès qu'il vit que la cour prenait le dessus ; et dès le jour que Monsieur et Monsieur le Prince envoyèrent à Saint-Germain MM de Rohan, de Chavigny et Goulas, il me dit ces propres paroles : « Je vas me remettre dans ma coquille, il n'y a plus rien à faire ; je ne veux plus être nommé à rien. » Il me tint parole ; et une grande et dangereuse fluxion, qu'il eut effectivement sur un œil, lui en donna même le prétexte et lui en facilita le moyen. M. de Caumartin s'était allé marier en Poitou un mois ou cinq semaines devant que le Roi revînt, et il était encore chez lui quand la cour arriva à Paris. Il avait eu certainement plus de part que personne dans le secret des affaires ; il y avait agi avec plus de foi et plus de capacité, et il n'y avait eu même d'intérêt particulier que celui que son honneur l'obligea d'y prendre, dans une occasion où il savait, mieux qu'homme qui fût au monde, qu'il n'en pouvait avoir aucun qui fût effectif. L'injustice que l'on lui a faite sur ce sujet m'oblige à en expliquer le détail.

Vous avez vu, dans le second volume de cette histoire, que Monsieur fut entraîné par Monsieur le Prince à demander à la Reine l'éloignement des sous-ministres[1], et qu'il ne tint pas à moi que Monsieur ne fît pas ce pas qui, dans la vérité, n'était en aucune manière bon à rien, et à lui moins qu'à personne. Laigue, qui les crut perdus, et qui était l'homme du monde qui s'*incapriciait le plus de ses nouveaux amis, se mit dans l'esprit de procurer la charge de secrétaire de la guerre, qui est celle de M. Le Tellier, à Nouveau. Mme de Chevreuse s'ouvrit de cette *vision devant le petit abbé de Bernay, qui le dit à M. de Caumartin. Il ne le trouva pas bon, et il eut raison. Il vint chez moi ; il me demanda si ce dessein était venu jusques à moi ; je me mis à sourire et à lui dire que je croyais qu'il me croyait fou ; qu'il savait bien que je savais mieux que personne que nous n'étions pas en état de faire des secrétaires d'État ; et que, de plus, si nous étions en cet état, ce ne serait pas pour M. de Nouveau que nous travaillerions. Il s'emporta contre Mme de Chevreuse et contre Laigue, et il n'avait pas tort : « car, quoique je sache bien, dit-il, que leur proposition est *impertinente, elle marque toujours que je ne dois pas prendre grande confiance en leur amitié. — Il est vrai, lui répondis-je, et je leur en dirai dès demain au matin mon sentiment, d'une manière qui leur fera voir que j'en suis encore plus mécontent que vous. — Ce qui est admirable, ajoutai-je, est qu'à l'instant que je fais tous mes efforts auprès de Monsieur pour l'empêcher de *pousser M. Le Tellier, ces gens-là font, par leur conduite, qu'il croira que c'est moi qui le veux précipiter. »

Je fis, dès le lendemain, de grands reproches à Mme de Chevreuse et à Laigue. Ils nièrent le fait. Cet éclaircissement fit de [a] bruit ; ce bruit alla à M. Le Tellier, qui crut que l'on disputait déjà de sa charge. Il m'a paru qu'il ne l'a jamais pardonné ni à M. de Caumartin ni à moi. La plupart des inimitiés qui sont dans les cours ne sont pas mieux fondées ; et j'ai observé que celles qui ne sont pas bien fondées sont les plus opiniâtres. La raison en est claire. Comme les offenses de cette espèce ne sont que dans l'imagination, elles ne manquent jamais de croître et de grossir dans un fond qui n'est toujours que trop fécond en mauvaises humeurs qui les nourrissent. Pardonnez-moi, je vous supplie, cette petite digression, qui même n'est pas inutile au sujet que je traite, puisqu'elle vous marque l'obligation que j'avais, encore plus grande, à tirer d'affaire M. de Caumartin, en m'accommodant. Ce ne fut pourtant pas lui qui embarrassa mon accommodement : il connaissait fort bien qu'il n'y avait plus assez d'étoffe pour en faire un trafic considérable. Il m'avait dit plusieurs fois, devant qu'il partît pour aller en Poitou, qu'il était rude, mais qu'il était nécessaire que nous pâtissions, même de la mauvaise conduite de nos ennemis ; qu'il n'y avait plus d'avantage à tirer pour les particuliers ; qu'il ne fallait songer qu'à sauver le vaisseau, dans lequel ils se pourraient remettre à la voile selon les occasions ; et que ce vaisseau, qui était moi, ne se pouvait sauver, en l'état où les affaires étaient tombées par l'irrésolution de Monsieur, qu'en prenant le *largue, et en se jetant à la mer du côté du Levant, c'est-à-dire de Rome. Je me souviens qu'il ajouta, le propre jour qu'il me dit adieu, ces propres paroles : « Vous ne vous soutenez plus que sur la pointe d'une aiguille, et, si la cour connaissait ses forces à votre égard, elle vous *pousserait comme elle va pousser les autres. Votre courage vous fait tenir une contenance qui la trompe et qui l'*amuse ; servez-vous de cet instant pour en tirer tout ce qui vous est bon pour votre emploi de Rome : elle fera sur cela tout ce que vous voudrez. »

Voilà, comme vous voyez, des dispositions assez bonnes et sages pour ne pas embarrasser un négociation. Il ne restait donc que M. de Montrésor, qui disait, du matin au soir, qu'il ne prétendait rien, et qui avait même tourné en ridicule une lettre par laquelle Chandenier lui avait écrit, de la province, qu'il ne doutait pas que je ne le rétablisse dans sa charge et que je ne le fisse duc et pair en cette occasion. Ce fut toutefois ce M. de Montrésor même qui troubla toute la fête, et qui la troubla sans aucun intérêt, et par un pur travers d'esprit.

Un soir que nous étions tous ensemble chez moi auprès du feu, et que nous discutions ce qu'il serait à propos de répondre à M. Servien, qui avait fait à M. de Brissac les propositions pour moi que vous verrez dans la suite, Joly, qui y était présent, dit, à propos de je ne sais quoi qui se rencontra dans le cours de la conversation, qu'il avait reçu une lettre de Caumartin ; il la lut, et cette lettre portait, même avec force, ce que [je] viens de vous dire de ses sentiments. Je remarquai que Montrésor, qui ne l'aimait pas d'inclination, fit une mine de mystère, mêlé de *chagrin ; et, comme je connaissais extrêmement ses manières et son humeur, je jetai quelques paroles pour l'obliger à s'expliquer. Il n'y eut pas peine, car il s'écria tout d'un coup, même en jurant : « Nous ne sommes pas gens à manger des pois au veau[1]. Schelme qui dira que Son Eminence se doive et puisse accommoder avec honneur, sans y faire trouver à ses amis leurs avantages : qui le dira les y voudra trouver pour lui seul. » Ces paroles, jointes à un *chagrin que je lui avais vu depuis quelques jours contre la Palatine, me firent voir qu'il croyait que Caumartin, qui était son ami particulier, eût ménagé quelque chose avec elle pour son profit et au *desçu des autres. Je fis tout mon possible pour l'en détromper, je n'y réussis pas ; il réussit mieux à tromper les autres, car il jeta le même soupçon dans l'esprit de M. de Brissac, qui était un homme de cire, et plus susceptible qu'aucun que j'aie jamais connu des premières impressions[2].

M. de Brissac réveilla là-dessus Mme de Lesdiguières, qui l'aimait de tout son cœur, en ce temps-là. L'on ne manque jamais, quand l'on est dans ces sortes d'indispositions, à les fortifier de toutes les idées qui peuvent faire croire que les partis qui sont contraires à celui que l'on craint que l'on ne prenne sont non seulement possibles, mais aisés. Cette *imagination se glisse dans tous les esprits, elle coule jusques aux subalternes ; l'on s'en parle à l'oreille ; ce secret ne produit au commencement qu'un petit murmure ; ce murmure devient un bruit qui fait trois ou quatre effets pernicieux, et à l'égard de son propre parti et à l'égard de celui même auquel l'on a affaire.

Voilà justement ce qui m'arriva, et je fus étonné et que tous mes amis se partagèrent sur ce que je ferais ou ne ferais pas, sur ce que je pouvais ou ne pouvais pas, et que la cour me regarda comme un homme qui prétendait ou partager le ministère, ou en faire acheter bien chèrement l'abdication. Je connus, je sentis le péril et l'inconvénient de ce poste ; je me résolus de les boire, et je m'y résolus par ce même principe qui m'a fait toute ma vie prendre trop sur moi. Il n'y a rien de plus mauvais, selon les maximes de la politique. Le monde ne nous en a le plus souvent aucune obligation. Les bonnes intentions se doivent moins outrer que quoi que ce soit. Je me suis très mal trouvé de n'avoir pas observé cette règle, et dans les grandes affaires et dans les domestiques ; mais il faut avouer que nous ne nous corrigeons guère de ce qui flatte notre morale et notre inclination ensemble ; je n'ai jamais pu me repentir de cette conduite, quoiqu'elle m'ait coûté ma prison et toutes les suites de ma prison, qui n'ont pas été médiocres. Si j'eusse suivi la contraire, si j'eusse accepté les offres de M. Servien, si je me fusse tiré d'embarras, j'aurais évité tous les malheurs qui m'ont presque accablé ; je n'aurais pu me défendre d'abord de celui qui est inévitable à tous ceux qui sont à la tête des grandes affaires, et qui en sortent sans faire trouver des avantages à ceux qui y sont engagés avec eux. Le temps aurait assoupi ces plaintes, que la fortune même aurait pu tourner, par de bons événements, en ma faveur ; je conçois fort bien ces vérités, mais je ne les regrette pas ; je me suis satisfait moi-même en me conduisant autrement ; et comme, à la réserve de la *religion et de la bonne foi, tout doit être, au moins à mon opinion, égal aux hommes, je crois que je puis raisonnablement être content de ce que j'ai fait.

Je refusai donc les propositions de M. Servien, qui étaient que le Roi me donnerait la surintendance de ses affaires en Italie, avec cinquante mille écus de pension ; que l'on paierait jusques à la somme de cent mille écus de mes dettes ; que l'on me délivrerait comptant celle de cinquante

mille pour mon ameublement ; et que je demeurerais trois
ans à Rome, après lesquels il me serait loisible de revenir
faire à Paris mes fonctions. Je ne rebutai pourtant pas
M. Servien de but en blanc ; j'en usai toujours *honnêtement
avec lui. Il me vit chez moi, je lui rendis sa visite, nous
négociâmes ; mais il jugea bien que je ne voulais pas
conclure, parce qu'il n'entrait en rien de ce qui concernait
les intérêts de mes amis, quoique je l'eusse tâté sur ce chef,
auquel, dans le fond, il était contraire au dernier point, à
ce que j'ai su depuis. Madame la Palatine, à laquelle j'avais
beaucoup plus de confiance qu'à lui, n'était pas, au
commencement, tout à fait persuadée que l'on ne pût rien
faire pour eux. Elle s'aperçut dans peu qu'elle s'était trompée
en cela elle-même ; elle s'aperçut même de pis, et que les
mauvais offices et de Servien et de l'abbé Fouquet allaient à
plus qu'à rompre mes négociations. Elle m'en avertit ; elle
me déclara même qu'elle ne se voulait plus trouver chez
Joly, où elle avait accoutumé de me venir trouver, en chaise,
par une porte de derrière, entre dix et onze du soir ; elle
me fit connaître qu'il y avait du péril pour moi en ces
conférences secrètes, et elle me dit nettement ou que je
devais conclure, ou que je devais traiter directement avec le
Cardinal même, parce que tous les subalternes, l'un par un
principe, l'autre par un autre, m'étaient fort contraires.

Je vous ai dit ci-devant les raisons pour lesquelles je ne
me pouvais résoudre à conclure pour moi seul, et ces raisons
étaient tous les jours *réglément [fortifiées] [a] par de nouveaux
avis que Mme de Lesdiguières me donnait, que je n'avais
qu'à faire bonne mine, qu'à demeurer chez moi ; que le
Cardinal, qui s'*amusait sur la frontière à *vétiller proprement dans l'armée de M. de Turenne, où vous pouvez vous
imaginer qu'il n'était pas fort nécessaire ; que le Cardinal,
dis-je, qui mourait d'impatience de revenir à Paris, et qui
n'osait y rentrer tant que j'y serais, me ferait un *pont d'or
pour en sortir, et qu'il m'accorderait tout ce que je lui
demanderais. M. de Brissac, qui croyait que ces avis venaient
de M. le maréchal de Villeroy, comme il était vrai, était de
plus ravi de le croire pour son propre intérêt. Monsieur le
Premier [1] fit à Mme de Lesdiguières un discours de la même
nature, en lui disant qu'il savait de science certaine que l'on
brûlait d'envie de s'accommoder avec moi ; et je me souviens

que Joly, qui se trouva présent quand l'on me rapporta cette parole, s'approcha de moi et me dit à l'oreille : « Encore une *contusion ! » C'en était effectivement ; car, quoique tous ces bruits ne me persuadassent pas, ils me retenaient, ils m'empêchaient de conclure, et ils m'obligèrent à la fin à me résoudre à croire Madame la Palatine, et à traiter directement avec Monsieur le Cardinal. J'écrivis à Monsieur de Châlons que je le priais de l'aller trouver, de lui expliquer franchement et nettement mes pensées, et d'en tirer pour M. de Brissac la permission de *récompenser le gouvernement d'Anjou, et quelques misères proprement pour MM. de Montmorency, d'Argenteuil, de Châteaubriant, et cætera. Il n'y eût pas eu ombre de difficulté à l'égard de ces derniers ; je suis persuadé qu'il n'y en eût guère eu davantage pour M. de Brissac, le Cardinal ayant une passion très grande de se défaire de moi par l'emploi de Rome. Langlade, qui passa en ce temps-là à Châlons, retarda, sans y penser, le voyage de Monsieur de Châlons, en lui disant que Monsieur le Cardinal devait être en un tel lieu, à un tel jour[1]. Ce délai causa ma prison, parce que Servien et l'abbé Fouquet la précipitèrent, en faisant voir [à] la Reine qu'il y avait trop de péril à demeurer en l'état où l'on est et en lui grossissant tout ce qui, dans la vérité, n'avait pas même la réalité la plus légère. Ils lui disaient sans cesse que je continuais à ménager et à échauffer les rentiers, à cabaler dans les *colonelles, et cætera.

Il arriva[a] un incident qui contribua infiniment à aigrir la cour contre moi. Le Roi tint, le 13 de novembre, son lit de justice au Parlement, pour y faire enregistrer une déclaration par laquelle il déclarait Monsieur le Prince criminel de lèse-majesté, et il m'envoya, la veille, Sainctot, lieutenant des cérémonies, pour me commander de sa part de m'y trouver. Je répondis à Sainctot que je suppliais très humblement Sa Majesté de me permettre de lui représenter que je croyais qu'il ne serait ni de la justice ni de la bienséance, qu'en l'état où j'étais avec Monsieur le Prince, je donnasse ma voix dans une délibération dans laquelle il s'agissait de le condamner. Sainctot me repartit que quelqu'un ayant prévu, en présence de la Reine, que je m'en excuserais par cette raison, elle avait répondu qu'elle ne valait rien, et que M. de Guise, qui devait sa liberté aux instances de Monsieur le

Prince, s'y trouvait bien : sur quoi je dis à Sainctot que, si
j'étais de la profession de M. de Guise, j'aurais une extrême
joie de le pouvoir imiter dans les belles actions qu'il venait
de faire à Naples [1]. Vous ne sauriez vous imaginer à quel
point la Reine s'emporta contre mon excuse ; l'on la lui
expliqua comme un indice convaincant des ménagements
que j'avais pour Monsieur le Prince ; et ce que je ne faisais,
dans le vrai, que par un pur principe d'*honnêteté, à
laquelle je suis encore persuadé que j'étais obligé, passa,
dans son esprit, pour une conviction des mesures, ou que
j'avais prises avec lui, ou que j'allais y prendre ; rien n'était
plus faux, mais rien n'était plus cru, et il le fut au point
que la Reine se résolut de jouer à quitte et à double et de
me faire périr [2].

Touteville, capitaine aux gardes, et l'un des satellites de
l'abbé Fouquet, loua une maison assez proche de celle de
Mme de Pommereux, dans laquelle il pût poster des gens
pour m'attaquer. Le Fay, officier dans l'artillerie et l'un de
ces ridicules conjurés du Palais-Royal, fit des tentatives à
Péan, qui était à cette heure-là mon contrôleur [3], et que
vous avez vu depuis mon maître d'hôtel, pour l'obliger à
lui donner avis des heures nocturnes dans lesquelles l'on
croyait que je sortais. Pradelle eut un ordre signé de la main
du Roi de m'attaquer dans les rues, et de me prendre mort
ou vif. Celui qui fut donné au maréchal de Vitry, lorsqu'il
tua le maréchal d'Ancre, n'était pas plus précis [4]. Je n'ai su
celui de Pradelle que depuis mon retour en France des pays
étrangers, par le moyen de Monsieur l'archevêque de Reims [5],
qui dit, il y a deux ou trois ans, à MM. de Châlons et de
Caumartin, qu'il l'avait vu en original. J'eus quelque vent,
dans le temps même, du dessein de Touteville ; et je ne le
considérai que comme une *vision d'un écervelé qui se
plaignait de moi, parce que j'avais servi contre lui un de
mes amis pour la recherche d'une certaine Mme Darmet. Je
*devais faire au moins plus de réflexion sur les offres que Le
Fay avait faites à mon contrôleur ; mais je ne les regardai
que comme des inquiétudes de subalternes, qui faisaient
espionner mes actions.

M. de Brissac me dit un jour qu'il serait bon que je prisse
garde à moi avec plus de précaution, que l'on lui donnait
des avis de tous les côtés, et qu'il venait même de recevoir

un billet par lequel celui qui l'écrivait, sans se nommer, le conjurait de faire en sorte que je n'allasse pas ce jour-là à Rambouillet, où l'on avait pris fantaisie de se promener, quoique l'on fût bien avant dans le mois de novembre. Je ne doutai point que ce billet ne vînt de quelque homme de la cour, qui avait eu la curiosité de sonder et mon cœur et mes forces. J'y allai avec deux cents gentilshommes ; j'y trouvai un fort grand nombre d'officiers des gardes, et, entre autres, Rubentel, *affidé confident de l'abbé Fouquet. Je ne sais si ils avaient dessein de m'attaquer, mais je savais bien que je n'étais pas en état d'être attaqué. Ils me saluèrent avec de profondes révérences ; j'entrai en conversation avec quelques-uns d'eux que je connaissais, et je revins chez moi, tout aussi satisfait de ma personne, que si je n'eusse pas fait une sottise. C'en était une effectivement, qui n'était bonne qu'à aigrir la cour de plus en plus contre moi. L'on se pique, l'on s'emporte, et, dans la passion, il est très difficile de conserver une conduite qui ne déborde point. Voici encore en quoi la mienne ne fut pas *juste.

Je faisais *état de prêcher l'Avent, au moins les dimanches et les fêtes de l'Avent, dans les plus grandes églises de Paris ; et je commençai le jour de la Toussaint à Saint-Germain, paroisse du Roi[1]. Leurs Majestés me firent l'honneur d'assister au sermon, et je les en allai remercier le lendemain. Comme, depuis ce temps-là, les avis que l'on me donnait de toutes parts multiplièrent, je n'allai plus au Louvre : en quoi je fis, à mon opinion, une faute ; car je crois que cette circonstance détermina plus la Reine à me faire arrêter que toutes les autres. Je dis seulement que je le crois, parce que, pour le bien savoir, il serait nécessaire de savoir au préalable si M. le cardinal Mazarin avait ordonné que l'on m'arrêtât, ou si simplement il l'approuva quand il vit que l'on y avait réussi. Je ne le sais pas précisément, les gens de la cour même m'en ayant depuis parlé fort différemment[2].

Lionne m'a toujours assuré le second. Quelqu'un, dont je ne me souviens pas, m'a dit qu'il avait ouï le contraire de M. Le Tellier. Ce qui est *constant est que, sans une circonstance que vous allez voir, je n'eusse plus été au Louvre ; que je me fusse tenu sur mes gardes, et que, nonobstant les ordres de M. de Pradelle, j'eusse apparemment embarrassé le théâtre au moins assez longtemps pour attendre des nouvelles de M. le cardinal Mazarin. Tout le monde me le conseillait, et je me souviens que M. d'Hacqueville me dit un soir avec colère : « Vous avez bien gardé votre maison trois semaines pour Monsieur le Prince ; est-il possible que vous ne la puissiez garder trois jours pour le Roi ? »

Voici ce qui m'en empêcha. Mme de Lesdiguières, que j'avais sujet de croire être très bien avertie, et qui l'était en effet très bien d'ordinaire, me pressa extrêmement d'aller au Louvre, en me disant que, si j'y pouvais aller en sûreté, il fallait que je convinsse que ce serait beaucoup le meilleur pour moi, par la raison de la bienséance, et cætera. Je convins de la proposition, mais je ne convins pas de la sûreté. « N'y a-t-il que cette considération qui vous en empêche ? reprit-elle. — Non, lui répondis-je. — Allez-y donc demain, me dit-elle ; car nous savons le dessous des cartes. » Ce dessous des cartes était qu'il s'était tenu un Conseil secret [1] dans lequel, après de grandes contestations, il avait été résolu que l'on s'accommoderait avec moi et que l'on me donnerait même satisfaction pour mes amis. Je suis très assuré que Mme de Lesdiguières ne me trompait point ; je ne le suis pas moins que M. le maréchal de Villeroy ne trompait point Mme de Lesdiguières. Il fut trompé lui-même, et, par cette raison, je ne lui en ai jamais voulu parler.

J'allai ainsi au Louvre le 19 de décembre, et j'y fus arrêté, dans l'antichambre de la Reine, par M. de Villequier, qui était capitaine des gardes en *quartier. Il s'en fallut très peu que M. d'Hacqueville ne me sauvât. Comme j'entrai dans le Louvre, il se promenait dans la cour ; il me joignit à la descente de mon carrosse, et il vint avec moi chez Mme la maréchale de Villeroy, où j'allai attendre qu'il fût jour chez le Roi. Il m'y quitta, pour aller en haut, où il trouva Montmège, qui lui dit que tout le monde disait que j'allais être arrêté. Il descendit en diligence pour m'en avertir et pour me faire sortir par la cour des cuisines, qui répondait justement à l'appartement de Mme de Villeroy. Il ne m'y trouva plus ; mais il ne m'y manqua que d'un moment, et ce moment m'eût infailliblement donné la liberté. J'en ai la même obligation à M. d'Hacqueville ; mais je suis assuré

que, de l'humeur et de la cordialité dont il est, il n'en eut
pas la même joie. M. de Villequier me mena dans son
appartement, où les *officiers de la bouche m'apportèrent à
dîner. L'on trouva très mauvais à la cour que j'eusse bien
mangé, tant l'iniquité et la lâcheté des courtisans est extrême.
Je ne trouvai pas bon que l'on m'eût fait retourner mes
poches, comme l'on fait aux coupeurs des bourses : M. de
Villequier eut ordre de faire cette cérémonie, qui n'était pas
ordinaire. L'on n'y trouva qu'une lettre du roi d'Angleterre,
qui me chargeait de tenter du côté de Rome si l'on ne lui
pourrait point donner quelque assistance d'argent [1]. Ce nom
de lettre d'Angleterre se répandit dans la *basse-cour ; il
fut relevé par un homme de qualité, au nom duquel je me
crois obligé de faire grâce, à la *considération de l'un de ses
frères qui est de mes amis. Il crut faire sa cour de le gloser,
d'une manière qui fut odieuse. Il sema le bruit que cette
lettre était du Protecteur. Quelle bassesse ! [2]

L'on me fit passer, sur les trois heures, toute la grande
galerie du Louvre, et l'on me fit descendre par le pavillon
de Mademoiselle. Je trouvai un carrosse du Roi, dans lequel
M. de Villequier monta avec moi et cinq ou six officiers des
gardes du corps. Le carrosse fit douze ou quinze pas du côté
de la ville, mais il tourna tout d'un coup à la porte de la
Conférence. Il était escorté par M. le maréchal d'Albret, à
la tête des gendarmes ; par M. de La Vauguyon, à la tête
des chevau-légers ; et par M. de Vennes, lieutenant-colonel
du régiment des gardes, qui y commandait huit compagnies.
Comme l'on voulait gagner la porte Saint-Antoine, il y en
avait deux ou trois autres devant lesquelles il fallait passer ;
il y avait à chacune un bataillon des Suisses, qui avaient les
piques baissées vers la ville. Voilà bien des précautions, et
des précautions bien inutiles. Rien ne *branla dans la ville.
La douleur et la consternation y parurent ; mais elles
n'allèrent pas jusques au mouvement, soit que l'abattement
du peuple fût en effet trop grand, soit que ceux qui étaient
bien intentionnés pour moi perdissent le courage, ne voyant
personne à leur tête. L'on m'en a parlé depuis diversement.
Le Houx, boucher, mais homme de crédit dans le peuple et
de bon sens, m'a dit que toute la boucherie de la place aux
Veaux fut sur le point de prendre les armes, et que, si M. de
Brissac ne lui eût dit que l'on [me] ferait tuer si l'on les

prenait, il eût fait les barricades, dans tout ce quartier-là, avec toute sorte de facilité. L'Epinay m'a confirmé la même chose de la rue Montmartre. Il me semble que M. le marquis de Châteaurenault, qui se donna bien du mouvement, ce jour-là, pour *émouvoir le peuple, m'a dit qu'il n'y avait pas trouvé *jour ; et je sais bien que Malclerc, qui courut pour le même dessein les ponts de Notre-Dame et de Saint-Michel, qui étaient fort à moi, y trouva les femmes dans les larmes, mais les hommes dans l'inaction et dans la frayeur. Personne du monde ne peut juger de ce qui fût arrivé, si il y eût eu une épée tirée. Quand il n'y en a point de tirée dans ces rencontres, tout le monde juge qu'il n'y pouvait rien avoir ; et si il n'y eût point eu de barricades à la prise de M. Broussel, l'on se serait moqué de ceux qui auraient cru qu'elles eussent été seulement possibles. [1]

J'arrivai à Vincennes entre huit et neuf heures du soir et, M. le maréchal d'Albret m'ayant demandé, à la descente du carrosse, si je n'avais rien à faire savoir au Roi, je lui répondis que je croirais manquer au respect que je lui devais si je prenais cette liberté. L'on me mena dans une grande chambre, où il n'y avait ni tapisserie, ni lit ; celui que l'on y apporta, sur les onze heures, était de taffetas de la Chine, étoffe peu propre pour un ameublement d'hiver [2]. J'y dormis très bien, ce que l'on ne doit pas attribuer à fermeté, parce que le malheur fait naturellement cet effet en moi. J'ai éprouvé, en plus d'une occasion, qu'il m'éveille le jour et qu'il m'assoupit la nuit. Ce n'est pas force, et je l'ai connu après que je me suis bien examiné moi-même, parce que j'ai senti que ce sommeil ne vient [que] de l'abattement où je suis, dans les moments où la réflexion que je fais sur ce qui me *chagrine n'est pas divertie par les efforts que je fais pour m'en garantir. Je trouve une satisfaction sensible à me développer, pour ainsi parler, moi-même, et à vous rendre compte des mouvements les plus cachés et les plus intérieurs de mon âme.

Je fus obligé de me lever, le lendemain, sans feu, parce qu'il n'y avait point de bois pour en faire, et les trois exempts que l'on avait mis auprès de moi eurent la bonté de m'assurer que je n'en manquerais pas le lendemain. Celui qui demeura seul à ma garde le prit pour lui, et je fus quinze jours, à Noël, dans une chambre grande comme

une église, sans me chauffer. Cet exempt s'appelait Croisat ;
il était Gascon, et il avait été, au moins à ce que l'on disait,
valet de chambre de M. Servien. Je ne crois pas que l'on
eût pu trouver encore sous le ciel un autre homme fait
comme celui-là. Il me vola mon linge, mes habits, mes
souliers ; et j'étais obligé de demeurer quelquefois dans le
lit huit ou dix jours, faute d'avoir de quoi m'habiller. Je ne
crus pas que l'on me pût faire un traitement pareil sans un
ordre supérieur et sans un dessein formé de me faire mourir
de chagrin. Je m'armai contre ce dessein et je me résolus à
ne pas mourir, au moins de cette sorte de mort. Je me
divertis, au commencement, à faire la vie de mon exempt,
qui, sans exagération, était aussi fripon que Lazarille de
Tormes et que le Buscon[1]. Je l'accoutumai à ne me plus
tourmenter, à force de lui faire connaître que je ne me
tourmentais de rien. Je ne lui témoignais jamais aucun
*chagrin, je ne me plaignis de quoi que ce soit, et je ne lui
laissai pas seulement voir que je m'aperçusse de ce qu'il
disait pour me fâcher, quoiqu'il ne proférât pas un mot qui
ne fût à cette intention. Il fit travailler à un petit jardin de
deux ou trois toises, qui était dans la cour du donjon ; et
comme je lui demandai ce qu'il en prétendait faire, il me
répondit que son dessein était d'y planter des asperges :
vous remarquerez qu'elles ne viennent qu'au bout de trois
ans. Voilà l'une de ses plus grandes douceurs ; il y en avait
tous les jours une vingtaine de cette force. Je les buvais
toutes avec douceur, et cette douceur l'*effarouchait, parce
qu'il disait que je me moquais de lui.

Les instances du chapitre et des curés de Paris, qui firent
pour moi tout ce qui était en leur pouvoir, quoique mon
oncle, qui était le plus faible des hommes et, de plus, jaloux
jusques au ridicule de moi, ne les appuyât que très
mollement, leurs instances, dis-je, obligèrent la cour à
s'expliquer des causes de ma prison, par la bouche de
Monsieur le Chancelier, qui, en la présence du Roi et de la
Reine, dit à tous ces corps que Sa Majesté ne m'avait fait
arrêter que pour mon propre bien, et pour m'empêcher
d'exécuter ce que l'on avait sujet de croire que j'avais dans
l'esprit. Monsieur le Chancelier m'a dit, depuis mon retour
en France, que ce fut lui qui fit trouver bon à la Reine qu'il
donnât ce tour à son discours, sous prétexte d'éluder plus

*spécieusement la demande, que faisait l'Eglise de Paris en corps, ou que l'on me fît mon procès, ou que l'on me rendît la liberté ; et il ajoutait que son véritable dessein avait été de me servir, en faisant que la cour avouait ainsi mon innocence, au moins pour les faits passés.

Il est vrai que mes amis prirent un grand avantage de cette réponse, qui fut relevée de toutes ses couleurs, en deux ou trois libelles très spirituels. M. de Caumartin fit, dans cette occasion et dans les suivantes, tout ce que l'amitié la plus véritable et tout ce que l'honneur le plus épuré peuvent produire. M. d'Hacqueville y redoubla ses soins et son zèle pour moi. Le chapitre de Notre-Dame fit chanter tous les jours une antienne publique et expresse pour ma liberté. Aucun des curés ne me manqua, à la réserve de celui de Saint-Barthélémy [1]. La Sorbonne se signala ; il y eut même beaucoup de religieux qui se déclarèrent. Monsieur de Châlons échauffait les cœurs et les esprits, et par sa réputation et par son exemple. Ce soulèvement obligea la cour à me traiter un peu mieux que dans les commencements. L'on me donna des livres, mais par *compte, et sans papier ni encre ; et l'on m'accorda un valet de chambre, et un médecin, à propos duquel je suis bien aise de ne pas omettre une circonstance qui est remarquable. Ce médecin, qui était homme de mérite et de réputation dans sa profession, et qui s'appelait Vacherot, me dit, le jour qu'il entra à Vincennes, que M. de Caumartin l'avait chargé de me dire que Goisel, cet avocat qui avait prédit la liberté de M. de Beaufort, l'avait [assuré] que j'aurais la mienne dans le mois de mars, mais qu'elle serait imparfaite, et que je ne l'aurais entière et pleine qu'au mois d'août. Vous verrez par les suites que le présage fut juste [2].

Je m'occupai fort à l'étude dans tout le cours de ma prison de Vincennes, qui dura quinze mois, et au point que les jours ne me suffisaient pas et que j'y employais même les nuits. J'y fis un étude particulier de la langue latine, qui me fit connaître que l'on ne s'y peut jamais trop appliquer, parce que c'est un étude qui comprend toutes les autres [3]. Je travaillai sur la grecque, que j'avais fort aimée autrefois, et à laquelle je retrouvai encore un nouveau goût. Je composai, à l'imitation de Boëce, une *Consolation de théologie* [4], par laquelle je prouvais que tout homme qui est

prisonnier doit essayer d'être le *vinctus in Christo,* dont
parle saint Paul[1]. Je ramassai, dans une manière de *silva*[2],
beaucoup de matières différentes, et entre autres une
application, à l'usage de l'Eglise de Paris, de ce qui était
contenu dans le livre des actes de celle de Milan, dressé par
les cardinaux Borromées[3], et j'intitulai cet ouvrage : *Partus
Vincennarum*[4]. Mon exempt n'oubliait rien pour troubler la
tranquillité de mes études et pour tenter de me donner du
*chagrin. Il me dit un jour que le Roi lui avait commandé
de me faire prendre l'air et de me mener sur le haut du
donjon. Comme il crut que j'y avais pris du divertissement,
il m'annonça, avec une joie qui paraissait dans ses yeux,
qu'il avait reçu un contrordre ; je lui répondis qu'il était
venu tout à propos, parce que l'air, qui était trop vif au-
dessus du donjon, m'avait fait mal à la tête. Quatre jours
après, il me proposa de descendre au jeu de paume, pour y
voir jouer mes gardes ; je le priai de m'en excuser, parce
qu'il me semblait que l'air y devait être trop humide. Il
m'y força en me disant que le Roi, qui avait plus de soin
de ma santé que je ne le croyais, lui avait commandé de me
faire faire exercice. Il me pria de l'excuser à son tour de
ce qu'il ne m'y faisait plus descendre, pour « quelque
considération, ajouta-t-il, que je ne vous puis dire ». Je
m'étais mis, pour vous dire le vrai, assez au-dessus de toutes
ces petites chicaneries, qui ne me touchaient point dans le
fond et pour lesquelles je n'avais que du mépris ; mais je
vous confesse que je n'avais pas la même supériorité d'âme
pour la substance (si l'on se peut servir de ce terme) de la
prison ; et la vue de me trouver tous les matins, en me
réveillant, entre les mains de mes ennemis, me faisait assez
sentir que je n'étais rien moins que stoïque. Ame qui vive
ne s'aperçut de mon *chagrin ; mais il fut extrême par cette
unique raison ou déraison, car c'est un effet de l'orgueil
humain ; et je me souviens que je me disais, vingt fois le
jour, à moi-même que la prison d'Etat était le plus sensible
de tous les malheurs sans exception. Je ne connaissais pas
encore assez celui des dettes[5].

Vous avez déjà vu que je divertissais mon ennui par mon
étude. J'y joignais quelquefois du relâchement. J'avais des
lapins sur le haut du donjon, j'avais des tourterelles dans
une des tourelles, j'avais des pigeons dans l'autre. Les

continuelles instances de l'Eglise de Paris faisaient que l'on m'accordait, de temps en temps, ces petits divertissements ; mais l'on les troublait toujours par mille et mille chicanes. Ils ne laissaient pas de m'*amuser, et d'autant plus agréablement, que je les avais aussi prévus mille et mille fois, en faisant réflexion à quoi je me pourrais occuper, si il m'arrivait jamais d'être arrêté. Il n'est pas concevable combien l'on se trouve soulagé quand l'on rencontre, dans les malheurs où l'on tombe, les consolations, quoique petites, que l'on s'y est imaginées par avance.

Je ne m'occupais pas si fort à ces diversions, que je ne songeasse avec une extrême application à me sauver ; et le commerce que j'eus toujours au-dehors, et sans discontinuation, me donnait lieu d'y pouvoir penser, et avec espérance et avec fruit.

Le neuvième jour de ma prison, un garde, appelé Carpentier, s'approcha de moi comme son camarade dormait (il y en avait toujours deux qui me gardaient à vue, et même la nuit), et il me mit un billet dans la main, que je reconnus d'*abord pour être de celle de Mme de Pommereux. Il n'y avait dans le billet que ces paroles : « Faites-moi réponse ; fiez-vous au porteur. »

Ce porteur me donna un crayon et un petit morceau de papier, dans lequel j'accusai la réception du billet. Mme de Pommereux avait trouvé *habitude à la femme de ce garde, et elle lui avait donné cinq cents écus pour ce premier billet. Le mari était accoutumé à cette manière de trafic, et il n'avait pas été inutile à la liberté de M. de Beaufort. Il est mort, lui et toute sa famille ; j'en parle, par cette considération, plus librement. Comme tout ce qui est écrit peut être vu, par des accidents imprévus, permettez-moi, je vous supplie, de ne point entrer dans le détail de tous les autres commerces que j'eus après celui-là, et dans lesquels il faudrait nommer des gens qui vivent encore. Il suffit que je vous dise que, nonobstant le changement de trois exempts et de vingt-quatre gardes du corps, qui se succédèrent dans le cours de ces quinze mois les uns aux autres, mon commerce ne fut jamais interrompu et qu'il fut toujours aussi *réglé que l'est celui de Paris à Lyon.

Mme de Pommereux et MM. de Caumartin et d'Hacqueville m'écrivaient *réglément deux fois la semaine, et je leur faisais réglément réponse deux fois la semaine. Voici les différentes matières de ce commerce. Elles tendaient toutes à ma liberté. La voie la plus courte était celle de se sauver de prison. Je fis pour cela deux entreprises, dont l'une me fut suggérée par mon médecin, qui était homme de mathématique [1]. Il prit la pensée de limer la grille d'une petite fenêtre qui était dans la chapelle où j'entendais la messe, et d'y attacher une espèce de machine avec laquelle je fusse, à la vérité, descendu, même assez aisément, du troisième étage du donjon ; mais, comme ce n'eût été que la moitié du chemin de fait et qu'il eût fallu remonter l'enceinte, de laquelle d'ailleurs l'on n'eût pu redescendre, il quitta cette pensée, laquelle était effectivement impraticable, et nous nous réduisîmes à une autre, qui ne manqua que parce qu'il ne plut pas à la Providence de la faire réussir. J'avais remarqué, dans le temps que l'on me menait sur la tour, qu'il y avait tout au haut un creux dont je n'ai jamais pu deviner l'usage. Il était plein à demi de pierrailles, mais l'on pouvait y descendre et s'y cacher. Je pris sur cela la pensée de choisir le temps que mes gardes seraient allés dîner et que Carpentier serait de jour, d'enivrer son camarade, qui était un vieillard appelé Toneille, qui tombait comme mort dès qu'il avait bu deux verres de vin, ce que Carpentier avait éprouvé plus d'une fois, et de me servir de ce moment pour monter au haut de la tour sans que l'on s'en aperçût, et pour me cacher dans le trou dont je vous viens de parler, avec quelques pains et quelques bouteilles d'eau et de vin. Carpentier convenait de la possibilité et même de la facilité de ce premier pas, qui était d'autant plus aisé, que les deux gardes qui le devaient relever, lui et son camarade, avaient toujours eu l'*honnêteté de ne point entrer dans ma chambre et de demeurer à la porte jusques à ce qu'ils pussent juger que je fusse éveillé ; car je m'étais accoutumé à dormir l'après-dînée, ou plutôt à faire semblant de dormir. Ce n'est pas qu'il ne leur fût ordonné de ne m'y laisser jamais seul ; mais il y a toujours des gens qui sont plus *honnêtes les uns que les autres. Carpentier devait attacher des cordes à la fenêtre de la galerie par laquelle M. de Beaufort s'était sauvé, et jeter dans le fossé une machine de tissu que M. Vacherot avait travaillée la nuit dans sa chambre, par le moyen de laquelle l'on eût pu croire que je me fusse élevé au-dessus de la petite muraille que l'on y avait faite depuis la sortie de M. de Beaufort. Il devait en même temps donner l'alarme comme si il m'avait vu passer dans la galerie, et montrer son épée teinte de sang, comme si même il m'eût blessé en me poursuivant. Toute la garde fût accourue au bruit ; l'on eût trouvé les cordes à la fenêtre ; l'on eût vu la machine et du sang dans le fossé ; huit ou dix cavaliers eussent paru le pistolet à la main dans le bois, comme pour me recevoir ; il y en eût eu un qui fût sorti des portes avec une calotte rouge sur la tête ; ils se seraient séparés, et celui qui aurait eu la calotte rouge aurait tiré du côté de Mézières ; l'on eût tiré le canon à Mézières[1], trois ou quatre jours après, comme si j'y fusse effectivement arrivé. Qui eût pu s'imaginer que j'eusse été dans le trou ? L'on n'eût pas manqué de lever la garde du bois de Vincennes et de n'y laisser que des *mortes-payes ordinaires, qui eussent fait voir, pour deux sols, à tout Paris et la fenêtre et les cordes, comme ils firent celles de M. de Beaufort. Mes amis y fussent venus par curiosité comme tous les autres ; ils m'eussent habillé en femme, en moine, comme il vous plaira, et j'en fusse sorti sans qu'il y eût seulement ombre de soupçon ni de difficulté.

Je ne crois pas qu'il y eût eu rien au monde de si ridicule pour la cour, si elle eût été attrapée[a] en cette manière. Elle est si extraordinaire, qu'elle en paraît impossible. Elle était même facile ; et je suis convaincu qu'elle aurait infailliblement réussi, si un garde appelé l'Escarmouceré ne l'eût rompue par un incident que la pure fortune y jeta. L'on l'envoya à la place d'un autre qui tomba malade ; et, comme c'était un homme dur, vieux et exact, il dit à l'exempt qu'il ne concevait pas comme il ne faisait pas mettre une porte à l'entrée du petit escalier qui monte à la tour. Elle y fut posée le lendemain au matin, et ainsi mon entreprise fut rompue. Ce même garde m'assura le soir, en bonne amitié, qu'il m'étranglerait si il plaisait à Sa Majesté de le lui commander.

Je n'étais pas si attaché aux moyens de me tirer de moi-même de la tour de Vincennes, que je ne pensasse aussi à ceux qui pouvaient obliger mes ennemis à m'en tirer. L'abbé Charrier, qui partit pour Rome, dès le lendemain que je fus arrêté, y trouva le pape Innocent irrité jusques à la fureur, et sur le point de lancer les foudres sur les auteurs d'une action sur laquelle les exemples des cardinaux de Guise, Martinusius et Clesel marquaient ses devoirs [1]. Il s'en expliqua, avec un très grand ressentiment, à l'ambassadeur de France. Il envoya monsignor Marini, archevêque d'Avignon, en qualité de nonce extraordinaire, pour ma liberté. Le Roi prit, de son côté, l'affaire avec hauteur ; il défendit à monsignor Marini de ne point passer Lyon. Le Pape craignit d'exposer son autorité et celle de l'Eglise à la fureur d'un insensé ; il usa de ce mot en parlant à l'abbé Charrier et en lui ajoutant : « Donnez-moi une armée, et je vous donnerai un légat. » Il était difficile de lui donner cette armée ; mais il n'eût pas été impossible, si ceux qui étaient obligés d'être mes amis en cette occasion, ne m'eussent point manqué.

Vous avez vu dans le deuxième volume de cet ouvrage que Mézières était dans mes intérêts, par l'amitié que Bussy-Lamet avait pour moi, et que Charleville et le Mont-Olympe y devaient être, parce que M. de Noirmoutier tenait ces deux places de moi. Vous y avez vu aussi que ce dernier m'avait manqué, lorsque M. le cardinal Mazarin rentra en France [2]. Il crut se justifier en disant à tout le monde qu'il me servirait envers tous et contre tous, en ce qui me serait personnel ; et, comme il y a peu de chose qui le soit davantage que la prison, il se joignit publiquement avec Bussy-Lamet, aussitôt que je fus arrêté, et ils écrivirent ensemble une lettre au Cardinal, par laquelle ils lui déclarèrent qu'ils ne se pourraient pas empêcher de se porter à toutes sortes d'extrémités, si l'on me retenait plus longtemps en prison. Ces trois places, qui sont inattaquables quand elles sont d'un même parti, étaient d'une extrême importance dans un temps où Monsieur le Prince, qui, dès la première nouvelle qu'il eut de ma détention, déclara qu'il ferait sans exception tout ce que mes amis souhaiteraient pour ma liberté, où Monsieur le Prince, dis-je, offrit à ces deux gouverneurs de faire marcher toutes les forces d'Espagne à leur secours ; où Belle-Ile, dont M. de Rais était le [maître] [a], n'était pas à mépriser, à cause de l'Angleterre, dont la France n'était nullement assurée dans ce moment-là, et où Bordeaux et Brouage tenaient encore pour Monsieur le Prince. Beaucoup de gens sont persuadés qu'il y avait de quoi former une affaire considérable, c'est-à-dire qu'il y

avait assez d'étoffe, et en ce que vous venez d'en voir et en
beaucoup d'autres choses de cette nature, par exemple en la
disposition du vicomte d'Hostel, qui était dans Béthune, et
qui eût assurément *branlé pour moi, si il eût vu la partie
bien faite. Le malheur fut qu'il n'y eut personne qui sût
bien tailler cette étoffe. M. le duc de Rais avait bonne
intention, mais il n'était pas capable d'un grand dessein,
et, de plus, sa femme et son beau-père le retenaient. M. de
Brissac, qui avait eu commandement de se retirer chez lui,
ne savait *primer en rien. M. le duc de Noirmoutier eût été
le plus entreprenant, mais il fut gagné d'*abord par Mme
de Chevreuse et par Laigue, auxquels le Cardinal dit, en
termes exprès, qu'ils lui répondraient des actions de leur
ami, et que, si il tirait un coup de pistolet, ils verraient
l'un et l'autre ce qui leur en arriverait. M. de Noirmoutier,
qui n'avait pas d'ailleurs, comme vous avez vu, trop d'amitié
pour moi, se rendit aux instances de ses amis et à celles de
sa femme, qui n'est pas une des merveilles de son sexe, et
il donna parole à la cour qu'il ne me donnerait que des
apparences, et qu'il ne ferait rien en effet : il tint sa parole.
M. le maréchal de Villeroy donna avis de cet engagement
de M. de Noirmoutier avec la cour à Mme de Lesdiguières,
le quatorzième jour de ma prison. Il ne *traversa en rien le
siège de Stenay, que le Roi fit en ce temps-là, il éluda toutes
les propositions de Monsieur le Prince, et il se contenta de
parler et d'écrire toujours en ma faveur et de tirer force
coups de canon quand l'on buvait à ma santé. Il eût eu
pourtant peine à soutenir longtemps ce personnage, si Bussy-
Lamet, qui avait de l'esprit et de la décision, eût vécu, et il
dit à Malclerc, qui y avait été envoyé de la part de mes
amis, ces propres mots : « Noirmoutier veut *amuser le
tapis, mais je le ferai parler français, ou je lui surprendrai sa
place. » Le pauvre homme mourut d'apoplexie la nuit même.
Le chevalier de Lamet, qui était major dans la place, y étant
demeuré le maître par cette mort, le vicomte, son frère aîné,
s'y jeta, et il y demeura très fidèlement dans mes intérêts.
L'abbé de Lamet, leur cousin et le mien, et qui était mon
maître de chambre [1], n'en bougea, et il m'y servit aussi avec
tout le zèle possible ; mais enfin, une place ne pouvant rien
sans l'autre, l'on n'agit point, et Mézières, Charleville et le
Mont-Olympe furent pour moi, et ne firent rien pour moi.

Il ne laissa pas de m'en coûter une bonne somme de deniers, que M. de Rais prêta pour la subsistance de la garnison. J'en ai payé depuis et le capital et les intérêts, qui montent à beaucoup : je ne me ressouviens pas de la quantité.

Vous pouvez juger que tout ce détail, dont j'étais ponctuellement informé, n'était pas la moindre de mes occupations dans ma prison ; mais l'une de mes principales applications y était de cacher que j'en fusse informé ; et je me souviens que M. de Pradelle, qui commandait les compagnies des gardes suisses et françaises qui étaient dans le château, et qui avait permission de me voir aussi bien que M. de Maupeou de Noisy, qui était aussi capitaine aux gardes, je me souviens, dis-je, que M. de Pradelle me dit, un jour, qu'il était au désespoir d'être obligé de m'apprendre une nouvelle qui m'affligerait, qui était la mort de M. de Bussy-Lamet, et que, bien que je la susse aussi bien que lui, j'en fis le surpris, et qu'après avoir fait semblant d'y *rêver un peu, je lui répondis : « J'en suis très affligé, et je n'y trouve qu'une consolation, qui est qu'il n'a au moins rien fait, devant que de mourir, contre le service du Roi. J'appréhendais toujours qu'il ne s'emportât à cause de l'amitié qu'il avait pour moi. » Je lui vis de la joie dans les yeux à ces paroles, parce qu'il en inféra que je n'avais aucune nouvelle dans ma prison ; et l'un de mes gardes me dit qu'il l'avait ouï parler à Noisy avec exultation sur ce fondement, et qu'il lui avait dit : « Au moins, la cour ne se plaindra pas de nous, et ne dira pas que celui-ci écrit comme saint Thomas. [1] » C'est ce que M. le cardinal Mazarin avait dit, en se plaignant que Bar n'avait pas gardé assez exactement Monsieur le Prince. Ce M. de Pradelle eut la bonté de me consoler, dans la même conversation, de l'appréhension que j'avais que l'on ne fît quelque chose à Mézières contre le service du Roi, et il m'assura que la place était entre les mains du commandant que Sa Majesté y avait envoyé. Vous observerez, si il vous plaît, que j'avais reçu un billet, la veille, du vicomte de Lamet, qui me marquait qu'il en était le maître, et qu'il m'en rendrait bon compte. Je reçus toutefois pour bon ce qu'il plut à Pradelle de me dire sur cela, et sur la plupart des discours de cette nature que l'on fait sans cesse aux prisonniers d'État. Je dis la plupart, parce qu'il y en eut quelques-uns à l'égard desquels je ne pus agir ainsi. Par exemple, Pradelle, qui ne me parlait pour l'ordinaire que du beau temps et des choses qui étaient arrivées devant que j'eusse été arrêté, s'avisa un jour de m'annoncer l'heureux retour de M. le cardinal Mazarin à Paris ; il embellit son récit de tous les ornements qu'il crut qui me pouvaient déplaire, et il *exagéra, même avec emphase, la réception magnifique qui lui avait été faite à l'Hôtel de Ville. Je la savais déjà, et que M. Vedeau l'avait harangué avec une bassesse incroyable. Je répondis froidement à M. de Pradelle que je n'en étais point surpris. Il reprit : « Et vous n'en serez pas même fâché, Monsieur, quand vous saurez l'*honnêteté que Monsieur le Cardinal a pour vous ; il m'a commandé de vous venir assurer de ses très humbles services, et de vous supplier de croire qu'il n'oubliera rien pour vous servir. » Je ne fis pas *semblant d'avoir pris garde à ce *compliment, et je lui fis je ne sais quelle question sur un sujet qui n'avait aucun rapport à celui-là. Il y rentra, et, comme il me pressa de lui répondre, je lui dis que, dès la première parole, je lui aurais témoigné ma reconnaissance, si je n'étais persuadé que le respect qu'un prisonnier doit au Roi ne lui permet pas de s'expliquer de quoi que ce soit qui regarde sa liberté, que lorsqu'il a plu à Sa Majesté de la lui rendre. Il m'entendit ; il m'exhorta à répondre à Monsieur le Cardinal plus obligeamment, et il ne me persuada pas.

Voici une occasion plus considérable, dans laquelle je n'eus pas plus de *facilité. Les avis que M. le cardinal Mazarin avait de Rome, et l'émotion des esprits, qui paraissait et qui croissait même à Paris, touchant ma prison, l'obligèrent à donner au moins quelques démonstrations touchant ma liberté ; et il se servit pour cet effet de la crédulité de Monsignor Bagni, nonce en France, homme de bien et d'une naissance très relevée, mais *facile et tout propre à être trompé. Il me l'envoya, accompagné de MM. de Brienne et Le Tellier, pour me proposer et ma liberté et de grands avantages, en cas que je voulusse donner ma démission de la coadjutorerie de Paris. Comme j'avais été averti par mes amis de cette démarche, je la reçus avec un discours très étudié et très ecclésiastique, qui fit même honte au pauvre Monsignor Bagni, et qui lui attira ensuite une fort rude réprimande de Rome. Ce discours, qui m'avait été envoyé par M. de Caumartin, et qui était fort beau et fort juste, fut imprimé dès le lendemain [1]. La cour en fut touchée au vif. Elle changea et mon exempt et mes gardes ; mais, comme je vous l'ai dit ci-dessus, la providence de Dieu ne m'abandonna pas, et elle fit que ces changements n'altérèrent point du tout mon commerce.

Comme je fus revenu de mon exil, la Reine, mère du Roi, me pressa un jour extrêmement, à Fontainebleau, de lui en conter le détail, sur la parole qu'elle me donnait, avec serment, de ne jamais nommer aucun de ceux qui y avaient eu part ; et je m'en défendis, en la suppliant de ne me pas commander de m'expliquer sur une chose dont la révélation pourrait nuire à tous ceux qui, dans les siècles à venir, pourraient être prisonniers. Cette raison la satisfit.

Voilà bien des minuties qui ne sont pas dignes de votre attention ; mais, comme elles composent un petit détail qui donne l'idée du manège de ces prisons d'Etat, dont peu de gens se sont avisés de traiter, je n'ai pas cru qu'il fût mal à propos de les toucher. En voici encore deux.

Les instances du chapitre de Notre-Dame obligèrent la cour à permettre à un de son corps d'être auprès de moi, et l'on choisit pour cet emploi un chanoine de la famille de MM. de Bragelogne, qui avait été nourri au collège auprès de moi et auquel même j'avais donné ma prébende [2]. Il ne trouva pas le secret de se savoir ennuyer, ou plutôt il s'ennuya trop dans la prison, quoiqu'il s'y fût enfermé avec joie pour l'amour de moi. Il y tomba dans une profonde *mélancolie. Je m'en aperçus, et je fis ce qui était en moi pour l'en faire sortir ; mais il ne voulut jamais m'écouter sur cela. La fièvre *double-tierce le saisit, et il se coupa la gorge avec un rasoir au quatrième accès. L'unique *honnêteté que l'on eût eue pour moi, dans tout le cours de ma prison, fut que l'on ne me dit le genre de sa mort dans tout le temps que je fus à Vincennes, et je ne l'appris que par M. le premier président de Bellièvre, le jour que l'on me tira du donjon de Vincennes pour me transférer à Nantes. Mais le tragique de cette mort fut commenté par mes amis, et ne diminua pas la compassion du peuple à mon égard. Cette compassion ne diminuait pas non plus les frayeurs de Monsieur le Cardinal ; elles le portèrent jusques à prendre la pensée de me transférer à Amiens, à Brest, au Havre de Grâce. J'en fus averti, je fis le malade. L'on envoya

Vesou pour voir si effectivement je l'étais. L'on m'a parlé
différemment de son rapport. Ce qui empêcha ma translation
fut la mort de Monsieur l'Archevêque, qui émut à un point
tous les esprits, que la cour pensa plus à les adoucir qu'à les
*effaroucher. La manière dont je fus servi en ce rencontre a
du prodige.

Mon oncle mourut à quatre heures du matin ; à cinq l'on
prit possession de l'archevêché en mon nom, avec une
procuration de moi en très bonne forme ; et M. Le Tellier,
qui vint à cinq et un quart dans l'église, pour s'y opposer
de la part du Roi, y eut la satisfaction d'entendre que l'on
fulminait mes bulles dans le jubé [1]. Tout ce qui est surprenant
émeut les peuples. Cette scène l'était au dernier point, n'y
ayant rien de plus extraordinaire que l'assemblage de toutes
les formalités nécessaires à une action de cette espèce, dans
un temps où l'on ne croyait pas qu'il fût possible d'en
observer une seule. Les curés s'échauffèrent encore plus qu'à
leur ordinaire [2] ; mes amis soufflaient le feu ; les peuples ne
voyaient plus leur archevêque ; le nonce, qui croyait avoir
été doublement joué par la cour, parlait fort haut et menaçait
de censures. Un petit livre fut mis au jour, qui prouvait
qu'il fallait fermer les églises [3]. Monsieur le Cardinal eut
peur, et comme ses peurs allaient toujours à négocier, il
négocia : il n'ignorait pas l'avantage que l'on trouve à
négocier avec des gens qui ne sont point informés ; il croyait,
la moitié des temps, que j'étais de ce nombre ; il le crut en
celui-là, et il me fit jeter cent et cent vues de permutations,
d'*établissements, de gros clochers, de gouvernements, de
retour dans les bonnes grâces du Roi, de liaison solide avec
le ministre.

Pradelle et mon exempt ne parlaient du soir au matin
que sur ce ton. L'on me donnait bien plus de liberté qu'à
l'ordinaire ; l'on ne pouvait plus souffrir que je demeurasse
dans ma chambre, pour peu qu'il fît beau sur le donjon. Je
ne faisais pas *semblant de faire seulement réflexion sur ces
changements, parce que je savais par mes amis le dessous
des cartes. Ils me mandaient que je me tinsse *couvert, et
que je ne m'ouvrisse en façon du monde, parce qu'ils étaient
informés, à n'en pouvoir douter, que quand l'on viendrait
à fondre la *cloche, l'on ne trouverait rien de solide, et que
la cour ne songeait qu'à me faire expliquer sur la possibilité

de ma démission, afin de refroidir et le clergé et le peuple. Je suivis ponctuellement l'instruction de mes amis, et au point que M. de Noailles, capitaine des gardes en *quartier, m'étant venu trouver de la part du Roi et m'ayant fait un discours très éloigné de ses manières et de son inclination *honnête et douce (car le Mazarin l'obligea de me parler en aga des janissaires beaucoup plus qu'en officier d'un roi chrétien), je le priai de trouver bon que je lui fisse ma réponse par écrit. Je ne me ressouviens pas des paroles, mais je sais bien qu'elle marquait un souverain mépris pour les menaces et pour les promesses, et une résolution inviolable de ne point quitter l'archevêché de Paris.

Je reçus, dès le lendemain, une lettre de mes amis, qui me marquaient l'effet admirable que ma réponse, qu'ils firent imprimer toute la nuit, avait fait dans les esprits, et qui me donnaient avis que M. le premier président de Bellièvre devait, le jour suivant, faire une seconde tentative. Il y vint effectivement, et il m'offrit, de la part du Roi, les abbayes de Saint-Lucien de Beauvais, de [Saint-Médard] ª de Soissons, de Saint-Germain d'Auxerre, de Barbeaux, de Saint-Martin de Pontoise, de Saint-Aubin d'Angers, et d'Orkan, « pourvu, ajouta-t-il, que vous renonciez à l'archevêché de Paris et que... » [1] (il s'arrêta à ce mot, en me regardant et en me disant : « Jusques ici je vous ai parlé comme ambassadeur de bonne foi, je vas commencer à me moquer du Sicilien, qui est assez sot pour m'employer à une proposition de cette sorte ») ; « et pourvu donc, continua-t-il, que vous donniez douze de vos amis pour cautions que vous ratifierez votre démission dès le premier moment que vous serez en liberté. Ce n'est pas tout, ajouta-t-il, il faut que je sois de ces douze, qui seront MM. de Rais, de Brissac, de Montrésor, de Caumartin, d'Hacqueville, et cætera. »

« Ecoutez-moi, reprit-il tout d'un coup, et ne me répondez point, je vous supplie, que je ne vous aie parlé tant qu'il m'aura plu. La plupart de vos amis sont persuadés que vous n'avez qu'à tenir ferme, et que la cour vous donnera votre liberté, en se contentant de se défaire de vous et de vous envoyer à Rome. *Abus ! Elle veut, *in ogni modo* [2], votre démission. Quand je dis la cour, j'entends le Mazarin ; car la Reine est au désespoir que l'on pense seulement à vous tirer de prison. Le Tellier dit qu'il faut que Monsieur le

Cardinal ait perdu le sens. L'abbé Fouquet est enragé, et
Servien n'y consent que parce que les autres sont d'un avis
contraire. Il faut donc supposer pour incontestable qu'il n'y
a que le Mazarin qui veuille votre liberté, et qu'il ne la
veut que parce qu'il croit qu'il se venge suffisamment en
vous faisant perdre l'archevêché de Paris. C'est au moins
l'excuse qu'il prend ; car, dans le fond, ce n'est pas ce qui
le détermine, ce n'est que la peur qu'il a, dans ce moment,
du nonce, du chapitre, des curés, du peuple ; je dis dans ce
moment de la mort de Monsieur l'Archevêque, qui, tout au
plus, peut produire un soulèvement qui, n'étant point
appuyé, tombera à rien. Je soutiens, de plus, qu'il n'en
produira point ; que le nonce menacera et ne fera rien ;
que le chapitre fera des remontrances et qu'elles seront
inutiles ; que les curés prôneront et qu'ils en demeureront
là ; que le peuple criera et qu'il ne prendra pas les armes.
Je vois tout cela de près, et que ce qui en arrivera sera d'être
transféré ou au Havre ou à Brest, et de demeurer entre les
mains et à la disposition de vos ennemis, qui en useront
dans les suites comme il leur plaira. Je sais bien que le
Mazarin n'est pas sanguinaire, mais je tremble quand je
pense que Noailles vous a dit que l'on était résolu d'aller
vite et de prendre les voies dont les autres Etats avaient
donné tant d'exemples [1] ; et ce qui me fait trembler est la
résolution que l'on a eue de parler ainsi. Les grandes âmes
disent quelquefois, pour leurs fins, de ces sortes de choses
sans les faire ; les basses ont plus de peine à les dire qu'à
les faire.

   « Vous croyez que la conclusion que je vas tirer de tout ce
que je viens de vous dire sera qu'il faut que vous donniez
votre démission. Nullement. Je suis venu ici pour vous dire
que vous êtes déshonoré si vous donnez votre démission ; et
que c'est en cette occasion où vous êtes obligé de remplir,
au péril de votre vie, et de votre liberté, que vous estimez
assurément plus que votre vie, la grande attente où tout le
monde est sur votre sujet. Voici l'instant où vous devez plus
que jamais, mettre en pratique les apophtegmes dont nous
vous avons tant fait la guerre : je ne compte le fer et le
poison pour rien ; rien ne me touche que ce qui est dans
moi ; l'on meurt également partout [2]. Voilà justement
comme il faut répondre à tous ceux qui vous parleront de

votre démission. Vous vous en êtes acquitté dignement jusques ici, et l'on aurait tort de s'en plaindre ; je n'en aurais pas moins, si je prétendais de vous obliger à changer de sentiment. Ce n'est pas ce que je vous demande : ce que je souhaite est que vous me disiez bonnement si, en cas que vous puissiez avoir votre liberté pour une feuille de chêne[1], vous consentirez à l'accepter. »

Je souris à cette parole. « Attendez, me dit-il ; je vas vous faire avouer qu'il n'est pas impossible. Une démission de l'archevêché de Paris, datée du bois de Vincennes, est-elle bonne ? — Non, lui répondis-je ; mais vous voyez aussi que l'on ne s'en contente pas et que l'on veut des cautions pour la ratification. — Et si je vois *jour, reprit le premier président, à ce que l'on ne vous demande plus de cautions, qu'en direz-vous ? — Je donnerai demain ma démission », lui répondis-je. Il m'expliqua en cet endroit tout ce qu'il avait fait ; il me dit qu'il ne s'était jamais voulu charger d'aucune proposition jusques à ce qu'il eût connu clairement, et que l'intention véritable du Cardinal était de me donner ma liberté, et que sa disposition était pareillement de se relâcher des conditions qu'il avait demandées pour la sûreté de ma démission ; qu'il n'y en avait aucune qui ne lui fût venue dans l'esprit ; que sa première pensée avait été d'exiger une promesse par écrit du chapitre, des curés, de la Sorbonne, qui s'engageassent à ne me plus reconnaître, en cas que je refusasse de la ratifier lorsque je serais en liberté ; que la seconde avait été de me faire mener au Louvre, d'y assembler tous les corps ecclésiastiques de la ville, de m'obliger à donner ma parole au Roi en leur présence. Enfin il n'y a sorte d'*impertinence, ajouta le premier président de laquelle il ne se soit avisé pour satisfaire sa défiance.

« Vous le voyez, par ce que je viens de vous en dire, qui ne fait pourtant pas la moitié de ce que j'en ai vu. Comme je le connais, je ne l'ai contredit sur rien. Toutes ces ridicules *visions se sont évanouies d'elles-mêmes. Celle des douze cautions, qui est à la vérité plus praticable que les autres, subsiste encore ; mais elle se dissipera comme les autres, pourvu que vous demeuriez ferme à ne la pas accepter. Je la disputerai avec opiniâtreté contre vous, vous la refuserez avec fermeté, comme croyant qu'elle vous est honteuse, et nous ferons venir le Sicilien à un autre expédient, qu'il prendra,

parce qu'il le croira très propre à vous tomber[a]. Cet expédient
est de vous confier ou à M. d'Hocquincourt ou à M. le
maréchal de La Meilleraye, jusques à ce que le Pape ait reçu
votre démission. Le Cardinal croira qu'elle est sûre, si le
Pape l'accepte ; et il est si ignorant de nos mœurs qu'il me
le disait encore hier. »

Je pris la parole en cet endroit, et je dis à Monsieur le
Premier Président que l'expédient ne valait rien, parce que
le Pape ne l'accepterait pas[1] : « Qu'importe ? me repartit-
il, c'est le pis qui nous puisse arriver ; et, pour remédier à
ce pis, il faut, quand l'on vous fera cette proposition, que
vous stipuliez que, quoi qui arrive, vous ne pourrez jamais
être remis entre les mains du Roi que sur mon billet ; et
j'en prendrai un bien signé de celui qui se chargera de votre
garde. Vous devez vous fier en moi. Mettez-vous en l'état
que je vous marque : j'ai un pressentiment que Dieu
pourvoira au reste. »

Nous discutâmes à fond la matière ; nous examinâmes
tout ce qui se pouvait imaginer sur le choix qui se devait
faire de M. d'Hocquincourt ou de M. de La Meilleraye ;
nous convînmes de tous nos faits, et il sortit de Vincennes
les larmes aux yeux, en disant à M. de Pradelle : « Je trouve
une opiniâtreté invincible : je suis au désespoir. Ce n'est
pas l'archevêché qui le tient. Il ne s'en soucie plus ; mais il
croit que son honneur est blessé par les propositions que
l'on lui fait de cautions, de garantie. Il ne se rendra jamais ;
je ne veux plus me mêler de tout ceci ; il n'y a rien à
faire. »

Pradelle, qui était bien plus à l'abbé Fouquet qu'au
Cardinal, et qui savait que l'abbé Fouquet ne voulait en
aucune manière ma liberté, lui porta en diligence ces
bonnes nouvelles, et il en reçut aussi, en même temps, la
*commission de me faire entrevoir, sans affectation, dans
les conversations qu'il avait avec moi, l'archevêché de Reims
et des *récompenses immenses, afin que, lorsque l'on m'en
proposerait de moindres, je me tinsse plus ferme et que ma
fermeté aigrît encore davantage le Mazarin. Je m'aperçus de
ce jeu avec assez de facilité, en joignant ce que je savais de
sûr par M. de Bellièvre et par mes amis et ce que j'apprenais
de différent par Pradelle et par d'Avanton, qui était mon
exempt. Celui-ci, qui était uniquement dépendant de M.

de Noailles, son capitaine, qui n'y entendait aucune *finesse et qui n'allait qu'au service du Roi, ne me grossissait rien. L'autre, dont le but était de m'empêcher d'accepter le parti que l'on me ferait, par l'espérance qu'il me ferait concevoir d'en obtenir de plus considérables, continuait à me jeter des lueurs éclatantes. Je me résolus de répondre par l'*art à l'artifice : je dis à d'Avanton que je ne concevais pas la manière d'agir de la cour ; que, quoique je fusse dans les fers, je ne les trouvais pas assez pesants pour souhaiter de les rompre par toutes voies ; qu'enfin il fallait agir avec sincérité avec tout le monde, et avec les prisonniers comme avec les autres ; que l'on me faisait, en même temps, des propositions toutes opposées ; que Monsieur le Premier Président m'offrait sept abbayes ; que M. de Pradelle me montrait des archevêchés. D'Avanton, qui, dans le vrai, ne voulait que le bien de l'affaire, ne manqua pas de rendre compte à son capitaine de mes plaintes. M. le cardinal Mazarin, qui avait pris une frayeur mortelle des curés et des confesseurs de Paris, et qui, par cette considération, brûlait d'impatience de finir, en fut outré contre Pradelle ; il l'en gourmanda au dernier point ; il soupçonna le vrai, qui était qu'il agissait par les ordres de l'abbé Fouquet ; et le *chagrin qu'il eut de voir qu'il trouvait, dans les siens mêmes, des obstacles à ses volontés, contribua beaucoup, à ce que M. de Bellièvre me dit dès le lendemain, à le faire conclure à ce que je donnasse ma démission, datée du donjon de Vincennes ; que le Roi me pourvût des sept abbayes que je vous ai nommées ; que je fusse remis entre les mains de M. le maréchal de La Meilleraye, pour être gardé par lui dans le château de Nantes, et pour être remis en liberté aussitôt qu'il aurait plu à Sa Sainteté d'accepter ma démission ; que, quoi qu'il pût arriver de cette démission, je ne pourrais jamais être remis entre les mains de Sa Majesté, qu'après que M. le premier président de Bellièvre aurait écrit de sa main à M. le maréchal de La Meilleraye qu'il l'agréait ; et que, pour plus grande sûreté de cette dernière clause, le Roi signerait de sa main un papier par lequel il permettrait à M. le maréchal de La Meilleraye de donner cette promesse par écrit à M. le premier président de Bellièvre [1]. Tout cela fut exécuté, et, le lundi saint, l'un et l'autre me vinrent prendre à Vincennes et ils me menèrent ensemble, dans un carrosse du Roi, jusques au Port-à-l'Anglais.

Comme le maréchal était tout estropié de la goutte, il ne put monter jusques à ma chambre, ce qui donna le temps à M. de Bellièvre, qui m'y vint prendre, de me dire, en descendant les degrés, que je me gardasse bien de donner une parole que l'on m'allait demander. Le maréchal, que je trouvai au bas de l'escalier, me la demanda effectivement, de ne me point sauver. Je lui répondis que les prisonniers de guerre donnaient des paroles, mais que je n'avais jamais ouï dire que l'on en exigeât des prisonniers d'Etat. Le maréchal se mit en colère et il me dit nettement qu'il ne se chargerait donc pas de ma personne. M. de Bellièvre, qui n'avait pas pu, devant mon exempt, devant Pradelle et devant mes gardes, s'expliquer avec moi du détail, prit la parole, et il dit : « Vous ne vous entendez pas ; Monsieur le Cardinal ne refuse pas de vous donner sa parole, si vous voulez vous y fier absolument et ne lui donner auprès de lui aucune garde ; mais, si vous le gardez, Monsieur, à quoi vous servirait cette parole ? car tout homme que l'on garde en est quitte [1]. »

Le premier président jouait à jeu sûr, car il savait que la Reine avait fait promettre au maréchal qu'il me ferait toujours garder à vue. Il regarda M. de Bellièvre, et il lui dit : « Vous savez si je puis faire ce que vous me proposez ; allons, continua-t-il en se tournant vers moi, il faut donc que je vous garde, mais ce sera d'une manière de laquelle vous ne vous plaindrez jamais. »

Nous sortîmes ainsi, escortés des gendarmes, des chevau-légers et des mousquetaires du Roi ; et les gardes de M. le cardinal Mazarin, qui, à mon opinion, n'eussent pas dû être de ce cortège, y parurent même avec éclat.

Nous quittâmes le premier président au Port-à-l'Anglais, et nous continuâmes notre route jusques à Beaugency, où nous nous embarquâmes après avoir changé d'escorte. La cavalerie retourna à Paris ; et Pradelle, qui avait pour enseigne Morel, qui est présentement, ce me semble, à Madame, se mit dans notre bateau, avec une compagnie du régiment des gardes, qui suivait dans une autre. L'exempt, les gardes du corps, la compagnie du régiment me quittèrent le lendemain que je fus arrivé à Nantes, et je demeurai purement à la garde de M. le maréchal de La Meilleraye, qui me tint parole, car l'on ne pouvait rien ajouter à la civilité avec laquelle il me garda. Tout le monde me voyait ; l'on me cherchait même tous les divertissements possibles ; j'avais presque tous les soirs la comédie. Toutes les dames de la ville s'y trouvaient ; elles y soupaient souvent.

Mme de La Vergne, qui avait épousé en secondes noces M. le chevalier de Sévigné, et qui demeurait en Anjou, avec son mari, m'y vint voir et y amena Mlle de La Vergne, sa fille, qui est présentement Mme de Lafayette. Elle était fort jolie et fort aimable, et elle avait, de plus, beaucoup d'air de Mme de Lesdiguières. Elle me plut beaucoup ; la vérité est que je ne lui plus guère, soit qu'elle n'eût pas d'inclination pour moi, soit que la défiance que sa mère et son beau-père lui avaient donnée, dès Paris, même avec application, de mes inconstances et de mes différentes amours, la missent en garde contre moi. Je me consolai de sa cruauté avec la facilité qui m'était assez naturelle ; et la liberté que M. le maréchal de La Meilleraye me laissait avec les dames de la ville, qui était à la vérité très entière, m'était d'un fort grand soulagement. Ce n'est pas que l'exactitude de la garde ne fût égale à l'*honnêteté. L'on ne me perdait jamais de vue que quand j'étais retiré dans ma chambre ; et l'unique porte qui était à cette chambre était gardée par six gardes, jour et nuit. Il n'y avait qu'une fenêtre très haute, qui répondait de plus dans la cour, dans laquelle il y avait toujours un grand corps de garde, et celui qui m'accompagnait toutes les fois que je sortais, composé de ces six hommes dont j'ai parlé ci-dessus, se postait sur la terrasse d'une tour dont il me voyait quand je me promenais dans un petit jardin, qui est sur une manière de bastion ou de *ravelin qui répond sur l'eau. M. de Brissac, qui se trouva dans le château de Nantes, à la descente du carrosse, et MM. de Caumartin, Hacqueville, abbés de Pontcarré et Amelot, qui y vinrent bientôt après, furent plus étonnés de l'exactitude de la garde, qu'ils ne furent satisfaits de la civilité, quoiqu'elle fût très grande. Je vous confesse que j'en fus moi-même fort embarrassé, particulièrement quand j'appris, par un courrier de l'abbé Charrier, que le Pape ne voulait point agréer ma démission : ce qui me fâcha beaucoup, parce que l'agrément du Pape ne l'eût pas validée, et m'eût toutefois donné ma liberté. Je dépêchai en diligence à Rome Malclerc, qui a l'honneur d'être connu de vous, et je le chargeai d'une lettre par laquelle j'expliquais au Pape mes véritables intérêts ; je donnai de plus une instruction très ample à Malclerc, par laquelle je lui marquais tous les expédients de concilier la dignité du Saint-Siège avec l'acceptation de cette démission. Rien ne put persuader Sa Sainteté, elle demeura inflexible. Elle crut qu'il y allait trop de sa réputation de consentir, même pour un instant, à une violence aussi injurieuse à toute l'Eglise, et elle dit ces propres paroles à l'abbé Charrier et à Malclerc, qui la pressaient les larmes aux yeux : « Je sais bien que mon agrément ne validerait pas une démission qui a été extorquée par la force : mais je sais bien aussi qu'il me déshonorerait, quand l'on dirait que je l'ai donné à une démission qui est datée d'une prison. »

Vous croyez aisément que cette disposition du Pape m'obligeait à de sérieuses réflexions, qui furent même, dans la suite, encore plus éveillées par celles du maréchal de La Meilleraye. Il était de tous les hommes le plus bas à la cour, et la *nourriture qu'il avait prise à celle de M. le cardinal de Richelieu avait fait de si fortes impressions dans son esprit, que, bien qu'il eût beaucoup d'aversion pour la personne de M. le cardinal Mazarin, il tremblait dès qu'il entendait nommer son nom. Je ne fus pas deux jours entre ses mains, que je ne m'aperçusse de cet esprit de servitude, et qu'il ne s'aperçût lui-même qu'il s'était engagé dans une affaire qui [se] pourrait rendre difficile dans l'événement. Ses frayeurs redoublèrent à la première nouvelle qu'il eut que l'on *incidentait à Rome. Il m'en parut ému au-delà de ce que la bienséance même l'eût pu permettre. Quand le Cardinal lui eut mandé qu'il savait de science certaine que la difficulté que faisait le Pape venait de moi, il ne se put plus contenir ; il m'en fit des reproches, et, au lieu de recevoir mes raisons, qui étaient fondées sur la pure et simple vérité, il *affecta de croire, ou plutôt de vouloir croire, que je la lui déguisais. Je me le tins pour dit, et je ne doutai plus qu'il ne se préparât des prétextes pour me rendre à la cour, quand il lui conviendrait de le faire. Cette conduite est ordinaire à tous ceux qui ont plus d'artifice que de jugement ; mais elle n'est pas sûre à ceux qui ont plus d'impétuosité que de bonne foi. J'en fis faire l'expérience au maréchal, car je le fis expliquer ses intentions en l'échauffant insensiblement : il se trahit soi-même, en me les découvrant avec beaucoup d'imprudence, en présence de tout ce qui était avec nous dans la cour du château. Il me lut une lettre, par laquelle l'on lui écrivait que l'on avait donné avis à la cour que je promettais à Monsieur, qui était à Blois, de lui ménager M. le maréchal de La Meilleraye, et au point que je ne désespérais pas qu'il ne lui donnât retraite au Port-Louis[1]. Je lui dis qu'il aurait tous les jours de ces tire-laisses[2], et que la cour, qui n'avait songé qu'à apaiser Paris en m'en éloignant, ne songeait plus qu'à me tirer de ses mains par ses artifices. Il se tourna de mon côté comme un possédé, et il me dit d'une voix haute et animée : « En un mot, Monsieur, je veux bien que vous sachiez que je ne ferai pas la guerre au Roi pour vous. Je tiendrai fidèlement ma parole ; mais aussi faudra-t-il que Monsieur le Premier Président tienne celle qu'il a donnée au Roi. » Je joignis à ces sentences un petit voyage de quinze jours qu'il fit, deux jours après, au Port-Louis, et l'*affectation qu'il eut d'envoyer à La Meilleraye madame sa femme, qui n'était revenue de Paris que huit ou dix jours auparavant, et je me résolus de penser tout de bon à me sauver.

Monsieur le Premier Président, à qui la cour avait déjà fait une manière [de] tentative, m'en pressait, et Montrésor me fit donner un petit billet, par le moyen d'une dame de Nantes : « Vous devez être conduit à Brest, dans la fin du mois, si vous ne vous sauvez. » La chose était très difficile. Le préalable fut d'*amuser le maréchal en lui faisant croire, aussitôt qu'il fut revenu du Port-Louis, que Rome commençait à s'adoucir ; et Joly lui faisait voir des déchiffrements[3] qui paraissaient fort naturels. Je connus encore en cette occasion que les gens les plus défiants sont souvent les plus dupes. Je m'ouvris ensuite à M. de Brissac, qui faisait de temps en temps des voyages à Nantes, et qui me promit de me servir. Comme il avait un fort grand équipage, il marchait toujours avec beaucoup de mulets, et l'on lui faisait la guerre qu'il en avait presque autant pour sa garde-robe que le Roi. Cette quantité de coffres me donna la pensée qu'il ne serait pas impossible que je me fourrasse dans l'un de ces bahuts. L'on le fit faire exprès un peu plus grand qu'à l'ordinaire. L'on fit un trou par le dessous, afin que je pusse respirer. Je l'essayai même, et il me parut que ce moyen était praticable, et d'autant plus aisé qu'il était simple et qu'il n'était pas même nécessaire de le communiquer à beaucoup de gens. M. de Brissac l'avait extrêmement approuvé ; il fit un voyage de trois ou quatre jours à Machecoul, qui le changea absolument. Il s'ouvrit de ce projet à Mme de Rais et à monsieur son beau-père ; ils l'en dissuadèrent : celle-là, à mon avis, par la haine qu'elle avait pour moi, et celui-ci par son tour d'esprit naturel, qui, nonobstant beaucoup de parties qu'il avait d'un très grand seigneur, allait toujours au mal. M. de Brissac revint donc à Nantes convaincu, à ce qu'il disait, que j'étoufferais dans ce bahut, et touché, à la vérité, du scrupule que l'on lui avait donné que, si il faisait une action de cette nature, il violerait trop ouvertement le droit d'hospitalité. Je n'oubliai rien pour lui persuader qu'il violerait aussi beaucoup celui de l'amitié, si il me laissait transférer à Brest, m'en pouvant empêcher. Il en convint, et il me donna parole et qu'il n'irait plus à Machecoul et qu'il me servirait pour ma liberté en tout ce qui ne regarderait pas le dedans du château. Nous prîmes toutes nos mesures sur un plan que je me fis à moi-même, aussitôt que le premier m'eut manqué.

Je vous ai déjà dit que je m'allais quelquefois promener sur une manière de *ravelin, qui répond sur la rivière de Loire ; et j'avais observé que, comme nous étions au mois d'août, la rivière ne battait pas contre la muraille et laissait un petit espace de terre entre elle et le bastion. J'avais aussi remarqué qu'entre le jardin qui était sur ce bastion et la terrasse sur laquelle mes gardes demeuraient quand je me promenais, il y avait une porte que Chalusset y avait fait mettre pour empêcher les soldats d'y aller manger son verjus. Je formai sur ces observations mon dessein, qui fut de tirer, sans faire semblant de rien, cette porte après moi, qui, étant à jour par des treillis, n'empêcherait pas les gardes de me voir, mais qui les empêcherait au moins de pouvoir venir à moi ; de me faire descendre par une corde que mon médecin et l'abbé Rousseau, frère de mon intendant, me tiendraient, et de faire trouver des chevaux au bas du ravelin et pour moi et pour quatre gentilshommes que je faisais *état de mener avec moi. Ce projet était d'une exécution très difficile.

Il ne se pouvait exécuter qu'en plein jour, entre deux sentinelles qui n'étaient qu'à trente pas l'une de l'autre, à la portée du demi-pistolet de mes six gardes[1], qui me pouvaient tirer à travers des barreaux de la porte. Il fallait que les quatre gentilshommes qui devaient venir avec moi et favoriser mon évasion fussent bien *justes à se trouver au bas du ravelin, parce que leur apparition pouvait aisément donner de l'ombrage. Je ne me pouvais pas passer d'un moindre nombre, parce que j'étais obligé de passer par une place qui est toute proche et qui était le promenoir ordinaire des gardes du maréchal. Si mon dessein n'eût été que de sortir de prison, il eût suffi d'avoir les égards nécessaires à tout ce que je viens de vous marquer ; mais, comme il s'étendait plus loin, et que j'avais formé celui d'aller droit à Paris et d'y paraître publiquement, j'avais encore d'autres précautions à observer, qui étaient, sans comparaison, plus difficiles. Il fallait que je passasse, en diligence, de Nantes à Paris, si je ne voulais être arrêté par les chemins, où les courriers du maréchal de La Meilleraye ne manqueraient pas de donner l'alarme ; il fallait que je prisse mes mesures à Paris même, où il m'était aussi important que mes amis fussent avertis de ma marche, qu'il me l'était que les autres n'en fussent point informés. Voilà bien des *cordes, dont la moindre qui eût manqué eût *déconcerté la machine. Je vous rendrai compte de leur effet après que j'aurai fait une réflexion qui me paraît nécessaire en cet endroit.

Il me semble que je vous ai déjà dit ailleurs que tout ce qui est fort extraordinaire ne paraît possible, à ceux qui ne sont capables que de l'ordinaire, qu'après qu'il est arrivé. Je l'ai observé cent et cent fois ; et je suis trompé si Longinus, ce fameux chancelier de la reine Zénobie, ne l'a remarqué *devant moi. J'ai une réminiscence obscure que je l'ai lu dans son divin ouvrage : *De Sublimi genere*[2]. Il n'y eût rien eu de plus extraordinaire, dans notre siècle, que le succès d'une évasion comme la mienne, si elle se fût terminé à me rendre maître de la capitale du royaume en brisant mes fers. Je ne me dus pas cette pensée : ce fut Caumartin qui me la donna. Je l'embrassai avec ardeur ; et ce qui me fait croire qu'elle n'était ni extravagante ni impraticable fut et que M. le premier président de Bellièvre, qui avait un intérêt considérable qu'elle ne s'entreprît pas sans qu'il y eût espérance d'y réussir, l'approuva, et qu'aussitôt que Monsieur le Chancelier et Servien, qui étaient à Paris, surent que j'y marchais, ils ne pensèrent tous deux qu'à me quitter la place et à s'enfuir. Ce fut le premier mot que Servien, qui n'était pas *timide, proféra, quand il reçut la lettre de M. le maréchal de La Meilleraye. Joignez à cela le *Te Deum* qui fut chanté dans Notre-Dame pour ma liberté, et les feux de joie qui furent faits en beaucoup de quartiers de la ville, quoique l'on ne me vît pas, et jugez de l'effet que j'avais lieu d'espérer de ma présence.

En voilà assez pour répondre à ceux qui m'ont blâmé de mon entreprise, et je les supplie seulement de s'examiner bien eux-mêmes et de se demander, dans leur *intérieur, si ils eussent cru que la déclaration que je fis en plein Parlement contre M. le cardinal Mazarin, le lendemain de la bataille de Rethel eût réussi comme elle fit, si l'on la leur eût proposée un quart d'heure devant qu'elle réussît[1]. Je suis persuadé que presque tout ce qui s'est entrepris de grand est de cette espèce ; je le suis, de plus, qu'il est souvent nécessaire de le hasarder ; mais je le suis encore qu'il était judicieux, dans l'occasion dont il s'agit, parce que le pis du pis était de faire une action de grand éclat, que j'eusse *poussée, si j'y eusse trouvé lieu, et à laquelle j'eusse donné un air de modération et de sagesse, si le terrain ne m'eût pas paru aussi ferme que je me l'étais imaginé ; car mon projet était de n'entrer à Paris qu'avec toutes les apparences d'un esprit de paix, de déclarer, et au Parlement et à l'Hôtel de Ville, que je n'y allais que pour prendre possession de mon archevêché ; de prendre effectivement cette possession dans mon église ; de voir ce que ces spectacles produiraient dans l'esprit d'un peuple échauffé par l'état des choses ; car Arras était assiégé par Monsieur le Prince[2]. Le Roi, qui m'eût vu dans Paris, n'eût pas apparemment fait attaquer les lignes comme il fit ; les serviteurs de Monsieur le Prince, qui étaient en bon nombre dans la ville, se seraient certainement joints à mes amis ; la fuite de Monsieur le Chancelier et de M. Servien aurait fait perdre cœur aux mazarins ; la collusion de M. le premier président de Bellièvre m'aurait été d'un avantage signalé. M. Nicolaï, premier président de la Chambre des comptes, a dit depuis que, comme il n'y avait pas eu contre moi une seule ombre de formalité observée, sa compagnie n'aurait pas hésité un moment à faire à l'égard de ma possession tout ce qui dépendait d'elle. J'aurais connu, en faisant ces premières démarches, jusques où j'aurais dû et pu porter les secondes. Si, comme je l'ai dit ci-dessus, j'eusse rencontré le chemin plus embarrassé que je ne l'aurais cru, je n'avais qu'à faire un pas en arrière, à traiter l'affaire purement en ecclésiastique et me retirer, après ma prise de possession, à Mézières, où deux cents chevaux m'eussent passé avec toute sorte de facilité, toutes les troupes du Roi étant éloignées. Le vicomte de Lamet était dedans, et Noirmoutier même, quoique accommodé sous main à la cour, comme vous avez vu ci-devant, eût été obligé de garder de grandes mesures avec moi, et pour ne se pas déshonorer tout à fait dans le monde, et pour la considération même de son intérêt particulier, parce que Charleville et le Mont-Olympe ne sont que comme un rien sans Mézières. Il avait, de plus, en quelque façon, renoué avec moi, depuis que j'étais sorti de Vincennes ; et, comme il croyait que j'aurais au premier jour ma liberté, il avait pris cet instant pour se raccommoder avec moi et pour m'envoyer Branchecour, capitaine d'infanterie dans la garnison de Mézières. Il m'apporta une lettre signée de lui et du vicomte de Lamet ; et ils m'écrivaient tous deux comme étant et ayant toujours été dans mes intérêts, et y voulant vivre et mourir. Un billet séparé du vicomte me marquait que M. le duc de Noirmoutier *affectait de faire le zélé pour moi plus que jamais, pour couvrir le passé par un éclat qui, en l'état où étaient les choses, ne le pouvait plus, au moins selon son opinion, *commettre avec la cour. Comme Mézières n'est pas considérable sans Charleville et sans le Mont-Olympe, je n'y eusse pu rien faire de grand, dans la défiance où j'étais de Noirmoutier ; mais j'y eusse toujours trouvé de quoi me retirer ; et c'était justement ce dont j'avais le plus de besoin, dans l'occasion de laquelle je vous parle. Tout ce plan fut renversé en un moment, quoique aucune des machines sur lesquelles il était bâti n'eût manqué.

Je me sauvai un samedi 8 d'août, à cinq heures du soir ; la porte du petit jardin se referma après moi presque naturellement ; je descendis, un bâton entre les jambes, très heureusement, du bastion, qui avait quarante pieds de haut. Un valet de chambre qui est encore à moi, qui s'appelle

Fromentin, *amusa mes gardes en les faisant boire. Ils s'amusaient eux-mêmes à regarder un jacobin qui se baignait et qui, de plus, se noyait. La sentinelle, qui était à vingt pas de moi, mais en lieu d'où elle ne pouvait pourtant me joindre, n'osa me tirer, parce que, lorsque je lui vis *compasser sa mèche, je lui criai que je le ferais pendre s'il tirait, et il avoua, à la question, qu'il crut, sur cette menace, que le maréchal était de concert avec moi. Deux petits pages qui se baignaient, et qui, me voyant suspendu à la corde, crièrent que je me sauvais, ne furent pas écoutés, parce que tout le monde s'imagina qu'ils appelaient les gens au secours du jacobin qui se baignait. Mes quatre gentilshommes se trouvent[a] à point nommé au bas du *ravelin, où ils avaient fait semblant de faire abreuver leurs chevaux, comme si ils eussent voulu aller à la chasse. Je fus à cheval moi-même devant qu'il y eût eu seulement la moindre alarme, et, comme j'avais quarante-deux relais posés entre Nantes et Paris, j'y serais arrivé infailliblement le mardi à la pointe du jour, sans un accident que je puis dire avoir été le fatal et le décisif du reste de ma vie. Je vous en rendrai compte après que je vous aurai parlé d'une circonstance qui est importante, en ce qu'elle marque le peu de confiance que l'on doit prendre aux chiffres.

J'en avais un avec Madame la Palatine, que nous appelions l'*indéchiffrable,* parce qu'il nous avait toujours paru que l'on ne le pouvait pénétrer qu'en sachant le mot dont l'on serait convenu. Nous y avions une confiance si abandonnée, que nous n'avions jamais douté d'écrire familièrement, par les courriers ordinaires, nos secrets les plus importants et les plus cachés. Ce fut par ce chiffre que j'écrivis à Monsieur le Premier Président que je me sauverais le 8 d'août ; ce fut par ce chiffre que Monsieur le Premier Président me manda que je me sauvasse à toute risque ; ce fut par ce chiffre que je donnai les ordres nécessaires pour régler et pour placer mes relais ; ce fut par ce chiffre que nous convînmes, Annery, Laillevaux et moi, du lieu où la noblesse du Vexin me devait joindre pour entrer avec moi dans Paris. Monsieur le Prince, qui avait un des meilleurs déchiffreurs du monde, qui s'appelait, ce me semble, Martin, me tint ce chiffre six semaines à Bruxelles, et il me le rendit, en m'avouant que ce Martin lui avait confessé qu'il était indéchiffrable. Voilà de grandes preuves pour la qualité d'un chiffre. Il fut *dégradé, quelque temps après, par Joly, qui, quoique non déchiffreur de profession, en trouva la clef en *rêvant, et me l'apporta à Utrecht, où j'étais pour lors. Pardonnez-moi, je vous supplie, cette petite digression, qui peut ne pas être inutile. Je reprends le fil de ma narration.

Aussitôt que je fus à cheval, je pris la route de Mauves[a], qui est, si je ne me trompe, à cinq lieues de Nantes, sur la rivière, et où nous étions convenus que M. de Brissac et M. le chevalier de Sévigné m'attendraient avec un bateau pour la passer. La Ralde, écuyer de M. le duc de Brissac, qui marchait devant moi, me dit qu'il fallait galoper d'abord pour ne pas donner le temps aux gardes du maréchal de fermer la porte d'une petite rue du faubourg où était leur quartier, et par laquelle il fallait nécessairement passer. J'avais un des meilleurs chevaux du monde, et qui avait coûté mille écus à M. de Brissac. Je ne lui abandonnai pas toutefois la *main, parce que le pavé était très mauvais et très glissant ; mais un gentilhomme à moi, qui s'appelait Boisguérin, m'ayant crié de mettre le pistolet à la main, parce qu'il voyait deux gardes du maréchal, qui ne songeaient pourtant pas à nous, je l'y mis effectivement ; et en le présentant à la tête de celui de ces gardes qui était le plus près de moi, pour l'empêcher de se saisir de la bride de mon cheval, le soleil, qui était encore haut, donna dans la *platine ; la réverbération fit peur à mon cheval, qui était vif et vigoureux ; il fit un grand soubresaut, et il retomba des quatre pieds. J'en fus quitte pour l'épaule gauche qui se rompit contre la borne d'une porte. Un gentilhomme à moi, appelé Beauchesne, me releva ; il me remit à cheval ; et, quoique je souffrisse des douleurs effroyables et que je fusse obligé de me tirer les cheveux, de temps en temps, pour m'empêcher de m'évanouir, j'achevai ma course de cinq lieues devant que Monsieur le Grand Maître, qui me suivait à toute bride avec tous les cocus de Nantes, au moins si l'on en veut croire la chanson de Marigny[1], m'eût pu joindre. Je trouvai au lieu destiné M. de Brissac et M. le chevalier de Sévigné, avec le bateau. Je m'évanouis en y entrant. L'on me fit revenir en me jetant un verre d'eau sur le visage. Je voulus remonter à cheval quand nous eûmes passé la rivière ; mais les forces me manquèrent, et M. de

Brissac fut obligé de me faire mettre dans une fort grosse
meule de foin, où il me laissa avec un gentilhomme à moi
appelé Montet, qui me tenait entre ses bras. Il emmena
avec lui Joly, qui, seul avec Montet, m'avait pu suivre, les
chevaux des trois autres ayant manqué ; et il tira droit à
Beaupréau, en dessein d'y assembler la noblesse pour me
venir tirer de ma meule de foin.

Cependant qu'elle se mettra en état de cela, je me sens
obligé de vous raconter deux ou trois actions particulières de
mes pauvres *domestiques, qui ne méritent pas d'être
oubliées. Paris, docteur de Navarre[1], qui avait donné le
signal, avec son chapeau, aux quatre gentilshommes qui me
servirent en cette occasion, fut trouvé sur le bord de l'eau
par Coulon, écuyer du maréchal, qui le prit, en lui donnant
même quelques *gourmades. Le docteur ne perdit point le
jugement, et il dit à Coulon, d'un ton niais et normand :
« Je le dirai à Monsieur le Maréchal que vous vous *amusez
à battre un pauvre prêtre, parce que vous n'osez vous
prendre à Monsieur le Cardinal, qui a de bons pistolets à
l'arçon de sa selle. » Coulon prit cela pour bon, et il lui
demanda où j'étais. « Ne le voyez-vous pas, répondit le
docteur, qui entre dans ce village ? » Vous remarquerez, s'il
vous plaît, qu'il m'avait vu passer l'eau. Il se sauva ainsi, et
il faut avouer que cette présence d'esprit n'est pas commune.
En voici une de cœur qui n'est pas moindre. Celui pour qui
le docteur me voulut faire passer, quand il dit à Coulon
que j'entrais dans un village qu'il lui montrait, était ce
Beauchesne dont je vous ai parlé ci-dessus, dont le cheval
était outré, et qui n'avait pu me suivre. Coulon, le prenant
pour moi, courut à lui, et, comme il se voyait soutenu par
beaucoup de cavaliers qui étaient près de le joindre, il
l'aborda le pistolet à la main. Beauchesne l'arrêta sur *cul
en la même posture, et il eut la fermeté de s'apercevoir,
dans cet instant, qu'il y avait un bateau à dix ou douze pas
de lui. Il se jeta dedans, et cependant qu'il arrêtait Coulon,
en lui montrant un de ses pistolets, il mit l'autre à la tête
du batelier et le força de passer la rivière. Sa résolution ne
le sauva pas seulement, mais elle contribua à me faire sauver
moi-même, parce que le Grand Maître, ne trouvant plus ce
bateau, fut obligé d'aller passer l'eau beaucoup plus bas.

Voici une autre action, qui n'est pas de même espèce,

mais qui servit encore davantage à ma liberté. Je vous ai déjà dit qu'aussitôt que l'abbé Charrier m'eut mandé que le Pape refusait d'admettre ma démission, je dépêchai Malclerc pour en solliciter l'agrément. La cour lui joignit Gaumont, qui portait l'original de cette démission à M. le cardinal d'Est, avec ordre de la *solliciter, parce qu'il n'y avait plus d'ambassadeur de France à Rome. Gaumont s'étant trouvé fatigué à Lyon et y ayant pris la résolution de s'aller embarquer à Marseille, Malclerc continua dans celle de prendre la route des montagnes ; et, comme elle est la plus courte, Gaumont jugea à propos de lui remettre le paquet adressé à M. le cardinal d'Est. Sa simplicité fut grande, comme vous voyez, et il n'avait pas étudié, de plus, la maxime que j'ai toujours pratiquée, et que j'ai toujours enseignée à mes gens : de ne jamais compter, dans les grandes affaires, la fatigue, le péril et la dépense pour quelque chose. Il s'en trouva mal en ce rencontre. L'original de la démission ne se trouva plus dans le paquet, qui se retrouva toutefois très bien fermé. Quand Gaumont s'en plaignit, Malclerc, qui était d'ailleurs plus brave que lui, se plaignit de lui-même de son *méchant artifice. Ce *contretemps donna lieu au Pape de laisser en doute le cardinal d'Est, si l'inaction de Rome procédait ou de la mauvaise volonté de Sa Sainteté envers la cour, ou du défaut de l'original de la démission. Malclerc avait ordre de supplier le Pape, en mon nom, en cas qu'il ne la voulût pas admettre, d'*amuser le tapis afin de me donner le temps de me sauver. Il lui en donna de plus, comme vous voyez, un beau prétexte. Le cardinal d'Est, qui fut *amusé lui-même, *amusa aussi lui-même le Mazarin. Les instances de celui-ci vers le maréchal, pour me remettre entre les mains du Roi, en furent moins fréquentes et moins vives, et j'eus la satisfaction de devoir au zèle et à l'esprit de deux de mes gens (car l'abbé Charrier eut aussi part à cette intrigue) le temps, que j'eus, par ce moyen, tout entier, de songer et de pourvoir à ma liberté. Je reviens à ma meule de foin.

J'y demeurai caché plus de sept heures, avec une incommodité que je ne puis vous exprimer. J'avais l'épaule rompue et démise ; j'y avais une contusion terrible ; la fièvre me prit sur les neuf heures du soir ; l'altération qu'elle me donnait était encore cruellement augmentée par la chaleur du foin nouveau. Quoique je fusse sur le bord de la rivière, je n'osais boire, parce que, si nous fussions sortis de la meule, Montet et moi, nous n'eussions eu personne pour raccommoder le foin qui eût paru remué et qui eût donné lieu, par conséquent, à ceux qui couraient après moi d'y fouiller. Nous n'entendions que des cavaliers qui passaient à droit et à gauche. Nous reconnûmes même Coulon à sa voix. L'incommodité de la soif est incroyable et inconcevable à qui ne l'a pas éprouvée. M. de La Poise-Saint-Offanges, homme de qualité du pays, que M. de Brissac avait averti en passant chez lui, vint, sur les deux heures après minuit, me prendre dans cette meule de foin, après qu'il eut remarqué qu'il n'y avait plus de cavalerie aux environs. Il me mit sur une civière à fumier, et il me fit porter par deux paysans dans la grange d'une maison qui était à lui, à une lieue de là. Il m'y ensevelit encore dans le foin ; mais, comme j'y avais de quoi boire, je m'y trouvais même délicieusement.

M. et Mme de Brissac m'y vinrent prendre au bout de sept ou huit heures, avec quinze ou vingt chevaux, et ils me menèrent à Beaupréau, où je trouvai l'abbé de Bélesbat qui les y était venu voir, et où je ne demeurai qu'une nuit, et jusques à ce que la noblesse fût assemblée. M. de Brissac était fort aimé dans tout le pays ; il mit ensemble, dans ce peu de temps, plus de deux cents gentilshommes. M. de Rais qui l'était encore plus dans son quartier, le joignit, à quatre lieues de là, avec trois cents. Nous passâmes presque à la vue de Nantes, d'où quelques gardes du maréchal sortirent pour escarmoucher. Ils furent repoussés vigoureusement, jusque dans la *barrière, et nous arrivâmes à Machecoul, qui est dans le pays de Rais, avec toute sorte de sûreté. Je ne manquai pas, dans ce bonheur, de chagrins domestiques. Mme de Brissac, qui s'était portée en héroïne dans tout le cours de cette action, me dit, en me quittant et en me donnant une bouteille d'eau *impériale : « Il n'y a que votre malheur qui m'ait empêchée d'y mettre du poison. » Elle se prenait à moi de la perfidie que M. de Noirmoutier m'avait faite sur son sujet, et de laquelle je vous ai parlé dans le second volume [1]. Mais il est impossible que vous conceviez combien je fus touché de cette parole, et je sentis, au-delà de tout ce que je vous en puis exprimer, qu'un cœur bien tourné est sensible, jusques à l'excès de la faiblesse, aux plaintes d'une personne à laquelle il croit être obligé.

Je ne le fus pas, à beaucoup près tant, à la dureté de Mme de Rais et de monsieur son père. Ils ne purent s'empêcher de me témoigner leur mauvaise volonté, dès que je fus arrivé. Celle-là se plaignit de ce que je ne lui avais pas confié mon secret, quoiqu'elle ne fût partie de Nantes que la veille que je me sauvai. Celui-ci pesta assez ouvertement contre l'opiniâtreté que j'avais à ne me pas soumettre aux volontés du Roi, et il n'oublia rien pour persuader à M. de Brissac de me porter à envoyer à la cour la ratification de ma démission[1]. La vérité est que l'un et l'autre mouraient de peur du maréchal de La Meilleraye, qui, enragé qu'il était et de mon évasion et encore plus de ce qu'il avait été abandonné de toute la noblesse, menaçait de mettre tout le pays de Rais à feu et à sang. Leur frayeur alla jusques au point que de s'imaginer ou de vouloir faire croire que mon mal n'était que délicatesse, qu'il n'y avait rien de démis, et que j'en serais quitte pour une contusion. Le chirurgien *affidé de M. de Rais le disait à qui le voulait entendre, et qu'il était bien rude que j'exposasse, pour une délicatesse, toute ma maison, qui allait être investie au premier jour dans Machecoul. J'étais cependant dans mon lit, où je sentais des douleurs incroyables et où je ne pouvais pas seulement me tourner[2]. Tous ces discours m'impatientèrent au point que je pris la résolution de quitter ces gens-là et de me jeter dans Belle-Ile, où je pouvais au moins me faire transporter par mer. Le trajet était fort délicat, parce que M. le maréchal de La Meilleraye avait fait prendre les armes à toute la côte. Je ne laissai pas de le hasarder.

Je m'embarquai au port de La Roche, qui n'est qu'à une petite demi-lieue de Machecoul, sur une chaloupe que La Gisclaie, capitaine de vaisseau et bon homme de mer, voulut piloter lui-même. Le temps nous obligea de mouiller au Croisic, où nous courûmes fortune d'être découverts par une chaloupe qui nous vint reconnaître la nuit. La Gisclaie, qui savait la langue et les pays, s'en démêla fort bien. Nous nous remîmes à la voile le lendemain à la pointe du jour, et nous découvrîmes, quelque temps après, une barque longue de Biscaïens qui nous donnèrent chasse[3]. Nous la prîmes, à la *considération de M. de Brissac, qui n'eût pas pris plaisir d'être mené en Espagne, parce qu'il ne se sauvait pas de prison comme moi, et que l'on eût pu, par conséquent, lui tourner à crime ce voyage. Comme la barque longue faisait force de *vent sur nous et que même elle nous le gagnait, nous crûmes que nous ne ferions que mieux de nous jeter à terre dans l'île de Rhuis[a]. La barque fit quelque mine de nous y suivre ; elle *bordeya assez longtemps à notre vue, après quoi elle reprit la mer. Nous nous y remîmes la nuit, et nous arrivâmes à Belle-Ile à la petite pointe du jour.

Je souffris tout ce que l'on peut souffrir dans ce trajet, et j'eus besoin de toute la force de ma constitution, pour défendre et pour sauver de la gangrène une contusion aussi grande que la mienne, et à laquelle je n'appliquai jamais d'autre remède que du sel et du vinaigre.

Je ne trouvai pas à Belle-Ile les mêmes *dégoûts qu'à Machecoul ; je n'y trouvai pas, dans le fond, beaucoup plus de fermeté. L'on s'imagina, au pays de Rais, que le commandeur de Neuchèze, qui était à La Rochelle, aurait ordre, au premier jour, de m'investir dans Belle-Ile. L'on y apprit que le maréchal faisait appareiller deux barques longues à Nantes. Ces avis étaient bons et véritables ; mais il s'en fallait bien qu'ils fussent si pressants que l'on les croyait. Il fallait du temps pour les rendre tels, et plus qu'il ne m'en eût fallu pour me remettre. La frayeur qui était à Machecoul inspira de l'indisposition à Belle-Ile, et je commençai à m'en apercevoir, en ce que l'on commença à croire que je n'avais pas en *effet l'épaule démise, et que la douleur que je recevais de ma contusion faisait que je m'imaginais que mon mal était plus grand qu'il ne l'était en effet. L'on ne se peut imaginer le *chagrin que l'on a de ces sortes de murmures, quand l'on sent qu'ils sont injustes. Ce qui est vrai est que ce chagrin change bientôt de nature, parce que l'on n'est pas longtemps sans s'apercevoir qu'ils ne sont que les effets ou de la frayeur ou de la lassitude. Il entrait de l'une et de l'autre dans ceux dont je vous parle en ce lieu.

Le chevalier de Sévigné, homme de cœur, mais intéressé, craignait que l'on ne lui rasât sa maison, et M. de Brissac, qui croyait avoir suffisamment réparé la paresse, plutôt que la faiblesse, qu'il avait témoignée dans le cours de ma prison, était bien aise de finir, et de ne pas exposer son repos à une agitation à laquelle l'on ne voyait plus de fin. Je n'avais pas moins d'impatience qu'eux de les voir hors d'une affaire à laquelle ils n'étaient plus engagés que pour l'amour de moi. La différence est que je ne croyais pas le péril si pressant, ni pour eux ni pour moi, que je ne pusse au moins, à mon opinion, prendre le temps et de me faire traiter et de me pourvoir d'un bâtiment raisonnable pour naviguer. Ils me voulurent persuader de passer en Hollande, sur un vaisseau de Hambourg qui était à la rade, et je ne crus pas que je dusse confier ma personne à un inconnu qui me connaissait, et qui me pouvait mener à Nantes comme en Hollande. Je leur proposai de me faire venir une frégate de corsaires de Biscaye qui était mouillée à notre vue, à la pointe de l'île, et ils appréhendèrent de se criminaliser par ce commerce avec les Espagnols. Tant fut procédé, que je m'impatientai de toutes les alarmes que l'on prenait, ou que l'on voulait prendre à tous les moments, et que je m'embarquai sur une barque de pêcheur, où il n'y avait que cinq mariniers de Belle-Ile, Joly, deux gentilshommes à moi, dont l'un s'appelait Boisguérin et l'autre Sales, et un valet de chambre que mon frère m'avait prêté. La barque était chargée de sardines, ce qui nous vint assez à propos, parce que nous n'avions que fort peu d'argent. Mon frère m'en avait envoyé ; mais l'homme qui le portait avait été arrêté par les gardes-côtes. Monsieur son beau-père n'avait pas eu l'*honnêteté de m'en offrir. M. de Brissac me prêta quatre-vingts pistoles, et celui qui commandait dans Belle-Ile, quatre[a]. Nous quittâmes nos habits ; nous prîmes de méchants haillons de quelques soldats de la garnison, et nous nous mîmes à la mer à l'entrée de la nuit, en dessein de prendre la route de Saint-Sébastien qui est dans le Guipúzcoa. Ce n'est pas qu'elle ne fût assez longue pour un bâtiment de cette nature ; car il y a de Belle-Ile à Saint-Sébastien quatre-vingts fort grandes lieues ; mais c'était le lieu le plus proche de tous ceux où je pouvais aborder avec sûreté. Nous eûmes un fort gros temps toute la nuit. Il calma à la pointe du jour, mais ce calme ne nous donna pas beaucoup de joie, parce que notre boussole, qui était unique, tomba, par je ne sais quel accident, dans la mer.

Nos mariniers, qui se trouvèrent fort *étonnés et qui

d'ailleurs étaient assez ignorants, ne savaient où ils étaient, et ne prirent de route que celle qu'un vaisseau qui nous donna la chasse nous força de courir. Ils reconnurent à son *garbe qu'il était turc et de Salé. Comme il brouilla ses *voiles sur le soir, nous jugeâmes qu'il craignait la terre, et que, par conséquent, nous n'en pouvions être loin. Les petits oiseaux, qui se venaient percher sur notre mât, nous le marquaient d'ailleurs assez. La question était quelle terre ce pouvait être, car nous craignions autant celle de France que les Turcs. Nous *bordeyâmes toute la nuit dans cette incertitude ; nous y demeurâmes tout le lendemain, et un vaisseau dont nous voulûmes nous approcher pour nous en éclaircir nous tira, pour toute réponse, trois volées de canon. Nous avions fort peu d'eau et nous appréhendions d'être chargés en cet état par un gros temps, auquel il y avait déjà quelque apparence. La nuit fut assez douce et nous aperçûmes, à la pointe du jour, une chaloupe à la mer. Nous nous en approchâmes avec beaucoup de peine, parce qu'elle appréhendait que nous ne fussions corsaires. Nous parlâmes espagnol et français à trois hommes qui étaient dedans ; ils n'entendaient ni l'une ni l'autre langue. L'un d'eux se mit à crier : *San-Sebastien*, pour nous donner à connaître qu'il en était ; nous lui montrâmes de l'argent, et nous lui répondîmes : *San-Sebastien*, pour lui faire entendre que c'était où nous voulions aller. Il se mit dans notre barque, et il nous y conduisit, ce qui lui fut aisé parce que nous n'en étions pas fort éloignés.

Nous ne fûmes pas plutôt arrivés que l'on nous demanda notre *charte-partie, qui est si nécessaire à la mer, que tout homme qui y navigue sans l'avoir est pendable, et sans autre forme de procès. Le patron de notre barque n'avait pas fait cette réflexion, croyant que je n'en avais pas de besoin. Le défaut de ce papier, joint aux *méchants habits que nous avions, obligea les gardes du port à nous dire que nous avions la mine d'être pendus le lendemain au matin. Nous leur répondîmes que nous étions connus de M. le baron de Vateville, qui commandait pour le roi d'Espagne dans le Guipúzcoa. Ce mot fit [que] l'on nous mit dans une hôtellerie et que l'on nous donna un homme qui mena Joly à M. de Vateville, qui était au Passage, et qui d'abord jugea par ses habits tout déchirés qu'il était un imposteur. Il ne le lui témoigna pourtant pas, à tout hasard, et il vint me voir, dès le lendemain au matin, dans mon hôtellerie. Il me fit un fort grand *compliment, mais embarrassé, et d'un homme qui avait accoutumé, au poste où il était, de voir souvent des trompeurs. Ce qui commença à l'assurer fut l'arrivée de Beauchesne, que j'avais dépêché à Paris de Beaupréau, et que mes amis me renvoyèrent en diligence, aussitôt qu'ils eurent appris que je m'étais embarqué pour Saint-Sébastien. Il le trouva si bien informé des nouvelles, qu'il eut lieu de croire que ce n'était pas un courrier *supposé ; et il l'en trouva même beaucoup mieux instruit qu'il n'eût voulu, car ce fut lui qui lui apprit que l'armée de France avait forcé celle d'Espagne dans les lignes d'Arras et cet avis, que M. de Vateville fit passer en diligence à Madrid, fut le premier que l'on y eut de cette défaite [1]. Beauchesne me l'apporta avec une diligence incroyable, sur une frégate de corsaire biscaïen, qu'il trouva à la pointe de Belle-Ile et qui fut ravi de se charger de sa personne et de son passage, sachant qu'il me venait chercher à Saint-Sébastien. Mes amis me l'envoyaient pour m'exhorter à prendre le chemin de Rome, plutôt que celui de Mézières, où ils appréhendaient que je ne voulusse me jeter. Cet avis était certainement le plus sage ; il n'a pas été le plus heureux par l'événement. Je le suivis sans hésiter, quoique ce ne fût pas sans peine.

Je connaissais assez la cour de Rome pour savoir que le poste d'un réfugié et d'un suppliant n'y est pas agréable ; et mon cœur, qui était piqué au jeu contre M. le cardinal Mazarin, était plein de mouvements qui m'eussent porté, avec plus de gaieté, dans les lieux où j'eusse pu donner un champ plus libre à mes ressentiments. Je n'ignorais pas que je ne pouvais pas espérer de M. le duc de Noirmoutier tout ce qui me conviendrait peut-être dans les suites ; mais je n'ignorais pas non plus qu'étant le maître dans Mézières, comme je l'y étais, et m'y rendant en personne, il n'était pas impossible que je n'engageasse M. de Noirmoutier, qui enfin gardait les apparences avec moi, et qui même, aussitôt qu'il eut appris ma liberté, m'avait dépêché un gentilhomme, en commun avec le vicomte de Lamet, pour m'offrir retraite dans leurs places. Mes amis ne doutaient pas que je ne la trouvasse, et même très sûre, dans Mézières. Ils craignaient qu'elle ne fût pas de la même nature à Charleville, et, comme la situation de ces places fait que l'une sans l'autre n'est pas fort considérable, ils crurent que, vu la disposition de M. de Noirmoutier, je ferais mieux de ne faire aucun fondement pour ma retraite. Je répète encore ici ce que je, vous ai déjà dit, que je ne sais si il n'y eût pas [eu] [a] lieu de mieux espérer, non pas de la bonne intention de Noirmoutier, mais de l'état où il se fût trouvé lui-même. Le conseil de mes amis l'emporta sur mes vues. Ils me représentèrent que l'asile naturel d'un cardinal et d'un évêque persécuté était le Vatican ; mais il y a des temps dans lesquels il n'est pas malaisé de prévoir que ce qui devrait servir d'asile peut facilement devenir un lieu d'exil. Je le prévis et je le choisis. Quelque événement que ce choix ait eu, je ne m'en suis jamais repenti, parce qu'il eut pour principe la déférence que je rendis aux conseils de ceux à qui j'avais obligation. Je l'estimerais davantage si il avait été l'effet de ma modération, et du désir de n'employer à mon rétablissement que les voies ecclésiastiques.

Il ne tint pas aux Espagnols que je ne prisse un autre parti. Aussitôt que M. de Vateville m'eut reconnu pour le cardinal de Rais, ce qu'il fit en huit ou dix heures, et par les circonstances que je vous ai marquées et par un secrétaire bordelais qu'il avait, qui m'avait vu à Paris plusieurs fois, il me mena chez lui, dans un appartement qui était au plus haut étage, et il m'y tint si *couvert que, quoique M. le maréchal de Gramont, qui n'était qu'à trois lieues de Saint-Sébastien, eût donné avis à la cour, par un courrier exprès, que j'y étais arrivé, il fut trompé lui-même le jour suivant, au point d'en avoir dépêché un autre pour s'en dédire. Je fus trois semaines dans un lit sans me pouvoir remuer, et le chirurgien du baron de Vateville, qui était fort capable, ne voulut point entreprendre de me traiter, parce qu'il était trop tard. J'avais l'épaule absolument démise, et il me condamna à être estropié pour tout le reste de ma vie. J'envoyai Boisguérin au roi d'Espagne, auquel j'écrivis, pour le supplier de me permettre de passer par ses États pour aller à Rome. Ce gentilhomme fut reçu et de Sa Majesté Catholique et de don Louis de Haro au-delà de tout ce que je vous en puis exprimer. L'on le dépêcha dès le lendemain ; l'on lui donna une chaîne de huit cents écus ; l'on m'envoya

une litière du corps[1], et l'on m'envoya en diligence don
Cristoval de Crassembach, allemand, mais espagnolisé et
secrétaire des langues, très confident de don Louis. Il n'y a
point d'efforts que ce secrétaire ne fît pour m'obliger d'aller
à Madrid. Je m'en défendis par l'inutilité dont ce voyage
serait au service du Roi Catholique, et par l'avantage que
mes ennemis en prendraient contre moi. L'on ne comprenait
point ces raisons, qui étaient pourtant, comme vous voyez,
assez bonnes, et, comme je m'en étonnais, Vateville, qui,
en présence du secrétaire, avait été de son avis, même avec
véhémence, me dit : « Ce voyage coûterait cinquante mille
écus au roi, peut-être l'archevêché de Paris à vous : il ne
serait bon à rien ; et cependant il faut que je parle comme
l'autre, ou je serais brouillé à la cour. Nous agissons sur le
pied de Philippe II, qui avait pour maxime d'engager
toujours les étrangers par des démonstrations publiques.
Vous voyez comme nous l'appliquons : ainsi du reste. »
Cette parole est considérable, et je l'ai moi-même appliquée
depuis, plus d'une fois, en faisant réflexion sur la conduite
du conseil d'Espagne. Il m'a paru, en plus d'une occasion,
qu'il pèche autant par l'attachement trop opiniâtre qu'il a
à ses maximes générales, que l'on pèche en France par le
mépris que l'on fait et des générales et des particulières.

Quand don Cristoval vit qu'il ne me pouvait pas persuader
d'aller à Madrid, il n'oublia rien pour m'obliger à m'embarquer sur une frégate de Dunkerque, qui était à Saint-
Sébastien, et il me fit des offres immenses, en cas que je
voulusse aller en Flandres traiter avec Monsieur le Prince,
me déclarer avec Mézières, Charleville et le Mont-Olympe.
Il avait raison de me proposer ce parti, qui était en effet du
service du roi son maître. Vous avez vu celles que j'eus de
ne le pas accepter. Ce qui fut très *honnête est que tous
mes refus n'empêchèrent pas qu'il ne me fît apporter un
petit coffre de velours vert, dans lequel il y avait quarante
mille écus en pièces de quatre. Je ne crus pas les devoir
recevoir, ne faisant rien pour le service du Roi Catholique ;
je m'en excusai, sur ce titre, avec tout le respect que je
devais ; et, comme je n'avais, ni pour moi ni pour les miens,
ni linge, ni habit, et que les quatre cents écus que je tirai
de la vente de mes sardines furent presque consommés en
ce que je donnai aux gens de M. de Vateville, je le priai de

me prêter quatre cents pistoles, dont je lui fis ma promesse, et que je lui ai rendues depuis.

Après que je me fus un peu rétabli, je partis de Saint-Sébastien et je pris la route de Valence pour m'embarquer à Vinaros, où don Cristoval me promit que don Juan d'Autriche, qui était à Barcelone, m'envoirait et une frégate et une galère. Je passai, dans une litière du corps du roi d'Espagne, toute la Navarre, sous le nom de marquis de Saint-Florent, sous la conduite d'un maître d'hôtel de Vateville, qui disait que j'étais un gentilhomme de Bourgogne [1], qui allait servir le roi dans le Milanais. Comme j'arrivai à Tudele, ville assez considérable, qui est au-delà de Pampelune, je trouvai le peuple assez *ému. L'on y faisait, la nuit, des feux et des corps de garde. Les laboureurs des environs s'étaient soulevés, parce que l'on leur avait défendu la chasse. Ils étaient entrés dans la ville, ils y avaient fait beaucoup de violence, et ils y avaient même pillé quelques maisons. Un corps de garde, qui fut posé, à dix heures du soir, devant l'hôtellerie dans laquelle je logeais, commença à me donner quelque soupçon que l'on n'en eût pris de moi ; mais une litière du roi, avec les muletiers de sa *livrée, me rassurait. Je vis entrer, à minuit, un certain don Martín, dans ma chambre, avec une épée fort longue et une grande rondache [2] à la main. Il me dit qu'il était le fils du logis, et qu'il me venait avertir que le peuple était fort ému ; qu'il croyait que je fusse un Français qui fût venu pour fomenter la révolte des laboureurs ; que l'alcade ne savait lui-même ce qui en était ; qu'il était à craindre que la canaille ne prît ce prétexte pour me *piller et pour m'égorger ; et que le corps de garde même qui était devant le logis commençait à murmurer et à s'échauffer.

Je priai don Martín de leur faire voir, sans affectation, la litière du roi, de leur faire parler les muletiers, de les mettre en conversation avec don Pedro, maître d'hôtel de M. de Vateville. Il entra justement dans ma chambre à ce moment, pour me dire que c'étaient des *endemoniados* [3], qui n'entendaient ni rime ni raison, et qu'ils l'avaient menacé lui-même de le massacrer. Nous passâmes ainsi toute la nuit, ayant pour sérénades une multitude de voix confuses qui chantaient, ou qui plutôt hurlaient des chansons contre les Français. Je crus, le lendemain au matin, qu'il était à propos de faire voir à ces gens-là, par notre assurance, que nous ne nous tenions

pas pour Français ; et je voulus sortir pour aller à la messe.
Je trouvai sur le pas de la porte une sentinelle qui me fit
rentrer assez promptement, en me mettant le bout de son
mousquet dans la tête, et en me disant qu'il avait ordre de
l'alcade de me commander, de la part du roi, de me tenir
dans mon logis. J'envoyai don Martín à l'alcade pour lui
dire qui j'étais, et don Pedro y alla avec lui. Il me vint
trouver en même temps ; il quitta sa baguette[1] à la porte
de ma chambre ; il mit un genou en terre en m'abordant,
il baisa le bas de mon justaucorps ; mais il me déclara qu'il
ne pouvait me laisser sortir, qu'il n'en eût ordre du comte
de San-Estevan, vice-roi de Navarre, qui était à Pampelune.
Don Pedro y alla avec un officier de la ville, et il en
revint avec beaucoup d'excuses. L'on me donna cinquante
mousquetaires d'escorte, montés sur des ânes, qui m'accompagnèrent jusques à Cortes.

Je continuai mon chemin par l'Aragon, et j'arrivai à
Saragosse, qui est la capitale de ce royaume, grande et belle
ville. Je fus surpris, au dernier point, d'y trouver que tout
le monde parlait français dans les rues. Il y en a, en effet,
une infinité, et particulièrement d'artisans[2], qui sont plus
affectionnés à l'Espagne que les naturels du pays. Le duc de
Montéléon, Napolitain, de [la] maison de Pignatelli, vice-
roi d'Aragon, m'envoya, à trois ou quatre lieues au-devant
de moi, un gentilhomme, pour me dire qu'il y fût venu
lui-même avec toute la noblesse, si le roi son maître ne lui
eût mandé d'obéir à l'ordre contraire qu'il savait que je lui
en donnerais. Ce *compliment, fort *honnête, comme vous
voyez, fut accompagné de mille et mille *galanteries, et de
tous les *rafraîchissements imaginables, que je trouvai à
Saragosse. Permettez-moi, s'il vous plaît, de m'y arrêter un
peu, pour vous rendre compte de quelques circonstances qui
m'y parurent assez curieuses. L'on trouve, devant que
d'entrer dans la ville de ce côté-là, l'Alcázar des anciens rois
maures, qui est présentement à l'Inquisition. Il y a auprès
une allée d'arbres, dans laquelle je vis un prêtre qui se
promenait. Le gentilhomme du vice-roi me dit que ce prêtre
était le curé d'Osca, ville très ancienne en Aragon, et que
ce curé faisait la quarantaine pour avoir enterré, depuis trois
semaines, son dernier paroissien qui était effectivement le

dernier de douze mille personnes mortes de la peste dans sa paroisse [1].

Ce même gentilhomme du vice-roi me fit voir tout ce qu'il y avait de remarquable à Saragosse, toujours sous le nom de marquis de Saint-Florent. Mais il ne fit pas la réflexion que *Nouestra Sennora del Pilar* [2], qui est un des plus célèbres sanctuaires de toute l'Espagne, ne se pouvait pas voir sous ce titre. L'on ne montre jamais à découvert cette image miraculeuse qu'aux souverains et qu'aux cardinaux. Le marquis de Saint-Florent n'était ni l'un ni l'autre, de sorte que, quand l'on me vit dans le balustre [3] avec mon justaucorps de velours noir et ma *cravate, le peuple infini qui était accouru de toute la ville au son de la cloche, qui ne sonne que pour cette cérémonie, crut que j'étais le roi d'Angleterre. Il y avait, je crois, plus de deux cents carrosses de dames, qui me firent cent et cent *galanteries, auxquelles je ne répondais que comme un homme qui ne parlait pas trop bien espagnol. Cette église est belle en elle-même, mais les ornements et les richesses en sont immenses, et le trésor magnifique. L'on m'y montra un homme qui servait à allumer les lampes, qui y sont en nombre prodigieux, et l'on me dit que l'on l'avait vu sept ans, à la porte de cette église, avec une seule jambe. Je l'y vis avec deux. Le doyen, avec tous les chanoines, m'assurèrent que toute la ville l'avait vu comme eux, et que, si je voulais attendre encore deux jours, je parlerais à plus de vingt mille hommes, même de dehors, qui l'avaient vu comme ceux de la ville. Il avait recouvert [4] sa jambe, à ce qu'ils disaient, en se frottant de l'huile de ses lampes. L'on célèbre tous les ans la fête de ce miracle avec un concours incroyable, et il est vrai qu'encore à une journée de Saragosse je trouvai les grands chemins couverts et remplis de gens de toute qualité qui y couraient.

J'entrai de l'Aragon dans le royaume de Valence, qui se peut dire, non pas seulement le pays le plus *fin, mais encore le plus beau jardin du monde. Les grenadiers, les orangers, les limoniers y font les palissades des grands chemins. Les plus belles et les plus claires eaux du monde leur servent de canaux. Toute la campagne, qui est émaillée d'un million de fleurs différentes qui flattent la vue, y exhale un million d'odeurs différentes qui charment l'odorat [5]. J'arrivai ainsi à Vinaros, où don Fernand Carillo

Quatralve, des galères de Naples, me joignit, le lendemain, avec la patronne de cette escouade[1], belle et excellente galère, et renforcée de la meilleure partie de la chiorme et de la soldatesque de la capitane, que l'on avait presque désarmée pour cet effet. Don Fernand me rendit une lettre de don Juan d'Autriche, aussi belle et aussi *galante que j'en aie jamais vu. Il me donnait le choix de cette galère ou d'une frégate de Dunkerque, qui était à la même plage, et qui était montée de trente-six pièces de canon. Celle-ci était plus sûre pour passer le golfe de Léon, dans une saison aussi avancée, car nous étions dans le mois d'octobre. Je choisis la galère et vous verrez que je n'en fis pas mieux.

Don Cristoval de Cardonne, chevalier de Saint-Jacques, arriva à Vinaros un quart d'heure après don Fernand Carillo, et il me dit que M. le duc de Montalte, vice-roi de Valence, l'avait envoyé pour m'offrir tout ce qui dépendait de lui ; qu'il savait que j'avais refusé ce que le Roi Catholique m'avait offert à Saint-Sébastien ; qu'il n'osait, par cette raison, me presser de recevoir ce que le *pagador*[2] des galères avait ordre de m'apporter ; mais que, comme il savait que la précipitation de mon voyage ne m'avait pas permis de me charger de beaucoup d'argent, que j'étais fort libéral et que je ne serais pas fâché de faire quelque régal à la chiorme, il espérait que je ne refuserais pas quelque petit *rafraîchissement pour elle. Ce rafraîchissement consistait en six grandes caisses pleines de toutes sortes de confitures de Valence, de douze douzaines de paires de gants d'Espagne[3], exquis, et d'une bourse de senteur dans laquelle il y avait deux mille pièces d'or, fabrique des Indes, qui revenaient à deux mille deux cents ou trois cents pistoles. Je reçus le présent sans en faire aucune difficulté, en lui répondant que, comme je ne me trouvais pas en état de servir Sa Majesté Catholique, je croirais que je manquerais à mon devoir, en toute manière, si je recevais les grandes sommes qu'elle avait eu la bonté de me faire apporter à Saint-Sébastien et offrir à Vinaros ; mais que je croirais aussi manquer au respect que je devais à un aussi grand monarque, si je n'acceptais le dernier présent dont il lui plaisait de m'honorer. Je le reçus donc, mais je donnai, devant que de m'embarquer, les confitures au capitaine de la galère, les gants à don Fernand, et l'or à don Pedro pour M. le baron de Vateville, en lui écrivant que, comme il m'avait dit plusieurs fois qu'il était assez embarrassé à cause de l'excessive dépense qui y était nécessaire à faire achever l'amiral des Indes d'Occident[1], qu'il faisait construire à Saint-Sébastien, je lui envoyais un petit *grain d'or pour soulager son mal de tête : c'est ainsi qu'il appelait le *chagrin que la fabrique de ce vaisseau lui donnait. Ma manière d'agir en ce rencontre fut un peu outrée. J'eus raison de donner les *rafraîchissements de victuailles au capitaine ; il était indifférent de retenir les gants d'Espagne ou de les donner à don Fernand ; il eût été de la bonne conduite de retenir les deux mille et tant de pistoles. Les Espagnols ne me l'ont jamais pardonné, et ils ont toujours attribué à mon aversion pour leur nation ce qui n'était en moi, dans la vérité, qu'une suite de la profession que j'avais toujours faite de ne prendre de l'argent de personne.

Je m'embarquai[2], à la seconde garde de la nuit, avec un gros temps, mais qui ne nous incommodait pas beaucoup, parce que nous avions vent en poupe. Nous faisions quinze milles par heure et nous arrivâmes, le lendemain, devant le jour, à Majorque. Comme il y avait de la peste en Aragon, tout ce qui venait de la côte d'Espagne était *bandi à Majorque. Il y eut beaucoup d'allées et de venues pour nous faire donner *pratique, à laquelle le magistrat de la ville s'opposait avec vigueur. Le vice-roi, qui n'est pas à beaucoup près si absolu en cette île que dans les autre royaumes d'Espagne, et qui avait eu ordre du roi son maître de me faire toutes les *honnêtetés possibles, fit tant, par ses instances, que l'on me permit, à moi et aux miens, d'entrer dans la ville, à condition de n'y point coucher. Cela vous paraît sans doute assez extravagant, parce que l'on porte le mauvais air dans une ville quoique l'on n'y couche pas. Je le dis, l'après-dînée, à un cavalier majorquain, qui me répondit ces propres paroles, que je remarquai, parce qu'elles se peuvent appliquer à mille rencontres que l'on fait dans la vie : « Nous ne craignons pas que vous nous apportiez du mauvais air, parce que nous savons bien que vous n'êtes pas passé à Osca ; mais, comme vous en avez approché, nous sommes bien aises de faire, en votre personne, un exemple qui ne vous incommode point et qui nous accommode pour les suites. » Cela, en espagnol, est plus substantiel et même plus *galant qu'en français.

Le vice-roi, qui était un comte aragonais dont j'ai oublié le nom, me vint prendre sur le môle avec cent ou six-vingts carrosses pleins de noblesse, et la mieux faite qui soit en Espagne. Il me mena à la messe au Seo (l'on appelle de ce nom les cathédrales en ce pays-là), où je vis trente ou quarante femmes de qualité, plus belles l'une que l'autre, et ce qui est de merveilleux est qu'il n'y en a point de laides dans toute l'île ; au moins elles y sont très rares. Ce sont pour la plupart des beautés fort délicates et des teints de lis et de roses. Les femmes du bas peuple, que l'on voit dans les rues, sont de cette espèce ; elles ont une coiffure particulière, qui est fort jolie. Le vice-roi me donna un magnifique dîner dans une superbe tente de brocart d'or, qu'il avait fait élever sur le bord de la mer. Il me mena après entendre une musique dans un couvent de filles, qui ne cédaient point en beauté aux dames de la ville. Elles chantèrent à la grille, à l'honneur de leur saint, des airs et des paroles plus *galantes et plus passionnées que ne sont les chansons de Lambert. Nous allâmes nous promener, sur le soir, aux environs de la ville, qui sont les plus beaux du monde et tout pareils aux campagnes du royaume de Valence. Nous revînmes chez la vice-reine, qui était plus laide qu'un démon, et qui, étant assise sous un grand dais et toute brillante de pierreries, donnait un merveilleux lustre à soixante dames qui étaient auprès d'elle, et qui avaient été choisies entre les plus belles de la ville. L'on me ramena, avec cinquante flambeaux de cire blanche, dans la galère, au son de toute l'artillerie des bastions, et d'une infinité de hautbois et de trompettes. J'employai à ces divertissements les trois jours que le mauvais temps m'obligea de passer à Majorque.

J'en partis le quatrième [a], avec un vent frais et en poupe ; je fis cinquante grandes lieues en douze heures et j'entrai fort heureusement, devant la nuit, au Port-Mahon, qui est le plus beau de la Méditerranée. Son embouchure est fort étroite, et je ne crois pas que deux galères à la fois y pussent passer en voguant. Il s'élargit tout d'un coup et fait un bassin oblong, qui a une grande demi-lieue de large et une bonne lieue de long. Une grande montagne, qui l'environne de tous les côtés, fait un théâtre qui, par la multitude et par la hauteur des arbres dont elle est couverte, et par les ruisseaux qu'elle jette avec une abondance prodigieuse, ouvre mille et mille scènes qui sont sans exagération plus surprenantes que celles de l'Opéra[1]. Cette même montagne, ces arbres, ces rochers couvrent le port de tous les vents, et, dans les plus grandes tempêtes, il est toujours aussi calme qu'un bassin de fontaine et aussi uni qu'une glace. Il est partout d'une égale profondeur, et les galions des Indes y donnent *fond à quatre pas de terre. Véritablement, pour comble de toute perfection, ce port est dans l'île de Minorque, qui donne encore plus de chairs et de toute sorte de victuailles nécessaires à la navigation que celle de Majorque ne produit de grenades, d'oranges et de limons.

Le temps grossit extrêmement après que nous fûmes entrés dans ce port, et au point que nous fûmes obligés d'y demeurer quatre jours. Nous en fîmes pourtant quatre partances ; mais le vent nous refusa toujours. Don Fernand Carillo, qui était homme de qualité, jeune de vingt-quatre ans, fort *honnête et fort civil, chercha à me donner tous les divertissements que l'on pouvait trouver en ce beau lieu. La chasse y était la plus belle du monde en toute sorte de gibier, et la pêche en profusion. En voici une manière qui est particulière, ce me semble, à ce port. Il prit cent Turcs de la chiorme, il les mit de rang, il leur fit tenir à tous un câble d'une prodigieuse grosseur ; il fit plonger quatre de ces esclaves, qui attachèrent ce câble à une fort grosse pierre, et la tirèrent après, à force de bras, avec leurs compagnons, au bord de l'eau. Ils n'y réussirent qu'après des efforts incroyables ; ils n'eurent guère moins de peine à casser cette pierre à coups de marteau. Ils trouvèrent dedans sept ou huit écailles, moindres que des huîtres en grandeur, mais d'un goût sans comparaison plus relevé. L'on les fit cuire dans leur eau, et le manger en est délicieux[2].

Le temps s'étant adouci, nous fîmes voile pour passer le golfe de Léon, qui commence en cet endroit. Il a cent lieues de long et quarante de large, et il est extrêmement dangereux, tant à cause des montagnes de sable que l'on prétend qu'il élève et qu'il roule quelquefois, que parce qu'il n'y a point de port sous *vent. La côte de Barbarie, qui le borne d'un côté, n'est pas abordable ; celle de Languedoc, qui le joint de l'autre, est très mauvaise ; enfin le trajet n'en est pas agréable pour des galères, pour peu que la saison soit avancée, et elle l'était beaucoup, car nous étions fort proches de la Toussaint, qui fait toujours à la mer de grands coups de vent. Don Fernand de Carillo, qui était un des hommes d'Espagne le plus *aventurier, m'avoua qu'une *médiocre frégate eût été meilleure, en ce rencontre, que la plus forte galère [1]. Il se trouva, par l'événement, que la moindre felouque eût été aussi bonne que la meilleure frégate. Nous passâmes le golfe en trente-six heures, avec le plus beau temps du monde et avec un vent qui, ne laissant pas de nous servir, ne nous obligeait presque pas à mettre sur les bougies de la chambre de poupe ces lanternes de verre dont on les couvre. Nous entrâmes ainsi dans le canal qui est entre la Corse et la Sardaigne. Don Fernand Carillo, qui vit quelques nuages qui lui faisaient appréhender changement de temps, me proposa de donner *fond à Porto-Condé, qui est un port déshabité dans la Sardaigne : ce que j'agréai. Son appréhension s'étant évanouie avec les nuages, il changea d'avis pour ne pas perdre le beau temps, et ce fut un grand bonheur pour moi ; car M. de Guise, qui allait à Naples sur l'armée navale de France, était mouillé à Porto-Condé avec six galères [2]. Don Fernand Carillo, qui le sut deux jours après, me dit qu'il se fût moqué de ces six galères, parce que la sienne, qui avait quatre cent cinquante hommes de chiorme, se fût aisément tirée d'affaire ; mais c'eût été toujours une affaire dont un homme qui se sauve de prison se passe encore plus facilement qu'un autre. La forteresse de Saint-Boniface, qui est en Corse et aux Génois, tira quatre coups de canon en nous voyant, et, comme nous en passions trop loin pour en être salués, nous jugeâmes qu'elle nous faisait quelque signal, et il était vrai, car elle nous avertissait qu'il y avait des ennemis à Porto-Condé.

Nous ne le prîmes pas ainsi, et nous crûmes qu'elle nous voulait faire connaître qu'une petite frégate que nous voyions devant nous, au sortir du canal, était *turquesque, comme elle en avait le *garbe. Don Fernand prit fantaisie de l'attaquer, et il me dit qu'il me donnerait, si je lui permettais, le plaisir d'un combat, qui ne durerait qu'un quart d'heure. Il commanda que l'on donnât chasse à la frégate qui paraissait effectivement faire force de voile pour s'enfuir. Le pilote, qui n'avait d'attention qu'à cette frégate, en manqua pour un banc de sable, qui ne paraît pas véritablement au-dessus de l'eau, mais qui était si connu qu'il est même marqué dans les cartes marines. La galère toucha. Comme il n'y a rien à la mer de si dangereux, tout le monde s'écria : *Misericordia* ! Toute la chiorme se leva pour essayer de se déferrer et de se jeter à la nage. Don Fernand Carillo, qui jouait au piquet avec Joly, dans la chambre de poupe, me jeta la première épée qu'il trouva devant lui, en me criant que je la tirasse ; il tira la sienne, et il sortit sur la coursie, chargeant à coups d'estramaçon tout ce qu'il trouvait devant lui[1]. Tous les officiers et toute la soldatesque firent la même chose, parce qu'ils appréhendaient que la chiorme, où il y avait beaucoup de Turcs, ne *relevassent la galère, c'est-à-dire ne s'en rendissent les maîtres, comme il est arrivé quelquefois en de semblables occasions. Quand tout le monde se fut remis en sa place, il me dit, de l'air du monde le plus froid et le plus assuré : « J'ai ordre, Monsieur, de vous mettre en sûreté, voilà mon premier soin. Il faut y pourvoir. Je verrai, après cela, si la galère est blessée. » En proférant cette dernière parole, il me fit prendre à fois de corps[a] par quatre esclaves, et il me fit porter dans la felouque. Il y mit avec moi trente mousquetaires espagnols, auxquels il commanda de me mener sur un petit écueil qui paraissait à cinquante pas de là, et où il n'y avait place que pour quatre ou cinq personnes. Les mousquetaires étaient dans l'eau jusques à la ceinture : ils me firent pitié ; et, quand je vis que la galère n'était pas blessée, je les y voulus renvoyer ; mais ils me dirent que si les Corses qui étaient sur le rivage me voyaient sans une bonne escorte, ils ne manqueraient pas de me venir *piller et égorger. Ces barbares s'imaginent que tout ce qui fait naufrage est à eux[2].

La galère ne se trouva pas blessée, ce qui fut une manière de prodige. L'on ne laissa pas d'être plus de deux heures à la *relever. La felouque me vint reprendre, et je remontai sur la galère. Comme nous sortions du canal, nous aperçûmes encore la frégate, qui, voyant que la galère ne la suivait plus, avait repris sa route. Nous lui donnâmes chasse, elle la prit[3]. Nous la joignîmes en moins de deux heures, et nous trouvâmes, en *effet, qu'elle était *turquesque, mais entre les mains des Génois, qui l'avaient prise sur le Turc et qui l'avaient armée. Je fus, pour vous dire le vrai, très aise que l'aventure se fût terminée ainsi. Cette guerre ne me plaisait pas ; elle n'était pas grande, mais une égratignure qui me fût arrivée l'eût pu rendre ridicule. Don Fernand Carillo, qui était un jeune homme fort brave, me la proposa, et je n'eus pas la force de l'en refuser, quoique je visse bien que c'était une imprudence. Le temps se chargeant un peu, l'on crut qu'il était à propos d'entrer dans Porto-Vecchio, qui est un port déshabité de la Corsègue. Un trompette du gouverneur génois d'un fort qui en est assez proche vint nous avertir, de la part de son capitaine, que M. de Guise était, avec six galères de France, à Porto-Condé ; qu'apparemment il nous avait vus passer et qu'il pourrait nous venir la même nuit surprendre sur le *fer.

Nous résolûmes de nous remettre à la mer, quoique le temps commençât à être fort gros et qu'il y eût même quelque péril à sortir la nuit de Porto-Vecchio, parce qu'il a, à sa bouche, un écueil de rocher qui jette un courant assez fâcheux. La bourrasque augmenta avec la lune, et nous eûmes une des plus grandes tempêtes qui se soient peut-être jamais vues à la mer. Le pilote royal des galères de Naples, qui était sur notre galère et qui naviguait depuis cinquante ans, disait qu'il n'avait jamais rien vu de pareil. Tout le monde était en prières, tout le monde se confessait, et il n'y eut que don Fernand Carillo, qui se communiait tous les jours, quand il était à terre, et qui était d'une piété angélique, il n'y eut, dis-je, que lui, qui ne se jetât aux pieds des prêtres avec empressement. Il laissait faire les autres ; mais il ne fit rien en son particulier, et il me dit à l'oreille : « Je crains bien que toutes ces confessions, que la seule peur produit, ne vaillent rien. »[1] Il demeura toujours sur le *tabernacle, donnant les ordres avec une froideur admirable ; et en donnant du courage, mais doucement et *honnêtement, à ces vieux soldats du terce de Naples, qui faisaient paraître un peu d'*étonnement, je me souviens toujours qu'il les appela *sennores soldados de Carlos quinto*[2].

Le[a] capitaine particulier de la galère, qui s'appelait Villanueva, se fit apporter, au plus fort du danger, ses manches en broderie et son écharpe rouge, en disant qu'un véritable Espagnol devait mourir avec la marque de son roi.

Il se mit dans un grand fauteuil, et il donna un coup de pied dans les mâchoires à un pauvre Napolitain qui, ne pouvant se tenir sur le coursier [1], marchait à quatre pattes en criant : *Sennor don Fernando, por l'amor de Dios, confession*. Le *capitan, en le frappant, lui dit : *Enemigo de Dios, pides confession* [2] ? Et, comme je lui représentais que la preuve n'était pas bonne, il me répondit que *este veillaco* scandalisait toute la galère. Vous ne vous pouvez imaginer l'horreur d'une grande tempête ; vous vous en pouvez imaginer aussi peu le ridicule. Un *observantin sicilien prêchait, au pied de l'*arbre, que saint François lui avait apparu et l'avait assuré que nous ne péririons pas. Ce ne serait jamais fait, si j'entreprenais de vous décrire les frayeurs et les *impertinences que l'on voit en ces rencontres.

Le grand péril ne dura que sept heures ; nous nous mîmes ensuite un peu à couvert sous la Pianouse. Le temps s'adoucit, et nous gagnâmes Porto-Longone. Nous y passâmes la Toussaint et la fête des Morts, parce que le vent nous était contraire pour sortir du port. Le gouverneur espagnol m'y fit toutes les civilités imaginables, et, comme il vit que le mauvais temps continuait, il me conseilla d'aller voir Porto-Ferrare, qui est dans l'île d'Elbe aussi bien que Porto-Longone. Il n'y a que cinq milles de l'une à l'autre par terre, et j'y allai à cheval.

Je vous ai tantôt dit qu'il n'y a rien de si agréable, dans le théâtre rustique de l'Opéra, que la scène du Port-Mahon ; et je vous puis dire présentement, avec autant de vérité, qu'il n'y a rien de si pompeux, dans les représentations les plus magnifiques que vous en ayez vues, que tout ce qui paraît de cette place. Il faudrait être homme de guerre pour vous la décrire, et je me contenterai de vous dire que sa force passe sa magnificence ; elle est l'unique imprenable qui soit au monde, et le maréchal de La Meilleraye en convenait. Il l'alla visiter après qu'il eut pris Porto-Longone, dans le temps de la Régence, et, comme il était impétueux, il dit au commandeur Grifoni, qui y commandait pour le grand-duc, que la fortification était bonne, mais que, si le Roi son maître lui commandait de l'attaquer, il lui en rendrait bon compte en six semaines. Le commandeur Grifoni lui répondit que Son Excellence prenait un trop long terme, et que le grand-duc était si fort serviteur du Roi, qu'il ne faudrait qu'un moment. Le maréchal eut honte de son emportement, ou plutôt de sa brutalité, et il la répara en disant : « Vous êtes un *galant homme, Monsieur le Commandeur, et je suis un sot. Je confesse que votre place est imprenable. » Le maréchal me fit ce conte à Nantes, et le commandeur me le confirma à Porto-Ferrare, où il commandait encore quand j'y passai.

Le vent nous ayant permis de sortir de Porto-Longone, nous prîmes terre à Piombin, qui est dans la côte de Toscane. Je quittai, en ce lieu, la galère, après avoir donné aux officiers, aux soldats et à la chiorme tout ce qui me restait d'argent, sans excepter la chaîne d'or que le roi d'Espagne avait donnée à Boisguérin. Je la lui achetai, et je la revendis au *facteur du prince Ludovisio, qui est prince de Piombin. Je ne me réservai que neuf pistoles, que je crus me pouvoir mener jusques à Florence.

Je suis obligé de dire, pour la vérité, que jamais gens ne méritèrent mieux des gratifications que ceux qui étaient sur cette galère. Leur discrétion à mon égard n'a peut-être jamais eu d'exemple. Ils étaient plus de six cents hommes, dont il n'y en avait pas un qui ne me connût ; il n'y en eut jamais un seul qui en donnât seulement, ni à moi, ni [à] aucun autre, la moindre démonstration. Leur reconnaissance fut égale à leur discrétion. Celle que je leur avais témoignée de leur *honnêteté les toucha tellement, qu'ils pleuraient tous quand je les quittai pour prendre terre à Piombin.

C'est où je termine le troisième volume et la seconde partie de mon Histoire, parce que ce fut proprement le lieu où je recouvrai ma liberté, laquelle, jusque-là, avait été *traversée par beaucoup d'aventures. Je vas travailler au reste du compte que je vous dois de ma vie, et qui en contiendra la troisième et dernière partie.

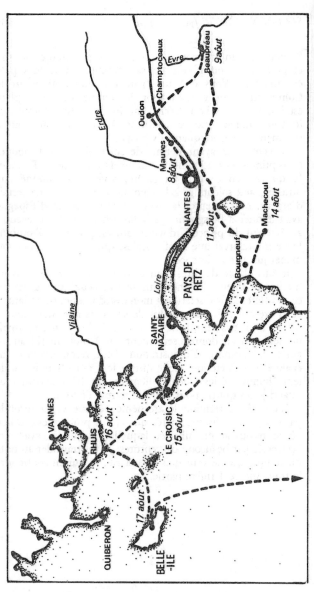

L'ÉVASION DU CARDINAL DE RETZ
(août 1654)

TROISIÈME PARTIE[a]

JE ne demeurai que quatre heures à Piombin ; j'en partis aussitôt que j'eus dîné, et je pris la route de Florence. Je trouvai, à trois ou quatre lieues de Volterre, un signor Annibal (je ne me ressouviens pas du nom de sa maison) : il était gentilhomme de la chambre du grand-duc, et il venait de sa part, sur l'avis que le gouverneur de Porto-Ferrare lui avait donné, me faire *compliment et me prier d'agréer de faire une légère quarantaine devant que d'entrer plus avant dans le pays.

Il était un peu brouillé avec les Génois, et il appréhendait que, sur le prétexte de communication avec les gens qui venaient de la côte d'Espagne, suspecte de contagion, ils n'interdissent le commerce de la Toscane. Le signor Annibal me mena dans une maison, qui est sous Volterre, qui s'appelle *l'Hospitalità* et qui est bâtie sur le champ de bataille où Catilina fut tué[1]. Elle était autrefois au grand Laurent de Médicis, et elle est tombée, par alliance, dans la maison de Corsini. J'y demeurai neuf jours, et j'y fus toujours servi magnifiquement par les *officiers du grand-duc. L'abbé Charrier, qui, sur le premier avis de mon arrivée à Porto-Ferrare, était venu de Florence en poste, m'y vint trouver, et le bailli de Gondi m'y vint prendre avec les carrosses du grand-duc, pour me mener coucher à Camogliane, belle et superbe maison qui est au marquis Nicolini, son parent proche. J'en partis le lendemain au

matin, d'assez bonne heure, pour aller coucher à l'Ambrosiane, qui est un lieu de chasse où le grand-duc était depuis
quelques jours. Il me fit l'honneur de venir au-devant de
moi, à une lieue de là, jusques à Empoli, qui est une assez
jolie ville ; et le premier mot qu'il me dit, après le premier
*compliment, fut que je n'avais pas trouvé en Espagne les
Espagnols de Charles Quint. Comme il me menait dans mon
appartement à l'Ambrosiane, et que je me vis, dans ma
propre chambre, dans un fauteuil au-dessus de lui, je lui
demandai si je jouais bien la comédie. Il ne m'entendait
pas d'abord. Comme il eut connu que je lui voulais marquer
par là que je ne me méconnaissais pas moi-même, et que je
ne prenais pas la *main sur lui sans y faire au moins la
réflexion que je devais[1], il me dit ces propres paroles :
« Vous êtes le premier cardinal qui m'ait parlé ainsi ; vous
êtes aussi le premier pour qui je fasse ce que je fais, sans
peine. »

Je demeurai trois jours avec lui à l'Ambrosiane, et, le
second, il entra tout ému dans ma chambre, en me disant :
« Je vous apporte une lettre du duc d'Arcos, vice-roi de
Naples, qui vous fera voir l'état où est le royaume de
Naples. » Cette lettre portait que M. de Guise y était
descendu[2] ; qu'il y avait eu un grand combat auprès de la
Tour des Grecs, qu'il espérait que les Français ne feraient
point de progrès ; qu'au moins les gens de guerre le lui
faisaient espérer ainsi : « Car comme, disait-il, *io non soi
soldato*[3], je suis obligé de m'en rapporter à eux. » La
confession, comme vous voyez, est assez plaisante pour un
vice-roi. Le grand-duc me fit beaucoup d'offres, quoique le
cardinal Mazarin l'eût fait menacer, de la part du Roi même,
de rupture, si il me donnait passage par ses États. Rien ne
pouvait être plus ridicule ; et le grand-duc lui répondit par
son résident, qui me l'a confirmé depuis, qu'il le priait de
lui donner une invention de faire agréer au Pape et au sacré
collège le refus qu'il m'en pourrait faire. Je ne pris, de
toutes les offres du grand-duc, que quatre mille écus, que
je me crus nécessaires, parce que l'abbé Charrier m'avait dit
qu'il n'y avait encore aucune lettre de change qui fût arrivée
à Rome pour moi. J'en fis ma promesse, et je les dois encore
au grand-duc, qui a trouvé bon que je le misse le dernier

dans le catalogue de mes créanciers, comme celui qui est assurément le moins pressé de son remboursement[1].

J'allai de l'Ambrosiane à Florence, où je demeurai deux jours avec M. le cardinal Jean-Carle de Médicis et M. le prince Léopold, son frère, qui a été aussi depuis cardinal. Ils me donnèrent une litière du grand-duc, qui me porta à Sienne, où je trouvai M. le prince Mathias, qui en était le gouverneur. Il ne se peut rien ajouter aux *honnêtetés que je reçus de toute cette maison, qui a véritablement hérité du titre de *magnifique*[2], que quelques-uns d'eux ont porté et que tous ont mérité. Je continuai mon chemin dans leur litière et avec leurs officiers ; et comme les pluies furent excessives en Italie cette année-là, je faillis à me noyer, auprès de Ponte-Centine, dans un torrent, dans lequel un coup de tonnerre, qui effraya mes mulets, fit tomber, la nuit, ma litière. Le péril y fut certainement fort grand.

Comme je fus à une demi-journée de Rome, l'abbé Rousseau, qui, après m'avoir tenu à Nantes la corde avec laquelle je me sauvai, s'était sauvé lui-même fort résolument et fort heureusement du château, et qui était venu m'attendre à Rome, l'abbé Rousseau, dis-je, vint au-devant de moi pour me dire que la faction de France[3] s'était fort déclarée à Rome contre moi, et qu'elle menaçait même de m'empêcher d'y entrer. Je continuai mon chemin, je n'y trouvai aucun obstacle, et j'arrivai, par la porte Angélique, à Saint-Pierre, où je fis ma prière, et d'où j'allai descendre chez l'abbé Charrier. J'y trouvai monsignor Febei, maître des cérémonies, qui m'y attendait et qui avait ordre du Pape de me diriger dans ces commencements. Monsignor Franzoni, trésorier de la Chambre[4] et qui est présentement cardinal, y arriva ensuite, avec une bourse dans laquelle il y avait quatre mille écus en or, que Sa Sainteté m'envoyait avec mille et mille *honnêtetés. J'allai, dès le soir, en chaise, inconnu, chez la signora Olimpia et chez Mme la princesse de Rossane[5], et je revins coucher, sans être accompagné que de deux gentilshommes, chez l'abbé Charrier.

Le lendemain au matin, comme j'étais encore au lit, l'abbé de La Rocheposay, que je ne connaissais point du tout, entra dans ma chambre, et après qu'il m'eut fait son premier *compliment sur quelque alliance qui est entre nous, il me dit qu'il se croyait obligé de m'avertir que M. le cardinal d'Est, protecteur de France, avait des ordres terribles du Roi ; qu'il se tenait, à l'heure même qu'il me parlait, une congrégation des cardinaux français chez lui, qui allait décider du détail de la résolution que l'on y prendrait contre moi ; mais que la résolution y était déjà prise en gros, conformément aux ordres de Sa Majesté, de ne me point souffrir à Rome et de m'en faire sortir à quelque prix que ce fût. Je répondis à M. l'abbé de La Rocheposay que j'avais eu de si violents scrupules de ces manières d'armements que j'avais autrefois faits à Paris, que j'étais résolu de mourir plutôt mille fois que de songer jamais à aucune défensive ; que d'un autre côté, je ne croyais pas qu'il fût du respect à un cardinal d'être venu si près du Pape pour sortir de Rome sans lui baiser les pieds, et qu'ainsi tout ce que je pouvais faire, dans l'extrémité où je me trouvais, était de m'abandonner à la Providence et d'aller à la messe dans un quart d'heure, tout seul, si il lui plaisait, avec lui, dans une petite église qui était à la vue du logis. L'abbé de La Rocheposay s'aperçut que je me moquais de lui, et il sortit de chez moi assez mal satisfait de la négociation, dont, à mon avis, il avait été chargé par le pauvre cardinal Antoine, bon homme, mais faible au-delà de l'imagination. Je ne laissai pas de faire donner avis au Pape de ces menaces, et il envoya aussitôt le comte Vidman, noble vénitien et colonel de sa garde, à l'abbé Charrier, pour lui dire qu'il répondrait de ma personne, en cas que si il voyait la moindre apparence de mouvement dans la faction de France, il ne disposât pas, comme il lui plairait, de ses Suisses, de ses Corses, de ses lanciers et de ses chevau-légers. J'eus l'*honnêteté de faire donner avis de cet ordre à M. le cardinal d'Est, quoique indirectement, par monsignor Scotti, et M. le cardinal d'Est eut aussi la bonté de me laisser en repos.

Le Pape m'accorda une audience de quatre heures dès le lendemain, où il me donna toutes les marques d'une bonne volonté qui était bien au-dessus de l'ordinaire et d'un *génie qui était bien au-dessus du commun. Il s'abaissa jusques au point de me faire des excuses de ce qu'il n'avait pas agi avec plus de vigueur pour ma liberté ; il en versa des larmes, même avec abondance, en me disant : « *Dio lo perdoni* à ceux qui ont manqué à me donner le premier avis de votre prison. Ce *forfante*[1] de Valencay me surprit, et il me vint dire que vous étiez convaincu d'avoir entrepris sur la personne du Roi. Je ne vis aucun courrier ni de vos proches, ni de vos amis. L'ambassadeur eut tout le loisir de débiter ce qu'il lui plut et d'amortir le premier feu du sacré collège, dont la moitié crut que vous étiez abandonné de tout le royaume, en ne voyant ici personne de votre part. »

L'abbé Charrier, qui, faute d'argent, était demeuré dix ou douze jours à Paris depuis ma détention, m'avait instruit de tout ce détail à *l'Hospitalità*, et il avait même ajouté qu'il y serait peut-être demeuré encore longtemps, si l'abbé Amelot ne lui eût apporté deux mille écus. Ce délai me coûta cher ; car il est vrai que si le Pape eût été prévenu par un courrier de mes amis, il n'eût pas donné d'audience à l'ambassadeur, ou qu'il ne la lui aurait donnée qu'après qu'il aurait pris lui-même ses résolutions. Cette faute fut capitale, et d'autant plus qu'elle était de celles que l'on peut aisément s'empêcher de commettre. Mon intendant avait quatorze mille livres de mon argent quand je fus arrêté ; mes amis n'en manquaient pas, ni même à mon égard, comme il parut par les assistances qu'ils me donnèrent dans les suites. Ce n'est pas l'unique occasion dans laquelle j'aie remarqué que l'aversion que la plupart des hommes ont à se dessaisir fait qu'ils ne le font jamais assez tôt, même dans les rencontres où ils sont le plus résolus de le faire. Je ne me suis jamais ouvert à qui que ce soit de ce détail, parce qu'il touche particulièrement quelques-uns de mes amis. Je suis uniquement à vous, et je vous dois la vérité tout entière.

Le Pape tint consistoire, le jour qui suivit l'audience dont je viens de vous rendre compte, tout exprès pour me donner le chapeau[2]. « Et comme, me dit-il, *vostro protettore di quattro baiocchi*[3] (il n'appelait jamais autrement le cardinal d'Est) est tout propre à faire quelque *impertinence en cette occasion, il le faut *amuser et lui faire croire que vous ne viendrez pas au consistoire. » Cela me fut aisé, parce que j'étais, dans la vérité, très mal de mon épaule, et si mal que Nicolo, le plus fameux chirurgien de Rome, disait que si l'on n'y travaillait en diligence, je courais fortune de tomber dans des accidents encore plus fâcheux. Je me mis au lit sous ce prétexte, au retour de chez le Pape. Il fit

courir je ne sais quel bruit touchant ce consistoire, qui aida
à tromper les Français. Ils y allèrent tous bonnement, et ils
furent fort étonnés quand ils m'y virent entrer avec les
maîtres des cérémonies et en état de recevoir le chapeau.
MM. les cardinaux d'Est et Des Ursins sortirent, et le cardinal
Bichi demeura. L'on ne peut s'imaginer l'effet que ces sortes
de pièces font en faveur de ceux qui les jouent bien, dans
un pays où il est moins permis de passer pour dupe qu'en
lieu du monde.

La disposition où le Pape était pour moi, laquelle allait
jusques au point de penser à m'adopter pour neveu, et
l'indisposition qu'il avait cruelle contre M. le cardinal Mazarin, eût apparemment donné, dans peu, d'autres scènes, si
il ne fût tombé malade, trois jours après, de la maladie
dont il mourut au bout de cinq semaines, de sorte que tout
ce que je pus faire avant le conclave fut de me faire traiter
de ma blessure. Nicolo me démit l'épaule pour la seconde
fois, pour me la remettre. Il me fit des douleurs inconcevables, et il ne réussit pas à son opération.

La mort du Pape arriva, et comme j'avais été presque
toujours au lit, je n'avais eu que fort peu de temps pour
me préparer au conclave, qui devait pourtant être, selon
toutes les apparences, d'un fort grand embarras pour moi.
M. le cardinal d'Est disait publiquement qu'il avait ordre
du Roi, non pas seulement de ne point communiquer avec
moi, mais même de ne me pas saluer. Le duc de Terra-
Nueva, ambassadeur d'Espagne, m'avait fait toutes les offres
imaginables de la part du roi son maître, aussi bien que le
cardinal de Harrach, au nom de l'Empereur. Le vieux cardinal
de Médicis, doyen du sacré collège et protecteur d'Espagne,
prit d'*abord une inclination naturelle pour moi. Mais vous
jugez assez, par ce que vous avez vu de Saint-Sébastien et
de Vinaros, que je n'avais pas de disposition d'entrer dans
la faction d'Autriche. Je n'ignorais pas qu'un cardinal
étranger, persécuté par son roi, ne pouvait faire qu'une
figure très *médiocre dans un lieu où les égards que le
général et les particuliers ont pour les couronnes ont encore
plus de force qu'ailleurs, par les intérêts plus pressants et
plus présents que tout le monde trouve à ne leur pas déplaire.
Il m'était toutefois, non pas seulement d'importance, mais
de nécessité pour les suites, de ne pas demeurer sans mesures,

dans un pays où la prévoyance n'est pas moins de réputation que d'utilité : je me trouvai, pour vous dire le vrai, fort embarrassé dans cette conjoncture. Voici comme je m'en démêlai.

Le pape Innocent, qui était un grand homme, avait eu une application particulière au choix qu'il avait fait des sujets pour les promotions des cardinaux, et il est *constant qu'il ne s'y était que fort peu trompé. La signora Olimpia le força, en quelque façon, par l'ascendant qu'elle avait sur son esprit, à honorer de cette dignité Maldachin, son neveu, qui n'était encore qu'un enfant ; mais l'on peut dire qu'à la réserve de celui-là, tous les autres choix furent ou bons ou soutenus par des considérations qui les justifièrent. Il est même vrai qu'en la plupart le mérite et la naissance concoururent à les rendre illustres. Ceux de ce nombre qui ne se trouvèrent pas attachés aux couronnes par la nomination ou par la faction, se trouvèrent tout à fait libres à la mort du Pape, parce que le cardinal Pamphile, son neveu, ayant remis son chapeau pour épouser Mme la princesse de Rossane, et le cardinal Astalli, que Sa Sainteté avait adopté, ayant été dégradé depuis du népotisme[1], même avec honte, il n'y avait plus personne qui pût se mettre à la tête de cette faction dans le conclave. Ceux qui se rencontrèrent en cet état, que l'on peut appeler de liberté, étaient MM. les cardinaux Chigi, Lomelin, Ottoboni, Imperiali, Aquaviva, Pio, Borromée, Albizzi, Gualtieri, Azzolin, Omedei, Cibo, Odescalchi, Vidman, Aldobrandin. Dix de ceux-là, qui furent Lomelin, Ottoboni, Imperiali, Borromée, Aquaviva, Pio, Gualtieri, Albizzi, Omedei, Azzolin, se mirent dans l'esprit de se servir de leur liberté pour affranchir le sacré collège de cette coutume qui assujettit à la reconnaissance des voix qui ne devraient reconnaître que les mouvements du Saint-Esprit. Ils résolurent de ne s'attacher qu'à leur devoir et de faire une profession publique, en entrant dans le conclave, de toute sorte d'indépendance et de faction et de couronne. Comme celle d'Espagne était, en ce temps-là, la plus forte à Rome, et par le nombre des cardinaux et par la jonction des sujets qui étaient assujettis à la maison de Médicis, ce fut celle aussi qui éclata le plus contre cette indépendance de l'*Escadron volant*[2] : c'est le nom que l'on donna à ces dix cardinaux que je viens de vous nommer ; et je pris ce moment de l'éclat que le cardinal Jean-Carle de Médicis fit, au nom de l'Espagne, contre cette union, pour entrer moi-même dans leur corps : à quoi je mis toutefois le préalable qui y était nécessaire à l'égard de la France ; car je priai monsignor Scotti, qui y avait été nonce extraordinaire et qui était agréable à la cour, d'aller chez tous les cardinaux de la faction leur dire que je les suppliais de me dire ce que j'avais à faire pour le service du Roi ; que je ne demandais pas le secret, et qu'il me suffisait que l'on me dît jour à jour les pas que j'aurais à faire pour remplir mon devoir.

M. le cardinal Grimaldi fit une réponse fort civile et même fort obligeante à monsignor Scotti ; mais MM. les cardinaux d'Est, Bichi et Ursin me traitèrent de haut en bas, même avec mépris. Je déclarai publiquement, dès le lendemain, que puisque l'on ne me voulait donner aucun moyen de servir la France, je croyais que je ne pouvais rien faire de mieux que de me mettre au moins dans la faction la plus indépendante de celle d'Espagne. J'y fus reçu avec toutes les *honnêtetés imaginables, et l'événement fit voir que j'avais eu raison.

Je n'en eus pas tant dans la conduite que j'eus au même moment avec M. de Lionne. Il s'était raccommodé avec M. le cardinal Mazarin, qui l'envoya à Rome pour agir contre moi, et qui, pour s'y tenir avec plus de dignité, lui donna la qualité d'ambassadeur extraordinaire vers les princes d'Italie. Comme il était assez ami de Montrésor, il le vit avant que de partir, et il le pria de m'écrire qu'il n'oublierait rien pour adoucir les choses et que je le connaîtrais par les effets. Il parlait sincèrement : son intention pour moi était bonne. Je n'y répondis pas comme je devais, et cette faute n'est pas la moindre de celles que j'ai commises pendant ma vie. Je vous en dirai le détail et les raisons de ma conduite, qui n'était pas bonne, après que je vous aurai rendu compte du conclave.

Le premier pas que fit l'Escadron volant, dans l'intervalle des neufs jours qui sont employés aux obsèques du Pape, fut de s'unir avec le cardinal Barberin, qui avait dans l'esprit de porter au pontificat le cardinal Sachetti, homme d'une *représentation pareille à celle du feu président Le Bailleul, de qui Ménage disait qu'il n'était bon qu'à peindre. Le cardinal Sachetti n'avait effectivement qu'un fort médiocre

talent ; mais comme il était créature du pape Urbain et
qu'il avait toujours été fidèlement attaché à sa maison,
Barberin l'avait en tête, et avec d'autant plus de fermeté,
que son exaltation paraissait et était en effet difficile au
dernier point. M. le cardinal Barberin, dont la vie est
angélique, a un travers dans l'humeur, qui le rend, comme
ils disent en Italie, *inamorato del' impossibile*[1]. Il ne s'en
fallait guère que l'exaltation de Sachetti ne fût de ce genre.
L'amitié étroite entre lui et Mazarin[2], qui avait été, sinon
*domestique, au moins commensal de son frère, n'était pas
une bonne recommandation pour lui vers l'Espagne ; mais
ce qui l'éloignait encore plus de la chaire de Saint-Pierre
était la déclaration publique que la maison de Médicis, qui
était d'ailleurs à la tête de la faction d'Espagne, avait faite
contre lui dès le précédent conclave.

Ceux de l'Escadron[a], qui avaient en vue de faire pape le
cardinal Ghisi, crurent que l'unique moyen, pour engager
M. le cardinal Barberin à le servir, serait de l'y obliger par
reconnaissance, et de faire sincèrement et de bonne foi tous
leurs efforts pour porter au pontificat Sachetti, voyant qu'ils
seraient pourtant inutiles par l'événement, ou du moins
qu'ils ne seraient utiles qu'à les lier si étroitement et si
intimement avec le cardinal Barberin, qu'il ne pourrait
s'empêcher lui-même de concourir dans la suite à ce qu'ils
désiraient. Voilà l'unique secret de ce conclave, sur lequel
tous ceux à qui il a plu d'écrire ont dit mille et mille
*impertinences, et je soutiens que le raisonnement de
l'Escadron était fort juste. Le voici : « Nous sommes persuadés
que Ghisi est le sujet du plus grand mérite qui soit dans le
collège, et nous ne le sommes pas moins que l'on ne le
peut faire pape qu'en faisant tous nos efforts pour réussir à
Sachetti. Le pis du pis est que nous réussissions à Sachetti,
qui n'est pas trop bon, mais qui est toujours un des moins
mauvais. Selon toutes les apparences du monde, nous n'y
réussirons pas : auquel cas nous ferons tomber Barberin à
Ghisi par reconnaissance et par l'intérêt de nous conserver.
Nous y ferons venir l'Espagne et Médicis, par l'appréhension
que nous n'emportions à la fin le plus de voix pour Sachetti,
et la France, par l'impossibilité où elle se trouvera de
l'empêcher. » Ce raisonnement beau et profond, auquel il
faut avouer que M. le cardinal Azzolin eut plus de part que

personne, fut approuvé tout d'une voix dans la Transpontine [1], où l'Escadron volant s'assembla dès les premiers jours
des obsèques, et après même que l'on y eut examiné
mûrement les difficultés de ce dessein, qui eussent paru
insurmontables à des esprits *médiocres. Les grands noms
sont toujours de grandes raisons aux petits *génies. France,
Espagne, Empire, Toscane étaient des mots tout [a] propres à
épouvanter les gens. Il n'y avait aucune apparence que le
cardinal Mazarin pût agréer Ghisi, qui avait été nonce à
Münster dans le temps de la négociation de la paix et qui
s'était déclaré ouvertement, en plus d'une occasion, contre
Servien, qui y était plénipotentiaire de France [2]. Il n'y avait
pas de vraisemblance que l'Espagne lui dût être favorable.
Le cardinal Trivulce, le plus capable sujet de sa faction et
peut-être de tout le sacré collège, déclamait publiquement
contre lui comme contre un bigot, et il appréhendait, dans
le fond, extrêmement son exaltation, par la crainte qu'il
avait de sa sévérité, peu propre à souffrir la licence de ses
débauches, qui, à la vérité, étaient scandaleuses. Il n'était
pas croyable que le cardinal Jean-Carle de Médicis pût être
bien intentionné pour lui, et par la même raison et par celle
de sa naissance ; car il était siennois et connu pour aimer
passionnément sa patrie, qui est pareillement connue pour
n'aimer pas passionnément la domination de Florence [3].

Toutes ces considérations furent examinées. On pesa
l'apparent, le douteux et le possible, et l'on se fixa à la
résolution que je viens de vous marquer, avec une sagesse
qui était d'autant plus profonde qu'elle paraissait hasardeuse.
Il faut avouer qu'il n'y a peut-être jamais eu de concert où
l'harmonie ait été si *juste qu'en celui-ci, et il semblait que
tous ceux qui y entrèrent ne fussent nés que pour agir les
uns avec les autres. L'activité d'Imperiali y était tempérée
par le flegme de Lomelin ; la profondeur d'Ottoboni se
servait utilement de la hauteur d'Aquaviva ; la candeur
d'Omodei et la froideur de Gualtieri y couvraient, quand il
était nécessaire, l'impétuosité de Pio et la duplicité d'Albizzi ; Azzolin, qui est un des plus beaux et des plus *faciles
esprits du monde, veillait avec une application d'esprit
continuelle aux mouvements de ces différents ressorts ; et
l'inclination que MM. les cardinaux de Médicis et Barberin,
chefs des deux factions les plus opposées, prirent d'*abord

pour moi, suppléa dans les rencontres, en ma personne, au défaut des qualités qui m'étaient nécessaires pour y tenir mon *coin. Tous les acteurs firent bien ; le théâtre fut toujours rempli ; les scènes ne furent pas beaucoup diversifiées ; mais la pièce fut belle, et d'autant plus qu'elle fut simple, quoi qu'en aient écrit les compilateurs de ce conclave. Il n'y eut de mystère que celui que je vous ai expliqué ci-devant. Il est vrai que les épisodes en furent curieuses : je m'explique.

Le conclave fut, si je ne me trompe, de quatre-vingts jours. Nous donnions tous les matins et toutes les après-dînées trente-deux et trente-trois voix à Sachetti, et ces voix étaient celles de la faction de France, des créatures du pape Urbain, oncle de M. le cardinal Barberin, et de l'Escadron volant. Celles des Espagnols, des Allemands et des Médicis se répandaient sur différents sujets dans tous les scrutins, et ils *affectaient d'en user ainsi pour donner à leur conduite un air plus ecclésiastique et plus épuré d'intrigues et de cabales que le nôtre n'avait. Ils ne réussirent pas dans leur projet, parce que les mœurs très déréglées de M. le cardinal Jean-Carle de Médicis et de M. le cardinal Trivulce, qui étaient proprement les âmes de leur faction, donnaient bien plus de lustre à la piété exemplaire de M. le cardinal Barberin qu'ils ne lui en pouvaient ôter par leurs artifices. Et le cardinal Cesi, *pensionnaire d'Espagne et l'homme le plus singe en tout sens que j'aie jamais connu, me disait un jour à ce propos fort plaisamment : « Vous nous battrez à la fin, car nous nous décréditons en ce que nous nous voulons faire passer pour gens de bien. » Cela paraît ridicule, et cela est pourtant vrai. Le faux trompe quelquefois, mais il ne trompe pas longtemps, quand il est relevé par d'habiles gens. Leur faction perdit, en peu de jours, le *concetto* [1] (qu'ils appellent en ce pays-là) de vouloir le bien. Nous gagnâmes de bonne heure cette réputation, et parce que, dans la vérité, Sachetti, qui était aimé à cause de sa douceur, passait pour homme de bonne et droite intention, et parce que le ménagement que la maison de Médicis était obligée d'avoir pour le cardinal Capponi, quoiqu'elle ne l'eût pas voulu en *effet pour pape, nous donna lieu de faire croire dans le monde qu'elle voulait installer dans la chaire de Saint-Pierre *la* *volpe* [1] : c'est ainsi que l'on appelait le cardinal Capponi, parce qu'il passait pour un fourbe.

Ces dispositions, jointes à plusieurs autres, qui seraient trop longues à *déduire, firent que la faction d'Espagne s'aperçut qu'elle perdait du terrain, et quoique cette perte n'allât pas jusques au point de lui faire croire que nous pensions faire le pape sans elle, elle ne laissa pas d'appréhender que, son parti ayant beaucoup de vieillards, et le nôtre beaucoup de jeunes, le temps ne pût être facilement pour nous [2]. Nous surprîmes une lettre de l'ambassadeur d'Espagne au cardinal Sforce, qui faisait voir cette crainte en termes exprès, et nous comprîmes même, par l'air de cette lettre encore plus que par les paroles, que cet ambassadeur n'était pas trop content de la manière d'agir des Médicis. Je suis trompé, ou ce fut monsignor Febei qui surprit cette lettre. Cette semence fut cultivée avec beaucoup de soin dès qu'elle eut paru, et l'Escadron, qui, par le canal de Borromée, milanais, et d'Aquaviva, napolitain, gardait toujours beaucoup de mesures d'*honnêteté avec l'ambassadeur d'Espagne, n'oublia pas de lui faire pénétrer qu'il était du service du roi son maître, et de l'intérêt particulier de lui ambassadeur, de ne se pas si fort abandonner aux Florentins, qu'il assujettît et à leurs maximes et à leur caprice la conduite d'une couronne pour laquelle tout le monde avait du respect. Cette poudre s'échauffa peu à peu, et elle prit feu dans son temps.

Je vous ai déjà dit que la faction de France donnait de toute sa force à Sachetti avec nous. La différence est qu'elle y donnait à l'aveugle croyant qu'elle y pourrait réussir, et que nous y donnions avec une lumière presque certaine que nous ne pourrions pas l'emporter, ce qui faisait qu'elle ne prenait point de mesures hypothétiques, si l'on peut parler ainsi, c'est-à-dire qu'elle ne songeait pas à se résoudre quel parti elle prendrait, en cas qu'elle ne pût réussir à Sachetti [a]. Comme le nôtre était pris selon cette disposition, que nous tenions presque pour *constante, nous nous appliquions par avance à affaiblir celle de France, pour le temps dans lequel nous jugions qu'elle nous serait opposée. Je donnai par hasard l'ouverture à Jean-Carle de débaucher le cardinal Ursin, qu'il eut à bon marché [3], et ainsi, dans le moment que la faction d'Espagne ne songeait qu'à se défendre de Sachetti, et que celle de France ne pensait qu'à le porter, nous travaillions pour une fin sur laquelle ni l'une ni l'autre ne faisait aucune réflexion : à diviser celle-là et à affaiblir celle-ci. L'avantage de se trouver en cet état est grand, mais il est rare. Il fallait pour cela un rencontre pareil à celui dans lequel nous étions et qui ne se verra peut-être pas en dix mille ans. Nous voulions Ghisi, et nous ne le pouvions avoir qu'en faisant tout ce qui était en notre pouvoir pour l'exaltation de Sachetti, et nous étions moralement assurés que ce que nous faisions pour Sachetti ne pourrait réussir, de sorte que la bonne conduite nous portait à ce à quoi nous étions obligés par la bonne foi. Cette utilité n'était pas la seule : notre manœuvre couvrait notre marche, et nos ennemis tiraient à faux, parce qu'ils visaient toujours où nous n'étions pas. Vous verrez le succès de cette conduite, après que je vous aurai expliqué celle de Ghisi, et la raison pour laquelle nous avions jeté les yeux sur lui.

Il était créature du pape Innocent, et le troisième de la promotion de laquelle j'avais été le premier. Il avait été inquisiteur à Malte et nonce à Münster, et il avait acquis en tous ces lieux la réputation d'une intégrité sans tache. Ses mœurs avaient été sans reproche dès son enfance. Il savait assez d'humanités pour faire paraître au moins une teinture suffisante des autres sciences. Sa sévérité paraissait douce ; ses maximes paraissaient droites ; il se communiquait peu, mais ce peu qu'il se communiquait était mesuré et sage, *savio col silenzio* [a], mieux qu'homme que j'aie jamais connu ; et tous les dehors d'une piété véritable et solide relevaient merveilleusement toutes ces qualités, ou plutôt toutes ces apparences. Ce qui leur donnait un corps au moins fantastique [1] était ce qui s'était passé à Münster entre Servien et lui. Celui-là, qui était connu et reconnu pour le démon exterminateur de la paix, s'y était cruellement brouillé avec le Contarin, ambassadeur de Venise, homme sage et homme de bien. Ghisi se signala pour le Contarin [2], sachant qu'il faisait fort bien sa cour à Innocent. L'opposition de Servien, qui était dans l'exécration des peuples, lui concilia l'amour public et lui donna de l'éclat. La morgue qu'il garda avec le cardinal Mazarin, lorsqu'il se trouva, ou à Aix-la-Chapelle, ou à Brusle en revenant de Münster, plut à sa Sainteté. Elle le rappela à Rome, et elle le fit secrétaire d'État et cardinal. On ne le connaissait que par les endroits que je vous viens de marquer. Comme Innocent était un *génie fort et perçant, il découvrit bientôt que le fond de celui de Ghisi n'était ni bon ni si profond qu'il se l'était imaginé ; mais cette pénétration du Pape ne nuisit pas à la fortune de Ghisi : au contraire, elle y servit, parce qu'Innocent, qui se voyait mourant, ne voulut point condamner son propre choix, et que Ghisi, qui, par la même raison, ne craignait le Pape que *médiocrement, se fit un honneur de se faire passer dans le monde pour un homme d'une vertu inébranlable et d'une rigidité inflexible. Il ne faisait point la cour à la signora Olimpia, qui était abhorrée dans Rome ; il blâmait assez ouvertement tout ce que le public n'approuvait pas de cette cour-là ; et tout le monde, qui est et qui sera éternellement dupe en ce qui flatte son aversion, admirait sa fermeté et sa vertu, sur un sujet sur lequel l'on ne devait tout au plus louer que son bon sens, qui lui faisait voir qu'il semait de la gloire, et de la graine pour le pontificat futur, dans un champ où il n'avait plus rien à cueillir pour le présent.

Le cardinal Azzolin, qui avait été secrétaire des brefs dans le même temps que l'autre avait été secrétaire d'État, avait remarqué dans ses mémoires[a] de certaines *finoteries, qui n'avaient pas de rapport à la *candeur dont il faisait profession. Il me le dit devant que nous entrassions dans le conclave ; mais il ajouta, en me le disant, que sur le tout il n'en voyait point de meilleur, et que, de plus, sa réputation était si bien établie, même dans l'esprit de nos amis de l'Escadron, que ce qu'il leur en pourrait dire ne passerait auprès d'eux que comme un reste de quelques petits démêlés qu'ils avaient eus ensemble par la *compétence de leurs charges. Je fis d'autant moins de réflexion sur ce qu'Azzolin m'en disait, que j'étais moi-même tout à fait *préoccupé en faveur de Ghisi. Il avait ménagé avec soin l'abbé Charrier dans le temps de ma prison ; il lui avait fait croire qu'il faisait des efforts incroyables pour moi auprès du Pape ; il pestait contre lui avec l'abbé Charrier, et avec plus d'emportement même que l'abbé Charrier, de ce qu'il ne *poussait pas avec assez de vigueur le cardinal Mazarin sur mon sujet. L'abbé Charrier avait chez lui toutes les entrées, comme s'il avait été son *domestique ; et il était persuadé qu'il était mieux intentionné et plus échauffé pour moi que moi-même. Je n'eus pas sujet d'en douter dans tout le cours du conclave.

J'étais assis immédiatement au-dessus de lui au scrutin, et tant qu'il durait, j'avais lieu de l'entretenir. Ce fut, je crois, par cette raison qu'il *affecta de ne vouloir écouter que moi sur ce qui regardait son pontificat. Il répondit à quelques-uns de ceux de l'Escadron, qui s'ouvrirent à lui de leurs desseins, d'une manière si désintéressée, qu'il les édifia. Il ne se trouvait ni aux fenêtres où l'on va prendre l'air, ni dans les corridors où l'on se promène ensemble. Il était toujours enfermé dans sa cellule, où il ne recevait même aucune visite. Il recevait de moi quelques avis que je lui donnais au scrutin ; mais il les recevait toujours ou d'une manière si éloignée du désir de la tiare, qu'il attirait mon admiration, ou tout au plus avec des circonstances si remplies de l'esprit ecclésiastique, que la malignité la plus noire n'eût pu s'imaginer d'autres désirs que celui dont parle saint Paul, quand il dit : *Qui episcopatum desiderat, bonum opus desiderat*[1]. Tous les discours qu'il me faisait n'étaient pleins que de zèle pour l'Église et de regret de ce que Rome n'étudiait pas assez l'Écriture, les conciles, la tradition. Il ne se pouvait lasser de m'entendre parler des maximes de la Sorbonne. Comme l'on ne se peut jamais si bien contraindre qu'il n'échappe toujours quelque chose du naturel, il ne se put si bien *couvrir que je ne m'aperçusse qu'il était homme de minuties : ce qui est toujours signe non pas seulement d'une petit *génie, mais encore d'une âme basse. Il me parlait un jour des études de sa jeunesse, et il me disait qu'il avait été deux ans à écrire d'une même plume. Cela n'est qu'une bagatelle ; mais comme j'ai remarqué plusieurs fois que les plus petites choses sont souvent de meilleures marques que les plus grandes, cela ne me plut pas. Je le dis à l'abbé Charrier, qui était un de mes conclavistes[2]. Je me souviens qu'il m'en gronda, en me disant que j'étais un maudit qui ne savait estimer la simplicité chrétienne.

Pour abréger, Ghisi fit si bien, par sa dissimulation profonde, que, nonobstant sa petitesse, qu'il ne pouvait cacher à l'égard de beaucoup de petites choses, sa physionomie, qui était basse, et sa mine qui tenait beaucoup du médecin, quoiqu'il fût de bonne naissance[3] : il fit si bien, dis-je, que nous crûmes que nous renouvellerions en sa

personne, si nous le pouvions porter au pontificat, la gloire
et la vertu des saint Grégoire et des saint Léon[1]. Nous nous
trompâmes dans cette espérance. Nous réussîmes à l'égard
de son exaltation, parce que les Espagnols appréhendèrent,
par les raisons que je vous ai marquées ci-dessus, que
l'opiniâtreté des jeunes ne l'emportât à la fin sur celle des
vieux, et que Barberin désespéra à la fin de réussir pour
Sachetti, vu l'engagement et la déclaration publique des
Espagnols et des Médicis. Nous nous résolûmes de prendre,
quand il en serait temps, ce défaut, pour insinuer aux deux
partis l'avantage que ce leur serait à l'un et à l'autre de
penser à Ghisi. Nous fîmes *état que Borromée ferait voir
aux Espagnols qu'ils ne pourraient mieux faire, vu l'aversion
que la France avait pour lui, et que je ferais voir à M. le
cardinal Barberin que, n'ayant personne dans ses créatures
qu'il lui fût possible de porter au pontificat, il acquerrait
un mérite infini envers toute l'Église, de le faire tomber
sans aucune *apparence d'intérêt au meilleur sujet. Nous
crûmes que nous trouverions du secours pour notre dessein
dans les dispositions des particuliers des factions, et voici sur
quoi nous nous fondions.

Le cardinal Montalte, qui était de celle d'Espagne, homme
d'un petit talent, mais bon, de grande dépense, et qui avait
un air de fort grand seigneur, avait une grande frayeur que
le cardinal Fiorenzola, jacobin, et esprit vigoureux, ne fût
proposé par M. le cardinal Grimaldi, qui était son ami
intime et dont les travers avaient assez de rapport à celui de
Fiorenzola. Nous résolûmes de nous servir utilement de
l'appréhension de Montalte, pour lui donner presque insensiblement de l'inclination pour Ghisi. Le vieux cardinal de
Médicis, qui était l'esprit du monde le plus doux, était la
moitié du jour fatigué et de la longueur du conclave et de
l'impétuosité du cardinal Jean-Carle, son neveu, qui ne
l'épargnait pas quelquefois lui-même. J'étais très bien avec
lui, et au point de donner même de la jalousie à M. le
cardinal Jean-Carle ; et ce qui m'avait particulièrement
procuré l'honneur de son amitié était sa *candeur naturelle,
qui avait fait qu'il avait pris plaisir à ma manière d'agir
avec lui. Je faisais profession publique de l'honorer, et je
lui rendais même avec soin mes devoirs. Mais je n'avais pas
laissé de m'expliquer clairement avec lui sur mes engagements

avec M. le cardinal Barberin et avec l'Escadron. Ma sincérité lui avait plu, et il se trouva par l'événement qu'elle me fut plus utile que n'aurait été l'artifice. Je ménageai avec application son esprit, et je jugeai que je me trouverais bientôt en état de le disposer peu à peu et à le[1] radoucir pour M. le cardinal Barberin, qui était brouillé avec toute sa maison, et à ne pas regarder M. le cardinal Ghisi comme un homme si dangereux que l'on lui avait voulu faire croire. L'on ne s'endormait pas, comme vous voyez, à l'égard de l'Espagne et de la Toscane, quoique l'on y parût à elle-même[a] sans action, parce qu'il n'était pas encore temps de se découvrir. L'on n'eut pas moins d'attention vers la France, dont l'opposition à Ghisi était encore plus publique et plus déclarée que celle des autres. M. de Lionne, neveu de Servien, en parlait à qui le voulait entendre comme d'un *pédant, et il ne présumait pas que l'on le pût seulement mettre sur les rangs. M. le cardinal Grimaldi, qui, dans le temps de leur prélature, avait eu je ne sais quel malentendu avec lui, disait publiquement qu'il n'avait qu'un mérite d'imagination. Il ne se pouvait que M. le cardinal d'Est n'appréhendât, comme frère du duc de Modène, l'exaltation d'un sujet désintéressé et ferme, qui sont les deux qualités que les princes d'Italie craignent uniquement dans un pape.

Vous avez vu ci-devant qu'il y avait eu même du personnel[2] entre lui et M. le cardinal Mazarin en Allemagne, et nous jugeâmes qu'il était à propos, par toutes ces considérations, d'adoucir les choses autant que nous le pourrions de ce côté-là, qui, quoique faible, nous pourrait peut-être faire obstacle : je dis quoique faible, et peut-être, parce que, dans la vérité, la faction de France ne faisait pas une figure si considérable dans ce conclave que nous ne pussions prétendre, et que nous ne prétendissions, en effet, de pouvoir faire un pape malgré elle. Ce n'est pas qu'elle manquât de sujets, et même capables. Est, qui était protecteur[3], suppléait par sa qualité, par sa dépense et par son courage à ce que l'obscurité de son esprit et l'ambiguïté de ses expressions diminuaient de sa *considération. Grimaldi joignait à la réputation de vigueur qu'il a toujours eue, un air de supériorité aux manières serviles des autres cardinaux de sa faction, et il élevait par là au-dessus d'eux sa réputation. Bichi, habile et rompu dans les affaires, y devait tenir naturellement un grand poste. M. le cardinal Antoine brillait par sa libéralité, et M. le cardinal Ursin par son nom. Voilà bien des circonstances qui *devaient faire qu'une faction ne fût pas méprisable. Il s'en fallait fort peu que celle de France ne le fût avec toutes ces circonstances, parce qu'elles se trouvèrent compliquées avec d'autres qui les empoisonnèrent. Grimaldi, qui haïssait Mazarin, autant qu'il en était haï, n'agissait presque en rien, et d'autant moins qu'il croyait, et avec raison, que Lionne, qui avait au-dehors le secret de la cour, ne le lui confiait pas. Est, qui tremblait avec tout son courage, parce que le marquis de Caracène entra justement, en ce temps-là, dans le Modenais avec toute l'armée du Milanais[1], faisait qu'il n'osait s'étendre de toute sa force contre l'Espagne. Je vous ai déjà dit que les Médicis n'étaient point brouillés avec Ursin ; Antoine n'était ni intelligent ni actif, et de plus l'on n'ignorait pas que, dans le fond du cœur, et à *coup près, le cardinal Barberin, qui était très mal à la cour de France, ne l'*emportât. Lionne n'y pouvait pas prendre une entière confiance, parce qu'il ne pouvait pas s'assurer que le cardinal Barberin, qui voulait aujourd'hui Sachetti qui était agréable à la France, n'en voulût pas demain un autre qui lui fût désagréable ; et cette même considération diminuait encore de beaucoup la confiance que Lionne eût pu prendre au cardinal d'Est, parce que l'on savait qu'il gardait toujours beaucoup d'égard avec le cardinal Barberin, et par l'amitié qui avait été dès longtemps entre eux, et par la raison de la duchesse de Modène, qui était sa nièce. Bichi n'était pas selon le cœur du Mazarin, qui le croyait trop *fin et très mal disposé pour lui, comme il était vrai. Voilà, comme vous voyez, un détail qui vous peut empêcher de vous étonner de ce que la faction d'une couronne puissante et heureuse n'était pas aussi considérée qu'elle le *devait être dans une conjoncture pareille. Vous en serez encore moins surprise, quand il vous plaira de faire réflexion sur le premier mobile qui donnait le mouvement à des ressorts aussi mal assortis, ou plutôt aussi dérangés qu'étaient ceux que je viens de vous montrer.

Lionne n'était connu à Rome que pour un petit secrétaire de M. le cardinal Mazarin. L'on l'y avait vu, dans le temps du ministère de M. le cardinal de Richelieu, particulier d'un assez bas étage, et de plus *brelandier et concubinaire public.

Il eut depuis quelque espèce d'emploi en Italie, touchant les affaires de Parme[1] ; mais cet emploi n'avait pas été assez grand pour le devoir porter d'un saut à celui de Rome, ni son expérience assez consommée pour lui confier la direction d'un conclave, qui est incontestablement de toutes les affaires la plus aiguë. Les fautes de ce genre sont assez communes, dans les États qui sont dans la prospérité, parce que l'incapacité de ceux qu'ils emploient s'y trouve souvent suppléée par le respect que l'on a pour leur maître. Jamais royaume ne s'est plus *confié en ce respect que la France, dans le temps du ministère du cardinal Mazarin. Ce n'est pas jeu sûr : il l'éprouva dans l'occasion dont il s'agit. M. de Lionne n'y eut ni assez de dignité, ni assez de capacité pour tenir l'équilibre entre tous les ressorts qui se démanchaient. Nous le reconnûmes en peu de jours, et nous nous en servîmes très utilement pour notre fin.

Je vous ai déjà dit, ce me semble, qu'ayant été averti que Lionne avait mécontenté M. le cardinal Ursin sur un reste de pension, qui n'était que de mille écus, j'en informai M. le cardinal de Médicis assez à temps pour lui donner lieu de le gagner à une condition si petite, que, pour l'honneur de la pourpre, je crois que je ferais bien mieux de ne la point dire[2]. Vous verrez, dans la suite, que nous nous servîmes avec encore plus de fruit de l'indisposition que M. le cardinal Bichi avait pour lui, pour diviser et pour *déconcerter la faction de France encore plus qu'elle ne l'était. Mais comme ce n'était pas celle que nous appréhendions le plus, quoique ce fût celle qui nous fût la plus opposée, nous n'avancions notre travail, du côté qui la regardait, que *subordinément au progrès que nous faisions des deux autres, d'où nous craignions, et avec raison, de trouver plus de difficulté.

Vous avez déjà vu les raisons pour lesquelles nous ne pouvions pas ignorer que l'Espagne et les Médicis donneraient malaisément à Ghisi, et vous avez aussi vu la manœuvre que nous faisions pour lever, peu à peu et même imperceptiblement, leur indisposition. Je dis imperceptiblement, et ce fut là notre plus grand embarras ; car si Barberin se fût seulement aperçu le moins du monde que nous eussions eu la moindre vue à Ghisi, il nous aurait échappé infailliblement, parce qu'avec toute la vertu imaginable il a tout le caprice possible, et qu'il ne se fût jamais empêché de s'imaginer que nous le trompions sur le sujet de Sachetti. Ce fut proprement en cet endroit où j'admirai la bonne foi, la prévoyance, la pénétration et l'activité de l'Escadron, et particulièrement d'Azzolin, qui fut celui qui se donna le plus de mouvement. Il ne s'y fit pas un pas à l'égard de Barberin et de Sachetti qui n'eût pu être *avoué par la morale du monde la plus sévère. Comme l'on voyait clairement que tout ce que l'on faisait pour lui serait inutile par l'événement, l'on n'oublia aucune démarche de celles que l'on jugea être utiles à lever les indispositions que l'on prévoyait se devoir trouver de la part de France, d'Espagne, de Florence, et même de Barberin, à l'exaltation de Ghisi, lorsqu'elle serait en état d'être proposée. Comme l'on ne pouvait douter que pour peu que Barberin s'aperçût de notre dessein, il n'entrât en défiance de nous-mêmes, nous couvrîmes avec une application si grande et si heureuse notre marche, qu'il ne la connut lui-même que par nous, et quand nous crûmes qu'il était nécessaire qu'il la connût. Ce qui était de plus embarrassant pour nous était que, comme nous avions plus de besoin encore de lui que des autres parce qu'enfin nous en tirions notre principale force, il fallait que, par préalable même à tout le reste, nous travaillassions à lever les obstacles que nous prévoyions même très grands à notre dessein dans la faction.

Nous savions que l'unique et journalière application des vieux cardinaux qui en étaient, et qui voyaient comme nous l'impossibilité de réussir à l'exaltation de Sachetti, était de faire comprendre à Barberin qu'il lui serait d'une extrême honte que l'on prît un pape qui ne fût pas de ses créatures. Tous conspiraient à lui donner cette vue ; chacun prétendait de se l'appliquer en son particulier. Ginetti ne doutait pas que l'attachement qu'il avait de tout temps à sa maison, ne lui en dût donner la préférence ; Cecchini était persuadé qu'elle était due à son mérite ; Rapaccioli, qui n'avait pourtant que quarante-un ans ou un peu plus, je ne m'en souviens pas précisément, s'imaginait que sa piété, sa capacité et son peu de santé l'y pourraient porter, même avec facilité ; Fiorenzola se laissait chatouiller par les *imaginations de Grimaldi, dont le naturel est de croire aisément tout ce qu'il désire. Ceux qui n'ont pas vu les conclaves ne se peuvent figurer les illusions des hommes en ce qui regarde la papauté, et l'on a raison de l'appeler *rabbia papale*[1].

Cette illusion toutefois était toute propre à nous faire manquer notre coup, parce que la clameur de toute la faction du pape Urbain était toute propre à faire appréhender à Barberin de perdre en un moment toutes ses créatures, si il choisissait un pape hors d'elle. Cet inconvénient, comme vous voyez, était fort grand ; mais nous trouvâmes le remède dans le même lieu d'où nous appréhendions le mal ; car la jalousie qui était entre eux les obligea, par avance, à faire tant de pas les uns contre les autres, qu'ils fâchèrent Barberin, parce qu'ils n'eurent pas la même circonspection que nous à cacher leurs sentiments sur l'impossibilité de l'exaltation de Sachetti. Il crut qu'ils voulaient croire cette impossibilité, pour relever leur propre intérêt. Il les considéra au commencement comme des ingrats et comme des ambitieux, et cette indisposition fit que, quand il vint lui-même à connaître qu'il ne pouvait en effet réussir à Sachetti, il se résolut plus facilement à sortir de sa faction et à se persuader qu'il hasarderait moins de perdre ses créatures en leur faisant voir qu'il était emporté dans un autre parti par ses alliés, que de l'aigrir tout entière par la préférence de l'un[a] à l'autre. Car il faut remarquer qu'elles cédaient toutes à Sachetti à cause de son âge et de ses manières, qui, dans la vérité, étaient aimables. Ce n'est pas qu'à mon opinion il n'eût été de lui comme de Galba, digne de l'empire si il n'eût point été empereur[2] ; mais enfin l'on n'en était pas là. Les autres créatures de Barberin s'étaient réglées sur ce point ; mais comme ils ne croyaient pas son exaltation possible, cette différence ne faisait qu'augmenter la jalousie enragée qu'ils avaient par avance les uns contre les autres.

Le vieux Spada, rompu et corrompu dans les affaires, se déclara contre Rapaccioli, jusques à faire un libelle contre lui, par lequel il l'accusait d'avoir cru que le diable pourrait être reçu à pénitence[3]. Montalte dit publiquement qu'il avait de quoi s'opposer en forme à l'exaltation de Fiorenzola. Cesi[b], dont je vous ai déjà parlé, fit une description assez plaisante de la beauté du carnaval que la signora Vasti, belle et *galante, nièce de Cecchini, donnerait au public, si son oncle était pape. Toutes ces aigreurs, toutes ces niaiseries, peu dignes à la vérité d'un conclave, déplurent au dernier point à Barberin, esprit et pieux et sérieux, et ne nuisirent pas à notre dessein dans la suite, que vous allez voir.

Il me semble que je vous ai déjà dit que ce conclave dura quatre-vingts jours, ou peu plus ou peu moins. Il y en eut plus des deux tiers employés comme je vous l'ai déjà dit ci-devant, parce que M. le cardinal Barberin ne se pouvait ôter de l'esprit que nous emporterions enfin Sachetti par notre opiniâtreté. Nous pouvions moins que personne le désabuser, par la raison que vous avez déjà vue, et je ne sais si la chose n'eût pas été encore bien plus loin, si Sachetti même, qui se lassait de se voir ballotter *réglément quatre fois par jour, sans aucune apparence de réussir, ne lui eût lui-même ouvert les yeux. Ce ne fut pas toutefois sans beaucoup de peine. Il y réussit enfin ; et après que nous eûmes observé toutes les *brèves et les longues, pour ne lui laisser aucun lieu de soupçonner que nous eussions part à cette démarche de Sachetti, à laquelle, dans le vrai, nous n'en avions aucune, nous discutâmes avec lui la possibilité des sujets de sa faction. Nous nous aperçûmes d'*abord qu'il s'y trouvait lui-même fort embarrassé et même avec beaucoup de raison. Nous n'en fûmes pas fâchés, parce que cet embarras, nous donnant lieu de tomber sur les sujets des autres factions, nous porta insensiblement jusques à Ghisi.

M. le cardinal Barberin, qui dès son enfance a aimé jusques à la passion la piété, et qui estimait beaucoup celle qu'il croyait en Ghisi, se rendit avec assez de facilité, et il n'y eut, à vrai dire, qu'un scrupule, qui fut que Ghisi, qui était fort ami des jésuites, pourrait peut-être donner atteinte à la doctrine de saint Augustin, pour laquelle Barberin avait plus de respect que de connaissance [1]. Je fus chargé de m'en éclaircir avec lui, et je m'acquittai de ma commission d'une manière qui ne blessa ni mon devoir, ni la prétendue tendresse de conscience de Ghisi. Comme, dans les grandes conversations que j'avais eues avec lui dans les scrutins, il m'avait pénétré, ce qui lui était fort aisé parce que je ne me *couvrais pas auprès de lui, il avait connu que je n'approuvais pas qu'on s'entêtât pour les personnes, et qu'il suffisait d'éclaircir la vérité. Il me témoigna entrer lui-même dans ces sentiments, et j'eus sujet de croire qu'il était tout propre, par ses maximes, à rendre la paix à l'Église [2]. Il s'en expliqua lui-même assez publiquement et raisonnablement ;

car Albizzi, *pensionnaire des jésuites, s'étant emporté, même avec brutalité, contre l'*extrémité, ce disait-il, de l'esprit de saint Augustin, Ghisi prit la parole avec vigueur, et il parla comme le respect que l'on doit au docteur de la grâce[1] le requiert. Ce rencontre assura absolument Barberin, et beaucoup plus encore que tout ce que je lui en avais dit.

Dès qu'il eut pris son parti, nous commençâmes à mettre en œuvre les matériaux que nous n'avions fait jusque-là que disposer. Nous agîmes, chacun de son côté, selon que nous l'avions projeté. Nous nous expliquâmes de ce que nous avions le plus souvent caché avec soin, ou que nous n'avions tout au plus qu'insinué. Borromée et Aquaviva se développèrent plus pleinement vers l'ambassadeur d'Espagne. Azzolin brilla dans les diverses factions avec plus de liberté. Je m'étendis de toute ma force vers le cardinal doyen[2] : il prit confiance en moi sur le désir qu'il avait d'adoucir le grand-duc par les Barberins. Le cardinal Barberin l'y eut tout entière sur la joie qu'il en aurait. Azzolin ou Lomelin, je ne me souviens pas précisément lequel ce fut, découvrit que Bichi, qui était allié de Ghisi, était très bien intentionné pour lui dans le fond. Il entra dans le commerce habilement, et si bien que Bichi, qui ne crut pas que le Mazarin eût assez de confiance en lui pour concourir sur sa parole à l'exaltation de Ghisi, employa, pour le persuader, Sachetti, qui, lassé, comme il me semble que je vous l'ai déjà dit, de se voir ballotté inutilement tous les soirs et tous les matins, lui dépêcha un courrier pour l'avertir que Ghisi serait pape en dépit de la France, si elle faisait tant que de lui donner l'exclusion[3], comme l'on disait ; car, aussitôt que l'on le vit sur les rangs, tous les subalternes, selon le style de la nation, publièrent que le Roi ne le souffrirait jamais. Mazarin ne fut pas de leur sentiment, et il renvoya par le même courrier ordre à Lionne de ne le point exclure. Il eut raison ; car je suis persuadé que si l'exclusion fût arrivée, Ghisi eût été pape trois jours plus tôt qu'il ne le fut. Les couronnes ne doivent jamais hasarder facilement ces exclusions : il y a des conclaves où elles peuvent réussir ; il y en a d'autres où le succès en serait impossible. Celui-là était du nombre. Le sacré collège était fort, et de plus il sentait sa force.

Les choses étant en l'état que je viens de poser, MM. les

cardinaux de Médicis et Barberin, qui avaient pris et reçu
par moi leurs paroles, me chargèrent, sur les neuf heures du
soir, d'en aller porter la nouvelle à M. le cardinal Ghisi. Je
le trouvai au lit ; je lui baisai la main. Il m'entendit et il
me dit en m'embrassant : *Ecco l'effetto de la buona
vicinanza* [1]. Je vous ai déjà dit que j'étais au scrutin auprès
de lui. Tout le collège y accourut ensuite. Il m'envoya quérir
sur les onze heures, après que tout le monde fut sorti de sa
cellule, et je ne vous puis exprimer les bontés avec lesquelles
il me traita. Nous l'allâmes tous prendre, le lendemain au
matin, dans sa cellule, et nous l'accompagnâmes à la chapelle
du scrutin, où il eut, ce me semble, toutes les voix, à la
réserve d'une ou tout au plus de deux. Le soupçon tomba
sur le vieux Spada, Grimaldi et Rosetti, lesquels, à la vérité,
furent les seuls qui *improuvèrent, au moins publiquement,
son exaltation [2]. Grimaldi me dit à moi-même que j'avais
fait un choix dont je me repentirais en mon particulier, et il
se trouva par l'événement qu'il eut raison. J'attribuai son
discours à son *travers ; l'aversion de Spada, à l'*envie qui
lui était naturelle ; et celle de Rosetti, à l'appréhension qu'il
avait de la sévérité de Ghisi. Je crois encore que je ne me
trompais pas dans ce jugement, quoique j'avoue qu'ils ne
se trompaient pas eux-mêmes pour le fond.

Ce qui est *constant est que jamais élection de pape n'a
été plus universellement applaudie. Il ne se *défaillit pas à
lui-même dans les premiers moments, qui, par une imperfection assez bizarre de la nature humaine, surprennent davantage les gens qui les attendent avec le plus d'impatience. La
suite a fait voir qu'il n'était pas assez homme de bien pour
n'en avoir pas eu beaucoup en ce rencontre. Il fut si éloigné
d'en donner aucunes marques, que nous eûmes sujet de
croire qu'il en avait de la douleur. Il pleura amèrement au
moment que l'on relisait le scrutin qui le faisait pape ; et
comme il vit que je le remarquai, il m'embrassa d'un bras
et prit de l'autre Lomelin, qui était au-dessous de lui, et il
nous dit à l'un et l'autre. « Pardonnez cette faiblesse à un
homme qui a toujours aimé ses proches avec tendresse et
qui s'en voit séparé pour jamais. » Nous descendîmes, après
les cérémonies accoutumées, à Saint-Pierre ; il *affecta de
ne s'asseoir que sur le coin [a]de l'autel, quoique les maîtres
des cérémonies lui dissent que la coutume était que les

papes se missent justement sur le milieu. Il y reçut l'adoration du sacré collège avec beaucoup plus de modestie que de grandeur, avec beaucoup plus d'abattement que de joie ; et lorsque je m'approchai à mon tour pour lui baiser les pieds, il me dit en m'embrassant, si haut que les ambassadeurs d'Espagne et de Venise et le connétable Colonne l'entendirent : « Signor cardinal de Rais, *ecce opus manuum tuarum.* [1] » Vous pouvez juger de l'effet que fit cette parole. Les ambassadeurs la dirent à ceux qui étaient auprès d'eux ; elle se répandit en moins d'un rien dans toute l'église. Châtillon, frère de Barillon, me la redit une heure après, en me rencontrant comme je sortais, et je retournai chez moi accompagné de plus de six-vingts carrosses, qui étaient pleins de gens très persuadés que j'allais gouverner le pontificat. Je me souviens que Châtillon me dit à l'oreille : « Je suis résolu de compter les carrosses pour en rendre ce soir un compte exact à M. de Lionne [2] ; il ne faut pas épargner cette joie au cocu [3]. »

Je vous ai promis quelques épisodes, je vas vous tenir ma parole. Vous avez déjà vu que la faction de France avait eu ordre du Roi, non pas seulement de ne pas communiquer avec moi, mais même de ne me pas saluer. M. le cardinal d'Est évita avec soin de me rencontrer ; quand il ne le put, il tourna la tête de l'autre côté, ou il fit semblant de ramasser un mouchoir, ou de parler à quelqu'un. Enfin, comme il a toujours *affecté de paraître ecclésiastique, il affecta aussi, à mon opinion, de témoigner en cette occasion qu'une conduite qui blessait même l'apparence de la charité chrétienne lui faisait de la peine. Antoine me saluait toujours fort *honnêtement, quand personne ne le voyait ; mais comme il était fort bas à la cour et fort *timide, il se redressait en public ; et Ursin, qui était l'âme du monde la plus vile, me *morguait également partout. Bichi me saluait toujours civilement, et Grimaldi n'observait l'ordre qu'en ce qu'il ne me visitait pas, car il me parlait même dans la rencontre [4] et toujours fort *honnêtement. Ce détail vous paraît sans doute une minutie ; mais ce qui fait que je ne l'omets pas est qu'il me paraît être une véritable et bien naturelle image de la lâche politique des courtisans. Chacun d'eux la monte et la baisse à son cran, et leur inclination la règle sans comparaison davantage que leur véritable intérêt.

Ils se conduisirent tous dans le conclave différemment sur mon sujet. J'observai qu'ils en furent tous également à la cour[a] ; j'ai appliqué depuis cet exemple à mille autres. Je vivais avec autant d'*honnêteté à leur égard que si ils eussent fort bien vécu avec moi. J'avais toujours la main au bonnet *devant eux, de cinquante pas, et je poussai ma civilité jusques à l'humilité. Je disais à qui le voulait entendre que je leur rendais ces respects, non pas seulement comme à mes confrères, mais encore comme à des serviteurs de mon Roi. Je parlais en Français, en chrétien, en ecclésiastique ; et Ursin m'ayant un jour *morgué si publiquement que tout le monde s'en scandalisa, je renouvelai d'*honnêteté pour lui à un point que tout le monde s'en édifia. Ce qui arriva, le lendemain, releva cette modestie ou plutôt cette *affectation de modestie. Le cardinal Jean-Carle de Médicis, qui était naturellement impétueux, s'éleva contre moi sur ce que j'étais, ce disait-il, trop uni avec l'Escadron. Je lui répondis avec toute la considération que je devais et à sa personne et à sa maison. Il ne laissa pas de s'échauffer et de me dire que je me devais souvenir des obligations que ma maison avait à la sienne : sur quoi je lui dis que je ne les oublierais jamais et que Monsieur le Cardinal doyen[1] et Monsieur le Grand-Duc en étaient très persuadés. « Je ne le suis pas, moi, reprit-il tout d'un coup, que vous vous souveniez bien que, sans la reine Catherine, vous seriez un gentilhomme comme un autre à Florence. — Pardonnez-moi, Monsieur, lui répondis-je en présence de douze ou quinze cardinaux, et pour vous faire voir que je sais bien ce que je serais à Florence, je vous dirai que si j'y étais selon ma naissance, j'y serais autant au-dessus de vous, que mes prédécesseurs y étaient au-dessus des vôtres, il y a quatre cents ans. »[2] Je me tournai ensuite vers ceux qui étaient présents, et je leur dis : « Vous voyez, Messieurs, que le sang français s'émeut aisément contre la faction d'Espagne. » Le grand-duc et le cardinal doyen eurent l'*honnêteté de ne se point aigrir de cette parole ; et le marquis Riccardi, ambassadeur du premier, me dit, au sortir du conclave, qu'elle lui avait même plu et qu'il avait blâmé le cardinal Jean-Carle.

Il y eut une autre scène, quelques jours après, qui me fut assez heureuse. Le duc de Terra-Nueva, ambassadeur d'Espagne, présenta un mémorial au sacré collège, à propos de je ne sais quoi dont je ne me ressouviens point, et il donna dans ce mémorial la qualité de fils aîné de l'Église au roi son maître. Comme le secrétaire du collège le lisait, je remarquai cette expression, qui ne fut point, à mon sens, observée par les cardinaux de la faction ; il est au moins certain qu'elle ne fut pas relevée. Je leur en laissai tout le temps, afin de ne faire paraître ni précipitation ni *affectation. Comme je vis qu'ils demeuraient tous dans un profond silence, je me levai, je sortis de ma place, et, en m'avançant du côté de Monsieur le Cardinal doyen, je m'opposai en forme à l'article du mémorial dans lequel le Roi Catholique était appelé fils aîné de l'Église. Je demandai acte de mon opposition, et l'on me l'accorda en bonne forme, signé de quatre maîtres des cérémonies ª. M. le cardinal Mazarin eut la bonté de dire au Roi et à la Reine mère, en plein *cercle, que cette pièce avait été concertée avec l'ambassadeur d'Espagne pour m'en faire honneur en France. Il n'est jamais *honnête à un ministre d'être imposteur ; mais il n'est pas même politique de porter l'imposture au-delà de toute apparence [1].

Je ne puis finir cette matière des conclaves, sans vous en faire une peinture qui vous les fasse connaître, et qui efface l'idée que vous avez sans doute prise sur le bruit commun et peut-être sur la lecture de ces relations *fabuleuses qui en ont été faites [2]. Ce que je viens même de vous exposer de celui d'Alexandre VII ne vous en aura pas détrompée, parce que vous y avez vu des murmures, des plaintes, des aigreurs ; et c'est ce qu'il est, à mon opinion, nécessaire de vous expliquer. Il est certain qu'il y eut dans ce conclave plus de ces murmures, de ces plaintes et de ces aigreurs qu'en aucun autre que j'aie vu ; mais il ne l'est pas moins que, à la réserve de ce qui se passa entre M. le cardinal Jean-Carle et moi, dont je vous ai rendu compte, d'une parole encore sans comparaison plus légère qu'il s'attira d'Imperiali, à force de le presser, et du libelle de Spada contre Rapaccioli, il n'y eut pas dans ces murmures, dans ces plaintes et dans ces aigreurs extérieures, la moindre étincelle, je ne dis pas de haine, mais même d'indisposition. L'on y vécut toujours ensemble avec le même respect et la même civilité que l'on observe dans les cabinets des rois,

avec la même politesse que l'on avait dans la cour de
Henri III [1], avec la même familiarité que l'on voit dans les
collèges, avec la même modestie qui se remarque dans les
noviciats, et avec la même charité, au moins en apparence,
qui pourrait être entre des frères parfaitement unis. Je
n'exagère rien et j'en dis encore moins que je n'en ai vu
dans les autres conclaves dans lesquels je me suis trouvé. Je
ne me puis mieux exprimer sur ce sujet, qu'en vous disant
que, même dans celui d'Alexandre VII, que l'impétuosité
de M. le cardinal Jean-Carle de Médicis éveilla, ou plutôt
dérégla un peu, la réponse que je lui fis ne fut excusée que
parce qu'il n'y était pas aimé ; que celle d'Imperiali y fut
condamnée, et que le libelle de Spada y fut détesté et
désavoué, dès le lendemain au matin, par lui-même, à cause
de la honte que l'on lui en fit. Je puis dire avec vérité que
je n'ai jamais vu, dans aucun des conclaves auxquels j'ai
assisté, ni un seul cardinal, ni un seul conclaviste s'emporter ;
j'en ai vu même fort peu qui s'y soient échauffés. Il est rare
d'y entendre une voix élevée, ou d'y remarquer un visage
changé. J'ai souvent essayé de trouver de la différence dans
l'air de ceux qui venaient d'être exclus, et je puis dire avec
vérité qu'à la réserve d'une seule fois, je n'y en ai jamais
trouvé. L'on y est même si éloigné du soupçon de ces
vengeances, dont l'erreur commune charge l'Italie, qu'il est
assez ordinaire que l'excluant y boive, à son dîner, du vin
que l'exclu du matin lui vient d'envoyer [2]. Enfin j'ose dire
qu'il n'y a rien de plus grand, ni de plus sage, que l'extérieur
ordinaire d'un conclave. Je sais bien que la forme qui s'y
pratique, depuis la bulle de Grégoire, contribue beaucoup à
le régler [3] ; mais j'avoue qu'il n'y a que les Italiens
au monde capables d'observer cette règle avec autant de
bienséance qu'ils le font [4]. Je reviens à la suite de ma
narration.

Vous croyez aisément que je ne manquai pas, dans le
cours du conclave, de prendre les sentiments de M. le
cardinal Ghisi et de mes amis de l'Escadron sur la conduite
que j'avais à tenir après que j'en serais sorti. Je prévoyais
qu'elle serait assez difficile, et du côté de Rome et du côté
de France, et je connus, dès les premières conversations, que
je ne me trompais pas dans ma prévoyance. Je commence
par les embarras que je trouvai à Rome, que j'expliquerai

de suite, pour ne point interrompre le fil du récit, et je ne reviendrai à ce que je fis du côté de France qu'après que je vous aurai exposé la conduite que je pris en Italie.

Mes amis, qui n'étaient nullement *pratiques de ce pays-là, et qui, selon le *génie de notre nation, qui traite toutes les autres par rapport à elle, s'imaginaient qu'un cardinal persécuté pouvait et devait même vivre presque en homme privé à Rome, m'écrivaient par toutes leurs lettres qu'il était de la bienséance que je demeurasse toujours dans la maison de la Mission[1], où je m'étais effectivement logé sept ou huit jours après que je fus arrivé. Ils ajoutaient qu'il était nécessaire que je ne fisse aucune dépense, et parce que, tous mes revenus étant saisis en France avec une rigueur extraordinaire, je n'en pourrais pas soutenir même une *médiocre, et parce que cette modestie ferait un effet admirable dans le clergé de Paris, dont j'aurais grand besoin dans la suite. Je parlai sur ce ton à M. le cardinal Ghisi, qui passait pour le plus grand ecclésiastique qui fût au-delà des monts, et je fus bien surpris quand il me dit : « Non, non, Monsieur ; quand vous serez rétabli dans votre siège, vivez comme il vous plaira, parce que vous serez dans un pays où l'on saura ce que vous pouvez et ce que vous ne pouvez pas. Vous êtes à Rome, où vos ennemis disent tous les jours que vous êtes décrédité en France : il est de nécessité de faire voir qu'ils ne disent pas vrai. Vous n'êtes pas ermite, vous êtes cardinal et cardinal d'une volée que nous appelons en ce pays-ci *dei cardinaloni*[2]. Nous y estimons peut-être plus qu'ailleurs la modestie ; mais il faut à un homme de votre âge, de votre naissance et de votre sorte, qu'elle soit tempérée ; il faut de[a] plus qu'elle soit si volontaire, qu'il n'y ait pas seulement le moindre soupçon qu'elle soit forcée. Il y a beaucoup de gens à Rome qui aiment à assassiner ceux qui sont à terre : n'y tombez pas, mon cher Monsieur, et faites réflexion, je vous supplie, quel personnage vous jouerez dans les rues avec les six estafiers dont vous parlez, quand vous y trouverez un petit bourgeois de Paris qui ne s'arrêtera pas devant vous et qui vous bravera, pour faire sa cour au cardinal d'Est. Vous ne deviez pas venir à Rome si vous n'étiez pas en résolution et en pouvoir d'y soutenir votre dignité. Nous ne mettons point l'humilité chrétienne à la perdre, et je n'ai rien à vous dire, si ce n'est que le

pauvre cardinal Ghisi, qui vous parle, qui n'a que cinq mille
écus de rente et qui est sur le pied du plus gueux des
cardinaux moines, ne peut aller aux fonctions sans quatre
carrosses de livrées, roulants ensemble, quoiqu'il soit assuré
qu'il ne trouvera personne dans les rues qui manque en sa
personne au respect que l'on doit à la pourpre. » [1]

Voilà une petite partie de ce que le cardinal Ghisi me
disait tous les jours, et de tout ce que mes autres amis,
qui n'étaient pas, ou du moins qui ne faisaient pas
les ecclésiastiques si zélés que lui, m'*exagéraient encore
beaucoup davantage. M. le cardinal Barberin éclatait encore
plus que tous les autres contre ce projet de *retranchement.
Il m'offrait sa bourse ; mais comme [je] ne la voulais pas
prendre, et comme même j'eusse été fort aise de n'être pas
à charge à mes proches et à mes amis de France, je me
trouvais fort en peine ; et d'autant plus, que je les voyais
très disposés à croire que la grande dépense ne m'était
nullement nécessaire à Rome. Je n'ai guère eu dans ma vie
de rencontre plus fâcheux que celui-là, et je vous puis dire
avec vérité que je ne sais qu'une occasion où j'aie eu plus
de besoin de faire un effort terrible sur moi, pour m'empêcher
de faire ce que j'aurais souhaité. Si je me fusse cru, je me
serais réduit à deux estafiers. La nécessité l'emporta. Je
connus visiblement que je tomberais dans le mépris, si je ne
me soutenais avec éclat : je cherchai un palais pour me
loger ; je rassemblai toute ma maison, qui était fort grande ;
je fis des *livrées modestes, mais nombreuses, de quatre-
vingts personnes ; je tins une grande table. Les abbés de
Courtenay et de Sévigné se rendirent auprès de moi. Campi,
qui avait commandé le régiment italien de M. le cardinal
Mazarin, et qui s'était depuis attaché à moi, me joignit.
Tous mes *domestiques y accoururent. Ma dépense fut très
grande dans le conclave ; elle fut très grande quand j'en fus
sorti. Elle fut nécessaire, et l'événement fit connaître que le
conseil de mes amis d'Italie était mieux fondé que celui de
mes amis de France ; car, M. le cardinal d'Est ayant défendu,
dès le lendemain de la création du Pape, à tous les Français,
de la part du Roi, de s'arrêter devant moi dans les rues, et
même aux supérieurs des églises françaises de me recevoir,
je fusse tombé dans le ridicule si je n'eusse été en état de
faire respecter ma dignité, et vous allez connaître clairement

cette vérité par la réponse que le Pape me fit, lorsque je le suppliai de me prescrire de quelle manière il lui plaisait que je me conduisisse à l'égard de ces ordres de M. le cardinal d'Est. Je vous la dirai, après que je vous aurai rendu compte des premières démarches qu'il fit après sa création.

Il fit apporter, dès le lendemain même, avec apparat son cercueil sous son lit[1] ; il donna, le jour suivant, un habit particulier aux *caudataires des cardinaux ; il défendit, le troisième, aux cardinaux de porter le deuil, au moins en leurs personnes, même de leurs pères. Je me le tins pour dit, et je dis moi-même à Azzolin, qui en convint, que nous étions pris pour dupes, et que le Pape ne serait jamais qu'un fort pauvre homme. Le cavalier Bernin[2], qui a bon sens, remarqua, deux ou trois [jours] après, que le Pape n'avait observé, dans une statue qu'il lui faisait voir, qu'une petite frange qui était au bas de la robe de celui qu'elle représentait. Ces observations paraissent légères, elles sont certaines. Les grands hommes peuvent avoir de grands faibles, ils ne sont pas même exempts de tous les petits ; mais il y en a dont ils ne sont pas susceptibles ; et je n'ai jamais vu, par exemple, qu'ils aient entamé un grand emploi par une bagatelle.

Azzolin, qui fit les mêmes remarques que moi, me conseilla de ne pas perdre un moment à engager Rome à ma protection par la prise du *pallium*[3] de l'archevêché de Paris. Je le demandai dans le premier consistoire, devant que l'on eût seulement fait réflexion que je pensasse à le demander. Le Pape me le donna naturellement, et sans y faire lui-même de réflexion. La chose était dans l'ordre et il ne le pouvait refuser selon les règles ; mais vous verrez par les suites que ce n'étaient pas les règles qui le réglaient. Ce pas me fit croire qu'il n'aurait pas au moins de peine à faire que l'on me traitât de cardinal à Rome. Je me plaignis à lui des ordres que M. le cardinal d'Est avait donnés à tous les Français. Je lui représentai qu'il ne se contentait pas de faire le souverain dans Rome, en me dégradant des honneurs temporels, mais qu'il y faisait encore le souverain pontife, en m'interdisant les églises françaises. L'étoffe était large, je ne m'en fis pas faute[4]. Le Pape, à qui M. de Lionne s'était plaint, avec un éclat qui passa jusques à l'insolence, de la concession du *pallium*, me parut fort embarrassé. Il parla beaucoup contre le cardinal d'Est ; il déplora la misérable coutume (ce fut son mot) qui avait assujetti plutôt qu'attaché les cardinaux aux couronnes, jusques au point d'avoir formé entre eux-mêmes des schismes scandaleux ; il s'étendit même avec emphase sur la thèse ; mais j'eus mauvaise opinion de mon affaire, quand je vis qu'il demeurait si longtemps sur le général, sans descendre au particulier, et je m'aperçus aussitôt après que ma crainte n'était pas vaine, parce qu'il s'expliqua enfin, après beaucoup de circonlocutions, en ces termes : « La politique de mes prédécesseurs ne m'a pas laissé un champ aussi libre que mes bonnes intentions le mériteraient. Je conviens qu'il est honteux au collège et même au Saint-Siège de souffrir la licence que le cardinal d'Est, ou plutôt que le cardinal Mazarin se donne en ce rencontre ; mais les Espagnols l'ont prise presque pareille sous Innocent, à l'égard du cardinal Barberin ; et même, sous Paul V, le maréchal d'Estrées n'en usa guère mieux vers le cardinal Borghèse [1]. Ces exemples, dans un temps ordinaire, n'autoriseraient pas le mal, et je les saurais bien redresser ; mais vous devez faire réflexion, *charo mio signor cardinale* [2], que la chrétienté est en feu, qu'il n'y a que le pape Alexandre qui le puisse éteindre ; qu'il est obligé, par cette raison, de fermer, en beaucoup de rencontres, les yeux, pour ne se pas mettre en état de se trouver inutile à un bien aussi public et aussi nécessaire que celui de la paix générale. Que direz-vous, quand vous saurez que Lionne m'a déclaré insolemment, depuis trois jours, sur ce que je vous ai donné le *pallium*, que la France ne me donnerait aucune part au traité dont l'on parle, et qui n'est pas si éloigné que l'on le croit [3] ? Ce que je vous dis n'est pas que je vous veuille abandonner, mais seulement pour vous faire voir qu'il faut que je me conduise avec beaucoup de circonspection, et qu'il est bon aussi que vous m'aidiez de votre côté, et que nous donnions tous deux *tempo al tempo* [4]. »

Si j'eusse voulu faire bien ma cour à Sa Sainteté, je n'avais qu'à me retirer après ce discours, qui, comme vous le voyez n'était qu'un préparatoire à ne point recevoir la réponse que je demandais ; mais comme elle m'était absolument nécessaire et même pressée, parce que je me pouvais rencontrer à tous les instants dans l'embarras dont il s'agissait, je ne crus pas que je dusse en demeurer là avec le Pape, et je pris la liberté de lui repartir, avec un profond respect, en lui représentant que peut-être, au sortir du Vatican, je trouverais dans la rue le cardinal d'Est, qui, n'étant que cardinal-diacre, devait s'arrêter devant moi[1] ; que je recon-contrerais infailliblement des Français, dont Rome était toute pleine ; que je le suppliais de me donner des ordres, avec lesquels je ne pourrais plus faillir et sans lesquels je ne savais ce que j'avais à faire ; que si je souffrais que l'on ne me rendît pas ce que le cérémonial veut que l'on rende aux cardinaux, j'appréhendais que le sacré collège n'approuvât[a] pas ma conduite ; que si je me mettais en devoir de me le faire rendre, je craignais de manquer au respect que je devais à Sa Sainteté, à laquelle seule il touchait de régler tout ce qui nous regardait et les uns et les autres ; que je la suppliais très humblement de me prescrire très précisément ce que je devais faire, et que je l'assurais que je n'aurais pas la moindre peine à exécuter tout ce qu'il lui plairait de m'ordonner, parce que je croyais qu'il y aurait autant de gloire pour moi à me soumettre à ses ordres, qu'il y aurait de honte de reconnaître ceux de M. le cardinal d'Est.

Ce fut à cet instant où je reconnus, pour la première fois, le *génie du pape Alexandre, qui mettait partout la *finesse. C'est un grand défaut, et d'autant plus grand quand il se rencontre dans les hommes de grande dignité, qu'ils ne s'en corrigent jamais, parce que le respect que l'on a pour eux, et qui étouffe les plaintes, fait qu'ils demeurent presque toujours persuadés qu'ils fascinent tout le monde, même dans les occasions où ils ne trompent personne. Le Pape, qui, dans la vue de se disculper, ou plutôt de se débarrasser de ma conduite, soit à l'égard de la France, ou du sacré collège, eût souhaité que je lui eusse contesté ce qu'il me proposait, reprit promptement et même vivement la parole de me soumettre, que vous venez de voir, et il me dit : « Le cardinal d'Est au nom du Roi ! » Le ton avec lequel il prononça ce mot, joint à ce que le marquis Riccardi, ambassadeur de Florence, m'avait dit, la veille, d'un tour assez pareil qu'il avait donné, trois ou quatre jours auparavant, à une conversation qu'il avait eue avec lui : ce ton, dis-je, me fit juger que le Pape s'attendait que je prendrais le change, que je *verbaliserais sur la distinction des ordres du Roi et de ceux de M. le cardinal d'Est, et qu'ainsi il aurait lieu de dire à M. de Lionne qu'il m'avait exhorté à l'obéissance ; et à mes confrères, qu'il ne m'avait recommandé que de demeurer dans les termes du respect que je devais au Roi. Je ne lui donnai lieu ni de l'un ni de l'autre, car je lui répondis, sans balancer, que c'était justement ce qui me mettait en peine, et sur quoi je le suppliais de décider, parce que, d'un côté, le nom du Roi paraissait, pour lequel je devais avoir toutes sortes de soumissions, et que de l'autre, je voyais celui de Sa Sainteté si blessé, que je ne croyais pas devoir, en mon particulier, donner les *mains à une atteinte de cette nature, que je n'en eusse au moins un ordre exprès. Le Pape battit beaucoup de pays [1] pour me tirer, ou plutôt pour se tirer lui-même de la décision que je lui demandais. Je demeurai fixe et ferme. Il courut, il s'*égaya, ce qui est toujours facile aux supérieurs. Il me répéta plusieurs fois que le Roi était un grand monarque ; il me dit d'autres fois que Dieu était encore plus puissant que lui. Tantôt il *exagérait les obligations que les ecclésiastiques avaient à conserver les libertés et les immunités de l'Église ; tantôt il s'étendait sur la nécessité de ménager, dans la conjoncture présente, l'esprit du Roi. Il me recommanda la patience chrétienne ; il me recommanda la vigueur épiscopale. Il blâma le cérémonial, auquel l'on était trop attaché à la cour de Rome ; il en loua l'observation, comme étant nécessaire pour le maintien de la dignité. Le sens de son discours était que, quoi que je pusse faire, je ne pourrais rien faire qu'il ne pût dire m'avoir défendu. Je le pressai de s'expliquer, autant que l'on en peut presser un homme qui est assis dans la chaire de saint Pierre : je n'en pus rien tirer. Je rendis compte de mon audience à M. le cardinal Barberin et à mes amis de l'Escadron ; et je vous rendrai celui de la conduite qu'ils me firent prendre, après que je vous aurai entretenue, et d'une conversation que M. de Lionne avait eue avec le Pape quelques jours auparavant, et de ce qui se passait entre M. de Lionne et moi dans le même temps.

Lionne, qui n'était rétabli à la cour que depuis peu [2], fut touché au vif de ce que le Pape m'avait donné le *pallium*, parce qu'il appréhendait que M. le cardinal Mazarin ne se prît à lui d'une action qu'il craignait que l'on n'imputât à sa négligence. Il n'en avait pas été averti, ce qui pouvait être un grand crime auprès d'un homme qui lui avait dit, en partant, qu'il n'y en avait pas un à Rome qui ne lui servît volontiers d'espion. L'appréhension qu'il eut de la réprimande l'obligea à en faire une terrible au Pape ; car la manière dont il lui parla ne se peut pas appeler une plainte. Il lui déclara en face que, nonobstant mes bulles, ma prise de possession et mon *pallium,* le Roi ne me tenait ni ne me tiendrait jamais pour archevêque de Paris. Voilà une des plus douces phrases de l'*oraison ; les figures en furent remplies de menaces d'arrêts du Parlement, de décrets de Sorbonne, de résolutions du clergé de France. L'on jeta quelques mots un peu enveloppés de schisme, et l'on s'expliqua nettement et clairement de l'exclusion, entière et absolue, que l'on donnerait au Pape du congrès pour la paix générale [1], que l'on supposait devoir se traiter au premier jour. Ce dernier chef effraya le pape Alexandre à un tel point, qu'il fit un million d'excuses à Lionne, si basses et même si ridicules, qu'elles seraient incroyables à la postérité. Il lui dit, les larmes aux yeux, que je l'avais surpris ; qu'il ferait au premier jour une congrégation de cardinaux agréables au Roi, pour examiner ce qui se pourrait faire pour sa satisfaction ; que lui, M. de Lionne, n'avait qu'à travailler en diligence au mémoire de tout ce qui s'était passé dans la guerre civile ; qu'il en ferait très bonne et brève justice à Sa Majesté. Enfin il contenta si bien et si pleinement M. de Lionne, qu'il écrivit à M. le cardinal Mazarin, par un courrier exprès, en ces propres termes : « J'espère que je donnerai, dans peu de jours, une nouvelle encore meilleure que celle-ci à Votre Éminence, qui sera que le cardinal de Rais sera au château Saint-Ange [2]. Le Pape ne compte pour rien les amnisties accordées au *parti de Paris [3], et il m'a dit que le cardinal de Rais ne s'en peut servir, parce qu'il n'y a que le pape qui puisse absoudre les cardinaux, comme il n'y a que lui qui les puisse condamner. Je ne lui ai pas laissé passer, à tout hasard, cette alternative, et je lui ai répondu que le parlement de Paris prétendait qu'il les peut condamner, et qu'il aurait déjà fait le procès au cardinal de Rais, si Votre Eminence ne s'y était opposée avec vigueur, par le pur motif du respect qu'il a pour le Saint-Siège, et pour Sa Sainteté en son particulier. Le Pape m'a témoigné qu'il vous en était, Monseigneur, très obligé, et m'a chargé de vous assurer qu'il ferait plus de justice au Roi que le parlement de Paris ne lui en aurait pu faire. » [1] Voilà l'un des articles de la lettre de M. de Lionne.

Je vous supplie d'observer que la conversation que j'eus avec le Pape, de laquelle je viens de vous raconter le détail, ne fut précédée que de deux ou trois jours de celle que M. de Lionne eut avec lui, et qui fut la matière de la lettre que vous venez de voir. Quand même elle ne fût pas venue à ma connaissance, je n'eusse pas laissé de m'apercevoir de l'indisposition du Pape, dont j'avais non seulement des indices, mais des lumières certaines. Monsignor Febei, premier maître des cérémonies, homme sage et homme de bien, et qui, de concert avec moi, avait servi le Pape très dignement pour son exaltation, m'avertit qu'il le trouvait beaucoup changé à mon égard, et à un point, ajouta-t-il, que j'en suis scandalisé *al maggior segno* [2]. Le Pape même avait dit à l'abbé Charrier qu'il ne comprenait pas le plaisir qu'il prenait à faire courir le bruit dans Rome que je gouvernais le pontificat. Le P. Hilarion, bernardin et abbé de Sainte-Croix-en-Jérusalem, qui était un des plus *honnêtes hommes du monde, et avec lequel j'avais fait une étroite amitié, me conseilla, sur ce discours du Pape à l'abbé Charrier, de faire un tour à la campagne, sous prétexte d'y aller prendre l'air, mais en effet pour lui faire voir que j'étais bien éloigné de m'empresser à la cour. Je suivis son avis, et j'allai passer un mois ou cinq semaines à Grotta-Ferrata qui est à quatre lieues de Rome, qui était autrefois le Tusculum de Cicéron, et qui est à présent une abbaye de saint Basile. Elle est à M. le cardinal Barberin. Le lieu est extrêmement agréable, et il ne me paraît pas même flatté dans ce que son ancien seigneur en dit dans ses *épîtres* [3]. Je m'y divertissais par la vue de ce qui y paraît encore de ce grand homme ; les colonnes de marbre blanc qu'il fit apporter de Grèce pour son vestibule y soutiennent l'église des religieux, qui sont italiens, mais qui font l'office en grec, et qui ont un chant particulier, mais très beau. Ce fut dans ce séjour où j'eus connaissance de la lettre de M. de Lionne de laquelle je viens de vous parler. Croissy, m'en [a] apporta une copie tirée sur l'original. Il est nécessaire que je vous explique, et qui était ce Croissy, et le fond de l'intrigue qui me donna lieu de voir cette lettre.

Croissy était un conseiller du parlement de Paris, qui s'était beaucoup *intrigué dans les affaires du temps, comme vous avez vu dans les autres volumes de cet ouvrage. Il avait été à Münster avec M. d'Avaux ; il avait même été envoyé par lui vers Rakóczi, prince de Transylvanie[1]. Il s'était brouillé, pour ses intérêts, avec M. Servien ; et cette considération, jointe à son esprit qui était naturellement *inquiet, le porta à se signaler contre le Mazarin, aussitôt que les mouvements de sa compagnie lui en eurent donné lieu. L'*habitude que M. de Saint-Romain, son ami particulier, avait auprès de M. le prince de Conti, et celle de M. Courtin, qui a l'honneur d'être connu de vous, auprès de Mme de Longueville, l'attachèrent, dans le temps du siège de Paris, à leurs intérêts. Il se jeta dans ceux de Monsieur le Prince, aussitôt qu'il se fut brouillé à la cour ; il le servit utilement dans le cours de sa prison. Il fut du secret de la négociation et du traité que la Fronde fit avec lui[2] ; il ne quitta pas son engagement quand nous nous rebrouillâmes avec Monsieur le Prince, après sa liberté ; mais il garda toujours toutes les mesures d'*honnêteté avec nous. Il fut arrêté peu de jours après ma détention, à Paris, où il était revenu contre l'ordre du Roi, et où il se tenait caché ; il fut mené au bois de Vincennes, où j'étais prisonnier ; il y fut logé dans une chambre qui était au-dessus de la mienne. Nous trouvâmes moyen d'avoir commerce ensemble. Il descendait ses lettres, la nuit, par un *filet qu'il laissait couler vis-à-vis de l'une de mes fenêtres. Comme j'étudiais toujours jusques à deux heures après minuit et que mes gardes s'endormaient, je recevais les siennes et j'attachais les miennes au même filet. Je ne lui [fus] pas inutile, par les avis que je lui donnai dans le cours de son procès, auquel l'on travaillait avec ardeur. Monsieur le Chancelier le vint interroger deux fois à Vincennes. Il était accusé d'intelligence avec Monsieur le Prince, même depuis sa condamnation et depuis sa retraite parmi les Espagnols. C'était lui qui avait proposé le premier, dans le Parlement, de mettre à prix la tête de M. le cardinal Mazarin, ce qui n'était pas une pièce bien favorable à sa justification. Il sortit toutefois de prison sans être condamné, quoiqu'il fût coupable, par l'assistance

de M. le premier président de Bellièvre, qui était de ses
juges, et qui me dit, le jour qu'il me vint prendre à
Vincennes, qu'il lui avait fait un certain signe, du détail
duquel je ne me ressouviens pas, qui l'avait redressé et sauvé
dans la réponse qu'il faisait à un des interrogatoires de
Monsieur le Chancelier. Enfin il sortit d'affaires sans être
jugé, et de prison sur ᵃ la parole qu'il donna de se défaire
de sa charge et de quitter ou Paris ou le royaume : je ne
sais plus proprement lequel ce fut.

Il vint à Rome, il m'y trouva ; il se logea, si je ne me
trompe, avec Châtillon, de qui il était ami. Ils venaient
ensemble, presque tous les soirs, chez moi, n'y osant venir
de jour, parce que les Français avaient défense de me voir.
Ils avaient l'un et l'autre *habitude particulière avec le petit
Fouquet, qui est présentement évêque d'Agde, qui était
aussi à Rome en ce temps-là, et qui trouvait mauvais que
M. de Lionne prît la liberté de coucher avec madame sa
femme, avec laquelle le petit Fouquet était fort bien, et
qui, de plus, ayant en vue l'emploi de Rome pour lui-
même, était bien aise de faire jouer au mari un mauvais
personnage, qui lui donnât lieu de lui porter des *bottes du
côté de la cour. Il crut que le meilleur moyen d'y réussir
serait de brouiller et d'embarrasser la principale ou plutôt
l'unique négociation qu'il y avait, qui était celle de mon
affaire ; et il s'adressa pour cet effet à Croissy, en le priant
de m'assurer qu'il m'avertirait ponctuellement de tous les
pas qui s'y feraient ; que j'aurais les copies des dépêches du
cocu (il n'appelait jamais autrement Lionne), devant qu'elles
sortissent de Rome ; que j'aurais celles du Mazarin un quart
d'heure après que le cocu les aurait reçues ; et que lui
Fouquet était maître de tout ce qu'il me promettait, parce
qu'il l'était absolument de Mme de Lionne, dont son mari
ne se cachait aucunement, et laquelle, de plus, était enragée
contre son mari, parce qu'il était passionnément amoureux,
en ce temps-là, d'une petite femme de chambre qu'elle
avait, qui était fort jolie et qui s'appelait Agathe. Cet
avantage si grand, comme vous voyez, que je me trouvais
avoir sur Lionne, fut la principale cause pour laquelle je ne
fis pas assez de cas des avances qu'il m'avait faites par M. de
Montrésor ¹. Il ne m'en *devait pas empêcher, et j'eus tort.
Deux choses contribuèrent à me faire faire cette faute.

La première fut le plaisir que nous avions tous les soirs, Croissy, Châtillon et moi, à tourner le cocu en ridicule ; et j'observai, quoique trop tard, en ce rencontre, ce que j'ai encore remarqué en d'autres, qu'il faut s'appliquer avec soin dans les grandes affaires, encore plus que dans les autres, à se défendre du goût que l'on trouve à la plaisanterie : elle y *amuse, elle y chatouille, elle y flatte ; ce goût, en plus d'une occasion, a coûté cher à Monsieur le Prince. L'autre incident qui m'aigrit d'*abord contre Lionne fut qu'au sortir du conclave il envoya, par ordre exprès de la cour, à ce qu'il m'a dit depuis à Saint-Germain, un *expéditionnaire appelé La Borne, qui était celui du cardinal Mazarin, au palais de Notre-Dame-de-Lorette, dans lequel je logeais, avec une signification en forme, par laquelle il était ordonné à tous mes *domestiques sujets du Roi, sous peine de crime de lèse-majesté, de me quitter comme rebelle ᵃ à Sa Majesté et traître à ma patrie. Ces termes me fâchèrent. Le nom du Roi sauva l'expéditionnaire de l'*insulte ; mais le chevalier de Bois-David, qui était à moi, jeune et folâtre, lui fit, comme il sortait, quelque commémoration de cornes, très applicable au sujet. Ainsi l'on s'engage souvent plus par un mot que par une chose ; et cette réflexion m'a obligé de me dire à moi-même, plus d'une fois, que l'on ne peut assez peser les moindres mots dans les plus grandes affaires. Je reviens à la lettre que Croissy m'apporta à Grotta-Ferrata.

J'en fus surpris, mais de cette sorte de surprise qui n'émeut point. J'ai toute ma vie senti que ce qui est incroyable a fait toujours cet effet en moi. Ce n'est pas que je ne sache que ce qui est incroyable est souvent vrai ; mais comme il ne doit pas l'être dans l'ordre de la prévoyance, je n'ai jamais pu en être touché, parce que j'en ai toujours considéré les événements comme des coups de foudres, qui ne sont pas ordinaires, mais qui peuvent toujours arriver. Nous fîmes toutefois de grandes réflexions, Croissy, l'abbé Charrier et moi, sur cette lettre. J'envoyai celui-ci à Rome en communiquer le contenu à M. le cardinal Azzolin, qui ne fit pas grand cas des paroles du Pape, sur lesquelles M. de Lionne faisait tant de fondement, et qui dit à l'abbé Charrier, très habilement et très subtilement, qu'il était persuadé que Lionne, qui avait intérêt de couvrir ou plutôt de déguiser et de déparer à la cour de France la prise du *pallium*, grossissait les paroles et les promesses de Sa Sainteté, « qui d'ailleurs, ajouta Azzolin, est le premier homme du monde à trouver des expressions qui montrent tout et qui ne donnent rien ». Il me conseilla de retourner à Rome, de faire bonne mine, de continuer à témoigner au Pape une parfaite confiance et en sa justice et en sa bonne volonté, et d'aller mon chemin comme si je ne savais rien de ce qu'il avait dit à Lionne. Je le crus, j'en usai ainsi.

Je déclarai, en y arrivant, selon ce que mes amis m'avaient conseillé devant que j'en sortisse, que j'avais tant de respect pour le nom du Roi, que je souffrirais toutes choses sans exception de tous ceux qui auraient le moins du monde de son *caractère ; que non pas seulement M. de Lionne, mais que même M. Gueffier, qui était simple agent de France, vivraient avec moi comme il leur plairait ; que je leur ferais toujours dans les rencontres toutes les civilités qui seraient en mon pouvoir ; que pour ce qui était de Messieurs les Cardinaux mes confrères, j'observerais la même règle, parce que j'étais persuadé qu'il ne pouvait y avoir aucune raison au monde capable de dispenser les ecclésiastiques de tous les devoirs, même extérieurs, de l'union et de la charité qui doit être entre eux ; que cette règle, qui est de l'Évangile et par conséquent bien supérieure[a] à celle des cérémoniaux, m'apprenait que je ne devais pas prendre garde avec eux si ils étaient mes aînés, si ils étaient mes cadets ; que je m'arrêterais également devant eux, sans faire réflexion si ils me rendraient la pareille ou si ils ne me la rendraient pas, si ils me salueraient ou si ils ne me salueraient point ; que pour ce qui était des particuliers qui n'auraient point de *caractère particulier du Roi, et qui ne rendraient point en ma personne ce qu'ils devaient à la pourpre, je ne pourrais pas avoir la même conduite, parce qu'elle tournerait au *déchet de sa dignité par les conséquences que les gens du monde[1] ne manquent jamais de tirer à leur avantage contre les prérogatives de l'Église ; que comme toutefois je me sentais, et par mon inclination et par mes maximes, très éloigné de tout ce qui pourrait avoir les moindres airs de violence, j'ordonnerais à mes gens de n'en faire aucune aux premiers de ceux qui manqueraient à ce qu'ils me devaient, et que je me contenterais qu'ils coupassent les jarrets aux chevaux de leurs carrosses. Vous croyez aisément que personne ne s'exposa à recevoir un affront de cette nature. La plupart des Français s'arrêtèrent devant moi ; ceux qui crurent devoir obéir aux ordres de M. le cardinal d'Est évitèrent avec soin de me rencontrer dans les rues.

Le Pape, à qui le cardinal Bichi grossit beaucoup la déclaration publique que j'avais faite sur la conduite que je tiendrais, m'en parla sur un ton de réprimande, en me disant que je ne devais pas menacer ceux qui obéiraient aux ordres du Roi. Comme je connaissais déjà sa manière tout artificieuse, je crus que je ne devais répondre que d'une façon qui l'obligeât lui-même à s'expliquer, ce qui est une règle infaillible pour agir avec les gens de ce *caractère. Je lui dis que je lui étais sensiblement obligé de la bonté qu'il avait de me donner ses ordres ; que je souffrirais dorénavant tout du moindre Français, et qu'il me suffisait, pour me justifier dans le sacré collège, que je pusse dire que c'était par commandement de Sa Sainteté. Le Pape reprit ce mot avec chaleur, et il me répondit : « Ce n'est pas ce que je veux dire. Je ne prétends point que l'on ne rende pas ce que l'on doit à la pourpre ; vous allez d'une extrémité à l'autre. Gardez-vous bien d'aller faire ce discours dans Rome. » Je ne repris pas avec moins de promptitude ces paroles du Pape ; je le suppliai de me pardonner si je n'avais pas bien pris son sens. Je présumai qu'il approuvait le *gros de la conduite que j'avais prise, et qu'il ne m'en avait recommandé que le juste *tempérament. Il ne crut pas qu'il me dût *dédire, parce qu'il avait un peu son compte en ce qu'il m'avait parlé amphibologiquement ; j'avais le mien en ce que je n'étais pas obligé de changer mon procédé. Ainsi finit mon audience, au sortir de laquelle je fis les éloges de Sa Sainteté à *Monsignor il maestro di camera*[1], qui m'accompagnait. Il le dit le soir au Pape, qui lui répondit avec une mine *refrognée : *Questi maledetti Francesi sono piu furbi di noi altri*[2]. Ce maître de chambre, qui était monsignor Bandinelli qui fut depuis cardinal, le dit deux jours après au P. Hilarion, abbé de Sainte-Croix-en-Jérusalem, de qui je le sus. Je continuai à vivre sur ce pied jusques à un voyage que je fis aux eaux de Saint-Cassien, qui sont en Toscane, pour essayer de me remettre d'une nouvelle incommodité qui m'était survenue à l'épaule par ma faute.

Je vous ai déjà dit que le plus fameux chirurgien de Rome

n'avait pu réussir à la remettre, quoiqu'il me l'eût démise
de nouveau pour cet effet[1]. Je me laissai enjôler par un
paysan des terres du prince Borghèse, sur la parole d'un
gentilhomme de Florence, mon allié, de la maison de
Mazzinghi, qui m'assura qu'il avait vu des guérisons prodi-
gieuses de la façon de ce charlatan. Il me démit l'épaule
pour la troisième fois, avec des douleurs incroyables, mais il
ne la rétablit point. La faiblesse qui me resta de cette
opération, m'obligea de recourir aux eaux de Saint-Cassien,
qui ne me furent que d'un médiocre soulagement. Je revins
passer le reste de l'été à Caprarole, qui est une fort belle
maison à quarante milles de Rome, et qui est à M. de
Parme, et j'y attendis la *rinfrescata*[2], après laquelle je
retournai à Rome, où je trouvai le Pape aussi changé sur
toutes choses, sans exception, qu'il me l'avait déjà paru pour
moi. Il ne tenait plus rien de sa prétendue piété que son
sérieux quand il était à l'église : je dis son sérieux et non
pas sa modestie, car il paraissait beaucoup d'orgueil dans sa
gravité. Il ne continua pas seulement l'abus du népotisme,
en faisant venir ses parents à Rome ; il le consacra en le
faisant approuver par les cardinaux, auxquels il en demanda
leur avis en particulier, pour n'être point obligé de suivre
celui qui pouvait être contraire à sa volonté. Il était vain
jusques au ridicule et au point de se piquer de sa noblesse,
comme un petit noble de la campagne à qui les élus la
contesteraient[3]. Il était envieux de tout le monde sans
exception. Le cardinal Cesi disait qu'il le ferait mourir de
colère, à force de lui dire du bien de saint Léon[4]. Il est
*constant que monsignor Magalotti se brouilla presque avec
lui, parce qu'il lui parut qu'il croyait mieux savoir *la Crusca*[5].
Il ne disait pas un mot de vérité ; et le marquis Riccardi,
ambassadeur de Florence, écrivit au grand-duc ces propres
paroles, à la fin d'une dépêche qu'il me montra : *In fine,
Serenissimo Signore, habbiamo un papa chi non dice mai
una parola di verità*[6].

Il était continuellement appliqué à des bagatelles. Il osa
proposer un prix public pour celui qui trouverait un mot
latin pour exprimer *chaise roulante*, et il passa une fois sept
ou huit jours à chercher pour savoir si *mosca* venait de
musca, ou si *musca* venait de *mosca*[7]. M. le cardinal Imperiali
m'ayant dit le détail de ce qui s'était passé en deux ou trois

académies, qui s'étaient tenues sur ce digne sujet, je crus qu'il exagérait pour se divertir ; mais je perdis cette pensée dès le lendemain ; car le Pape nous ayant envoyé quérir, M. le cardinal Rapaccioli et moi, et nous ayant commandé de monter avec lui dans son carrosse, il nous tint, trois heures entières que la promenade dura, sur les minuties les plus fades que la critique la plus basse d'un petit collège eût pu produire ; et Rapaccioli, qui était un fort bel esprit, me dit, quand nous fûmes sortis de sa chambre, où nous le reconduisîmes, qu'aussitôt qu'il serait arrivé chez lui, il distillerait le discours du Pape pour voir ce qu'il pourrait tirer de bon sens d'une conversation de trois heures, dans laquelle il avait toujours parlé tout seul. Il eut une affectation, quelques jours après, qui parut être d'une grande puérilité. Il mena tous les cardinaux aux sept églises[1], et comme le chemin était trop long pour le pouvoir faire, avec un aussi grand cortège, dans le cours d'une matinée, il leur donna à dîner dans le réfectoire de Saint-Paul, et il les fit servir à portion à part, comme l'on sert les pèlerins dans le temps du jubilé. Véritablement, toute la vaisselle d'argent qui fut employée, avec profusion, à ce service fut faite exprès et d'une forme qui avait rapport aux ustensiles ordinaires des pèlerins. Je me souviens, entre autres, que les vases dans lesquels l'on nous servit le vin étaient tout à fait semblables aux calebasses de Saint-Jacques[2].

Mais rien ne fit plus paraître, à mon sens, son peu de solidité, que le faux honneur qu'il se voulut donner de la conversion de la reine de Suède[3]. Il y avait plus de dix-huit mois qu'elle avait abjuré son hérésie, quand elle prit la pensée de venir à Rome. Aussitôt que le pape Alexandre l'eut appris, il en donna part au sacré collège en plein consistoire, par un discours fort étudié. Il n'oublia rien pour nous faire entendre qu'il avait été l'unique instrument dont Dieu s'était servi pour cette conversion. Il n'y eut personne dans Rome qui ne fût très bien informé du contraire ; et jugez, si il vous plaît, de l'effet qu'une vanité aussi mal entendue y put produire. Il ne vous sera pas difficile de concevoir que ces manières de Sa Sainteté ne me devaient pas donner une grande idée de ce que je pouvais espérer de sa protection ; et je reconnus de plus, en peu de jours, que sa faiblesse pour les grandes choses augmentait à mesure de son attachement aux petites[1].

On fait tous les ans[2] un anniversaire pour l'âme de Henri le Grand, dans l'église de Saint-Jean-de-Latran, où les ambassadeurs de France et les cardinaux de la faction ne manquent jamais d'assister. Le cardinal d'Est prit en gré de déclarer qu'il ne m'y souffrirait pas. Je le sus ; je demandai audience au Pape pour l'en avertir. Il me la refusa, sous prétexte qu'il ne se portait pas bien. Je lui fis demander ses ordres sur cela par monsignor Febei, qui n'en put rien tirer que des réponses équivoques. Comme je prévoyais que si il arrivait là quelque fracas entre M. le cardinal d'Est et moi, où il y eût le moins du monde de sang répandu, le Pape ne manquerait pas de m'accabler, je n'oubliai rien de tout ce que je pus faire honnêtement pour m'attirer un commandement de ne me point trouver à la cérémonie. Comme je n'y pus pas réussir et que je ne voulus pas d'ailleurs me dégrader moi-même du titre de cardinal français, en m'excluant des fonctions qui étaient particulières à la nation, je me résolus de m'abandonner.

J'allai à Saint-Jean-de-Latran, fort accompagné. J'y pris ma place, j'assistai au service, je saluai fort civilement, et en entrant et en sortant, Messieurs les Cardinaux de la faction. Ils se contentèrent de ne me pas rendre le salut, et je revins chez moi très satisfait d'en être quitte à si bon marché. J'eus une pareille aventure à Saint-Louis[3], où le sacré collège se trouvait le jour de la fête du patron de cette église. Comme j'avais su que La Bussière, qui est présentement maître de chambre des ambassadeurs à Rome et qui était, en ce temps-là, écuyer de M. de Lionne, avait dit publiquement que l'on ne m'y souffrirait pas, je fis toutes mes diligences pour obliger le Pape à prévenir ce qui pourrait arriver. Je lui en parlai à lui-même, même avec force ; il ne se voulut jamais expliquer. Ce n'est pas que, d'*abord que je lui eus parlé, il ne me dît qu'il ne voyait pas ce qui pouvait m'obliger à me trouver à des cérémonies dont je me pouvais fort *honnêtement excuser sur les défenses que le Roi avait faites de m'y recevoir ; mais comme je lui répondis que si je reconnaissais ces ordres pour des ordres du Roi, je ne voyais pas moi-même comme je me pourrais défendre d'obéir à ceux par lesquels Sa Majesté commandait tous les jours de ne me pas reconnaître pour archevêque de Paris, il tourna tout court. Il me dit que c'était à moi à me conseiller ; il me déclara qu'il ne défendrait jamais à un cardinal d'assister aux fonctions du sacré collège, et je sortis de mon audience comme j'y étais entré. J'allai à Saint-Louis en état d'y disputer le pavé. La Bussière arracha de la main du curé l'*aspergès, comme il me voulait présenter l'eau bénite, qu'un gentilhomme à moi m'apporta. M. le cardinal Antoine ne me fit pas le *compliment que l'on fait, en ces occasions, à tous les autres cardinaux. Je ne laissai pas de prendre ma place, d'y demeurer durant tout le temps de la cérémonie et de me maintenir par là à Rome dans le poste et dans le train de cardinal français.

La dépense qui était nécessaire pour cet effet n'était pas la moindre difficulté que j'y trouvais. Je n'étais plus à la tête d'une grande faction, que j'ai toujours comparée à une nuée, dans laquelle chacun se figure ce qu'il lui plaît. La plupart des hommes me considéraient, dans les mouvements de Paris, comme un sujet tout propre à profiter de toutes les *révolutions ; mes racines étaient bonnes, chacun en espérait du fruit, et cet état m'attirait des offres immenses, et telles, que si je n'eusse eu encore plus d'aversion à emprunter que je n'avais d'inclination à dépenser, j'aurais compté, dans la suite, mes dettes par plus de millions d'or, que je ne les ai comptées par des millions de livres. Je n'étais pas à Rome dans la même posture : j'y étais réfugié et persécuté par mon Roi ; j'y étais maltraité par le Pape. Les revenus de mon archevêché et de mes *bénéfices étaient saisis. On avait fait des défenses expresses à tous les banquiers français de me servir ; l'on avait poussé l'aigreur jusques au point d'avoir demandé des paroles de ne me point assister à ceux que l'on croyait, ou que l'on avait sujet de croire, le pouvoir ou le vouloir faire. L'on avait même *affecté, pour me décréditer, de déclarer à tous mes créanciers que le Roi ne permettrait jamais qu'ils touchassent un *double de tout ce qui était de mes revenus sous sa main. L'on avait *affecté de dissiper ces revenus avec une telle profusion et profanation que deux bâtards de l'abbé Fouquet étaient publiquement nourris et entretenus, chez la portière de l'archevêché, sur un fonds qui était pris de cette recette. L'on n'avait oublié aucune des précautions qui pouvaient empêcher mes fermiers de me secourir, et l'on avait pris toutes celles qui devaient obliger mes créanciers à m'inquiéter, par des procédures, qui leur eussent été inutiles dans le temps, mais dont les frais eussent retombé sur moi dans la suite.

L'application que l'abbé Fouquet eut sur ce dernier article ne lui réussit qu'à l'égard d'un boucher, aucun de mes autres créanciers n'ayant voulu *branler. Celle du cardinal Mazarin eut plus d'effet sur les autres chefs. Les receveurs de l'archevêché ne m'assistèrent que faiblement ; quelques-uns même de mes amis prirent le prétexte des défenses du Roi, pour s'excuser[1] de me secourir. M. et Mme de Liancourt envoyèrent à M. de Châlons deux mille écus, quoiqu'ils en eussent offert vingt [mille] à mon père, de qui ils étaient les plus particuliers et les plus intimes amis ; et leur excuse fut la parole qu'ils avaient donnée à la Reine. L'abbé Amelot, qui se mit en tête d'être évêque par la faveur de M. le cardinal Mazarin, répondit à ceux qui lui voulurent persuader de m'assister, que j'avais tant témoigné de distinction à M. de Caumartin[2], dans la visite qu'ils m'avaient rendue l'un et l'autre à Nantes, qu'il ne croyait pas qu'il se dût brouiller pour moi avec lui, au moment qu'il lui donnait des marques d'une estime particulière ; et M. de Luynes, avec qui j'avais fait une amitié assez étroite depuis le siège de Paris, crut qu'il y satisferait en me faisant toucher six mille livres. Enfin MM. de Châlons, Caumartin, Bagnols et de La Houssaye, qui eurent, en ce temps-là, la bonté de prendre le soin de ma subsistance, s'y trouvèrent assez embarrassés, et l'on peut dire qu'ils ne rencontrèrent de véritables secours qu'en M. de Mannevillette, qui leur donna pour moi vingt-quatre mille livres ; M. Pinon du Martray, qui leur en fit toucher dix-huit mille ; Mme d'Asserac, qui en fournit autant ; M. d'Hacqueville, qui, du peu qu'il avait pour lui-même, en donna cinq ; Mme de Lesdiguières, qui en prêta cinquante mille ; M. de Brissac, qui en envoya trente-six mille. Ils trouvèrent le reste dans leur propre fonds. MM. de Châlons et de La Houssaye en donnèrent quarante mille ; M. de Caumartin cinquante-cinq mille ; M. de Rais, mon frère, suppléa, même avec bonté, au reste ; et il l'eût fait encore de meilleure grâce, si sa femme eût eu autant d'*honnêteté et autant de bon naturel que lui. Vous direz peut-être qu'il est étonnant qu'un homme qui paraissait autant *abîmé que moi dans la disgrâce ait pu trouver d'aussi grandes sommes ; et je vous répondrai qu'il l'est sans comparaison beaucoup davantage que l'on ne m'en ait pas offert de plus considérables, après les engagements qu'un nombre infini de gens avaient avec moi.

J'insère, par reconnaissance, dans cet ouvrage, les noms de ceux qui m'ont assisté. J'y épargne, par *honnêteté, la plupart de ceux qui m'ont manqué, et j'y aurais même supprimé avec joie les autres que j'y nomme, si l'ordre que vous m'avez donné, de laisser des *Mémoires* qui pussent être de quelque instruction à messieurs vos enfants, ne m'avait obligé à ne pas ensevelir tout à fait dans le silence un détail qui peut leur être de quelque utilité[1]. Ils sont d'une naissance qui peut les élever assez naturellement aux plus grandes places, et rien, à mon sens, n'est plus nécessaire à ceux qui s'y peuvent trouver que d'être informés, dès leur enfance, qu'il n'y a que la continuation du bonheur qui fixe la plupart des amitiés. J'avais le naturel assez bon pour ne le pas croire, quoique tous les livres me l'eussent déclaré. Il n'est pas convenable combien j'ai fait de fautes par le principe contraire ; et j'ai été vingt fois sur le point, dans ma disgrâce, de manquer du plus nécessaire, parce que je n'avais jamais appréhendé, dans mon bonheur, de manquer du superflu. C'est par la même considération de messieurs vos enfants que j'entrerai dans une minutie qui ne serait pas, sans cette raison, digne de votre attention. Vous ne pouvez pas vous imaginer ce que c'est que l'embarras domestique[2] dans les disgrâces. Il n'y a personne qui ne croie faire honneur à un malheureux quand il le sert. Il y a très peu d'*honnêtes gens à cette épreuve, parce que cette disposition, ou plutôt cette indisposition, se coule si imperceptiblement dans les esprits de ceux qu'elle domine, qu'ils ne la sentent pas eux-mêmes ; et elle est de la nature de l'ingratitude. J'ai fait souvent réflexion sur l'un et sur l'autre de ces défauts[3], et j'ai trouvé qu'ils ont cela de commun, que la plupart de ceux qui les ont ne soupçonnent pas seulement qu'ils les aient. Ceux qui sont atteints du second ne s'en aperçoivent pas, parce que la même faiblesse qui les y porte, les porte aussi, comme par un préalable, à diminuer dans leur propre imagination le poids des obligations qu'ils ont à leurs bienfaiteurs. Ceux qui sont sujets au premier ne s'en doutent pas davantage, parce que la complaisance qu'ils trouvent à s'être attachés avec fidélité à une fortune qui n'est pas bonne fait qu'ils ne connaissent pas eux-mêmes le *chagrin qu'ils en ont plus de dix fois par jour.

Mme de Pommereux m'écrivit un jour, à propos d'un malentendu qui était arrivé entre MM. de Caumartin et La Houssaye, que les amis des malheureux étaient un peu difficiles ; elle devait ajouter : et les *domestiques. La familiarité, dont un grand seigneur qui est *honnête homme se défend moins qu'un autre, diminue insensiblement du respect dont l'on ne se dispense jamais dans l'exercice journalier de sa grandeur[1]. Cette familiarité produit, au commencement, la liberté de parler : celle-là est bientôt suivie de la liberté de se plaindre. La véritable sève de ces plaintes, c'est l'imagination que l'on a, que l'on serait bien mieux ailleurs qu'auprès d'un disgracié. L'on ne s'avoue pas à soi-même cette imagination, parce que l'on connaît qu'elle ne conviendrait pas à l'engagement d'honneur que l'on a pris, ou au fond de l'affection que l'on ne laisse pas, assez souvent, de conserver dans ces indispositions. Ces raisons font que l'on se déguise, même de bonne foi, ce que l'on sent dans le plus intérieur de son cœur, et que le *chagrin que l'on a de la mauvaise fortune à laquelle l'on a part prend, à tous les moments, d'autres objets. La préférence de l'un à l'autre, souvent nécessaire et même inévitable en mille et mille occasions, leur paraît toujours une injustice. Tout ce que le maître fait pour eux, même de plus difficile, n'est que devoir ; tout ce qu'il ne fait pas, même de plus impossible, est ingratitude ou dureté ; et ce qui est encore pis que tout ce que je viens de vous dire est que le remède qu'un véritable bon cœur veut apporter à ces inconvénients aigrit le mal au lieu de le guérir, parce qu'il le flatte. Je m'explique.

Comme j'avais toujours vécu avec mes domestiques comme avec mes frères, je ne m'étais pas seulement imaginé que je pusse trouver parmi eux que[2] de la complaisance et de la douceur. Je commençai à m'apercevoir dans la galère[3] que la familiarité a beaucoup d'inconvénients ; mais je crus que je pourrais remédier à ces inconvénients par le bon traite-

ment ; et le premier pas que je fis, en arrivant à Florence,
fut de partager avec ceux qui m'avaient suivi dans mon
voyage, et avec tous les autres qui m'avaient joint par le
chemin, l'argent que le grand-duc m'avait prêté. Je leur
donnai à chacun six-vingts pistoles, proprement pour s'habiller, et je fus très étonné, en arrivant à Rome, de les trouver,
au moins pour la plupart, sur le pied *gauche et dans des
prétentions, sur plusieurs chefs, sans comparaison plus
grandes que l'on ne les a dans les maisons des premiers
ministres. Ils trouvèrent mauvais que l'on ne tapissât pas de
belles tapisseries les chambres que l'on leur avait marquées
dans mon palais. Cette circonstance n'est qu'un échantillon
de cent et de cent autres de cette nature ; et c'est tout vous
dire, que les choses en vinrent au point, et par leurs
murmures et par la division, qui suit toujours de fort près
les murmures, que je fus obligé, pour ma propre satisfaction,
de faire un mémoire exact, dans le grand loisir que j'avais
aux eaux de Saint-Cassien, de ce que j'avais donné à mes
gentilshommes depuis que j'étais arrivé à Rome, et que je
trouvai que si j'avais été loger dans le Louvre, à l'appartement
de M. le cardinal Mazarin, il ne m'aurait pas, à beaucoup
près, tant coûté. Boisguérin seul, qui fut à la vérité fort
malade à Saint-Cassien et que j'y laissai avec ma litière et
mon médecin, me coûta, en moins de quinze mois qu'il fut
auprès de moi, cinq mille huit cents livres d'argent déboursé
et mis entre ses mains. Il n'en eût peut-être pas tant tiré, si
il eût été *domestique de M. le cardinal Mazarin [1]. Sa santé
l'obligea de changer d'air et de retourner en France, où il
ne me parut pas, depuis, qu'il se ressouvînt beaucoup de la
manière dont je l'avais traité. Je suis obligé de tirer de ce
nombre de *murmurateurs domestiques Malclerc, qui a
l'honneur d'être connu de vous, et qui toucha de moi
beaucoup moins que les autres, parce qu'il ne se trouva
pas, par hasard, dans le temps des distributions. Il était
continuellement en voyage, comme vous verrez dans la suite
de cette narration, et je suis obligé de vous dire pour la
vérité, que je ne lui vis jamais, dans pas une occasion, ni
un mouvement de *chagrin ni d'intérêt. M. l'abbé de Lamet,
mon maître de chambre, qui n'a jamais voulu toucher un
sol de moi dans tout le cours de ma disgrâce, était moins
capable du dernier qu'homme que je connaisse ; son humeur,

naturellement difficultueuse, faisait qu'il était assez susceptible du premier, parce qu'il était échauffé par Joly, qui, avec
un bon cœur et des intentions très droites, a une sorte de
*travers dans l'esprit, tout à fait contraire à la balance qu'il
est nécessaire de tenir bien droite dans l'économie, ou plutôt
dans le gouvernement d'une grande maison. Ce n'était pas
sans peine que je me ménageais entre ces deux derniers et
l'abbé Charrier, entre lesquels la jalousie était assez naturelle.
Celui-ci penchait absolument vers l'abbé Bouvier, mon
agent, et expéditionnaire à la cour de Rome, auquel toutes
mes lettres de change étaient adressées. Joly prit parti pour
l'abbé Rousseau, qui, comme frère de mon intendant,
prétendait qu'il devait faire l'intendance, de laquelle, à la
vérité, il n'était pas capable.

Je vous fais encore des excuses de vous entretenir de toutes
ces bagatelles, sur lesquelles d'ailleurs vous ne doutez pas
que je n'épargnasse avec joie les petits défauts de ceux que
je viens de vous marquer, quand il vous plaira de faire
réflexion qu'ils ne m'ont pas empêché de faire, pour tous
mes *domestiques sans exception, ce qui a été en mon
pouvoir, depuis que je suis de retour en France. Je ne
touche, comme je vous ai dit, cette matière, que parce que
messieurs vos enfants ne la trouveront peut-être en lieu du
monde si spécifiée, et je ne l'ai jamais rencontrée, au moins
particularisée, dans aucun livre. Vous me demanderez peut-
être quel fruit je prétends qu'ils en tirent ? Le voici. Qu'ils
fassent réflexion, une fois la semaine, qu'il est de la prudence
de ne pas toujours s'abandonner à toute sa bonté, et qu'un
grand seigneur, qui n'en peut jamais trop avoir dans le fond
de son âme, la doit, par bonne conduite, cacher avec soin
dans son cœur, pour en conserver la dignité, particulièrement
dans la disgrâce. Il n'est pas croyable ce que ma *facilité
naturelle, si contraire à cette maxime, m'a coûté de *chagrin
et de peines. Je crois que vous voyez suffisamment, par ces
échantillons, la difficulté du personnage que je soutenais.

Vous l'allez encore mieux concevoir par le compte que je
vous supplie de me permettre que je vous rende de la
conduite que je fus obligé de prendre, en même temps, du
côté de France.

Aussitôt que je fus sorti du château de Nantes, M. le
cardinal Mazarin fit donner un arrêt du conseil du Roi, par

lequel il était défendu à mes grands vicaires de décerner aucun mandement sans en avoir communiqué au conseil de Sa Majesté. Quoique cet arrêt tendît à ruiner la liberté qui est essentielle au gouvernement de l'Église, l'on pouvait prétendre que ceux qui le rendaient *affectaient de sauver quelques apparences d'ordre et de discipline, en ce qu'au moins ils reconnaissaient ma juridiction. Ils rompirent bientôt toutes mesures, en déclarant, par un autre arrêt, donné à Péronne, mon siège vacant, ce qui arriva un mois ou deux auparavant que le Saint-Siège le déclarât rempli en me donnant le *pallium* de l'archevêché de Paris en plein consistoire. L'on manda, en même temps, à la cour, MM. Chevalier et Lavocat, chanoines de Notre-Dame, mes grands vicaires, et l'on se servit du prétexte de leur absence pour forcer le chapitre à prendre l'administration de mon diocèse [1]. Ce procédé si peu canonique ne scandalisa pas moins l'Église de Rome que celle de France. Les sentiments de l'une et de l'autre se trouvèrent conformes de tout point. Je les observai, et même les fortifiai avec application ; et après que je leur eus laissé tout le temps que je crus nécessaire, vu le flegme du pays où j'étais, pour purger ma conduite de tout air de précipitation, j'en formai une lettre que j'écrivis au chapitre de Notre-Dame de Paris, et que j'insérerai ici, parce qu'elle vous fera connaître, d'une vue, ce qui se passa depuis ma liberté à cet égard [2].

« Messieurs,

« Comme l'une des plus grandes joies que je ressentis, aussitôt après que Dieu m'eut rendu la liberté, fut de recevoir les témoignages si avantageux d'affection et d'estime que vous me rendîtes, et en particulier par la réponse obligeante que vous fîtes d'*abord à la lettre que je vous avais écrite, et en public par les publiques actions de grâces que vous offrîtes à Dieu pour ma délivrance, je vous puis aussi assurer que, parmi tant de traverses et de périls que j'ai courus depuis, je n'ai point eu d'affliction plus sensible que d'apprendre les tristes nouvelles de la manière dont on a traité votre compagnie pour la détacher de mes intérêts, qui ne sont autres que ceux de l'Église, et vous faire abandonner, par des résolutions forcées et involontaires, celui dont vous aviez soutenu le droit et l'autorité avec tant de vigueur et tant de constance.

« La fin si heureuse qu'il a plu à Dieu de donner à mes voyages et à mes *travaux, en m'amenant dans la capitale du royaume de Jésus-Christ et l'asile le plus ancien et le plus sacré de ses ministres persécutés par les grands du monde, n'a pu me faire oublier ce qu'on a fait dans Paris pour vous assujettir ; et l'accueil si favorable que m'avait daigné faire le chef de tous les évêques et le père de tous les fidèles, avant que Dieu le retirât de ce monde, ces marques si publiques et si glorieuses de bonté et d'affection, dont il lui avait plu d'honorer mon exil et mon innocence, et la protection apostolique qu'il m'avait fait l'honneur de me promettre avec tant de tendresse et de générosité, n'ont pu entièrement adoucir l'amertume que m'a causée, depuis six mois, l'état déplorable auquel votre compagnie a été réduite.

« Car, comme les marques extraordinaires de votre fidèle amitié vers moi ont attiré sur vous leur aversion, et qu'on ne vous a persécutés que parce que vous vous étiez toujours opposés à la persécution que je souffrais, j'ai été blessé dans le cœur de toutes les plaies que votre corps a reçues ; et la même générosité qui m'oblige à conserver jusqu'à la fin de ma vie des sentiments tout particuliers de reconnaissance et de gratitude pour vos bons offices m'oblige maintenant encore davantage à ressentir des mouvements non communs de compassion et de tendresse pour vos afflictions et pour vos souffrances.

« J'ai appris, Messieurs, avec douleur, que ceux qui, depuis ma liberté, m'ont fait un crime de votre zèle pour moi, ne m'ont reproché, par un écrit public et diffamant, d'avoir fait faire dans la ville capitale des actions scandaleuses et injurieuses à Sa Majesté, que parce que vous aviez témoigné à Dieu, par l'un des cantiques de l'Église, la joie que vous aviez de ma délivrance, après la lui avoir demandée par tant de prières [1]. J'ai su que cette action de votre piété, qui a réjoui tous ceux qui étaient affligés du violement de la liberté ecclésiastique par la détention d'un cardinal et d'un archevêque, a tellement irrité mes ennemis, qu'ils en ont pris occasion de vous traiter de séditieux et de perturbateurs du repos public ; qu'ils se sont servis de ce prétexte pour faire mander en cour mes deux grands vicaires et autres personnes de votre corps, sous ombre de leur faire rendre compte de leurs actions, mais, dans la vérité, pour les exposer au mépris, pour les outrager par les insultes et les moqueries, et les abattre, si ils pouvaient, par les menaces.

« Mais ce qui m'a le plus touché a été d'apprendre que cette première persécution, qu'on a faite à mes grands vicaires et à quelques autres de vos confrères, n'a servi que de degré pour se porter ensuite à une plus grande, qu'on a faite à tout votre corps. On ne les a écartés que pour l'affaiblir, et prendre le temps de leur exil pour vous signifier un arrêt du 22 d'août dernier, par lequel des séculiers, usurpant l'autorité de l'Église, déclarent mon siège vacant, et vous ordonnent, ensuite de cette vacance prétendue, de nommer, dans huit jours, des grands vicaires pour gouverner mon diocèse, en la place de ceux que j'avais nommés, avec menaces qu'il y serait pourvu autrement, si vous refusiez de le faire.

« Je ne doute point que vous n'ayez tous regardé la seule proposition d'une entreprise si outrageuse à la dignité épiscopale comme une injure signalée qu'on faisait à l'Église de Paris, en lui témoignant par cette ordonnance qu'on la jugeait capable de consentir à un si honteux asservissement de l'épouse de Jésus-Christ, à une si violente usurpation de l'autorité ecclésiastique par une puissance séculière, qui est toujours vénérable en se tenant dans ses légitimes bornes, et à une dégradation si scandaleuse de votre archevêque.

« Mais aussi, parce qu'on savait combien de vous-mêmes vous étiez éloignés de vous porter à rien de semblable, j'ai su qu'outre cette absence de vos confrères, on s'était servi de toutes sortes de voies pour gagner les uns, pour intimider les autres et pour affaiblir ceux mêmes qui seraient les plus désintéressés en leur particulier, par l'appréhension de perdre vos droits et vos privilèges. Et afin que tout fût conforme à ce même esprit, j'apprends, par la lecture de l'acte de signification de cet arrêt qui m'a été envoyé, que deux huissiers de la chaîne[1], étant entrés dans votre assemblée, déclarèrent qu'ils vous signifiaient cet arrêt par exprès commandement, à ce que vous n'en prétendissiez cause d'ignorance et que vous eussiez à obéir ; et, parce que l'on sait que les premières impressions de la crainte et de la frayeur sont toujours les plus puissantes, ne voulant point vous laisser de temps pour vous reconnaître, ils vous enjoignirent de délibérer à l'heure même sur cet arrêt, vous déclarant qu'ils ne sortiraient point du lieu jusques à ce que vous l'eussiez fait.

« Cependant, il y a sujet de louer Dieu de ce que ce procédé si extraordinaire a rendu encore plus visible à tout le monde l'outrage que mes ennemis ont voulu faire à l'Église en ma personne. Quelque violence qu'on ait employée pour vous empêcher d'agir selon les véritables mouvements de votre cœur, et quelque frayeur qu'on ait répandue dans les esprits, on n'a pu vous faire consentir à cette sacrilège dégradation d'un archevêque par un tribunal laïque ; et le refus que vous en avez fait, malgré toutes les instances de mes ennemis, leur sera dans la postérité une conviction plus que suffisante de s'être emportés à des attentats si insupportables contre l'Église, que ceux mêmes qu'ils ont opprimés et réduits à n'avoir plus de liberté n'en ont pu concevoir que de l'horreur.

« Ainsi, au lieu de déclarer mon siège vacant, selon les termes de cet arrêt, vous avez reconnu que mes grands vicaires étaient les véritables et légitimes administrateurs de la juridiction spirituelle dans mon diocèse, et qu'il n'y avait qu'une violence étrangère qui les empêchait de l'exercer. Vous avez résolu de faire des remontrances au Roi pour leur retour aussi bien que pour le mien et vous avez témoigné par là combien les plaies que l'on voulait faire à mon *caractère vous étaient sensibles. Voilà votre véritable disposition. Tout ce qui s'est fait de plus ne doit être imputé qu'aux injustes violateurs des droits inviolables de l'Église.

« J'ai su, Messieurs, qu'il y eu plusieurs d'entre vous qui sont demeurés fermes et immobiles dans cet orage et qui ont conservé en partie l'honneur de votre corps par une courageuse résistance à toutes les entreprises de mes ennemis.

« Mais j'ai su encore que ceux qui n'ont pas été si fermes et qui n'ont osé s'opposer ouvertement à l'injure qu'on voulait faire à leur archevêque ne se sont laissés aller à cet affaiblissement que parce qu'on ne voulait pas leur permettre de suivre la loi de l'Église, mais les contraindre de se rendre à une nécessité qu'on prétendait n'avoir point de loi. Ils ont agi, non comme des personnes libres, mais comme des personnes réduites dans les dernières extrémités. Ils ont souffert, dans ce rencontre, le combat que décrit saint Paul, de la chair contre l'esprit ; et ils peuvent dire sur ce sujet : ''Nous n'avons pas fait le bien que nous voulions ; mais nous avons fait le mal que nous ne voulions pas.'' [1]

« Tout le monde sait que, lorsqu'on vous a fait prendre l'administration spirituelle de mon diocèse, mes grands vicaires n'étaient que depuis peu de jours absents et qu'il y avait sujet de croire qu'ils devaient être bientôt de retour. Or, qui jamais ouït dire qu'un diocèse doive passer pour désert et abandonné, et qu'on doive obliger un chapitre à usurper l'autorité de son évêque quatre jours après qu'on aura mandé ses grands vicaires en cour ?

« Le passage même des décrétales [2] qu'on m'a écrit avoir été l'unique fondement de cet avis ne détruit-il pas clairement ce qu'on veut qu'il établisse ? ''Si un évêque, dit ce décret du pape Boniface VIII, est pris par des païens ou des schismatiques, ce n'est pas le métropolitain, mais le chapitre, qui doit administrer le diocèse, dans le spirituel et le temporel, comme si le siège était vacant par mort, jusques à ce que l'évêque sorte d'entre les mains de ces païens ou de ces schismatiques et soit remis en liberté ; ou que le Pape, à qui il appartient de pourvoir aux nécessités de l'Église, et que le chapitre doit consulter au plus tôt sur cette affaire, en ait ordonné autrement.''

« Voilà ce qu'est ce décret : c'est-à-dire voilà la condamnation formelle de tout ce qu'on a voulu entreprendre contre l'autorité que Dieu m'a donnée. Car s'il y avait lieu de se servir de ce décret pour m'ôter l'exercice de ma charge, ç'aurait été lorsque j'étais en prison, puisqu'il ne parle que de ce qu'on doit faire lorsqu'un évêque est prisonnier : ce qu'on a été si éloigné de prétendre que, durant tout le temps de ma prison jusqu'au jour de ma délivrance, mes grands vicaires ont toujours paisiblement gouverné mon diocèse en mon nom et sous mon autorité. Et en effet, comment mes ennemis auraient-ils pu se servir de ce décret, sans vouloir prendre à l'égard de moi la place peu honorable des païens ou des schismatiques qui, n'ayant point ou de crainte pour Dieu ou de respect pour l'Église, ne font point de conscience de persécuter les ministres de Dieu et les prélats de l'Église et de les réduire à la servitude et à la misère d'une prison ?

« Que si l'on ne s'en est pas pu servir lorsque j'étais dans la captivité, parce que je n'étais pas retenu par des païens ou des schismatiques, qui est la seule espèce de ce décret, comment aurait-on pu s'en servir lorsque Dieu avait rompu mes liens, puisque le Pape y ordonne expressément que cette administration du chapitre ne doit durer que jusqu'à ce que l'évêque soit en liberté ? De sorte que, si vous aviez pris auparavant l'administration de mon diocèse, lorsque j'étais retenu captif (ce que vous n'avez jamais voulu faire), vous auriez dû nécessairement la quitter, selon la décision expresse de ce décret, aussitôt que Dieu m'a rendu la liberté.

« Que si l'on prétend que l'absence d'un archevêque qui est libre, et les empêchements qu'une puissance séculière peut apporter aux fonctions de ses grands vicaires, donnent le même droit aux chapitres de prendre en main l'administration d'un diocèse que si l'évêque était captif parmi les schismatiques ou les infidèles, on prétend confondre des choses qui sont entièrement différentes : un évêque captif avec un évêque libre ; un évêque qui ne peut agir, ni par soi, ni par autrui, avec un évêque qui le peut et qui le doit ; un chapitre, un clergé, un peuple qui ne peut recevoir aucuns ordres ni aucunes lettres de son évêque, avec un chapitre et un diocèse qui en peut recevoir et qui les doit recevoir avec respect, selon tous les canons de l'Église, lorsqu'il est reconnu pour évêque par toute l'Église.

« Quand un évêque est prisonnier entre les mains des infidèles, c'est une violence étrangère qui suspend ses fonctions épiscopales, qui le met dans une impuissance absolue de gouverner son diocèse, et sur laquelle l'Église n'a aucun pouvoir ; mais ici, l'évêque étant libre comme je le suis, grâces à Dieu, il peut envoyer ses ordres et établir des personnes qui le gouvernent en son absence ; et les empêchements que la *passion et l'animosité y voudraient apporter ne doivent être considérés que comme des entreprises et des attentats contre l'autorité épiscopale, auxquels des ecclésiastiques ne peuvent déférer sans trahir l'honneur et l'intérêt de l'Église. Et comme, lorsque la personne d'un évêque est captive parmi les infidèles, il n'y a rien que son Église ne doive faire pour le racheter, jusques à vendre les

vases sacrés, si elle ne peut trouver autrement de quoi payer
sa rançon : ainsi, lorsqu'on veut retenir, non sa personne,
parce qu'on ne le peut pas, mais son autorité captive, son
Église doit employer tout ce qu'elle a de pouvoir, non contre
lui, mais pour lui ; non pour usurper son autorité, mais
pour la défendre contre ceux qui la veulent anéantir.

« Car vous savez, Messieurs, que c'est dans ces rencontres
de persécutions et de troubles que le clergé doit se tenir
plus que jamais inséparablement uni avec son évêque ; et
que, comme les mains se portent naturellement à la
conservation de la tête, lorsqu'elle est menacée de quelque
danger, les premiers ecclésiastiques d'un diocèse, qui sont
les mains des prélats, par lesquelles ils agissent et conduisent
les peuples, ne doivent jamais s'employer avec plus de
vigueur et plus de zèle à maintenir l'autorité de leur chef et
de leur pasteur, que lorsqu'elle est plus violemment attaquée
et que la puissance séculière se veut attribuer le droit
d'interdire les fonctions ecclésiastiques à ses grands vicaires,
et de faire passer en d'autres mains, selon qu'il lui plaît,
l'administration de son diocèse.

« Mais si l'on peut dire qu'un évêque laisse son siège
désert et abandonné, et qu'ainsi d'autres en peuvent prendre
la conduite malgré lui parce qu'on le persécute et qu'on
veut empêcher qu'il ne le gouverne par lui-même ou par
ses *officiers, tant de grands prélats, que diverses persécutions
ou pour la foi ou pour de prétendus intérêts d'État et des
querelles touchant la liberté de l'Église ont obligés autrefois
de s'enfuir ou de se cacher, et qui ne laissaient pas cependant
de gouverner leurs diocèses par leurs lettres et par leurs
ordres, qu'ils envoyaient à leur clergé et à leurs peuples,
auraient dû demeurer tout ce temps-là sans autorité, comme
des déserteurs de leurs sièges ; et leurs prêtres auraient eu
droit de s'attribuer leur puissance, et de leur ôter par un
détestable schisme l'usage de leur *caractère.

« Le grand saint Cyprien, évêque de Carthage, pour
n'apporter que ce seul exemple de l'antiquité, ayant vu la
persécution qui s'allumait contre lui, et que les païens, dans
l'amphithéâtre, avaient demandé qu'on l'exposât aux lions,
se crut obligé de se retirer pour ne pas exciter par sa présence
la fureur des infidèles contre son peuple : ce qui donna sujet
à quelques prêtres de son Église, qui ne l'aimaient pas, de

se servir de son absence pour usurper son autorité et
s'attribuer la puissance que Dieu lui avait donnée sur les
fidèles de Carthage. Mais il fit bien voir que son siège n'était
point désert, quoiqu'il fût absent et caché et que la
persécution l'empêchât de faire publiquement les fonctions
d'un évêque. Jamais il ne gouverna son Église avec plus de
fermeté et plus de vigueur. Il établit des vicaires pour la
conduire en son nom et sous son autorité ; il excommunia
ces prêtres qui lui voulaient ravir sa puissance, avec tous
ceux qui les suivraient ; il fit par ses lettres tout ce qu'il
aurait fait en présence. Le compte qu'il en rend lui-même,
écrivant au clergé de Rome, montre bien clairement que
jamais il n'avait moins abandonné son Église, que lorsque
la proscription qu'on avait faite de sa personne et de ses
biens l'avait contraint de s'en éloigner[1]. Du lieu de sa
retraite il envoyait des mandements pour la conduite qu'on
devait tenir vers ceux qui étaient tombés dans la persécution.
Il ordonnait des lecteurs, des sous-diacres et des prêtres,
qu'il envoyait à son clergé. Il consolait les uns et exhortait
les autres, et travaillait surtout à empêcher que son absence
ne donnât lieu à ses ennemis de faire un schisme dans son
Église, et de séparer de lui une partie du troupeau qui était
*commis à sa conduite.

« Que si ce saint évêque de Carthage n'avait rien perdu
du droit de gouverner son Église pour être devenu caché et
comme invisible à son Église même, combien plus un
archevêque de Paris conserve-t-il toujours le droit de gouverner la sienne lorsqu'il n'est point caché ni invisible, mais
qu'il est exposé à la plus grande lumière du monde ; qu'il
s'est retiré près du chef de tous les évêques et du père
commun de tous les rois catholiques ; qu'il y est reconnu
par Sa Sainteté pour légitime prélat de son siège, et qu'il
exerce publiquement, dans la maîtresse de toutes les Églises,
les fonctions sacrées de sa dignité de cardinal ?

« Et il ne sert de rien de dire que, le sujet de la proscription
de saint Cyprien étant la guerre que les païens faisaient à la
foi, on ne doit pas étendre cet exemple à la proscription
d'un archevêque qui n'est persécuté que pour de prétendus
intérêts d'État ; car, pour quelque sujet que l'on proscrive
un prélat, tant qu'il demeure revêtu de la dignité épiscopale
et que l'Église n'a rendu aucun jugement contre lui, comme

nulle proscription et nulle interdiction qui vienne de la part des puissances séculières ne peut empêcher qu'il ne soit évêque et qu'il ne remplisse son siège, elle ne peut aussi empêcher qu'il n'ait le droit et le pouvoir d'en exercer les fonctions, lequel il a reçu de Jésus-Christ et non des rois, et qu'ainsi tout son clergé ne soit obligé en conscience de déférer à ses ordres dans l'administration spirituelle de son diocèse.

« C'est donc en vain qu'on veut couvrir la violence d'un procédé inouï et sans exemple par le sujet dont on le prétexte, c'est-à-dire par des accusations chimériques et imaginaires de crime d'État, qui n'ont commencé à m'être publiquement imputées, pour me faire perdre l'exercice de ma charge, dont je jouissais par mes grands vicaires, étant en prison, que depuis le jour qu'il a plu à Dieu de me rendre la liberté.

« Que si j'ai été évêque étant prisonnier, ne le suis-je pas étant libre ? Si je l'étais étant à Nantes, ne le suis-je plus étant à Rome ? Suis-je le premier prélat qui soit tombé dans la disgrâce de la cour, et qui ait été contraint de se retirer hors du royaume ? Que si tous ceux à qui cet accident est arrivé n'ont pas laissé de gouverner leurs diocèses par leurs grands vicaires, selon la discipline inviolable de l'Église, quel est ce nouvel abus de la puissance séculière qui foule aux pieds toutes les lois ecclésiastiques ? Quelle est cette nouvelle servitude et ce nouveau joug qu'on veut imposer à l'Église de Jésus-Christ en faisant dépendre l'exercice divin de la puissance épiscopale de tous les caprices et de toutes les jalousies des favoris ?

« Feu M. le cardinal de Richelieu, n'étant encore qu'évêque de Luçon, fut relégué en Avignon après la mort du maréchal d'Ancre[1] : et cependant, quoiqu'il fût hors du royaume, jamais on ne s'avisa de porter son chapitre à prendre le gouvernement de son évêché, comme si son siège eût été désert ; et ses grands vicaires continuèrent toujours de le gouverner en son nom et sous son autorité.

« Et n'avons-nous pas vu encore que feu M. l'archevêque de Bordeaux[2], ayant été obligé de sortir de France et de se retirer au même comtat d'Avignon, il ne cessa point pour cela de conduire son archevêché, non seulement par ses grands vicaires, mais aussi par ses ordres et ses règlements, qu'il envoyait du lieu de sa retraite et dont j'en ai moi-même vu plusieurs de publics et d'imprimés ?

« Pour être à Rome, qu'on peut appeler la patrie commune de tous les évêques, perd-on le droit que l'on conserve dans Avignon ? Et pourquoi l'Église ne jouira-t-elle pas, sous le règne du plus chrétien et du plus pieux prince du monde, de l'un des plus sacrés et des plus inviolables de ses droits dont elle a joui paisiblement sous le règne du feu roi son père ?

« Mais ce qui m'a causé une sensible douleur a été d'avoir appris qu'il se soit trouvé deux prélats[1] assez indifférents pour l'honneur de leur *caractère, et assez dévoués à toutes les passions de mes ennemis, pour entreprendre de conférer les ordres sacrés dans mon Église, ou plutôt de les profaner par un attentat étrange : n'y ayant rien de plus établi, dans toute la discipline ecclésiastique, que le droit qu'a chaque évêque de communiquer la puissance sacerdotale de Jésus-Christ à ceux qui lui sont soumis, sans qu'aucun évêque particulier le puisse faire contre son gré, que par une entreprise qui le rend digne d'être privé des fonctions de l'épiscopat, dont il viole l'unité sainte, selon l'ordonnance de tous les anciens conciles, que celui de Trente a renouvelée[2].

« Que si les conciles, lors même que le siège est vacant par la mort d'un évêque, défendent aux chapitres de faire conférer les ordres sans une grande nécessité, telle que serait une vacance qui durerait plus d'un an, et si ce que le concile de Trente a établi sur ce sujet n'est qu'un renouvellement de ce que nous voyons avoir été établi par les conciles de France, qui défendent à tous évêques d'ordonner des clercs et de consacrer des autels dans une Église à qui la mort a ravi son propre pasteur, n'est-il pas visible que ce qui n'aurait pas été légitime quand mon siège aurait été vacant par ma mort, le peut être encore moins par la violence qu'on a exercée contre moi qui suis vivant et en liberté, et que la précipitation avec laquelle on s'est porté à cette entreprise la rend tout à fait inexcusable et digne de toutes les peines les plus sévères des saints canons ?

« Mais il est temps, Messieurs, que l'Église de Paris sorte de l'oppression sous laquelle elle gémit, et qu'elle rentre dans l'ordre dont une violence étrangère l'a tirée.

« Je ne doute point que ceux mêmes qui ont eu moins de

fermeté pour s'opposer à l'impétuosité de ce torrent ne bénissent Dieu lorsqu'ils verront cesser tous les prétextes qui ont donné lieu à ce scandaleux interrègne de la puissance épiscopale.

« On ne peut plus dire que l'on ignore le lieu où je suis ; on ne peut plus me considérer comme enfermé dans un conclave. Je ne puis plus trouver moi-même de prétextes et de couleurs à cette longue patience si contraire à toutes les anciennes pratiques de l'Église et qui me donnerait un scrupule étrange, si Dieu, qui pénètre les cœurs, ne voyait dans le mien que la cause de mon silence n'a été que ce profond respect que j'ai toujours conservé et que je conserverai éternellement pour tout ce qui porte le nom du Roi, et l'espérance que ces grandes et saintes inclinations qui brillent dans l'âme de Sa Majesté le porteraient à connaître l'injure que l'on a faite sous son nom à l'Église.

« Je ne puis croire, Messieurs, que le Saint-Esprit, qui vient de témoigner, par l'élection de ce grand et digne successeur de saint Pierre, une protection toute particulière à l'Église universelle, n'ait déjà inspiré dans le cœur de notre grand monarque des sentiments très favorables pour le rétablissement de celle de Paris. Je ne fais point de doute que ce zèle ardent que j'ai fait paraître, dans toutes les occasions, pour son service n'ait effacé de son âme royale ces fausses impressions qui ne peuvent obscurcir l'innocence, et je suis persuadé que, dans un temps où l'Église répand avec abondance les trésors de ses grâces, la piété du successeur de saint Louis ne voudrait pas permettre qu'elles passassent par des canaux qui ne fussent pas ordinaires et naturels. J'ai toutes sortes de sujets de croire que mes grands vicaires sont présentement dans Paris, que la bonté du Roi les y a rappelés pour exercer leurs fonctions sous mon autorité, et que Sa Majesté aura enfin rendu la justice que vous lui demandez continuellement par tous vos actes, puisque vous protestez toujours, même dans leur titre, que vous ne les faites qu'à cause de leur absence. Je leur adresse donc, Messieurs, la bulle [1] de notre Saint-Père le Pape, pour la faire publier selon les formes ; et en cas qu'ils ne soient pas à Paris, ce que j'aurais pourtant peine à croire, je l'envoie à MM. les archiprêtres de la Madeleine et de Saint-Séverin pour en user selon mes ordres et selon la pratique ordinaire du diocèse.

Par le même mandement, je leur donne l'administration de mon diocèse en l'absence de mes grands vicaires, et je suis persuadé que ces résolutions vous donneront beaucoup de joie, puisqu'elles commencent à vous faire voir quelques lumières de ce que vous avez tant souhaité et qu'elles vous tirent de ces difficultés où vous avait mis l'appréhension de voir le gouvernement de mon archevêché désert et abandonné. J'aurais, au sortir du conclave, donné ces ordres si je n'eusse mieux aimé que vous les eussiez reçus en même temps que je reçois des mains de Sa Sainteté la plénitude de la puissance archiépiscopale, par le *pallium* qui en est la marque et la consommation. Je prie Dieu de me donner les grâces nécessaires pour l'employer selon mes obligations à son service et à sa gloire, et je vous demande vos prières qui implorent sur moi les bénédictions du Ciel. Je les espère, Messieurs, de votre charité et suis,

    Messieurs,

       Votre très affectionné serviteur et confrère,

                   Le Cardinal de Rais,
                    archevêque de Paris.

   A Rome, ce 22ᵉ mai 1655.

Cette lettre eut tout l'effet que je pouvais désirer. Le chapitre, qui était très bien disposé pour moi, quitta avec joie l'administration. Il ne tint pas à la cour de l'en empêcher ; mais elle ne trouva pour elle, dans ce corps, que trois ou quatre sujets, qui n'étaient pas les ornements de leur compagnie.

M. d'Aubigny, du nom de Stuart, s'y signala autant par sa fermeté, que le *bonhomme Ventadour s'y fit remarquer par sa faiblesse. Enfin, mes grands vicaires reprirent avec courage le gouvernement de mon diocèse, et M. le cardinal Mazarin fut obligé de leur faire donner une lettre de cachet pour les tirer de Paris et les faire venir à la cour pour une seconde fois. Je vous rendrai compte de la suite de cette violence, après que je vous aurai entretenue d'un détail qui sera curieux en ce qu'il sera proprement le *caractère du malheur le plus sensible, à mon opinion, qui soit attaché à la disgrâce.

Une lettre que je reçus de Paris, quelque temps après que je fus entré dans le conclave, m'obligea à y dépêcher en poste Malclerc. Cette lettre, qui était de M. de Caumartin, portait que M. de Noirmoutier traitait avec la cour, par le canal de Mme de Chevreuse et de Laigue ; que celle-là avait assuré le Cardinal que celui-ci ne me donnerait que des apparences et qu'il ne ferait rien contre ses intérêts ; que le Cardinal lui avait déclaré à elle-même que Laigue n'entrerait jamais en exercice de la charge de capitaine des gardes de Monsieur, qui lui avait été donnée à la prison de Messieurs les Princes, jusques à ce que le Roi fût maître de Mézières et de Charleville ; que Noirmoutier avait dépêché Longuerue, lieutenant de Roi de la dernière[1], à la cour, pour l'assurer, non pas seulement en son nom, mais même en celui du vicomte de Lamet, tout au moins d'une inaction entière, cependant que l'on traiterait du principal ; que cet avis venait de Mme de Lesdiguières, qui apparemment, le tenait du maréchal de Villeroy, et que je devais compter là-dessus. Cette affaire, comme vous voyez, méritait de la réflexion ; et celle que j'y fis, jointe au besoin que j'avais de pourvoir à ma subsistance, m'obligea, comme je viens de vous le dire, à envoyer en France Malclerc avec ordre et de faire concevoir à mes amis la nécessité qui me forçait à des dépenses qu'ils ne croyaient pas trop nécessaires, et de faire ses efforts pour obliger MM. de Noirmoutier et de Lamet à ne se point accommoder avec la cour, jusques à ce que le Pape fût fait. J'avais déjà de grandes espérances de l'exaltation de Ghisi, et j'avais si bonne opinion et de son zèle pour les intérêts de l'Église et de sa reconnaissance pour moi, que je ne comptais presque plus sur ces places, que comme sur des moyens que j'aurais, en consentant à l'accommodement de leur gouverneur, de faire connaître que je mettais l'unique espérance de mon rétablissement en la protection de Sa Sainteté. Malclerc trouva, en arrivant à Paris, que l'avis qui m'avait été donné n'était que trop bien fondé ; il ne tint pas même à M. de Caumartin de l'empêcher d'aller à Charleville, parce qu'il croyait que son voyage ne servirait qu'à faire faire sa cour à M. de Noirmoutier. M. de Châlons, que Malclerc vit en passant, essaya aussi de le retenir par la même raison : il voulut absolument suivre son ordre. Il fut reconnu, en passant à Montmirail, par un des gens de Mme de Noirmoutier, ce qui l'obligea de la voir. Il eut l'adresse de lui faire croire qu'il se rendait aux raisons qu'elle lui

alléguait en foule, pour l'empêcher d'aller trouver son mari.
Il se démêla, par cette ruse innocente, de ce mauvais pas,
qui, vu l'humeur de la dame, était très capable de le mener
à la Bastille. Il vit MM. de Noirmoutier et de Lamet à
une lieue de Mézières, chez un gentilhomme nommé M.
d'Haudrey. Le premier ne lui parla que des obligations qu'il
avait à Mme de Chevreuse, de la parfaite union qui était
entre lui et Laigue, et des sujets qu'il avait de se plaindre
de moi : ce qui est le style ordinaire de tous les ingrats. Le
second lui témoigna toutes sortes de bonnes volontés pour
moi ; mais il lui laissa voir, en même temps, une grande
difficulté à se pouvoir séparer des intérêts ou plutôt de la
conduite du premier, vu la situation des deux places, dont
il est vrai que l'une n'est pas fort considérable sans l'autre.
Enfin, Malclerc, qui se réduisit à leur demander, pour
toute grâce, en mon nom, de différer seulement leur
accommodement jusques à la création du nouveau pape, ne
tira de Noirmoutier que des railleries sur ce qu'il s'était lui-
même laissé surprendre aux fausses lueurs avec lesquelles
j'*affectais, disait-il, d'*amuser tout le monde touchant
l'exaltation de Ghisi ; et il revint à Paris où il apprit de M.
de Châlons la création du pape Alexandre.

   Mes amis, auxquels je l'avais mandé par Malclerc, en
conçurent toutes les espérances que vous vous pouvez
imaginer. Vous n'avez pas de peine à croire la douleur que
M. de Noirmoutier eut de sa précipitation. Il avait conclu
son accommodement avec Monsieur le Cardinal un peu après
que Malclerc lui eut parlé, et il était venu à Paris pour le
consommer. Il désira de voir Malclerc, aussitôt qu'il eut
appris que Ghisi était effectivement pape. Il découvrit qu'il
était encore à Paris, quoique mes amis, qui se défiaient
beaucoup de son secret et de sa bonne foi, lui eussent dit
qu'il en était parti ; et il fit tant, qu'il le vit dans le
faubourg Saint-Antoine. Il n'oublia rien pour excuser, ou
plutôt pour colorer la précipitation de son accommodement ;
il ne cacha point la cruelle douleur qu'il avait de n'avoir
pas accordé le petit délai que l'on lui avait demandé. Sa
honte parut et dans son discours et dans son visage. Je ne
fus plus cet homme malhonnête et tyran, qui voulais sacrifier
tous mes amis à mon ambition et à mon caprice. L'on ne
parla dans la conversation que de tendresse que l'on avait

pour moi, que des expédients que l'on cherchait avec Mme de Chevreuse et avec Laigue, pour me raccommoder solidement avec la cour, que des facilités que l'on espérait d'y trouver. La conclusion fut une instance très grande de prendre dix mille écus, par lesquels on espérait, dans le pressant besoin que j'avais d'argent, d'adoucir à mon égard et de *couvrir à celui du monde le cruel tort que l'on m'avait fait. Malclerc refusa les dix mille écus, quoique mes amis le pressassent beaucoup de les recevoir. Ils m'en écrivirent, même avec force, et ils ne me persuadèrent pas ; et je me remercie encore aujourd'hui de mon sentiment. Il n'y a rien de plus beau que de faire des grâces à ceux qui nous manquent ; il n'y a rien, à mon sens, de plus faible que d'en recevoir. Le christianisme, qui nous commande le premier, n'aurait pas manqué de nous enjoindre le second, si il était bon. Quoique mes amis eussent été de l'avis de ne pas refuser les offres de M. de Noirmoutier, parce qu'il les avait faites de lui-même, ils ne crurent pas qu'il fût de la bienséance d'en solliciter de nouvelles vers les autres, au moment que la bonne conduite les obligeait à *affecter même de faire des triomphes de l'exaltation de Ghisi. Ils suppléèrent, de leur propre fonds, à ce qui était de plus pressant et de plus nécessaire, et Malclerc revint me trouver à Rome, où je vous assure qu'il ne fut pas désavoué du refus qu'il avait fait de recevoir l'argent de M. de Noirmoutier.

Ce que vous venez de voir de la conduite de celui-ci est l'image véritable de celle que tous ceux qui manquent à leurs amis dans les disgrâces ne manquent jamais de suivre. Leur première application est de jeter dans le monde des bruits sourds de mécontentements qu'ils feignent avoir de ceux qu'ils veulent abandonner ; et la seconde est de diminuer, autant qu'ils peuvent, le poids des obligations qu'ils leur ont. Rien ne leur peut être plus utile pour cet effet que de donner des apparences de reconnaissance vers d'autres dont l'amitié ne leur puisse être d'aucun embarras. Ils trompent ainsi l'inconstante attention que la moitié des hommes ont pour les ingratitudes qui ne les touchent pas personnellement, et ils éludent la véritable reconnaissance par la fausse. Il est vrai qu'il y a toujours des gens plus éclairés auxquels il est difficile de donner le change, et je me souviens, à ce propos, que Montrésor, à qui j'avais fait donner une abbaye de douze mille livres de rente, lorsque Messieurs les Princes furent arrêtés, ayant dit un jour chez le comte de Béthune qu'il en avait l'obligation à M. de Joyeuse, le prince de Guéméné lui répondit : « Je ne croyais pas que M. de Joyeuse eût donné les *bénéfices en cette année-là. » M. de Noirmoutier fit, pour justifier son ingratitude, ce que M. de Montrésor n'avait fait que pour flatter l'entêtement qu'il avait pour Mlle de Guise[1]. J'excusai celui-ci par le principe de son action ; je fus vraiment touché de celle de l'autre. L'unique remède contre ces sortes de déplaisirs, qui sont plus sensibles dans les disgrâces que les disgrâces mêmes, est de ne jamais faire le bien que pour le bien même. Ce moyen est le plus assuré : un mauvais naturel est incapable de le prendre, parce que c'est la plus pure vertu qui nous l'enseigne. Un bon cœur n'y a guère moins de peine, parce qu'il joint aisément, dans les motifs des grâces qu'il fait, à la satisfaction de sa conscience les considérations de son amitié. Je reviens à ce qui concerne ce qui se passa, en ce temps-là, à l'égard de l'administration de mon diocèse.

Aussitôt que la cour eut appris que le chapitre l'avait quittée, elle manda mes deux grands vicaires, aussi bien que M. Loisel, curé de Saint-Jean, chanoine de l'Église de Paris, et M. Biet, chanoine, qui s'étaient signalés pour mes intérêts[2].

Fin du tome second
et dernier

NOTES ET VARIANTES

NOTES ET VARIANTES

Page 9

a. Le manuscrit, dicté, porte *ces* disgrâces. Mais les copies R et Caffarelli offrent la leçon homophone *ses* disgrâces, bien préférable, que nous adoptons.

b. Retz reprend la plume, et il la rend au secrétaire cinq lignes plus loin, après le mot *assez.*

c. Le verbe est omis dans l'autographe. Nous rétablissons *donna*, d'après les copies R et Caffarelli.

Page 10

a. Retz reprend la plume.

b. Retz rend la plume au secrétaire.

Page 11

1. Son *bonnet* de cardinal.

2. L'abbaye d'Ourscamp, près de Noyon, riche bénéfice dont Mazarin lui-même était commandataire.

Page 12

1. Le fait que le projet d'arrestation de Condé soit introduit ici de façon tout à fait incidente mérite qu'on s'y arrête. — En ce début de 1650 s'opère un renversement politique important. La Reine et Mazarin s'étaient servis de Condé pour mater la rébellion parisienne, puis ils avaient attisé son animosité contre les Frondeurs. Mais le Prince s'est rendu insupportable à la cour par ses exigences insatiables, et son mécontentement risque de le rejeter du côté de la Fronde. La Reine prend donc les devants : contre Condé, dont elle médite l'arrestation, elle sollicite l'appui du Coadjuteur et de Beaufort. Or ce qui frappe dans le récit des *Mémoires*, c'est qu'il est fait par le petit bout de la lorgnette, du seul point de vue du narrateur. Aucune analyse d'ensemble, aucune « réflexion » ne vient ici souligner l'importance du renversement d'alliances qui est en train de s'opérer, et auquel Retz a collaboré. Prêter au mémorialiste le souci de dissimuler qu'il « trahit » la

Fronde n'a pas grand sens, puisqu'au traité de Rueil presque tous les
Frondeurs s'étaient réconciliés avec la cour. Il est plus probable que cette
myopie du récit provient d'un refus d'avouer — ou de s'avouer — que les
avances de la Reine ont éveillé en lui des espérances de participation au
pouvoir qui furent cruellement déçues, et qu'il fut la dupe, alors comme
plus tard, des manœuvres de division de Mazarin, qui joua l'un contre
l'autre et détruisit l'un par l'autre ses deux principaux adversaires. Voir sur
ce point l'*Introduction, passim.*

2. Beaufort n'était que le fils cadet du duc de Vendôme ; l'aîné était le
duc de Mercœur, qui s'apprêtait à épouser Laure Mancini, nièce de Mazarin.
Sur la surintendance des mers, que se disputaient les maisons de Condé et
de Vendôme, voir plus haut, I, p. 271, note 1 et p. 511.

Page 13

a. Le manuscrit comporte ici un *et* rajouté en interligne par Retz entre
second et *qu'il.* Mais la phrase qui en résulte appellerait, pour être correcte,
une modification ultérieure (par ex. *de l'y* mettre). Nous avons choisi la
solution la plus simple, qui est de supprimer ce *et.* En tout état de cause,
cette phrase porte des traces de négligence : la formule habituelle de Retz
est non pas *pour toutes raisons*, mais *pour* ou *par toutes sortes de raisons.*

1. *Brevet de retenue* ou *d'assurance* : acte par lequel le roi assurait une
certaine somme à payer au titulaire d'un gouvernement ou d'une charge par
le successeur du dit titulaire.

2. Le jaune, couleur infamante, servait à marquer les maisons des débiteurs
infidèles, des banqueroutiers, des traîtres. Le substantif *safranier* signifiait
mauvais payeur (Lettres de Gui Patin du 16 novembre 1652 et du
3 mai 1653). La langue populaire en avait tiré de nombreux jeux de mots
(voir la *Satire Ménippée*). « Jaunir le chapeau » de La Rivière, c'est lui faire
refuser le cardinalat par le Pape, pour prix de son infidélité. Et en effet, il
ne fut jamais cardinal.

Page 14

1. Le calembour provient de ce que Gaston d'Orléans donnait toujours
pour excuse des raisons de santé.

Page 16

a. Retz reprend la plume lui-même.

1. C'est-à-dire que Retz et tous ceux qui étaient accusés de l'attentat
contre le carrosse de Condé (voir I, pp. 530 sqq.) furent acquittés.

2. Condé avait encouragé le mariage de ce petit-neveu de Richelieu avec
une jeune veuve amie de Mme de Longueville, Anne de Pons, bien que
cette union déplût à la cour.

3. Chef-lieu de la vicomté de Turenne, en Corrèze, et fief libre de tout
lien vassalique à l'égard du Roi (*franc-alleu*).

Page 17

1. *Lieutenant de Roi* : voir la *Note sur les institutions.*

2. Il s'agit de la ville de Seurre, près de Beaune, érigée en duché-pairie

au profit de Roger de Bellegarde. C'est au siège de cette place que le jeune Louis XIV, âgé de douze ans, fit ses premières armes.

Page 18
1. Voir I, p. 279, note 2.

Page 19
1. Retz, par inadvertance, a déjà parlé de cette amnistie comme acquise à la page 16.
2. Voir plus haut I, p. 506.

Page 20
1. « *Libertinage* » est pris ici, disent les annotateurs des G.E.F., dans le sens d'« humeur libre et aventureuse », ce qui inclut, bien sûr, le libertinage des mœurs, mais exclut le libertinage intellectuel, celui des *libertins* de Pascal. Retz menait dans ses activités et dans ses horaires mêmes une vie assez déréglée, peu compatible avec l'assiduité requise auprès de Gaston d'Orléans.

Page 22
1. Ici intervient la seconde rébellion de Turenne. La première, de très courte durée, s'était soldée par la défection de l'armée weimarienne (voir plus haut, I, p. 470) ; lors du traité de Rueil et de l'accommodement de son frère, M. de Bouillon, Turenne était rentré en grâce et revenu à Paris. Cette fois, engagé avec Mme de Longueville, il signe avec l'Espagne un traité d'alliance pour la libération des Princes et la paix générale. Les Espagnols devaient mettre des garnisons dans les places frontières et les partisans des Princes se chargeaient d'occuper les places intérieures.
2. Selon Montglat, le duc d'Épernon, simple gentilhomme, « s'imaginait être prince, sous ombre que sa mère était de la maison [...] des derniers comtes de Foix. Sur cette chimère, il vivait en prince à Bordeaux, et traitait la noblesse et le Parlement avec une telle gloire et si fort du haut en bas, qu'il irrita les esprits de tous les ordres du pays ».

Page 23
1. Une telle maxime ne se rencontre nulle part, au moins sous cette forme, dans l'œuvre de Machiavel, et bien des analyses conseillent, dans diverses circonstances, une conduite inverse. Mais elle relève sans doute de ce que l'opinion commune entendait par machiavélisme.
2. « *...l'était* » : était trompé.
3. Il voulait lui faire épouser une de ses nièces, Anne-Marie Martinozzi ; le mariage ne se fit pas et la jeune fille épousa le prince de Conti.
4. Retz se réfère volontiers à ces deux ministres de Henri IV comme modèles de sagesse et de sens politique.

Page 24
1. Tel est bien le texte du manuscrit : simple licence syntaxique de Retz ? ou transcription du parler fautif de Mazarin ?
2. En 1650, Mazarin, né en 1602, avait 48 ans : il était donc nettement l'aîné de Retz qui, né en 1613, en avait 37.
3. Le pronom *l'* désigne bien sûr Mazarin. Pour l'idée, on rapprochera

du portrait de Retz par La Rochefoucauld : « Il a suscité les plus grands désordres de l'État sans avoir un dessein formé de s'en prévaloir, et, bien loin de se déclarer ennemi du cardinal Mazarin pour occuper sa place, il n'a pensé qu'à lui paraître redoutable et à se flatter de la fausse vanité de lui être opposé. » La Rochefoucauld continue cependant : « Il a su néanmoins profiter avec habileté des malheurs publics pour se faire cardinal. »

Page 25

1. Le jeu des pronoms personnels rend pour nous la phrase ambiguë : c'est à Mazarin qu'on a ouvert les yeux, mais c'est au coadjuteur qu'on taille de la besogne. Les changements brusques de référents pour les pronoms sont si fréquents chez Retz que nous n'avons pas cru devoir suivre la copie R, qui remplace la 3e personne par la 1re dans ce dernier membre de phrase.

2. La phrase qui termine ce paragraphe est difficile. Retz veut dire que les « hommes de cabinet », comme Mazarin, sont persuadés que toute « considération », c'est-à-dire tout prestige, tout poids dans les affaires politiques, dépend de l'« accès » qu'on a auprès des grands et de l'influence que l'on exerce sur eux : c'est pourquoi le ministre s'inquiète de le voir désormais dans le rôle de conseiller de Gaston d'Orléans. Retz pense pour sa part que la « considération » repose aussi — et surtout ? — sur la popularité : d'où son désir d'obtenir du Cardinal des mesures favorables aux rentiers, dont il puisse se faire gloire auprès du peuple.

3. Ce discours, quoi qu'on en ait dit, n'est pas dépourvu d'une certaine forme de sincérité, qui n'exclut pas l'habileté. Les arguments avancés ne sont pas faux ; ils viennent adroitement expliquer que Retz ne souhaitait pas ce qu'il savait ne pouvoir obtenir. Ils doivent beaucoup, sans doute, au regard rétrospectif.

Page 27

1. Les *oublieux* étaient, au propre, les marchands ambulants d'*oublies* — sortes de gaufres légères —, qui criaient leur marchandise entre 8 et 9 heures du soir. Mme de Motteville dit de même, au figuré : « Comme ils allaient souvent de nuit, ceux qui voulaient que le duc d'Orléans se révoltât tout de bon les appelaient par dérision des *oublieux*, à cause de l'heure indue qu'ils prenaient pour négocier, et parce qu'ils voulaient faire entendre qu'ils vendaient de la marchandise peu solide. »

2. En 1633 les cabales contre Richelieu du marquis de Châteauneuf avaient valu à celui-ci un emprisonnement qui dura dix-sept ans et à son complice le commandeur de Jars une condamnation à mort qui ne fut commuée qu'au pied de l'échafaud où il allait être exécuté, à Troyes.

3. Rappelons qu'au XVIIe siècle *amant* signifie seulement amoureux, mais n'implique ni l'existence d'une liaison effective, ni même la réciprocité du sentiment. D'où ici la précision : *non sans succès*.

Page 28

1. La jalousie passait, aux yeux de l'opinion commune relayée par la littérature, pour un trait de caractère national chez les Italiens.

Page 29

1. En liant les deux faits, Retz laisse apercevoir qu'il démarque le *Journal du Parlement*, qui, à la date du 6 juillet 1650, rapporte la harangue d'un député du parlement de Bordeaux, où ces faits sont également liés. Mais le commentaire lui est propre : le prêtre qu'il est souligne la légèreté sacrilège qu'il y eut à déposer l'hostie *consacrée* sur le bureau de l'assemblée, au lieu de la rapporter aussitôt dans une église.

Page 30

1. Les *jurats* sont « les échevins de Bordeaux », dit La Rochefoucauld, c'est-à-dire les magistrats municipaux.

2. Il s'agit ici de résistance non aux troupes royales, mais à la pression populaire. Retz affirme que le parlement de Bordeaux résista d'abord vigoureusement à cette pression. Mais la cour crut à une feinte et, par son intransigeance, elle le poussa à bout.

Page 31

1. Le prévôt des marchands, à la tête du Bureau de Ville, était en principe un magistrat élu, mais en fait le roi était le maître de cette élection.

2. Voir plus haut, II, p. 12.

Page 33

1. Ce qui veut dire qu'ils étaient prêts à accueillir le Roi, mais sans ses troupes.

2. Sur ce siège de Bordeaux, on lira avec intérêt les *Mémoires* de La Rochefoucauld, IIIᵉ partie.

Page 34

1. Mazarin accorda en effet à Bordeaux une paix très favorable, qui permit à la ville de sauver la face. Les événements militaires de la frontière du Nord et les difficultés financières avaient contribué, plus encore que les cabales parisiennes, à lui dicter cette modération.

2. « ...*qui était plus en école* » : tel est bien le texte du manuscrit, à la forme affirmative. Cette locution, qui ne figure ni dans les dictionnaires du XVIIᵉ siècle, ni chez Littré, semble tirée de la langue du manège. L'*école* y désigne les exercices de dressage et de voltige. D'un cheval bien entraîné, on dit qu'il a *de l'école* ; d'un autre, qui a oublié ses exercices, qu'il est *hors d'école*. Par rapport au garde des sceaux, homme d'un autre âge et longtemps éloigné des affaires, Retz veut dire que Le Tellier, *plus en école*, est mieux rompu aux intrigues politiques du moment : aussi doit-il avoir une raison secrète de parler comme il le fait.

Page 35

a. Un second secrétaire prend ici la plume.

1. « ...*qu'il passerait du bonnet à...* » : variante de la locution consacrée *opiner du bonnet*, s'appliquant aux magistrats qui votaient sans motiver leur avis et indiquaient seulement leur assentiment en portant la main à leur bonnet. Une telle façon de voter implique que l'affaire ne prête pas à discussion et que l'assentiment va de soi.

2. Cette formule met en balance les deux aspects complémentaires de la fonction royale, tels que le souverain les tient de Dieu lui-même, dont il est le représentant sur la terre. Cette fonction fait du roi de France non seulement le détenteur de l'autorité et le juge suprême, mais le père de son peuple, qu'il ait 75 ans ou qu'il en ait 12. Et à ce dernier titre il est porté à la mansuétude. Rapprocher de La Bruyère : « Nommer un roi PÈRE DU PEUPLE est moins faire son éloge que l'appeler par son nom, ou faire sa définition » (*Du Souverain ou de la République*, 27).

Page 36
a. Retz reprend la plume.

1. C'est-à-dire que le 6 août, l'assemblée fut moins agitée qu'elle ne l'avait été le 7 juillet, mais beaucoup plus que le calme de la veille 5 août ne le faisait présager.

Page 37
1. L'*éteuf* est une balle de jeu de paume. Le sens de ce passage a été obscurci par certains éditeurs, en référence à une acception figurée de l'expression négative *ne pas courir après son éteuf*, qui figure dans le dictionnaire de Furetière. Mais ici les deux négations s'annulent et la phrase signifie simplement que Mazarin *courait après son éteuf*. Courir après sa balle, quand on l'a laissé échapper, c'est perdre le contrôle du jeu en cherchant, au mieux, à rattraper la balle perdue. Au figuré, c'est tenter de réparer les maladresses commises.

Page 39
a. Retz cède la plume au second secrétaire.
b. Le manuscrit porte bien *du depuis*, forme archaïque pour *depuis*.

Page 40
a. Le manuscrit porte *vient* au présent : nous le conservons, bien que tous les autres verbes soient au passé simple et que les copies R et Caffarelli aient corrigé en *vint*, parce que ce peut être un présent de narration.

Page 41
a. Retz reprend la plume.

1. Fin de phrase elliptique, que Retz transcrit telle quelle d'après le *Journal du Parlement*.

Page 43
1. Voir plus haut, I, p. 522.
2. La cour avait été très froidement accueillie à Bordeaux.

Page 45
1. « *Voilà le bon et le mauvais soldat* » : le mot du garde des sceaux, pour mériter d'être rapporté, est sans aucun doute un trait d'esprit fondé sur une allusion, dont nous avouons n'avoir pas découvert la clef.
2. Voir plus haut, I, p. 514, n. 4, et *Introduction*, I, pp. 28-29.

Page 46
1. « *Au jour et au lieu préfix* » (fixés à l'avance) : expression de la langue judiciaire, empruntée au *Journal du Parlement*.

Page 47

    1. Voir l'*Introduction*, pp. 28-29.

Page 48

    1. Voir plus haut, II, p. 27.

Page 49

    1. Allusion aux placards que Turenne avait fait afficher dans Paris : voir plus haut, p. 42. En retour, Retz traite d'*Espagnol* Turenne passé au service de l'archiduc.

Page 50

    1. Le roi d'Angleterre était alors le fils de Charles Ier et d'Henriette de France, qui venait de succéder à son père en 1649 sous le nom de Charles II. Au cours de sa tentative pour reconquérir son royaume, il livra et perdit deux batailles, que Retz confond ici : celle de Dubar en Ecosse (13/3 septembre 1650) et celle de Worcester, juste un an plus tard (13/3 septembre 1651). C'est après cette seconde défaite, décisive, qu'il débarqua en France.

    2. La *cour* du roi d'Angleterre, c'est l'ensemble de ceux qui font partie de sa « maison » au sens classique du terme : elle se réduit à une seule personne, qui cumule toutes les fonctions. Son *équipage*, lui, était réduit à une seule chemise.

Page 51

    1. A l'appui de ces réflexions de Retz, on peut invoquer l'exemple de Mazarin qui, en qualité d'intendant de la maison de la Reine, avait la haute main sur les petites choses comme sur les grandes.

Page 52

    1. Sur les relations de la France avec Cromwell et sur les réactions de l'opinion publique, voir l'*Introduction*, pp. 42-43.

Page 53

    1. La Reine multipliait les cadeaux et les gratifications à Mme de Chevreuse pour s'assurer son appui ; mais elle manquait d'argent ; les rentrées exceptionnelles étaient donc bienvenues : la somme ici en cause devait être prise sur la rançon de 240 000 livres versée par les Espagnols pour le rachat du prince de Ligne prisonnier.

Page 54

    1. C'est-à-dire : tout le monde peut vous répondre...

Page 55

    1. Discours ambigu, auquel il est trop facile d'opposer les propos également ambigus des partisans de la cour. Certes la menace espagnole et les avis prêtant à Turenne le projet d'attaquer Vincennes furent les raisons invoquées pour le transfert des Princes. Mais il est difficile de savoir si ces menaces étaient réelles ou si, comme le dit Retz, la place était en mesure de résister assez longtemps pour que la cour pût en tirer les Princes. La vérité est que tous songent au moment où il faudra bien libérer Condé, qu'on ne saurait garder indéfiniment en prison. Et Mazarin souhaite le transfert pour que les Princes, entièrement entre ses mains, ne soient redevables qu'à lui de leur liberté. Au contraire les Frondeurs, en les conservant à Vincennes ou en les installant à la Bastille, comme ils le projetèrent un moment, comptaient avoir la plus grande part à leur éventuelle libération. Retz n'invoque qu'incidemment ici le vrai danger de ce transfert pour les Frondeurs : que Mazarin ne se réconcilie avec Condé à leurs dépens (mais il y fera allusion directement plus loin, dans la même page). Cet espoir de Mazarin fut déçu : bien qu'il fût allé en personne au Havre pour faire sortir les Princes de prison, il ne parvint pas pour autant à se concilier Condé.

Page 56
1. Allusion à la liaison de Retz avec Mlle de Chevreuse, par laquelle la cour espère avoir barre sur lui. Toute la fin du paragraphe est, bien sûr, ironique : Henri de Vassé, connu pour ses impairs, était surnommé *Son Impertinence*.

Page 57
1. Pour atteindre Marcoussis, près de Montlhéry au sud de Paris, il fallait traverser la Marne et la Seine.

Page 58
1. Voir plus haut, II, p. 44.

Page 59
1. Le Parlement appliquait les nouvelles dispositions imposées de force à la cour, en 1648, pour empêcher les détentions arbitraires : c'était braver le gouvernement que de se mettre à juger les prisonniers d'État.

Page 60
1. Voir plus haut, I, pp. 513-514.

Page 61
1. C'est-à-dire à l'entrée et à la sortie du Palais, en traversant la foule massée dans la grande salle et devant l'édifice.

Page 62
a. Tel est bien le texte du manuscrit, que nous gardons parce qu'il est clair, bien que peu conforme à l'usage. Retz avait d'abord écrit : *qu'elle prévoyait*, où *elle* représentait Mme de Chevreuse. Il a rayé *elle* pour remplacer ce pronom, en marge, par *la conduite du Cardinal*, et a négligé de rectifier le verbe. La copie R l'a fait en substituant à *prévoyait* : *faisait craindre*.

Page 64
1. Comme souvent, Retz désigne ici les différentes dignités par métonymie, à travers leurs attributs et il file les métaphores.

Page 65
1. Mazarin avait accompagné à Milan le nonce extraordinaire Gian Francesco Sachetti pour régler le conflit opposant, autour de la place forte

de Casale, deux prétendants au duché de Mantoue et au marquisat du Montferrat, respectivement appuyés par la France et par l'Autriche. Devant l'aggravation de la situation, le Pape avait envoyé, pour remplacer Sachetti, le cardinal Panziroli. Profitant de l'intervalle, Mazarin, resté en fonctions, avait pris contact avec le célèbre Spinola, gouverneur de Milan pour le compte des Espagnols, outrepassant ainsi son mandat. Au terme d'une série de négociations très complexes, pour lesquelles il reçut d'ailleurs l'aval du Pape et de Panziroli, le diplomate improvisé eut la gloire de s'interposer entre les armées ennemies devant Casale et de mettre fin à la guerre (26 octobre 1630) : coup d'éclat dont son supérieur immédiat, le nonce Panziroli, ne dut pas manquer d'être jaloux — et fondement de sa faveur auprès de Richelieu.

2. Mazarin fut promu le 16 décembre 1641, proposé par la France à la demande de Richelieu.

3. Le neveu en question, fils aîné de la signora Olimpia Maidalchini, belle-sœur du Pape, avait été assassiné en Allemagne près de Cologne et, selon le P. Rapin, Mazarin fut soupçonné d'avoir eu part à ce meurtre.

4. Le roi de France avait, depuis le concordat de Bologne en 1516, le privilège de *nommer* les cardinaux français ; le Pape procédait ensuite à leur *promotion*, qu'il pouvait à son gré hâter ou différer.

Page 68

a. Le manuscrit et la copie R portent également *courraient* au conditionnel. Nous avons cependant suivi l'usage moderne.

1. Retz veut dire ici qu'il se réconciliera avec Condé si la cour refuse de récompenser ses services par le cardinalat. Et ce refus lui sera utile pour entraîner ses amis, engagés d'honneur à concourir à sa fortune, dans le parti de Condé qu'ils n'aiment pas.

2. « *Courre la lance* » : terme de la langue des tournois ; au figuré, s'engager dans une entreprise.

3. *Elle* désigne la cour.

Page 70

1. Retz a oublié de dire que Monsieur projetait d'aller saluer la cour à Fontainebleau et qu'il devait à cette occasion demander le chapeau pour le coadjuteur.

Page 71

a. Retz cède la plume au secrétaire.

1. « *On fût devenu populaire* » : Retz veut dire que le parti de Monsieur et celui des Princes, privés de chefs, n'auraient eu d'autre ressource que de s'appuyer sur le peuple et de déclencher l'émeute : solution qu'il affirme avoir toujours repoussée, par esprit civique.

Page 72

a. Le manuscrit comporte bien *la* et non *le* : ce pronom ne peut renvoyer qu'à *translation*. Le verbe *jouâmes* s'explique par la suite : les Frondeurs la mettent en scène, la représentent comme au théâtre.

1. Voir plus haut, II, pp. 53-55.

2. On connaît en effet ce plan par les *Mémoires* de Gourville et de Guy Joly.

3. Le comte d'Harcourt avait dirigé l'escorte conduisant les Princes au Havre : la fonction de prévôt, qui est une fonction de police, est déshonorante pour un grand seigneur, lieutenant général des armées du Roi, à plus forte raison au préjudice de princes du sang. De plus la réputation militaire du comte était très inférieure à celle de Condé. La situation d'Harcourt « menant en triomphe Monsieur le Prince » était donc ridicule. Voici la chanson que Condé lui-même composa pendant le transfert : « Cet homme gros et court, / Tout couronné de gloire, / Qui secourut Casal / Et qui reprit Turin, / Est maintenant, / Est maintenant / Recors de Jules Mazarin. »

Page 73

a. Retz reprend la plume après *beaucoup*.

b. Retz rend la plume au secrétaire après *la Reine...*

1. C'est-à-dire qu'elle sacrifiait à Monsieur son ressentiment, qu'elle y renonçait.

Page 75

a. Retz reprend la plume.

1. De tous les enfants d'Antoine et de Marie-Catherine de Gondi, Albert, le maréchal, grand-père de Retz, eut la plus brillante carrière : ses qualités de fin politique y contribuèrent autant que la faveur de Catherine de Médicis.

2. « *Ériger autel contre autel* » : expression usuelle : au propre, faire un schisme ; au figuré, rivaliser de crédit avec quelqu'un, faire une entreprise rivale.

Page 77

1. Retz ne parle nulle part de cette tentative et il est peu probable, compte tenu de la chronologie, qu'il en ait parlé dans les feuillets manquants du début. Inadvertance ?

Page 78

1. Mme de Guéméné s'autorise de sa parenté avec les Gondi (voir I, p. 524, note 1) pour mettre en garde Philippe-Emmanuel contre l'inconduite de sa nièce ou plus exactement petite-nièce, à lui, la duchesse de Brissac, qui est sa rivale auprès du coadjuteur.

Page 80

a. Dans la copie R, le texte est rayé avec soin, de *sur les mesures* à *folies* : rature de décence, répercutée par les éditions anciennes.

Page 83

1. Condé prétendait à la dignité de connétable — chef suprême des armées en l'absence du roi —, qui avait été supprimée par Louis XIII en 1627 à la mort du duc de Lesdiguières, parce qu'elle donnait trop de poids dans l'État à son titulaire ; elle ne fut jamais rétablie. Retz a bien écrit *connétablerie* et non *connétablie*, comme on disait au XVIᵉ siècle, parce que de son temps ce dernier terme, doublet du précédent, avait été conservé pour désigner une juridiction jadis dévolue au connétable, et qui avait survécu à la suppression de celui-ci.

2. Il était prévu en effet que le prince de Conti, renonçant à une carrière ecclésiastique, épouserait Mlle de Chevreuse.

Page 84

1. Voir plus haut, I, pp. 510-511.

Page 85

a. Les éditeurs reproduisent habituellement ici une parenthèse — « *je dis M. de Beaufort* » — dont la présence dans le manuscrit s'explique par le fait qu'il s'agit d'une addition marginale serrée, dans laquelle Retz a craint que le nom de Beaufort ne fût difficilement lisible : nous avons donc supprimé cette indication technique destinée à d'éventuels copistes.

1. Le texte de ce traité se trouve aujourd'hui annexé à la copie Caffarelli, qui, on le sait, avait été envoyée à Caumartin pour consultation. Il est daté du 30 janvier 1651. Sa présence est une confirmation de ce qu'en dit Retz, et elle donne d'autant plus de prix à la copie Caffarelli. Le texte de ce traité figure en Appendice du tome II des *Œuvres* de Retz dans la collection des G.E.F.

Page 86

1. *Comoedia in comoedia* : la comédie dans la comédie ou, comme nous dirions aujourd'hui, le théâtre dans le théâtre. Retz dit ailleurs (II, p. 250) qu'il emprunte cette expression — latine — au théâtre italien. Elle signifie que, à l'intérieur de la comédie que les Frondeurs et les partisans des Princes jouaient à la cour, prenait place une autre comédie que les initiés (Retz et la Palatine notamment) jouaient aux autres membres de leur propre parti, dans l'intérêt même de ce parti. Sur les métaphores théâtrales dans les *Mémoires*, voir l'*Introduction*, pp. 106-112.

Page 88

a. Le manuscrit porte *à* l'hôtel de Longueville. C'est probablement un lapsus, entraîné par l'analogie avec *à l'hôtel de Chevreuse*. Nous supprimons la préposition.

1. *La cédule du sabbat*. Une *cédule* est une promesse de payer sous seing privé ; *sabbat* est pris ici au sens d'assemblée de démons et de sorciers. Cette expression plaisante désigne donc un pacte avec le diable.

2. Cette formule revient sous la plume de Retz (voir II, p. 444) pour désigner un commerce d'une extrême régularité. La liaison postale régulière entre Paris et Lyon était encore récente au temps de la Fronde.

3. Pièces de quarante-huit livres, valant quatre louis d'or. C'étaient des pièces de grande taille, faciles à creuser pour y glisser des messages.

4. L'hôtel de Longueville, situé au temps de la Fronde tout auprès du Louvre, du côté est, fut rasé lors de l'agrandissement des bâtiments du palais en 1663. Au moment où Retz écrit, c'est l'ancien hôtel de Chevreuse, rue Saint-Thomas-du-Louvre, qui est devenu hôtel de Longueville.

Page 89

1. Voir plus haut, I, pp. 249 et 315.

2. Conférences données au séminaire de Saint-Magloire pour la formation des futurs prêtres.

Page 91

1. Retz, comme la plupart de ses contemporains, était avant tout sensible à la *vis comica* du théâtre de Molière : oserons-nous dire qu'il avait raison ? Cette réflexion implique d'ailleurs que, pour lui, les farces de Molière, loin d'être des pures bouffonneries, reposent sur l'observation de la réalité.

2. Minuter : dresser la *minute* d'une requête ou d'une déclaration, c'est, au sens juridique, la rédiger, la mettre par écrit. *Soit montré* : formule indiquant que la requête devait être communiquée aux gens du Roi (le *parquet*) pour avis, conformément au règlement.

Page 94

1. Le bruit courut que Mazarin avait acheté Liponti — ou plutôt Degli Ponti. La bataille dite de Rethel, qui eut lieu le 15 décembre 1650, près du village de Somme-Py, fut en effet un désastre pour les troupes de Turenne.

2. « *Lui cinquième* » : en compagnie des quatre autres.

3. On disait *drapeaux* pour l'infanterie et *étendards* pour la cavalerie.

Page 96

1. La région du Havre était tenue pour malsaine parce que marécageuse.

2. Le texte de ce discours a été conservé et il figure au tome IX de l'édition des G.E.F., pp. 51-55.

Page 97

1. Cette chanson, qui serait, non de Blot, comme il est dit dans le *Recueil* de Maurepas (Bibl. Nat., *Chansons, Hist.*, XXII, fonds français 12637, pp. 77 et 78), mais de Verderonne — selon le meilleur spécialiste des Mazarinades, H. Carrier —, se chantait sur un air à la mode, celui de *Réveillez-vous, belle endormie*. En voici le texte, d'après Lachèvre, *Chansons de Blot* (bien supérieur à celui de Maurepas, qui comporte des vers faux) : « Or écoutez, peuple de France, / Le propre avis, en terme exprès, / Du grand Beaufort, dit en présence / Du Parlement dans le Palais. // Il salua la Compagnie / De son chapeau, fort humblement, / Et puis d'une voix très hardie / Lui fit ce beau raisonnement : // Il est trois points dans cette affaire : / Les Princes font le premier point, / Je les honore, je les révère. / C'est pourquoi je n'en parle point. // Le second est de l'Éminence, / Du grand Cardinal Mazarin. / Sans barguigner j'aime la France, / Et vais toujours mon grand chemin. // J'ai le cœur franc comme la mine, / Je suis pour les bons sentiments. / Ainsi je conclus et j'opine / Comme fera Monsieur d'Orléans. »

Page 98

a. Le manuscrit porte bien « *de* ce qu'elle avait cru » : italianisme ? La copie R corrige en *que*.

Page 99

1. « *Celui contre qui nous agissions* » : Mazarin.

Page 100

1. Fairfax, général au service du parlement d'Angleterre pendant la guerre civile, avait beaucoup contribué aux victoires de Marston Moor (1644) et de Naseby (1645), qui scellèrent le destin de Charles Ier. Mais il se sépara ensuite de Cromwell et aida à la restauration de Charles II. En 1651, il passait encore pour un des révolutionnaires les plus intransigeants. La *Chambre Basse* est la Chambre des Communes, formée de députés élus par les gentilshommes des comtés et les bourgeois des villes, par opposition à la *Chambre Haute*, ou Chambre des Lords, où siègent de droit la haute aristocratie et les prélats. C'est de la Chambre Basse qu'était parti le mouvement de révolte. — Le *Journal du Parlement*, à la date du 3 février 1651, rapporte en ces termes les propos tenus par Mazarin en présence du duc d'Orléans : « que le Parlement et les bourgeois et habitants de Paris étaient tous des Cromwell et des Fairfax qui en voulaient au Roi et au sang royal pour faire comme en Angleterre et établir en France une république ». Il n'est pas sûr que Mazarin et la Reine aient cru cette accusation fondée ; mais assimiler toute critique de leur politique à une tentative de subversion révolutionnaire sur le modèle anglais était une tactique efficace pour faire taire les revendications les plus modérées et pour déconsidérer les opposants. Voir l'*Introduction*, I, p. 41 et l'incident rapporté plus loin, II, p. 204.

Page 101

a. Le manuscrit porte simplement « *ce qu'elle n'avait fait* ». Retz avait sans doute prévu de compléter, après l'incise *à ce qu'elle nous dit*, par quelque chose comme « en aucune circonstance », puis il y a renoncé. Mais le début de la phrase est resté en suspens. Aussi adoptons-nous la leçon de la copie R, qui ajoute *jamais*.

Page 103

1. Le sacre du Roi, qui devait se faire selon l'usage à Reims, eût fourni une excellente raison pour le faire sortir de Paris. En réalité, il n'eut lieu que le 7 juin 1654.

Page 104

1. La syntaxe est ici embarrassée par suite d'un tâtonnement dans la rédaction. Retz avait d'abord écrit : « envoya [...] *ordre* aux maréchaux... ». Puis pour éviter la répétition du mot *ordre*, il l'a remplacé en interligne par *faire défense*, mais il a négligé de rectifier la suite de la phrase. D'où une syntaxe fautive, qui n'empêche pas le sens d'être clair.

Page 106

1. Cette déclaration se trouve, en termes propres, dans le *Journal du Parlement* à la date du 4 février 1651. Seule addition de Retz : les cent mille hommes prêts à casser la tête à ceux qui voudraient éteindre l'incendie...

Page 107

1. « *In reatu* », terme de droit : en état d'accusation.

2. « *Changer la carte* » est sans doute ici une métaphore de jeu : modifier la distribution des cartes dans la partie qui oppose Retz à Mazarin.

Page 108
    1. Prières qu'on fait en cas d'extrême danger.
    2. Voir plus haut, I, pp. 541 sqq.

Page 109
    1. Voici, d'après Guy Joly, le texte latin de cette prétendue citation : *In difficillimis Reipublicae temporibus Urbem non deserui ; in prosperis nihil de publico delibavi ; in desperatis nil timui.* J. Truchet écrit très pertinemment à propos de ce passage : « Ce que Retz a cherché, c'est un texte qui s'adaptât non seulement à la conjoncture, mais surtout à la forme de pensée et à la culture de ses auditeurs ; et celui qu'il a inventé, faute d'en trouver un vrai, est une espèce de centon conforme à une certaine latinité traditionnelle dont les magistrats étaient nourris. Il a dû son salut, non au fait d'avoir parlé habilement (ce serait banal), mais au fait d'avoir su couler son discours et plus que son discours — l'apparence même de son être — dans les cadres de pensée de son public. » (« Points de vue sur la rhétorique », *XVII*ᵉ *siècle*, n° 80-81, p. 15).
    2. Le texte de cette intervention, tel qu'il figure chez Guy Joly et aussi dans l'*Histoire de guerres civiles*, de Claude Joly, suffit à prouver que Retz reconstitue ses discours de mémoire : très proche pour le fond, il diffère sensiblement pour la forme de celui qui est donné ici.

Page 110
    a. Les mots *du Roi* manquent dans le manuscrit. Nous les suppléons en reproduisant, comme la copie R, la formule déjà employée deux pages plus haut.

    1. La Rochefoucauld — du parti des Princes — dit de même que la Reine « avait cru éblouir le monde en envoyant le maréchal de Gramont au Havre amuser les Princes d'une fausse négociation, et lui-même l'avait été des belles apparences de ce voyage ». Les papiers de Mazarin montrent que Gramont avait pourtant des instructions. Mais elles contenaient des propositions inacceptables pour les Princes.

Page 111
    1. Cette assemblée dura du 4 février au 25 mars 1651. Elle attira à Paris sept à huit cents gentilshommes délégués par toutes les provinces. Elle réclamait la libération des Princes et la convocation des États Généraux. Comme une assemblée du clergé — régulière, celle-ci (voir I, p. 273, note 2) — était réunie au même moment, des contacts furent pris. Et puisque les deux assemblées représentaient les deux premiers *ordres* du royaume, c'était une sorte d'ébauche, illégale, d'États Généraux. La Reine dut promettre de convoquer les États. Mais la date prévue — 1ᵉʳ octobre 1651 —, postérieure à la majorité du Roi, faisait pressentir une annulation. Le projet se heurtait non seulement à l'hostilité de la cour, mais à celle du Parlement, peu soucieux de laisser à une institution rivale l'autorité politique à laquelle il prétendait. Retz, qui fait cause commune avec le Parlement, est donc très réservé à l'égard des États.
    2. Voir plus haut, I, p. 544.

Page 112

1. Mazarin venait en effet de nommer cinq nouveaux maréchaux à sa dévotion. Mais Gaston d'Orléans, en tant que lieutenant général du royaume, avait théoriquement autorité sur eux.

2. « *Lui troisième* » : avec deux autres personnes seulement.

3. La fuite de Mazarin : moment décisif, où la Fronde crut avoir gagné la partie. En fait, le départ précipité du ministre, qui eut lieu dans la nuit du 6 au 7 février 1651, fut concerté avec la Reine. Si ce départ ne suffisait pas à apaiser les troubles, elle devait quitter Paris et le rejoindre avec le Roi, pour renouveler la tactique qui leur avait si bien réussi au début de 1649. Au cas où elle ne le pourrait pas, plutôt que d'accorder aux Frondeurs la libération des Princes, Mazarin avait prévu d'aller les délivrer lui-même, pour s'en attribuer le mérite exclusif auprès de leur parti. Dans un premier temps, il s'installa à Saint-Germain pour attendre la Reine : en vain, puisque les Frondeurs firent obstacle au départ de celle-ci (voir II, pp. 117 sqq). Le 13 février il se décida à aller ouvrir au Havre la prison de Condé, puis à quitter le royaume.

4. « *A mener aux Petites-Maisons* » : cet hôpital, connu pour héberger notamment des fous, avait donné naissance à une locution proverbiale.

5. Chandenier était capitaine des gardes de la Reine *en quartier*, c'est-à-dire de service ; Retz *servait son quartier*, métaphoriquement, c'est-à-dire qu'il remplissait des fonctions dans la Fronde. D'où le caractère inattendu de leur rencontre.

Page 113

1. Voir plus loin, II, p. 432.

2. « *Tourner de tête* » signifie avoir la tête qui tourne, perdre l'esprit. Les témoignages confirment que Mazarin, tergiversant depuis le début de 1651, donnait l'impression d'avoir perdu une partie de ses capacités politiques.

Page 114

1. Retz n'invente rien ; le *Journal du Parlement* relate en effet cette proposition ; et Mme de Motteville, qui s'en indigne, en perçoit aussi le ridicule. Le terme de *favori* était très péjoratif : il désignait quelqu'un qui profite de relations personnelles privilégiées avec le souverain pour s'enrichir et s'immiscer dans le gouvernement de l'État. Les favoris de Marie de Médicis (Concini) ou de Louis XIII (Luynes, etc.) avaient contribué à rendre suspecte une situation que Richelieu avait ensuite tenu à dissocier de celle de ministre.

Page 115

1. Le mot de *parole* a ici le sens d'*engagement*.

2. Ils feraient l'objet d'une procédure extraordinaire : on pourrait leur *courir sus*, c'est-à-dire les poursuivre pour les arrêter.

Page 116

1. L'histoire de Peau d'Ane, de tradition populaire très ancienne, est souvent citée comme le conte de fées type. Voir La Fontaine : « Si Peau d'Ane m'était conté, / J'y prendrais un plaisir extrême », et Molière, *Le malade imaginaire*, II, 8.

Page 118
 a. Le manuscrit et la copie R portent bien *priais* à l'imparfait.

Page 120
 1. Ce dialogue n'est intelligible que si l'on se rappelle que le Louis XIV est mineur et que le gouvernement est exercé en son nom par la Régente, dont l'autorité, contestée, pourrait être contrebalancée par celle de Gaston d'Orléans, oncle du Roi et lieutenant général du royaume. D'où le fait que l'on puisse songer à se disputer la personne du jeune Roi : l'argument faisant de celui-ci le *prisonnier* de Mazarin revient très souvent dans les pamphlets.

Page 121
 1. Les *Carnets* de Mazarin et les *Mémoires* de Mme de Motteville confirment au contraire que la Reine avait bien prévu de quitter Paris avec le Roi et d'engager à nouveau la guerre contre la capitale.
 2. Retz trouve ridicules non la libération des Princes elle-même, mais les efforts de Mazarin pour faire croire qu'ils la lui devaient et les humiliations affrontées — en vain — dans ce but.

Page 123
 1. Contre les cardinaux en général.
 2. Voir plus haut, II, p. 111.
 3. Les *États* : les États Généraux. Voir *Note sur les institutions*.

Page 124
 1. Phrase assez compliquée. Monsieur accuse les « mazarins » du Parlement de vouloir se venger de ceux qui l'on servi — en l'occurrence Retz — de façon indirecte : en détournant de la *personne* du ministre désormais exilé la vindicte de la Compagnie, pour l'orienter vers sa *dignité*, le cardinalat, en vue d'atteindre ainsi un homme à qui Monsieur veut la faire obtenir.
 2. Les *provisions* sont les lettres patentes attestant la possession d'une charge ou d'une fonction. Sur l'affaire de l'amirauté, que se disputaient les maisons de Vendôme et de Bourbon, voir plus haut I, p. 271, n. 1, p. 511, II, pp. 13 et 32.
 3. « *Avoir beau* » : avoir la partie belle, avoir une occasion favorable.

Page 125
 1. Le « *gros de l'arbre* », c'est le tronc, et au sens figuré, la locution *se tenir au gros de l'arbre* signifie : suivre le parti le plus fort, ne pas s'écarter de ce qui est établi.
 2. La *paix de Paris* : la paix de Rueil, vérifiée ensuite à Paris. Retz fait allusion à son refus de faire obstacle à la signature de cette paix en soulevant le peuple contre le Parlement et avec l'appui des Espagnols. Voir l'*Introduction*, I, pp. 45-46 et plus haut, I, p. 477.
 3. Tout ce que Retz nous dit de sa modération au printemps de 1651 n'est pas faux, si on le rapporte précisément à cette date : mais la politique y avait autant de part que la morale. Car il est évident que le coadjuteur, à qui la cour avait refusé le cardinalat promis pour prix de son consentement à la prison des Princes, et qui s'était pour cette raison réconcilié avec ceux-ci, ne pouvait songer à le solliciter au lendemain de leur libération. Et il

était assez lucide pour mesurer que la victoire sur Mazarin ne serait durable que si l'union des Princes et des Frondeurs se maintenait. Il mit donc provisoirement un frein à ses ambitions et s'efforça sincèrement d'atténuer les frictions entre les deux partis. Les serviteurs de Mazarin firent au contraire tout pour les brouiller.

Page 128

1. Double : non pas tromperie, duplicité, mais proposition à double fin, susceptible de deux effets différents, selon les circonstances.

2. Ce moment *délicat*, c'est-à-dire difficile, était celui où Condé pouvait être tenté de se réconcilier avec la cour.

3. « Quelle sûreté à M. le duc d'Orléans ? ». Retz avait d'abord écrit *de*, qu'il a remplacé par *à*. Dans la copie R, *à* a été rayé et on y a substitué *en*. Le sens est donc clair : peut-on être sûr du duc d'Orléans, peut-on compter sur lui ? Il pouvait en effet abandonner les Frondeurs d'un instant à l'autre.

Page 129

1. L'électeur de Cologne, Maximilien-Henri de Bavière, en même temps prince évêque de Liège, avait accepté de donner asile à Mazarin. Celui-ci s'installa à Brühl, sur le Rhin, à deux lieues au sud de Cologne, d'où il continua de guider, par ses lettres, les démarches de la Reine. Il y séjourna du 11 avril 1651 jusqu'à la fin d'octobre.

2. Les lexicographes distinguent par l'orthographe et l'étymologie le verbe *égayer* (= rendre gai), à la forme pronominale *s'égayer* (= se distraire, se moquer), de son homophone *s'égailler* (= se disperser). Chez Retz, le premier de ces verbes recouvre le domaine sémantique des deux (on en trouvera toutes les occurrences au *Glossaire*). — Ici, « Monsieur le Prince égayait le Parlement » ne veut pas dire qu'il lui procurait de la gaieté, mais qu'il en dispersait les débats dans des directions futiles, au détriment de l'essentiel, pour se faire valoir à la cour et en tirer avantage. Le mot implique la notion, très concrète, de dispersion dans l'espace, comme le prouve l'emploi suivant, dans un contexte métaphorique cohérent : le Pape « battit beaucoup de pays (pour éviter de répondre à une question embarrassante), il courut, il s'égaya » (p. 524).

Page 130

1. Voir *Note sur les institutions*.

2. Ce changement de ministère, opéré sur les suggestions de Mazarin, est le premier coup porté à l'union des deux Frondes. Sans prendre l'avis de Gaston d'Orléans qui, à titre de lieutenant général du royaume, aurait dû être consulté, et qui fut ulcéré, la Reine renvoya Châteauneuf, trop lié aux Frondeurs, pour donner les sceaux à Molé ; elle fit entrer au Conseil un homme de Condé, Chavigny, ennemi de Mazarin, mais très hostile à Gaston d'Orléans. Condé, informé, avait consenti, moyennant le gouvernement de Guyenne ; la composition du nouveau Conseil lui faisait espérer qu'il y aurait une influence prépondérante. Devant les menaces des Frondeurs, les sceaux furent ôtés à Molé et rendus au chancelier Séguier. Mais la Reine avait gagné pour l'essentiel. — Sur la date exacte de ce changement, voir plus loin, p. 245, note 4.

Page 131

1. Divers témoignages contemporains (La Rochefoucauld, Mme de Motteville, Talon, Goulas...) font allusion à cette réunion ; tous sont plus ou moins défavorables à Retz, dont ils dénoncent la violence : le coadjuteur aurait lui-même proposé de soulever le peuple pour reprendre de force les sceaux à Molé ; les plus sévères ajoutent qu'il parla de marcher ensuite sur le Palais-Royal afin d'enlever le Roi et de priver la Régente de l'administration du royaume. On admettra volontiers que le mémorialiste tente de minimiser après coup un épisode dont il n'a pas à être fier. Il faut cependant prendre garde. Qui l'accuse de violence ? Les partisans de Condé, au cours de la réunion même. Or on sait que le Prince, secrètement rallié à la cour, avait consenti à un remaniement ministériel qui lui était bénéfique. Les Condéens veulent donc couper court aux tentatives de Retz pour s'y opposer : quelle meilleure tactique que de se récrier devant ses « exhortations au carnage » pour donner un air honorable à leur revirement, tout en faisant peur à Gaston d'Orléans ? Cette version de l'incident fut aussitôt répandue dans le public par les deux partis qui y avaient intérêt, celui des Princes et celui de la cour.

Que conclure ? Nous ne cherchons pas à innocenter Retz, mais à montrer comment, dans une période où la violence est monnaie courante et où tous les meneurs n'hésitent pas à l'envisager, les partis exploitent à des fins de propagande ou de polémique la réprobation qu'elle inspire à l'opinion. Les pamphlets adverses répètent à l'envi en 1651-1652 : le coadjuteur est violent. Et cette étiquette colle à son personnage public avec d'autant plus de facilité que, usant de son arme favorite, la parole, il a très souvent péché — là-dessus tous sont d'accord — par excès de violence verbale. En la matière, il semble avoir beaucoup plus parlé qu'agi : trop parlé, et trop légèrement ? cela lui ressemblerait assez... Ce fut d'ailleurs aussi le cas, par bonheur, de la majorité des Frondeurs : aucun des innombrables projets d'enlèvement ou d'assassinat dont ils se soupçonnent ou s'accusent mutuellement n'a abouti, et l'unique émeute vraiment sanglante — celle de l'Hôtel de Ville — organisée par Condé, a scellé la défaite de son auteur. La Fronde présente à cet égard un curieux décalage entre les paroles et les actes, qui mériterait une étude.

Page 132

1. C'est-à-dire une guerre urbaine, faisant intervenir le peuple (rappelons que l'on vidait couramment les pots de chambre dans la rue et qu'ils pouvaient servir de projectiles). On connaît des variantes moins énergiques du mot de Condé : « une guerre qui se ferait à coups de grès et de tisons » (selon La Rochefoucauld), ou « la guerre des cailloux » (selon Mme de Motteville). Certes Condé a toujours eu horreur de la guerre populaire, mais à cette date, il se croyait le grand bénéficiaire du changement de ministère et n'avait aucune envie de s'y opposer.

Page 133

a. Le manuscrit porte bien ici *tout*, qui est adverbe et vient renforcer *à cette heure.*

Page 134

a. Le manuscrit porte *Palais-Royal* et non *Luxembourg* : lapsus évident, que nous corrigeons, entre crochets.

1. Mme de Longueville, après la Fronde, se lia avec Port-Royal et mena, dans la piété, une vie très retirée.

2. La démarche de Viole eut lieu le 15 avril. Divers témoignages sur la rupture de ce mariage se contredisent sur des points de détail, touchant aux circonstances dans lesquelles elle fut signifiée et aux motifs invoqués. Sur le fond, elle s'explique en partie par l'hostilité de Mme de Longueville à l'union de son frère avec la maîtresse du coadjuteur — grâce à quoi ce dernier aurait gouverné le faible Conti —, mais surtout par le veto de la Reine, qui usa de ce moyen pour achever de diviser les Princes et la vieille Fronde.

Page 135

1. Girasol : les dictionnaires du XVIIᵉ siècle ne connaissent sous ce nom qu'une pierre du genre opale qui réfléchit diversement l'éclat du soleil ; mais il est probable que Retz pense surtout au tournesol (en italien *girasole*). Le maréchal de la Ferté-Imbault, tel un tournesol, indique à ceux qui l'observent dans quelle direction rayonne la faveur royale.

2. Le Cloître Notre-Dame désigne ici la résidence de l'archevêque de Paris.

Page 136

1. Nous n'avons trouvé dans aucun dictionnaire ce mot composé, dont le sens est clair : Retz a sans doute voulu renchérir ironiquement sur l'expression, très galvaudée par l'usage de son temps, de *faire des merveilles*.

Page 137

1. On *siffle* les oiseaux pour leur apprendre à chanter. Mais on *siffle* aussi les gens pour leur enseigner la leçon qu'ils devront réciter. Et les *linottes*, ce sont des écervelés et des sots. D'où le double sens de l'expression en question : au propre, le coadjuteur trompe son ennui avec les oiseaux de sa volière ; au figuré, il catéchise ses zélés propagandistes — sans doute les curés et chanoines dont il a été parlé plus haut.

Page 138

1. Voir plus haut, II, p. 130.

Page 139

1. « *Le mener à Reims...* » pour qu'il y soit sacré roi de France.

2. Aucune des lettres de Mazarin à la Reine qui ont été conservées ne correspond à ce que rapporte ici Retz, dont l'imagination a probablement amplifié les faits. Il est certain, en revanche, que Mazarin conseilla à la Reine de se servir de lui contre Condé.

Page 140

1. Voir plus haut, II, pp. 73-74 et pp. 106-109.

Page 143

1. Cohon, évêque de Dol en Bretagne, partisan de Mazarin, était très impopulaire. On l'avait surnommé « l'évêque de Dol et de Fraude ».

Page 144

1. La négociation maladroite de Servien et de Lionne auprès de Condé (voir II, p. 130) avait fait croire à Mazarin qu'ils le trahissaient. Il leur rendit ensuite sa confiance.

2. Voir plus haut II, pp. 106-109.

Page 147

a. Retz avait d'abord écrit *la pourpre*, qu'il a remplacée par *le chapeau*, sans doute en vue du mot spirituel qui suit.

1. Retz veut dire qu'il attira l'attention du public sur la proximité des deux provinces confiées aux Princes et des territoires espagnols. Et il donne comme preuve de la collusion de Condé avec l'Espagne la situation à Stenay : du temps de la prison des Princes, la duchesse de Longueville avait mis la ville aux mains des Espagnols, en conservant la citadelle. La libération et l'accommodement de Condé auraient dû entraîner l'expulsion des troupes espagnoles : au contraire celles-ci vivaient en bonne intelligence avec la garnison française de la citadelle.

2. *Arroser* (le manuscrit a la graphie *arrouser*) le public, c'est y répandre des informations variées, y semer des bruits.

Page 148

a. On lit bien, dans le manuscrit, *la* au féminin, renvoyant à *victime* (mais la copie R porte *le*, renvoyant à *Monsieur*).

1. Les couleurs les plus *revenantes* sont les plus appropriées. Le « canevas » fourni ici par Retz permet d'identifier le pamphlet en question : c'est le *Discours libre et véritable sur la conduite de Monsieur le Prince et de Monseigneur le Coadjuteur*, publié en septembre 1651 (voir C. Moreau, *Bibliographie des Mazarinades*, t. I, p. 332).

2. Voir II, p. 129, note 2.

Page 149

1. Les finales homophones des noms de ces messagers avaient inspiré à Gaston d'Orléans une plaisanterie en forme de règle de grammaire latine, qui courait tout Paris : « Tout ce qui a une désinence en *-et* est du genre Mazarin ».

2. Dubosc-Montandré, alors au service de Condé, était un des pamphlétaires les plus féconds et les plus vigoureux de son temps. Ses écrits méritent mieux, dans leur genre, que l'écrasant mépris de Retz. Mais il est vrai que les pamphlets de celui-ci l'emportent en qualité. — Contrairement à ce qu'affirme une note de l'édition des G.E.F., le mémorialiste ne se trompe pas : c'est bien à Montandré que Vardes fit couper le nez (voir Dubuisson-Aubenay, *Journal*, II, pp. 88 et 91 et Loret, *La Muse historique*, 23 juillet 1651) : mais cette cruelle vengeance visait, selon ces auteurs, l'écrivain politique.

3. Le titre exact de ce pamphlet, le premier que Retz ait écrit, est *Défense de l'ancienne et légitime Fronde*. Il parut le 15 ou le 16 mai 1651.

4. Les colporteurs de libelles couraient en effet deux risques majeurs : ils pouvaient être attaqués par des hommes du parti adverse ou poursuivis par la police.

5. Malgré les arrêts du Parlement ordonnant la saisie des biens du Cardinal, celui-ci faisait transférer des fonds à Brühl.

6. On se souvient que la *vieille* Fronde est celle du Parlement et la *nouvelle* celle des Princes.

Page 150

1. Aucun pamphlet connu ne porte ce titre. Mais le contenu supposé de cette *Défense du coadjuteur*, ainsi que la place que lui assigne Retz dans la chronologie des pièces ici énumérées, ont conduit C. Moreau et R. Chantelauze au siècle dernier, puis récemment H. Carrier, à conclure qu'il s'agit de l'*Avis désintéressé sur la conduite de Mgr le Coadjuteur*, qui parut le 1er septembre 1651. Ce pamphlet, anonyme comme tous les autres, pose un problème d'attribution sur lequel H. Carrier a apporté des conclusions convaincantes (voir « Un désaveu suspect de Retz : l'*Avis désintéressé...* », dans XVIIe *Siècle*, juillet-sept. 1979, pp. 253-263). Il fut sur le champ imputé au coadjuteur lui-même et ses adversaires se moquèrent du prélat réduit à faire sa propre apologie (Sarasin, *Lettre d'un marguillier de Paris à son curé*, parue entre le 4 et le 7 septembre 1651). Retz le désavoua, par l'entremise de Patru (*Réponse du curé à la lettre du marguillier*, mi-septembre 1651), et l'attribua à un membre de son bureau de presse, Nicolas Johannès Du Portail, également auteur de l'*Histoire du Temps* (voir le *Journal* de Jean Vallier, II, p. 430). Mais la thématique et le style portent très visiblement la marque de Retz : l'*Avis désintéressé* est à coup sûr de lui. Pourquoi le nier ? En 1651, par tactique politique. La cour a fait miroiter à Retz son entrée possible au ministère ; mieux vaut laisser à un ami le soin de préparer l'opinion en montrant combien il est qualifié pour occuper cette fonction : tous les hommes politiques usent d'un tel détour en pareil cas. En 1675 les motifs sont autres. Le libelle est chargé de mauvais souvenirs, lourd d'espoirs évanouis. Si le mémorialiste avait voulu dissimuler à son lecteur des ambitions ministérielles trop apparentes, plutôt que de l'imputer à un comparse dont il reconnaît avoir été le commanditaire, il lui eût été plus simple de le passer sous silence : nul n'eût remarqué son absence dans ce résumé sommaire. Cette façon d'en parler, tout en s'abritant derrière le désaveu de jadis, trahit l'embarras d'une conscience partagée entre la fidélité à son propos de tout dire et le refus de regarder en face certaines vérités trop pénibles.

2. Voici les titres exacts de ces pamphlets, avec leur date de parution : *Le Vrai et le Faux de Monsieur le Prince et de Monsieur le cardinal de Retz* (fin juin 1652). — *Le Vraisemblable sur la conduite de Monseigneur le cardinal de Retz* (mi-août 1652). — *Le Solitaire aux deux désintéressés* (seconde semaine de septembre 1651). — *Les Intérêts du Temps* (3e semaine d'août 1652). — *Les Contre-Temps du sieur de Chavigny, premier ministre de Monsieur le Prince* (3e semaine de juin 1652). — *Le Manifeste de Monseigneur le duc de Beaufort, général des armées de Son Altesse Royale* (juin 1652). Le titre complet de celui de Joly est : *Les Intrigues de la paix et les négociations faites à la cour par les amis de Monsieur le Prince, depuis sa retraite en Guyenne jusques à présent* (juin et août 1652). On remarquera, en examinant ces dates, que Retz, qui n'avait pas participé à l'abondante production de libelles contemporaine du siège de Paris en 1649, met personnellement la main à la pâte en 1651 — date à laquelle il rattache le présent développement —, mais surtout en 1652. Signe que la prolifération spontanée du début a fait place à une entreprise concertée pour faire pression sur l'opinion : on passe de la satire à la propagande ou à la polémique. Peut-être aussi effet de la désaffection dont Retz est alors l'objet : les meilleurs pamphlétaires de la vieille Fronde — Marigny et Dubosc-Montandré — sont passés au service de Condé ; Scarron, qui a toujours eu l'humeur indépendante, se démarque des partis pour dire la lassitude des Parisiens. Le coadjuteur est donc obligé d'entrer en lice lui-même. Cette « guerre » dura, non trois ou quatre mois, comme le dit ici le mémorialiste, mais un peu plus d'un an. Les affrontements les plus durs datent du printemps-été 1652.

3. Les pamphlets du temps de la Fronde, désignés globalement sous le nom de *Mazarinades*, quelle qu'en soit l'appartenance politique, constituent en effet un corpus considérable de près de 6 000 pièces différentes. Ils ont fait l'objet en 1850-1851 d'un recensement bibliographique et d'une édition partielle par Célestin Moreau. On en découvre fréquemment de nouveaux dans les bibliothèques. Deux chercheurs s'y sont intéressés récemment, C. Jouhaud : *Mazarinades : la Fronde des mots*, 1972, et surtout H. Carrier : *Les Mazarinades (1648-1653)*, importante thèse à paraître dans une prochaine année.

4. Retz relève un fait qui a été confirmé par les recherches érudites dans les bibliothèques : les mazarinades avaient été recueillies, au fur et à mesure de leur parution, et regroupées en volumes par des collectionneurs. Le discrédit qu'il jette ici sur elles peut certes s'expliquer par leur caractère anachronique, à la date où il écrit : elles sont trop allusives, trop tributaires d'une actualité révolue pour intéresser. Mais il est également permis de penser qu'il cherche à minimiser l'importance d'écrits qui, dans leur ensemble, sont susceptibles de donner de lui une image qu'il récuse. Du coup, il sous-estime l'influence déterminante qu'eut en 1651-1652, sur l'évolution de l'opinion publique, le bureau de presse de Condé, et passe entièrement sous silence l'intervention capitale de celui de Mazarin. S'il surclassait personnellement la plupart des autres pamphlétaires, son camp n'a pas pour autant gagné la « guerre des libelles ».

Page 152

a. La copie R comporte ici une longue addition marginale, que la plupart des éditions anciennes ont intégrée au texte. La voici : « Et le maréchal Du Plessis me dit, au même moment, presque à propos de rien, que le scrupule était indigne d'un grand homme. Je n'appliquai pas cette parole en ce temps-là, mais ce qui me l'a fait observer depuis, et ce qui m'a toujours fait croire que ce maréchal savait et approuvait même l'entreprise d'Hocquincourt, est que M. le duc de Vitry m'a dit plus d'une fois que Mme d'Ormeille, parente et amie intime du maréchal, l'avait envoyé quérir en ce temps-là, lui M. de Vitry, à Aigreville, où il était, et qu'elle lui avait proposé à Picpusse, où il était venu à sa prière, d'entrer avec le maréchal dans une entreprise contre la personne de Monsieur le Prince. Elle s'adressait mal, car je n'ai jamais connu personne plus incapable d'une action noire que M. le duc de Vitry. »

1. Une lettre de Mazarin déconseille en effet à la Reine d'opérer l'arrestation au Luxembourg pour diverses raisons, dont la plus forte est que Condé serait alors entre les mains des Frondeurs.

2. D'après Montglat, l'offre de tuer Condé vint du maréchal d'Hocquin-

court et du comte d'Harcourt et la Reine en eut horreur. Cette réaction, confirmée par La Rochefoucauld, ne concorde pas avec le récit de Retz.

Page 154

1. Cette formule n'apparaît nulle part dans *Le Prince*, sous cette forme ramassée du moins, mais beaucoup de développements conduisent à une conclusion de ce genre.

Page 157

1. La majorité des rois de France était fixée à treize ans. Celle de Louis XIV devait donc prendre effet le 6 septembre 1651, lendemain de son treizième anniversaire.

Page 158

1. Cette interprétation est confirmée par les documents en provenance de la cour (voir Chéruel, *Histoire de France pendant la minorité de Louis XIV*, t. 4, p. 390 et Chantelauze, *Le cardinal de Retz et l'affaire du chapeau*, chap. XIV et XV). Les uns et les autres tentaient de jouer au plus fin dans cette alliance tactique imposée par la nécessité.

2. Tout ce passage a été exploité par la critique historiciste pour prouver que Retz triche intentionnellement sur les dates. Il est plus probable qu'il se perd, à un ou deux mois près, dans la chronologie, anticipant, au moment où il mentionne l'offre du cardinalat, sur les démarches que cette offre lui fit faire du côté de Rome dans les semaines qui suivirent. Pour une discussion précise de ce point, se reporter à A. Bertière, op. cit., p. 289, note 112.

3. Marguerite-Louise d'Orléans était fille du second mariage de Gaston d'Orléans ; elle épousa Côme de Médicis, qui devint grand-duc de Toscane en 1670. Elle était la demi-sœur de Mlle de Montpensier, la « Grande Mademoiselle », qui avait elle aussi rêvé d'épouser Louis XIV, bien qu'elle fût de onze ans son aînée.

Page 159

a. Tout ce passage a été très travaillé et remanié par Retz. Il semble qu'après avoir cité des noms propres, qu'on devine sous les ratures, il ait préféré s'en tenir à des considérations générales. Après *Monsieur le Prince*, on devine les mots suivants, biffés : « ces deux livres, dont l'un est d'un italien assez coulant et l'autre d'un latin de collège assez plat ». La copie R, qui porte en marge trois noms : *Priorato*, *La Barde* et *Priolo*, confirme l'attribution suggérée par la description des deux livres : l'un est l'*Historia del ministerio del cardinale Giulio Mazarino*, par Gualdo Priorato ; pour le second, on peut hésiter entre l'histoire rédigée en latin par Priolo — ou plutôt Prioleau —, *Ab excessu Ludovici XIII ad sanctionem pacis historiarum libri V*, et le *De rebus Gallicis historiarum libri decem*, de Jean de La Barde. Ouvrages conformistes, sinon franchement commandités par Mazarin, dont Retz n'avait rien à attendre de bon.

1. Le mot de *rencontre* est ici féminin, car il n'a pas le sens général d'*occasion*, mais le sens très précis de *concours de circonstances*.

Page 160

a. Le manuscrit omet la préposition *pour*, que la copie R et la plupart des éditions restituent, conformément à l'usage de Retz.

1. Cette réflexion de Condé pourrait bien être inspirée d'une anecdote célèbre de la *Vie d'Alexandre* par Plutarque, qui figure également dans le traité *Du Sublime*, dont Boileau avait publié en 1674 une traduction que Retz avait certainement lue. Alexandre s'étant vu offrir par Darius la moitié de son empire et sa fille en mariage, Parménion, son lieutenant, lui aurait dit : « J'accepterais cela quant à moi, si j'étais Alexandre ». — « Aussi ferais-je moi certainement, répondit Alexandre, si j'étais Parménion. » (Plutarque, *Vie d'Alexandre*, LIV, trad. Amyot ; Boileau, *Traité du Sublime*, chap. VII).

Page 162

1. Coligny fut vaincu à Saint-Denis, le 10 novembre 1567, par Louis Ier de Bourbon, bisaïeul de Condé, et à Moncontour le 3 octobre 1569 par le duc d'Anjou, futur Henri III. Il avait ensuite tenté de jouer la carte de la réconciliation et était entré au Conseil du Roi, avant de périr dans le massacre de la saint Barthélémy.

2. *Rabiennement* est un mot vieilli, que Retz a substitué à son synonyme *accommodement*, moins pittoresque.

Page 163

1. Plutôt qu'au héros de la pièce de Corneille (1661), Retz pense ici au personnage de Plutarque et à son art de manier les hommes en se jouant de leur crédulité. La fameuse biche blanche qui était censée lui transmettre les avis des dieux en avait fait une figure populaire (voir la *Satire Ménippée*, III).

2. *Lauriers innocents* : allusion aux victoires de Condé sur les Espagnols. A rapprocher de la formule fameuse de Bossuet, dans l'*Oraison funèbre* du Prince, disant à propos de sa prison « qu'il y était entré le plus innocent de tous les hommes, et qu'il en était sorti le plus coupable ».

Page 164

1. Retz aborde ici de façon indirecte, comme il le fait souvent, à travers les réactions des intéressés, un des épisodes les plus importants de l'été 1651 : les efforts de Condé pour obtenir l'éviction de ceux qu'on appelait les *sous-ministres* (Lionne, Servien et Le Tellier), créatures de Mazarin.

2. Le Cardinal veillait aux places d'Alsace acquises par le traité de Westphalie. Il avait réservé à une de ses créatures, beau-frère de Le Tellier, le gouvernement de la place de Brisach, où il envisageait de chercher refuge. Sur la suite des événements à Brisach, voir plus loin, II, p. 405 et note 1.

Page 167

1. Voir plus haut, II, p. 161.

Page 169

1. *Expressions* s'oppose ici à *mouvements*. Retz veut dire que les gens timorés continuent à *parler* selon ce que la peur leur inspire, même lorsqu'on les a convaincus d'*agir* autrement.

2. Référence probable à la *Satire Ménippée*, qui fournit un récit bouffon des *États de la Ligue*, réunion illégale des États Généraux convoquée en février 1593 par les chefs ligueurs.

Page 171

1. « *Monsieur le Cardinal est à cent lieues d'ici : tout le monde me l'explique à sa mode* », c'est-à-dire que chacun me fait comprendre, de façon différente, ce qu'implique cet éloignement.

2. « *Et cela à votre honneur et louange* » signifie que la conduite de Servien est conforme à ce qu'en avait prédit le coadjuteur.

Page 172

1. Voir plus haut, I, pp. 303 sqq. Retz avait alors prédit, contrairement aux avis des courtisans et aux espoirs de la Reine, que le peuple ne se calmerait pas : il avait eu raison.

Page 173

1. Ces paroles de Retz doivent être appréciées, non dans l'absolu, mais par rapport à la situation précise où il se trouve. Son ambition rêvait sûrement du cardinalat *et* sans doute du ministère. Mais le moment n'était pas opportun pour obtenir les deux, surtout sous forme de concession extorquée. Il a donc choisi de faire porter son effort sur le chapeau, pour prix de son combat contre Condé ; et l'on sait que les cardinaux sont inamovibles. Quant au ministère, toujours révocable, il ne souhaite pas l'obtenir par la faction, de force : ce serait un succès illusoire. Mais il espère se rendre indispensable à la Reine si l'éloignement de Mazarin est définitif : ce dernier écarté, il s'imposerait comme le plus capable. D'où son insistance à prouver que le retour du ministre est impossible ; d'où ses protestations de désintéressement : il serait prêt à sacrifier — momentanément — son chapeau, pour jeter les fondements d'une faveur solide et durable. Là réside le mensonge — par omission — dont il se rend coupable : la déception fut si cuisante qu'il se refuse à l'avouer, et peut-être même à se l'avouer.

Page 174

1. Le politique préconisée ici par Retz est admirable et la Reine eût sûrement reconquis le Parlement et le peuple en s'y ralliant. Mais il oublie de se poser la question des moyens : après trois ans d'incessantes négociations avec les grands, encouragés dans leurs prétentions par la faiblesse de la cour, Anne d'Autriche était-elle en mesure de mettre fin à la surenchère en les renvoyant tous dos à dos ? En fait, c'est plus une réflexion du mémorialiste en quête d'une solution à un problème politique qu'un conseil concrètement applicable sur le moment.

Page 175

1. Retz veut dire que Monsieur suivra toujours l'opinion publique, tant que celle-ci sera univoque — ce qui sera le cas aussi longtemps que les promesses suspectes de la Reine, sans cesse renouvelées, y entretiendront la crainte d'un retour de Mazarin.

Page 179

1. Voir plus haut, II, p. 169.

Page 180

1. Le duc de Mercœur s'était rendu à Brühl, à la fin de juin ou au début de juillet 1651, pour y épouser la nièce de Mazarin, Laure Mancini, malgré l'opposition de sa famille et au grand mécontentement de Condé.

2. Condé se plaignait d'une déclaration soustrayant Sedan à la juridiction du Parlement. Il y voyait une manœuvre pour constituer Sedan en principauté souveraine, où se serait installé Mazarin.

3. Voir plus haut, II, p. 164, note 2 et plus loin, II, p. 405, note 1.

Page 181

1. « *qui n'est jamais dupe qu'en bagatelle...* » : dans les relations amoureuses.

2. *Marcher de bon pied* dans une affaire : s'y comporter avec franchise et efficacité.

Page 184

1. Bien entendu, le pronom *il* représente ici le Cardinal, et non Métayer.

Page 186

1. Les *ministreaux* : ce diminutif à valeur péjorative semble avoir été créé par Retz — ou par Gaston d'Orléans — pour désigner les collaborateurs de Mazarin.

Page 187

1. *Aggravation* : voir II, p. 351, note 1.

Page 189

1. Le sens de ces deux dernières phrases est le suivant : accumuler sans cesse les exigences accessoires (*aller de branche en branche*) alors que la principale (*le gros de l'arbre*), c'est-à-dire l'exclusion de Mazarin, bien que satisfaite en principe, n'a pas encore été consacrée par un acte juridique, serait la preuve, si elle venait d'un homme moins honnête que Condé (*un fonds dont l'on fût moins assuré*), d'une collusion avec la cour : car les excès mêmes de ces exigences accessoires risqueraient d'inspirer des scrupules aux plus modérés et de les faire revenir sur leur décision majeure. Pour qui sait lire entre les lignes, Retz jette une certaine suspicion sur Condé, qu'il sait prêt à accepter le retour du Cardinal si on lui donne toute satisfaction d'autre part.

Page 190

1. Une déclaration *causée* (c'est-à-dire motivée) seulement par les remontrances du Parlement pourrait être *expliquée* (c'est-à-dire interprétée) par la suite dans un sens favorable à Mazarin. D'où la nécessité d'y inclure un grief irrémissible, sur la prétendue responsabilité de Mazarin dans la rupture des pourparlers avec l'Espagne à Münster, que lui reprochent tous les pamphlets (voir sur ce point l'*Introduction*, p. 28 et *Mémoires*, *passim*).

2. Retz veut dire que Monsieur montrerait alors au public que Condé fait exprès de poursuivre seulement l'*ombre* de Mazarin, c'est-à-dire les sous-ministres, parce qu'il ménage en secret le Cardinal lui-même.

Page 192

1. Lionne devint en effet ministre d'État en 1659 et secrétaire d'État aux affaires étrangères en 1663.

Page 194

1. Il faut comprendre : dans la propriété du financier Nicolas de Rambouillet, située à Reuilly, donc proche de Saint-Maur, où était installé Condé.

2. Ce rapprochement qui, s'agissant d'un autre, signifierait le courage, ne fait que souligner, d'un trait d'esprit féroce, la lâcheté de Gaston d'Orléans.

3. Ici, *il* désigne à nouveau Monsieur, et non plus Condé.

Page 195

1. Passage de rédaction négligée : le mot *sujets* désigne, lors de sa première occurrence, les sous-ministres.

Page 196

a. Le discours qui commence ici est copié de la main d'un secrétaire.

1. On peut saisir sur le vif les méthodes de travail de Retz. Loin d'avoir corrigé après coup ce discours pour l'insérer dans les *Mémoires*, comme ont pu le laisser croire des divergences avec la version qu'en donne Guy Joly, Retz ne songe qu'à s'épargner de la peine : le *Journal du Parlement* fournit le texte de ce discours ; notre mémorialiste cède la plume à un secrétaire, qu'il charge de le recopier tel quel. — Ce texte fut bien publié, comme il est dit ici, sous le titre de *Avis de Monseigneur le Coadjuteur prononcé au Parlement pour l'éloignement des créatures de Mazarin.*

Page 197

a. *Confusion* et non *contusion* : dans le manuscrit, la graphie du secrétaire permet l'hésitation, mais la copie R et le *Journal du Parlement* sont formels.

1. « *Nommés* » : désignés nommément, comme négociant avec Mazarin et donc visés par l'arrêt.

Page 198

a. L'adjectif *nommés* est bien au masculin, selon l'usage du temps, qui fait l'accord avec *hommes*, implicite dans *créatures*.

Page 200

a. Le manuscrit sous-entend, comme souvent, le mot *heures*, que la copie R rajoute.

Page 201

1. Montaigu : un Anglais familier de la Reine « depuis le temps de Buckingham » et qui avait, dit-on, contribué à la faveur de Mazarin auprès d'elle.

Page 202

1. *Remplir*, voir II, p. 269, note 3.

Page 203

1. « *Expliquer un arrêt* » : l'interpréter, en spécifier notamment le domaine d'application. Ici la Reine espère que l'explication de l'arrêt permettra de prétendre que les sous-ministres (qui n'y ont pas été *nommés* expressément) ne sont pas visés. On verra, à la page suivante, que Molé se refuse à interpréter l'arrêt dans un sens contraire aux intentions de ses collègues.

Page 204

a. Le manuscrit porte bien ici *peûs*, c'est-à-dire *pus* au passé simple.

1. Sur cette réplique de la Reine, voir plus haut, II, p. 100, note 1.

Page 213

1. *MM. de Bouillon* : le pluriel inclut Bouillon et son frère Turenne.

Page 214

1. *A l'hasard* : l'*h* initiale est tantôt aspirée et tantôt muette chez Retz.

Page 215

a. Retz, qui avait d'abord enchaîné ce paragraphe et le suivant, a biffé et récrit à la ligne *le mercredi*, introduisant un alinéa — sans doute pour se conformer au découpage jour par jour du *Journal du Parlement*. Mais du point de vue de la syntaxe, il y a continuité, car les mots « *le mercredi, au Palais* » sont, en parallèle avec « *le mardi, à Paris* », des compléments circonstanciels du verbe « *il revint* ». Nous maintenons l'alinéa, mais en mettant, pour marquer la continuité, une minuscule au début du paragraphe qui s'enchaîne. On rencontrera plus loin divers exemples du même procédé.

1. Le 31 juillet 1651, Condé avait croisé sur le Cours-la-Reine le Roi, qui revenait de Saint-Cloud où il était allé se baigner. L'équipage du Prince était beaucoup plus important que celui du souverain, dont la suite avait pris un autre chemin. Condé, au lieu de descendre de carrosse pour s'incliner devant le Roi, comme l'exigeait l'étiquette, s'était contenté de le saluer de sa portière. La réponse de Condé à Molé sur ce sujet (rapportée par Retz page suivante) est encore, sous des dehors de politesse, une insolence.

2. « *Du passé* » : du mois précédent.

3. Voir plus haut, II, p. 180, n. 1.

4. Les régiments dont ces trois princes étaient colonels avaient suivi ceux-ci dans leur rupture avec la cour, et ils formaient une sorte d'armée personnelle, très redoutable, au service de Condé.

Page 216

1. Voir plus haut, II, p. 75, note 2.

Page 217

1. Louis Ier de Bourbon, prince de Condé, avait pris part à la conjuration d'Amboise, qui visait à soustraire le jeune roi François II à l'influence des Guise. L'échec de cette tentative avait entraîné sa mise en accusation : il avait été emprisonné et menacé de la peine de mort. L'année suivante, après la mort de François II, il demanda justice au Parlement et son innocence fut reconnue. — L'usage des prénoms à la suite des titres, tout à fait exceptionnel dans la langue du temps, est ici nécessaire pour éviter les confusions. — La réplique de François de Guise est habile, car il se propose pour servir de second à Condé dans un duel où celui-ci le considère, sans le nommer, comme son adversaire : façon de dire qu'il ne se sent pas visé par les accusations du prince.

Page 218
a. Voir II, p. 215, *a.*

1. Métaphore empruntée au jeu de paume : avoir *quinze* ou bisque signifie avoir un avantage de quinze points sur son adversaire.
2. Comme le dit Guy Joly : « Il aurait été bien difficile de rompre un mariage fait et consommé dans toutes les formes. »

Page 219
1. « *Répondit comme aurait fait Jean Doucet* » : expression proverbiale pour dire qu'il fit le naïf, le nigaud. D'après Tallemant, Jean Doucet était un paysan que le roi avait amené à la cour pour se divertir de la simplicité de ses propos. Ce paysan avait suscité maints imitateurs et donné naissance à un type de bouffon, qui jouait de sa prétendue naïveté. Un acteur ayant précisément pour nom de scène Jean Doucet est signalé comme tenant un emploi de valet dans la troupe italienne de Bianchi et Fiorelli en 1648.

Page 220
1. Voir plus haut, II, p. 209.

Page 221
1. Le mémoire de la cour contre Condé est un réquisitoire en règle, dont Retz résume les grandes lignes. On en trouvera le texte exact dans le *Journal du Parlement* (à la date du 17 août 1651), dans les *Registres de l'Hôtel de Ville pendant la Fronde*, et dans les *Mémoires* de Mme de Motteville.

Page 223
1. « *Relayer quelqu'un* » : lui fournir un relais, c'est-à-dire un cheval frais pour continuer son voyage ; ici, au fig. un nouvel interlocuteur avec de nouveaux arguments pour le convaincre.

Page 224
1. Voir plus haut, II, pp. 131-132.

Page 225
1. Allusion transparente et injurieuse à la rupture du projet de mariage entre Mlle de Chevreuse et Conti, où Condé avait, lui, manqué à sa parole.
2. Retz se leurre, une fois de plus, sur l'amabilité de commande de la Reine, conseillée par Mazarin. En mettant à sa disposition tout ce qui peut l'inciter à un affrontement armé avec le Prince, elle a l'espoir, comme le dit La Rochefoucauld, « d'être vengée de l'un par l'autre et de les voir périr tous les deux ».

Page 226

1. La quatrième chambre des enquêtes.

2. Ces préparatifs sont ceux d'une bataille, comme l'atteste le recours au lexique militaire. Retz, qui se donne les allures d'un chef de guerre, laisse voir ici qu'il ne s'est jamais consolé d'avoir dû renoncer à la carrière des armes et il s'enchante rétrospectivement, quoi qu'il s'en défende, d'avoir rivalisé avec Condé sur le terrain — oubliant que ce terrain était la première chambre de justice du pays...

Page 228

1. Le mot *amis*, dans la bouche de Condé, désigne la « clientèle » aristocratique qui accompagne un grand seigneur lorsqu'il fait campagne ou s'engage dans une querelle. En parlant également des siens, Retz se pose en égal du Prince, alors qu'il lui est très inférieur dans la hiérarchie nobiliaire.

Page 229

1. On trouve également le récit de cet incident dans les *Mémoires* de Guy Joly, de Mme de Motteville, de l'abbé de Choisy et surtout de La Rochefoucauld lui-même, dont voici la version :

> « On pouvait croire que cette occasion tenterait le duc de La Rochefoucauld, après tout ce qui s'était passé entre eux, et que les raisons générales et particulières le pousseraient à perdre son plus mortel ennemi, puisque avec la satisfaction de s'en venger, il vengeait encore Monsieur le Prince des paroles audacieuses qu'on venait de dire contre lui. Le duc de La Rochefoucauld trouvait juste aussi que la vie du Coadjuteur répondît de l'événement du désordre qu'il avait ému et duquel le succès aurait sans doute été terrible ; mais, considérant qu'on ne se battait point dans la salle, et que de ceux qui étaient amis du Coadjuteur dans le parquet des huissiers, pas un ne mettait l'épée à la main pour le défendre, il n'eut pas le même prétexte pour l'attaquer qu'il aurait eu si le combat eût été commencé en quelque endroit. Les gens même de Monsieur le Prince qui étaient près du duc de La Rochefoucauld ne sentaient pas de quel poids était le service qu'ils pouvaient rendre à leur maître ; et enfin l'un pour ne pas vouloir faire une action qui eût paru cruelle, et les autres, pour être irrésolus dans une si grande affaire, donnèrent temps à Champlâtreux, fils du Premier Président, d'arriver, avec ordre de la grand' chambre de dégager le Coadjuteur, ce qu'il fit, et ainsi il le retira du plus grand péril où il se fût jamais trouvé. »

En somme, La Rochefoucauld, bien qu'il nie avoir tenté de faire tuer Retz pris au piège de la double porte, déplore ouvertement que les amis de Condé n'en aient pas pris l'initiative. Et il regrette qu'un affrontement généralisé ne lui ait pas fourni un prétexte honorable pour le lui faire lui-même...

2. Schelme ou *schelm* : en allemand vaurien, misérable. Ce germanisme, introduit par les mercenaires allemands servant dans les armées françaises, était couramment employé au XVIe siècle et dans la première moitié du XVIIe.

Page 231

1. Il désigne évidemment La Rochefoucauld. Le recours au tutoiement, joint à l'apostrophe de *traître*, donne à sa réplique une grandiloquence théâtrale que Retz casse tout net en répondant sur le registre burlesque.

2. Sur ce sobriquet, voici ce que dit J.D. Lafond (*La Rochefoucauld, Augustinisme et Littérature*, p. 207, note 101) : « La Rochefoucauld fut surnommé par ses adversaires "l'ami" ou "le camarade La Franchise". Terme qui tournait en dérision soit le machiavélisme du moraliste, soit, ce que nous croyons plus vraisemblable, sa prétention à "la franchise". La Rochefoucauld est un homme qui a pris très au sérieux les valeurs de l'idéologie noble : c'est là, en face d'un Retz qui ne croit qu'à lui-même, sa naïveté ». Nous souscrivons à cette seconde interprétation, en ajoutant que Retz se réclamait également des valeurs nobles de franchise et de sincérité, même s'il prenait avec elles bien des libertés.

Page 232

1. « *Deux de Messieurs* » du Parlement.

2. « *Il affecta même si fort l'apparence de ce ménagement* » : il se conduisit, à dessein, de façon à faire apparaître très nettement qu'il n'était engagé à aucun des deux partis.

3. En réalité le comte d'Angoulême était mort l'année précédente, âgé seulement de 78 ans. Mais l'essentiel, pour l'efficacité du trait d'esprit, c'est qu'en effet il était à l'écart de tout depuis longtemps.

Page 234

1. « *Lui sixième* » : avec cinq autres.

Page 235

1. On se souvient que Retz avait été autorisé à siéger au Parlement en lieu et place de son oncle, titulaire de l'archevêché, empêché par ses infirmités.

Page 236

1. « *A genou* » : Retz, qui avait d'abord mis le pluriel, a biffé l'*x*. L'emploi voulu du singulier est plus précis : il indique que Condé avait — très naturellement — mis *un* genou en terre. Cette « aventure » eut un retentissement considérable.

Page 237

1. Cette « sottise » en dit beaucoup plus long qu'il ne paraît. A première vue, Retz se borne à constater que l'autorité du Roi a conservé, malgré la guerre civile, un poids considérable auprès de beaucoup, notamment au Parlement, et que c'est pour Mazarin un atout essentiel. Mais comme le Roi est un enfant, avoir le Roi de son côté signifie surtout avoir sa mère : et tout le monde savait que l'attachement de la Reine pour Mazarin était le fondement du pouvoir de celui-ci. C'est parce qu'Anne d'Autriche donnait largement prise sur ce point que Retz a pu imaginer la très déplaisante comédie qu'il raconte ici, et qui aurait eu pour but, nous dit-il, de fournir de son animosité contre le Cardinal une explication qui flattât la souveraine. Reste à savoir si, à l'époque, ce fut seulement une comédie et s'il ne caressa pas secrètement l'espoir de supplanter dans le cœur même de la Reine

Mazarin alors en exil. Mais un tel aveu serait tout à fait ridicule, compte tenu de la suite des événements. Retz, comme toujours, craint terriblement de passer pour dupe et préfère afficher un certain cynisme. Et peut-être a-t-il réussi à s'aveugler lui-même, après coup, sur un espoir sans doute resté en deçà de toute formulation claire. Puisque nous sommes sur le terrain des hypothèses, avançons-en une autre. Le rôle dans cette intrigue de Mme de Chevreuse, qui travaillait alors pour la Reine, incite à penser que la comédie fut peut-être montée par elle, pour attaquer le coadjuteur par son point faible et l'engager, dans l'espoir de plaire à la Reine, aux actions les plus folles contre Condé. S'il est un domaine où Retz n'était pas fin et où il perdait aisément sa clairvoyance, c'est bien celui des relations avec les femmes. — Quel qu'ait été le fond de l'affaire, la désinvolture appuyée du récit a quelque chose de suspect et le ton sonne faux.

2. La Reine était très fière de ses mains, qu'elle avait fort belles.

Page 239

1. Le geste sollicité par Bellegarde s'inscrivait dans la tradition courtoise médiévale : il offrait à la Reine les exploits que son épée allait accomplir pour elle. Ce comportement est ici jugé désuet (« galant à la mode de Henri III »). Sur le passé riche en amours de toutes sortes de cet ancien mignon de Henri III, voir l'*Historiette* que lui consacre Tallemant.

2. Buckingham. Tandis que Bellegarde et Montmorency n'étaient pour la jeune reine délaissée que des chevaliers servants respectueux, et que les avances de Richelieu en furent repoussées, il semble qu'elle eut pour le célèbre don Juan britannique une réelle attirance. La scène ici évoquée suscita un scandale suffisant pour justifier un large renouvellement de l'entourage de la Reine. Mais s'il est assuré que Buckingham se montra entreprenant, aucun récit, même celui de Tallemant, ne va aussi loin que celui de Retz, tardif, de seconde main et entaché, de surcroît, d'une erreur sur le lieu (l'incident se passa à Amiens et non au Louvre).

Page 240

1. Sur les relations de la Reine avec Mazarin, en revanche, Retz reste très en deçà de ce que colportait pendant la Fronde la rumeur publique, alimentée par des libelles orduriers : à tel point que sa modération surprend. Aujourd'hui le déchiffrement de la correspondance entre Mazarin et la Reine a conduit beaucoup d'historiens à admettre entre eux l'existence d'une liaison durable, d'allure conjugale (on a d'ailleurs parlé de mariage secret). En tout cas, comme le souligne Retz, l'attachement passionné et sans faille de la Reine pour son ministre fut une des données capitales du jeu politique pendant la minorité du Roi : c'est tout ce qui importe ici.

Page 242

1. La recherche en mariage de Mlle Mancini. Le duc de Vendôme essaya de faire croire qu'il ignorait que son fils aîné, le duc de Mercœur, eût continué, malgré le déclenchement de la Fronde, de prétendre à la main de Laure Mancini.

Page 245

1. Selon la Reine, Condé a voulu dire qu'il se sentait le maître et qu'il s'abstenait de le faire trop paraître, par respect pour l'autorité royale, qu'il eût ainsi abaissée : mais ce respect ainsi formulé était injurieux. La seconde explication, suggérée par Retz, est que le Prince ne pouvait aller sans danger au Palais, sinon accompagné d'une importante suite armée, ce qui était contrevenir aux ordres royaux.

2. Condé était allé à Trie en Normandie rendre visite à son beau-frère de Longueville.

3. Châteauneuf fut fait chef du Conseil, les sceaux furent rendus au premier président Molé et la surintendance des finances à La Vieuville : ce sont des adversaires de Condé, qui risquent, selon Monsieur, d'être installés dans ces postes pour longtemps. Gaston d'Orléans avait feint de n'être pas prévenu de ces nominations, et Condé choisit de faire comme s'il était dupe de cette feinte (« il ne laissa pas de supposer... »).

4. Allusion au changement de ministère intervenu à l'insu de Monsieur, au profit des partisans de Condé (voir plus haut, II, pp. 131 sqq.). Retz commet une erreur sur le jour : ce n'est pas le *jeudi saint*, mais le *lundi saint* 3 avril, que ce changement avait été rendu public. D'après le récit d'Omer Talon, la Reine en aurait informé Monsieur dans l'après-midi du lundi, au Palais-Royal, où il était convié pour entendre une remontrance des délégués du Parlement. Son témoignage, de première main, est donc plus sûr que ceux de Mme de Nemours et de Mme de Motteville, qui parlent de la semaine précédente. Il est confirmé par le *Journal du Parlement* et la *Muse historique* de Loret. Talon précise que la réunion du Luxembourg (voir pp. 131 sqq.) eut lieu dans la soirée. — La composition de ce ministère avait été modifiée très vite, par le retrait des sceaux à Molé le 14 avril, puis, le 18 juillet, par l'éviction des sous-ministres suivie de celle de Chavigny (voir II, p. 247). — Noux avions envisagé l'hypothèse d'une mauvaise lecture du manuscrit, *Lundi* étant pris pour *Jeudi*. Mais après examen des deux passages concernés et surtout du second, p. 280 (p. 2031 de l'autographe), nous y avons renoncé.

Page 246

1. Il existe plusieurs versions de cet incident. Selon Guy Joly, il serait dû à une confusion entre Augerville-la-Rivière, où attendait Condé, et Angerville, près d'Étampes, où se rendit le messager. Selon La Rochefoucauld, Gaston d'Orléans aurait différé d'un jour l'envoi des propositions conciliatrices et Condé en aurait pris connaissance à Bourges, trop tard pour revenir sur sa décision d'engager la guerre civile.

Page 247

1. Aucune des *Maximes* ne correspond à cette assertion, bien que quelques-unes traitent de l'ennui (max. 141, max. posth. 29, *Réflexions diverses* n° 2). Mais c'est le thème d'une brève addition — datant de 1659 — à un petit traité de Mme de Sablé sur l'*Éducation des enfants,* que tout incite à attribuer à La Rochefoucauld. On y lit notamment :

« Je dirai que rien n'est plus nécessaire à quelque personne que ce puisse être qui veut être capable de grandes choses que de s'endurcir contre l'ennui et de s'accoutumer non seulement à l'éviter mais encore à le souffrir patiemment : la plus grande part des faiblesses et des fautes que l'on fait dans la conduite de la vie viennent de la crainte de s'ennuyer. Combien ruine-t-on d'affaires importantes et dans la paix et dans la guerre parce qu'il faut

s'ennuyer pour les faire réussir ? [...] rien n'est plus beau du cardinal
de Retz que d'avoir pu supporter l'obscurité de sa retraite depuis le
temps qu'elle dure. On est bien heureux d'avoir en soi un remède
assuré contre l'exil et la persécution [...].»
Éloge à rapprocher du célèbre portrait, postérieur à l'accommodement de
Retz, où l'admiration fait place aux réticences. L'ennui n'a dans cette
réflexion aucune coloration pascalienne : c'est une leçon de stoïcisme
qu'entend donner le moraliste. Sur tous ces points, voir Jacqueline Plantié,
« Une nouvelle 'Réflexion' de La Rochefoucauld : L'addition à 'l'Éducation
des Enfants' de la Marquise de Sablé », dans *Revue des Sciences Humaines,*
fasc. 118, avril-juin 1965, pp. 191-205. — La page en question n'ayant pas
été publiée, on doit penser que Retz évoque le souvenir de conversations. Il
affectionne en tout cas cette maxime, qu'il répète à deux reprises (II, pp. 307
et 451), peut-être parce que lui-même a mis très longtemps à trouver « le
secret de savoir s'ennuyer »...

Page 248
   1. La Rochefoucauld expose (*Mémoires,* V^e partie) quelles furent les offres
de Condé à Turenne pour s'assurer son concours. Mais celles de la cour
furent plus attirantes et les deux frères se rallièrent à elle. Selon Gourville,
qui était l'émissaire de Condé, Bouillon aurait répondu à ses avances « qu'il
n'avait jamais donné de paroles positives à Monsieur le Prince d'entrer dans
son parti ; et que la manière dont il en avait usé avec lui et M. de Turenne
après sa liberté les mettait en état de chercher leurs avantages ».

Page 250
   a. A la suite de ce paragraphe, le bas de la page 1943 du manuscrit et le
verso, non paginé, restent blancs. Là se terminait le second volume de
l'autographe dans la reliure originale. Là s'arrête la copie R. Dans le dernier
volume, les corrections et additions se multiplient, en même temps que la
graphie se fait moins lisible.

   1. *Comoedia in comoedia* : sur cette expression, voir plus haut, II, p. 86.
L'application en est moins claire que dans le passage précité. Il s'agit
cependant toujours de feintes en cascade, imbriquées les unes dans les autres,
comme c'est fréquemment le cas dans la *commedia dell'arte.*
   2. Rappelons que la rentrée du Parlement se faisait au lendemain de la
saint Martin (11 novembre).

Page 251
   1. Mme de Longueville avait abandonné La Rochefoucauld pour Nemours,
qui lui avait sacrifié Mme de Châtillon.

Page 252
   1. Le comte de Marsin, qui défendait pour le compte du Roi Barcelone
investie par les Espagnols, garnit la place de tout ce qu'il fallait pour soutenir
un siège et la quitta pour rejoindre Condé, à qui le liaient des engagements
de fidélité personnelle — observant ainsi les règles de l'éthique aristocratique
traditionnelle. La Catalogne échappa définitivement à la France.
   2. Gravelines fut prise par les Espagnols le 18 mai 1652 et Dunkerque le

16 septembre. Ces places furent reconquises respectivement le 27 août et le 25 juin 1658.

Page 253

1. Déclaration datée de Bourges le 8 octobre 1651. Depuis quelques pages, Retz visiblement maîtrise de plus en plus mal une matière dont il ne parle que par ouï-dire et qui l'ennuie. D'où le caractère sommaire et confus de ce résumé des opérations militaires. Le Parlement et sa procédure ne lui plaisent pas davantage : sa lassitude est perceptible dans la désinvolture du *et caetera*, qui lui épargne la peine de recopier la déclaration royale. Sur ces différences de *tempo* du récit, voir l'*Introduction*, pp. 79-82.

2. Sur les différentes nuances du mot *révolution*, voir l'*Introduction*, p. 40, et le glossaire. C'est ici le moment décisif où s'est joué le sort de la Fronde : la sortie de Paris du Roi est l'élément qui a fait basculer la situation en faveur de la cour. Mais était-il possible de l'empêcher ? Retz ne pose pas la question.

Page 254

a. Il y a ici dans l'autographe seize lignes effacées ; l'on y déchiffre, sous les ratures : « Ce qui me surprend le plus est qu'un homme de qualité, qui m'a dit avoir vu des Mémoires de M. le maréchal Du Plessis, m'a dit qu'il y avait lu quelque chose d'approchant : ce que je ne puis concevoir, c'est qu'un homme de cette qualité et qui enfin avait un rôle, quoiqu'il ne fût pas des plus considérables, se soit avisé de faire un conte de cette nature, dans lequel je vous proteste qu'il n'y a pas un mot de vérité. Il ne faut pas s'étonner, après cela, des fables que les historiens vulgaires nous débitent quelquefois avec tant d'apparat. »

Page 257

a. La copie Caffarelli offre ici une variante qui éclaire un peu le sens de ce passage : « ...deux mauvais effets [dont l'un est que ce composé, pour ainsi parler, de vues différentes, et même opposées, est toujours très confus et très brouillé, et l'autre, que cette confusion est d'une nature qu'elle ne peut jamais être démêlée que par la fortune ».]

1. Mazarin s'était fait avancer des sommes considérables et, avec l'accord du Roi, levait des troupes dont Hocquincourt devait prendre le commandement pour reconquérir le royaume.

2. La couleur des écharpes indiquait l'appartenance à tel ou tel parti : elles étaient blanches pour le Roi, rouges pour les Espagnols, isabelle pour les Princes, bleues pour le duc d'Orléans, vertes pour Mazarin.

Page 258

1. Voir plus haut, I, p. 316, note 1.

Page 259

1. M. de Bouillon reçut, en compensation de la principauté de Sedan, les duchés d'Albret et de Château-Thierry, les comtés d'Auvergne et d'Évreux et le rang, transmissible à ses descendants, de prince étranger à la cour.

Page 261

1. Dans ses *Mémoires* La Rochefoucauld avoue le projet d'enlèvement.

Page 262

a. Dans le manuscrit, tout ce membre de phrase, depuis « *en me renvoyant* » jusqu'à « *vingt-quatre heures* », est écrit d'une autre main, les trois premiers mots en marge, le reste en interligne. *Les* a été corrigé en *l'* pour faire l'accord avec *bétail*.

1. Une prise de guerre faite par les ennemis, mais récupérée avant le délai de vingt-quatre heures, devait être restituée à son propriétaire. Passé ce délai elle appartenait de droit à celui qui l'avait reconquise.

2. Le cuir de *bufre*, c'est-à-dire de buffle ou de bœuf, servait à faire des vêtements capables de résister aux coups d'épée ou de poignard. Le port d'un collet de buffle permet de supposer que son propriétaire a l'intention de se battre.

Page 263

1. Car la peinture fraîche risquait de déteindre sous la pluie. Dans la copie Caffarelli, une autre main a remplacé ce passage par une allusion à la providence, qui voulut que Retz fût invité à escorter deux gentilshommes qui craignaient les voleurs. Cette version est sans doute inspirée par le désir de donner à l'épisode une tonalité plus relevée. Elle en dit long sur les réticences de certains lecteurs devant les éléments du récit de Retz jugés trop familiers.

Page 265

1. Le nom de *tiers parti* avait été donné en 1591 à un parti qui se situait entre celui du Roi et celui de la Ligue et prétendait jouer la carte de la conciliation. Il est probable que non seulement le mot, mais l'idée même d'un tiers parti modéré, furent empruntés à l'exemple, si souvent invoqué, du temps de la Ligue.

Page 266

1. Sur les fautes qui appellent une explication surnaturelle, voir l'*Introduction*, I, pp. 89-90 et plus loin, II, p. 332.

Page 268

1. Les *andabates* étaient des gladiateurs qu'on faisait combattre les yeux bandés.

Page 269

1. Gaston d'Orléans ne veut pas dire qu'il deviendra fils de France — il l'est déjà ! —, mais qu'en somme rien ne sera changé pour lui. La prophétie de Retz se réalisa pour Gaston en octobre 1652 et pour lui-même en décembre de la même année.

2. Bouillon et son frère Turenne.

3. *Rempli* se disait en droit canon de quelqu'un qui était « pourvu d'un bénéfice assez considérable pour n'être pas en droit d'en requérir un autre en vertu de son indult ou de ses grades ». « Laigue était rempli » signifie, non pas qu'il était satisfait ou comblé (avec connotations psychologiques), mais qu'il ne pouvait prétendre à davantage, pour des raisons tenant à sa situation dans la hiérarchie sociale. Il n'a donc plus rien à espérer de la guerre civile.

Page 271
1. Le récit de cet incident est révélateur des méthodes de travail de Retz. Il se trouve qu'on a conservé une lettre de lui à l'abbé Charrier, datée du 8 décembre 1651, qui fournit une tout autre version : « M. de Beaufort voulant, mercredi dernier, renouveler l'anniversaire de La Boulaye, eut recours, à son ordinaire, au sieur L'Agneau et autres, ses émissaires, qui furent vers le logis de M. le Premier Président, mais ils furent à l'instant repoussés par deux des laquais de M. de Sainte-Croix. Ledit sieur de Beaufort avait fait dire à cette canaille qu'ils venaient de la part de Son Altesse. Le contraire a bien paru, Monsieur ayant envoyé des officiers de ses gardes chez ledit sieur Premier Président. Il en a été remercié par Sadite Altesse, comme vous pouvez croire. » L'hypothèse d'un mensonge délibéré n'est pas envisageable, vu la minceur du fait. La vérité est que Retz a trouvé, dans le *Journal du Parlement* à la date du 7 décembre un récit assez vague, ne comportant pas les noms d'Ornane ni de Maillart, mais indiquant que Gaston d'Orléans avait envoyé des criailleurs chez le premier président. Comme il a complètement oublié les circonstances réelles de l'incident, il le réinvente, à partir du *Journal*, en donnant aux exécutants les noms les plus vraisemblables, ceux d'un domestique de Monsieur et d'un criailleur professionnel.

Page 272
1. Au lendemain de la bataille de Moncontour (3 octobre 1569), où l'armée royale vainquit celle des Protestants, les chefs de cette dernière, Coligny et Montgommery, furent déclarés criminels de lèse-majesté par le Parlement et cinquante mille écus furent promis à ceux qui les livreraient morts ou vifs.

Page 273
a. Voir II, p. 215, *a.*

Page 274
1. Ici Retz se contente de résumer le *Journal* (20 décembre 1651). D'où des négligences dans la concordance des temps. D'où la prolifération des termes et des tournures empruntés à la langue juridique. Il s'ensuit un effet de style dont il fut sûrement conscient : le formalisme du Parlement, son incapacité à s'adapter à la situation, son décalage par rapport aux faits sont très sensibles dans ce langage qui tourne à vide.

Page 275
a. Nous restituons entre crochets *Premier*, omis par inadvertance.

Page 276
1. Voir plus haut, II, p. 273.

Page 277

1. Sur les rivières, c'est-à-dire la Marne, l'Aube et l'Yonne, susceptibles d'arrêter dans leur progression les troupes de Mazarin.

2. Le *droit annuel* (voir I, p. 295, note 1) était une taxe assurant la transmission héréditaire des offices. La *caisse des parties casuelles* était la caisse où était versé ce droit, ainsi que diverses autres taxes.

3. Bien entendu le 11 janvier n'est pas le lendemain du 2. Mais Retz démarque distraitement le *Journal du Parlement*, qui commence ainsi son compte rendu du 11, parce qu'il y a été fait mention du 10 (que Retz a supprimé).

4. A Pont-sur-Yonne, les deux délégués du Parlement avaient entrepris d'instrumenter juridiquement, à l'entrée du pont, contre le maréchal d'Hocquincourt et ses troupes, qui s'apprêtaient à le franchir. Après quelques instants d'incertitude, la cavalerie chargea les deux conseillers en train de verbaliser. L'un fut fait prisonnier ; l'autre, Geniers, ne fut pas tué, comme on le crut tout d'abord : il se sauva.

Page 278

1. Là encore Retz démarque le *Journal*. C'est dans la séance du 2 janvier qu'avec l'accord de Talon le Parlement décida d'armer les communes contre les troupes du Roi. Et c'est le 11 que le même Talon dit « n'être point d'avis de toucher aux deniers du Roi, dont la Compagnie devait conserver et maintenir l'autorité autant qu'elle le pourrait ». Les mauvaises langues murmuraient que les deniers du Roi servaient entre autres choses à payer les gages des magistrats : d'où la sollicitude de ceux-ci pour leur préservation.

Page 280

1. Voir plus haut, II, pp. 131, et 245 et note 4.

2. *Ordonnances royaux* : tournure archaïque relevant du langage juridique. *Royaux* est ici un pluriel féminin ; les adjectifs en — *al* étaient, en ancien français, identiques au pluriel pour les deux genres, comme les adjectifs latins dont ils sont issus.

Page 282

a. Retz avait d'abord écrit : « Cela est vrai, mais vous verrez par la suite qu'il n'était pas bien appliqué en cet endroit ». La correction est intéressante, car elle atteste chez le mémorialiste le souci de rapporter exactement les réflexions générales aux situations concrètes. Elle marque une tension entre une exigence de principe, exprimée à la fin du paragraphe précédent — la nécessité de la bonne foi chez les responsables politiques — et un constat : bien souvent le mensonge paie. La maxime selon laquelle « le monde veut être trompé » passait alors pour machiavélienne. Sur la sincérité en politique, voir l'*Introduction*, p. 39.

Page 286

1. « *Être peuple* » signifie : être versatile. Voir aussi I, pp. 368, 414 et 472.

Page 287

1. Les troupes de mercenaires, surtout quand on négligeait de les payer, mettaient à sac les pays traversés, qu'ils fussent amis ou ennemis. La guerre de Trente Ans avait ainsi ruiné les provinces frontières ; la guerre civile ravagea les provinces du cœur de la France.

2. Sur les rentes de l'Hôtel de Ville, voir plus haut, I, p. 526, note 1.

Page 288

1. La Tournelle, chambre chargée des affaires criminelles, était une émanation du Parlement : d'où la contradiction relevée par Gaston d'Orléans.

Page 290

1. La *première guerre de Paris* : le siège de cette ville, de janvier à avril 1649, lors de la Fronde parlementaire, pendant laquelle Gaston d'Orléans soutenait en effet Mazarin.

Page 291

1. La littérature humaniste avait introduit en France la notion grecque de *démon* : être surnaturel veillant au destin des individus ou des nations, dont l'exemple le plus connu était celui de Socrate. Mais la pensée populaire avait opéré une contamination avec la tradition chrétienne, qui fait de la vie des hommes l'enjeu d'un combat entre des puissances tutélaires et des esprits maléfiques. On parle donc, dans les Mazarinades, d'un *bon* et d'un *mauvais démon* de la France, qui commandent tour à tour les péripéties de la Fronde.

Page 292

a. Le manuscrit comporte, aux marges des pp. 2072 et 2073, une addition correspondant à un renvoi suivant le nom de Pimentel. Mais ce signe de renvoi a été effacé : il était en effet impossible d'intégrer au texte du discours de Monsieur des remarques personnelles de Retz, avec changement de locuteur. Les éditions anciennes plaçaient cette addition à la fin du discours, où elle n'a rien à faire. Il s'agit en fait d'une véritable *note* du narrateur, que nous avons choisi de traiter comme telle en la plaçant en bas de page. — Nous avons laissé de côté une phrase inachevée et raturée qui terminait cette note. Nous avons respecté la forme erronée *fa* (3ᵉ personne), qui figure bien dans le manuscrit au lieu de la 1ʳᵉ, *fo*, qu'implique la traduction *je fais*, et nous avons complété entre crochets cette traduction : [pour vous].

1. Les régiments de Gaston d'Orléans, qui leur avait donné respectivement le nom de la province dont il était gouverneur — le Languedoc — et celui de son jeune fils, né en 1650, le duc de Valois.

Page 294

1. En France la Ligue et le mouvement protestant sont les références obligées lorsqu'on évoque une guerre civile et un parti organisé luttant contre le pouvoir en place. Il s'y ajoute les événements liés à l'indépendance de la Hollande et les dissenssions internes qui accompagnèrent le soulèvement. Sur cette façon de penser la Fronde à travers quelques modèles historiques récurrents, voir l'*Introduction*, p. 41 sqq.

Page 295

a. Le manuscrit comporte une omission évidente, que nous comblons.

1. « Les *retours* de M. de La Rochefoucauld ». Nous ne croyons pas que ce terme veuille dire ici « revirements ». Au pluriel, *retours* était un terme de vénerie signifiant : « action du cerf qui revient sur ses voies pour dérouter les chiens », et très souvent employé au figuré dans le sens de *ruse, artifice* (les « retours » de l'amour-propre, ou des coquettes), toujours assorti d'une idée de riposte, de contre-attaque. C'est donc de *retours offensifs* de La Rochefoucauld qu'il nous paraît s'agir.

Page 296
   1. « *Ce qui écherrait à délibérer* » (conditionnel archaïque de *échoir*) : ce sur quoi il y aurait lieu de délibérer.

Page 297
   1. Ce *dernier* parti : celui que Son Altesse suit aujourd'hui, c'est-à-dire le quatrième.

Page 300
   1. Les *bureaux* de recette des impôts.

Page 301
   1. En parlant d'*assemblée de noblesse, de clergé, de peuple*, il est probable que Retz fait seulement allusion à la présence assurée, dans le tiers-parti qu'il propose, de sympathisants issus des trois ordres du royaume : la formulation adoptée donne à ce parti un air de légitimité, grâce à son assimilation implicite à l'institution représentative traditionnelle que sont les États Généraux. — Ce discours sur le tiers-parti, très convaincant dans sa partie négative, est très irréaliste dans sa partie constructive. L'appareil rhétorique appuyé dissimule imparfaitement la faiblesse de l'argumentation, fondée sur des prémisses incertaines.
   2. Philippe Guillaume de Bavière, duc de Neubourg, était alors au service de la France.

Page 303
   a. Le début de ce paragraphe, jusqu'à *après*, est à la marge de la page 2103 de l'autographe. La suite, de « *après que je vous aurai fait...* » à la fin de l'alinéa, est écrite sur un feuillet séparé. Cet additif est plein de ratures, de surcharges et de renvois à la marge. C'est un brouillon, que Retz n'a pas pris la peine de mettre au net.

   1. Le pronom *elle* représente la Reine.
   2. La promotion de Retz eut lieu à Rome le 19 février 1652. Le grand-duc de Toscane, qui fut le premier à lui annoncer cette promotion, l'accueillit plus tard lors de son arrivée en Italie après son évasion.
   3. Retz expose ici une des fonctions que remplissent dans son récit les discours : ils lui permettent de rassembler des indications éparses, de récapituler un ensemble de données et de les présenter sous une forme plus claire et plus intelligible. Fonction d'autant plus nécessaire que les faits sont, comme dans le cas présent, plus complexes et difficiles à dominer. — Nous n'avons rencontré nulle part ailleurs l'expression de *merveilleux historique*. Mais l'on sait que le *merveilleux* désigne au XVIIᵉ siècle, dans le langage de la critique littéraire, les interventions surnaturelles qui sont un des ornements indispensables de l'épopée. Nous croyons donc que Retz appelle ainsi, par

analogie, les épisodes qui, dans les récits *historiques*, c'est-à-dire vrais, sont si extraordinaires qu'ils en paraissent incroyables : ils s'opposent ici aux « mouvements naturels », conformes à l'ordre normal des choses. Cette notion de merveilleux historique s'éclaire si on la rapproche du développement de la page 274 (« merveilleux », « prodige », « incroyable », etc) et des divers passages où le mémorialiste insiste sur le caractère extraordinaire de tels ou tels faits. Sans aller jusqu'à parler de *genre* littéraire, on se rappellera que les historiens, notamment Plutarque, ont toujours eu une prédilection pour ce type d'anecdotes et que Corneille a vu dans l'*invraisemblable vrai* garanti par l'histoire la matière la plus propre à la tragédie (voir le *Discours de la Tragédie* et la *Préface* d'*Héraclius*).

Page 304

1. Voir plus haut, II, p. 158.

2. Voir plus haut, II, p. 66. La cupidité de la signora Olimpia avait créé un tel scandale que le Pape avait dû l'écarter pour un temps.

3. A la nomination de Retz au cardinalat, R. Chantelauze a consacré un ouvrage entier, étayé d'une masse considérable de documents — *Le cardinal de Retz et l'affaire du chapeau*, 1878 —, qui apporte sur la corruption régnant alors à la cour de Rome des informations qui aident à replacer dans son véritable jour la conduite de Retz.

A ceux qui l'ont accusé d'avoir prodigué l'argent à Rome pour faciliter sa promotion, Retz oppose un démenti qui est un mensonge caractérisé : « Vous croyez aisément qu'il n'eût pas été aisé de me résoudre à en donner pour un chapeau ». Admirons au passage l'art de l'écrivain qui, d'une métonymie désinvolte, balaie l'accusation : « de l'argent...pour un *chapeau*... » Qu'on substitue à ce vulgaire chapeau, encore dévalué par l'emploi de l'article indéfini, un équivalent noble, ou simplement abstrait, comme *la pourpre* ou *le cardinalat*, et l'argument s'effondre. C'est donc par un tour de prestidigitation verbale que Retz élude, en un éclair, le débat.

Qu'a donc fait le coadjuteur à Rome, et pourquoi le mémorialiste tient-il à le dissimuler ? Il est exact qu'il a envoyé à l'abbé Charrier des sommes relativement importantes, pour financer des cadeaux à distribuer parmi les proches du Pape — parents ou secrétaires. Il n'a pas pour autant acheté le cardinalat, qu'Innocent X était très disposé à lui donner, pour sa compétence, mais surtout parce qu'il savait être ainsi désagréable à Mazarin, qu'il détestait. Bref sa nomination était conforme, aux yeux de Rome, à l'ordre des choses — tandis que Mazarin, par exemple, avait dû user de pressions politiques et financières pour obtenir celle de son frère Michel, dont cette parenté faisait tout le mérite. Les cadeaux distribués par Retz dans l'entourage du Pape étaient destinés à hâter les démarches administratives, tout en préservant le secret, pour prévenir un contre-ordre de dernière minute. N'en pas faire, compte tenu des usages romains, eût été extrêmement périlleux. Retz, très menacé à Paris, s'affolait devant les lenteurs du Saint-Siège, et il a tiré parti, comme tant d'autres, des faiblesses de la cour romaine, sur les mœurs de laquelle les documents fournis par Chantelauze sont accablants.

Mais alors pourquoi le mémorialiste ment-il, au lieu de dire simplement ce qui en était ? Les temps ont changé, et lui aussi. Les mœurs, autour du Saint-Siège, se sont améliorées : ce qui était monnaie courante en 1652 choquerait en 1675. Est-il opportun de faire un aveu tardif qui jetterait le discrédit sur l'Église, dont il s'est toujours senti solidaire en tant qu'institution ? La faute commise autrefois lui paraît relever moins de sa responsabilité personnelle que de pratiques générales qu'il est préférable de taire, « pour l'honneur de la pourpre » (l'expression est de lui, t. II, p. 509, et elle concerne précisément une affaire d'argent). Il nous semble que ce mensonge, qui a fait couler tant d'encre, ne peut être interprété selon les seuls critères de la morale individuelle, ni jugé en termes manichéens. Voir sur ce point l'*Introduction*, p. 96-97.

Page 305

1. Il semble que Valençay ait eu seulement ordre de retarder le plus possible la promotion. Mais Retz qui, au départ, ne croyait pas à l'ordre de révocation, avait reçu de Charrier des informations très précises à cet égard. Et quand il écrit les *Mémoires*, il est très persuadé, comme l'ont été tous ses contemporains, que l'ordre existait bel et bien.

2. Cette lettre, datée du 16 février 1652, a été retrouvée et publiée par R. Chantelauze, ainsi que deux lettres privées à Charrier, l'une du même jour, l'autre de la semaine suivante, qui recommandaient à l'abbé la prudence (voir *Affaire du chapeau*, I, chap. 13 et II, pp. 93-100, *Œuvres* de Retz, éd. des G.E.F., t. VIII, pp. 91-104, et *Appendice* au *Port-Royal* de Sainte-Beuve). La lettre ostensive, adressée à Charrier, mais faite pour être montrée, est une réponse aux avis selon lesquels Rome exigerait de lui, pour le promouvoir, une déclaration contre le jansénisme (on savait que beaucoup des curés qui le soutenaient étaient jansénistes et on cherchait à lui nuire par là auprès du Pape). Dans la lettre en question, il refuse, par principe, dit-il, la déclaration demandée, et se contente de s'indigner hautement d'une telle suspicion — tout en s'abstenant de débattre du fond. Il termine en donnant à Charrier l'ordre de rentrer à Paris, si les choses continuent de traîner, car, ajoute-t-il, « bien que je sois très persuadé que le cardinalat est infiniment au-dessus de mon mérite, je ne le suis pas moins qu'une prétention, traversée par des doutes injurieux, est fort au-dessous de ma conduite et de ma dignité ». Le style en est assurément brillant, mais le ton très insolent. Charrier n'eut pas à l'utiliser, puisqu'elle lui parvint après la promotion. Mais elle avait circulé à Paris parmi les amis de Retz. — Cet épisode et le récit qui en est fait appellent deux remarques. Subordonner la promotion de Retz à une déclaration anti-janséniste préfigure l'obligation, qui sera faite quelques années plus tard aux religieuses de Port-Royal, de signer le fameux formulaire sur les Cinq Propositions. L'habileté avec laquelle il se dérobe, en arguant du caractère offensant de la demande, suggère qu'il avait dû mesurer que le simple fait de répondre, même par la négative, équivalait à cautionner une procédure lourde de menaces. D'autre part, le mémorialiste, même s'il ne disposait pas du texte de la lettre, n'avait pu en oublier le contenu. Or il le dissimule derrière des considérations littéraires assez hors de propos : les initiés comprendront ; les autres n'y verront qu'un geste d'humeur. On constate donc, sur ce point précis, qu'il évite avec soin toute mise en cause, même rétrospective, du jansénisme.

Page 306

a. La copie Caffarelli ajoute ici les mots que nous avons placés entre crochets et dont la présence est indispensable au sens de la phrase. La *première*, c'est la connivence du Parlement.

Page 307

1. La barrette rouge ou *bonnet*, insigne cardinalice, devait être remise aux cardinaux français par le Roi.

2. Voir plus haut, II, p. 247, et note 1.

3. Le comté de Clermont avait été donné par saint Louis en 1269 à son sixième fils Robert, qui héritera ensuite de la seigneurie de Bourbon et aura pour descendant Henri IV.

Page 309

a. « ...*qu'il y avait lieu dans la cour...* » : tel est bien le texte du manuscrit, avec redoublement du complément de lieu.

1. Allusion à un épisode des troubles civils qui accompagnèrent la captivité de Jean le Bon. Le 22 février 1358, pendant la session des États Généraux à Paris, Étienne Marcel, prévôt des marchands, fit tuer au Palais, sous les yeux du dauphin (le futur Charles V), deux grands dignitaires du royaume, Robert de Clermont, maréchal de Normandie, et Jean de Conflans, maréchal de Champagne. Le dauphin, dit-on, en eut sa robe tout ensanglantée.

Page 310

1. Mme de La Vergne habitait alors à l'angle de la rue de Vaugirard et de la rue Férou, donc en face du Luxembourg. Les propos de Retz sur son compte interdisent de voir dans sa fille, Mme de Lafayette, la destinataire des *Mémoires* (voir l'*Introduction*, pp. 71-73). Ils donnent à penser que, par-delà Mme de Sévigné, Retz espère une audience plus large.

2. La *préciosité* n'était pas encore à la mode en 1652. Tout au plus commençait-on à user du terme de *précieuse*, dans son acception première, pour désigner une jeune femme réservée, qui ne se galvaudait pas, par opposition à la coquette, indulgente aux galants. Mais le mot est peut-être ironique ici : Retz, comme ses amis du cercle de Gaston d'Orléans, préférait la gaillardise aux subtilités du sentiment ; de plus il écrit à une époque où la préciosité a été éclaboussée de ridicule par Molière ; enfin la conduite ultérieure de Mme d'Olonne (qui aurait servi de modèle au portrait de *Messaline* chez La Bruyère) jette beaucoup de suspicion sur la prétendue modestie de Mlle de La Louppe.

Page 311

a. Retz avait d'abord écrit : « *que j'en honorerais cet ouvrage* » et il a rajouté en marge, à insérer après *j'en* [*releverais et que*] — ce qui donne une phrase boiteuse. On a le choix entre rajouter un second *j'en* devant *honorerais*, ou supprimer le second *que* : c'est le parti que nous avons pris.

1. Voir plus haut, II, p. 251.

2. Voir plus haut, II, p. 252.

Page 312

1. C'est à Bergerac que le roi Henri III signa, en 1577, la dixième paix conclue avec les Calvinistes. La ville fut une des places de sûreté accordées aux Réformés par l'édit de Nantes. Elle fut démantelée en 1621.

Page 313
   1. Sur tous ces événements, voir les *Mémoires* de La Rochefoucauld, V^e et VIe parties.

Page 315
   1. Sur les écharpes, voir II, p. 257, note 2.
   2. Ce jeu de mots sur le sens propre et le sens figuré d'*éblouir* et sur la *force* respective des yeux de Gaston d'Orléans et de Retz évoque, outre la différence de leurs conditions, la myopie notoire du coadjuteur.
   3. Geste en relation avec sa nouvelle dignité, qui l'autorise à se couvrir en public.

Page 316
   1. Une *chevalerie* : allusion ironique aux romans de chevalerie ou aux épopées romanesques, comme celle de l'Arioste, dans lesquelles figure toujours une héroïne guerrière qui rivalise d'exploits avec les hommes avant de succomber à l'amour. Le type le plus connu en était Bradamante. C'est à ces héroïnes que Mlle de Montpensier rêve de ressembler. La délivrance d'Orléans la fit aussi comparer à Jeanne d'Arc, pour sa plus grande fierté.
   2. Allusion à un épisode célèbre de la Bible (*Josué*, VI) : au lieu d'assiéger la ville de Jéricho, Josué fit tourner autour d'elle, pendant sept jours, une procession menée par des trompettes précédant l'Arche d'alliance. Le septième jour, à la fin du septième tour, les murailles de Jéricho s'écroulèrent.
   3. Retz dira plus loin (p. 337) que M. de Rohan « n'était bon qu'à danser ».

Page 317
   a. Retz a laissé un blanc, à trois reprises, à la place d'un nom oublié, que la copie Caffarelli permet de restituer : *Gergeau*.

   1. Deux princes qui furent soutenus par la France, Gustave-Adolphe de Suède et Christian IV de Danemark — deux grandes figures de la guerre de Trente Ans —, présentés ici comme entrés dans la légende.
   2. Nouvelle allusion aux *Provinciales* (voir plus haut, I, p. 540). La septième, où il est débattu de la vengeance, de l'honneur et du duel, pose notamment la question suivante : « Est-il permis à un homme d'honneur de tuer celui qui lui veut donner un soufflet ou un coup de bâton ? » Pascal y stigmatise la complaisance des casuites à l'égard de la morale mondaine.
   3. Cet accommodement ne fut qu'apparent en effet, et peu durable, puisque les deux beaux-frères se battirent en duel le 30 juillet de la même année et que Beaufort tua Nemours.

Page 319
   1. Les *Cravattes* ou Croates étaient des mercenaires servant dans la cavalerie légère.
   2. « Tenir *bride en main* » : agir avec circonspection (terme de manège).

Page 320
   1. *Maître* se disait d'un « cavalier enrôlé » (Dict. de l'Académie) qui n'était pas gentilhomme.

2. La cour se trouvait depuis le début d'avril à Gien, tout près du théâtre des opérations.

Page 322
1. « *Havete fatto polito* » (en italien actuel *pulito*) : « vous avez travaillé proprement, c'est du bon travail ».

Page 323
a. Le manuscrit porte bien *ses* (et non *ces*) illusions.

Page 324
1. C'est-à-dire a conservé aux cardinaux la priorité sur les princes dans l'ordre des préséances (voir plus haut, II, p. 307).

Page 325
a. *Aveuglé* et non *aveugle,* dans le manuscrit.

1. Ces allusions, claires sans doute pour la destinataire, restent en partie obscures pour nous.
2. Voir plus haut, II, pp. 237-239.

Page 327
1. Voir plus haut, II, p. 244.

Page 328
1. Les procureurs du Roi remplissaient les fonctions du ministère public auprès des juridictions subalternes. Celui de la Ville est ici celui qui était attaché à la municipalité de Paris.

Page 329
1. Le président Aubry *ouvrit le conseil des conclusions* : conseilla que l'on votât, conformément aux conclusions émises la veille par le procureur du Roi de la Ville, qu'il serait fait de très humbles remontrances...
2. *Présidiaux* : tribunaux venant au-dessous des parlements dans la hierarchie des cours de justice.
3. Selon le *Journal du Parlement*, l'avis de Des Nots l'emporta de plus de 70 voix. Le chiffre de 7 est donc sûrement chez Retz une inadvertance, compte tenu du contexte (« supérieur de beaucoup »).

Page 332
1. Voir plus haut II, p. 266 et *Introduction*, I, pp. 89-90.

Page 333
1. Retz s'embrouille dans son récit et commet une erreur de date : l'émeute sur le Pont-Neuf eut lieu non le 2 *mars*, mais le 2 *avril* — en tout état de cause avant le retour de Condé le 11 avril. C'est une négligence, comme le prouvent les dates figurant dans les paragraphes qui suivent. D'autre part il attribue ici à Gaston d'Orléans la responsabilité de l'émeute, en contradiction avec ce qu'il a dit plus haut (II, p. 322).

Page 334

1. « *sauver les apparences de ce qu'ils ne faisaient pas en effet* » : éviter de paraître faire ce qu'en réalité ils ne faisaient pas.

Page 336

a. Le manuscrit porte *n'étudiait* au singulier, par accord avec le sujet le plus proche. Nous rectifions selon l'usage actuel.

1. *Sur les fleurs de lis* : voir I, p. 326, note 3.
2. Passage difficile. *Dissimuler* signifie ici, comme souvent au XVIIᵉ siècle, feindre de ne pas remarquer : « dissimuler un affront, une injustice, de mauvais offices... » etc. Le sens serait plus clair si on remplaçait *doit*, dans sa première occurrence, par *peut* ; mais le manuscrit porte bien *doit*.

Page 337

a. Le manuscrit porte bien : par *les* maximes, que certaines éditions ont changé en *ces*.

Page 338

1. Les *tireurs de laine* ou *tire-laine*, à l'origine « filous qui volent les manteaux la nuit », étaient alors les voleurs à la tire exerçant leurs activités dans les lieux fréquentés comme le Pont-Neuf. Si les magistrats du Parlement sont si sensibles aux exactions commises par les troupes dans les environs immédiats de Paris, c'est qu'ils y avaient tous leur « maison des champs » et qu'ils étaient donc personnellement touchés par les pillages.
2. *Le Catholicon* désigne ici la *Satire Ménippée* elle-même, dont le titre complet est : *Satire Ménippée de la vertu du Catholicon d'Espagne*. Pour le sens de cette expression, voir I, p. 348, note 2.
3. Voir plus haut, II, p. 307.

Page 339

1. Voir plus haut, II, pp. 149-150.

Page 340

1. Les deux emblèmes ici évoqués sont l'un la *crosse*, attribut épiscopal, l'autre la *masse*, « espèce de bâton à tête d'or ou d'argent qu'on portait devant certains hauts personnages, dont les cardinaux » (les armoiries de Retz comportent deux masses croisées).

Page 342

1. Visiblement, les raisins sont trop verts : Retz tente de minimiser la déception éprouvée lorsqu'il vit s'évanouir tout espoir d'accéder au ministère. Mais les raisons qu'il invoque pour prouver qu'il n'y prétendait pas ne sont pas entièrement fausses : il n'est pas sûr qu'il eût fait un bon ministre, ni même qu'il eût goûté vraiment l'exercice prolongé du pouvoir et ses inévitables servitudes. En revanche la lutte pour la conquête de ce pouvoir l'exaltait.
2. « *Dupes présomptueux* » : l'adjectif devrait être ici au féminin, mais l'accord est fait selon le sens.

Page 345

a. Nous suivons le manuscrit, qui porte *laquelle* au féminin, alors qu'on attendait plutôt que l'accord fût fait avec billet, et non avec *main*.

1. Il s'agit dans l'esprit de Retz d'une plaisanterie. Mais les plaisanteries s'appuient toujours sur les idées reçues : on ne peut plaisanter du diable et des sorciers que dans une société qui, en majorité, y croyait.

Page 346

1. Sur ce pamphlet, voir II, p. 150, note 2.

Page 347

a. Le nom de *Dognon* est sans doute mis ici par erreur pour celui du président de Maisons. La copie Caffarelli a rectifié, conformément au texte de la mazarinade en question, *Le Vrai et le Faux de Monsieur le Prince et de Mgr le cardinal de Retz.*

1. Le *pour* est une distinction accordée à certaines grandes familles lors des déplacements de la cour : elle consistait en une marque à la craie — *pour Monsieur* *** — signalant les appartements qui leur étaient réservés. Bouillon et Turenne, par exemple, y avaient droit en tant que princes étrangers.

Page 348

1. La Rochefoucauld dit de même que Mazarin essayait d'entraîner le duc d'Orléans et Condé « dans cet abîme de négociations dont on n'a jamais vu le fond et qui a toujours été son salut et la perte de ses ennemis. » (*Mémoires*, VIᵉ partie).

2. Mme de Châtillon avait été la maîtresse du duc de Nemours, elle s'apprêtait à devenir celle de Condé. La cour l'accueille avec des égards qui donnent à ce dernier l'espoir d'un accommodement avantageux. C'est une façon d'« amuser » le prince pendant que les armées royales lui reprennent peu à peu toutes les provinces. Le siège d'Étampes, où se trouvait rassemblée la plus grande partie de ses troupes, eût permis, s'il eût réussi, de l'écraser définitivement.

Page 349

a. Le manuscrit porte bien *l'obligeassent* au pluriel, par syllepse.

Page 350

1. Sur les démêlés de Mayenne avec le Parlement, voir plus haut I, pp. 345 et 408-409.

Page 351

a. Tel est le texte du manuscrit. Faut-il suppléer *fait* et écrire avec la copie Caffarelli : « après qu'il en fut fait ... quelque difficulté » ? On peut cependant comprendre *il fut* comme équivalent de *il y eut*.

1. *Réaggravé* (terme de droit canon) : l'Église prononçait d'abord contre un coupable trois *monitions* successives, puis un *aggrave*, qui, outre la privation des biens spirituels, interdit l'usage des choses publiques, puis un *réaggrave*, qui y ajoute la privation de la société même dans le boire et le manger. Le mot est employé ici par analogie, pour désigner une condamnation renchérissant solennellement sur les précédentes.

2. Il s'agit d'une « mise à prix » pour l'arrestation de Mazarin, mais on peut y voir une invitation indirecte à l'assassiner, faute de pouvoir le prendre vivant.

Page 352

1. Selon un usage très ancien, on promenait dans la ville en périodes de calamités publiques la châsse de sainte Geneviève, patronne de Paris.

2. Charles IV de Lorraine avait pris, contre la France, le parti de l'Espagne et de l'Empereur. Il avait soutenu Gaston d'Orléans dans ses complots contre Louis XIII et encouragé son mariage avec sa propre sœur, Marguerite. Vaincu par les Suédois en 1633, il fut contraint, lors du traité de Charmes, d'abdiquer en faveur de son frère, le cardinal de Lorraine, retourné à l'état laïc, qui dut accepter l'occupation française. Depuis il jouait, comme tant d'autres princes, le rôle d'un entrepreneur militaire, à la tête d'une armée qu'il mettait au service du plus offrant. Mais il avait ses préférences : en l'occurrence l'Espagne.

3. « *A la peggio* » (aujourd'hui *al peggio*) : au pis, de mal en pis.

Page 353

1. Le président Jeannin, qui avait négocié avec les Espagnols pour le compte du duc de Mayenne, chef de la Ligue et violemment opposé à Henri IV, était devenu après la victoire de celui-ci un de ses ministres les plus dévoués.

2. Les préséances ne jouaient que dans certains lieux ; dans les appartements privés de Madame ou de Monsieur, il n'y avait pas de *rang*. D'ailleurs le duc de Lorraine ne disputait pas le *pas* à Retz « en lieu tiers », c'est-à-dire hors de leurs domaines respectifs. Ils se rencontraient donc chez une tierce personne, pour éviter toutes les difficultés.

Page 354

1. C'est-à-dire Jametz, Clermont et Stenay : voir II, p. 352.

2. Charles IV, brouillé avec les Espagnols et gardé en prison par eux pendant cinq ans, se vit restituer par le traité des Pyrénées le duché de Lorraine amputé du Clermontois, de Stenay, et de Jametz. Il y rentra en 1663. Or Retz était retiré depuis 1662 dans sa seigneurie de Commercy et se trouvait donc sujet du duc. — Don Hennezon, supérieur de l'abbaye de Saint-Mihiel, également située en Lorraine, était le confesseur et l'ami de Retz (voir l'*Introduction*, p. 48).

Page 355

1. « *ils* » désigne les Princes.

2. Voici un résumé de l'affaire. Les troupes des Princes étaient assiégées dans Étampes par celles de Turenne, pour le compte du Roi. Charles IV louvoyait entre les deux partis. Le traité signé par lui stipulait que le siège serait levé — ce qui sauvait la face à la cour, puisque Turenne piétinait en vain devant la place —, qu'il y aurait un armistice de dix jours entre les deux armées et que celle de Charles IV quitterait la région parisienne dans la quinzaine. Mais ce dernier s'entendit avec les Princes pour violer cette dernière clause, permettant ainsi à leurs troupes de se replier sur Paris. Et la

cour dut faire à Charles IV des concessions supplémentaires pour obtenir son départ.

Page 356
1. Tous les pamphlets et mémoires du temps accusent Retz de s'être beaucoup dépensé auprès de Monsieur, pendant cette période, pour tenter de diriger ses démarches. Le mémorialiste veut dire ici que ce *mouvement* prétendu n'était pas réel, qu'il n'existait que dans l'imagination (la *fantaisie*) de ceux qui se livraient à des *spéculations* théoriques.

Page 358
1. Les ravages causés par les troupes de Charles IV avaient contribué à dégoûter de son alliance même les membres les plus frondeurs du Parlement.

Page 360
a. Dans le manuscrit, on peut hésiter, pour le nom de ce personnage, entre deux lectures : *Partial*, généralement choisi par les éditeurs (« personnage inconnu ») et *Particel*. Le *Journal du Parlement* permet de trancher en faveur de ce dernier, *Particelle*, c'est-à-dire, est-il précisé, Michel Particelli, président de Thoré, fils du surintendant Particelli d'Émery, si impopulaire.

1. La misère était en effet très grande à Paris, où affluaient les paysans fuyant les campagnes ravagées. La récolte de 1651 avait été très mauvaise ; celle de 1652 était compromise par le passage des troupes en armes, qui nourrissaient les hommes par le pillage et les chevaux sur le blé en herbe. Voir *La misère au temps de la Fronde et saint Vincent de Paul*, d'A. Feillet, 1868.

Page 361
1. Condé quitta Saint-Cloud et contourna Paris par le nord, afin de prendre position à Charenton, sur une presqu'île délimitée par le confluent de la Seine et de la Marne, où il serait inexpugnable. Turenne l'ayant empêché d'atteindre Charenton, il se replia en direction de Paris. Le combat eut lieu sous les murs de la ville, dans le faubourg Saint-Antoine et l'armée de Condé ne fut sauvée qu'*in extremis* par Mlle de Montpensier, qui lui fit ouvrir la porte. Cet épisode est l'un des plus célèbres de toute la Fronde (Voir l'*Oraison funèbre* de Condé par Bossuet).

Page 362
a. Le manuscrit porte *Forts*, mais d'autres témoignages nomment le chevalier de *Foix*, connu comme partisan de Condé : erreur probable de Retz.

Page 363
1. C'est là, après la prise d'Orléans (voir II, p. 316), le second exploit « héroïque » de la Grande Mademoiselle.
2. Lors de la visite que Retz, réfugié en Hollande, fit en 1658 à Condé, installé à Bruxelles auprès des Espagnols.

Page 364

1. On ne connaît rien de plus sur ce projet.

2. Le port d'un insigne de paille marquait qu'on était favorable à la Fronde et hostile à Mazarin.

Page 365

1. Voir plus haut, II, pp. 228-229.

2. Le bref récit de Retz suggère que cette très grave émeute fut spontanée, ou en tout cas que les hommes délégués par Condé pour contrôler l'« émotion » populaire furent débordés. Une autre explication est avancée aujourd'hui par les historiens : Condé, voulant se faire donner pleins pouvoirs dans Paris par les autorités légales — Parlement et Bureau de Ville —, aurait suscité volontairement ces graves désordres pour faire pression sur elles. Les témoignages contemporains évitent de soulever la question des responsabilités. Ce qui est sûr, c'est que l'opinion publique imputa à Condé cette émeute qui, loin de le servir, rejeta vers le Roi la grande majorité des Parisiens.

3. Le curé de Saint-Jean-en-Grève, porteur du Saint-Sacrement, avait en effet dû rebrousser chemin devant la violence de l'émeute.

Page 366

a. Nous empruntons à la copie Caffarelli le verbe *rétabli*, omis dans le manuscrit.

Page 367

1. C'est-à-dire l'emploi d'ambassadeur ou de cardinal résidant à Rome pour y défendre officiellement les intérêts de la France.

Page 370

a. La leçon du manuscrit *devrait* est visiblement une inadvertance, que nous avons rectifiée.

1. On a vu, deux pages plus haut, que Gaston d'Orléans avait relevé le maréchal de l'Hôpital de ses fonctions de gouverneur de Paris, pour le remplacer par Beaufort, et avait nommé Broussel prévôt des marchands. C'était un acte illégal, puisque la majorité du Roi avait privé Monsieur de toute fonction dans l'État. Pour donner une apparence de légitimité à l'action de Gaston d'Orléans, le Parlement — ou ce qu'il en reste — déclare le Roi prisonnier de Mazarin et restitue au duc d'Orléans la qualité de lieutenant général du royaume, qui était la sienne pendant la minorité de Louis XIV. Cette tentative pour créer, à Paris, une sorte de contre-gouvernement, fut un échec complet.

2. « *qu'un seul ... ne lui avait fait réponse* » : que *pas* un seul...

Page 371

a. Ce paragraphe est une addition marginale dans le manuscrit.

Page 372

1. Selon Retz, l'aversion de Condé pour la guerre civile le conduisait à rechercher au plus vite les moyens d'engager une négociation en position de force : elle le poussait à la fuite en avant et lui faisait faire la guerre civile plus énergiquement...

2. Voir plus haut, II, p. 353.

3. Voir plus haut, I, p. 291 et note 4. Retz souligne que la nomination, sous un roi majeur, d'un lieutenant général du royaume est une atteinte au principe même de l'autorité royale, tandis qu'une désobéissance, même très grave, ne met pas en cause ce principe.

Page 373

1. Voir II, p. 307.

Page 374

a. Retz a écrit par mégarde « de se rendre à *Paris* », au lieu de *Pontoise*, que nous restituons. Nous rectifions également « injonction *du* parlement » en « injonction *au* parlement » : seule leçon intelligible.

1. La cour, après avoir habilement divisé le Parlement et opposé aux factieux de Paris les loyalistes de Pontoise, feint de céder aux instances de ces derniers en prononçant contre Mazarin une sentence de bannissement, assortie d'un panégyrique, qui effaçait les précédents réquisitoires et arrêts contre lui : le ministre, affectant de se sacrifier à la paix du royaume, se retira à Bouillon, en Belgique. Personne ne fut dupe de cette comédie : mais elle fut efficace en privant la rébellion de son argument majeur.

Page 375

a. Retz a écrit par mégarde *Pontoise*, alors que le président de Mesmes est auprès de la cour, à *Compiègne* : nous rectifions.

1. Le lieutenant criminel était attaché au prévôt de Paris pour instruire les procès criminels. Le lieutenant particulier était celui qui, à Paris, avait la charge de la police.

2. La *cour des pairs* désigne ici le parlement de Paris. Ce titre l'assimile à l'ancienne cour de justice autrefois formée par les douze pairs de Charlemagne pour juger les délits commis par l'un d'entre eux. Lorsque le Parlement fut investi des fonctions judiciaires suprêmes, les pairs (qui s'étaient multipliés au fil des années) eurent le privilège d'y siéger et c'est leur présence qui, seule, autorisait le parlement de Paris, à l'exclusion des autres, à s'intituler *cour des pairs*. Cette désignation, qui connote, comme celle de *sénat*, la dignité et la majesté du Parlement, sert ici à faire ressortir, par contraste, la légèreté de sa conduite.

3. Voir plus haut, II, p. 359.

Page 376

1. L'anarchie interne eut en effet des conséquences désastreuses dans le domaine extérieur. Sur Barcelone et la Catalogne, voir plus haut II, p. 252, note 1. En Italie, la place stratégique de Casale, que les Français avaient réussi à conserver depuis 1628 malgré trois sièges, fut prise le 21 octobre 1652 par le gouverneur espagnol de Milan, le marquis de Caracène, qui la remit au duc de Mantoue.

2. Sur Brisach, voir plus loin, p. 405, note 1.

3. Rappelons que les écharpes isabelle étaient celles de Condé et les bleues celles du duc d'Orléans.

Page 378

1. L'exemple du connétable de Saint-Pol, qui passait pour avoir joué double ou triple jeu entre Louis XI, le duc de Bourgogne et le roi d'Angleterre, et avait fini décapité en 1475, était proverbial (voir la *Satire Ménippée*, IX).

Page 379

1. Voir plus haut, II, p. 317.

2. Le nom d'*Ormée* fut donné à la faction extrémiste de la Fronde bordelaise, d'après le lieu planté d'ormes où se rassemblaient ses membres. C'est dans les libelles issus de son sein qu'on rencontre les idées politiques les plus radicales, sans qu'il soit possible de savoir s'ils reflètent l'opinion de la majorité de ses membres ou s'ils sont les instruments d'agitateurs peu nombreux, se réclamant des *niveleurs* anglais, et qui espéraient trouver à Bordeaux un milieu perméable à une idéologie républicaine égalitaire. Voir l'*Introduction*, p. 42.

3. Voir plus haut, II, p. 338.

Page 380

1. *Godenot* : « petite figure, ou marionnette dont se servent les charlatans pour amuser le peuple » (Fur.) ; ces figures étaient mues par un fil ou *filet*. Cette comparaison de Mazarin avec un *godenot* a pu être inspirée à Retz par la célèbre *ballade en na, ne, ni, no, nu* de Marigny (voir I, p. 521) : on l'y trouve en effet dans l'*envoi*, quatre vers avant la fin ; elle devait être courante au temps de la Fronde.

Page 385

1. Le *Tableau du Parlement* (manuscrit 14028 de la B.N.) décrit en ces termes le président Charton : « esprit brusque, turbulent, qui se pique d'intelligence, de capacité, de justice ; veut de grandes déférences et de grands honneurs ; il se rend facilement ». Ce personnage est présenté ici comme le type même du magistrat frondeur.

2. Sur les démêlés de Louis Ier de Bourbon, prince de Condé, avec les pasteurs protestants de La Rochelle, voir plus haut, I, p. 345.

Page 386

1. L'*oracle* était Mazarin et les *prêtres des idoles* les créatures qu'il avait laissées auprès de la Reine.

Page 387

1. Il est exact qu'à cette date la réception officielle du bonnet par Retz ne changeait pas grand-chose, puisqu'il avait depuis plusieurs mois renoncé à respecter les obligations que lui imposait le cérémonial. Et sa nomination ne pouvait être remise en cause. En revanche, les autres arguments des serviteurs de Mazarin ne sont pas faux...

Page 389

a. Le texte de ce discours ne figure pas dans le manuscrit. On y trouve simplement, de la main de Retz : « C'est en ce lieu où il faut écrire la harangue qui est imprimée, après quoi il faut reprendre *a linea.* » Les partisans de Condé avaient fait circuler une fausse version de cette harangue pour discréditer Retz. Aussi fit-il imprimer et diffuser le véritable texte, dont on a retrouvé des exemplaires. Le titre exact en est : *La véritable harangue faite au Roi par Mgr le Cardinal de Retz, pour lui demander la paix et son retour à Paris, au nom du clergé et accompagné de tous ses députés.*

1. Cette harangue est à base de lieux communs. Par exemple, l'idée que « les rois sont les vivantes images de la divinité sur terre » était selon les politologues la formule même de la monarchie de droit divin. Rien de plus traditionnel, également, que l'idée que les grands dignitaires de l'Église étaient autorisés à rappeler au souverain ses devoirs de père du peuple et de chrétien. Ce discours est habile, donc, mais pas insolent. Si certains critiques croient y percevoir de l'impudence et de l'hypocrisie, c'est parce qu'ils sont sensibles, en lisant les *Mémoires*, au contraste brutal entre deux langages : celui du narrateur, désinvolte et ironique, et celui du prélat dans l'exercice de ses fonctions, conventionnel et pompeux. D'où l'impression que ce dernier sonne faux. Si Retz eût résumé sa harangue en trois lignes au lieu d'inviter un secrétaire à en recopier le texte intégral sur l'original imprimé, l'effet de discordance ne se fût pas produit. Il convient d'apprécier ce morceau pour ce qu'il fut : un discours d'apparat, en style convenu, conçu en vue d'un effet bien précis — ramener le Roi à Paris — ; il contient d'autant moins d'éléments personnels que Retz y parle en tant que chef de la délégation du clergé parisien.

Page 391

1. Henri IV remporta le 14 mars 1590, à Ivry, une victoire décisive sur l'armée des Ligueurs renforcée de troupes espagnoles. Il avait donné pour consigne à ses hommes : « Tue l'étranger, sauve le Français. » Et il fit tout, une fois son pouvoir assuré, pour opérer une réconciliation : d'où l'amnistie et la confirmation du Parlement dans ses fonctions (28 mars 1594).

Page 392

1. Retz souligne ici que la Fronde, à la différence de la Ligue et des guerres de religion, respecta toujours la personne du souverain et le principe monarchique lui-même.

2. Le 4 août 1590, le cardinal de Gondi, accompagné de l'archevêque de Lyon, s'était rendu auprès de Henri IV, qui venait de s'emparer des faubourgs de Paris. Il avait été reçu publiquement par le Roi, dans l'abbaye de Saint-Antoine où celui-ci avait ses quartiers. Dans sa réponse, Henri IV, sans rien céder sur son autorité, avait affirmé sa volonté de paix. Retz rêve de passer, comme son grand-oncle jadis, pour un des artisans de la réconciliation générale.

3. Tout ce passage se réfère aux théories politiques du temps : voir l'*Introduction*, pp. 35-41.

4. Les « formalités légères » dont parle Retz sont les conditions mises par la cour à son retour à Paris, et sur lesquelles elle ne transigera pas : Condé doit d'abord déposer les armes.

Page 393

a. Le passage qui commence ici porte la trace de tâtonnements nombreux, correspondant sans doute à une interruption, puis à une reprise de la rédaction. Car en haut de la page 2374, dont une bonne part a été raturée, on peut lire cette mention, biffée : *A Commerci, le 28 février.* Il s'agit très probablement de l'année 1676. Voir sur ce point l'*Introduction*, I, p. 69, et A. Bertière, op. cit., p. 111.

1. Nouvelle allusion à saint Ambroise refusant (voir I, p. 279) l'entrée de sa cathédrale à Théodose, coupable d'avoir massacré les habitants de Thessalonique au cours d'une émeute. C'est ici un appel au pardon en faveur des sujets révoltés. Retz prend soin de ne pas s'identifier lui-même à saint Ambroise : c'est l'Église de Paris qui prend la relève de l'archevêque de Milan.

2. Retz évoque tour à tour dans ce discours les deux souverains érigés en modèles par la littérature politique : Henri IV (à la page 391) et saint Louis. A ce dernier il associe sa mère, Blanche de Castille, qui exerça le pouvoir très sagement pendant la minorité de son fils et pendant ses expéditions en croisade : ce qui lui permet de terminer sur un hommage à Anne d'Autriche, également régente, également espagnole.

3. « *A la tirer par écrit* » : à en obtenir une copie. Cette réponse fut publiée ensuite à Compiègne. On en trouvera le texte au t. IV de l'édition des G.E.F., pp. 576-579.

Page 399

a. « *Qu'est-il de faire ?* » : tel est bien le texte de l'autographe. La correction de la copie Caffarelli : « qu'est-il *besoin* de faire ? » fausse le sens, qui est simplement : « qu'y a-t-il à faire ? que faire ? ». Il s'agit sans doute d'un italianisme, calqué sur la tournure : « Che c'è da fare ? ».

Page 401

1. Sur les chaînes qu'on tendait la nuit à travers les rues, voir I, p. 317, note 1. L'enlèvement des chaînes aurait assuré la libre circulation des troupes.

2. L'adjectif *présent* se rapporte à Monsieur : celui-ci peut passer pour ignorer les effets lointains du retour de Mazarin ; mais, étant présent à Paris, il ne peut pas ne pas voir que la Reine s'apprête à châtier la ville, s'il ne s'y oppose.

Page 403

1. Formule adaptée des *Annales* de Tacite (VI, XIV), où Terentius plaidant pour Séjean dit à Tibère : « *Tibi summum rerum judicium Dii dedere ; nobis obsequii gloria relicta est* » (« Tu as reçu des Dieux la souveraine décision de toutes choses ; à nous il reste la gloire de l'obéissance »). Retz se réfère-t-il directement à Tacite ? ne songe-t-il pas plutôt à l'usage qu'avaient fait de cette formule les théoriciens politiques de son temps ? Claude Saumaise, par exemple, dans sa *Defensio Regia* (1650), y voyait la meilleure formulation de l'absolutisme. Cette citation, dans la bouche de Retz se soumettant d'avance aux décision de Gaston d'Orléans, serait donc un trait d'esprit, tirant son sens des débats contemporains sur l'autorité royale.

Page 404
1. Le texte de cette lettre, adressée non à Le Tellier, mais à Mazarin, figure dans les *Mémoires* de Mlle de Montpensier. Selon Conrart, on affirma « que c'était une ruse du Cardinal, qui avait fait écrire la lettre exprès, et exposé le courrier, pour donner jalousie au Prince du duc d'Orléans ».

Page 405
a. Le manuscrit porte ici la trace de longs tâtonnements, qui ont fait mentionner dans certaines copies : « Il y a ici près d'une page effacée ». Le passage a été très travaillé. Le désir de ne rien laisser échapper d'une pensée subtile le dispute à l'exigence de clarté. On notera le recours aux exemples concrets, seuls capables de faire comprendre ce qui se dérobe à la spéculation abstraite.

1. Retz a parlé plus haut (II, p. 164) des vues de Mazarin sur Brisach. Pour comprendre les allusions qu'il fait ici au sort ultérieur de cette place, quelques éclaircissements sont nécessaires. Les incroyables péripéties qui se déroulèrent donnent une bonne idée de l'état d'esprit qui prévalait alors et du degré d'anarchie dans lequel était tombé le royaume.

La place de Brisach, sur le Rhin, était restée, après la mort du gouverneur Erlach en mars 1652, entre les mains de son lieutenant, Charlevoix. Celui-ci ne s'entendant pas avec le successeur donné à Erlach par la cour, entra en rébellion, entraînant avec lui la garnison. La veuve du maréchal de Guébriant, dont il avait été autrefois « domestique », offrit à la cour de le lui livrer : elle l'attira, sous prétexte d'un rendez-vous galant avec sa suivante, dans une maison de campagne où il fut arrêté. On l'envoya prisonnier à la forteresse voisine de Philipsbourg, dont le comte d'Harcourt était gouverneur. Brisach resta privée de commandement.

Le comte d'Harcourt était alors en Guyenne, comme général des troupes royales. Mais il était très mécontent de la cour, qui avait insuffisamment payé son rôle dans le transfert des Princes au Havre (voir plus haut, II, p. 72). Charlevoix lui fit transmettre, par l'intermédiaire de ses geôliers, des propositions : s'il pouvait joindre Brisach à Philipsbourg, il serait en position de force pour négocier avec la cour. Harcourt quitta donc l'armée de Guyenne pour se rendre en Alsace ; il libéra Charlevoix et entreprit avec la cour, sous la menace, des pourparlers qui échouèrent. Il tenta alors de jeter ce que La Rochefoucauld appelle « les fondements d'un établissement assuré et indépendant », c'est-à-dire de créer à son profit, autour des deux places fortes, une principauté d'Empire. Mais les officiers de la garnison refusèrent de passer au service de l'Empereur et l'abandonnèrent. Et comme Mazarin avait d'autre part envoyé des troupes contre lui, il se décida à traiter : « Brisach fut remis au pouvoir du Roi le 1ᵉʳ jour de juin [1652]. Le comte d'Harcourt eut abolition de sa rébellion, avec tous ceux qui l'avaient suivi. On lui rendit le gouvernement d'Alsace [...] à condition qu'il s'en démettrait quand le Roi lui donnerait un autre gouvernement » (ce fut l'Anjou), « Charlevoix eut par cet accord une bonne somme d'argent [...] et toute l'Alsace demeura paisible dans l'obéissance du Roi. » (*Mémoires* de Montglat).
2. Le bon génie de la France : voir II, p. 291, n. 1.

Page 407

a. Le manuscrit porte bien ici le subjonctif *seûst* (= *sût*), qui est l'équivalent d'un irréel.

b. Après « *toutes les autres* », il y a un signe de renvoi, qui correspond à un feuillet erratique paginé 755' et inséré à la fin du tome 1er de l'autographe (voir I, p. 380 *a*). Cette addition (de « *ce temps-là* » à la fin du paragraphe) a été intégrée à sa place par les éditeurs des G.E.F. et par tous les suivants.

1. Procureur du Roi de la Ville : voir II, p. 328, note 1. — Dans cette phrase, le pronom *elle* représente, lors de sa première occurrence (« *elle ne la leur pouvait accorder...* ») la cour, et lors de la seconde (« *tant qu'elle reconnaîtrait* ») la Ville.

2. Voir plus haut, II, pp. 352-355.

Page 408

1. Manteaux noirs : bons bourgeois (voir plus haut, I, p. 316, note 1). Retz cherche à minimiser l'importance d'une assemblée qui semble avoir été un succès.

2. A la paille, emblème de la Fronde, répondait l'insigne de papier, emblème de la fidélité au Roi.

Page 409

1. Sur la procession de la Ligue, voir I, p. 348, note 1.

Page 411

a. Retz a omis par inadvertance l'article *la*, que nous rajoutons.

Page 412

1. L'uniformité de cette conduite : or ce que relève le duc de Lorraine, c'est l'incohérence des Parisiens, qui exigent sa sortie de la ville et en même temps y font obstacle ; il faut donc entendre le mot *uniformité* comme une antiphrase, d'ailleurs à sa place dans un contexte ironique.

2. Retz avait d'abord écrit : *avec le Père Didaque*, le confesseur de Madame, dont la piété était bien connue. Il a remplacé son nom par celui de Mlle Claude, une fille d'honneur de la duchesse : deux versions irrespectueuses, caractéristiques du langage de Charles IV de Lorraine.

Page 415

1. Trivelin et *Scaramouche* sont les noms de scène de deux célèbres acteurs italiens, Domenico Locatelli et Tiberio Fiorelli, qui jouaient à Paris à cette époque des comédies d'improvisation. Trivelin, spécialisé dans les rôles de *zanni*, c'est-à-dire de valets, opta dans cet emploi pour le type fourbe et rusé, plutôt que pour le type balourd. Scaramouche, lui, dérivait du *capitan*, fanfaron et couard, mais homme de ressources. Il est probable que l'allusion évoque ici, non le caractère des deux personnages, mais un jeu de scène traditionnel.

Page 416

a. Retz a écrit *si tôt*, mais c'est évidemment un lapsus pour *si tard* : nous corrigeons, comme l'a fait la copie Caffarelli.

b. L'autographe comporte ici un paragraphe raturé : « ...au-devant de lui : [Madame l'en pressa au dernier point parce qu'elle était persuadée et que la convenance même l'y obligeait et qu'il n'y avait aucun péril pour sa personne ; il n'y en avait point effectivement. Je le lui dis avec liberté. M. de Beaufort fut même de cet avis ; il eut peur et il n'osa jamais sortir de Luxembourg ; sa frayeur, que l'on ne concevait pas à la cour, y jetait de la défiance, et au point que Servien me dit, quelques jours après, que, dans les règles de la prudence, l'on n'eût pas dû exposer la personne du Roi au caprice d'un peuple, à la fantaisie d'un parlement.] »

Page 417

a. La leçon du manuscrit est ici *emporté* au masculin, qu'on peut entendre, soit comme une tournure impersonnelle, soit comme un participe passé se rapportant à *peuple* (fin de la phrase précédente), *emporter* suivi d'un complément de personne signifiant au XVIIᵉ siècle : entraîner, emporter l'adhésion de.

1. La Reine était allée se loger au Louvre, moins agréable, mais plus facile à défendre que le Palais-Royal. Demander au Roi de s'installer à l'Hôtel de Ville, c'était laisser entendre qu'on voulait être maître de sa personne.

Page 419

1. « Tout autre que mon père / L'éprouverait sur l'heure » (*Le Cid*, I, 6). Rodrigue, à qui son père vient de demander s'il a du cœur, indique par sa réplique que cette question est par elle-même injurieuse, tant la réponse va de soi.

2. Un discours *amphibologique* est un discours à double sens. Retz ne veut pas dire que Gaston d'Orléans tenait intentionnellement un discours ambigu, mais que les mêmes mots, dans la bouche d'un héros — Gaston de Foix — ou dans celle d'un pleutre, en viennent à avoir une signification différente. Idée très moderne : le sens d'un discours est fonction des conditions dans lesquelles il est énoncé.

Page 420

1. Voir II, p. 108 et note 1.

2. Passage difficile. « *En son entier* » : dans son état d'intégrité, intact. Retz veut dire que toutes les conversations antérieures avec Gaston d'Orléans lui ont donné l'occasion d'épuiser la matière, qui n'est plus intacte — c'est une litote. Il pourrait en tirer argument pour refuser d'en débattre à nouveau ; s'il consent à le faire, ce sera à *moitié*, sans émettre aucun avis personnel.

Page 421

1. Les *mezzi termini* : les moyens termes, « partis moyens qu'on prend pour terminer une affaire embarrassante, pour concilier des prétentions opposées ». C'est une allusion au goût de Mazarin pour les négociations ambiguës. L'expression italienne a une connotation péjorative que n'a pas toujours son équivalent français.

2. « *Avec distinction* » : en faisant des distinguos.

Page 422

1. Le Cours-la-Reine. La *maison* de Monsieur, c'est sa maison militaire, ses troupes.

Page 424

1. Le 12 mai 1588 le peuple de Paris, soupçonnant Henri III de vouloir faire arrêter les Ligueurs extrémistes, avait couvert la ville de barricades. En fait le mouvement, qui parut très soudain et très spontané, avait été organisé avec soin par le duc de Guise et ses partisans depuis plus de quinze jours ; ils avaient pour but de s'emparer du Roi, de l'enfermer dans un couvent et de le remplacer par le duc lui-même. Mais Henri III, prévenu, put s'échapper.

Page 429

1. Voir plus haut, II, p. 13.

Page 430

1. Voir plus haut, II, pp. 188 sqq.

Page 431

a. « *...de* bruit » : tel est bien le texte du manuscrit.

Page 432

1. « *Hommes à manger des pois au veau* » : expression populaire proverbiale pour : des gens sans courage, prêts à se laisser insulter sans réagir. *Schelme* : misérable (voir II, p. 229, note 2).

2. « *Homme de cire* » : métaphore biblique très employée. Retz la prolonge par le mot *impressions*, qui évoque les marques que les cachets *impriment* dans la cire. Rapprocher de Massillon : « Vous avez un cœur de cire, dit le prophète, sur lequel les dernières impressions sont toujours les plus vives » (*Sermon de Carême*).

Page 434

a. Le mot *fortifiées* manque dans l'autographe ; nous le suppléons d'après la copie Caffarelli.

1. Monsieur le Premier : selon l'ellipse d'usage, le premier écuyer de la petite écurie de la Reine, Henri de Beringhen.

Page 435

a. La quasi totalité du paragraphe qui commence ici, jusqu'à « *rien n'était plus faux* » (page suivante, ligne 11), ne se trouve pas à sa vraie place dans le manuscrit ; il figure à la fin du tome 1er sur trois feuillets supplémentaires paginés 755 bis, ter et quater ; un signe de renvoi correspond dans le texte à l'endroit où il faut l'insérer. Cette addition confirme l'effort du mémorialiste pour tenter d'expliquer — et de s'expliquer — une arrestation à laquelle il ne s'attendait pas, parce que, politiquement parlant, elle était périlleuse pour la cour : elle ne pouvait que compliquer les relations avec le Saint-Siège et jeter le désordre dans l'Église de Paris — ce qu'elle fit. Mazarin se rendait compte qu'il eût mieux valu l'envoyer à Rome (voir lettre à l'abbé Fouquet du 26 octobre 1652). Mais Retz avait accumulé contre lui beaucoup d'inimitiés ; Mazarin, qui ne lui pardonnait pas d'avoir cherché à l'évincer, joua le tout pour le tout — et il gagna.

1. Le P. Rapin confirme, jusque dans les moindres détails, l'incident évoqué ici par Retz. Mais il ajoute que Mazarin souhaitait ne point voir l'évêque de Châlons et que ce contretemps avait été combiné par lui à dessein, pour lui permettre de dire qu'il était étranger à l'arrestation de Retz : voir plus loin, p. 437. Ici Retz fut la dupe de Mazarin.

Page 436

1. Lors de la révolte dirigée par Masaniello contre les Espagnols, à Naples, en 1647, le duc Henri de Guise, dont la famille avait d'anciens droits sur ce royaume, fut choisi comme chef. Mais il indisposa les Napolitains par son incapacité. Les Espagnols, ayant repris la ville, l'envoyèrent en captivité à Madrid en 1648. Un peu plus tard Condé obtint sa libération. Tout récemment arrivé à Paris, au début d'octobre 1652, il oublia ce qu'il devait au Prince pour se mettre au service du Roi contre celui-ci. La réponse de Retz est ironique, Henri de Guise n'ayant guère commis à Naples que des maladresses.

2. « *Me faire périr* » : ce mot peut être entendu soit au sens propre — et il désigne alors les projets d'assassinat évoqués dans le paragraphe suivant — soit au figuré — et il annonce l'arrestation. Cette équivoque est probablement voulue.

3. *Contrôleur* : personne chargée de la surveillance générale de la maison.

4. Sur le meurtre de Concini, voir plus haut, I, p. 242, note 1.

5. Archevêque de Reims à partir de 1671, Charles Maurice Le Tellier, fils du ministre de Mazarin, était bien placé pour avoir eu communication de cet ordre, qui était conforme à ce qu'en dit Retz.

Page 437

1. *Saint-Germain* l'Auxerrois, paroisse du Louvre.

2. Retz laisse ici à Mazarin le bénéfice du doute. Mais les travaux de R. Chantelauze (*Aff. Chap.*, pp. 302-312) ont apporté la preuve que Mazarin avait conseillé secrètement à la Reine l'arrestation. Il avait attendu qu'elle fût faite pour rentrer à Paris, afin qu'elle ne lui fût pas imputée (il était lui aussi cardinal). Les principaux griefs invoqués contre Retz — reprise de contacts avec Condé depuis la mise hors la loi de celui-ci — ne furent jamais prouvés. En fait ce fut une arrestation préventive (voir plus loin, p. 441).

Page 438

1. L'arrestation étant décidée, la Reine attendait « une bonne occasion », dit Mme de Motteville. Mais Retz se méfiait. Le conseil secret, qui fut en effet tenu le 25 novembre, servit de prétexte au piège qu'on lui tendit pour l'attirer au Louvre, sous couleur d'accommodement. Retz avait tout de même pris la précaution, avant de quitter l'archevêché, de brûler tous ses papiers.

Page 439

1. Le roi d'Angleterre en exil, Charles II, avait pris Retz comme intermédiaire dans ses négociations à la cour de Rome. Il espérait en obtenir des subsides, contre la promesse de la liberté de culte pour les catholiques anglais, s'il était restauré. Mais Rome souhaitait le convertir au catholicisme.

2. Le *Protecteur*, c'est-à-dire Cromwell, bien qu'il n'eût pris ce titre qu'en décembre 1653 : mais c'est sous ce titre qu'il est connu lors de la rédaction des *Mémoires*. Retz, qui avait alors la confiance de Charles II, s'indigne qu'on lui ait prêté des relations avec son ennemi.

Page 440

1. Retz cherche à se flatter ; mais l'état d'esprit du peuple n'est plus ce qu'il était lors de l'arrestation de Broussel. On sent d'ailleurs qu'il n'est pas vraiment dupe de cette illusion.

2. Le terme de *lit* désigne non le meuble lui-même, mais les pièces d'étoffe dont il est garni, notamment le baldaquin et les rideaux.

Page 441

1. Lazarillo de Tormes, héros d'un récit anonyme portant son nom (1554) et le Buscon, protagoniste de *La vie de l'Aventurier don Pablos de Ségovie, vagabond exemplaire et miroir des filous*, de Quevedo (1626) sont passés dans la langue pour désigner le type du *picarò*, anti-héros, gueux sans scrupules vivant d'expédients. La littérature picaresque espagnole avait été répandue en France par des traductions, notamment en 1620 celle du *Gusman d'Alfarache* — l'autre grand classique du genre — par Chapelain. Ces mêmes noms de Lazarillo et du Buscon apparaissent dans l'*Illusion comique* de Corneille (I, 3), avec une fonction identique.

Page 442

1. Le curé de la petite église de Saint-Barthélémy, dans l'île de la Cité, nommé Pierre Roullé, était un adversaire du jansénisme. Il se distingua lors de la querelle du *Tartuffe* par un très virulent pamphlet contre Molière, *Le Roi glorieux au monde*, 1664. On ne sait s'il était membre de la compagnie du Saint-Sacrement : il en défend en tout cas les thèses en matière de théâtre.

2. Retz fut transféré en mars 1654 de Vincennes au château de Nantes, où il jouissait d'une relative liberté. Il s'évada de Nantes le 8 août 1654.

3. *Étude* étant ici masculin selon l'usage ancien, « *toutes les autres* » veut dire : toutes les autres *langues* ; les trois langues de culture au XVIIᵉ siècle — français, italien et espagnol — sont en effet des langues romanes.

4. Boëce (480-524), arrêté pour avoir participé à un complot contre l'empereur Théodoric, écrivit en prison un *De Consolatione Philosophiae*, qui eut un succès considérable au moyen âge. Retz possédait un exemplaire de ses œuvres, qui figure parmi les ouvrages de sa bibliothèque qu'il céda aux moines de Saint-Mihiel. On notera que le Cardinal demande des consolations non à la philosophie, comme Boëce, mais à la théologie.

Page 443

1. L'expression *vinctus in Christo*, littéralement « captif dans le Christ » est sans doute une contamination entre deux passages où saint Paul se nomme lui-même *Vinctus Christi Jesu*, « captif de Jésus-Christ » (*Philémon*, 1 et 9, *Éphésiens*, III, 1), pour marquer sa soumission totale à la volonté divine, et un autre passage — probablement écrit pendant sa captivité à Rome en 62-63 — où il se dit *vinctus in Domino*, « captif dans le Seigneur » (*Éphésiens*, IV, 1). La contamination est rendue possible par les deux sens de *vinctus* : tout prisonnier, au sens propre, trouve dans le Christ, qui souffrit lui-même la prison, un modèle et une consolation ; mais aussi tout chrétien, qu'il soit prisonnier ou libre, vit dans le Christ, dont il est, au figuré, *captif* : et la prison terrestre ne compte plus pour lui.

2. *Silva* : au sens propre « forêt » en latin, est pris ici au sens classique de « mélanges », « recueil de pièces diverses ». La *Silva* la plus connue était celle de Stace.

3. Saint Charles Borromée (1538-1584), canonisé en 1610), ici associé à son cousin Frédéric, qui continua son œuvre à la tête du diocèse de Milan, est une des grandes figures de la contre-réforme issue du concile de Trente. Indépendamment de son rayonnement spirituel, il fut un grand administrateur et l'artisan majeur d'une réforme de l'épiscopat. Les *Acta Ecclesiae Mediolanensis*, « trésor de doctrine et de la vraie discipline ecclésiastique » selon le pape Paul V, firent l'objet d'une publication partielle à Paris, en 1643, par les soins du P. Olier, fondateur des Sulpiciens. La Constitution des oblats de saint Charles avait servi de modèle à Bérulle pour l'Oratoire. L'admiration de Retz pour l'archevêque de Milan, surnommé « le saint Ambroise de son siècle », et à qui il consacra en 1646 un sermon dont le texte nous a été conservé, s'adresse au réformateur du clergé : une telle référence atteste chez lui, quoi qu'on puisse penser de ses écarts de conduite personnels, une dette importante à l'égard des milieux religieux dans lesquels gravitait sa famille.

4. *Partus Vincennarum* : « l'enfantement, le fruit de Vincennes ». On a voulu y voir une première ébauche des *Mémoires*, parce que Guy Joly parle d'un embryon d'autobiographie en latin, vite abandonnée par le Cardinal. Mais ce qui est dit ici du contenu de cet ouvrage contredit cette interprétation. De toute cette production du temps de captivité, rien n'a été conservé.

5. C'est en effet en privant Retz de toute source de revenus et en le contraignant à vivre, des années durant, sur la bourse de ses amis, que Mazarin mina peu à peu sa résistance et le prépara à la démission de l'archevêché. Ces confidences sur la prison et les dettes sonnent juste, et témoignent d'une volonté de transmettre une expérience authentique et neuve.

Page 445

1. La *mathématique*, c'est-à-dire la science des nombres, ne se distinguait pas de la physique au XVIIe siècle. Le médecin de Retz est légitimement qualifié d'homme de *mathématique* comme inventeur d'une *machine*.

Page 446

a. Le manuscrit porte bien *attrapée* et non *attaquée*.

1. Mézières, dont son ami Bussy-Lamet était gouverneur.

Page 447

a. La leçon de l'autographe, *maire*, est dépourvue de sens. Nous suivons le texte des premières éditions, qui ont corrigé en *maître*.

1. Le pape Innocent X détestait Mazarin, qui avait intrigué en 1644 pour empêcher son élection. Il ne manquait pas de précédents pour lancer les *foudres* de l'excommunication sur les responsables de l'emprisonnement d'un cardinal. Le cardinal de Guise est Louis, frère du Balafré, assassiné sur l'ordre de Henri III : la demande d'absolution de celui-ci fut mal accueillie par le pape Sixte Quint, qui le cita à comparaître et le menaça d'excommunication. George Martinusius, archevêque de Strigonie et cardinal, fut mis à mort en 1551 sur ordre du frère de Charles Quint, qui encourut une excommunication. Melchior Clesel, évêque de Vienne, avait été arrêté sur l'ordre de l'empereur Mathias en 1618 ; transporté au château Saint-Ange à Rome, il fut jugé, déclaré innocent et rétabli dans son siège. On se rappellera que les prêtres avaient le privilège de relever de tribunaux ecclésiastiques indépendants du pouvoir et que les papes réagissaient très vivement aux atteintes portées par les souverains à des dignitaires de l'Église.

2. Voir plus haut, II, p. 269.

Page 448

1. *Maître de chambre* : premier officier de la maison d'un cardinal.

Page 449

1. Hyperbole proverbiale pour dire « écrit beaucoup ». Saint Thomas d'Aquin, l'auteur de la *Somme*, avait laissé de très nombreux écrits.

Page 451

1. Ce discours fut en effet publié, en août 1653, sous le titre de : *La Réponse de Mgr le cardinal de Retz faite à M. le nonce du Pape et à MM. de Brienne et Le Tellier, secrétaires d'État.*

2. La *prébende* est un revenu attaché à un canonicat. Retz, qui avait été doté d'abbayes très jeune, en avait sans doute cédé le revenu à ce condisciple, par amitié ; il l'avait fait plus tard chanoine de Notre-Dame.

Page 452

1. En prévision de la mort de son oncle, Retz avait prévu qu'un délégué muni d'une procuration irait prendre possession en son nom de l'archevêché. On ne sait si cette procuration avait été préparée et signée par lui avant son incarcération ou si, selon le témoignage de Claude Joly, elle lui fut apportée dans sa prison par un notaire apostolique déguisé en ouvrier tapissier. La cour avait prévu d'exiger de lui, avant toute prise de possession, un serment de *fidélité*, pour pouvoir prétendre ensuite que son serment n'était pas recevable, puisqu'il était incarcéré précisément pour refus de fidélité au Roi. Elle se trouva prise de court. — *Fulminer* (terme de droit canon) : publier un acte de condamnation. Les *bulles* d'un évêché (voir I, p. 261, note 3) sont les lettres par lesquelles il est conféré à son titulaire. En langage courant, cette phrase signifie qu'on proclamait, malgré le Roi et conformément au droit canon, la prise de possession de l'archevêché par Retz.

2. Retz bénéficiait du soutien presque unanime des curés de Paris. Ils étaient en majorité jansénistes et comptaient sur lui pour les protéger contre les jésuites, influents à la cour. Ils appréciaient d'autre part chez lui le souci de remplir ses obligations épiscopales, notamment dans l'administration du diocèse et la prédication. La fermeté de leur action pour sa défense suffit à prouver qu'il était considéré, en dépit de ses mœurs et de son action politique, comme un bon archevêque.

3. *Fermer les églises* : Retz pouvait, selon le droit canon, jeter l'*interdit* sur le diocèse, c'est-à-dire y suspendre l'exercice du culte. Dans les *Mémoires*, il ne fait qu'une brève allusion à cette arme redoutable, sans expliquer

pourquoi il s'abstint d'en user. A chacun d'imaginer les motifs de son abstention, puis de son silence.

Page 453
a. Le manuscrit porte *Saint-Mars*, lapsus ou abréviation pour Saint-Médard, que nous rétablissons.

1. Les abbayes énumérées ici rapportaient au total cent vingt mille livres, soit presque le double de l'archevêché de Paris : fidèle à son habitude Mazarin tentait d'acheter la démission de Retz.
2. « *In ogni modo* » : en italien, « de toute façon ».

Page 454
1. Ce n'est pas parmi les *prélats* assassinés qu'il faut chercher ces exemples ; l'allusion concerne tous les *captifs* morts *en prison*, dont la fin fut hâtée discrètement par le fer ou le poison. On en citait beaucoup de cas à l'étranger. En France même, le décès rapide de plusieurs opposants à Richelieu avait paru suspect aux contemporains ; on parlait aussi d'une cellule de Vincennes, dont l'air insalubre « valait son pesant d'arsenic ».
2. Devant l'imminence de la défaite, l'éthique aristocratique glorifiant l'action est relayée par une morale stoïcienne de résistance aux vicissitudes de la fortune : opposition classique, déjà exploitée dans *La Conjuration de Fiesque* (p. 186, note 2). La littérature, notamment le théâtre de Corneille, fournissait la phraséologie appropriée, dont on perçoit ici l'écho : les *apophtegmes* cités se veulent traditionnels dans leur formulation même, et l'on a affaire à une mise en scène théâtrale.

Page 455
1. « *Pour une feuille de chêne* » : c'est-à-dire *pour rien*. « On dit proverbialement que la monnaie du diable est des feuilles de chêne, qu'il fait paraître comme de l'or » (Furetière) et, bien sûr, dans tous les contes folkloriques, cet or redevient feuilles de chêne au fond de la bourse...

Page 456
a. *Tomber* : telle est bien la leçon du manuscrit. La copie Caffarelli corrige en *vous faire tomber dans le piège* ; mais le verbe *tomber* était employé transitivement au moyen âge et au XVIᵉ siècle, dans le sens d'*abattre* ; au XVIIᵉ Vaugelas en blâmait l'emploi, réputé gascon.

1. Les libertés de l'Église gallicane accordaient au Roi toute latitude pour choisir les évêques ; mais elles ne l'autorisaient pas à les destituer à sa guise. Le Pape, pour des raisons de principe, ne pouvait accepter une démission qui, outre qu'elle était extorquée par la force (« datée du bois de Vincennes »), constituait une atteinte à son autorité.

Page 457
1. Ces précautions compliquées s'expliquent sans doute par le souvenir de la prison des Princes et des transferts dont ils furent l'objet. La Meilleraye, lieutenant général en Bretagne et gouverneur du château de Nantes, est choisi, bien que dépendant du Roi, comme une sorte de personnalité neutre, offrant à Retz un séjour intermédiaire entre la captivité et la liberté, en attendant que le Pape ratifie la démission. Le Roi engage sa parole de ne

rien faire de plus contre Retz d'ici là, sans l'assentiment de M. de Bellièvre. L'intervention de ce magistrat, représentant le Parlement — qui est, ne l'oublions pas, la plus haute cour de justice —, donne à cet engagement un caractère juridique très difficile à violer. Et Retz, confié au maréchal de La Meilleraye, se voyait à l'abri des vexations, et surtout des tentatives d'assassinat, pour le cas probable où la situation s'éterniserait en cas de refus de la démission par le Pape.

Page 458

1. « *Tout homme que l'on garde en est quitte* » : toute l'argumentation concernant la démission, puis la promesse de ne pas s'évader, repose sur l'idée très ancienne que seul un *homme libre* peut engager sa parole ou signer des actes ayant une valeur juridique. Retz, prisonnier, n'est donc pas lié par les engagements qu'il prend. Il le serait si, en échange de sa parole, La Meilleraye renonçait à la faire garder. Dans le cas contraire, il en est *quitte*. Puisqu'il sera sous surveillance à Nantes, il est *inutile* d'exiger de lui un serment dépourvu de valeur. — Le bruit avait couru, plus tard, que Retz avait violé sa parole de ne pas s'évader. Tout en affirmant n'avoir jamais donné une telle parole, il démontre ici que, même s'il l'eût donnée, elle eût été nulle.

Page 461

1. Port-Louis : place forte bretonne. Si La Meilleraye, qui tenait Nantes, avait mis Port-Louis à la disposition de Gaston d'Orléans, il aurait offert à celui-ci, mécontent d'être exilé à Blois, les moyens de recommencer la guerre civile.

2. *Tire-laisse* : « on le dit d'un appât qu'on donne à certaines gens pour les faire entrer dans une affaire dont ils ne tireront aucun avantage » (Furetière). Nous dirions : attrape-nigaud. Le mot, vieilli, se rencontre dans la *Satire Ménippée*, avec le sens légèrement différent de « jeu de dupes ». Il est familier.

3. Toutes les correspondances importantes étaient écrites en *chiffre*. Joly montrait au maréchal de La Meilleraye des *déchiffrements* — c'est-à-dire des transcriptions en clair — de lettres chiffrées venues de Rome, qui paraissaient vrais, alors qu'il s'agissait de faux.

Page 463

1. « *A la portée du demi-pistolet de mes six gardes* » signifie sans doute : à une demi-portée de pistolet. La copie Caffarelli donne « à la portée d'un demi-pistolet et à la vue de mes six gardes ».

2. Le traité *Du Sublime* (*De Sublimi Genere*), attribué à tort au rhéteur Longin, fut très prisé au XVIIe siècle. En 1674 (c'est-à-dire un an avant la rédaction des *Mémoires*), Boileau en avait donné une traduction, en même temps qu'il publiait *L'Art Poétique*. Il est plus que probable que Retz en eut connaissance. Un article de M. Fumaroli (« Apprends, ma confidente, apprends à me connaître... », *Versants*, automne 1981) propose quelques rapprochements suggestifs.

Page 464

1. La bataille de Rethel avait eu lieu le 15 décembre 1650 et la déclaration en question le 18 (voir plus haut, II, p. 94). — C'est là un passage d'un ton exceptionnel, où Retz semble s'adresser, par-dessus la tête de la destinataire, à ses détracteurs et à la postérité : on y entrevoit ce qu'auraient pu être les *Mémoires* si l'auteur avait voulu en faire seulement une « apologie ».

2. Condé menait alors la guerre dans les Flandres aux côtés des Espagnols. Avec l'archiduc Léopold-Guillaume, il investit Arras le 3 juillet 1654, mais dut lever le siège le 25 août.

Page 466

a. Le manuscrit porte le présent *trouvent* au lieu du passé simple attendu : effet de style ? ou inadvertance ?

Page 467

a. « *la route de Mauves* ». La copie Caffarelli remplace ici *de Mauves* par *d'un lieu dont j'ai oublié le nom* : leçon plus exacte que celle de l'autographe, puisque le fugitif passa la Loire, non à Mauves, mais un peu en amont, entre Oudon, où était fixé le rendez-vous, et Champtoceaux. Nous avons maintenu la leçon initiale, caractéristique à la fois du goût de Retz pour les notations précises et de sa négligence quant à leur exactitude rigoureuse. Voir sur ce point, I, p. 401, var. *a.*

1. Cette chanson n'a pas été retrouvée.

Page 468

1. C'est-à-dire du collège de Navarre à Paris.

Page 470

1. Voir plus haut, I, pp. 545-546.

Page 471

1. Selon Guy Joly, Retz fit dresser devant notaire un acte de révocation de sa démission et l'envoya, non pas au Roi, mais à ses amis à Paris, « pour s'en servir en cas de besoin ».

2. La gravité de son état est confirmée par Joly, qui dit que « tout son bras depuis l'épaule jusqu'au coude était noir comme de l'encre » et accuse le chirurgien d'incapacité. Voir aussi les séquelles qui lui restèrent, II, p. 476.

3. Les Biscaïens, habitants d'une des provinces basques espagnoles, sont donc des ennemis qui, à ce titre, *donnent la chasse* à Retz et aux siens ; ceux-ci la *prennent*, c'est-à-dire s'enfuient, pour éviter d'être tous conduits en Espagne comme prisonniers de guerre.

Page 472

a. Le manuscrit porte *Ruis* et non *Rais*, comme l'ont lu par erreur la plupart des éditeurs. Il s'agit de l'île de Rhuis, en réalité une presqu'île, qui sépare au sud le golfe du Morbihan de l'Océan.

Page 473

a. Le manuscrit porte bien *quatre* pistoles, que la copie Caffarelli corrige en *quarante*. Mais la pistole était une unité monétaire d'assez grosse valeur

— dix livres tournois — pour que le chiffre de quatre ne soit pas invraisemblable.

Page 475

1. Voir plus haut, p. 464, note 2.

Page 476

a. Nous suivons ici la copie Caffarelli, qui ajoute *eu* (« s'il n'y eût pas *eu* lieu »). Le manuscrit porte seulement *eust* (= *eût*).

Page 477

1. Une *litière du corps* du roi d'Espagne (*corps* au sens militaire du terme = unité).

Page 478

1. La *Bourgogne* : ici le comté de Bourgogne en Franche-Comté, possession espagnole.

2. La *rondache*, bouclier circulaire très employé au moyen âge, avait disparu en France dès la fin du XVIe siècle : l'objet est perçu ici comme anachronique, avec une nuance discrètement comique.

3. « *Endemoniados* » : en espagnol, possédés du diable.

Page 479

1. Le bâton de l'alcade était la marque de ses attributions judiciaires. L'alcade de Tudela abandonne son bâton à la porte en signe de respect et pour marquer que le Cardinal n'est pas soumis à son autorité.

2. Au XVIIe siècle la situation démographique conduisait à s'installer dans le nord de l'Espagne beaucoup d'immigrants venus du sud-ouest de la France, qui exerçaient surtout des métiers artisanaux.

Page 480

1. La peste régnait à l'état endémique dans l'Europe du XVIIe siècle. Elle éclatait périodiquement en épidémies meurtrières. Celle dont il est question ici frappa d'abord la région de Valence, puis l'Andalousie de 1647 à 1651 ; le mal était ensuite remonté en Catalogne et jusqu'aux provinces pyrénéennes, où Retz en découvre les ravages.

2. Notre-Dame du Pilier, l'église la plus connue de Saragosse, tire son nom du *pilier* au sommet duquel la Vierge était apparue à saint Jacques.

3. A l'intérieur de la balustrade qui délimite l'enceinte interdite au public.

4. « *Recouvert* » pour *recouvré.*

5. Retz, en voyage, est sensible aux aspects humains, et il en tire des anecdotes qui animent son récit. Il est beaucoup moins doué pour la description des paysages : celle dont il nous offre ici une ébauche est de type baroque ; les éléments naturels s'y ordonnent en une sorte de *décor*, conçu pour le plus grand plaisir du spectateur. Voir plus loin, pp. 483-484, la description de Port-Mahon.

Page 481

1. Retz utilise ici une série de termes spécifiquement maritimes. *Escouade* est un italianisme pour *escadre*. La *Capitane* est, dans les pays d'Europe autres que la France, la principale galère d'un État, l'équivalent du navire-amiral (en France on disait la *réale*). La *patronne*, un peu plus petite, avait le second rang (ou le troisième quand il y avait à la fois réale et capitane) ; elle était montée par celui qui commandait l'escadre en second. La *chiorme* (archaïsme pour *chiourme*) est l'équipage de rameurs, formé en majeure partie de condamnés. A côté des *galères*, la *frégate* était un bâtiment plus petit, mais plus maniable. La *felouque* (voir aussi II, p. 486), la plus petite de toutes les embarcations à rames mentionnées, était propre à la Méditerranée. — Tous ces détails témoignent des égards que l'Espagne prodigue à Retz.

2. « *Pagador* » : en espagnol, trésorier.

3. Les peaussiers espagnols étaient réputés et les objets en cuir qu'ils fabriquaient très prisés pour leur parfum. Il était traditionnel d'offrir des *gants* (au point que le mot signifie aussi pourboire, gratification).

Page 482

1. Le vaisseau-amiral destiné aux Indes Occidentales, c'est-à-dire à l'escadre d'Amérique.

2. Voici le calendrier détaillé de ce voyage, tel qu'il est donné par Guy Joly, qui y participait ; les éléments de chronologie fournis par le récit de Retz concordent. Arrivé à Vinaros le 14 octobre, le Cardinal en partit le 16 au matin pour Majorque, où il arriva le soir et où il séjourna jusqu'au 20, date du trajet vers Minorque. Il passa ensuite quatre jours à Port-Mahon, qu'il quitta le dimanche matin 25 octobre. Arrivée en vue de la Sardaigne le 26. Échouage sur le banc de sable le 27. Bref mouillage à Porto-Vecchio le 28 et tempête le 29. Toussaint et Fête des morts à l'île d'Elbe. Débarquement à Piombino le 3 novembre.

Page 483

a. La chronologie du voyage (voir ci-dessus, p. 482 n. 2) interdit de voir dans le chiffre *4*, que porte ici le manuscrit, le quantième du mois. Comme il a été question, dans la phrase précédente, de *trois* jours passés à Majorque à cause du mauvais temps, il faut comprendre que le départ eut lieu le *quatrième* jour. Sur cette graphie des adjectifs numéraux ordinaux sous forme de chiffres — sans rien qui les distingue des cardinaux —, voir la note 2 de la page 303 du t. I et un exemple du même type : « Le 9 jour de ma prison » (= neuvième), II, p. 444.

Page 484

1. Retz, comme beaucoup de ses contemporains, ne goûte pas la nature pour elle-même. L'*art* sert de référence pour la décrire et en apprécier la beauté — ici une des formes d'art les plus éloignées du réel, l'*opéra*. C'est Mazarin qui avait introduit à Paris vers 1646 la mise en scène à machines des Italiens, pour des œuvres où se mêlaient comédie et intermèdes musicaux. Peu à peu l'opéra s'imposa et il fut, à mesure que le dépouillement triomphait sur la scène tragique, le domaine d'élection du merveilleux et des machines. La référence à l'opéra revient quelques pages plus loin à propos de Porto-Ferrare (p. 488).

2. Ces coquillages se nomment *lithophages*.

Page 485

1. Voir plus haut, p. 481, note 1.

2. Le duc de Guise (voir plus haut, II, p. 436, note 1) tentait à nouveau de conquérir Naples. L'expédition, partie le 6 octobre 1654, fut un échec.

Page 486

a. A *fois de corps* : l'expression était déjà insolite à l'époque puisque les copies et les éditions anciennes se partagent entre les leçons *fois*, *foi* et *foie*. On ignore l'origine de cette expression, dont c'est ici le seul exemple attesté. Le sens est évidemment *à bras-le-corps*.

1. La *coursie* était une allée de circulation longitudinale entre les deux séries de rameurs. Ceux-ci, craignant la noyade dans un bâtiment échoué, cherchent à se *déferrer*, à se débarrasser des chaînes qui les attachaient à leur banc. Les officiers et les soldats tirent l'épée (l'*estramaçon* est une longue épée droite à deux tranchants) pour prévenir toute tentative de mutinerie. Ce que Retz nomme un peu plus loin *felouque* paraît être l'équivalent d'une chaloupe de service ou de sauvetage.

2. Ce n'est pas là pure imagination. Pendant le haut moyen âge, les seigneurs s'étaient réservé pour eux et leurs sujets le *droit d'épaves*, lorsqu'ils étaient riverains d'un fleuve ou d'une mer ; cette source de revenus étant très lucrative, certains habitants du littoral allumaient des feux pour tromper les navires et provoquer des naufrages. D'où dès le XIVᵉ siècle l'établissement d'une réglementation sévère. Mais les insulaires corses échappaient à toute autorité et ils gardèrent longtemps, surtout auprès du dangereux détroit de Bonifacio, une réputation de naufrageurs.

3. Voir II, p. 471, n. 3.

Page 487

a. Le paragraphe qui commence ici figure sur un feuillet intercalaire : c'est donc un ajout.

1. On aperçoit ici, comme dans l'anecdote des capucins noirs (voir plus haut, I, pp. 252-255), l'aversion de Retz pour la dévotion de circonstance, dictée par la peur. Il lui oppose l'authentique piété de Don Fernand Carillo.

2. « Seigneurs soldats de Charles Quint ». Cette formule cérémonieuse s'explique par la présence dans les régiments de *terces* ou *tercios* (unités d'infanterie dont l'origine remonte à Charles Quint) de nombreux membres de la petite et moyenne noblesse.

Page 488

1. Le *coursier* est en principe le canon placé au bout de l'allée centrale ou *coursie* (voir II, p. 486, note 1) et qui tire vers l'avant dans l'axe du navire. Retz confond-il ou non les deux mots ?

2. Voici la traduction des expressions en espagnol. « Seigneur don Fernand, pour l'amour de Dieu, confession. » — « Ennemi de Dieu, tu demandes la confession ? » — *Este veillaco* : ce maraud, ce gredin, mot dont la transcription française, *Veillaque*, a été placée par Corneille dans la bouche de Matamore (*L'illusion*, II, 2).

Page 491

a. De la troisième partie, il ne subsiste dans l'autographe que quatre brefs fragments, que nous signalerons en leur lieu. Sur les problèmes posés par l'établissement du texte pour les passages manquants, voir l'*Introduction*, p. 64.

1. On croyait au XVIIᵉ siècle que la bataille où périt Catilina avait eu lieu tout près de Volterra ; on pense aujourd'hui qu'elle fut livrée au nord de Pistoia. La maison que Retz nomme *l'Hospitalità* est appelée dans les *Mémoires* de Joly *spedaletta*. Le sens doit en être intermédiaire entre lieu d'hébergement d'hôtes et hôpital : Retz y passe une brève quarantaine.

Page 492

1. Rappelons que les cardinaux ont préséance sur les princes (voir plus haut, II, p. 353, note 2).

2. Sur l'expédition du duc de Guise à Naples, voir II, pp. 436, note 1 et 866 note 2.

3. « Je ne suis pas soldat ».

Page 493

1. Ce passage concerne en réalité deux grands-ducs successifs : le prêteur, Ferdinand II et son fils Côme III, qui, en lui succédant en 1670, hérita de la créance. C'est ce dernier qui accorda à Retz les plus longs délais de paiement lorsque celui-ci fit établir parmi ses créanciers une liste de priorités.

2. Allusion au surnom de Laurent de Médicis. « C'est la principale qualité des princes d'être magnifiques, dit Furetière. Le magnifique ne fait état des richesses que pour faire paraître la grandeur de son âme, sa libéralité. »

3. Les grandes puissances catholiques entretenaient alors à Rome une clientèle de cardinaux chargés de défendre leurs intérêts auprès du Saint-Siège et qui constituaient des groupes appelés *factions* (sans nuance péjorative). La faction d'Espagne, dirigée par Charles de Médicis, était la plus nombreuse et la plus puissante ; la faction de France, dirigée par le cardinal d'Este, « protecteur de France », comprenait en outre les cardinaux Grimaldi, Bichi, Antoine Barberini et Des Ursins (ou Orsini). Il y avait aussi une faction d'Autriche. Retz nomme également faction le groupe formé par les parents et la clientèle personnelle du Pape (voir II, p. 497).

4. Trésorier de la Chambre apostolique.

5. Voir plus haut, II, pp. 66 et 304-305.

Page 495

1. *Dio lo perdoni* : « que Dieu le pardonne… ». *Forfante* : coquin (étymologiquement : celui qui commet un forfait). Selon une indication de Chapelain (*Lettres,* I, p. 497), le mot avait pris alors le sens particulier de « pédant illettré ». C'était une injure courante dans la *commedia dell'arte*.

2. Une fois la nomination acquise à Rome, un cardinal nouvellement promu devait recevoir le *bonnet* (ou barrette cardinalice) des mains du Roi — cérémonie qui eut lieu à Compiègne le 11 septembre 1652 (voir II, p. 389) — et le *chapeau* des mains du Pape, lors d'un *consistoire* ou assemblée solennelle de cardinaux.

3. « Votre protecteur de quatre sous » : la *baïoque* était une petite pièce de monnaie romaine valant un peu plus de cinq centimes.

Page 497

1. Camilio Astalli, adopté par le Pape et nommé cardinal, avait été *dégradé du népotisme,* c'est-à-dire que son adoption avait été annulée. Il était relégué dans un château près de Tivoli.

2. Cette faction fut ainsi nommée, dit Guy Joly, « parce qu'elle paraissait détachée des deux autres, et comme voltiger entre elles ».

Page 499

a. Comme l'édition de 1717, nous plaçons une virgule après *Escadron,* avec les conséquences que cela comporte pour le sens : la proposition qui suit est évidemment une relative explicative, et non déterminative.

1. « Amoureux de l'impossible ».

2. Allusion à la légation envoyée en 1629 en Italie du nord par le pape Urbain VIII — un Barberini —, pour tenter d'arbitrer les différends entre la France, l'Espagne et l'Autriche. Mazarin y avait été le secrétaire de Sachetti avant de devenir celui de son successeur Panziroli (voir plus haut, II, p. 65, note 1).

Page 500

a. Nous empruntons à l'édition de 1717 la leçon *tout* (= tout à fait) bien préférable à *tous.*

1. L'église Sainte-Marie dite *Transpontine,* parce qu'elle était située sur la rive droite du Tibre, de l'autre côté du pont Saint-Ange.

2. Sur les négociations de Münster, voir l'*Introduction,* p. 29.

3. Chigi était siennois et Médicis florentin. L'hostilité entre les deux grandes cités toscanes remontait au moyen âge. Mais Sienne, bien que très jalouse de son indépendance, avait dû s'incliner après un long siège (1554-1555), auquel participa Blaise de Monluc. Elle était rattachée au grand-duché de Toscane depuis 1557.

Page 501

1. Le *concetto* : l'idée, notamment l'idée qu'on se fait de quelqu'un, sa réputation.

Page 502

a. Certaines éditions rattachent à la phrase précédente la proposition « *comme le nôtre était pris* », et placent à la suite un alinéa. Nous avons choisi de suivre ici la leçon de la copie de Nancy, plus satisfaisante pour le sens. — De même douze lignes plus loin, pour *rencontre,* que nous mettons au masculin.

1. « Le *Renard* » : surnom machiavélien !

2. Les jeunes sont réputés plus combatifs que les vieux (voir plus loin, p. 506). Mais surtout, lorsque les conclaves se prolongeaient, la mort modifiait l'équilibre des forces au détriment des plus âgés.

3. « *A bon marché* », au sens propre du terme, pour une affaire de pension.

Page 503

a. Ce passage offre diverses leçons. Comme la plupart des éditeurs, nous conservons celle-ci, qui est de loin la plus satisfaisante. Chigi était, dit Retz, *savio col silenzio*, mot à mot : « sage avec le silence », expression ironique qui signifie que sa sagesse était surtout négative et faite d'abstention. Cette observation prépare, comme l'ensemble du portrait, le retournement à venir : la découverte de la vraie personnalité de Chigi.

1. « *Ce qui leur donnait un corps au moins fantastique* » : ce qui leur donnait de la consistance, du poids, au moins dans l'imagination des gens. *Fantastique* est l'adjectif correspondant au substantif *fantaisie*, qui signifie imagination, et au verbe *se fantasier*, s'imaginer.

2. Bien qu'ils ne fussent pas directement intéressés par les traités de Westphalie, le Pape et la République de Venise avaient offert ce que nous appellerions leurs « bons offices » et avaient envoyé à Münster des représentants : respectivement Chigi, nonce extraordinaire, et Contarini, ambassadeur.

Page 504

a. Ses *maximes* dans la copie de Nancy et dans l'édition de 1717 ; ses *mémoires* dans la copie H et toutes les autres éditions anciennes. Nous avons choisi cette dernière leçon, compte tenu que Azzolin et Chigi exerçaient ensemble des fonctions de secrétariat.

Page 505

1. Saint Paul, *1re Épître à Timothée*, III, 1. Le texte exact est « *quis episcopatum...* » : « si quelqu'un désire l'épiscopat, c'est une bonne œuvre qu'il désire ». Si l'on remplace *quis* par *qui*, le sens est « celui qui... »

2. Un *conclaviste* : ecclésiastique admis auprès d'un cardinal pour le servir pendant la durée d'un conclave, et soumis, comme celui-ci, à l'interdiction de communiquer avec l'extérieur. Les deux autres conclavistes de Retz étaient Guy Joly et Imbert, son valet de chambre.

3. La *mine* est la contenance que l'on prend, l'allure que l'on se donne, par opposition à la *physionomie*, disposition naturelle du visage. Au XVIIe siècle les médecins et les chirurgiens avaient dans les grandes maisons le statut de serviteurs.

Page 506

1. Deux papes « modèles », presque légendaires pour leur vertus personnelles et pour leur action : saint Grégoire Ier, le Grand (≃ 540-604), qui, entre autres choses, fit évangéliser l'Angleterre, et saint Léon Ier, dit aussi le Grand, pape de 440 à 461, qui dissuada Attila d'attaquer Rome.

Page 507

a. *Elle-même*, au singulier, parce que Retz pense à la faction unique que formaient ensemble la Toscane et l'Espagne.

1. Le premier *le* (« *le disposer* ») représente le cardinal de Médicis, le second (« *le radoucir* ») représente son *esprit*.

2. « *Il y avait eu du personnel entre...* » : nous n'avons pas trouvé dans les dictionnaires d'acception satisfaisante. Mais le sens est clair : il s'agit d'un différend personnel, qui avait opposé Chigi et Mazarin. Sur les circonstances, voir plus haut, II, p. 65, note 1 et p. 503, note 2.

3. Voir II, p. 498, note 3.

Page 508

1. Le duc de Modène était l'allié·de la France contre l'Espagne. Lors de sa venue à Paris à la fin de 1654 avait été décidé le mariage de son fils avec une nièce de Mazarin, Laure Martinozzi. D'où l'attaque espagnole contre le Modénais.

Page 509

1. Lionne avait fait plusieurs séjours en Italie, l'un en 1636, à Rome, au cours duquel il s'était lié à Mazarin, l'autre en 1642 à Parme, pour mettre fin à la guerre contre le Pape ; il fut ensuite secrétaire des commandements de la reine régente en 1646 et ambassadeur extraordinaire à Rome en 1655. Certes Retz, qui déteste Lionne, le décrie ici avec excès. Mais l'abbé de Choisy confirme qu'il était « grand joueur, grand dissipateur », « ne regardant les biens de la fortune que comme des moyens de se donner tous les plaisirs ». C'était en revanche un remarquable négociateur.

2. Voir plus haut, II, p. 502, note 3. On notera ce scrupule et on le rapprochera des pp. 517-518 sur les conclaves.

Page 511

a. On trouve ici dans les copies et les éditions tantôt le féminin, renvoyant grammaticalement à *créatures*, tantôt le masculin, en accord avec le sens. Cette dernière leçon nous a paru plus conforme aux habitudes de Retz.

b. Les éditions anciennes portent : « *Celui-ci, dont je vous ai déjà parlé...* ». Mais dans la copie de Nancy, on lit *Cesi*, présenté plus haut (II, p. 501) comme ami de la plaisanterie. Cette leçon donne un jeu d'oppositions plus spirituel entre les créatures de Barberin. Aussi l'adoptons-nous.

1. « La rage papale ».

2. Allusion au jugement de Tacite sur l'empereur Galba, successeur de Néron : « *Omnium consensu capax imperii, nisi imperasset* » (*Histoires*, I, XLIX), marquant ainsi que Galba avait déçu les espoirs placés en lui.

3. Il y eut en effet une altercation sur ce sujet entre Rapaccioli et Spada. Dans un libelle ce dernier accusait Rapaccioli d'avoir, en exorcisant un possédé, demandé au démon s'il se repentait ; sur sa réponse positive, il l'aurait invité à prier Dieu pour obtenir son pardon.

Page 512

1. « *La doctrine de saint Augustin* » : le jansénisme. Selon le P. Rapin, jésuite, le cardinal François Barberin avait le tort de « servir les uns et les autres, sans examiner qui avait raison ». Une relation du conclave de 1655 l'accuse clairement de sympathie pour ces « opinions erronées ». Les craintes prêtées par Retz à Barberin étaient fondées, puisque Chigi, devenu Alexandre VII, renouvela la condamnation portée contre les jansénistes.

2. « *Rendre la paix à l'Église* » : cette expression anticipe sur l'accord dit *Paix de l'Église*, qui sera conclu en 1668 sous le pontificat de Clément IX et qui assurera pour un temps la liberté de conscience aux jansénistes.

Page 513
1. « Le Docteur de la Grâce » : surnom de saint Augustin.
2. Le cardinal *doyen* : le vieux Charles de Médicis.
3. *Exclusion* : ordre impératif d'écarter un candidat, donné par une couronne aux cardinaux de sa faction. L'exclusion, bien qu'elle ne permît pas toujours d'empêcher une élection, constituait un moyen de pression considérable.

Page 514
a. C'est ici, aux mots « *de l'autel* », que commence, avec la page 2767, le premier des quatre fragments autographes conservés.

1. « Voici l'effet du bon voisinage ».
2. Sur l'unique voix ou les deux voix manquantes, Retz se livre à des hypothèses et propose, sans choisir entre elles, trois possibilités. Joly, lui, parle d'une seule défection, qui aurait été celle de Rosetti.

Page 515
1. « Seigneur cardinal de Retz, voici l'ouvrage de tes mains » : le passage de l'italien (page précédente) au latin et la formule choisie donnent à la phrase une allure liturgique.
2. Châtillon, bien qu'ami de Retz, faisait partie de la « maison » de Lionne à Rome.
3. Les infortunes conjugales de Lionne défrayaient alors la chronique.
4. Retz, qui emploie *rencontre* au masculin dans le sens figuré d'occasion, use ici du féminin pour le sens propre.

Page 516
a. « *qu'ils en furent tous également à la cour* » : le texte du manuscrit est obscur et *furent* a été corrigé en *firent* par les éditions anciennes. On peut comprendre que *en* renvoie à *courtisans* : leur conduite, face à Retz, fut différente, mais à la cour ils se comportèrent tous en courtisans.

1. Voir plus haut, II, p. 513, note 2.
2. De notoriété publique, la fortune en France des Gondi était due à la faveur de Catherine de Médicis. Mais Retz invoque ici l'*ancienneté* de sa famille à Florence, supérieure, dit-il, à celle des Médicis. Les généalogistes faisaient remonter l'une et l'autre à Charlemagne ; mais les plus anciens témoignages historiques font état d'un Gondo de Gondi, négociateur en 1251 entre la République de Gênes et sa patrie, et d'un Evrard de Médicis, gonfalonnier de Florence, en 1314 seulement.

Page 517
a. « *...cérémonies* » : ici se termine, avec la page 2774, le premier fragment autographe conservé de la troisième partie.

1. Le roi d'Espagne avait droit au titre de *Roi Catholique*, mais ceux de *Roi Très Chrétien* et de *Fils aîné de l'Église* étaient réservés au roi de France. L'incident eut lieu pendant le conclave. Joly raconte que Retz fut incité à demander cette rectification par le futur pape en personne. La correspondance échangée entre Mazarin et Lionne prouve que, dès le lendemain, ce dernier avait proposé de faire croire à Paris que Retz avait manigancé la scène avec l'ambassadeur pour se faire valoir (lettre du 15 mars). Lionne avait même élaboré le brouillon de l'article qui parut dans la *Gazette* du 22 mars. L'accusation de Retz contre Mazarin est donc ici entièrement fondée.

2. Sur le changement de ton qui intervient ici et sur l'exploitation qui peut en être faite pour une chronologie de la rédaction des *Mémoires*, voir l'*Introduction*, p 69.

Page 518

1. La cour de Henri III était réputée pour la politesse qui y régnait et pour l'extrême raffinement de l'étiquette instaurée par le Roi. On en parle, au milieu du XVIIᵉ siècle, comme d'un idéal perdu.

2. Retz s'en prend à l'un des stéréotypes les plus tenaces au XVIᵉ et au XVIIᵉ siècles : l'Italien est vindicatif ; il utilise pour se venger des moyens déloyaux comme l'assassinat ou le poison (d'où ici l'allusion au *vin*). Cette image a été largement répandue par les recueils d'histoires tragiques, puis par le théâtre, qui y puisait ses sujets. Elle est, par exemple, un des « motifs » obligatoires du drame élisabéthain.

3. La *bulle* ou plutôt les deux bulles par lesquelles Grégoire XV avait, en 1621 et 1622, réglé les formes de l'élection pontificale et assuré le secret des votes.

4. Retz sacrifie lui-même à un autre stéréotype : le goût et le sens du cérémonial seraient caractéristiques des Italiens.

Page 519

a. « *Il faut de plus...* » : avec le mot *plus* commence, à la page 2783, le second fragment préservé de l'autographe.

1. *La maison de la Mission* : la maison des Pères de la Mission, congrégation fondée par saint Vincent de Paul avec l'appui des parents de Retz. C'est sur l'ordre du Pape que celui-ci y avait été logé peu après son arrivée à Rome. Les Pères de la Mission furent cependant rappelés en France par le Roi pour avoir accepté d'héberger l'exilé.

2. « *Dei cardinaloni* » : ce mot, forgé sur *cardinale* au moyen du suffixe augmentatif *-one*, veut dire que Retz est de la « volée » des très grands cardinaux.

Page 520

1. Chigi expose ici la doctrine de l'Église à l'égard des grandeurs terrestres. Certains des membres du Sacré Collège ne sont pas riches — c'est son cas —, et ceux qui sont issus des ordres religieux sont pauvres, de par leurs vœux : mais à titre individuel. Lorsqu'un cardinal se rend aux *fonctions*, c'est-à-dire elliptiquement aux saintes fonctions, à l'accomplissement des devoirs de sa charge, il doit manifester hautement, par l'apparat dont il s'entoure, la dignité de l'Église. Quand Retz, en 1675, demandera à se démettre du cardinalat, un des arguments invoqués sera qu'il n'est plus en mesure, pour diverses raisons (exil, santé, dettes), de soutenir cette dignité.

Page 521

1. On rapporte de divers saints et de Charles Quint qu'ils dormaient dans leur futur cercueil. Alexandre VII, qui avait fait peindre sur le sien une tête de mort, témoigne ainsi du goût pour les images macabres caractéristique de l'Église post-tridentine. La crainte de l'au-delà et l'esprit de mortification sont au contraire très étrangers à la sensibilité de Retz, qui se réclame du vieil idéal aristocratique.

2. Il s'agit du célèbre architecte et sculpteur, auteur de la colonnade de Saint-Pierre à Rome. C'est à lui que le Pape avait confié la confection de son cercueil.

3. Le *pallium* est une bande d'étoffe de laine blanche, décorée de croix, que les archevêques portaient par-dessus leurs vêtements. C'était la marque de la plénitude du pouvoir dans leur diocèse. Les archevêques devaient le demander et il leur fallait aller à Rome le recevoir des mains du Pape.

4. « L'*étoffe*, c'est-à-dire la matière à développer, était large ; je ne me fis pas faute de lui représenter que... » (voir la phrase précédente).

Page 522

1. Le cardinal François Barberin avait été persécuté et privé de ses biens par Innocent X à la demande des Espagnols. Et sous Paul V (1605-1621), l'ambassadeur de France à Rome, futur maréchal d'Estrées, avait attaqué le cardinal Borghèse, neveu du Pape.

2. « Mon cher seigneur cardinal... »

3. Allusion aux négociations qui devaient aboutir, quatre ans plus tard, en 1659, à la paix des Pyrénées. Contrairement à ce qui s'était passé à la paix de Westphalie en 1648, le Pape n'eut aucune part aux pourparlers et n'y joua pas le rôle de médiateur qu'il souhaitait. Sur cette laïcisation de la politique internationale, voir l'*Introduction*, p. 44.

4. La locution italienne *dar tempo al tempo*, littéralement « donner du temps au temps », signifie laisser mûrir les choses, agir sans précipitation.

Page 523

a. Après la première syllabe du mot *approuvât* se termine le second fragment autographe (page 2794).

1. Le collège des cardinaux comportait une hiérarchie entraînant des préséances : cardinaux-évêques, cardinaux-prêtres et cardinaux-diacres. Retz était cardinal-prêtre.

Page 524

1. « *Battre du pays* » : en termes de chasse, battre les buissons et les bois pour en faire sortir le gibier ; d'où au figuré, parcourir, explorer. La métaphore est filée : *il courut*. Aussi faut-il entendre *il s'égaya* comme : il se dispersa, s'éparpilla. Sur les diverses acceptions du verbe *égayer* ou *s'égayer*, voir le *Glossaire*, et la note 2 de la page 129 (t. II).

2. On se souvient que Mazarin, en exil à Brühl, avait soupçonné Lionne de le trahir et l'avait ensuite tenu à l'écart. La mission à Rome était la première dont Lionne eût été chargé depuis sa disgrâce. D'où ses efforts pour en faire un succès.

Page 525

1. Voir plus haut, II, p. 522.

2. Rappelons que le château Saint-Ange servait de prison à Rome. Parmi les lettres de Lionne qui ont été conservées, il y en a une qui fait allusion à

une chambre préparée pour Retz au château, mais aucune ne correspond pour le reste à celle que prétend citer le mémorialiste. Retz avait peut-être communication de la correspondance de Lionne à l'époque ; mais il est presque certain que, vingt ans après, il en use comme pour les discours : il opère après coup une reconstitution probable, qu'il présente comme un document.

3. L'amnistie générale du 22 octobre 1652, dans laquelle Retz était implicitement compris, puisque pas nommément exclu, et qui interdisait de le poursuivre pour des faits antérieurs à cette date.

Page 526

a. Avec le mot *apporta* commence, page 2807, le troisième fragment autographe conservé.

1. Le conflit de juridictions entre la cour de Rome et le parlement de Paris, qui n'est ici évoqué que pour être éludé, est très étroitement lié avec ce qu'on appelait les libertés de l'Église gallicane (voir A. Chéruel, *Dictionnaire des institutions*, article « Libertés »).

2. « *Al maggior segno* » : au plus haut point.

3. Cicéron possédait à Tusculum une maison de campagne qui a donné son nom au recueil de lettres philosophiques, les *Tusculanes*. Mais c'est dans la correspondance familière, notamment dans les lettres à Atticus, qu'il vante l'agrément de ce séjour. On croyait au XVIIe siècle que le couvent de rite grec consacré à saint Basile avait été construit sur l'emplacement même de la villa de l'orateur ; mais cette localisation a été remise en cause.

Page 527

1. Pendant que traînaient en longueur les négociations à Münster (elles durèrent d'avril 1644 à octobre 1648), la France cherchait à s'assurer des alliances contre l'Autriche. En 1645-1646, elle négocia avec le Hongrois Rákóczi, prince de Transylvanie : moyennant l'octroi de subsides, ce dernier s'engageait à envahir les États de la maison d'Autriche. — Le comte d'Avaux, qui représentait la France à Münster aux côtés de Servien, fut disgracié un peu plus tard, à la veille de la signature de la paix.

2. Le traité de janvier 1651 : voir plus haut, II, p. 85.

Page 528

a. Avec le mot *sur* se termine, page 2810, le troisième fragment autographe conservé.

1. Voir plus haut, II, p. 498.

Page 529

a. Après la première syllabe du mot *rebelle* commence, page 2815, le quatrième et dernier fragment autographe.

Page 530

a. Après la première syllabe de *supérieure* se termine, page 2818, le quatrième et dernier fragment autographe.

1. Les *gens du monde* : les laïcs (qui vivent dans le *monde*, au sens religieux du terme), par opposition aux ecclésiastiques.

Page 531
1. « Monseigneur le Maître de chambre » (majordome).
2. « Ces maudits Français sont plus fourbes que nous autres ».

Page 532
1. Voir plus haut, II, p. 495.
2. « Le retour de la fraîcheur ».
3. Les *élus* étaient des fonctionnaires, initialement élus par les États Généraux, puis nommés par le Roi, qui étaient chargés dans les provinces dites *pays d'élections* de la répartition des tailles. Ils étaient souvent amenés à contester la prétendue noblesse de contribuables désireux de se soustraire à l'impôt.
4. Voir plus haut, II, p. 506, note 1.
5. Le dictionnaire italien *della Crusca*, œuvre de la célèbre académie florentine du même nom (première édition : Venise, 1612).
6. « Enfin, Sérénissime Seigneur, nous avons un pape qui ne dit jamais un mot de vérité. »
7. *Mosca* (« mouche » en italien) ne peut être antérieur au mot latin *musca*. La question concerne l'existence éventuelle en latin d'un doublet *mosca*, qui aurait précédé la forme classique. Retz ne met pas en cause ici l'intérêt que portaient les grammairiens à ce genre de débats érudits (bien qu'il les juge sans doute futiles) : il dit vigoureusement que ce n'est pas l'affaire d'un pape.

Page 533
1. Les « *sept églises* » étaient les sept basiliques majeures de Rome : Saint-Jean-de-Latran (la cathédrale), Saint-Pierre-au-Vatican, Saint-Paul-hors-les-Murs (où a lieu le repas), Sainte-Croix-de-Jérusalem, Saint-Laurent-hors-les-Murs, Sainte-Marie-Majeure et Saint-Sébastien-hors-les-Murs.
2. Les *calebasses* dont se servaient au moyen âge comme récipients les fidèles accomplissant le célèbre pèlerinage de Saint-Jacques-de-Compostelle en Espagne.
3. La conversion au catholicisme de Christine de Suède, à Bruxelles en décembre 1654, ne fut pas rendue officielle aussitôt. Son abjuration solennelle eut lieu le 3 novembre 1655, dans la cathédrale d'Innsbruck, entre les mains d'un représentant pontifical. Elle partit huit jours après pour Rome, où le Pape l'attendait pour qu'elle confirmât cette abjuration.

Page 534
1. Rapprocher de la maxime 41 de La Rochefoucauld : « Ceux qui s'appliquent trop aux petites choses deviennent ordinairement incapables des grandes ».
2. Le 13 décembre, jour réputé anniversaire de la naissance de Henri IV (en réalité il était né le 12).
3. Saint-Louis-des-Français, église des Français catholiques résidant à Rome. Le patron en est, bien entendu, le roi saint Louis.

Page 536

1. S'*excuser* : ici, se dispenser de me secourir.

2. « *J'avais témoigné tant de distinction à M. de Caumartin* »... : je lui avais si visiblement préféré Caumartin, que Noirmoutier ne croyait pas devoir se brouiller avec Mazarin par amitié pour moi...

Page 537

1. Sur ce passage, capital pour l'identification de la destinataire, voir l'*Introduction*, p. 72.

2. Par *embarras domestique*, Retz désigne non les difficultés financières, mais les modifications entraînées par la disgrâce dans le comportement des serviteurs.

3. Le premier des deux *défauts* en question est la conviction qu'on fait honneur à un malheureux quand on le sert ; le second est l'ingratitude.

Page 538

1. Le sens de cette phrase est qu'un grand seigneur est toujours respecté s'il se conduit quotidiennement comme tel, mais que ce respect se relâche si, par *honnêteté* (= politesse, égards pour autrui), il se laisse aller à la familiarité envers ses domestiques.

2. « *Que...* » : « autre chose que... »

3. Voir plus haut, II, pp. 481 sqq.

Page 539

1. Mazarin est donné dans cette page comme exemple d'homme richissime : il est exact que dès 1655, il avait compensé les pertes subies pendant la Fronde et était à la tête d'une prodigieuse fortune ; mais il était avare...

Page 541

1. Les deux grands vicaires, Chevalier et L'Advocat, étaient mandatés par Retz pour administrer le diocèse en son absence. Comme ils se montraient solidaires de leur archevêque, la cour les convoqua et les retint à Péronne et, sous prétexte d'assurer la continuité de l'administration du diocèse, elle contraignit le chapitre à élire quatre nouveaux vicaires généraux. Le chapitre céda, mais en motivant cette élection par l'absence de l'archevêque et non par la vacance du siège, comme le souhaitait la cour.

2. La lettre, datée de « Rome, ce 22e may 1655 », fut publiée sans indication de lieu, ni d'imprimeur, sous le titre de *Lettre de Monseigneur l'Eminentissime cardinal de Retz, archevesque de Paris, escrite à Messieurs les doyen, chanoines et chapitre de l'Église de Paris.*

Page 542

1. Allusions aux prières faites pour sa liberté et au *Te Deum* célébré à Notre-Dame en l'honneur de son évasion.

Page 543

1. Les huissiers *de la chaîne* ou *à la chaîne*, portaient au cou une médaille à l'effigie du Roi comme insigne de leur fonction.

Page 545

1. Saint Paul, *Épître aux Romains*, VII, 15.

2. On appelait *lettres décrétales* celles que les papes avaient écrites pour répondre aux questions des évêques sur divers points de discipline et que l'on mettait ensuite au rang des canons. Le texte cité, non seulement n'envisage aucune ingérence des pouvoirs temporels dans le cas où un évêque est prisonnier, mais considère que le chapitre est souverain, sous l'autorité directe du Pape, sans que les intermédiaires hiérarchiques (le métropolitain ou l'archevêque) aient droit de regard.

Page 548

1. Voir saint Cyprien, *Epistola*, XIV.

Page 549

1. Richelieu, d'abord entré au ministère en 1616 par la faveur de la reine-mère, Marie de Médicis, fut exilé en même temps qu'elle après l'assassinat de Concini (avril 1617), puis relégué, de juin 1618 à mars 1619, en Avignon, qui était alors territoire pontifical.

2. Henri de Sourdis, disgracié en 1641 à la suite d'une défaite navale, reçut l'ordre de se retirer à Carpentras, dans le comtat venaissin. Après la mort de Richelieu, il retrouva le gouvernement de son diocèse de Bordeaux.

Page 550

1. Cohon, évêque de Nîmes et de Dol (voir plus haut, I, p. 387 et II, p. 143, n. 1) et Auvry, évêque de Coutances.

2. Le Concile de Trente, qui s'étala sur vingt-cinq sessions, de 1545 à 1563, donna l'impulsion à la Contre-Réforme par une série de décrets tentant de remédier aux abus qui avaient alimenté les critiques des protestants. Il renforça l'autorité des évêques.

Page 551

1. Le temps du *jubilé*, que le Pape venait de publier le 15 mai 1655, à l'entrée de son pontificat, selon l'usage. La bulle dont il est question plus loin est celle qui annonce le jubilé. En l'adressant à ses vicaires, Retz fait acte d'archevêque.

Page 553

1. C'est-à-dire lieutenant de Roi de Charleville. Sur cette fonction, voir la *Note sur les institutions*.

Page 556

1. Le duc de Joyeuse, de la maison de Guise, était le frère de Marie de Guise, dont Montrésor était amoureux.

2. Les *Mémoires* s'interrompent ainsi, de façon abrupte, au moment où Retz s'apprêtait à raconter la longue lutte menée en vain pour conserver l'archevêché de Paris. Une page de sa vie est tournée, et l'on s'explique les réflexions, d'allure testamentaire, où il s'attache à distinguer ceux qui lui ont gardé fidélité de ceux qui l'ont trahi. Le souci pédagogique qui s'y affiche renforce l'impression qu'il s'agit d'une conclusion. Conclusion partielle, puisque Retz a encore beaucoup à dire avant d'en arriver à la capitulation de 1662 : ses mandements, ses lettres aux curés ou aux évêques, de 1654 à 1661, remplissent tout un volume de l'édition de ses *Œuvres* dans la collection des G.E.F. (tome VI). Mais dispose-t-il des documents requis pour soutenir et stimuler sa mémoire ? De plus, le récit de cette lutte menée du fond de l'exil à coups de textes d'inspiration religieuse et de ton élevé, se prêtait-il, pour une destinataire mondaine, à une mise en scène aussi brillante et spirituelle que les scènes de la Fronde ? Retz dans le rôle d'archevêque persécuté — qu'il soutint en effet avec fermeté — ne fut-il pas un autre homme ? Sur le tout a dû jouer chez le narrateur une lassitude, aggravée par le poids des infirmités et le désenchantement devant une histoire dont il ne pouvait plus se dissimuler le désastreux dénouement. A la règle secrète qui voue tant de mémoires à l'inachèvement, Retz eut sans doute bien des raisons de ne pas contrevenir...

GLOSSAIRE,
INDEX ET TABLES

GLOSSAIRE

Le présent glossaire est sommaire.

On n'a pas relevé tous les emplois d'un mot, mais seulement ceux qui diffèrent de l'usage actuel. On n'a pas toujours cité toutes les occurrences, quand il s'agit d'emplois univoques répétés.

On a fait figurer pour mémoire, sans références au texte et en italiques, quelques mots très usités au XVIIe siècle, dans un sens différent de celui d'aujourd'hui, mais qui nous ont paru trop familiers au lecteur cultivé pour qu'on les signalât dans le texte par un astérisque.

On a emprunté, chaque fois qu'on l'a pu, des définitions aux dictionnaires de la fin du XVIIe siècle, le Dictionnaire *de* Furetière, *1re éd. 1684 (en abrégé* Fur.), *et celui de l'Académie, 1694 (Acad.). A défaut on a recouru au Littré (Lit.). Mais les dictionnaires ne suffisent pas, dans certains cas, à rendre compte du vocabulaire de Retz, pour lequel manque une étude spécifique.*

On a usé des abréviations traditionnelles : fam. *pour familier ;* vx *(mot vieilli au moment où Retz écrit) etc.*

Un certain nombre de substantifs ont changé de genre entre le XVIIe siècle et nos jours. Voici la liste des principaux d'entre eux, qu'on n'a pas jugé utile de signaler systématiquement dans le texte par des astérisques :

Mots employés par Retz au masculin :

dupe (dans certaines occurences seulement), écritoire, étude, manœuvre, mœurs, offre, période, rencontre.

Mots employés par Retz au féminin :
amour (dans certaines occurrences seulement), épisode, ordre, risque.

ABÎMER. Précipiter dans un abîme : I, 536 ; II, 232, 288, 537.

ABOLITION. Acte par lequel le souverain efface un crime qui, de par sa nature, n'est pas rémissible ; procédure très rare et qui, à la différence de l'amnistie, marque durablement ceux qui en bénéficient : I, 210, 499 ; II, 19, 102, etc.

D'ABORD. D'emblée, immédiatement : I, 174, 178, etc ; 222, 242, 257, etc.
(Dans le sens de « *en premier lieu* », le mot n'est pas accompagné d'un astérisque).

ABUS. Erreur : II, 265, 453.

ACCIDENT. *Au sens latin, ce qui arrive, en bien ou en mal.*

ACTUEL. Effectif, réel : I, 410.
ACTUELLEMENT : I, 438.

ADMIRER. Au sens latin, considérer avec étonnement : I, 269, 314, 329 ; II, 199. (Mais il y a aussi de nombreux exemples de l'acception actuelle).
ADMIRABLE : I, 244, etc.

AFFECTER. 1) Faire ostensiblement, faire exprès de : I, 251, 257, 279, 289, 295, 296, 331, etc. — 2) Feindre, simuler : I, 190, 303, 508, 510, etc.
AFFECTATION. Manifestation ostensible (sincère ou mensongère selon les cas) : I, 199 ; II, 516, etc.

AFFIDÉ. En qui l'on a confiance (sans nuance péjorative) : I, 506, 545 ; II, 135, 230, 437, 471.

AGRÉMENT. Approbation : I, 517 ; II, 381, etc.

AHURI. Troublé (fam.) : II, 303.

AJOURNEMENT. Sommation de comparaître en justice à un jour fixé : I, 537, 541, etc.

ALTÉRER. Agiter, émouvoir : II, 19.

AMANT. *Homme qui aime et est aimé (mais n'implique pas de liaison charnelle).*

AMUSER. Deux acceptions qui se recoupent : 1) « Arrêter quelqu'un, lui faire perdre temps inutilement » (Fur.) : I, 370, 375, etc. — 2) « Repaître les gens de vaines espérances » (Fur.) : I, 299, 312, 385, 423, etc.
S'AMUSER. Perdre son temps : I, 292, 318, etc.
« AMUSER LE TAPIS ». « Perdre le temps en plusieurs vaines propositions et ne rien conclure » (fam.) : II, 448, 469.
AMUSEUR, AMUSEUSE. Qui amuse, trompe par ses délais ou ses fausses promesses (le féminin semble propre à Retz) : II, 69.

APOLOGIE. Plaidoyer justificatif : I, 316, 374 ; II, 43, 140, 203, etc.
« S'épargner une apologie en explication de bienfaits », s'épargner l'obligation de se justifier en rappelant les services rendus : I, 313.

APPARENCE. 1) Ce qui frappe les yeux, ce qui se voit (souvent, mais pas nécessairement contraire à la réalité) : I, 519, etc. ;

II, 54, 141, 266, 348, etc.
2) Vraisemblance, probabilité :
II, 90, 355, etc.

APPAREMMENT. Vraisemblablement, normalement : I, 476, 483, etc.

ARBRE. Le grand mât d'un navire :
II, 488.

ART. Habileté : I, 373, 406, etc. ;
II, 142, etc. — 2) Artifice : I, 302, 303, 389, 515, etc. (Les deux acceptions ne s'excluent pas. Le mot a aussi chez Retz le sens actuel).

ASPERGÈS. Goupillon servant à asperger les fidèles d'eau bénite : II, 535.

ATÊTER (s' - à). S'attaquer à : I, 396.

ATTENTER. Commettre un attentat : I, 465.

AVENTURIER. Qui cherche la gloire par les armes, aventureux, hardi : II, 485.

AVENTURIÈRE. Péjoratif au féminin : I, 375.

AVOUER. Reconnaître, confirmer (antonyme de *désavouer*) : I, 236, 387, 542 ; II, 103, 110, 119, etc.

BALANCER. Hésiter.

BANDI. Mis au ban, banni (vx) :
II, 482.

BARRIÈRE. « Repousser à la barrière », dans la langue des tournois, faire reculer l'adversaire très loin, jusqu'à la barrière qui clôt la lice ; au fig. : II, 73.

BARRIÈRE. Limite d'une ville : II, 470.

BASSE-COUR. Cour de derrière, où on logeait les valets : II, 159, 439.

BASTIONS. « Être entre ses bastions », être en pleine maîtrise de soi-même » : I, 241 (L'expression ne se trouve pas dans les dictionnaires du temps).

BATTRE. « Battre une place forte », « se dit des attaques qui se font avec des machines ou de l'artillerie » (Fur.) : I, 211. « Battre l'eau », au fig., travailler en vain, perdre une peine inutile : I, 537.

BÉNÉFICES. Terres ou biens donnés par le Roi, à charge de s'acquitter de certaines fonctions ecclésiastiques : les titulaires pouvaient faire remplir ces fonctions par d'autres (on disait *desservir*). Au sens propre : I, 223, 231, etc. ; au fig., I, 351, 504.

BESOGNE. « Tailler de la besogne à quelqu'un », lui susciter des embarras *(fam.)* : II, 25.

BÊTE. « Être la bête de quelqu'un », être sa bête noire (fam.) : I, 266, 368, 510, etc.

BIJOUTIER. Qui aime, qui amasse les bijoux : II, 80.

BONHOMME ou BON HOMME. « On appelle un vieillard un bonhomme, une vieille femme une bonne femme » (Fur.) : I, 243, 248, 251, 255, etc.

BORDEYER. Terme de marine, tirer des bordées de côté et d'autre, louvoyer (italianisme) ; II, 472, 474.

BOTTE. Terme d'escrime ; au fig., coup imprévu et efficace : II, 113, 137, 149, etc.

BOURRADES. Terme de vénerie, « atteintes du chien qui enlève du poil au lièvre poursuivi » ; au fig., atteintes en paroles : I, 400, 406 : II, 40, 112, 283.

BRANLE. Mouvement, impulsion :
II, 298, 385.

BRANLER. Remuer ; en parlant des provinces, se soulever : I, 344, 381, 409, 435, etc.

BRAVE. Qui se pique de courage : I, 373, 487.

BRELANDIER. Tenancier d'une maison de jeu (péj.) : II, 508.

BRÈVES. « Garder les brèves et les longues », expr. empruntée au lexique de la métrique ; au fig., être circonspect, habile (fam.) : I, 488 ; II, 512.

BREVET. « Acte par lequel le Roi accordait une faveur sans lettres scellées ni enregistrement par le Parlement », par ex. pour créer des ducs : I, 260, 523, etc. ; « espèce de patente permettant d'exercer certaines professions » : I, 268 ; par dérision, « témoins à brevet », I, 541 ; II, 19, etc.

BROUSSER. Terme de chasse, marcher à travers bois, sans suivre les chemins ; au fig. : II, 269.

BUREAU. « L'air du bureau », les dispositions des personnes chargées d'une affaire ; « connaître l'air du bureau », pressentir l'issue d'une affaire (fam.) : I, 364, 398.

CABALE. « *Une société de personnes qui sont dans la même confidence et dans les mêmes intérêts ; mais il se prend ordinairement en mauvaise part* » *(Fur.).* Cabale *est en effet péjoratif chez* Retz, *tandis que* faction *ne l'est pas.*

CABINET. Au propre, la pièce la plus retirée dans un appartement royal ou une grande maison ; lieu où l'on travaille (cabinet des livres), par opp. à la *chambre,* accessible à tous venants ; lieu où l'on s'isole pour traiter d'affaires : I, 256 ; lieu discret : I, 534 ; II, 57. — Au figuré, affaires, négociations secrètes, notamment politiques : I, 322 ; « tenir cabinet », tenir conseil : I, 266 ; « homme de cabinet » : II, 25 ; « pas l'ombre d'un cabinet » : pas la moindre négociation secrète : II, 20. « Le cabinet, au fig. et en parlant du Roi, le Conseil secret » (Richelet) : I, 297, 331, 333, 335, etc.

CANDEUR. Franchise : II, 405, 504, 506, etc.

CANONS. Ornements de dentelle attachés au bas de la culotte : I, 506 ; II, 23.

CAPITAL. « Faire son capital de », « en faire fonds, en être assuré, espérer qu'il produira un bon effet » (Fur.) : I, 409.

CAPITAN. Personnage de fanfaron guerrier dans la comédie italienne : I, 307, 417, etc. ; II, 156.

CAPITAN. En Espagne, capitaine de navire : II, 488.

CARABINS. Soldats de cavalerie légère : I, 511.

CARACTÈRE. 1) Signe d'écriture : I, 285, 427 ; II, 108, 221 ; au fig., signe : II, 552. « Avoir le caractère de quelqu'un », avoir sa signature ; au fig., être connu pour lui « appartenir » : I, 445, 476 ; II, 372, 390, 410, 530.—2) « Qualité invisible qu'on respecte en ceux qui ont reçu des ordres, des charges, des dignités » (Fur.) : I, 281, 410 ; II, 389, 390, 544, 547, 550. — 3) Particularité, marque particulière : I, 257 ; II, 23. Signe, trait distinctif : I, 235, 288, 365, 427 ; II, 143, 327. Trait de caractère : I, 239 ; II, 200, 337. — 4) Type psychologique : I, 287, 301, 346, 372, 477 ; II, 85, 128, 226, 531.

CARAT. Chaque vingt-quatrième partie d'or pur contenue dans une masse d'or donnée. Au fig., sert à renchérir : « La vérité, lorsqu'elle est à un certain *carat...* » (= très pure) : II, 25. Expr. fam. : « un sot à 23 ou 24 carats », un homme dont la sottise constitue la quasi totalité de l'esprit, superlatif de *sot* ; « des cervelles de ce carat » : I, 323.

CARTE. « Savoir la carte du pays », le bien connaître (fam. au fig.) : II, 395.

CARTEL. Règlement entre belligérants pour la rançon ou l'échange des prisonniers : I, 380.

CATASTROPHE. Terme technique de théâtre, dénouement : II, 299.

CAUDATAIRE. Celui qui porte la queue de la robe d'un cardinal dans les cérémonies : II, 521.

CERCLE. « Le cercle de la Reine », la réunion des princesses et des duchesses assises circulairement en présence de la Reine ; les conversations y sont publiques (par opp. à celles du *cabinet*) : I, 232, 278, 520, etc.

CHAGRIN. Forte contrariété : I, 173, 232, 300, 426, etc.

CHAIRE ou CHAISE. Doublets employés l'un pour l'autre : I, 377, 545.

CHAMADE. Batterie de tambour ou sonnerie de trompette pour demander une trêve ou une capitulation : II, 42.

CHAMBRE. Pièce de réception (opp. à *cabinet*), parfois antichambre : I, 534, etc.

CHANSON. Conte en l'air, discours sans valeur (fam.) : I, 433 ; II, 124, 406.

CHARME. Effet magique. Dér. : charmer.

CHARTE-PARTIE. Passeport maritime : II, 474.

CHÈRE. Visage ; « faire bonne chère », faire bon visage, bon accueil (vx) : I, 400.

CLABAUDER. Aboyer ; au fig. crier sans raison (fam.) : II, 164, 206. CLABAUDERIE : II, 187.

CLOCHE. « Fondre la cloche », « terminer une affaire » (Fur.) : II, 452.

CŒUR. Courage.

COHUE. Clameur (vx), bousculade bruyante : I, 323, 342, 365, etc. ; II, 93, etc.

COIN. « Tenir son coin », au jeu de paume, savoir bien soutenir et renvoyer les coups ; au fig. « dans une conversation, se dit d'un homme qui parle juste et à propos lorsque son tour vient de parler » (Fur.) : II, 501.

COLONELLES. Unités de la milice bourgeoise : I, 243, 247, 317, etc.

COMÉDIE. Théâtre ; lieu où il se joue : I, 221 ; représentation : I, 252.

COMMETTRE. 1) Confier : II, 548. — 2) Exposer : I, 504, 513 ; opposer, créer un affrontement : I, 293 ; II, 45, 181, 465, etc. Se commettre, s'exposer à quelque danger, en venir aux mains avec : I, 266, 335 ; II, 231, 387, etc.

COMMISE. Discussion, action de mettre aux prises : I, 482 ; II, 223 (les dictionnaires ne donnent que le sens juridique de *confiscation*).

COMMISSION. Mission temporaire (par opp. à *office*), mission : I, 317, 319, 328, etc.

COMMODE. S'agissant d'un

homme, conciliant : I, 373, 546 (antonyme : *incommode*).

COMMODITÉ. Aisance financière : I, 373.

COMMUNE. « La populace, le commun peuple d'une ville ou d'un bourg » (Acad.) : I, 312.

COMPAROIR. Comparaître (t. de droit, vx) : II, 273.

COMPASSER. Calculer la longueur d'une mèche de mousquet avant d'y mettre le feu : II, 466.

COMPÉTENCE. Rivalité, prétention d'égalité : I, 278 ; II, 234, 504.

COMPLIMENT. Paroles de civilité adressées à l'occasion d'un événement heureux ou malheureux, ou d'une obligation de caractère social : I, 210, 363, 377, 385, etc.

COMPTE. « Par compte », en les comptant, au compte-gouttes : II, 442.

CONDUITE. Avoir de la conduite, « se gouverner sagement » (Fur.) : I, 172, 174, 198, 201, 212 ; II, 316.

CONFABULATION. Entretien (terme archaïque réservé dès le XVIe s. — dans la *Satire Ménippée* par ex. — à des emplois familiers) : II, 259.

CONFIANCE. Confidence : I, 226, 251 ; II, 32, 322.

CONFIER. « Se confier en... », se reposer sur : II, 509.

CONFONDRE. Bouleverser : I, 548.

CONFUSION. Bouleversement : I, 418, 420.

CONGRU. Précis : I, 321, 376.

CONSIDÉRATION. Prestige, crédit : I, 471, 476 ; II, 507. « A la considération de... », par égard pour : I, 274, 393, 432, 482, etc. « A ma considération », par

égard pour moi : I, 228, 280, etc.

CONSOLATIF. Consolant (vx) : I, 327.

CONSTAMMENT. Avec constance : I, 498.

CONSTANT. Indubitable (du latin *constat*) : I, 250, 268, 297, etc.

CONTRAVENTION. Action d'agir contre une prescription ou un engagement : I, 422, 423.

CONTREPESER. Contrebalancer (vx) : II, 99.

CONTRETEMPS. Parole ou action déplacée, maladresse : I, 206, 288, 307, etc.

CONTRIBUER (transitif). Fournir à titre de contribution : I, 477 ; II, 103, 331.

CONTROUVÉ. Faux : II, 106.

CONTUSION. Équivalent figuré de *meurtrissure* : I, 299 ; II, 435 (le sens médical est seul attesté).

CONVAINCU. Reconnu coupable : I, 537 ; II, 19, 65.

CORDE. 1) La « grosse corde », la corde sensible d'un instrument de musique, au fig., le point sensible, l'essentiel : I, 329 ; II, 85, 143. - 2) Corde d'une machine (métaphore mécaniste) : I, 438, 440, 445 ; II, 463.

CORDEAU. Corde servant à étrangler les condamnés : I, 285.

CORNETTE. Officier portant l'étendard dans un régiment de cavalerie : I, 380.

CORPS. « Prendre au corps », arrêter : II, 217.

CORRESPONDACE. Relation, commerce, intelligence (pas seulement épistolaire) : I, 369, 450 ; II, 30, 66, 267, etc.

COTER. Citer : I, 457.

COULER. Faire entrer discrètement : II, 113. Glisser avec adresse dans un discours : I, 511, 537 ; II, 116, 140, etc. « Couler le temps », le faire s'écouler : I, 548 ; II, 165. « Couler sur quelque chose », le laisser dans l'ombre : I, 416.

COUP. « A coup près » (vx). A peu près : I, 245. Presque certainement : II, 508.

COUREURS. Cavaliers détachés en éclaireurs : II, 388.

COUVRIR. 1) Couvrir le feu, l'enfouir sous la cendre pour le conserver (métaph.) : II, 60. - 2) Cacher, dissimuler : I, 184, 203, 211, 222, 248, etc.
COUVERT. Caché ; en parlant d'un homme, dissimulé.
COUVERTEMENT. Secrètement.

CRAVATE. « Espèce de collet que portent les hommes quand ils sont en habit de campagne ou en justaucorps » (Fur.) : II, 480.

CRIERIES. Criailleries (vx) : I, 424 ; II, 215.

CROCHETEUR. Portefaix : I, 309, 548.

CUL. « Arrêter sur cul », arrêter net (terme militaire) : II, 320, 468.

DÉCHET. Amoindrissement : I, 494, 523 ; II, 188, 364, 530.

DÉCISIF. Pour un homme, doué d'esprit de décision : I, 322, 387, 407 ; II, 162.

DÉCONCERTER. Troubler, déranger : I, 206 ; II, 86, 255, 463, 509.

DÉCRÉDITER. Discréditer.

DÉDIRE (transitif). Contredire : II, 214, 531.

DÉDUIRE. Énumérer, exposer en détails : I, 232, 239, 329, 410 ; II, 296, etc.

DÉFAILLIR. « Se défaillir à soi-même », être infidèle à soi-même : II, 514.

DÉFAITE. Excuse, échappatoire : II, 314.

DÉGINGANDEMENT. Défaut d'union, de cohésion (subst. forgé par Retz sur *dégingandé*) : II, 423.

DÉGOÛT. 1) Aversion : I, 341 ; II, 24. - 2) Mortification subie : I, 173, 212, 523 ; II, 51, 289, etc.

DÉGRADER (un chiffre). En découvrir la clef et donc le disqualifier : II, 467.

DÉLICAT. 1) Subtil : I, 172 ; sensible à l'excès, susceptible I, 191 ; scrupuleux : I, 193. - 2) Difficile, dangereux : II, 118, 471, etc.
DÉLICATESSE. Subtilité, finesse : I, 191. Sensibilité excessive à la douleur : II, 471.

DÉMANGEAISON. Au fig., envie immodérée (fam. ou non, suivant le contexte) : II, 337.

DÉPORTER (se). Se démettre : II, 406, 411.

DÉSAVOUER. Nier : I, 179, 198, 460, etc.

DESÇU (au desçu de). A l'insu de (vx) : II, 432.

DÉSEMPARER. Quitter le lieu où l'on est (vx) : II, 105, 368.

DÉSHEURER (se). « Déranger les heures des occupations habituelles » (Acad., fam. et peu usité) : I, 312.

DEVANT. Avant : I, 278, 364, 405, 484, etc. (a souvent aussi le sens spatial).

DEVOIR. Employé à l'indicatif avec valeur de conditionnel (selon l'usage latin) : I, 252, 270, 340, etc.

DÉVÔT (et ses dérivés DÉVOTION, DÉVOTEMENT). Attaché, attachement aux pratiques religieuses.

« Se dit quelquefois par dénigrement de celui qui fait consister la religion dans les pratiques extérieures » (Acad.) ; c'est presque toujours le cas, de façon plus ou moins marquée, chez Retz : I, 222, 231, 232, 246, 251, etc.

DIGÉRER. Mettre au point, arrêter après mûre réflexion : I, 477, 482.

DISCRÉTION (se rendre à). Se rendre sans condition : II, 312.

DISPARATE. Action déraisonnable, incohérente (vx) : I, 342 ; II, 42, 99.

DISPUTE. Discussion, débat : I, 229, 250, etc.

DISPUTER. Débattre, discuter.

DIVERTISSEMENT (de fonds). Détournement : II, 59, 298.

DOCTE. Clerc, docteur : I, 273.

DOMESTIQUE. Personne, souvent de naissance noble, attachée à la « maison » d'un roi ou d'un grand seigneur : I, 233, 234, etc.

DOMESTIQUE (adjectif). Familial : II, 392.

DOUBLE. Petite pièce de cuivre de deux deniers, valant la sixième partie d'un sou : I, 544 ; II, 535. - Caractère de ce qui est à deux fins : II, 128. - « Fièvre double-tierce », intervenant deux jours sur trois : II, 451.

DROIT. « C'est le droit du jeu : c'est l'ordre, c'est l'usage » (Acad.). Chez Retz, « jouer le droit du jeu », jouer aux mieux de ses intérêts, tout en respectant la règle : I, 392, 483 ; II, 255, 404.

ÉCHAPPER (s'). « Se dit figurément en parlant des emportements de colère » (Fur.) : I, 172.

ÉCLATER (faire). Publier de façon retentissante : I, 259.

EFFAROUCHER. Rendre farouche, irriter : I, 339 ; II, 208, 220, 441, 452.

EFFET (en). En réalité : I, 467, etc. ; II, 423, etc.

EFFETS. Les effets mobiliers, les biens (terme de droit) : II, 148.

ÉGALER. Mettre sur le même plan : I, 543.

ÉGAYER, S'ÉGAYER (voir t. II, p. 129, note 2). Comporte à la fois l'idée de diversion par rapport à une visée principale, de dispersion, et l'idée d'agrément. L'accent est mis plus fortement sur l'un ou l'autre de ces éléments : 1) Sur le premier : II, 129, 148, 289, 524. - 2) sur le second : I, 256, 408 ; II, 123, 150, 226.

ÉMOTION. Émeute, sédition : I, 245, 305, 306, etc.

ÉMOUVOIR. Mettre en mouvement, agiter : I, 301, 526. Émouvoir le peuple, l'ameuter : I, 208, 304, etc.

EMPÊCHER. Embarrasser : I, 183, 193 ; II, 237.

EMPORTER. Entraîner : I, 393, II, 148, 191, 201, 205, 268. Notamment obtenir quelque chose ou entraîner l'adhésion de quelqu'un, après contestation : I, 247, 324, 328, 336, 419, 460, 473, 478, 521 ; II, 14, 56, 128, 508 (*Emporter* à la forme active, ne signifie, en aucun cas, *irriter* ; en revanche, *s'emporter,* à la forme pronominale, a bien le sens de *s'entraîner soi-même, se mettre en colère*).

ENCHANTER. Ensorceler : I, 476, 491, etc.

ENCHANTEMENT : I, 232.

ENVIE. Animosité, haine (latin

invidia) : I, 176, 179, 184, 189, etc.

ENVIER : I, 373.

ÉPOQUE. En chronologie, point fixe et déterminé dans le temps, servant de référence ; au fig. : II, 346.

ERREMENTS. Traces et, au fig., comportements habituels (sans nuance péjorative) : I, 227.

ERTE (à l'). Sur ses gardes (graphie déjà vieillie au XVIIᵉ s.) : I, 461 ; II, 32, 44, 81.

ESCADRONNER. Faire des évolutions de cavalerie. Au fig., « s'accorder, être d'intelligence avec » (Fur.) : II, 353.

ESCARMOUCHE (attacher l'). Engager une action (milit.) : I, 443, 503.

ESCOPETTERIE. Décharge d'armes à feu ; au fig. (fam.), applaudissements : II, 120.

ESPÈCE (un espèce de), au masc. lorsque le complément est masc. : I, 343, 369, etc.

ESPÈCES. En pharmacie, poudres qu'on mélange pour fabriquer les électuaires, selon des recettes gardées secrètes ; au fig., « brouiller les espèces », embrouiller les choses pour empêcher qu'on n'y voie clair : I, 315, 458 ; II, 66, 86, 213, 331.

ESTOMAC. Poitrine : I, 221.

ÉTABLISSEMENT. Position, avantages dans la société, fonctions, dotations importantes : I, 189, 224, 266, 346, etc.

ÉTAT. Position sociale, « degré ou condition des personnes distinguées par leurs charges, offices, professions ou emplois » (Fur.) : I, 182, 219, etc.

ÉTAT (faire état de). Se proposer de : I, 248, 277, 279, etc.

ÉTAU. Étal (vx) : I, 355.

ÉTONNER. Frapper de stupeur : I, 201, 203, 252, 295, etc.

ÉTONNEMENT. Stupeur : I, 202, 269, 428, etc.
(Mais ces mots ont souvent aussi la même acception qu'aujourd'hui.)

S'ÉTONNER. Prendre peur : I, 210, 293, 384, etc.

ÉVÉNEMENT. *Ce qui advient, issue, résultat.*

EXAGÉRER. Exprimer avec force, sans idée d'excès : I, 191, 211, 240, 297, 319, 379, etc.

EXAGÉRATION. Insistance : I, 544 ; II, 200.

EXPÉDITION. Copie légale d'actes de justice, qui leur permet de prendre effet : I, 261, 282 ; II, 52, 164, etc. - Au fig. ironiquement, exécution rapide : II, 104.

EXPÉDIER : II, 102.

EXPLIQUER. « Se dit aussi en parlant des divers sens qu'on donne à quelques paroles, en bien ou en mal » ; expliquer un arrêt, une déclaration : en préciser le domaine d'application : II, 386, etc.

EXTERMINER. Expulser hors des frontières : II, 409.

EXTRÉMITÉ. Caractère excessif, porté aux extrêmes : II, 513.

FABULEUX. Qui a le caractère d'une fable, fictif : II, 517.

FACILE. En parlant d'un homme, « avec qui il est aisé de traiter », accommodant : II, 450 (antonyme *difficile* : II, 538).

FACILITÉ. Caractère accommodant, complaisance (péj.) : I, 372, 373, 374, 504 ; II, 450.

FAÇONNER. Faire des façons : II, 129.

FACTEUR. Celui qui est chargé d'un négoce pour le compte d'un autre : II, 489.

FALOT. « Terme bas et populaire dont on se sert pour signifier impertinent, ridicule, plaisant, drôle » (Acad.) : II, 77.

FANTAISIE. Imagination ; idée fausse : II, 218, 238.

FANTASTIQUE. Imaginaire, chimérique : II, 250, 503.

SE FANTASIER. S'imaginer : II, 356.

FAUTEUR (de quelqu'un). Qui favorise, qui protège : II, 222, 308, 340.

FER (sur le). A l'ancre : II, 487.

FERME (faire). Tenir bon : I, 207, 310.

FERMER (se). S'arrêter, se résoudre (italianisme archaïque dès le XVIᵉ s.) : II, 266.

FÉROCE. Brutal : II, 27.

FIGURE. Image, représentation : I, 247, 371. - Figurant : I, 335.

FILET. Fil : II, 380, 527.

FILOUTAGE. Habitudes de filou (on ne trouve que *filouterie* dans Fur. et Acad.) : I, 288.

FIN. 1) Subtil, raffiné : I, 198, 373, 451, 487, etc. ; II, 480. - 2) Habile, rusé : I, 440 ; II, 20, 100, etc. - « Le fin de quelque chose » : ce qu'il y a de plus subtil : I, 375. - « Faire le fin de quelque chose à quelqu'un », le lui dissimuler : II, 182.

FINESSE. Subtilité, habileté : I, 482 ; II, 183. Ruse : I, 199 ; II, 60, etc. - « Faire finesse de », faire inutilement mystère de : II, 32, 85.

FINEMENT. Habilement : I, 542 ; II, 64, 86, 109, etc.

FINOTERIE. Usage maladroit de la ruse (seul ex. connu) : II, 504.

FOI. *Bonne foi, au sens moral et non religieux.*

FOND (donner). Jeter l'ancre, mouiller : II, 484, 485.

FONDER. Faire fonds : I, 479.

FORMIDABLE. *Redoutable.*

FOURBE (subst. fém.). La *fourbe* désigne la tromperie, la *fourberie* étant la disposition à tromper : II, 427.

FROTTADES. Action de frotter, d'étriller, au fig. (seul ex. connu) : I, 518.

FUREUR. *Folie furieuse.*

GALANT. 1) Aimable : I, 427 ; II, 481, 483 ; « galant homme », homme honnête et de bonne compagnie : II, 322, 401. - 2) Empressé auprès d'une femme : I, 261 ; II, 239, 240.

GALANTERIE. 1) Amabilité : II, 479, 480. - 2) Paroles ou actions touchant à l'amour : I, 233, 373, 391 ; II, 239, 483. - 3) Attachement amoureux, liaison charnelle : I, 225, 226, 230, 249, etc.

GALAMMENT. Élégamment : II, 134.

GARBE. Apparence d'une chose (Fur. le dit burlesque, mais c'est seulement ici un italianisme) : II, 474, 485.

GAUCHE (sur le pied). En attitude de combattre (t. d'escrime) : II, 539.

GÉNÉREUX. « Qui a l'âme grande et noble et préfère l'honneur à tout intérêt » (Fur.) : I, 180, 184, 192, etc.

GÉNÉROSITÉ. Grandeur d'âme : I, 187, 188, etc. ; II, 231, 245, etc.

GÉNIE. Ensemble des dons divers qu'un homme reçoit en naissant (sans idée d'excellence), nature : I, 197, 214, 244, 290, 329, etc.

GIROUETTERIE. (Seul ex. connu, fam.) : II, 61.

GLISSADE. Faux pas (emploi fig. non attesté ailleurs) : II, 406.

GLORIEUX. Vaniteux : I, 264.

GOURMER. Rudoyer : II, 240. - « Se gourmer », se battre à coups de poings (fam.) : I, 221. - « Gourmades », coups : II, 468.

GRAIN. Mesure de poids (0,532 gr.) très usitée dans les dosages pharmaceutiques. Dans les nombreux emplois figurés, au sens de *quantité infime,* subsiste toujours l'idée de *poids* : I, 239, 255, 322, 338, 348, 485, 527 ; II, 135, 306, 482.

GROS. Amas de troupes qui marchent ensemble : II, 230 ; au fig. « le gros de l'État » : II, 402. - « Le gros d'un arbre », sa circonférence maximale ; au fig. l'essentiel : II, 125, 189, 531.

GROSSIER. Antonyme de *fin,* au sens intellectuel : II, 73.

GUÉ (sonder le). « Tâcher de découvrir adroitement les sentiments de ceux dont on a besoin », pour faire réussir une affaire : I, 260.

HABITUDE (avoir). Avoir accès auprès de, familiarité avec : I, 242, 244, 249, 325, etc.

HABITUÉS. Prêtres attachés à une paroisse sans y avoir de charge spécifique : I, 367 ; II, 137.

HARDES. Vêtements (sans nuance péjorative) : II, 344.

HASARD. Risque : I, 468 ; II, 96, etc.

HASARDER. Risquer.

HAUSSE-COU ou HAUSSE-COL. Pièce d'armure qui couvrait la poitrine et les épaules (XV-XVIᵉ s.) : I, 318.

HAUSSE-PIED. Marche-pied (fam. au fig.) : I, 496 ; II, 176.

HEURE (tout à l'). Tout de suite : I, 419.

HONNÊTE. 1) qui a le sens de l'honneur ; qui est conforme à l'honneur : I, 199, 221, 242, 396, 456, etc. - 2) Poli, aimable : I, 353, 365, 366, 391, etc. HONNÊTE HOMME, expression participant de ces deux sens, avec dominante morale chez Retz : I, 224, 267, 268, 305, 370, etc.

HONNÊTEMENT. Avec dominante morale : I, 482. — Avec dominante sociale : I, 257, 420. — « Une lettre honnêtement folle », une lettre aussi folle que le permettait la bienséance : II, 49.

HOQUETONS. Archers de la police municipale, ainsi nommés d'après la casaque brodée qu'ils portaient : I, 317.

IMAGINATION. Représentation mentale, idée, illusion : I, 221, 236, 343, 410, 477, 519, 545 ; II, 167, 257, 432, 510. (Le sens actuel est également attesté).

IMAGE. Apparence : I, 183, 192, etc.

IMPÉRIALE (eau). « Espèce d'eau distillée sur plusieurs sortes d'herbes et d'épices » (Lit.) : II, 470.

IMPERTINENCE. Action ou parole déplacée, extravagante : I, 275, 326, 341, 354, etc. IMPERTINENT : I, 446, etc.

IMPROUVER. Désapprouver : II, 514.

INCAPRICIER (s'). S'engouer (fam., seul ex. connu) : II, 430.

INCESSAMMENT. Sans discontinuer : I, 300 ; II, 67.

INCIDENTER. Faire naître des incidents au cours d'un procès, chicaner : I, 548 ; II, 270, 460.

INCOMPATIBLE (esprit). Incapable de s'entendre avec les autres : I, 173.

INCORRIGIBILITÉ. Mot forgé par Retz, manque dans les dictionnaires) : II, 325.

INFLUENCES. Au sens astrologique : II, 58.

INNOCENT. Naïf : I, 300, 306, 326, etc. (également employé au sens actuel).
INNOCENCE : I, 324.

INQUIET. Incapable de rester en repos, instable : I, 196 ; II, 23, 527.
INQUIÉTUDE : I, 214, 525 ; II, 237.

INSINUATION. « Action par laquelle quelque chose entre doucement et insensiblement dans une autre » (Fur.). Au sens moral, sans valeur péjorative : I, 288, 374.
INSINUER. Couler, introduire doucement une idée dans l'esprit : II, 50.

INSULTE. Assaut, attaque : I, 317, 327, 411, 436, etc.
INSULTER : I, 332.

INTÉRESSER (s'). Prendre parti : I, 367 ; II, 228.

INTÉRIEUR. « Se dit figurément, en choses spirituelles, en parlant de l'âme et de la conscience » (Fur.) : I, 263 ; II, 464, etc.

INTERLOCUTOIRE. « On appelait ainsi un jugement préparatoire qui ne décidait point la question et se bornait à ordonner une plus ample information » ; au fig. : I, 355 ; II, 67, 249, 264.

INTRIGUER (s'). Se dépenser : II, 527.

INVOLUTION. Assemblage, imbrication : II, 151.

JOINTURE. « Adresse à trouver les joints, les opportunités des choses » (Lit.) : I, 369.

JOLI GARÇON. « C'est un joli garçon » se disait d'un jeune homme qui se distingue et se fait estimer, sans tonalité ironique : I, 221 ; II, 60.

JOUR. Moyen d'arriver à son but, facilité pour venir à bout d'une affaire : I, 260, 290, 338, 350, etc.

JOURNÉES. « Faire tant par ses journées », « faire en sorte par son travail, par ses soins, que... » (Acad.) ; expr. proverbiale toujours ironique chez Retz : I, 327 ; II, 128, 314, 326.

JUPE. Tenue d'intérieur : II, 118.

JUSTE. Précis, exact, pertinent (sens intellectuel et non moral) : I, 329, 393, 411, 430, 436, etc.
JUSTESSE. Rigueur, pertinence : I, 206 ; II, 84, 283.

JUSTICE (faire). Punir : I, 546. — « Se faire justice », se condamner soi-même quand on a tort : I, 430, 523.

LANTERNE. Loge fermée d'où l'on peut voir sans être vu ; au Parlement, tribune réservée aux gens de qualité : I, 543 ; II, 206.

LARGUE. Large, haute mer : II, 431.

LESTE. Bien équipé : I, 230, 247.

LIVRÉE. Costume des laquais servant de suite : I, 230. — Ces laquais : I, 367, 505, 518, etc.

— Au sg. collectif : I, 364 ; II, 213.

LOURDERIE. « Faute grossière contre le bon sens, la civilité ou la bienséance » (Acad. ; manque dans Fur.) : II, 360.

MACHINES. *Moyens mécaniques par lesquels sont produits, au théâtre, les effets donnant l'illusion du merveilleux.*

MAGNIFIQUE. Qui se plaît à faire de grandes et éclatantes dépenses : I, 196 ; II, 493.

MAIN. « Donner la main », distinction qui consiste à laisser la droite à quelqu'un en s'asseyant ou en marchant auprès de lui : I, 264 ; II, 324. — « Prendre la main », s'attribuer la préséance » : II, 492. — « Prétendre la main », la revendiquer : II, 353.

MAIN (terme de manège). « Gagner de la main », gagner de vitesse : II, 182, 188. — « Lâcher, abandonner la main à un cheval », lui lâcher la bride : I, 493 ; II, 467.

MAINS (donner les mains à). Approuver, concourir à : II, 524.

MAÎTRE. Soldat de cavalerie : II, 345.

MAÎTRESSE. Femme qu'on courtise : I, 222.

MALHONNÊTEMENT. Impoliment : II, 50.

MALICE. Méchanceté (vx) : I, 172, 274, 380 ; II, 151.

MALICIEUX : I, 173.

MALICIEUSEMENT ; I, 273 ; II, 44.

MALIGNITÉ. Disposition à faire le mal (sens fort) : I, 433.

MALIN : I, 444, 506.

MALIGNEMENT : I, 497.

MANIE. Folie : II, 238.

MANUTENTION. Maintien : II, 267.

MARQUER. Désigner (de façon défavorable) : II, 181, 217.

MATRASSER. « Assommer de coups » (Fur.) (de *matras,* trait d'arbalète, vx) : II, 421.

MÉCHANT. Mauvais, qui ne vaut rien dans son genre (peut qualifier à peu près tout) : I, 228, 309, 338, 424, 457, etc. — Avec acception morale : I, 264.

MÉCHANCETÉ (sens actuel) : I, 374.

MÉCONNAISSANCE. Ingratitude : I, 281, 510 ; II, 123.

MÉDIOCRE. Moyen, ordinaire (sans nuance péjorative) : I, 206, 239, 244, etc.

MÉDIOCRITÉ : I, 198, etc.

MÉLANCOLIQUE. Selon la théorie des humeurs, celui qui a la bile noire — triste ou fou : I, 266 ; II, 368.

MÉLANCOLIE : I, 227 ; II, 451.

MÉNAGE. « Se dit de la manière de vivre des gens mariés » (Fur.) : I, 232 ; II, 78.

MÉNAGER. Tempérer : II, 212. — Se ménager : se conduire avec adresse et circonspection, ne pas s'engager : II, 21, 232.

MÉNAGEMENT. Modération : II, 21.

MERCURIALES. Séances, habituellement tenues le mercredi, où le procureur général adressait un discours au Parlement pour lui rappeler ses devoirs : I, 453.

MINISTRE. Pasteur protestant : I, 249, 345.

MINUTER. Dresser par écrit (terme de droit) : II, 91.

MITONNER. Au fig., mitonner une affaire, « la disposer et la préparer doucement pour la faire réussir quand il sera temps » (Acad., fam.) : I, 461.

MOMERIE. Mascarade, avec accent mis non sur l'hypocrisie, mais sur le ridicule (mot fam. très employé au XVIe s. : « momerie d'États Généraux », dans la *Ménippée*) : I, 261.

MONITOIRE. Lettres qui s'obtiennent du juge d'Église et qu'on publie au prône pour obliger les fidèles à venir déposer ce qu'ils savent sous peine d'excommunication : II, 273.

MORGUER. « Braver par des regards fiers et méprisants » (Fur.) : II, 515.

MORTE-PAYE. Soldat dispensé de service et touchant malgré tout sa paie : II, 446.

MORTIER. Bonnet garni de fourrure du chancelier et des présidents au Parlement : II, 368.

MURMURATEUR. Celui qui murmure, qui se plaint (mot noble, attesté le plus souvent dans un contexte religieux — celui qui murmure contre Dieu —, ici fam.) : II, 539.

NACARAT. Rouge orangé : II, 13.
NÉCESSAIRE. Inévitable (sens latin).
NÉCESSITÉ. 1) État de choses inévitable : I, 184. — Indigence : I, 171, 172, 350.
NOTER. Marquer d'une manière défavorable ; étiqueter comme opposant : I, 256, 257, 499 ; II, 19, 196, 216.
NOURRIR. Élever, instruire.
  NOURRITURE. Éducation : II, 460.

OBSERVANTIN. Religieux de l'observance de saint François : II, 488.

ŒUVRE (hors d'). Personne ou chose « dont on peut se passer » (Acad.), qui n'a plus d'utilité : II, 27, 345.

OFFICE, OFFICIER. Voir *Note sur les Institutions*. — « En titre d'office », attitré : I, 246, 489, 529, etc.

OPINIÂTRER (transitif). Soutenir avec opiniâtreté : I, 275, 447, 466 ; II, 136.

OPINION. Avis motivé lors d'un vote au Parlement ou au Conseil : II, 39, 75, 122, 198, etc.

ORAISON. Discours (péj.) : I, 455 ; II, 525.

ORDINAIRE. Messager : II, 116.

OSTENSIVE (lettre). Lettre adressée à un particulier, mais faite pour pouvoir être montrée à des tiers : II, 305.

OUBLIER. Négliger intentionnellement : I, 247, 516, etc.
  NE PAS OUBLIER DE. Faire exprès de...
  NE PAS S'OUBLIER. S'activer : I, 362.

OUTRER. Pousser à bout.

PAIR (tirer du). Outre le sens de distinguer, mettre au-dessus des autres, qui a subsisté, cette expression avait celui de mettre hors de péril dans une circonstance dangereuse : I, 492, 536 ; II, 13, 72, 199.

PANTALON. Dans la comédie italienne, type de vieillard ridicule : I, 325 ; II, 105, 181.
  PANTALONNADE : I, 390.

PARAÎTRE (faire). Rendre manifeste.

PAROLE, au sens de provocation en duel : I, 513.

PARTI. 1) Troupe de gens de guerre qu'on détache pour battre la campagne : I, 380, 382, 383, etc. — « Prendre parti », s'engager : I, 200. — 2) *« Puissance opposée à une autre » (Fur.), groupe de gens ayant des intérêts communs. — 3) Convention pour la sous-traitance des impôts.*

PARTIALITÉS. Au plur., factions, divisions : II, 125, 324, 379. — Au sg. II, 358.

PARTISAN. Financier qui prend à ferme le recouvrement des impôts : I, 373, 381, etc.

PASSER. « Il passa à... » (impers.), indique au Parlement le résultat d'un vote : I, 386, 396, 398, etc.

PASSER (sur). Terme d'escrime, avancer brusquement sur l'adversaire du pied gauche, pour le prendre au corps et le désarmer : I, 220, 221.

PASSION. Tout sentiment violent, opposé à la raison : I, 211, 214, 329, 339, 459, 537, etc.

PATENTE. Lettre royale ouverte : II, 252 ; emploi fig. ironique : II, 218.

PÉDANT. 1) Celui qui enseigne les enfants ; 2) acception dérivée, impliquant à la fois suffisance et sottise : I, 227, 233, 250, 504 ; II, 239, 507.

PÉDANTERIE, PÉDANTISME. Formalisme étroit : I, 323, 409, 418.

PENSIONNAIRE. Qui touche une pension : I, 350 ; II, 17, 42, etc.

PÉRIODE (subst. masc.). Le plus haut point, le point critique : I, 193, 240, 290.

PÉRIPHRASER. Paraphraser : I, 461.

PICOTER. « Quereller sans aller jusqu'à la rupture ouverte » (Fur.) : I, 468 ; II, 77.

PICOTERIES : I, 279, 398, 466.

PILLER. Terme de vénerie : en parlant des chiens, se jeter sur les bêtes et les déchirer : II, 478,

486 ; au fig., déchirer en paroles : I, 396, 468.

PLANER. Au fig., « restreindre son allure, comme l'oiseau qui plane » (vx), se tenir à l'écart de la mêlée : I, 397, 525.

PLATINE. Ensemble des pièces métalliques constituant le dispositif de mise à feu dans un pistolet : II, 467.

PLEUREUX. Fam. et péj. pour *pleureur* : II, 94.

POINTILLE. « Chose vaine et légère » (Fur.) : II, 368.

POINTE. Vol en flèche pour un oiseau ; au fig. : I, 525.

POINTE (suivre ou pouser sa). Terme militaire : aller de l'avant ; au fig. : I, 230, 255 ; II, 190, 400.

POLICE. Administration : I, 359, 404, etc.

PONT D'OR. « Il faut faire un pont d'or à ses ennemis, c-à-d. il faut, quand ils s'enfuient, leur donner la facilité de se sauver et ne pas les réduire au désespoir » (Lit.) I, 487, 493, etc. — « Grand avantage qu'on fait à quelqu'un pour obtenir quelque chose de lui » : II, 434.

POUDRE. Poussière : I, 323.

POULET. Billet doux : I, 390.

POUSSER. Au sens militaire, attaquer : I, 298, 315, 325, 331, etc.

PRATIQUE. En droit maritime, liberté de communiquer avec un port, qu'on donne ou refuse aux navires étrangers en cas d'épidémie : II, 482.

PRATIQUE (adj.). Qui a l'expérience de : II, 519.

PRATIQUER. Corrompre, suborner (vx) ; se rencontre dans *Fiesque* seulement : I, 201, comme le subst. corresp. PRATIQUE : I, 175.

PRÉCIEUSE. Qui tient les galants à distance : I, 249 ; II, 310.

PRÉOCCUPÉ. Dont l'esprit est occupé d'avance par une opinion préconçue : I, 346, 547 ; II, 504.

PRÉOCCUPATION : I, 302, 376 ; II, 177, 184, etc.

PRÉOPINANT. Au Parlement, celui qui opine avant, selon l'ordre du règlement : II, 108.

PRIMER. Au jeu de paume, devancer, prendre l'initiative : II, 182, 364, 448.

PRISES (avoir des prises avec). Se quereller : I, 336.

PROCÉDÉ, au sens de préliminaire de duel entre gens d'épée : I, 513.

PRODUIRE. Faire paraître au grand jour : I, 188, 191 ; proposer : II, 20.

PROGRÈS. Avantage, résultat : II, 409.

PRÔNER. Faire un sermon. Au fig. 1) faire des remontrances : I, 409, 497 ; II, 235, 427. — 2) Vanter avec excès (péj.) : I, 502 ; II, 241.

PRÔNERIES. Action de prôner au sens 1 (seul ex. connu) : I, 226.

PROTECTEUR. A Rome, cardinal chargé des intérêts d'une puissance étrangère : I, 178 ; II, 494, etc.

PROVINCE. Subdivision administrative ecclésiastique : I, 273, 282.

QUARTIER. 1) Lieu de cantonnement d'un corps de troupe ; ce corps lui-même : I, 380 ; II, 331. — 2) Temps — en principe un quart d'année — pendant lequel un officier est en service :

II, 235, 438, etc. ; au fig. II, 428.

QUATRE (se faire tenir à). Opposer une vive résistance : I, 369.

QUITTER. Céder : I, 548, 549, etc.

RACCOURCIR (son épée). La tenir de façon à frapper de plus près : I, 221.

RAFRAÎCHISSEMENT. Au pr., mets, boissons, présents offerts pour honorer un hôte : II, 479, 481 ; au fig., consolation : I, 475 ; II, 171, 326.

RAVAUDER. Raccommoder, rafistoler (fam.) : II, 337.

RAVELIN. Fortification en demi-lune : II, 459, 462.

RECHERCHER (quelqu'un). 1) Lui faire des avances, lui proposer le mariage : II, 127 (subst. corr. RECHERCHE : II, 242) ; lui proposer le cardinalat : II, 305. — 2) Le poursuivre en justice : I, 236, 453 ; II, 19.

RECHIGNEMENT. Action de rechigner (peu usité) : II, 57.

RÉCITER. Raconter, faire un récit : I, 219.

RÉCOMPENSE. Compensation (notamment, dédommagement offert à celui qui se démet d'une charge) : I, 273, 462, 491, etc.

RÉCOMPENSER. Compenser : I, 374 ; II, 12, 13, 141, etc.

RECORDER (quelqu'un). Lui faire répéter sa leçon : II, 97.

RECTIFIER. En chimie, rendre pur ; au fig. rendre légitime, corriger : I, 390, 526 ; II, 119, 127, 185.

REFROGNÉ. Vx mot poir *renfrogné* : II. 531.

REGISTRER. Enregistrer (vx, t. de droit) : I, 396 ; II, 271.

RÉGLÉ. 1) Soumis à des règles : I,

249, 284, 323, 395, 468, 527 ; II, 60, 346, etc. — 2) Régulier : I, 207 ; II, 88, etc.

RÉGLÉMENT. Régulièrement : I, 381 ; II, 14, 149, etc.

RELEVÉE. Après-midi : I, 295.

RELEVER (un navire). 1) Le remettre à flot après échouage : II, 486. — 2) S'agissant de l'équipage, s'en rendre maître par une mutinerie : I, 208 ; II, 486.

RELIGION. 1) Couvent : I, 258. 2) *La Religion,* la religion réformée : I, 267. — 3) Au sens moral (très fort), scrupule : I, 254, 287, 288, 306 ; II, 277, 433.

RELIGIEUX. Scrupuleux : I, 248.

REMARQUER. Faire observer : I, 546.

REMBARRER. A la guerre, empêcher les ennemis de franchir les barrières où l'on s'est retranché ; au fig., se défendre vigoureusement (moins fam. que de nos jours) : I. 398.

REMETTRE. T. de droit, réclamer, redemander . I, 366, 387.

RÉPÉTER. T. de droit, réclamer, redemander . I, 366, 387.

REPLÂTREUX. Au fig. celui qui répare, qui apaise les dissentiments (fam.) : I, 414.

REPRÉSENTER (en justice). Faire comparaître : II, 276, 351.

REPRÉSENTATION. Image, figure : II, 498. — Figurant : I, 454 ; II, 85.

RÉPROUVÉ (sens). Erreur, aveuglement auxquels Dieu abandonne les pécheurs ; au fig., hyperbole pour *erreur* : I, 307 ; II, 73.

RESPECT. Considération, égard : II, 429.

RESPIRER (après). Aspirer à : II, 383.

RESSENTIR (se). Manifester du ressentiment : I, 508.

RETENTUM. « Article que les juges n'exprimaient pas dans un arrêt, mais qui ne laissait pas d'en faire partie et d'avoir son exécution » : I, 400 ; II, 341.

RETOUR. Retour en arrière : I, 344, 479. Esprit de retour, désir de revenir à une situation antérieure : I, 402, 406. — Retour offensif : II, 295.

RETRANCHEMENT. Réduction de dépense : I, 352 ; II, 520.

RÊVER. « Appliquer sérieusement son esprit à raisonner sur quelque chose » (Fur.) : II, 134, 174, 186, etc.

RÊVEUR : II, 237.

RÊVERIE : II, 238.

RÉVOLUTION. « Changement dans les affaires publiques, dans les choses du monde, dans les opinions » (Acad.) : I, 193, 240, 244, 290, 291, 323, 339, 344, 410, 526 ; II, 253, 282, 364, 372, 381, 405, 535.

RHABILLEUR. Ouvrier qui rhabille, c.-à-d. raccommode (au XVIᵉ s., chirurgien qui répare une fracture) ; fam. au fig. : II, 31.

RUELLE. Partie de la chambre d'une dame où sont les sièges pour les visiteurs : I, 223, 231.

RUINER. Abattre, détruire : I, 480, 521 ; II, 61, etc.

RUINEUX. Désastreux : I, 363, 471 ; II, 256.

SAUVER. Épargner : I, 426, 480.

SEMBLANT. « Ne pas faire semblant de... » : faire semblant de ne pas... : I, 255, 311, 326, etc.

SENTIR (se). « Connaître, apercevoir en quel état, en quelle disposition on est » : I, 290, 471 ; II, 359.

SERRÉ. Au trictrac, jeu où ne se

découvre pas ; au fig., qui se tient à couvert : I, 237.

SIFFLER (quelqu'un). Lui faire la leçon (fam.) : I, 225, 275, 361 ; II, 70.

SOLDAT. Employé comme qualificatif, dénote la bravoure, par opposition aux qualités de commandement : I, 374, 489.

SOLLICITER. Presser, activer des démarches : II, 42, 92, 469.
SOLLICITEUR : I, 282.

SORTABLE. Qui convient : II, 158.

SOURIS. Sourire (toujours ironique) : I, 230, 275, 311 ; II, 121, 140.

SOUS-MAIN. Subst., manœuvre secrète : II, 119, 246.

SPÉCIEUX. Qui a belle apparence : I, 299, 407, 472 ; II, 73, 102, 297.
SPÉCIEUSEMENT : II, 442.

SPÉCULATION. Pensée, idée abstraite (par opp. à *pratique*) : I, 236, 271, etc.
SPÉCULATIF : II, 356.

STAMPE. Estampe (italianisme) : I, 232.

SUBORDINÉMENT. « Par une suite nécessaire » (Fur.) : II, 509.

SUCCÈS. Issue, résultat (bon ou mauvais) : I, 192, 195, 214, 240, 247, etc.
SUCCÉDER. Avoir pour issue : II, 355. Réussir : II, 335.

SUPPOSER. « Mettre une chose à la place d'une autre par fraude » (Fur.) : I, 499 ; II, 245, 475.
SUPPOSITION. Fausse allégation : I, 528.

SURSÉANCE. Action de surseoir, délai : II, 370.

SURVIVANCE. Terme de droit, privilège accordé à quelqu'un pour succéder à un autre dans une charge : I, 176, 337, 524, etc.

TABERNACLE. Sur un navire, château arrière, où se trouve le poste de commandement : II, 487.

TEMPÉRAMENT. 1) En physiologie, équilibre des humeurs, modération : II, 67, 264. — 2) Ménagement, concession : I, 426, 549 ; II, 75, 95, 100, 296.
TEMPÉRÉE (monarchie). Monarchie régie par des règles : I, 283.

TIMIDE. Timoré, poltron : I, 181, 189, 308, 320, 346, etc.
TIMIDITÉ. I, 328, 374, etc.

TOPER. Consentir (terme bas) : I, 427.

TOUTEFOIS. Toutes les fois que... : I, 287.

TRAITAILLER. Fréquentatif et diminutif de *traiter*, péj. (seuls ex. connus) : I, 489 ; II, 409.

TRANCHÉE (ouvrir la). Terme militaire, commencer à faire des lignes d'approche ; fig. : II, 68, 108.

TRAVAUX. Entreprise pénibles et glorieuses (registre noble) : II, 542.

TRAVERS. Bizarrerie d'humeur, esprit contrariant : I, 325 ; II, 514, 540.
TRAVERSER. Contrarier : I, 202, 260, 261 ; II, 20, 84, etc.

TUMULTE. Agitation spontanée et sans ordre : I, 354 ; II, 132, 349.
TUMULTUAIRE : I, 319, 397.
TUMULTUAIREMENT (se réunir). Sur-le-champ, sans convocation préalable, ni respect des formes (sens latin) : I, 528 ; II, 37.

TURQUESQUE. Fém. de *turc* : II, 485.

VACATIONS. Vacances : I, 292, 325, etc.

VADE. « Somme avec laquelle un des joueurs ouvre le jeu » ; au fig. « y être pour son vade », avoir engagé sa mise dans une affaire, y prendre part : II, 395.

VAUDEVILLE. « Chanson que le peuple chante et qui court les rues » (Fur.), « dont les paroles sont faites sur quelque aventure ou quelque intrigue du temps » (Acad.) : I, 525.

VEDETTE. Cavalier posté en sentinelle : II, 88.

VENT. « Gagner le vent à un navire », se mettre entre lui et le lieu d'où le vent souffle, pour le rattraper : II, 472. — « Sous vent » ou « sous le vent », du côté opposé à celui d'où vient le vent : II, 484.

VENTRE ou PETIT-VENTRE. Estomac ou bas-ventre : I, 225.

VERBALISER. Faire de grands discours inutiles, ergoter (vx) : II, 523.

VERVE. Caprice, fantaisie : II, 27.

VESTIGES. Traces (registre noble) : II, 391.

VÉTILLER. Discuter sur ou s'occuper de vétilles : II, 168, 434.

VILAIN. Roturier, bas : I, 288.

VISIÈRE (rompre en). Terme de tournoi, attaquer, contredire brusquement, en face : II, 126.

VISION. Chimère, illusion : I, 363 ; II, 24, 238, 427, 430, 436, 455.

VOILES (brouiller ses). Les replier pour donner moins de prise au vent (les dictionnaires portent *embrouiller*) : II, 474.

VOLÉES. Manière de prendre la balle au jeu de paume ; au fig., visées, espérances : II, 428.

INDEX DES NOMS DE PERSONNES

L'index des noms de personnes peut servir de dictionnaire biographique élémentaire. Sur chaque personnage sont fournis les renseignements essentiels, dans la mesure où on les connaît.

L'orthographe a été uniformisée et modernisée. Deux exceptions cependant : le cas des noms constituant, plutôt qu'une graphie particulière, une véritable variante du nom usuel (ex. : Varicarville *pour* Valliquierville, *ou* Senneterre *pour* Saint-Nectaire*) ; le cas des noms propres étrangers, dont la graphie reproduit chez Retz, selon l'usage du temps, la prononciation (ex. :* Grem *pour* Graham *ou* Pancirolle *pour* Panziroli*). Dans ces deux cas, on a conservé la graphie de Retz et fait figurer à la suite, entre crochets, la forme qui est employée aujourd'hui.*

Les personnages d'une même famille ont été classés, non par ordre alphabétique de leurs prénoms — car le XVIIᵉ siècle en usait peu —, mais, selon la pratique des anciens dictionnaires, par ordre généalogique : ce qui permet de repérer plus aisément les filiations et les transmissions de titres.

Les membres des grandes familles apparaissent sous leur patronyme (Bourbon, Lorraine, etc.). Comme ils sont souvent désignés dans les Mémoires *par leurs titres ou leurs fonctions, ces dénominations figurent également à l'Index, assorties de renvois. Quand il peut y avoir hésitation sur l'identité de l'un d'eux, notamment pour les titres ou les fonctions transmissibles, le renvoi fournira les données chronologiques permettant de les distinguer.*

Les femmes figurent soit sous leur nom de naissance, soit sous celui de leur mari, suivant la manière dont elles sont désignées dans les Mémoires. *Quand elles apparaissent sous les deux identités successives, il y a renvoi de l'une à l'autre.*

Les évêques sont désignés dans le texte des Mémoires *tantôt par leur nom, tantôt par celui de leur siège. Ex. :* Monsieur de Châlons *(Monsieur étant toujours écrit dans ce cas en toutes lettres). Ils figurent à l'Index sous les deux dénominations, avec renvoi du nom du siège au patronyme.*

Les auteurs d'œuvres littéraires citées dont le nom ne figure pas dans le texte des Mémoires *apparaissent en majuscules italiques. Les personnages fictifs sont en minuscules italiques.*

Pour alléger, on n'a pas précisé de Paris, pour le Parlement ou pour Notre-Dame. De même, conseiller aux Enquêtes *est mis pour* aux Enquêtes du Parlement de Paris.

S'agissant des personnages qui jouent un rôle considérable dans les Mémoires, *on a renoncé à distribuer entre différentes rubriques toutes les occurrences de leur nom, ce qui eût conduit, soit à une répartition assez arbitraire, soit à de très lourdes répétitions. D'autres moyens de repérage — chronologie, dates figurant à côté des titres courants, table — permettent de remonter sans peine aux passages évoquant leur participation à des événements. L'index des noms se contente donc de citer, dans l'ordre, les pages où ils interviennent. On a pensé, en revanche, qu'il pouvait être utile de retrouver rapidement les pages comportant des indications psychologiques importantes : elles sont signalées à l'attention par l'emploi de caractères gras.*

Your Barbican customer number is

1623392

Please quote this when making future bookings.

Prof Michael Moriarty
120 Kyverdale Road
London
United Kingdom
N16 6PR
N16 6PR

LSO St Luke's
UBS and LSO Music Education Centre

LSO St Luke's
UBS and LSO Music Education Centre

Make sure you're signed up to receive the latest information on performances and events at LSO St Luke's.

Join the LSO St Luke's mailing list by registering online at **lso.co.uk/stayinformed** or call **0845 60 60 888**

INDEX DES NOMS DE LIEUX

L'orthographe des noms de lieux a été, comme celle des noms de personnes, modernisée. On a cependant conservé la graphie de Retz pour les noms étrangers, qu'il francisait, selon l'usage de son temps ; la graphie de la langue originale est alors placée à la suite, entre crochets. On a fait de même pour des lieux dont la dénomination a changé, par exemple MOURON [SAINT-AMAND-MONTROND].

Les renseignements d'ordre géographique sont fournis en fonction du système de références actuel (départements, arrondissements). Pour les localités de la région parisienne, on a donné aussi leur orientation par rapport à la capitale, pour aider à l'intelligence des manœuvres militaires. Afin d'alléger au maximum, on s'est dispensé de spécifier la localisation des provinces, fleuves, villes, etc. très connus.

Pour la même raison, il est entendu que sont situés à Paris les rues, monuments, hôtels, etc. dont la localisation n'est pas précisée. Dans le cas contraire, la ville est indiquée.

Enfin on a renoncé à faire figurer dans l'Index la France et Paris, dont les occurrences sont beaucoup trop fréquentes pour être utilisables.

INDEX THÉMATIQUE

Cet index, de dimensions modestes, voudrait surtout fournir des suggestions. Les rubriques ont été choisies, de façon délibérée, dans des domaines divers. Certaines sont attachées à des mots, dont le relevé peut être exhaustif (par exemple : personnage) *ou constituer seulement un échantillonnage significatif (par exemple :* vérité). *D'autres correspondent à l'apparition de certains thèmes ou de certaines démarches du narrateur, qui nous ont paru importants.*

TABLE ANALYTIQUE
DES MÉMOIRES

Tome I.

282). Panorama d'histoire sur l'évolution de la monarchie en France (283-286). Parallèle entre Richelieu et Mazarin (286-290). Débuts du conflit entre le Parlement et la cour (290-300). Le coup de force du 26 août 1648 (arrestation de Broussel) et les barricades (300-326). Séjour de la Reine à Rueil (327-336), suivi d'une victoire, toute provisoire, du Parlement (336-341). Retz débat de la situation avec Condé (341-348). Ralliement d'une partie de la noblesse à la Fronde (348-353). Fuite de la Reine et du Roi, qui s'installent à Saint-Germain ; début du siège de Paris ; organisation de la défense (353-370). Galerie de portraits (371-377). Le Parlement refuse de recevoir un héraut de son Roi (384-387), mais accueille un envoyé du roi d'Espagne (387-401). Retz et M. de Bouillon analysent la situation ; annonce du ralliement de Turenne à la Fronde (401-413). Conseil de Fronde chez M. de Bouillon (416-420). L'armée des Frondeurs sort de Paris (423-425). Discussions sur la négociation avec l'Espagne (427-446). Conférence de Rueil et débats au Parlement ; paix de Rueil (446-469). Défection de l'armée de Turenne ; mesures à prendre pour y faire face (470-489). Négociations des Frondeurs avec la cour pour leur « accommodement » (490-502). Début de la liaison de Retz avec Mlle de Chevreuse (502-504). Il continue, en compagnie de quelques autres, de « fronder » (505-515). Il se rend à Compiègne pour solliciter le retour du Roi, qui rentre en effet à Paris (515-518). Condé signe avec Mazarin un traité secret, qui le rend tout puissant ; il est plus arrogant que jamais (518-522). Affaire des « tabourets » (523-524). Attentat simulé contre Joly (528-530) ; coups de feu tirés contre le carrosse de Condé et mise en accusation de Retz et de ses amis (530-550).

Fin du premier volume (30 décembre 1650)

Tome II.

Seconde Partie (suite : 1ᵉʳ janvier 1651).

Entretiens secrets de Retz avec la Reine, pour une alliance de la vieille Fronde et de la cour contre Condé (9-14). Arrestation des Princes et soulèvement de la noblesse en leur faveur (14-18). « Paix fourrée » entre Retz et Mazarin (23-27). Guerre de Bordeaux, troubles à Paris (28-51). Retz conseiller du duc d'Orléans (51-52). Paix de Bordeaux (58-61). Retz fait solliciter le cardinalat pour lui par Mme de Chevreuse, qui essuie un refus (62-76). Retz négocie avec la Princesse Palatine l'union de la vieille Fronde et du parti condéen, tandis que l'agitation continue au Parlement et dans la rue (78-105). Retz, accusé par la cour devant le Parlement, pare le coup (108-111). Fuite de Mazarin ; la Reine ne peut le suivre, retenue à Paris avec le Roi par les Frondeurs (112-121). Libération des Princes (121). Début de la mésentente entre Condé et Retz ; Condé rompt avec la vieille Fronde pour se rapprocher de la Reine ; Retz se tient à l'écart (122-137). La Reine, excédée par les exigences de Condé, reprend contact avec Retz : entretiens nocturnes où il s'engage à la servir contre le Prince (138-148). « Guerre des pamphlets » (149-150). Nouveaux entretiens entre Retz et la Reine (150-161). Condé se retire à Saint-Maur ; indécision de Gaston d'Orléans (161-169). Retz sert d'intermédiaire entre ce dernier et la Reine ; affaire de l'exclusion des « sous-ministres » (169-209). Retz dispute le pavé à Condé ; affrontement au Parlement, où il manque périr (209-237). La « comédie de la Suissesse » (237-241). Majorité du Roi ; guerre dans les provinces (243-253). La Reine a quitté Paris, et se trouve libre de rappeler Mazarin (253-259). Attentats contre Retz (260-263). Les « contretemps » du Parlement et le projet de « tiers-parti » (265-303). Retz cardinal (303-310). Guere dans les provinces, prise d'Orléans par Mademoiselle, combat de Bléneau (310-320). Embarras du nouveau cardinal (323-326). Condé menace Paris ; combats en Ile-de-France (326-342) ; anarchie croissante (345-

360). Combat du Faubourg Saint-Antoine (361-362). Émeute et incendie de l'Hôtel de Ville (363-368). La cour reprend peu à peu le contrôle des provinces (368-376). Retz s'interroge sur le rôle qu'il pourrait jouer désormais (376-383). Il se rend à Compiègne à la tête du clergé pour solliciter le retour du Roi à Paris et négocier l'accommodement de Gaston d'Orléans (383-398) ; c'est un échec ; Retz en débat avec Gaston d'Orléans ; irrésolution de ce dernier (398-411), qui capitule. Fin de la Fronde à Paris (411-426).

Inquiétudes de Retz pour sa sûreté (430-438). Il est arrêté et emprisonné à Vincennes (438-458), puis transféré à Nantes (458-465). Évasion : de Nantes à Saint-Sébastien (465-474). Traversée de l'Espagne (475-482). D'Espagne en Italie, par mer (482-489).

Troisième Partie.

Retz est accueilli en Italie et s'installe à Rome (491-496). Conclave (496-518). Position délicate de Retz à Rome ; ses relations avec le pape Alexandre VII (518-534). Difficultés financières et domestiques (535-540) ; utilité des *Mémoires* pour les enfants de la destinataire (537 et 540). Difficultés soulevées par l'administration du diocèse de Paris (540-552). Réflexions sur l'ingratitude (552-556).

TABLE DES PLANS
ET ILLUSTRATIONS

TABLE DES MATIÈRES

TOME SECOND

67 imperptble thts
79 machinery
129

Aubin Imprimeur
LIGUGÉ, POITIERS

Achevé d'imprimer en mai 1987
Nº d'édition 3397 / Nº d'impression L 23308
Dépôt légal, mai 1987
Imprimé en France

photocomposition réalisée par

nord compo

59650 Villeneuve-d'Ascq. 20.91.01.32